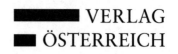
VERLAG
ÖSTERREICH

Hellwig Torggler
Florian Mohs
Friederike Schäfer
Venus Valentina Wong
Herausgeber

Handbuch Schiedsgerichtsbarkeit

Deutschland – Österreich – Schweiz

2. Auflage

2017

Handbuch

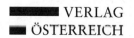
Schulthess §

Hon.-Prof. DDr. Hellwig Torggler, LL.M. (SMU)
Torggler Rechtsanwälte

Dr. Florian Mohs, LL.M.
Pestalozzi

Friederike Schäfer
International Chamber of Commerce (ICC)

Dr. Venus Valentina Wong, Bakk. phil.
Wolf Theiss Rechtsanwälte

Zitiervorschlag:
Autor(en) in H. Torggler et al (Hrsg), Handbuch Schiedsgerichtsbarkeit[2] Rn

© 2017 Verlag Österreich GmbH, Wien
www.verlagoesterreich.at

Gedruckt in Deutschland

Satz: büro mn, Bielefeld, Deutschland
Druck: Strauss GmbH, 69509 Mörlenbach, Deutschland

Gedruckt auf säurefreiem, chlorfrei gebleichtem Papier

Bibliografische Information der Deutschen Nationalbibliothek
Die Deutsche Nationalbibliothek verzeichnet diese Publikation
in der Deutschen Nationalbibliografie; detaillierte bibliografische Daten
sind im Internet über http://dnb.d-nb.de abrufbar.

ISBN 978-3-8487-3635-5 Nomos Verlag
ISBN 978-3-7255-7667-8 Schulthess Verlag
ISBN 978-3-7046-7403-6 Verlag Österreich

Vorwort

Im Vorwort der noch von *Hellwig Torggler* als Alleinherausgeber betreuten 1. Auflage des „Praxishandbuchs Schiedsgerichtsbarkeit" hieß es: *„Die Idee zur Schaffung dieses Praxishandbuchs der Schiedsgerichtsbarkeit für den deutschsprachigen Raum stammt von Herrn Dr. Maximilian Burger-Scheidlin, dem Geschäftsführer der ICC Austria. Es sollte ein Werk zustande kommen, das Firmenjuristen, interessierten Angehörigen rechtsberatender Berufe sowie angehenden oder auch schon etablierten Schiedsrichtern einen praxisorientierten Überblick über die nationale und internationale Schiedsgerichtspraxis und andere Methoden der alternativen Streitbeilegung bietet."* Diesem Zweck ist diese genau zehn Jahre später erscheinende 2. Auflage nach wie vor verpflichtet.

Seit der 1. Auflage hat es auf dem Gebiet der Schiedsgerichtsbarkeit sowohl auf nationaler als auch auf internationaler Ebene bedeutende Entwicklungen gegeben, von denen hier nur wenige exemplarisch genannt werden können: die Revision des österreichischen Schiedsrechts im Jahr 2013 und des Schweizer internen Schiedsrechts mit der eidgenössischen ZPO im Jahr 2011, die Revision der ICC Schiedsgerichtsordnung 2012 und deren Ergänzung 2017, die Revision der Swiss Rules 2012 und der Wiener Regeln 2013, einer allmählich sich vollziehenden Konvergenz der nationalen Praktiken durch Übernahme anglo-amerikanischer Gepflogenheiten auch im deutschsprachigen Raum (zB *document production, witness statements, cross examination*), sowie einer ständig weitergreifenden Regulierung durch Regelwerke verschiedenster Herkunft und Bedeutung (zB *IBA Rules on the Taking of Evidence*). Diesen Entwicklungen trägt die Neuauflage systematisch wie inhaltlich Rechnung. Die Neuauflage ist durch die erforderlichen Anpassungen in Aufbau und Umfang, aber auch mit ihren neu justierten Schwerpunkten (stärkerer rechtsvergleichender Fokus bei Gleichbehandlung der drei deutschsprachigen Jurisdiktionen) ein im Wesentlichen neues Buch geworden, das nun wegen seines erweiterten Umfangs in der Reihe „Handbücher" des Verlag Österreich erscheint.

Von den AutorInnen, die Beiträge zur ersten Auflage geliefert haben, sind die meisten dem Werk treu geblieben, doch hat sich die Anzahl der Mitwirkenden von dreißig auf vierzig erhöht. Dabei wurde der ursprüngliche Fokus des Buchs auf die deutschsprachigen Länder Deutschland – Österreich – Schweiz, der nun auch im Untertitel zum Ausdruck kommt, dadurch verstärkt, dass die Bearbeitung solcher Themen, bei denen die jeweilige nationale Rechtslage in den drei Staaten erheblich abweicht, AutorInnen aus jeder dieser Jurisdiktionen gemeinsam anvertraut wurde. Das findet nun in einer erheblich verbreiterten und vertieften Ausarbeitung derartiger Themen seinen Niederschlag.

Diese Schwerpunktsetzung findet auch in der Zusammensetzung des Herausgeberteams ihren Ausdruck, in dem die als MitherausgeberInnen hinzu getretenen SchiedsrechtsexpertInnen *Florian Mohs, Friederike Schäfer* und *Venus Valentina Wong* es übernommen haben, ein besonderes Augenmerk auf die ihr jeweiliges Heimatland betreffenden Ausführungen der einzelnen Beiträge zu legen.

Die Berücksichtigung von einzelnen Regelungen in den Verfahrensordnungen institutioneller Schiedsorganisationen wurde – nicht zuletzt um den Umfang des Werkes nicht zu sprengen – auf jene der in den Schwerpunktländern Deutschland – Österreich – Schweiz bestehenden wichtigsten Schiedsinstitutionen, also der DIS, des VIAC und der Swiss Chambers' Arbitration Institution beschränkt, wobei die Besonderheiten der jeweiligen Schiedsordnung im Vordergrund stehen. Daneben wurde auch die Schiedsgerichtsordnung des ICC Schiedsgerichtshofs als der international bedeutendsten Schiedsinstitution berücksichtigt.

Allen AutorInnen sei an dieser Stelle herzlich für die bereitwillige Umsetzung der Vorstellungen der HerausgeberInnen und dem Verlag Österreich für seine anhaltende Unterstützung bei dem nicht leichten Unterfangen gedankt, ein Werk dieser Art mit einer Vielzahl von AutorInnen aus der Schiedspraxis rechtzeitig fertig zu stellen. Besondere Anerkennung und großer Dank gebühren *Lukas Wedl* für seinen unermüdlichen Einsatz bei der redaktionellen Betreuung dieses Buchprojekts, das ohne seinen Fleiß und seine Beharrlichkeit nicht plangemäß realisiert worden wäre.

Hellwig Torggler / Florian Mohs / Friederike Schäfer / Venus Valentina Wong

Inhaltsübersicht

VIII

Inhaltsverzeichnis

XV

XVI

6. Kapitel
Zuständigkeit *(Schütze/Kratzsch/Schumacher/Jaisli Kull)* 279

XXVIII

Abkürzungsverzeichnis

aA	andere Ansicht
AAA	American Arbitration Association, www.adr.org
aaO	am angegebenen Ort
ABA	American Bar Association, www.abanet.org
abl	ablehnend
ABl	Amtsblatt der Europäischen Union
Abs	Absatz
ACICA	Australian Centre for International Commercial Arbitration
ACICA Rules	Schiedsordnung des ACICA
ADR	Alternative Dispute Resolution
ADRLJ	Arbitration and Dispute Resolution Law Journal (Zeitschrift)
aE	am Ende
AEUV	Vertrag über die Arbeitsweise der Europäischen Union
aF	alte Fassung
AG	Aktiengesellschaft
AGB	Allgemeine Geschäftsbedingungen
AHK	Allgemeine Honorarkriterien
allg	allgemein
Alt	Alternative
aM	anderer Meinung
amtl	amtlich, -e, -er, -es
Anm	Anmerkung
AnwBl	(österreichisches) Anwaltsblatt
ArbInt	Arbitration International (Zeitschrift)
arg	argumento (folgt aus)
Art	Artikel
AS	(Amtliche) Sammlung der eidgenössischen Bundesgesetze und Verordnungen
ASA	Swiss Arbitration Association, www.arbitration-ch.org
ASA Bulletin	Informationszeitschrift der ASA (vierteljährlich)
ATS	österreichischer Schilling
Aufl	Auflage
AYIA	Austrian Yearbook on International Arbitration
B	Beschluss
BATNA	best alternative to no agreement
BayObLG	Bayerisches Oberstes Landesgericht (bis 2006)
bbl	Baurechtliche Blätter (Zeitschrift)
Bd	Band

BeckRS	Elektronische Entscheidungsdatenbank in beck-online
BG	Bezirksgericht; Bundesgesetz
BGBl	Bundesgesetzblatt
BGE	Entscheidungen des Schweizer Bundesgerichts
BGer	(schweizerisches) Bundesgericht
BGH	(deutscher) Bundesgerichtshof
BGHE	Sammlung der Entscheidungen des BGH
BGHZ	Sammlung der Entscheidungen des BGH in Zivilsachen
BIP	Bruttoinlandsprodukt
BIT	Bilateral Investment Treaty
BJIL	Berkeley Journal of International Law (Zeitschrift)
BlgNR	(österreichische) Beilagen zu den stenografischen Protokollen des Nationalrats
Brüssel Ia-VO	siehe EuGVVO
bspw	beispielsweise
BT-Drs.	Deutscher Bundestag – Drucksachen
BudBG	(österreichisches) Budgetbegleitgesetz
bzgl	bezüglich
bzw	beziehungsweise
ca	circa (ungefähr)
CAMCA	Commercial Arbitration and Mediation Centre for the
CAS	Court of Arbitration for Sport (Internationaler Sportgerichtshof)
CCBE	Council of Bars and Law Societies of Europe
CDB	Combined Dispute Board
CFO	Chief Financial Officer
CIArb	Chartered Institute of Arbitrators
CIETAC	China International Economic Trade and Arbitration Commercial Contracts Commission, www.cietac.org.cn/index_english.asp
CIETAC Regeln	CIETAC Schiedsordnung
CISG	UN Convention on Contracts for the International Sale of Goods (1980)
CPR	International Institute for Conflict Prevention & Resolution
d	deutsch, -e, -er, -es (vor einer anderen Abkürzung)
DAB	Dispute Adjudication Board
dAGBG	(deutsches) Gesetz zur Regelung des Rechts der Allgemeinen Geschäftsbedingungen
dAktG	(deutsches) Aktiengesetz
dArbGG	(deutsches) Arbeitsgerichtsgesetz
DB	Dispute Board
dBGB	(deutsches) Bürgerliches Gesetzbuch
dBörsG	(deutsches) Börsengesetz
dBVerfG	(deutsches) Bundesverfassungsgericht
dEGBGB	(deutsches) Einführungsgesetz zum Bürgerlichen Gesetzbuch
dFamFG	(deutsches) Gesetz über das Verfahren in Familiensachen
dGG	(deutsches) Grundgesetz
dGKG	(deutsches) Gerichtskostengesetz
dGKG-KV	Kostenverzeichnis zum (deutschen) Gerichtskostengesetz

dGmbHG	(deutsches) Gesetz betreffend die Gesellschaften mit beschränkter Haftung
dGVG	(deutsches) Gerichtsverfassungsgesetz
dh	das heißt
dHGB	(deutsches) Handelsgesetzbuch
dInsO	(deutsche) Insolvenzordnung
dInvStreitÜbkG	(deutsches) Gesetz zu dem Übereinkommen vom 18. März 1965 zur Beilegung von Investitionsstreitigkeiten zwischen Staaten und Angehörigen anderer Staaten
DIS	Deutsche Institution für Schiedsgerichtsbarkeit, www.dis-arb.de/de
DIS-AVO	DIS-Verfahrensordnung für Adjudikation 10
DIS-ERBV	DIS-Ergänzende Regeln für beschleunigte Verfahren 08
DIS-ERGeS	DIS-Ergänzende Regeln für gesellschaftsrechtliche Streitigkeiten 09
DIS-GO	DIS-Gutachtensordnung 10
DIS-KMO	DIS-Konfliktmanagementordnung 10
DIS-MedO	DIS-Mediationsordnung 10
DIS-Regeln	DIS-Schiedsgerichtsordnung 1998
DIS-SchGO	DIS-Schiedsgutachtensordnung 10
DIS-SchlO	DIS-Schlichtungsordnung 02
dKG	deutsches Kammergericht
dPatG	(deutsches) Patentgesetz
DRB	Dispute Review Board
DRI	Dispute Resolution International
dRVG	(deutsches) Rechtsanwaltsvergütungsgesetz
dSchiedsVfG	(deutsches) Schiedsverfahrens-Neuregelungsgesetz
DSJV	Deutsch-Schweizerische Juristenvereinigung, www.dsjv.ch
DSt	Disziplinarstatut für Rechtsanwälte und Rechtsanwaltsanwärter
dStGB	(deutsches) Strafgesetzbuch
dWpHG	(deutsches) Wertpapierhandelsgesetz
dZPO	(deutsche) Zivilprozessordnung
dzt	derzeit
DZWir/DZWIR	Deutsche Zeitschrift für Wirtschafts- und Insolvenzrecht
E	Entscheidung
E.	Entscheidungsgrund
EB	Erläuternde Bemerkungen
ecolex	Fachzeitschrift für Wirtschaftsrecht (Zeitschrift)
ECT	Energy Charter Treaty, www.encharter.org
EG	Europäische Gemeinschaft(en)
EGMR	Europäischer Gerichtshof für Menschenrechte
EGV	Vertrag zur Gründung der Europäischen Gemeinschaft
Einl	Einleitung
EKMR	Europäische Menschenrechtskommission
EMRK	Europäische Menschenrechtskonvention
EO	(österreichische) Exekutionsordnung
ARV	Zeitschrift für Arbeitsrecht und Arbeitslosenversicherung
Erk	Erkenntnis
Erl	Erläuterungen
ErlRV/ErlautRV	Erläuterungen zur Regierungsvorlage

XXXI

et al	et alii/et aliae (und andere)
etc	et cetera
EU	Europäische Union
EuBewVO	VO (EG) Nr 1206/2001 des Rates vom 28. Mai 2001 über die Zusammenarbeit zwischen den Gerichten der Mitgliedstaaten auf dem Gebiet der Beweisaufnahme in Zivil- oder Handelssachen
EuG	Gericht erster Instanz der Europäischen Gemeinschaften
EuGH	Gerichtshof der Europäischen Gemeinschaften
EuGVÜ	Europäisches Übereinkommen über die gerichtliche Zuständigkeit und die Vollstreckung gerichtlicher Entscheidungen in Zivil- und Handelssachen
EuGVVO	Verordnung (EU) 1215/2012 des Europäischen Parlaments und des Rates vom 12.12.2012 über die gerichtliche Zuständigkeit und die Anerkennung und Vollstreckung gerichtlicher Entscheidungen in Zivil- und Handelssachen (Brüssel Ia-VO)
EUR	Euro
EuÜ	Europäisches Übereinkommen über die internationale Handelsschiedsgerichtsbarkeit vom 21. April 1961
EUV	Vertrag über die Europäische Union
EvBl	Evidenzblatt der Rechtsmittelentscheidungen (in ÖJZ)
EWIV	Europäische wirtschaftliche Interessenvereinigung
f	der/die folgende
ff	die folgenden
FIDIC	Fédération Internationale des Ingenieurs Conseils (International Federation of Consulting Engineers), www.fidic.org
FN	Fußnote
FS	Festschrift
GAR	Global Arbitration Review (Zeitschrift)
gem	gemäß
GesbR	Gesellschaft bürgerlichen Rechts
GesRZ	Der Gesellschafter, Zeitschrift für Gesellschafts- und Unternehmensrecht (Zeitschrift)
ggf	gegebenenfalls
GL	Guideline(s)
GMAA	German Maritime Arbitration Association
GmbH	Gesellschaft mit beschränkter Haftung
GRC	Charta der Grundrechte der Europäischen Union
grds	grundsätzlich
GWR	Gesellschafts- und Wirtschaftsrecht (Zeitschrift)
GZ	Geschäftszahl
hA	herrschende Ansicht
HG	Handelsgericht
HKIAC	Hong Kong International Arbitration Center
HKIAC Rules	HKIAC Administered Arbitration Rules
hL	herrschende Lehre
hM	herrschende Meinung
Hrsg	Herausgeber
HS	Hauptsatz

IBA Guidelines (Conflict of Interest)	IBA Guidelines on Conflicts of Interest in International Arbitration
IBA Guidelines (Drafting)	IBA Guidelines for Drafting International Arbitration Clauses
IBA Guidelines (Party Representation)	IBA Guidelines on Party Representation in International Arbitration
IBA Rules (Ethics)	IBA Rules of Ethics for International Arbitrators
IBA Rules (Evidence)	IBA Rules on the Taking of Evidence in International Commercial Arbitration
IBA	International Bar Association, www.ibanet.org
IBLJ	International Business Law Journal (Zeitschrift), siehe auch RDAI
IBR	Immobilien- & Baurecht (Zeitschrift)
ICC	International Chamber of Commerce, www.iccwbo.org
ICC Bull/Bulletin	ICC Dispute Resolution Bulletin (Zeitschrift)
ICC Rules (Administration)	ICC Rules for the Administration of Expert Proceedings
ICC Rules (Appointment of Experts)	ICC Rules for the Appointment of Experts and Neutrals
ICC Rules (Proposal of Experts)	ICC Rules for the Proposal of Experts and Neutrals
ICC Schiedsgerichtshof	Internationaler Schiedsgerichtshof der ICC
ICC SchO/ICC-SchO	ICC Schiedsgerichtsordnung
ICCA	International Council for Commercial Arbitration
ICDR	International Centre for Dispute Resolution, www.icdr.org
ICLQ	International and Comparative Law Quarterly (Zeitschrift)
ICSID	International Centre for Settlement of Investment Disputes
ICSID Convention	Convention on the Settlement of Investment Disputes between States and Nationals of other States, www.icsid.worldbank.org
ICSID SchO	ICSID Schiedsordnung, www.icsid.worldbank.org
idF	in der Fassung
idgF	in der geltenden Fassung
idR	in der Regel
IDR	Journal of International Dispute Resolution (Zeitschrift)
idS	in diesem Sinn
idZ	in diesem Zusammenhang
ieS	im engeren Sinn
IGH	Internationaler Gerichtshof
iglS	im gleichen Sinn
IHR	Internationales Handelsrecht (Zeitschrift)
iHv	in der Höhe von
INCOTERMS	International Commercial Terms der ICC
inkl	inklusive
insb	insbesondere
InsNov	(österreichische) Insolvenzrechts-Novelle
IntALR	International Arbitration Law Review (Zeitschrift)
IO	(österreichische) Insolvenzordnung
IP	Intellectual Property
IPR	Internationales Privatrecht
IPRax	Praxis des Internationalen Privat- und Verfahrensrechts (Zeitschrift)
iSd	im Sinne des/der

ISDS	Investor State Dispute Settlement
iSv	im Sinne von
iVm	in Verbindung mit
iW	im Wesentlichen
iZm	im Zusammenhang mit
J. Int. Arb.	Journal of International Arbitration (Zeitschrift)
JBl	Juristische Blätter (Zeitschrift)
JDI	Journal du droit international (Zeitschrift)
JEV	Journal für Erbrecht und Vermögensnachfolge
JN	Jurisdiktionsnorm
Jud	Judikatur
Kap	Kapitel
KG	Kommanditgesellschaft
krit	kritisch
KV	Kostenverzeichnis
LCIA	The London Court of International Arbitration, www.lcia.org
LCIA Regeln/LCIA Rules	LCIA Schiedsordnung
leg cit	legis citatae (der zitierten Vorschrift)
LG	(österreichisches) Landesgericht
LGVÜ	Lugano-Übereinkommen über die gerichtliche Zuständigkeit und die Vollstreckung gerichtlicher Entscheidungen in Zivil- und Handelssachen
lit	litera
Lit	Literatur
LMAA	London Maritime Arbitration Association
lt	laut
M&A	Mergers & Acquisitions
MDR	Monatsschrift für Deutsches Recht
mE	meines Erachtens
ME	Ministerialentwurf
MERCOSUR	Mercado Común del Sur (Gemeinsamer Markt des Südens)
Mio	Millionen
mwN	mit weiteren Nachweisen
NAFTA	North American Free Trade Agreement
nF	neue Fassung
NJOZ	Neue Juristische Online-Zeitschrift
NJW	Neue Juristische Wochenschrift (Zeitschrift)
NJW-RR	NJW-Rechtsprechungs-Report
Nr	Nummer
NYÜ	New Yorker Übereinkommen über die Anerkennung und Vollstreckung ausländischer Schiedssprüche (UN-Übereinkommen vom 10.06.1958)
NZI	Neue Zeitschrift für Insolvenz- und Sanierungsrecht
ö	österreichisch, -e, -er, -es (vor einer anderen Abkürzung)
od	oder
öABGB	(österreichisches) Allgemeines bürgerliches Gesetzbuch
öAktG	(österreichisches) Bundesgesetz über Aktiengesellschaften

öASGG	(österreichisches) Arbeits- und Sozialgerichtsgesetz
öB-VG	(österreichisches) Bundes-Verfassungsgesetz
öEO	(österreichische) Exekutionsordnung
öErbRÄG	(österreichisches) Erbrechts-Änderungsgesetz
OG	Offene Gesellschaft
öGebG	(österreichisches) Gebührengesetz
öGeo	(österreichische) Geschäftsordnung für die Gerichte I. und II. Instanz
OGer BL	Obergericht Kanton Baselland
öGGG	(österreichisches) Gerichtsgebührengesetz
öLandpachtG	(österreichisches) Landpachtgesetz
öMRG	(österreichisches) Mietrechtsgesetz
öOGH/OGH	(österreichischer) Oberster Gerichtshof
öGmbHG	(österreichisches) Gesetz über Gesellschaften mit beschränkter Haftung
OHADA	Organisation pour l'Harmonisation du Droit des Affaires en Afrique (Organization for the Harmonisation of Business Law in Africa), www.ohada.com
öIPRG	(österreichisches) Bundesgesetz über das internationale Privatrecht
öIO	(österreichische) Insolvenzordnung
öJN	(österreichische) Jurisdiktionsnorm
ÖJZ	Österreichische Juristen-Zeitung (Zeitschrift)
öKartG	(österreichisches) Kartellgesetz 2005
öKSchG	(österreichisches) Konsumentenschutzgesetz
öKO	(österreichische) Konkursordnung
OLG	(österreichisches oder deutsches) Oberlandesgericht
OLGR	OLG-Report (Zeitschrift)
öMRG	(österreichisches) Mietrechtsgesetz
öRATG	(österreichisches) Rechtsanwaltstarifgesetz
öRL-BA	(österreichische) Richtlinien für die Ausübung des Rechts-anwaltsberufes und für die Überwachung der Pflichten des Rechtsanwaltes und des Rechtsanwaltsanwärters
öSchiedsRÄG	(österreichisches) Schiedsrechts-Änderungsgesetz
öStGB	(österreichisches) Strafgesetzbuch
ÖStZ	Österreichische Steuerzeitung (Zeitschrift)
öUGB	(österreichisches) Unternehmensgesetzbuch
öUStG	(österreichisches) Umsatzsteuergesetz
öWEG	(österreichisches) Wohnungseigentumsgesetz
öWGG	(österreichisches) Wohnungsgemeinnützigkeitsgesetz
öZivMediatG	(österreichisches) Zivilrechts-Mediations-Gesetz
öZPO	(österreichische) Zivilprozessordnung
öZustG	(österreichisches) Zustellgesetz
P.R.I.M.E. Finance	Panel of Recognised International Markets Experts in Finance
PCA	Permanent Court of Arbitration
RAO	Rechtsanwaltsordnung
RDAI	Revue de Droit des Affaires Internationales (Zeitschrift), siehe auch IBLJ
RdW	Österreichisches Recht der Wirtschaft (Zeitschrift)
RfA	Request for Arbitration

RIS	Rechtsinformationssystem
RIW	Recht der Internationalen Wirtschaft (Zeitschrift)
RL	Richtlinie (EU oder EG)
RL-BA 1977	Richtlinien für die Ausübung des Rechtsanwaltsberufes und für die Überwachung der Pflichten des Rechtsanwaltes und des Rechtsanwaltsanwärters 1977
RL-BA 2015	Richtlinien für die Ausübung des Rechtsanwaltsberufes 2015
Rn	Randnummer
Rom II-VO	Verordnung (EG) 864/2007 des Europäischen Parlaments und des Rates vom 11.07.2007 über das auf außervertragliche Schuldverhältnisse anzuwendende Recht
Rom I-VO	Verordnung (EG) 593/2008 des Europäischen Parlaments und des Rates vom 17.06.2008 über das auf vertragliche Schuldverhältnisse anzuwendende Recht
Rs	Rechtssache
Rsp	Rechtsprechung
RStDG	Richter- und Staatsanwaltschaftsdienstgesetz
RV	Regierungsvorlage
RZ	Österreichische Richterzeitung
Rz	Randziffer
S	Seite
s	siehe
SCAI	Swiss Chambers' Arbitration Institution
SCC Regeln/SCC Rules	SCC Schiedsordnung
SCC	Stockholm Chamber of Commerce, www.sccinstitute.com
SCE	Societas Cooperativa Europaea
SchauspielerG	(österreichisches) Schauspielergesetz
SchiedsRÄG 2013	(österreichisches) Schiedsrechts-Änderungsgesetz 2013
SchiedsVZ	Zeitschrift für Schiedsverfahren
SchO	Schiedsgerichtsordnung
schw	schweizerisch, -e
schwBGFA	(schweizerisches) Bundesgesetz über die Freizügigkeit der Anwältinnen und Anwälte
schwBGG	(schweizerisches) Bundesgerichtsgesetz
schwBV	(schweizerische) Bundesverfassung
schwFusG/schwFG	(schweizerisches) Fusionsgesetz
schwGebV SchKG	(schweizerische) Gebührenverordnung zum SchKG
schwIPRG	(schweizerisches) Gesetz über das internationale Privatrecht
schwMWSTG	(schweizerisches) Mehrwertsteuergesetz
schwOG	(schweizerisches) Bundesgesetz über die Organisation der Bundesrechtspflege – Bundesrechtspflegegesetz
schwOR	(schweizerisches) Bundesgesetz betreffend die Ergänzung des Schweizerischen Zivilgesetzbuchs (Fünfter Teil: Obligationenrecht)
schwSchKG	(schweizerisches) Bundesgesetz über Schuldbetreibung und Konkurs
schwStGB	(schweizerisches) Strafgesetzbuch
schwUWG	(schweizerisches) Bundesgesetz gegen den unlauteren Wettbewerb
schwZGB	(schweizerisches) Zivilgesetzbuch
schwZPO	(schweizerische) Zivilprozessordnung

SE	Societas Europaea
SIAC	Singapore International Arbitration Centre
SIAC Rules	Schiedsordnung des SIAC
SigG	(österreichisches) Signaturgesetz
SJ	La Semaine Judiciaire (Zeitschrift)
SJZ	Schweizerische Juristenzeitung (Zeitschrift)
Slg	Sammlung der Rechtsprechung des EuGH und des EuG
sog	sogenannt, -e, -er, -es
str	strittig, streitig
stRsp	ständige Rechtsprechung
Swiss Rules	Swiss Rules of International Arbitration
SZ	Entscheidungen des österreichischen OGH in Zivil- (und Justizverwaltungs-)sachen
TP	(österreichische) Tarifpost
Tribunale d'apello TI	Appelationsgericht Kanton Tessin
uä	und ähnliche, -s
ua	und andere, -s
ua	unter anderem
UCP	ICC Uniform Customs and Practices for Documentary Credits
udgl	und dergleichen
uE	unseres Erachtens
UFS	Unabhängiger Finanzsenat
UN	United Nations
UNCITRAL	United Nations Commission on International Trade Law, www.uncitral.org
UNCITRAL ModG	UNCITRAL Modellgesetz für die internationale Handelsschiedsgerichtsbarkeit
UNCITRAL SchO	UNCITRAL Schiedsgerichtsordnung
UNCTAD	United Nations Conference on Trade and Development
UNIDROIT	International Institute for the Unification of Private Law (Institut international pour l'unification du droit privé), www.unidroit.org
UNIDROIT Principles/ UNIDROIT-Principles	UNIDROIT Principles of International Commercial Contracts
USA	United States of America
USD	US-Dollar
USt	Umsatzsteuer
usw	und so weiter
uU	unter Umständen
uva	und viele andere
uvm	und viele mehr
va	vor allem
VersR	Versicherungsrecht (Zeitschrift)
vgl	vergleiche
VIAC	Vienna International Arbitral Centre (Internationales Schiedsgerichtszentrum der Wirtschaftskammer Österreich)
VO	Verordnung (EG oder EU)
Vol	Volume

VR	Volksrepublik
vs	versus
VV	Vergütungsverzeichnis
VwGH	(österreichischer) Verwaltungsgerichtshof
W.L.R.	Washington Law Review (Zeitschrift)
Washingtoner Konvention	Konvention zur Beilegung von Investitionsstreitigkeiten zwischen Staaten und Angehörigen anderer Staaten vom 18.3.1965
WATNA	worst alternative to no agreement
wbl	Wirtschaftsrechtliche Blätter (Zeitschrift)
Wiener Regeln	Die Schieds- und Schlichtungsordnung des Internationalen Schiedsgerichts der Wirtschaftskammer Österreich
WIPO	World Intellectual Property Organization, www.wipo.int
WIS	Wiener Internationales Schiedsgericht
WKG	Wirtschaftskammergesetz 1998
WKÖ	Wirtschaftskammer Österreich
WM	Wertpapier-Mitteilungen Zeitschrift für Wirtschafts- und Bankrecht
YB. Comm. Arb/YCA	ICCA Yearbook Commercial Arbitration (Zeitschrift)
Z	Ziffer
Zak	Zivilrecht Aktuell (Zeitschrift)
zB	zum Beispiel
ZfRV	Zeitschrift für Rechtsvergleichung, Internationales Privatrecht und Europarecht
ZIP	Zeitschrift für Wirtschaftsrecht
ZPO	Zivilprozessordnung
ZR	Blätter für Zürcherische Rechtsprechung
ZUM	Zeitschrift für Urheber- und Medienrecht (Zeitschrift)
ZVglRWiss	Zeitschrift für Vergleichende Rechtswissenschaft
ZZP	Zeitschrift für Zivilprozess

1. Kapitel

Schiedsgerichtsbarkeit und andere Streitbeilegungsverfahren

I. Bedeutung der Handelsschiedsgerichtsbarkeit

Maximilian Burger-Scheidlin/Ulrich Kopetzki

A. Überschrift

In einer Welt, in der die wirtschaftlichen Beziehungen zunehmend internationaler, komplexer und schnelllebiger werden, wird es für Unternehmen immer wichtiger, internationale Streitigkeiten einfach, rasch und effektiv beilegen zu können. Die wirtschaftlichen Rahmenbedingungen sind heute grundlegend andere als noch vor wenigen Jahrzehnten. So hat sich etwa der Handel in und mit Asien über die letzten 30 Jahre vervielfacht, Chinas Exporte sind um das 50-fache gestiegen, aber auch der Handel mit dem Mittleren Osten, Lateinamerika und Afrika ist steil angestiegen. Dies bedeutet für Unternehmen nicht nur wachsende Konkurrenz und geringere Profitspannen, sondern auch, dass die Geschäfte selbst vielschichtiger und komplizierter werden. Denn nicht selten sind mehrere Vertragspartner aus verschiedenen Ländern, ja Kontinenten in Projekte involviert. Aufgrund unterschiedlicher sprachlicher und kultureller Hintergründe der Vertragspartner kommt es dabei häufig zu abweichenden Erwartungen darüber, wie ein Vertrag auszulegen oder zu erfüllen ist. Das kann zunächst zu Meinungsverschiedenheiten und letztlich zu offenem Streit führen. Auch zwischen Geschäftspartnern mit ähnlichem sprachlichem und kulturellem Hintergrund sind Konflikte manchmal unvermeidlich.

Kommt es in einer Geschäftsbeziehung zu einem Streit, stellt sich für die beteiligten Akteure eine entscheidende Frage: Wie wird der Konflikt beigelegt? Der erste Schritt wird so gut wie immer der Versuch sein, die Angelegenheit einvernehmlich auf dem Verhandlungsweg zu lösen. Außerdem kommen auch andere alternative Formen der Streitbelegung in Betracht, wie etwa Mediation. Wird dabei keine Einigung erzielt, bleibt den Parteien die Möglichkeit,

1

2

den Streit vor einem staatlichen Gericht oder einem privaten Schiedsgericht auszutragen. Muss eine Streitigkeit dergestalt durch einen Dritten entschieden werden, ist von wesentlicher Bedeutung, durch wen, wo und nach welchen Regeln das geschehen soll.

3 Denn jeder dieser Umstände kann maßgeblichen Einfluss auf den Inhalt der Entscheidung selbst haben. Nicht nur unterscheiden sich die auf ein Gerichtsverfahren anwendbaren Verfahrensregeln von Rechtsordnung zu Rechtsordnung; auch die zu verwendende Verfahrenssprache und die Vertrautheit mit lokalen Gepflogenheiten können dabei eine wichtige Rolle spielen. Nicht zuletzt müssen Parteien in einem internationalen Handelsstreit die Möglichkeit in Betracht ziehen, in einer fremden Rechtsordnung nicht auf das gleiche Maß an richterlicher Unabhängigkeit und Unparteilichkeit zu stoßen wie in ihrem Heimatland: Einschlägige Publikationen, wie der von *Transparency International* veröffentlichte *Global Corruption Report*,[1] lassen keinen Zweifel daran, dass Korruption oder illegitime politische Einflussnahme in den Justizsystemen zahlreicher Länder nach wie vor ein ernst zu nehmendes Problem sind.

4 Gerade weil der für die Lösung des Konflikts zuständigen Rechts- und Verfahrensordnung solche Bedeutung zukommt, ist die Wahl des für die Konfliktlösung zuständigen Forums in einem internationalen Vertrag eine Angelegenheit, die große Erfahrung und Sorgfalt erfordert. Entscheiden sich die Parteien, die Zuständigkeit der staatlichen Gerichtsbarkeit nicht zu derogieren und einigen sie sich auf die Prozessordnung entweder des einen oder des anderen Vertragspartners, so kann diejenige Partei, die es schafft, die Zuständigkeit der Gerichte ihres Heimatlands durchzusetzen, daraus uU Vorteile ziehen. Vor dem Hintergrund einer zunehmend steigenden Verhandlungsmacht von Vertragspartnern aus den sogenannten Schwellenländern und dem oft fehlenden Vertrauen in die lokale Justiz dieser Staaten besteht für Unternehmen va aus Europa ein gewisses Risiko. Doch selbst jene Seite, die diesen Teil der Vertragsverhandlung in ihrem Sinne entscheiden und „ihre" nationale Gerichtsbarkeit als Forum durchsetzen konnte, ist vor den Unzulänglichkeiten der staatlichen Gerichtsbarkeit als Konfliktlösungsmechanismus für internationale Streitigkeiten nicht bewahrt: Das Zusammenspiel unterschiedlicher Rechtsordnungen ist komplex und Verfahren über die internationale Zuständigkeit von staatlichen Gerichten oder über die Anerkennung ausländischer Urteile können sich über Jahre hinziehen. Die Vollstreckbarkeit eines staatlichen Gerichtsurteils in einem anderen Staat ist daher oft eine mühselige und nicht selten erfolglose An-

---

1 Transparency International, Global Corruption Report 2007: Corruption in Judicial Systems (2007), abrufbar unter https://www.transparency.org/whatwedo/publications/ (zuletzt abgerufen am 29.6.2016).

gelegenheit. Darüber hinaus besteht die Gefahr, dass Konfliktparteien in mehreren Staaten Prozesse anstrengen und somit mehrere parallele Verfahren in unterschiedlichen Rechtsordnungen gleichzeitig geführt werden müssen. Dies ist zeit- und kostenintensiv und steht einer effizienten Lösung der Streitigkeit idR entgegen.

B. Schiedsgerichtsbarkeit als effektive Methode für die Beilegung internationaler Streitigkeiten

Eine moderne Wirtschaft benötigt Rechtsicherheit und das innerhalb der **5** kürzest möglichen Zeit. Ein Schiedsgericht kann diesen Anspruch meist besser erfüllen als es staatliche Gerichte vermögen. Es ist daher regelmäßig anzuraten, in einen internationalen Vertrag eine Schiedsklausel aufzunehmen. Auch wenn es den Parteien unbenommen ist, erst nach Beginn eines Streits eine Schiedsvereinbarung abzuschließen, so ist es doch zweckmäßig, bereits bei Abschluss des Vertrags in diesem eine Schiedsklausel aufzunehmen. Denn wenn der Konflikt bereits entstanden ist, gelingt die Einigung auf ein Schiedsgerichtsverfahren oft nicht mehr.

Der Grundstein unserer – zumindest für die Beilegung innerstaatlicher **6** Streitigkeiten idR sehr guten – staatlichen Gerichtsbarkeit in Österreich, Deutschland und der Schweiz wurde in einer Zeit gelegt, als die meisten Geschäfte lokaler Natur waren und sich idR nur zwei Streitparteien gegenüberstanden. Dort wo der Handel bereits in der Vergangenheit grenzüberschreitend war und HändlerInnen aus unterschiedlichen Ländern solchen miteinander betrieben, war die Schiedsgerichtsbarkeit seit jeher eine bewährte Alternative zur staatlichen Gerichtsbarkeit und oftmals die einzig praktikable Methode für die Lösung grenzüberschreitender Streitigkeiten. In Ermangelung eines effektiven Zusammenspiels der unterschiedlichen beteiligten Rechtsordnungen haben Akteure des internationalen Handels seit geraumer Zeit auf neutrale Dritte zurückgegriffen, um ihre Streitigkeiten außerhalb des staatlichen Justizwesens zu lösen. So zB schon auf den überregionalen Märkten und Messen der Kaufmänner im Mittelalter: Da das staatliche Gerichtswesen nicht auf Konflikte zwischen Beteiligten unterschiedlicher Rechtsordnungen ausgelegt und zudem unklar war, welche Rechtswirkungen Entscheidungen in anderen Ländern entfalten würden, waren Verfahren vor neutralen Schiedsgerichten eine effektive Methode zur Beilegung grenzüberschreitender Handelsstreitigkeiten. Aber auch für die Lösung von Streitigkeiten lokaler Natur hat die Schiedsgerichtsbarkeit eine lange Tradition. Bereits im römischen Recht kannte man das Schiedsverfahren, in dem Streitparteien einen oder mehrere Schiedsrichter außerhalb der staatlichen Gerichtsbarkeit beauftragen konnten. Den Parteien stand hierbei der Schutz des Prätors zur Seite, der etwa mit Zwangsmaßnahmen gegen untätige Schiedsrichter vorgehen konnte. Mit diesen Schiedsgerichten der Antike und des Mittelalters wurde der Grundstein für die moderne internationale Schiedsgerichtsbarkeit gelegt.

7   Die Welt ist heute freilich eine andere als jene der Antike und des Mittelalters: Die Rechtsordnungen sind komplexer und differenzierter und die nationalen Gesetzgeber bemühen sich in zunehmendem Maß, der stetig wachsenden Internationalität des Wirtschaftslebens Rechnung zu tragen. Das ist jedoch bis heute nur sehr eingeschränkt gelungen. Die Probleme bei der Lösung internationaler Streitigkeiten durch staatliche Gerichte sind daher heute im Wesentlichen die gleichen wie damals: Das Urteil eines staatlichen Gerichts entfaltet in einer fremden Rechtsordnung nicht automatisch Wirkungen und es gibt außerhalb der EU nur wenige internationale Abkommen, die die Anerkennung und Vollstreckung der Urteile ausländischer staatlicher Gerichte gewährleisten.

8   Schiedsvereinbarungen sind deshalb zumindest bei grenzüberschreitenden Verträgen mit Parteien außerhalb Europas fast ein Muss. Innerhalb Europas ist dieses Problem aufgrund des Lugano-Übereinkommens sowie der VO über die gerichtliche Zuständigkeit und die Anerkennung und Vollstreckung von Entscheidungen in Zivil- und Handelssachen (EuGVVO) entschärft. So sieht etwa Art 36 der EuGVVO vor, dass ein in einem Mitgliedsstaat der EU erlassenes Gerichtsurteil generell ohne die Notwendigkeit eines besonderen Verfahrens über die Anerkennung in jedem anderen Mitgliedsstaat anerkannt wird. Darüber hinaus haben Schiedsgerichte mitunter auch Vorteile bei Streitigkeiten zwischen Vertragsparteien innerhalb Europas (Details dazu siehe unten).

9   Doch so gut die staatliche Gerichtsbarkeit in Deutschland, der Schweiz und Österreich bei nationalen und teilweise auch bei innereuropäischen Streitigkeiten funktioniert: Bei internationalen Streitigkeiten, oft mit mehreren Parteien, unterschiedlichen Sprachen, komplizierten technischen oder wirtschaftlichen Sachverhalten und einer möglicherweise späteren Vollstreckung des Urteils in einem Staat außerhalb Europas, gerät die klassische Streitbeilegung durch staatliche Gerichte oft an die Grenzen ihrer Leistungsfähigkeit und Wirksamkeit.

10   Nachstehend zur Veranschaulichung einige Beispiele für Konstellationen, in denen die staatliche Gerichtsbarkeit im Konfliktfall an die Grenzen ihrer Effizienz und Effektivität stößt:

11   – In einem Land Zentralasiens wird ein Kraftwerk gebaut. Technische Zulieferungen stammen aus Europa, Japan und Südkorea und zugekaufte Bauleistungen aus drei weiteren Ländern der Region. Auch wenn die offizielle Vertragssprache Englisch ist, gibt es Korrespondenz und Dokumente in mehreren Sprachen. Die zuständigen Verkäufer aus den Partnerfirmen sprechen zwar meist gut Englisch, die Techniker, die das Projekt um-

zusetzen haben, oft jedoch nur sehr brüchig. Zahlreiche Beteiligte haben keine internationale Erfahrung.

- Eine in Tschechien hergestellte Maschine wird nach Spanien verkauft, **12** wo diese im Rahmen eines *Turn-Key* Projektes in einer Fabrik installiert werden soll. Es sind vier Parteien involviert (der spanische Käufer, der tschechische Anlagenbauer, eine spanische Baufirma und ein französischer technischer Zulieferer), es ist tschechisches Recht anwendbar, die Sprache des Verfahrens ist Englisch und viele relevante Dokumente sind auch in spanischer und tschechischer Sprache.

- Ein Weltmarktführer im High-Tech-Bereich mit Sitz und Produktion in **13** Deutschland wird in einer M&A-Transaktion übernommen. Sechs Monate nach Durchführung des Deals gibt es Streit, denn die Käufer (aus Deutschland, USA und den Vereinigten Arabischen Emiraten) behaupten, dass die Verkäufer (aus Österreich, Schweiz, Zypern und Russland) bewusst technische und Compliance-Probleme verschwiegen haben und der Kaufpreis daher unangemessen hoch sei.

Ein derartiges Umfeld des internationalen Handels erfordert verschiedene **14** Möglichkeiten der Streitbeilegung, die einerseits flexibel genug sind, auf unterschiedliche Sprachen, Rechtskulturen, Mentalitäten und wirtschaftliche Gegebenheiten Rücksicht zu nehmen und die andererseits ein hohes Maß an fachlicher, technischer und juristischer Kompetenz im relevanten Wirtschaftssektor bieten. In vielen Fällen können Schiedsgerichte derartige Anforderungen erfüllen. SchiedsrichterInnen, die nach ihrer speziellen fachlichen Kompetenz ausgewählt wurden, können aus unterschiedlichsten Teilen der Welt auf neutralem Boden zusammenkommen. Schiedsgerichte können so nicht nur den spezifischen fachlichen Anforderungen der Streitsache, sondern auch der unterschiedlichen Herkunft sowie den kulturellen Unterschieden und Erwartungshaltungen der Streitparteien Rechnung tragen.

C. Wachsende Bedeutung der Handelsschiedsgerichtsbarkeit

Im Gleichschritt mit der steigenden technischen, kommerziellen und ju- **15** ristischen Komplexität und Internationalität des Handels nimmt auch die Bedeutung der Handelsschiedsgerichtsbarkeit zu. Um eine Größenordnung für das Volumen der Internationalität der Geschäfte zu vermitteln: Österreich hatte etwa im Jahr 2015 ein BIP von fast EUR 340 Milliarden, die Importe beliefen sich auf EUR 133,5 Milliarden (davon 39,5 Milliarden aus Drittstaaten[2]), die Exporte auf EUR 131,5 Milliarden (davon EUR 40,7 Milliar-

---

2 Drittstaaten sind alle Staaten außer jene der EU-28.

den in Drittstaaten).[3] Exporte in politisch oder wirtschaftlich „schwierige" Länder erzielen dabei vielfach höhere Profitmargen und sind daher wichtig, um zusätzliche Deckungsbeiträge zu erzielen, mit welchen Forschung und Entwicklung finanziert werden können.

16   Diese Entwicklungen sind ein Indikator dafür, welch immensen Stellenwert die Handelsschiedsgerichtsbarkeit international erlangt hat. Nur wenige Unternehmen würden Geschäfte in Drittstaaten abschließen, ohne die Sicherheit zu haben, ihre vertraglich zugesicherten Rechte – zumindest theoretisch – irgendwo auf der Welt nicht nur einklagen, sondern die daraus resultierenden Urteile auch effektiv durchsetzen zu können. Während Urteile von staatlichen Gerichten europäischer Staaten idR außerhalb Europas nicht ohne Weiteres vollstreckt werden können, wird die internationale Vollstreckbarkeit von Schiedssprüchen durch das New Yorker Übereinkommen über die Anerkennung und Vollstreckung ausländischer Schiedssprüche von 1958 (NYÜ) garantiert. Dieses ist mittlerweile von 157 Staaten unterzeichnet worden.[4] Vor diesem Hintergrund ist auch die Bedeutung der Schiedsgerichtsbarkeit für das Funktionieren des Welthandels nicht zu unterschätzen. Internationaler Handel kann nur dort gut bestehen und florieren, wo es Rechtssicherheit gibt und wo Unternehmen damit rechnen, im Konfliktfall ihr Recht auch durchsetzen zu können. Insofern ist die internationale Handelsschiedsgerichtsbarkeit einem blühenden Welthandel nicht nur zuträglich, sondern bildet eine unabdingbare Voraussetzung für diesen.

17   Im letzten Jahrhundert hat sich eine Reihe von wichtigen **Schiedsinstitutionen** herausgebildet, zB der Internationale Schiedsgerichtshof der Internationalen Handelskammer (ICC), die American Arbitration Association (AAA), der London Court of International Arbitration (LCIA), die China International Economic and Trade Arbitration Commission (CIETAC), die Swiss Chambers' Arbitration Institution (SCAI), die Deutsche Institution für Schiedsgerichtsbarkeit (DIS), das Vienna International Arbitration Centre (VIAC), das Arbitration Institute of the Stockholm Chamber of Commerce (SCC), das Singapore International Arbitration Centre (SIAC), das Hong Kong International Arbitration Center (HKIAC) – und viele andere mehr. Derartige Schiedsinstitutionen bilden in personeller, organisatorischer und

---

3   Die aktuellen Statistiken des österreichischen Außenhandels sind auf der Homepage der Statistik Austria (www.statistik.at) abrufbar unter http://www.statistik.at/web_de/ statistiken/wirtschaft/aussenhandel/index.html (zuletzt abgerufen am 15.9.2016). Aktuelle Berechnungen des österreichischen BIP sind abrufbar unter http://www.statistik. at/web_de/statistiken/wirtschaft/volkswirtschaftliche_gesamtrechnungen/index.html (zuletzt abgerufen am 15.9.2016).

4   Eine umfassende Liste aller Staaten, die das NYÜ ratifiziert haben, ist einsehbar unter http://www.uncitral.org/uncitral/en/uncitral_texts/arbitration/NYConvention_status. html (zuletzt abgerufen am 29.8.2016).

rechtlicher Hinsicht einen wichtigen Teil der weltweiten Infrastruktur, auf deren Grundlage sich die internationale Handelsschiedsgerichtsbarkeit entfalten kann.

Jede von ihnen stellt **Verfahrensregeln** zur Verfügung, nach denen Schieds- **18** verfahren durchgeführt werden können, wenn sich die Parteien der Schiedsinstitution freiwillig durch eine entsprechende Vereinbarung unterwerfen, sei es in einer vertraglichen Schiedsklausel oder in einer später getroffenen Schiedsvereinbarung. Außerdem administrieren Schiedsinstitutionen die nach ihren Regeln durchgeführten Schiedsverfahren und tragen Sorge, dass diese auf eine unparteiliche, professionelle, effiziente und kostengünstige Weise durchgeführt werden. Daneben gibt es auch die Möglichkeit sog *ad hoc* Schiedsverfahren, die ohne die Beteiligung einer Schiedsinstitution durchgeführt werden. Während dies zwar mit größtmöglicher Flexibilität einhergeht, kann die fehlende Involvierung einer Schiedsinstitution auch nachteilig sein. So müssen Streitigkeiten im Zusammenhang mit der Ernennung oder dem Ersatz von SchiedsrichterInnen von staatlichen Gerichten statt durch eine dafür besser geeignete Schiedsinstitution entschieden werden. Außerdem werden die SchiedsrichterInnen in ihrer Verfahrensführung nicht durch die Schiedsinstitution kontrolliert und unterstützt und es gibt keine institutionelle Kontrolle der Schiedsrichterhonorare. Diese werden in *ad hoc* Schiedsverfahren idR durch Vereinbarung der SchiedsrichterInnen mit den Parteien auf Stundenbasis, bei den meisten institutionellen Verfahren hingegen von der Schiedsinstitution auf Basis des Streitwertes festgesetzt.[5]

Die in den letzten Jahrzehnten zunehmende Bedeutung sowohl der natio- **19** nalen als auch der internationalen Schiedsgerichtsbarkeit spiegelt sich auch in der Anzahl der bei den unterschiedlichen Schiedsinstitutionen eingebrachten Schiedsklagen wider. So ist die Anzahl der jährlich eingebrachten Schiedsklagen am Internationalen Schiedsgerichtshof der ICC von 352 im Jahr 1993[6] auf 521 im Jahr 2005 und zuletzt auf 801 im Jahr 2015 gestiegen.[7] Die Anzahl der beim LCIA eingebrachten Schiedsklagen stieg von 29 im Jahr 1993[8] auf 118 im Jahr 2005 und zuletzt auf 326 im Jahr 2015.[9] Va in Asien hat die internationale Schiedsgerichtsbarkeit in den vergangenen Jahren an Bedeutung gewonnen, was sich in einer Vielzahl auf diese Region spezialisierten Schiedsinstitutionen und deren steigenden Fallzahlen widerspiegelt. Hier ist beispielsweise die CIETAC zu erwähnen, bei der zwischen 1993 und 2015

---

5 Siehe näher zu *ad hoc* Verfahren *Wong* Rn 214 ff.
6 *Derains/Schwartz*, Guide to ICC Arbitration[2] 425.
7 Siehe http://www.iccwbo.org/Products-and-Services/Arbitration-and-ADR/Arbitration/Introduction-to-ICC-Arbitration/Statistics/ (zuletzt abgerufen am 29.6.2016).
8 *Born*, Commercial Arbitration[2] 94.
9 LCIA Registrar's Reports 2005 und 2015, abrufbar unter http://www.lcia.org/LCIA/reports.aspx (zuletzt abgerufen am 29.6.2016).

die Anzahl der jährlich eingebrachten Schiedsklagen von 486 auf 1968 und somit um mehr als das Vierfache gestiegen ist.[10]

20   Eine zentrale Rolle spielt außerdem das SIAC, das im Jahr 1993 lediglich 15 eingebrachte Schiedsklagen zählte[11] und dessen Anzahl an jährlich eingebrachten Schiedsklagen sich bis zum Jahr 2015 auf 271 nahezu verzwanzigfachte.[12] Mit der Einführung überarbeiteter und moderner Schiedsregeln (SIAC Rules 2016), die mit 1. 8. 2016 in Kraft getreten sind, und der Einführung völlig neuer Schiedsregeln für Streitigkeiten zwischen Investoren und Staaten als weitere Alternative zu den bereits erprobten ICSID Regeln und der UNCITRAL SchO, wird sich dieser Trend auch in den nächsten Jahren wohl weiter fortsetzen. Auch Schiedsinstitutionen, die traditionell nicht speziell auf den asiatischen Markt ausgerichtet waren, verstärkten in den letzten Jahren ihren Fokus auf diese Region. So hat etwa der Internationale Schiedsgerichtshof der ICC im Jahr 2008 eine eigene Niederlassung in Hong Kong eröffnet, wo Schiedsverfahren mit Bezug auf den asiatischen Markt administriert werden.

21   Generell hat die Bedeutung der Handelsschiedsgerichtsbarkeit derart zugenommen, dass heute immer weniger große und komplexe internationalen Streitigkeiten vor staatlichen Gerichten ausgefochten werden – die staatlichen Systeme sind zu unflexibel, die Kosten sind oft zu hoch und die Urteile werden zum Teil nicht international anerkannt oder können daher nicht überall vollstreckt werden. Nicht nur ist die Anzahl der Schiedsverfahren in den letzten Jahrzehnten deutlich gestiegen, auch hat sich der Anwendungsbereich der internationalen Schiedsgerichtsbarkeit vergrößert. Während die klassischen Anwendungsbereiche der schiedsgerichtlichen Streitentscheidung im Bereich des internationalen Handels sowie etwa in den Sektoren Anlagenbau, Energie und Infrastruktur liegen, werden mittlerweile auch immer mehr Streitigkeiten in den Bereichen IP-, Finanz- und Kartellrecht durch Schiedsgerichte entschieden. Außerdem kommen Schiedsverfahren bei Streitigkeiten mit einer großen Bandbreite an unterschiedlichen Streitwerten zum Einsatz. So lag im Jahr 2015 der durchschnittliche Streitwert der beim Schiedsgerichtshof der ICC anhängigen Schiedsverfahren bei etwa USD 143 Mio, in 23 % der Fälle lag der Streitwert unter USD 1 Mio und in 8 % der Fälle über USD 100 Mio. Darüber hinaus sind an ca 10 % der Fälle Staaten privatrechtlich als Kläger oder Beklagte beteiligt.[13]

---

10 Siehe http://www.cietac.org/index.php?m=Page&a=index&id=40&l=en (zuletzt abgerufen am 29.6.2016).

11 *Born*, Commercial Arbitration[2] 94.

12 Siehe http://www.siac.org.sg/2014–11–03–13–33–43/facts-figures/statistics (zuletzt abgerufen am 29.6.2016).

13 Unveröffentlichte Statistik der ICC (liegt den Verfassern vor).

Aufgrund der wachsenden Bedeutung der internationalen Schiedsgerichts- **22**
barkeit haben viele Staaten in den letzten Jahrzehnten schiedsgerichtsfreund-
liche gesetzliche Rahmenbedingungen erlassen. So haben gegenwärtig 72 Staaten das UNCITRAL ModG zur Internationalen Handelsschiedsgerichtsbarkeit implementiert,[14] wodurch eine reibungslose und von der staatlichen
Gerichtsbarkeit möglichst unbeeinflusste schiedsgerichtliche Entscheidungsfindung garantiert werden soll. Die Gesetze sehen mitunter auch vor, dass
Schiedsgerichte unter bestimmten Voraussetzungen auf die Hilfe von staatlichen Gerichten – zB bei Anordnung von Zwangs- und Sicherungsmaßnahmen – zurückgreifen können. Um die Verfahren über die Anfechtung
von Schiedssprüchen zu beschleunigen, bieten ua die Schweiz und Österreich
einen einstufigen Instanzenzug für die Anfechtung von Schiedssprüchen vor
dem jeweiligen staatlichen Höchstgericht an.

Eine detaillierte Analyse der spezifischen Vorteile von Schiedsgerichten **23**
und deren strategischen Einsatz findet sich in einem eigenen Kapitel in diesem
Buch.[15] Vorab seien stichwortartig insb folgende Vorteile erwähnt:

– Die **Endgültigkeit eines Schiedsspruchs**: Im Schiedsverfahren gibt es in **24**
  Österreich und der Schweiz nur eine Rechtsmittelinstanz. Ein Schiedsspruch kann nur wegen einer kleinen Anzahl schwerwiegender Gründe
  (zB ua wegen Verstoßes gegen den *ordre public*, wegen Verletzung des
  rechtlichen Gehörs) vor staatlichen Gerichten angefochten werden. Das
  Schiedsverfahren bietet somit den Parteien die Möglichkeit, ihre Streitigkeit
  ohne langwierige und kostspielige Berufungsverfahren durch mehrere Instanzen beizulegen. Einige Schiedsinstitutionen, wie zB der Internationale
  Schiedsgerichtshof der ICC, sehen eine automatische interne Kontrolle vor,
  um Fehlern und Fehlentscheidungen in Schiedssprüchen vorzubeugen.[16]

– Für internationale Wirtschaftstreibende ist die **einfache Vollstreckung** **25**
  von Schiedssprüchen im Ausland essentiell. Während außerhalb der EU
  die Anerkennung und Vollstreckung ausländischer Urteile eine unsichere
  und oft erfolglose Angelegenheit ist, können Schiedssprüche nahezu weltweit vollstreckt werden.[17]

– Die **spezifische Fachkenntnis der SchiedsrichterInnen**: Nur wenige staat- **26**
  liche RichterInnen weisen eine Spezialisierung auf die Lösung bestimmter

---

14 Siehe http://www.uncitral.org/uncitral/en/uncitral_texts/arbitration/1985Model_ar-
    bitration_status.html (zuletzt abgerufen am 29.6.2016).
15 Siehe *Kutschera* Rn 42 ff.
16 Siehe Art 34 ICC SchO sowie *F. Schäfer* Rn 313, 538 f.
17 So kann auf Grundlage des NYÜ zB ein amerikanischer Schiedsspruch gegen eine
    argentinische Schuldnerin theoretisch in Ghana, Indonesien oder Panama vollstreckt
    werden, sofern dort Vermögenswerte der argentinischen Schuldnerin zu finden sind.
    Ein Urteil eines staatlichen amerikanischen Gerichtes könnte aber in diesen Ländern
    so nicht vollstreckt werden.

Streitigkeiten auf und können etwa besondere Sachkenntnis in technischen Fragen oder spezielle Industriekenntnisse vorweisen. Als Schiedsrichter-Innen hingegen können ausgewiesene Expertinnen oder Experten ernannt werden, die entweder besonderes technisches, wirtschaftliches oder recht-liches Wissen oder eine einschlägige Erfahrung vorweisen. Insb bei kom-plexen Streitigkeiten ernennen Parteien oft ausgewiesene Fachleute aus einem Drittland als SchiedsrichterInnen.

27 – Das **Schiedsgericht als neutrales Forum**: Keine Vertragspartei unterwirft sich gerne der Gerichtsbarkeit jenes Staates, in dem die andere Vertrags-partei ihren Sitz oder Wohnsitz hat. In einem Schiedsverfahren können die Parteien einander in einem neutralen Forum und auf neutralem Bo-den begegnen. EinzelschiedsrichterInnen oder Vorsitzende eines Schieds-gerichts haben idR nicht die Nationalität einer der Parteien und müssen alle Umstände (ua gegenwärtige oder vergangene wirtschaftliche, politische, persönliche Beziehungen) offenlegen, die ihre Unabhängigkeit und Un-parteilichkeit gegenüber den Parteien in Zweifel ziehen könnten. Darüber hinaus haben alle an einem Verfahren beteiligten Parteien gleichen Einfluss auf die Zusammensetzung des Schiedsgerichts: Bei Einzelschiedsrichter-Innen können sich die Parteien gemeinsam auf eine Schiedsrichterin/einen Schiedsrichter einigen, bei Schiedsgerichten mit drei (oder in seltenen Fällen mehr als drei) Mitgliedern des Schiedsgerichts kann jede Seite ein Schiedsgerichtsmitglied benennen.

28 – So die Parteien es wünschen – **Vertraulichkeit des Schiedsverfahrens**: Die große Mehrzahl aller Schiedsverfahren werden nicht öffentlich aus-getragen. Durch die fehlende Öffentlichkeit des Verfahrens und durch eine etwaige Verpflichtung, das Schiedsverfahren vertraulich zu halten, setzen sich die Schiedsparteien nicht dem Risiko aus, dass die Vorwürfe des Vertragspartners ihrem Ansehen in der Öffentlichkeit schaden könn-ten. Außerdem besteht nicht wie bei öffentlichen Gerichtsverhandlungen vor einem staatlichen Gericht die Gefahr, dass die „freundliche Konkur-renz" zuhört.

29 – Die **Flexibilität** des schiedsgerichtlichen Verfahrens: Im Gegensatz zu einem staatlichen Gerichtsverfahren können die Schiedsparteien die Ver-fahrensregeln ihres Schiedsverfahrens weitgehend frei vereinbaren und so an ihre spezifischen Bedürfnisse anpassen. Der gemeinsame Parteienwille bestimmt den Ablauf des Verfahrens. In der Praxis vereinbaren Parteien vielfach die Abwicklung gem erprobter Schiedsgerichtsregeln von etab-lierten Schiedsinstitutionen.

30 – Kaum eine staatliche Richterin/ein staatlicher Richter kann oder darf ein Verfahren in anderen Sprachen als der jeweiligen Amtssprache durch-führen. So müssen idR sämtliche Unterlagen, Korrespondenzen, Doku-mente übersetzt werden – mit einer beträchtlichen Fehlerquote und hohen

Kosten. In Schiedsverfahren werden SchiedsrichterInnen hingegen regelmäßig speziell unter Berücksichtigung der jeweils erforderlichen Sprachkenntnisse ausgewählt.

– Für die international agierende Wirtschaft ist das Thema **Zeit und Kosten** von enormer Wichtigkeit. Mit zunehmender Intensität und Härte des internationalen Wettbewerbs fällt es Unternehmen immer schwerer, viele Jahre auf eine endgültige Entscheidung zu warten und bis dahin Rückstellungen in der Bilanz zu bilden, während eine Streitigkeit in staatlichen Gerichten bis zu drei Instanzen durchläuft. Schiedsgerichte hingegen entscheiden meist in ein bis drei Jahren – und das endgültig. Außerdem haben mehrere Schiedsinstitutionen wie die ICC, die LCIA und das HKIAC in den letzten Jahren ihre SchO um eigene *Emergency Arbitrator* Regelungen ergänzt. Diese sind in ihrem Ziel mit einstweiligen Rechtsschutzmaßnahmen vor staatlichen Gerichten vergleichbar. Parteien können vor Konstituierung des eigentlichen Schiedsgerichts die vorläufige Entscheidung von dringenden Angelegenheiten durch einen sogenannten *Emergency Arbitrator* oder eine Eilschiedsrichterin/einen Eilschiedsrichter beantragen, die/der etwa bei den genannten Schiedsinstitutionen innerhalb von ca zwei Wochen über den Antrag zu entscheiden hat. Was den Kostenvorteil von Schiedsgerichten anbelangt, so sind staatliche Gerichte abhängig vom Streitwert zwar in erster Instanz oft günstiger als ein Schiedsgerichtsverfahren, jedoch ändert sich dieses Bild bei genauer Betrachtung der gesamten Kosten, die bei einer Verfahrensführung über drei Instanzen vor staatlichen Gerichten entstehen. Bei hohen Streitwerten sind Schiedsgerichtsverfahren oft bereits von Anfang an kostengünstiger, da die meisten Schiedsinstitutionen vom Streitwert abhängige und degressive Verwaltungsgebühren und Honorare für die SchiedsrichterInnen vorsehen. Da die Verwaltungsgebühren und SchiedsrichterInnenhonorare jedoch meist einen nur geringen Teil der Gesamtkosten eines Schiedsverfahrens ausmachen und der Großteil der Aufwendungen auf unternehmensinterne Kosten und Kosten für Anwältinnen und Anwälte sowie Sachverständige entfällt, liegt es va an den Parteien, das Schiedsverfahren effizient und somit schnell und kostengünstig zu strukturieren und durchzuführen. **31**

Zu guter Letzt ist neben der internationalen Handelsschiedsgerichtsbarkeit auch noch die internationale **Investitionsschiedsgerichtsbarkeit** zu erwähnen. Diese stellt auf völkerrechtlicher Ebene einen Rechtsschutzmechanismus für ausländische Investorinnen und Investoren dar, die sich durch staatliche Maßnahmen in ihren Rechten verletzt sehen. Im Gegensatz zur Handelsschiedsgerichtsbarkeit sind Grundlage von internationalen Investitionsschutzverfahren nicht privatrechtliche Verpflichtungen aus Verträgen zwischen Privaten **32** oder privatrechtlich handelnden Staaten, sondern völkerrechtliche Verpflichtungen aus bilateralen Investitionsschutzverträgen (BITs) und internationalen Investitionsschutzabkommen. Der Schutz ausländischer Investoren ist seit langer Zeit ein Anliegen des internationalen Rechts und weltweit bestehen mehrere tausend derartiger bilateraler Investitionsschutzverträge, in welchen sich Staaten wechselseitig dazu verpflichten, ausländischen Investoren einen gewissen Schutz für ihre Investitionen zu gewährleisten. Dabei räumen Staaten den Investorinnen und Investoren materielle Rechte ein, wie zB Schutz vor Diskriminierung, entschädigungsloser Enteignung sowie unbilliger und ungerechter Behandlung. Sollte sich ein Investor in seinen derart garantierten Rechten verletzt erachten, kann er auf Grundlage dieser internationalen Verträge ein privates Schiedsgericht anrufen.

33   Während sich die internationale Investitionsschiedsgerichtsbarkeit in jüngster Zeit heftiger öffentlicher Kritik ausgesetzt sah, sind die grundlegenden Vorteile dieser Art der Streitbeilegung nicht von der Hand zu weisen. Früher standen Staaten keine anderen Mittel als Diplomatie und im äußersten Fall – im Falle des Scheiterns der diplomatischen Bemühungen – Gewalt zur Verfügung, um die Rechte ihrer in fremden Staaten investierenden StaatsbürgerInnen effektiv zu schützen.[18] Dank der internationalen Investitionsschiedsgerichtsbarkeit können derartige Streitigkeiten nunmehr friedlich und auf dem Rechtsweg vor internationalen Schiedsgerichten beigelegt werden. Zwar können Investorinnen und Investoren auch vor den nationalen Gerichten des entsprechenden Staates Schutz suchen, doch ist deren Handhabe begrenzt, wenn die Rechte der Investorin/des Investors etwa durch ein Gesetz verletzt wurden, welches die Gerichte anzuwenden haben.

34   Außerdem entspricht es grundsätzlichen Erwägungen prozessualer Gerechtigkeit, dass Konflikte von einem überparteilichen Dritten und nicht von einer der Konfliktparteien selbst entschieden werden. Auch wenn das Justizwesen eines modernen und auf Gewaltenteilung beruhenden Rechtsstaates aufgrund dessen interner Organisationsstruktur eine gewisse Unabhängigkeit von diesem aufweist, so ist es doch ein integraler Bestandteil des Staates und somit nicht im eigentlichen Sinne von diesem unabhängig. Im Gegensatz dazu ist ein Schiedsgericht unparteilich und von beiden Streitparteien

---

18 So entsandte noch im 19. Jahrhundert der britische Außenminister *Lord Palmerston* im Zuge der *Don Pacifico*-Affäre Militärschiffe in die Ägäis, um die Vermögensrechte des in Griechenland lebenden jüdischen Briten *David Pacifico* zu schützen. Dessen Haus war zuvor von einer antisemitischen Menge geplündert und niedergebrannt worden, ohne dass die dabei anwesende griechische Polizei eingeschritten wäre. Nachdem sich der griechische Staat weigerte, *Don Pacifico* zu entschädigen, sollte das britische Militär nun griechisches Staatseigentum in einem dem Schaden entsprechenden Wert beschlagnahmen. Schlussendlich blockierte die britische Marine sogar den Hafen von Piräus.

unabhängig. Beide Parteien haben gleichen Einfluss auf die Zusammensetzung des Schiedsgerichts und Staat und Investor können einander vor diesem
auf neutralem Boden und auf Augenhöhe begegnen. Schiedsgerichte stellen
daher eine neutrale und unabhängige Streitschlichtungsinstanz in Konflikten
zwischen ausländischen Investoren und Staaten dar.

Nicht zuletzt liegt es im eigenen Interesse der Staaten, ausländischen Inves-   **35**
toren effektiven Schutz und Zugang zu einer neutralen und überparteilichen
Streitschlichtungsinstanz zu gewähren. Ebenso wie sich Unternehmen nur
ungern der fremden Gerichtsbarkeit des Staates eines ihrer Vertragspartner
unterwerfen, erachten es ausländische Investoren oft als nachteilig, auf die
lokale Justiz des betroffenen Staates angewiesen zu sein. Wenn Investoren
Sorge haben, im Konfliktfall der möglicherweise willkürlichen Gerichtsbarkeit und Gesetzgebung des Staates schutzlos ausgeliefert zu sein und ihr
Recht nicht effektiv durchsetzen zu können, werden sie tendenziell weniger
im betreffenden Land investieren. Je mehr Rechtssicherheit ein Staat ausländischen Investoren durch den Abschluss internationaler Investitionsschutzverträge bietet, umso mehr Investitionen wird ein Staat daher idR anziehen
können. Die Erfolgsgeschichte des internationalen Investitionsschutzes ist
daher nicht zuletzt durch derartige wirtschaftliche Erwägungen und Eigen-
interessen der Staaten zu erklären.

Wenn sich Unternehmer und Investoren in einem fremden Staat durch   **36**
eine Handlung des Staates in ihren Rechten verletzt sehen, sei es etwa durch
eine Handlung seiner Organe oder den Erlass eines bestimmten Gesetzes,
sollten sie daher prüfen, welche Rechte ihnen möglicherweise unter internationalem Investitionsschutzrecht zustehen.

D. Hinweise für Unternehmensvertreter und ihre Anwältinnen und Anwälte

Unternehmen benötigen im Konfliktfall Möglichkeiten, um die Erfüllung   **37**
ihres Vertrages zu erwirken oder um einen etwaigen Schaden oder entgan-
genen Gewinn ersetzt zu bekommen. Gerichts- und Schiedsverfahren sollten dabei immer nur als allerletzte Mittel dienen, um die eigenen Interessen
durchzusetzen.

Um die Wahrscheinlichkeit eines Streits zu minimieren, ist es zweck-   **38**
mäßig, dass Unternehmen bereits in der Vertragserstellungsphase frühzeitig
kompetenten juristischen Rat einholen, während der Vertragsverhandlungen
fair zum Vertragspartner sind und nach dem Vertragsabschluss den Vertrag
auch wirklich mit Leben erfüllen. Unternehmen leben von der konstruktiven
Abwicklung bestehender Verträge und dem Abschluss neuer Verträge. Konflikte sind in wirtschaftlichen Beziehungen zwar manchmal unvermeidlich,
können aber oft durch umsichtiges und vorausblickendes Agieren entweder

gänzlich vermieden oder zumindest konstruktiv gelöst werden. Der Versuch mancher Unternehmer (oder der begleitenden Anwältinnen und Anwälte), sich im Vertrag ein Maximum an Rechten zu sichern, ist zwar bei entsprechender Marktmacht manchmal erfolgreich, birgt aber oftmals schon die Saat späterer Streitigkeiten in sich.

39   Kommt es zu einem Streit, sollten Unternehmen zumindest im Hintergrund sofort juristischen Beistand beiziehen und zunächst alternative Streitbeilegungsmethoden wie Verhandlung und Mediation in Erwägung ziehen. Über einen Streit verlieren Parteien oft den Fokus auf nach wie vor vorhandene Kooperationsmöglichkeiten und Geschäftschancen und vernachlässigen den Erhalt einer positiven Beziehungsebene zum Geschäftspartner. Eine Klage vor einem staatlichen Gericht oder Schiedsgericht gefährdet oft das ursprünglich zwischen den Parteien vorhandene Vertrauensverhältnis. Auch haben Streitigkeiten häufig vielschichtige Hintergründe, die nicht unmittelbar rechtlicher Natur sind und die in einem Schiedsverfahren nur unzulänglich adressiert werden können.

40   Verhandlungen oder eine Mediation sind besser als Schiedsverfahren dazu geeignet, nach einem etwaigen versteckten Hintergrund des Konflikts zu forschen, der oftmals nichts mit den vordergründig ausgetauschten rechtlichen Standpunkten zu tun hat. Schiedsgerichte können lediglich im Rahmen des rechtlichen Vorbringens und der Anträge der Parteien über den Streit entscheiden. Am Ende eines Schiedsverfahrens gibt es daher idR einen Gewinner und einen Verlierer – den Anträgen der einen Partei wird stattgegeben, die Anträge der anderen Partei abgewiesen. Bei Verhandlung und Mediation bleibt die Lösung des Konflikts in den Händen der Parteien, da alle beteiligten Parteien einer Lösung zustimmen müssen. Wenn die Parteien also in Verhandlungen – entweder alleine oder mit Unterstützung eines Dritten, wie eines Mediators – einen Konflikt zu lösen versuchen, stehen ihnen ungleich mehr Möglichkeiten für die konstruktive und kreative Beilegung eines Streits zur Verfügung. Dies kann nicht zuletzt zu beidseitigem Gewinn, dem Erhalt oder der Wiederherstellung einer positiven Beziehung zum Geschäftspartner und zu neuen Geschäftsmöglichkeiten führen.

41   Nach Sichtung der Konfliktsituation und nach einer juristischen Einschätzung der Gewinnchancen sollten also alle Beteiligten kurz innehalten und überlegen: Ist ein Prozess wirtschaftlich sinnvoll und klug? Entgehen dem Unternehmen gemeinsame zukünftige Geschäfte mit dem vielleicht „ehemaligen" Partner und nunmehrigen „Gegner"? Zielführend zur eventuellen Vermeidung eines Schiedsverfahrens in letzter Minute ist es auch, wenn UnternehmensvertreterInnen in die Vorbereitung der letzten Vergleichsverhandlungen vor Klagseinbringung nicht nur ihre Rechtsanwältinnen und Rechtsanwälte sondern auch ihre CFOs miteinbeziehen. Eine nüchterne Kalkulation der Streitkosten (welche nicht nur die Kosten für Schiedsrichter-

Innen, Schiedsinstitution, Anwältinnen und Anwälte sowie Sachverständige, sondern auch die unternehmensinternen Kosten der Klagevorbereitung und Verfahrensbegleitung umfassen) ermöglicht oft doch noch einen Kompromiss in letzter Minute. Eine Schiedsklage sollte daher erst dann eingebracht werden, wenn alle alternativen Versuche der Streitbeilegung gescheitert sind. Sollte sich ein Unternehmen nach sorgfältiger Abwägung schlussendlich dazu entscheiden, Schiedsklage einzubringen, sollten beim ersten Zusammentreffen zwischen Schiedsgericht und Parteien nicht nur die Anwältinnen und Anwälte der Parteien, sondern auch eine Vertreterin/ein Vertreter des Unternehmens anwesend sein. Oftmals ergeben sich durch die Anwesenheit einer Vertreterin/eines Vertreters des Unternehmens selbst zusätzliche Chancen für eine effiziente Konfliktbeilegung.

II. Vor- und Nachteile des schiedsgerichtlichen Verfahrens

Michael Kutschera

A. Verfahren vor staatlichen Gerichten und vor Schiedsgerichten im Vergleich

1. Starrheit gegenüber Selbstbestimmung/Flexibilität des Verfahrensablaufs

42 Die Streitbeilegung in Angelegenheiten des Zivilrechts ist im Rechtsstaat idR den ordentlichen Gerichten zugewiesen. Solche Konflikte sind unter den Rechtsunterworfenen nach den hierfür bestehenden, idR gesetzlichen Vorschriften (in Österreich, Deutschland und der Schweiz den jeweiligen Zivilprozessordnungen) auszutragen, sofern keine gütliche Einigung unter den Streitteilen gefunden werden kann. Dabei steht den Parteien wohl die Disposition über den Streitgegenstand in breitem Umfang zu. Privatrechtliche Ansprüche unterliegen schließlich – mit wenigen Ausnahmen – der Privatautonomie, können also von den Beteiligten frei gestaltet und bspw jederzeit einvernehmlich durch Vergleich beigelegt werden.

43 Im Bemühen, ja in Befolgung des auch völkerrechtlich übernommenen Auftrags, ein faires Verfahren sicherzustellen[19] sowie im Spannungsverhältnis zwischen dem Grundsatz der Prozessökonomie und dem Streben, im Einzelfall der Gerechtigkeit zum Durchbruch zu verhelfen, gestehen nationale Zivilprozessordnungen sowie EuGVVO und LGVÜ den Parteien idR noch ein hohes Maß an Einfluss betreffend den Ort zu, an dem ein gerichtliches Verfahren stattfindet.[20] Das im Einzelfall zuständige Gericht, die Person des nach der Geschäftsverteilung des Gerichts zuständigen Richters und der Ablauf des Verfahrens, namentlich des Beweisverfahrens, sowie die Entscheidungsfindung selbst sind weitgehend der Disposition der Parteien entzogen.

44 So ist die Bestimmung der Personen, die im konkreten Fall als Richter zu entscheiden haben, nach dem aus dem Recht auf den gesetzlichen Richter abgeleiteten Grundsatz der festen Geschäftsverteilung bewusst der Parteiendisposition entzogen;[21] dies selbst dann, wenn sich die Parteien auf die Tätigkeit einer bestimmten Richterin/eines bestimmten Richters verständigen wollten. Die Prozessleitung obliegt dabei dem hinsichtlich prozessleitender Verfügun-

---

19 Art 6 EMRK und Art 47 GRC.
20 Vgl Art 25 EuGVVO; § 104 öJN; § 38 dZPO; für die Schweiz: Art 23 LGVÜ; Art 5 schwIPRG; Art 17 schwZPO.
21 Art 87 Abs 3 öB-VG; Art 101 dGG; Art 30 schwBV.

gen sehr freien Gericht, das dafür zu sorgen hat, dass alles Wesentliche erörtert und alles Unwesentliche hintangehalten wird.[22] Die Entscheidung ist auf der Grundlage des vom Gericht nach den geltenden Vorschriften festzustellenden Sachverhalts (wozu allerdings auch Zugeständnisse und Außerstreitstellungen der Parteien gehören) allein unter Anwendung des nach bindenden Regeln zu ermittelnden anzuwendenden Rechts zu fällen. Soweit das anzuwendende Recht dem Gericht keine Ermessensspielräume einräumt, die pflichtgemäß zu füllen sind, kommt dem Gericht dabei grundsätzlich kein Ermessen zu. Eine Entscheidung nach Billigkeit ist dem ordentlichen Gericht (mit sehr engen Ausnahmen) grundsätzlich verwehrt.[23]

Staatliche Zivilprozessordnungen ermöglichen den Parteien in Form der **45** Schiedsgerichtsbarkeit eine alternative Möglichkeit der Streitbeilegung. Sie legen gewisse fundamentale Regeln fest, um ein rechtsstaatlichen Grundsätzen entsprechendes, faires Verfahren abzusichern. Durch die Wahl des Schiedsorts können die Parteien zwischen verschiedenen schiedsfreundlichen Rechtsordnungen jedoch frei wählen und damit zugleich die erste staatliche Kontrollinstanz (idR die für den Schiedsort zuständigen staatlichen Gerichte) für die Rechtmäßigkeit des Schiedsverfahrens bestimmen, sowie in weitem Maß die SchiedsrichterInnen selbst oder ein Prozedere für ihre Auswahl und den Ablauf des Schiedsverfahrens festlegen.

In allen modernen Schiedsgesetzen (so auch in Österreich, Deutschland **46** und der Schweiz) hat sich der **Grundsatz der Parteiautonomie** zur Bestimmung des in der Streitsache anwendbaren Rechts durchgesetzt.[24] Erst bei Fehlen einer Rechtswahl kommt es zur Bestimmung des anwendbaren Rechts durch das Schiedsgericht selbst.[25] In Österreich hat das Schiedsgericht jene Rechtsvorschriften anzuwenden, die es für angemessen erachtet.[26] In Deutschland und der Schweiz ist vom Schiedsgericht jenes Recht anzuwenden, mit dem die Streitsache am engsten verknüpft ist.[27] Schiedssprüche können sowohl in Österreich als auch in Deutschland und der Schweiz nur unter sehr engen Voraussetzungen aufgehoben werden. Eine *révision au fond* (die Überprüfung des Schiedsspruchs in tatsächlicher und rechtlicher Hinsicht)

---

22 *Rassi* in Fasching/Konecny, ZPO[3] § 180 ZPO Rn 1; § 136 dZPO; insb Art 56, 124, 246 f schwZPO.

23 Vgl § 273 öZPO; § 273 öZPO räumt dem Gericht die Möglichkeit ein, gewisse Fragen *„nach freier Überzeugung"* zu entscheiden; vgl ferner § 287 dZPO und Art 42(2) schwOR.

24 § 603 Abs 1 öZPO; Art 187 Abs 1 schwIPRG (Das Schiedsgericht entscheidet die Streitsache nach dem von den Parteien gewählten Recht oder, bei Fehlen einer Rechtswahl, nach dem Recht, mit dem die Streitsache am engsten zusammenhängt).

25 Siehe dazu näher *Voser/Schramm/Haugender* Rn 826 ff.

26 § 603 Abs 2 öZPO.

27 § 1051 Abs 2 dZPO; Art 187 schwIPRG.

ist in keinem der drei Länder vorgesehen. Nur krasse Verstöße, die gegen den materiell- oder verfahrensrechtlichen *ordre public* verstoßen, können zur Aufhebung des jeweiligen Schiedsspruchs führen.[28] Schließlich können die Parteien dem Schiedsgericht auch die Ermächtigung einräumen, nach Billigkeit zu entscheiden.[29]

47   An dieser Stelle jedoch eine praktische Anmerkung: Beim Abschluss von Schiedsvereinbarungen werden selten ein gewisser Verfahrensablauf bzw andere dem Willen der Parteien unterwerfbare Gestaltungselemente detailliert festgelegt. Dies ist umso verständlicher, als die Regelung einer allfälligen Streitbeilegung durch den Unwillen motiviert ist, das (teilweise) Scheitern der Vertragsdurchführung wegen Streitigkeiten schon bei Vertragsschluss vorauszusehen. Wird aber ein Schiedsverfahren eingeleitet, ist das Gesprächsklima zuweilen schon derart gestört, dass ein konstruktives Zusammenwirken zur Streitbeilegung nur noch schwer möglich ist. Gerade für diese Konstellation empfiehlt sich die Vereinbarung der Streitbeilegung durch ein institutionelles Schiedsgericht mit entsprechend erprobter Schiedsordnung und institutionellen Entscheidungsgremien, die dem Schiedsgericht zur Seite stehen. Darüber hinaus kommt der Schiedsrichterin/dem Schiedsrichter, im Fall eines mehrköpfigen Schiedsgerichts va dem vorsitzenden Mitglied des Schiedsgerichts, die Aufgabe zu, miteinander im Streit liegenden Parteien Wege aufzuzeigen, die zu einer effizienten Streitbeilegung führen. Vermögen die Parteien kein Einverständnis über gewisse Verfahrensabläufe zu erzielen, geben sie auch ihren Vertretern nicht das *Pouvoir*, derlei für sie festzulegen, oder nützen Letztere ein solches *Pouvoir* aus der Sorge heraus nicht, von ihren Mandanten im Nachhinein für einen schlechten Ausgang des Verfahrens verantwortlich gemacht zu werden, obliegt es dem Schiedsgericht, den weiten Spielraum zur Verfahrensgestaltung im Sinn einer effizienten und fairen Streitbeilegung auszunützen.

48   Das Schiedsgericht kann dabei auf den Einzelfall zugeschnittene Vorgangsweisen festlegen, je nach den am Verfahren Beteiligten die Gestaltung der einen oder anderen Verfahrenstradition nachempfinden und so danach trachten, verschiedene Ziele, wie die möglichst erschöpfende Klärung des Sachverhalts und aller Rechtsfragen einerseits und eine ökonomische, zügige Durchführung des Verfahrens andererseits, unter einen Hut zu bringen.

49   Bei aller Gestaltungsmacht des Schiedsgerichts muss das Schiedsgericht idR auf übereinstimmend geäußerte Parteiwünsche zur Verfahrensgestaltung eingehen, beruht ja schon ihre Zuständigkeit allein auf Parteienvereinbarung. Beim Ausloten möglichen Einvernehmens unter den Parteien, va deren Vertretern, wird das Schiedsgericht behutsam vorzugehen haben, weil miteinander

---

28   § 611 öZPO; § 1059 dZPO; Art 190 schwIPRG.

29   § 603 öZPO; § 1051 dZPO; Art 187 schwZPO.

in erbittertem Streit liegende Parteien zuweilen jedes noch so sachgerechte kooperative Vorgehen ihrer Vertreter gerne als Schwäche oder gar Illoyalität misszudeuten versucht sind.

2. RichterInnen/SchiedsrichterInnen als fachliche Experten?

Schiedsgerichte haben ebenso wie Gerichte Recht zu sprechen, also durch Schiedsspruch bzw Urteil strittige Sach- und Rechtsfragen zu klären. Die Ermittlung des dem Entscheid zu Grunde liegenden Sachverhalts stellt an RichterInnen wie SchiedsrichterInnen zuweilen besondere Anforderungen, etwa wenn komplexe technische oder wirtschaftliche Fragen zu lösen sind. Staatliche RichterInnen sind im Wesentlichen Generalisten, auch wenn der richterliche Ausbildungsdienst umfassend ist. Dennoch kennen auch staatliche Gerichte den Einsatz spezialisierter RichterInnen. Ein Paradefall spezialisierter staatlicher Gerichtsbarkeit sind die Patentstreitkammern bestimmter Gerichte wie die des Landgerichts Düsseldorf, die sich ausschließlich mit Patentstreitigkeiten beschäftigen.[30] Ihren Entscheidungen kommt *de facto* europaweite Präjudizwirkung zu. Allerdings kommt Schiedsverfahren in Patentsachen aus einer Reihe von Gründen keine besondere Bedeutung zu. Nicht unerwähnt bleiben sollen auch die Arbeits- oder Handelsgerichte. Ansonsten sind spezialisierte RichterInnen meist bloß in den oberen Instanzen anzutreffen, wo Spezialsenate gebildet werden.[31] Im Schiedsgericht ist dagegen der gezielte Einsatz von SpezialistInnen von vornherein möglich, wenn Streitthemen einem einigermaßen einzugrenzenden Fachgebiet – etwa der Energiewirtschaft oder der Telekommunikation – zugeordnet werden können.

50

So hat sich im Bereich von Streitigkeiten im Energiebereich, sowohl betreffend Gas als auch Strom aufgrund der hohen Anzahl von schiedsgerichtlichen Verfahren (von den 767 neuen Fällen der ICC im Jahr 2015[32] waren knapp 20 % im Energiesektor angesiedelt) geradezu eine Community von ParteienvertreterInnen und SchiedsrichterInnen entwickelt, die über beson-

51

---

30 Landgericht Düsseldorf, Geschäftsverteilungsplan für das Jahr 2016, abrufbar unter http://www.lg-duesseldorf.nrw.de/aufgaben/geschaeftsverteilung/gvp_richter_normal. pdf (zuletzt abgerufen am 10.5.2016). Das Bundespatentgericht in der Schweiz ist auch für zivilrechtliche Streitigkeiten zuständig, sofern diese im Sachzusammenhang mit Patenten stehen: https://www.bundespatentgericht.ch/das-gericht/aufgaben-zustaendigkeiten (zuletzt abgerufen am 16.11.2016).

31 *Zimmermann*, RZ 2015, 198 (200).

32 ICC Arbitration posts strong growth in 2015, abrufbar unter http://www.iccwbo.org/ News/Articles/2016/ICC-Arbitration-posts-strong-growth-in-2015 (zuletzt abgerufen am 17.11.2016).

dere technische, wirtschaftliche und regulatorische Kenntnisse des jeweils relevanten Wirtschaftszweiges verfügen.[33]

52   Eine besondere Ausprägung der Spezialisierung in einem Rechtsgebiet erfolgte im Jänner 2012 durch die Gründung des aus über 100 Experten bestehenden *Panel of Recognised International Market Experts in Finance*, kurz *P.R.I.M.E. Finance*, für Streitigkeiten, die aus komplexen Finanztransaktionen herrühren. Solche Verfahren können nach den *P.R.I.M.E. Finance Arbitration Rules* durchgeführt werden, die im Wesentlichen die im Jahr 2010 revidierte UNCITRAL SchO übernehmen. Dies erlaubt es einerseits, im Falle von Unklarheiten hinsichtlich der Verfahrensführung auf bereits bestehende Literatur und Rechtsprechung zuzugreifen. Andererseits wurde mittels gezielter Ergänzungen und Anpassungen den Besonderheiten der Finanzmärkte und dem Wunsch seiner Teilnehmer nach rascher Streitbeilegung entsprechend Rechnung getragen. Dieserart sollen verfahrensrechtliche Rahmenbedingungen geschaffen werden, die den ExpertenInnen erlauben, unter Einhaltung ihres Fachwissens eine effiziente Streitbeilegung zu bewirken.

53   In anderen Bereichen erweist es sich allerdings im Einzelfall häufig als nicht einfach, SchiedsrichterInnen mit dem relevanten Fachwissen zu finden und für das Schiedsverfahren zu gewinnen.

54   So mag eine Partei eine/einen fachlich, etwa mit Fragen der Energiewirtschaft oder des Energierechts vertraute/n Schiedsrichterin/Schiedsrichter benennen, die andere Partei auf eine/einen im Vertragsrecht geschulte/n Expertin/Experten vertrauen, die/der nähere Kenntnisse der genannten Bereiche fehlen. Wie soll in dieser Konstellation die fachliche Qualifikation des vorsitzenden Mitglieds des Schiedsgerichts beschaffen sein, um einen gleichermaßen unabhängigen, ausgewogen beurteilenden sowie möglichst fachkundigen SchiedsrichterInnensenat zu schaffen? Die Frage lässt sich kaum losgelöst vom Einzelfall beantworten. Die Annäherung an eine sachgerechte Lösung kann wiederum am besten durch detaillierte Parteienvereinbarung erzielt werden. Festlegungen von bestimmten SchiedsrichterInnen oder dem vorsitzenden Mitglied eines mehrköpfigen Schiedsgerichts im Vorhinein wären Beispiele dafür, von der allerdings grundsätzlich abzuraten ist. Einigen sich die Parteien also etwa in der Schiedsklausel auf benennende Stellen oder, wahrscheinlich noch zielführender, auf Personen, die in der Lage sind, fachlich besonders geeignete SchiedsrichterInnen zu bestimmen, ist wohl die bestmögliche Vorsorge für einen sachkompetenten Schiedsrichtersenat getroffen. Das gilt zumindest dann, wenn der Abschluss der Schiedsvereinbarung

---

33 *Le Bars*, J. Int. Arb. 2015, 543 f; *Tevendale/Waldek*, The ICC 2013 Statistics – Another busy year for international arbitration, 9.9.2014, abrufbar unter http://hsfnotes.com/arbitration/2014/09/09/the-icc-2013-statistics-another-busy-year-for-international-arbitration/ (zuletzt abgerufen am 10.5.2016).

und das Schiedsverfahren zeitlich nicht zu weit auseinander liegen. Ob das bloße Postulat in Schiedsklauseln, zu SchiedsrichterInnen mögen Personen mit bestimmten Kenntnissen bestellt werden, dazu beiträgt, sei dahingestellt.

Eng verbunden mit den erwähnten Überlegungen ist die Frage nach der **55** Eignung von Personen als SchiedsrichterInnen, die über eine für das Verfahren nützliche technische oder wirtschaftliche Qualifikation verfügen, nicht jedoch über eine universitäre, juristische Ausbildung im klassischen Sinn. Letztere ist in den für das vorliegende Werk relevanten nationalen Schiedsgesetzen und Schiedsordnungen nicht Voraussetzung dafür, dass eine Schiedsrichterin/ein Schiedsrichter über die für das SchiedsrichterInnenamt erforderlichen juristischen Kenntnisse verfügt. Wer jedoch allein über Kenntnis bestimmter Gegebenheiten etwa technischer oder wirtschaftlicher Natur, aber nicht über juristisches Grundwissen verfügt, mag als Sachverständige/Sachverständiger geeignet sein, taugt aber idR nicht zur Ausübung des SchiedsrichterInnenamtes.

Summa summarum mag es zwar unter den RichterInnen staatlicher Ge- **56** richte durchaus Persönlichkeiten mit ebenso guten oder auch besseren Kenntnissen bestimmter nichtjuristischer Spezialgebiete geben wie unter potenziellen SchiedsrichterInnen. Dass aber gerade diese staatlichen RichterInnen zur Verhandlung und Entscheidung in jenem Fall berufen sind, der besonderes Spezialwissen verlangt, erfordert idR eine glückliche Fügung des Schicksals und kann kaum durch die Parteien selbst herbeigeführt werden.

Dem gegenüber ist es durchaus möglich, ein Schiedsgericht gezielt zusam- **57** menzustellen, dem Mitglieder angehören, die über spezialisiertes Vorwissen verfügen, das für die zügige, professionelle Abwicklung eines Verfahrens hilfreich ist. Dies gilt umso mehr, wenn die Parteien bereits bei Abschluss der Schiedsvereinbarung hierfür die Weichen stellen.

3. Neutralität von unabhängigen RichterInnen gegenüber internationalen SchiedsrichterInnen

Ein delikates Thema spricht der Versuch an, die Unabhängigkeit staatlicher **58** RichterInnen in grenzüberschreitenden Streitfällen zu jener von Angehörigen international zusammengesetzter mehrköpfiger Schiedsgerichte oder von Einzelschiedsgerichten aus einem hinsichtlich der Streitteile neutralen Staat in Bezug zu setzen. Ausgeklammert bleibt die eher seltene Konstellation der Streitaustragung vor den staatlichen Gerichten eines gegenüber den Streitteilen als neutral anzusehenden Staats. Eine geradezu weltweite Ausnahmestellung nehmen die Gerichte in London ein, die unterstützt durch die weltweite Dominanz der englischen Rechts- und Wirtschaftssprache und eine große Anzahl international versierter, in London ansässiger Anwaltskanzleien zu einem Zentrum (auch) der gerichtlichen Austragung von Rechtsstreitigkeiten geworden sind, die mit London oder dem Vereinigten Königreich nichts zu tun haben. Andere Zentren, wie etwa Singapur, versuchen sich in dieselbe Richtung zu entwickeln – in Kontinentaleuropa sind erst zaghafte Ansätze in diese Richtung (zB Gesetzesinitiativen zur Einführung von in englischer Sprache verhandelnden Kammern für internationale Handelssachen bei deutschen Landgerichten)[34] erkennbar.

59   Die Unvoreingenommenheit und strikte Unparteilichkeit der Gerichtsbarkeit gerade in Fällen, in denen einheimische Parteien gegen ausländische prozessieren, ist notwendiger Bestandteil jeder rechtsstaatlichen Ordnung. Sie kann nach der Erfahrung des Autors dieses Beitrags zumindest in den ihm vertrauten Rechtsordnungen erfreulicherweise in hohem Maß als Realität angesehen werden. Saloppe Verweise auf negative Erfahrungen in Einzelfällen, bestimmten Regionen, oder etwa die Differenzierung zwischen Gerichten in großen Zentren und solchen in der Provinz, tragen nichts zu einer seriösen Abhandlung des Themas bei.

60   Das Vertrauen auch in die internationale Unparteilichkeit staatlicher Gerichte allein beseitigt allerdings noch nicht das natürliche Unbehagen einer jeden Streitpartei darüber, dass gerade die Gerichte des Sitzes oder Wohnsitzes des Gegners über wechselseitige Ansprüche entscheiden sollen. Sprachbarrieren und andere kulturelle Unterschiede nagen schnell am Vertrauen in die Unabhängigkeit eines fremden Gerichts. Die internen und externen Kosten und sonstigen Lasten der Verfahrensführung sind für den auswärtigen Streitteil idR höher als für den einheimischen. Zu bedenken ist auch der häufig gesetzlich vorgeschriebene ausschließliche Gebrauch der Gerichtssprache.[35] Das bedeutet, dass nicht nur jeder Schriftsatz in der Gerichtssprache zu verfassen, sondern auch jede Beilage in diese zu übersetzen ist. Wenn der Prozessgegner nicht bereit ist, Übersetzungen zu prüfen und ihre Richtigkeit zuzugestehen, sind Übersetzungen zu beglaubigen. Parteien- und Zeugenvernehmungen bedürfen des Einsatzes von DolmetscherInnen. Das dauert nicht nur länger und verursacht Kosten, auch ein Stück der Unmittelbarkeit des Verfahrens geht so verloren. Fragen wie Antworten gehen durch den Filter der Übersetzerin/des Übersetzers, die/der möglicherweise nicht jede Nuance der Ausdrucksweise vollständig in die Gerichtssprache übertragen kann.

61   Die Vereinbarung der schiedsgerichtlichen Beilegung von Streitigkeiten kann die meisten der oben angeführten, ungleich verteilten Beschwernisse der Austragung von Streitigkeiten vor einem für den einen Streitteil einhei-

---

34 Deutscher Bundestag, 18. Wahlperiode, Gesetzentwurf des Bundesrates, Entwurf eines Gesetzes zur Einführung von Kammern für internationale Handelssachen, abrufbar unter http://dip21.bundestag.de/dip21/btd/18/012/1801287.pdf (zuletzt abgerufen am 17.5.2016).

35 § 53 Abs 1 öGeo; § 184 dGVG; Art 129 schwZPO.

mischen, für den anderen Streitteil aber auswärtigen Gericht einigermaßen gleich verteilen.

Zunächst kann ein **neutraler Schiedsort** und uU auch ein anderer Ver- **62** handlungsort gewählt werden, der für beide Seiten gleich schwere logistische Herausforderungen schafft (Reise- und Aufenthaltskosten, Verhandeln abseits vom eigenen Standort, etc). Aber selbst wenn als Schiedsort ein solcher gewählt wird, der für einen der Streitteile näher ist, können Rahmenbedingungen geschaffen werden, die die Lasten der Abführung eines Rechtsstreits ausgewogener verteilen. Schwierigkeit ist, Neutralität betreffend den Schiedsort herzustellen, wenn etwa eine Partei mit *common law* Hintergrund im Schiedsverfahren Gegner einer Partei mit *civil law* Hintergrund ist.

Als **Sprache oder Sprachen** für das Verfahren können solche gewählt **63** werden, die die Notwendigkeit von Übersetzungen möglichst vermeiden. Betreffend die Bestimmung der Zusammensetzung des Schiedsgerichts und den Verfahrensablauf führt besonders die Vereinbarung institutioneller Schiedsgerichte zur Anwendung international erprobter und anerkannter Regeln sowie zu Entscheidungen (etwa Ernennungen von SchiedsrichterInnen) durch und für international fachlich und in ihrer Unabhängigkeit anerkannte Personen. Aber auch die nationalen Regelungen über Schiedsverfahren räumen den Parteien und dem Schiedsgericht idR ausreichend Diskretion ein, um einen die Lasten fair auf die Parteien verteilenden Verfahrensablauf zu gestalten. Sie stellen darüber hinaus eine faire Verfahrensdurchführung sicher, wie etwa durch Vorschriften über die Unabhängigkeit der SchiedsrichterInnen und Verfahren bei Ablehnung von SchiedsrichterInnen wegen mangelnder Unabhängigkeit.[36]

Die **Zusammensetzung des Schiedsgerichts** kann in einer Weise gestaltet **64** werden, dass keine unterschiedliche Nähe der Einzelschiedsrichterin/des Einzelschiedsrichters oder des SchiedsrichterInnensenats in seiner Gesamtheit zur einen oder anderen Partei ausgemacht werden kann. Um dies sicher zu stellen, empfehlen sich entweder die Vereinbarung institutioneller Schiedsgerichte oder detaillierte Regeln zur Bestimmung der SchiedsrichterInnen im Einzelfall. Dies ist bei Entscheidung durch eine Einzelschiedsrichterin/einen Einzelschiedsrichter einfach – entweder die Parteien einigen sich oder eine dritte Stelle bestimmt sie oder ihn. Dabei sollte sichergestellt werden, dass bei Parteien unterschiedlicher Nationalität ein Angehöriger eines betreffend die Streitteile neutralen Staats zur Einzelschiedsrichterin/zum Einzelschiedsrichter bestellt wird. Gem Art 13(5) ICC SchO muss grundsätzlich die Einzelschiedsrichterin/der Einzelschiedsrichter oder das vorsitzende Mitglied des Schiedsgerichts eine andere Nationalität als die Parteien besitzen. Das gilt nur dann nicht, wenn die Umstände eine identische Staatsangehörigkeit

---

36 §§ 588 f öZPO; § 1036 dZPO; Art 180 schwIPRG.

als sinnvoller erscheinen lassen und die Parteien nicht widersprechen. Angemerkt sei, dass der Idealtypus der unabhängigen SchiedsrichterInnenpersönlichkeit gleichermaßen völlig unparteilich sein wird, wenn das Verfahren zwischen einem Streitteil aus seinem Staat und einem Streitteil von auswärts durchzuführen ist. Das Vertrauen beider Seiten in die Unparteilichkeit einer Einzelschiedsrichterin/eines Einzelschiedsrichters wird aber durch seine neutrale Herkunft gewiss von vornherein gestärkt.

65 Für das vorsitzende Mitglied eines Schiedsrichtersenats (hier wird von einem dreiköpfigen ausgegangen) gilt grundsätzlich das Gleiche wie für die Einzelschiedsrichterin/den Einzelschiedsrichter, auch wenn dieses häufig nicht von den Parteien, sondern von durch die Parteien benannte SchiedsrichterInnen bestimmt wird. Die idR durch die Parteien selbst gewählten SchiedsrichterInnen können aber durch ihre Herkunft bzw Expertise auch unter der – selbstverständlichen – Annahme ihrer vollen Unabhängigkeit gegenüber der sie benennenden Seite zu schwierigen Konstellationen im Schiedsgericht hinsichtlich Kenntnis des anzuwendenden Rechts oder bestimmter anderer Besonderheiten des Falls (zB technischer oder wirtschaftlicher Gegebenheiten) führen. Je genauer die Parteien bei Abschluss der Schiedsvereinbarung die entsprechenden Weichen stellen, umso mehr sie erfahrene benennende Stellen vereinbaren, desto eher wird der Schiedsrichtersenat eine Zusammensetzung aufweisen, die Vertrauen der Streitteile nicht allein in die persönliche Unabhängigkeit der SchiedsrichterInnen sondern auch in die Ausgewogenheit der Kenntnisse des Schiedsgerichts betreffend das anzuwendende Recht und sonstige für die Lösung des Falls erforderliche Materien begründet.

66 So ist die Schiedsgerichtsbarkeit in grenzüberschreitenden Verfahren nicht nur in der Lage, die Verfahrensdurchführung durch in jeder Hinsicht unabhängige und unparteiische SchiedsrichterInnen zu gewährleisten. Das kann auch von den Gerichten vieler Staaten erwartet werden. Darüber hinaus verfügt jedoch vorzugsweise die Schiedsgerichtsbarkeit über die Möglichkeit, bei internationalen Streitigkeiten ein in jeder Hinsicht neutrales Forum zur Streitaustragung zu garantieren, das die solchen Verfahren immanenten besonderen Lasten wie sprachliche Hürden, die Anwendung zumindest für eine Seite fremden Rechts sowie die mitunter weite geografische Distanz zwischen den Standorten der Streitteile auf das unvermeidbare Maß beschränkt und möglichst gleich auf die Parteien verteilt.

4. Öffentlichkeit/Geheimhaltung des Verfahrens

67 Die Öffentlichkeit gerichtlicher Verfahren zählt zu den Meilensteinen auf dem Weg zum Rechtsstaat. Das Volk soll in der Lage sein, sich ein Bild vom Ablauf gerichtlicher Verfahren zu machen, sich davon überzeugen können, ob das Gericht den Parteien unvoreingenommen und fair gegenübertritt,[37] va frei von unlauterem Einfluss Dritter. Allerdings beschränkt sich die Öffentlichkeit in der (kontinentaleuropäischen) Regel auf mündliche Streitverhandlungen und auch dort kann, allerdings nur bei Vorliegen besonderer Umstände, die Öffentlichkeit vom Verfahren ausgeschlossen werden.[38] Akteneinsicht kommt idR allein den Parteien zu.[39] Auch Urteile bzw ihre Begründung werden kaum je in der Verhandlung öffentlich verkündet,[40] sondern den Parteien bzw ihren Vertretern schriftlich zugestellt und damit der Öffentlichkeit entzogen, dies im Gegensatz zu den USA, wo in Zivilverfahren für jedermann beinahe unbeschränkter elektronischer Zugriff auf alle Gerichtsakten besteht. UU – zB in Wettbewerbsstreitigkeiten – besteht ein besonderer Anspruch auf Urteilsveröffentlichung. Werden aber (höchst)gerichtliche Urteile veröffentlicht, so hängt es von der jeweiligen Tradition ab, ob dies – wie etwa in den USA – unter Offenlegung der Identität der Beteiligten oder – wie etwa in Österreich – anonymisiert erfolgt.

Die (Nicht-)Öffentlichkeit ist von der Vertraulichkeit zu unterscheiden: **68** Die (Nicht-)Öffentlichkeit betrifft den Zugang von Dritten zum Verfahren, die Vertraulichkeit die freiwillige Preisgabe von Informationen durch die Parteien an Dritte.[41] Beteiligte an Wirtschaftsstreitigkeiten, die wohl die Mehrheit der schiedsgerichtlichen Verfahren bilden, haben idR größtes Interesse an der Vertraulichkeit von Schiedsverfahren. Zunächst soll meist schon der Umstand geheim bleiben, dass und mit wem gestritten wird. Ebenso wird generell Wert darauf gelegt, dass auch der Gegenstand des Rechtsstreits und sein Ausgang nicht publik werden. Schließlich mögen im Lauf eines Verfahrens Geschäftsgeheimnisse aller Art erörtert werden, deren Kenntnis Dritten unerwünschte Wettbewerbsvorteile verschaffen könnte.

Daher ist es empfehlenswert, die Vertraulichkeit des Schiedsverfahrens – **69** va des Schriftsatzwechsels, der Schiedsverhandlung und des Schiedsspruchs oder eines Schiedsvergleichs – zu vereinbaren. Das hat seinen Grund va darin, dass mangels einer ausdrücklichen Vereinbarung zwischen den Parteien nicht von einer allgemein bestehenden Geheimhaltungspflicht der Parteien auszugehen ist.[42] Auch wenn die Vertraulichkeit wenigstens teilweise durch-

---

37 *Rechberger/Simotta*, Zivilprozessrecht[8] Rn 416.
38 Nach § 172 öZPO sind Ausschlussgründe zB die Gefährdung der Sittlichkeit oder der öffentlichen Ordnung sowie die Erörterung von Tatsachen des Familienlebens; vgl ferner § 169 dGVG und Art 53 schwZPO.
39 § 219 öZPO; § 299 dZPO; Art 53 schwZPO.
40 Zu beachten ist allerdings, dass in Deutschland die Urteilsverkündung durch Verlesen der Urteilsformel in öffentlicher Sitzung erfolgt.
41 *Risse/Oehm*, ZVglRWiss 2015, 407 (415).
42 *Koller* in Liebscher/Oberhammer/Rechberger, Schiedsverfahrensrecht I Rn 3/374. Zu beachten ist allerdings, dass Art 44 Swiss Rules normiert, dass mangels schriftlicher

brochen wird, wenn bei einem staatlichen Gericht trotz Schiedsvereinbarung einstweilige Maßnahmen beantragt werden (müssen), ein Schiedsspruch bei Gericht angefochten oder gerichtlich vollstreckt wird, ja uU schon dann, wenn der Schiedsspruch bloß erfüllt wird, so können Schiedsparteien doch davon ausgehen, dass selbst der Umstand, dass ein Schiedsverfahren geführt wird, und erst Recht dessen Verlauf und Ergebnis geheim bleiben, so sie dies wollen.[43]

70   Die öffentliche Beobachtung von Schiedsverfahren ist auch angesichts der bestehenden Kontrollmechanismen bei Schiedsverfahren nicht erforderlich, um ihren rechtsstaatlichen Verlauf abzusichern. In Österreich wird grundsätzlich bejaht, dass ein Verstoß gegen konsumentenrechtliche Bestimmungen den materiell-rechtlichen *ordre public* verletzen kann,[44] wiewohl die österreichische Rechtsordnung die Anwendung des § 617 öZPO auf Schiedsverfahren mit Sitz in Inland einschränkt und deren Einstufung als *ordre public* Bestimmung bestritten wird.[45] Nicht geäußert hat sich der österreichische OGH allerdings bis dato dazu, ob § 6 Abs 2 Z 7 öKschG, gemäß dem eine Schiedsvereinbarung zwischen Konsument und Unternehmer im Einzelnen ausgehandelt werden muss, dem *ordre public* zuzuordnen sei. Dies ist durchaus argumentierbar,[46] sodass nicht ausgeschlossen werden kann, dass diese Bestimmung über Art 5 Abs 2 lit b NYÜ zu einer Versagung der Anerkennung und Vollstreckung eines ausländischen Schiedsspruchs führen könnte, der gegen eine Konsumentin / einen Konsumenten gefällt wurde. Demgegenüber heilt in Deutschland der Mangel der Form, in der Schiedsvereinbarungen mit KonsumentInnen gemäß § 1031 Abs 5 dZPO abzuschließen sind, bereits durch die Einlassung auf die schiedsgerichtliche Verhandlung zur Hauptsache.[47] Soweit – wie in der überwiegenden Mehrheit aller Fälle – Teilnehmer

---

Vereinbarung zwischen den Parteien eine Vertraulichkeitspflicht besteht. § 43 DIS-Regeln normiert, dass ua die Parteien über die Durchführung eines schiedsrichterlichen Verfahrens, und insb über die beteiligten Parteien, Zeugen, Sachverständigen und sonstige Beweismittel Verschwiegenheit gegenüber jedermann zu bewahren haben.

43   Nach Art 41 Wiener Regeln sind jedoch das Präsidium und der Generalsekretär berechtigt, *„Zusammenfassungen oder Auszüge aus Schiedssprüchen in juristischen Fachzeitschriften oder in eigenen Publikationen in anonymisierter Form zu veröffentlichen, wenn nicht eine Partei der Veröffentlichung innerhalb einer Frist von 30 Tagen ab Zustellung des Schiedsspruchs widerspricht."*.

44   *Hausmaninger* in Fasching/Konecny, ZPO³ § 611 Rn 165.

45   *Öhlberger*, ÖJZ 2010, 188.

46   *Zeiler/Siwy*, Supreme Court Decides on Enforceability of Awards against Consumers (2009), International Law Office – Legal Newsletter (26.11.2009) abrufbar unter http://www.internationallawoffice.com/Newsletters/Arbitration-ADR/Austria/Schnherr-Rechtsanwlte-GmbH/Supreme-Court-Decides-on-Enforceability-of-Awards-against-Consumers (zuletzt abgerufen am 20.7.2016).

47   § 1031 Abs 6 dZPO.

des Wirtschaftslebens Parteien von Schiedsverfahren sind, werden sie ohnehin idR von entsprechend qualifizierten Rechtsanwälten vertreten sein, die auch den Verfahrensablauf verfolgen und Verstöße gegen rechtsstaatliche Verfahrensgrundsätze feststellen und rügen werden. Reicht dieses Korrektiv nicht aus, steht die Anfechtung des Schiedsspruchs, allenfalls schon jene früherer Entscheidungen des Schiedsgerichts, etwa zu Zuständigkeits- oder Befangenheitseinwänden, offen. Institutionelle Schiedsgerichte verfügen darüber hinaus über zusätzliche Kontrollmechanismen.

Zusammengefasst ist das schiedsgerichtliche Verfahren durch seine Nicht- **71** öffentlichkeit charakterisiert. Mit wenigen Einschränkungen können sich die Parteien darauf verlassen, dass der Öffentlichkeit nicht einmal der Umstand und das Ergebnis eines schiedsgerichtlich ausgetragenen Rechtsstreits, jedenfalls aber nicht dessen Verlauf, bekannt werden.

5. Dauer von Verfahren bei ordentlichen Gerichten und Schiedsgerichten

Eine vergleichende Analyse des Ablaufs von Schiedsverfahren und Verfahren **72** vor ordentlichen Gerichten soll zunächst dartun, wo bei jeder Verfahrensart Zeit verloren und gewonnen werden kann.

a) Verfahrenseinleitung

Das ordentliche Gerichtsverfahren beginnt mit der Klagseinreichung bei Ge- **73** richt. Ist das Gericht zuständig, beginnt das Verfahren sofort, idR mit einem ersten Schriftsatzwechsel. Hat die beklagte Partei ihren Sitz oder Wohnsitz im Ausland und ist die Gerichtssprache dort eine andere, so können sich je nach anwendbarem Rechtshilfeübereinkommen durch die Notwendigkeit der beglaubigten Übersetzung der Klagsschrift und die Zustellung im Rechtshilfeweg auch beträchtliche Verzögerungen ergeben. Derlei Verzögerungen kann durch Parteienvereinbarung im Vorhinein kaum vorgebeugt werden.

Wenn auch die Zustellung der Schiedsklage oder eine andere Einleitung **74** des Schiedsverfahrens üblicherweise nicht zu Zeitverzögerungen führt (es kann ohne Rechtshilfe zugestellt werden), müssen beim Schiedsverfahren idR zunächst der oder die SchiedsrichterInnen bestimmt werden. Wird kein institutionelles Schiedsgericht vereinbart, wird darüber hinaus ein SchiedsrichterInnenvertrag auszuhandeln und abzuschließen und in jedem Fall werden Kostenvorschüsse zu erlegen sein. Bis sich das Schiedsgericht konstituiert, allenfalls weitere erforderliche Festlegungen zum Schiedsverfahren wie Verfahrenssprache oder Schiedsort trifft und dann der Schriftsatzwechsel beginnt, kann schon einige Zeit ins Land ziehen, dies va bei Unvermögen oder Unwillen zur Einigung auf eine Einzelschiedsrichterin/einen Einzelschiedsrichter, ein vorsitzendes Mitglied des Schiedsgerichts oder bei Ablehnungsanträgen gegen parteiernannte Mitglieder des Schiedsgerichts. Einer unnötig langwierigen Anfangsphase des Schiedsverfahrens kann durch klare Parteienvereinbarung mit kurzen Fristen und Vereinbarung eines institutionellen Schiedsgerichts entgegengewirkt werden.[48]

75   Die Einwände der Unzuständigkeit von Gericht oder Schiedsgericht (auch wenn die Ablehnung von RichterInnen wegen Befangenheit in der Praxis viel seltener erfolgt als jene von SchiedsrichterInnen) führen im Verfahren vor staatlichen Gerichten ebenso zu Verzögerungen wie im schiedsgerichtlichen Verfahren, wobei in letzterem Fall staatliche Gerichte dazu berufen sein können, die Entscheidungen des Schiedsgerichts zu überprüfen. Moderne Schiedsrechtsordnungen versuchen durch die Anordnung, dass Schiedsgerichte selbst über ihre Zuständigkeit entscheiden und Schiedsverfahren trotz Überprüfung des Zuständigkeitsentscheids durch staatliche Gerichte weitergeführt werden können[49] sowie durch gestraffte Verfahren für die Klärung solcher Fragen (abgekürzter Instanzenzug, Konzentration auf wenige Gerichte mit spezialisierten RichterInnen) einer Verlangsamung von Schiedsverfahren durch derlei Einwendungen entgegenzuwirken.[50] Angemerkt sei diesbezüglich jedoch, dass es die Besonderheiten des Schiedsverfahrens unabdingbar machen, dass eine sorgfältige gerichtliche Prüfung einer so grundlegenden Frage, wie jener nach der Zuständigkeit des Schiedsgerichts, bei allem Gebot der Eile von den ordentlichen Gerichten mit der gebotenen Sorgfalt abgehandelt wird.

b) Parteienvortrag und Beweisaufnahme

76   In den nächsten Verfahrensabschnitten, in denen der Parteivortrag und die Beweisaufnahme erfolgt, wetteifern moderne Zivilprozessordnungen, Schiedsordnungen institutioneller Schiedsgerichte, RichterInnen und SchiedsrichterInnen miteinander um die besten Lösungen für eine möglichst zügige und effiziente Verfahrensgestaltung, die gleichzeitig den Grundsätzen des rechtlichen Gehörs und eines fairen Verfahrens genügt.[51]

77   Schiedsgerichte sind idR dazu ermächtigt, das Beweisaufnahmeverfahren im freien Ermessen (unter Berücksichtigung des rechtlichen Gehörs, des Fairnessprinzips und des *ordre public*) zu bestimmen, soweit keine Parteieneinigung vorliegt. Die nationalen Schiedsverfahrensrechte sowie die Regeln diverser Schiedsinstitutionen beinhalten meist keine detaillierten Bestimmungen zum Beweisverfahren. Zumeist haben die Schiedsparteien im Vorhinein auch keine Details in Bezug auf das Beweisverfahren vereinbart. Allerdings

---

48 Siehe *Hahnkamper* Rn 956 ff; *Wegen / Eckardt* Rn 571 ff; *Wong* Rn 215.
49 Art 186 schwIPRG.
50 Vgl § 615 öZPO; § 1062 dZPO; Art 191 schwIPRG.
51 Siehe *Dorda* Rn 1102 ff; *Liebscher / Mosimann / Schmidt-Ahrendts* Rn 1140 ff, 1158 ff.

stehen, etwa in Gestalt der *IBA Rules on the Taking of Evidence in International Arbitration*,[52] Regelwerke zur Verfügung, auf deren (uU auch bloß teilweise) Anwendung sich Parteien eines Schiedsverfahrens idR auch noch zu einigen vermögen, nachdem der Streit bereits ausgebrochen ist. Liegt keine Parteieneinigung vor, kann das Schiedsgericht auch selbst im Rahmen des freien Ermessens der Verfahrensgestaltung die *IBA Rules on the Taking of Evidence* für anwendbar erklären.

In jedem Fall kann die Beweisaufnahme im Schiedsverfahren im Vergleich zum staatlichen Gericht durch die Anwendung moderner Techniken komprimierter, wie etwa durch *witness conferencing* oder die einem Schiedsgericht idR leichter fallende schriftliche Beweisaufnahme, konzentrierter und umfassender über wenige Tage oder Wochen, allenfalls mit zeitlichen Beschränkungen abgeführt werden. Allerdings setzt derlei sorgfältige Vorbereitung und zeitliche Verfügbarkeit des Schiedsgerichts sowie Kooperation der Parteien und Parteienvertreter voraus. **78**

Dem staatlichen Richter in der ersten Instanz mag es im Vergleich zum Schiedsgericht leichter fallen, Parteivorträge als verspätet oder in Verschleppungsabsicht erstattet zurückzuweisen, zumal derlei der Kontrolle im ordentlichen Instanzenzug unterliegen. Das Schiedsgericht hat jedoch stets zu beachten, dass die Verletzung des rechtlichen Gehörs zur völligen Aufhebung des Schiedsspruchs führen kann. Die beste Möglichkeit, etwaige Verzögerungen hintan zu halten, ist die frühe Aufstellung eines Prozessfahrplans, der jedoch unerwartete Weiterungen im Verfahren auch nicht zur Gänze vermeiden wird können. **79**

In der Rsp zu Schiedsfällen hat sich der Grundsatz herausgebildet, dass Schiedssprüche nicht schon allein deshalb unwirksam sein sollen, weil vom Schiedsgericht Beweisanträge ignoriert oder zurückgewiesen oder der Sachverhalt unvollständig ermittelt wurde. Das rechtliche Gehör kann durch die Zurückweisung eines Beweisantrags von vornherein nur dann verletzt werden, wenn Entscheidungsrelevanz vorliegt.[53] Im Falle der Prozessverschleppung ist das Schiedsgericht aber jedenfalls dazu befugt, einen Beweisantrag zurückzuweisen.[54] In komplex gelagerten Streitigkeiten, wie sie häufig **80**

---

52 Die *IBA Rules on the Taking of Evidence in International Arbitration* und andere von der IBA veröffentlichte und für die Schiedsgerichtsbarkeit höchst relevante Materialien sind abrufbar unter http://www.ibanet.org/.

53 Vgl RIS-Justiz RS0045092; OGH 6.9.1990, 6 Ob 572/90 bis zuletzt OGH 23.2.2016, 18 OCg 3/15p; OLG München, BeckRS 2009, 12100; OLG Köln, BeckRS 2009, 4423; OLG Frankfurt a. M., BeckRS 2007, 18838; Entscheide des BGer 133 III 235 E. 5.2 und 116 II 639 E. 4c.

54 *Schumacher*, Beweiserhebung im Schiedsverfahren Rn 39 ff; *Hausmaninger* in Fasching/Konecny, ZPO³ § 599 Rn 39.

an Schiedsgerichte herangetragen werden, gilt es, Zügigkeit[55] und erschöpfende, faire Erörterung der Sach- und Rechtslage miteinander zu vereinen, eine Herausforderung, die zunächst beim Schiedsgericht selbst erheblichen Zeitaufwand erfordert.

81 *c) Entscheidungsfindung*

82 Für die Zeitspanne zwischen dem Abschluss des Beweisverfahrens und der Erlassung eines Urteils oder Schiedsspruchs sind neben der Komplexität des Falls va die Auslastung, Motivation und Prioritätensetzung von RichterInnen und SchiedsrichterInnen verantwortlich. Mitunter kann auch die Zusammensetzung des Schiedsgerichts ausschlaggebend sein. So wird bei der ICC danach unterschieden, ob der Schiedsspruch von einer Einzelschiedsrichterin / einem Einzelschiedsrichter oder von drei SchiedsrichterInnen zu fällen ist. Je nachdem beträgt die Zeit zur Einreichung des Entwurfs des Schiedsspruchs 2 (Einzelschiedsrichterin / Einzelschiedsrichter) bzw 3 Monate (drei SchiedsrichterInnen) nach der letzten mündlichen Verhandlung bzw dem letzten Schriftsatz.[56] Ansonsten verbietet sich jede Generalisierung. Erinnert sei in diesem Zusammenhang bloß daran, dass den Parteien Einfluss auf die Wahl von SchiedsrichterInnen, nicht aber auf jene von RichterInnen zukommt.

d) Bekämpfung von gerichtlichen Urteilen und Schiedssprüchen

83 Der große Unterschied zwischen dem schiedsgerichtlichen Verfahren und jenem vor den ordentlichen Gerichten betreffend deren Ablauf liegt in der letzten Phase des Verfahrens. Steht den Parteien des Verfahrens vor den ordentlichen Gerichten immer der weitere Instanzenzug offen, existiert ein solcher im Schiedsverfahren grundsätzlich nicht. Seit dem öSchiedsRÄG 2013 kann etwa in Österreich, so wie in der Schweiz, ein Schiedsspruch nur noch beim OGH bzw dem BGer, der jeweils letzten Instanz in ordentlichen Gerichtsverfahren, angefochten werden.[57] Ein dreigliedriger Instanzenzug besteht in Österreich nur noch für Schiedsverfahren mit KonsumentInnen

---

55 Zu vereinbarten zeitlichen Beschränkungen für die Durchführung des Schiedsverfahrens einschließlich der Erlassung des Schiedsspruchs siehe *Dorda* Rn 1133 f.

56 Bei verspäteter Einreichung des Entwurfs des Schiedsspruchs kann die ICC das SchiedsrichterInnenhonorar kürzen; vgl ICC Court announces new policies to foster transparency and ensure greater efficiency, abrufbar unter http://www.iccwbo.org/News/Articles/2016/ICC-Court-announces-new-policies-to-foster-transparency-and-ensure-greater-efficiency/ (zuletzt abgerufen am 15.11.2016).

57 § 615 öZPO; Art 191 schwIPRG; In Deutschland entscheiden die Oberlandesgerichte über die Aufhebung von Schiedssprüchen (§ 1062 dZPO).

sowie in arbeitsrechtlichen Streitigkeiten.[58] In Deutschland hingegen kann gegen Beschlüsse der für die Anfechtung von Schiedssprüchen zuständigen Oberlandesgerichte die Rechtsbeschwerde an den BGH ergriffen werden.[59] Die Anfechtung des Schiedsspruchs ist nur aus erheblich weniger und gewichtigeren Anlässen möglich als sie zur Begründung eines Rechtsmittels beim staatlichen Gericht ausreichen.[60] Allerdings führt eine erfolgreiche Anfechtung – jedenfalls in zeitlicher Hinsicht – zu gravierenden Folgen.[61]

Für institutionelle Schiedsgerichte in Österreich, der Schweiz und Deutschland liegen zur durchschnittlichen **Dauer von Schiedsverfahren** keine offiziellen statistischen Untersuchungen vor. Vertreter dieser Institutionen nannten als Dauer der Mehrzahl von mit Schiedsspruch beendeten Verfahren Zeitspannen von zwischen 9 und 18, zwischen 6 und 9 und ca 12 Monaten jeweils vom Einlangen der Schiedsklage oder ab der sonstigen Verfahrenseinleitung. Allerdings scheint Übereinstimmung darin zu bestehen, dass bei bedeutenderen Schiedsverfahren, deren Parteien nicht derselben Region entstammen, generell mit einer Verfahrensdauer von ca 2 Jahren gerechnet werden sollte.[62] **84**

Nach den vom Bundesministerium für Justiz der Bundesrepublik **Deutschland** für das Jahr 2015 ermittelten Daten betrug die Durchschnittsdauer von bei Landgerichten anhängig gemachten erstinstanzlichen Verfahren 9,9 Monate, jene von Rechtsmittelverfahren vor Oberlandesgerichten 9,2 Monate.[63] In **Österreich** betrug 2015 die Verfahrensdauer in Zivilverfahren vor den Landesgerichten durchschnittlich 19,4 Monate.[64] Werden die deutschen und österreichischen Daten als allgemeiner Maßstab genommen, kann ohne Berücksichtigung der Dauer von Rechtszügen zum Höchstgericht und damit unter bloßer Einbeziehung des Instanzenzugs geschlossen werden, dass Schiedsverfahren nicht langsamer von Statten gehen als Verfahren vor ordentlichen Gerichten. **85**

Als Resümee ergibt sich, dass die rasche Verfahrensdauer eines professionell vereinbarten und abgeführten Schiedsverfahrens einen wesentlichen Pluspunkt der Schiedsgerichtsbarkeit darstellt. Ein Schiedsverfahren kann besonders dann sehr rasch und zumindest gleich schnell wie ein Verfahren vor **86**

---

58 Siehe dazu *Zeiler* Rn 613, 615.
59 §§ 1059, 1062 und 1065 dZPO; § 133 dGVG.
60 Zur Übersicht der Rsp vgl *Schwarz/Konrad*, Vienna Rules² Rn 27–039 ff.
61 Siehe *Wiebecke/Ruckteschler/Schifferl* Rn 1546 f; 1556; 1564.
62 *Zimmermann*, RZ 2015, 198 (201).
63 Bundesamt für Justiz, Geschäftsentwicklung der Zivilsachen in der Eingangs- und Rechtsmittelinstanz, abrufbar unter https://www.bundesjustizamt.de/DE/Shared Docs/Publikationen/Justizstatistik/Geschaeftsentwicklung_Zivilsachen.pdf?__blob= publicationFile (zuletzt abgerufen am 17.11.2016).
64 Bundesministerium für Justiz, Verfahrensdauer Zivil 2015. Zeitreihen 2010–2015.

gut funktionierenden ordentlichen Gerichten durchgeführt werden, wenn der oder die SchiedsrichterInnen mit Bedacht auf ihre Auslastung ausgewählt werden. Unter Berücksichtigung der insb bei großen Wirtschafts- und Handelsstreitigkeiten oft beanspruchten Möglichkeit der Ausschöpfung des gesamten Instanzenzugs bei staatlichen Gerichten (einschließlich der Möglichkeit von Rückverweisungen) ist die Wahrscheinlichkeit eines schnelleren Schiedsverfahrens auch samt einem anschließenden Aufhebungsverfahren im Vergleich zu einem ordentlichen Gerichtsverfahren selbst in Rechtsordnungen mit besonders effizient und professionell arbeitenden staatlichen Gerichten hoch. Dies gilt umso mehr, als jene Fälle, mit denen Schiedsgerichte befasst werden, idR von erheblich komplexerer Natur sind als der Durchschnitt der bei Gericht anhängig gemachten.

6. Durchsetzbarkeit von Urteilen und Schiedssprüchen

87 Schiedssprüche werden im Fall ihrer Rechtskraft, also ihres nicht mehr bekämpfbaren Bestands, grundsätzlich von jenem Staat, in dem das Schiedsgericht seinen Sitz hatte, gleichermaßen anerkannt und vollstreckt wie rechtskräftige Urteile, die von den dortigen ordentlichen Gerichten erlassen wurden.[65] Das gleiche gilt – jeweils nach den jeweiligen staatlichen Rechtsordnungen – auch für einstweilige Maßnahmen.

88 Neben bilateralen und regionalen Übereinkommen[66] besteht für Schiedssprüche vor allem das Übereinkommen über die Anerkennung und Vollstreckung ausländischer Schiedssprüche von 1958 (**NYÜ**)[67], das grundsätzlich eine so gut wie weltweite Durchsetzung von Schiedssprüchen garantiert.[68] Ein vergleichbares weltweites Vollstreckungsübereinkommen besteht für die Urteile staatlicher Gerichte nicht. Die Wahrscheinlichkeit der Anerkennung und Vollstreckung eines Schiedsspruchs im Ausland ist aufgrund des NYÜ somit erheblich höher als die Wahrscheinlichkeit der Anerkennung und Vollstreckung eines staatlichen Gerichtsurteils im Ausland, weshalb die Möglichkeit

---

65 § 607 öZPO; § 1055 dZPO; Art 387 schwZPO.

66 Abkommen zwischen der Schweizerischen Eidgenossenschaft und dem Deutschen Reich über die gegenseitige Anerkennung und Vollstreckung von gerichtlichen Entscheidungen und Schiedssprüchen, abgeschlossen am 2.11.1929; Vertrag zwischen der Republik Österreich und der Bundesrepublik Deutschland über die gegenseitige Anerkennung und Vollstreckung von gerichtlichen Entscheidungen, Vergleichen und öffentlichen Urkunden in Zivil- und Handelssachen, abgeschlossen am 6.6.1959; Vertrag zwischen der Republik Österreich und der Schweizerischen Eidgenossenschaft über die Anerkennung und Vollstreckung gerichtlicher Entscheidungen, abgeschlossen am 16.12.1960.

67 Abrufbar unter http://www.uncitral.org/pdf/english/texts/arbitration/NY-conv/New-York-Convention-E.pdf (zuletzt abgerufen am 10.5.2016).

68 Siehe *Steindl/Mohs/Pörnbacher* Rn 1661.

der fast weltweiten Durchsetzung von Schiedssprüchen als wesentlicher Vorteil der Schiedsgerichtsbarkeit hervorzuheben ist. Als Beispiel sei angeführt, dass etwa Urteile von US-amerikanischen Bundesgerichten (*federal courts*) oder Einzelstaatsgerichten (*state courts*) in Österreich grundsätzlich nicht anerkannt oder vollstreckt werden[69], Schiedssprüche aus den USA aufgrund des NYÜ jedoch in Österreich generell anerkannt werden und vollstreckbar sind.

B. In welchen Konstellationen eignet sich die Schiedsgerichtsbarkeit besonders zu einer effizienten Streitaustragung?

1. Besondere Komplexität des Verfahrens

Beruht der zu lösende Streitfall auf einem besonders umfangreichen, schwierig zu ermittelnden Sachverhalt, ist ein professionell vereinbartes und agierendes Schiedsgericht tendenziell besser zu dessen Erhebung geeignet als ein ordentliches Gericht. Das gilt auch, wenn zur Durchdringung des Sachverhalts das Verständnis mehrerer Sprachen wenn nicht unbedingt nötig, so doch förderlich ist. Die SchiedsrichterInnen sind nicht in einen fortlaufenden Gerichtsbetrieb eingebunden, sondern können sich, etwa für mehrtägige oder gar mehrwöchige Verhandlungen zur Beweisaufnahme, eher freispielen und für die nötigen logistischen Kapazitäten sorgen als RichterInnen ordentlicher Gerichte. Ratsam ist, sich der Bereitschaft und Kapazität der SchiedsrichterInnen zu derart konzentriertem Einsatz im Vorhinein zu versichern. **89**

Gleiches gilt, wenn der Streitfall besonders komplexe Rechtsfragen zur Lösung aufgibt. Das können etwa bei grenzüberschreitenden Streitigkeiten das Zusammentreffen mehrerer relevanter Rechtsordnungen sein, in nationalen Angelegenheiten Rechtsfragen aus Gebieten, mit denen einerseits nur wenige Rechtskundige vertraut sind und die andererseits eher selten den ordentlichen Gerichten zur Entscheidung vorgelegt werden. Erwähnt seien hier bspw völkerrechtliche Fragen. Eine Lösung des Falls wird bei solchen Umständen den Einsatz von SchiedsrichterInnen nahe legen, die mit den relevanten Rechtsordnungen bzw dem relevanten Rechtsgebiet vertraut sind. **90**

2. Sonderwissen als Voraussetzung für die Lösung des Streitfalls

Kenntnisse besonderer Rechtsgebiete gehen oft mit besonderem Wissen auf nichtjuristischem Gebiet einher. Kein Energie- oder Telekommunikationsrechtler kommt ohne gewisses physikalisches, technisches und wohl auch wirtschaftliches Grundwissen aus. Häufig verlangt die Lösung reiner Sachverhaltsfragen insb technische (Grund-)Kenntnisse, die JuristInnen **91**

---

69 *Frauenberger-Pfeiler*, ecolex 2016, 131 (132); *Czernich*, wbl 1995, 10.

üblicherweise nicht vertraut sind. Der Einsatz von Personen aus solchen Fachgebieten als SchiedsrichterInnen vermag die Lösung von Streitfällen, in denen fachspezifische Fragen zu lösen sind, erheblich zu professionalisieren und zu beschleunigen, sofern die im jeweiligen nichtjuristischen Fachgebiet qualifizierten SchiedsrichterInnen auch über die für SchiedsrichterInnen erforderlichen juristischen Kenntnisse verfügt. Auch wenn solche, einem Schiedsgericht angehörende ExpertInnen die anstehenden Sachverhaltsfragen im Zweifel nicht im Alleingang lösen werden können und – iSd Transparenz schiedsgerichtlicher Entscheidungen – sollen, wird schon allein ihre zielgerichtete Aufarbeitung und der fokussierte Einsatz von Sachverständigen einem mit solchen ExpertInnen besetzten Schiedsgericht im Vergleich zu staatlichen Gerichten sowohl eine zügigere als auch eine besonders fachgerechte Erledigung des Streitfalls ermöglichen. Zusätzlich hängt ein mit fachkundigen ExpertInnen besetztes Schiedsgericht nicht völlig von den Erkenntnissen seitens der Parteien oder des Schiedsgerichts hinzugezogener ExpertInnen ab.

3. Der Wunsch nach individueller Gestaltung des Verfahrens

92 Staatliche Gerichte führen ihre Verfahren nach den jeweiligen Zivilprozessordnungen durch, die jeweils einer bestimmten Rechtstradition verpflichtet sind; in Westeuropa etwa entweder der kontinentaleuropäisch römischrechtlichen oder jener des *common law*. Den Streitteilen kommt dabei wenig Gestaltungsraum zu. Verhandler einer Schiedsklausel und Streitteile, die noch die zur einvernehmlichen Festlegung der Gestaltung des Streitaustragungsverfahrens erforderliche Kommunikationsfähig- und -willigkeit besitzen, haben es dagegen in der Hand, sich nicht bloß auf die großen Linien der Verfahrensdurchführung sondern auch auf sehr individuelle Verfahrenselemente zu verständigen. Dies verschafft der schiedsgerichtlichen Streitaustragung die Möglichkeit, unabhängig vom Sitz des Schiedsgerichts eine Verfahrensgestaltung zu wählen, die den Erwartungen und Wünschen der Streitteile und den Anforderungen des jeweiligen Falls bestmöglich entspricht.

4. Der Wunsch nach rascher Gestaltung des Verfahrens

93 Schiedsgerichte eignen sich auch für Fälle, in denen die Parteien auf rasche Entscheidung Wert legen. Allerdings bedarf dies bei komplexeren Fällen, wie sie für Schiedsgerichte eher typisch sind, entsprechender Vorkehrungen. Abgesehen von der abzusichernden Verfügbarkeit der SchiedsrichterInnen, erfordert eine straffe Verfahrensgestaltung im Fall mangelnder Kooperation einer Seite Instrumente, um dem Schiedsgericht etwa die Einräumung knapper Fristen oder die Beschlussfassung über die Präklusion für weiteres Vorbringen und Beweisaufnahmen zu ermöglichen, ohne Gefahr zu laufen, wegen Verletzung des Gebots des rechtlichen Gehörs einen Anfechtungsgrund zu setzen.

Generell sei zum Thema Verfahrensdauer angemerkt, dass bei der Beurteilung der Länge von Schiedsverfahren ins Kalkül gezogen werden muss, dass Schiedsverfahren in ihrer Mehrzahl komplexere Angelegenheiten zum Gegenstand haben, deren seriöse Abhandlung ein gewisses Minimum an Zeit erfordert. Verglichen mit der Dauer derartiger Verfahren vor ordentlichen Gerichten wird das Schiedsgericht tendenziell selbst im Vergleich zur Dauer des erstinstanzlichen Verfahrens vor den ordentlichen Gerichten den Vergleich nicht scheuen müssen. Wird darüber hinaus bedacht, dass Schiedssprüche keinem Instanzenzug, sondern lediglich der Anfechtung aus wenigen Gründen unterliegen, verschiebt sich die Bilanz auch hinsichtlich der Verfahrensdauer noch weiter zu Gunsten der Schiedsgerichte. Weiters besteht auch die Möglichkeit von beschleunigten Verfahren.[70] Voraussetzung dafür ist idR die Einigung der Parteien.[71]   **94**

Nach Art 32 Wiener Regeln hat das Schiedsgericht dem Generalsekretär und den Parteien bei Schluss des Verfahrens den voraussichtlichen Zeitpunkt der Erlassung des Schiedsspruchs mitzuteilen. Eine zeitliche Vorgabe der optimalen Verfahrensdauer findet sich in den Wiener Regen jedoch nicht, während die DIS-Regeln eine Entscheidung in *„angemessener Frist"* vorsehen.[72]   **95**

Die ICC SchO ist besonders streng: Art 30 bestimmt, dass ein Schiedsgericht ab der Unterzeichnung der *Terms of Reference* maximal sechs Monate Zeit hat, um den Schiedsspruch zu finalisieren. Diese Frist kann von der ICC aber verlängert oder entsprechend dem Verfahrenskalender anders festgesetzt werden. Am 5. 1. 2016 gab die ICC bekannt, dass in Zukunft von den Schiedsgerichten ein erster Entwurf des Schiedsspruchs innerhalb von drei Monaten entweder nach der letzten mündlichen Verhandlung oder nach den letzten Schriftsätzen (*Post Hearing Briefs*) erwartet wird. Die Frist beläuft sich bei einer Einzelrichterin/einem Einzelrichter auf nur zwei Monate. Wird der Entwurf des Schiedsspruchs ohne guten Grund nach Ablauf dieser Fristen an die ICC übermittelt, kann sich das negativ auf die Schiedsrichterhonorare auswirken.[73]   **96**

---

70 Art 45 Wiener Regeln; Art 30 iVm Appendix VI ICC SchO; DIS-Ergänzende Regeln für beschleunigte Verfahren 08; Art 42 Swiss Rules.

71 Allerdings ist nach Art 42 Swiss Rules das beschleunigte Verfahren für Streitsachen mit einem Streitwert von unter CHF 1.000.000 vorgesehen. Die Parteien können in diesen Fällen die Anwendung des beschleunigten Verfahrens zwar ausschließen, haben dafür jedoch entsprechende Kosten zu tragen, vgl *Schütze*, Schiedsgerichtsbarkeit[2] 345 f; *Zuberbühler/Müller/Habegger*, Swiss Rules[2] Art 42 Rn 28 f.

72 § 33.1 DIS-Regeln.

73 ICC Court announces new policies to foster transparency and ensure greater efficiency, 5.1.2016, abrufbar unter http://www.iccwbo.org/News/Articles/2016/ICC-Court-

5. Exkurs: Streitwert und Kostenfaktor

97 Während institutionelle Schiedsgerichte für die Kosten des Schiedsgerichts – also jene der jeweiligen Organisation und der SchiedsrichterInnen – regelmäßig Vergütungen in Abhängigkeit vom jeweiligen Streitwert vorsehen und sich Parteien und SchiedsrichterInnen dem zu unterwerfen haben,[74] unterliegt die Vergütung bei *ad hoc* Verfahren der Vereinbarung zwischen SchiedsrichterInnen und Parteien. So besteht ein **Kostenwettbewerb** unter den institutionellen Schiedsgerichten, sowie zwischen diesen einerseits und *ad hoc* Schiedsgerichten andererseits.

98 Über die Höhe allenfalls zu vergütender Kosten der Beratung und Vertretung der Parteien schweigen die Schiedsordnungen idR. Bei Gerichten dagegen sind idR sowohl die Kosten des Gerichts wie auch die Höhe allenfalls vom Verlierer zu ersetzender Kosten festgelegt.

99 Traditionell gehören Streitigkeiten mit niedrigen Streitwerten nicht zu den typischen Schiedsfällen. So hatten im Jahr 2015 zB nur 23,2 % der neuen Schiedsfälle bei der ICC einen Streitwert von unter USD 1 Mio.[75] Dagegen wiesen 36 % der neuen ICC Fälle einen Streitwert von mehr als USD 10 Mio auf.[76] In der Praxis zeigt sich, dass die Ausübung des Schiedsrichteramts in Schiedsverfahren vor institutionellen Schiedsgerichten mit niedrigen Streitwerten für die Schiedsrichter zuweilen eine mager kompensierte Tätigkeit ist. Der für größere Schiedsverfahren in den Kostentabellen vorgesehene Pauschalbetrag mag zunächst hoch erscheinen, in Bezug gesetzt zur meist großen Bedeutung der Angelegenheit, zu den Kosten eines durch mehrere Instanzen laufenden Verfahrens vor ordentlichen Gerichten und nicht zuletzt zu den vielen anderen Vorteilen eines Schiedsverfahrens wird ihre Angemessenheit aber kaum zu hinterfragen sein.

---

announces-new-policies-to-foster-transparency-and-ensure-greater-efficiency/ (zuletzt abgerufen am 10.5.2016).

74 Art 44 der Wiener Regeln; § 40 DIS-Regeln; Art 39 Swiss Rules. Hingegen werden unter den LCIA-Regeln die Kosten des Schiedsgerichts stundenweise abgerechnet, wobei sich der Stundensatz nach der Komplexität und den Umständen des Falles, sowie nach der speziellen Qualifikation der SchiedsrichterInnen richtet; vgl Art 28 LCIA-Regeln und Schedule of Arbitration Costs (LCIA), abrufbar unter http://www.lcia.org/Dispute_Resolution_Services/schedule-of-costs.aspx (zuletzt abgerufen am 16.11.2016).

75 Statistics, abrufbar unter http://www.iccwbo.org/Products-and-Services/Arbitration-and-ADR/Arbitration/Introduction-to-ICC-Arbitration/Statistics/ (zuletzt abgerufen am 17.11.2016).

76 *Tevendale/Waldek*, The ICC 2013 Statistics – Another busy year for international arbitration, 9.9.2014, abrufbar unter http://hsfnotes.com/arbitration/2014/09/09/the-icc-2013-statistics-another-busy-year-for-international-arbitration/ (zuletzt abgerufen am 10.5.2016).

In *ad hoc* Verfahren sind der Fantasie zur Honorargestaltung kaum Gren- **100**
zen gesetzt, um Anreize dafür zu schaffen, dass die Schiedsrichter das Schiedsverfahren in einer Weise durchführen, wie sie den Parteienintentionen am
nächsten kommt. Ergibt eine Vereinbarung jedoch ein für das Schiedsgericht
zu niedriges Honorar, werden sich jene Schiedsrichterpersönlichkeiten nur
schwer zur Mitwirkung überzeugen lassen, die es zur Durchführung des Verfahrens in der gewünschten Weise braucht.

Schon bei der Vereinbarung der Schiedsklausel bestehen aber auch Mög- **101**
lichkeiten, die Kosten des Schiedsgerichts zu minimieren. Die einfachste Methode ist wohl die Vereinbarung einer Einzelschiedsrichterin/eines Einzelschiedsrichters anstatt eines Schiedsrichtersenats. Aber auch darüber hinaus
bestehen Bestrebungen vor allem institutioneller Schiedsgerichte, die Attraktivität der Schiedsgerichtsbarkeit auch für Streitigkeiten mit geringeren
Streitwerten zu steigern. Verwiesen sei hier auf die *Guidelines for Arbitrating
Small Claims under the ICC Rules of Arbitration.* Derlei Bestrebungen har-
monieren mit dem Ziel der Schaffung schlankerer Strukturen in den Staaten.
Ein Weg dorthin besteht in der teilweisen Übertragung der Last von Gerichten
zur Streitentscheidung in Zivil- und Handelssachen auf private Institutionen.

Regelungen über den Kostenersatz können auch von den Parteien getroffen **102**
werden. Kreative Vereinbarungen zu den Kosten werden leichter ohne bereits drohenden Streitfall getroffen. Einem Streitfall vorausgehende Vereinbarungen bergen jedoch wiederum das Risiko, im konkreten Fall erst recht
nicht zu passen. In jedem Fall bildet die Kostenfrage keinen Nachteil im Vergleich zu Verfahren vor ordentlichen Gerichten, jedenfalls dann nicht, wenn
sie von den Parteien bei Eingang der Schiedsvereinbarung mitbedacht wird.

III. Alternative Streitbeilegungsverfahren

Erik Schäfer

A. Begriffsklärung

103 In die deutsche Sprache ist der Begriff „Alternative Streitbeilegungsverfahren" wohl aus dem Englischen gelangt, wo *Alternative Dispute Resolution (ADR)* landläufig alle außerhalb der staatlichen Gerichtsbarkeit praktizierten Streiterledigungsverfahren bezeichnet; also auch die Schiedsgerichtsbarkeit. Hierzulande sind eher Verfahren gemeint, in denen kein vollstreckbarer Entscheid ergeht, also **verhandlungsbasierte Methoden**.

104 Eigentlich wissen wir alle, dass der formlose Interessenausgleich privat und auch geschäftlich eher der Regelfall ist, dass auch bei Geschäftsverhältnissen nur eine kleine Teilmenge aller Interessenkonflikte zu einer Auseinandersetzung führt, die mit steigender Intensität aus Sicht der beteiligten Personen stärker verrechtlicht wird, um schließlich in einem Rechtstreit zu enden, der von einem staatlichen Gericht oder im Schiedsverfahren rechtskräftig entschieden wird. Tatsächlich sind Rechtsstreitigkeiten die weitaus kostspieligere Alternative zum Normalfall des sich miteinander Vertragens. Im Folgenden soll der gesamte **Bogen der Konflikteskalation** kursorisch abgeschritten werden, um diese Gedanken und das in ihrer Erkenntnis liegende Potenzial zu verdeutlichen.

B. Streiterledigung durch Verhandeln

1. Streiterledigung im Stufenmodell der Eskalation

105 Konflikte zwischen Unternehmen oder Kaufleuten folgen nicht ausschließlich aus unvereinbar erscheinenden Zielen bei der Verfolgung der Unternehmensinteressen. Sie haben auch nicht rein rechtlichen, anspruchsorientierten Charakter. Vielmehr handeln auf jeder Seite Personen, deren unterschiedliches Naturell und deren persönliche Interessenlage die Entstehung und den Verlauf des Streits zumindest beeinflussen. Im Konflikt kennen die Handelnden zwar ihre eigenen Ziele, müssen aber über jene der anderen Beteiligten Mutmaßungen anstellen. Auch das eigene Wissen um die bedeutsamen Umstände ist subjektiv eingefärbt und mehr oder weniger unvollständig.[77] Rechtsstreitigkeiten und die daraus folgenden (Schieds-)Verfahren entstehen aus Konflikten. Jeder Konflikt hat seine Eigenart. Deshalb kann, was Kon-

---

77 Weiterführend *Kahneman/Tversky*, Choices, Values, and Frames (2000); *Gilovich/Griffin/Kahneman*, Heuristics and Biases – The Psychology of Intuitive Judgement (2002).

flikten gemein ist, nur abstrakt beschrieben werden. Gut bewährt hat sich zur Verdeutlichung das von *Friedrich Glasl* empirisch entwickelte, **mehrstufige Eskalationsmodell**.[78] Nach diesem Modell entwickeln sich Konflikte vom Auftreten erster Spannungen, welche die Beteiligten zunächst noch durch konstruktives Verhandeln für lösbar halten, über eine zunehmende Konzentration auf die Durchsetzung des eigenen, als „richtig" erkannten Standpunkts hin zu einer so starken Konfrontation, dass die Belange der jeweils anderen Seite vollständig negiert werden und ein „Sieg" über diese unbeachtlich der negativen Folgen für sich selbst angestrebt wird.

Natürlich durchläuft nicht jeder Konflikt alle Stufen dieses Modells. Das **106** Modell veranschaulicht aber, dass eine Konfliktlösung in einer frühen Stufe anstrebenswert ist und wie stark die Wahrnehmung der Konfliktparteien die Konfliktdynamik beeinflusst. Diese Wahrnehmung hängt ua vom unvollständigen Wissen um alle maßgebenden Umstände sowie vom jeweiligen Vorwissen und Erfahrungsschatz ab. Im Zuge der Eskalation kann die persönliche Besorgnis beteiligter Personen, „das Gesicht zu verlieren", zu einer oft nur subjektiv bestehenden Unausweichlichkeit der Eskalation führen.

So betrachtet, steht die Dynamik von Konflikten im Gegensatz zu den **107** Zielen und Verfahren einer ökonomisch rationalen Unternehmensführung, der stets an Schonung von Unternehmensressourcen gelegen sein sollte.

2. Formlose frühe Streiterledigung durch die Parteien

Selbst ein guter Vertrag alleine kann Konflikte nicht vermeiden, sobald der **108** aus ihm erwartete Nutzen für zumindest eine Partei nicht eintritt oder wegfällt. Eine frühzeitige Aufdeckung und anschließende Behandlung von entstehenden Konflikten ist für den Erfolg von Verhandlungen entscheidend. Denn die Bereitschaft, wirklich zuzuhören, schwindet oft schnell.

Die meisten Konflikte werden von den Beteiligten zeitnah und formlos **109** geregelt. „Formlos" bedeutet, dass die Parteien die Art und Weise des Vorgehens vollständig bestimmen, ohne an von Dritten vorgeschriebene Regeln – also „Formalitäten" – gebunden zu sein.

Deshalb soll zunächst kurz erläutert werden, wie derartige „formlose" **110** Verhandlungen typischerweise verlaufen, weil dadurch verdeutlicht wird, was Mediation leisten und wo sie sinnvoll eingesetzt werden kann.

---

78 *Glasl*, Konfliktmanagement: Handbuch[8] (2004); siehe Suchbegriff: „Konflikteskalation nach Friedrich Glasl" auf http.//de.wikipedia.org.

a) Anspruchsorientiertes Vorgehen

111 *„The natural tendency of thinking is to support a view arrived at by other means"* postuliert *Edward de Bono* plakativ.[79] Tatsächlich wird bei der Vorbereitung auf kontroverse Gespräche oft verhältnismäßig wenig Zeit und Energie in die Problemdurchdringung und Zielbestimmung und mehr Aufwand in die Argumentationsstrategie zur Verteidigung und Durchsetzung dieser Ziele gesetzt.[80] Dementsprechend werden dann die Verhandlungen ineffizient geführt.

112 Bereits in einem frühen Stadium wird die Auseinandersetzung dabei meist „verrechtlicht". Die Parteien erkennen, dass ihr Konflikt mit einer gewissen Wahrscheinlichkeit von einem staatlichen oder einem Schiedsgericht entschieden werden muss und richten nicht nur ihr Kommunikationsverhalten, sondern auch ihre Verhandlungsziele an den einklagbaren Ansprüchen aus. In der Wahrnehmung der Parteien reduziert diese Sichtweise die Anzahl möglicher Handlungsoptionen. Dies fördert Verhaltensweisen, die eine größere Wahrscheinlichkeit der Streiteskalation mit sich bringen.

b) Interessengeleitetes Vorgehen

113 Um die Risiken der Konflikteskalation zu reduzieren und für beide Parteien zufriedenstellende Verhandlungsergebnisse zu erzielen, stehen effizientere Verhandlungsstrategien zur Verfügung, die als *collaborative* oder *principled bargaining* bezeichnet werden und auf **interessengeleitetes Verhandeln** gerichtet sind.

114 **Interessengeleitetes Verhandeln** beinhaltet zunächst, dass eine in Positionen oder reinen Forderungen verhaftete Konfliktaustragung im Vorhinein vermieden oder auf eine **lösungsorientierte Stufe** zurückgeführt wird, die sich an den zugrundeliegenden Bedürfnissen aller Beteiligter (Interessen) orientiert.[81] Der Verhandlungsstil ist nach dem Grundsatz *„separate the problem from the people"*[82] darauf gerichtet, persönliche Spannungen unter den Beteiligten so gering wie möglich zu halten. Wesentlich kommt es dabei darauf an, der anderen Seite zu vermitteln, dass man ihre Argumente versteht, wenn auch nicht zwangsläufig akzeptiert.[83] „Verhandlungstricks" sollen ins Leere laufen.[84]

---

79 De *Bono*, Thinking Course 21.
80 De *Bono*, Thinking Course 87 f; *Mnookin/Peppet/Tulumello*, Beyond Winning 28 f; *Fisher/Ury*, Getting to Yes 4 f; *Ury*, Getting Past No 16 f.
81 *Ury*, Getting Past No 130 f.
82 *Fisher/Ury*, Getting to Yes² 19 f und 30 f.
83 *Fisher/Ury*, Getting to Yes² 22 f und 33 f; *Ury*, Getting Past No 55 f.
84 *Fisher/Ury*, Getting to Yes² 113 f; *Ury*, Getting Past No 32 ff; *Fisher/Sharp*, Getting it Done 21 f.

Interessengeleitetes Verhandeln beinhaltet sodann die frühe und während **115** der Verhandlung angepasste **Identifikation aller** in Betracht kommenden **realistischen Handlungsalternativen.**[85] Wichtig ist va zu wissen und im Auge zu behalten, was die beste Alternative zu keiner verhandelten Einigung (**BATNA** – *best alternative to no agreement*) und die schlechteste Alternative zu einer verhandelten Einigung (**WATNA** – *worst alternative to no agreement*) sind.[86]

Interessengeleitetes Verhandeln umfasst weiter, dass Argumente und Er- **116** gebnisse sich an allseitig akzeptierten, rationalen Kriterien messen lassen.[87]

Interessengeleitetes Verhandeln beinhaltet schließlich, dass die Beteiligten **117** ihre jeweiligen Interessen darlegen, anstatt sich auf die jeweiligen Positionen (Forderungen) zu fokussieren. Als Interessen gelten dabei die Bedürfnisse, die der Formulierung der Positionen, also der Verhandlungsziele im Sinne von an die Gegenseite gestellten Forderungen, zugrunde liegen. Ein Vorteil dieser Vorgehensweise ist, dass man die Interessen anderer Beteiligter, die man – zB wegen mangelnder Informationen – zuvor nicht wahrgenommen oder verkannt hat, so verständlicher und nachvollziehbar werden, auch wenn man sie nicht teilt. Gelegentlich wird so sogar deutlich, dass hinter wider-streitend wahrgenommenen Positionen Interessen stehen, die überhaupt nicht diametral entgegengesetzt sind. Das kann den Interessenausgleich erleichtern, ohne dass für beide Parteien so erhebliche Nachteile aus dem Vorteil der je-weils anderen Seite entstehen. Fallabhängig besteht dieses Potential freilich nicht immer in gleichem Maße.

c) *Möglliche Schwierigkeiten bei der Streiterledigung durch formloses Verhandeln*

Unabhängig davon, in welchem Stil verhandelt wird, um einen Konflikt ein- **118** vernehmlich auszuräumen, ist natürlich nicht garantiert, dass dies gelingt. Das kann daran liegen, dass für eine Partei die BATNA ihre Interessen am besten befriedigt. Verhandlungen können auch in Situationen scheitern, in denen eine denkbare Einigung gegenüber den ohne sie eintretenden Konsequenzen für die Beteiligten – im Nachhinein – besser gewesen wäre. Zurückzuführen ist dies oft darauf, dass es den Parteien nicht gelungen ist, die Eskalation auf eine Stufe zurückzuführen, in der zielführende Verhandlungen wieder möglich gewesen wären, oder die Wahrnehmung der Interessenlage und der eigenen Handlungsmöglichkeiten jeder Seite während der Verhandlungen zu ver-

---

85 *Mnookin/Peppet/Tulumello*, Beyond Winning 28 f und 232 f; *Fisher/Ury*, Getting to Yes[2] 101 f; *Ury*, Getting Past No 21 f.
86 *Fisher/Ury*, Getting to Yes[2] 134 f.
87 *Fisher/Ury*, Getting to Yes[2] 84 f; *Fisher/Sharp*, Getting it Done 20 f.

schieden war und blieb. Die Fokussierung auf einzelne Streitpunkte oder Positionen kann den Blick auf die „eigentlichen" Probleme und verhandelbare Alternativen zu ihrer Bewältigung verstellen. Schließlich ist auch der Einfluss des Faktors Mensch nicht zu vernachlässigen. Dabei geht es nicht nur um das Aufeinandertreffen unterschiedlicher Charaktere, sondern auch um persönliche Zwänge und Anhängigkeiten der am Verhandlungstisch sitzenden Personen, die in ihrem beruflichen oder privaten weiteren Umfeld zu verorten sind.

C. Einschaltung eines neutralen Dritten zur Streiterledigung durch Verhandeln

119 Bleibt ein formloses Verhandeln zwischen den Parteien ohne für sie zufriedenstellendes Ergebnis, verbleibt ihnen die Möglichkeit der **Delegation von Streitlösungsbefugnissen** an Dritte. Traditionell wird der Streit verrechtlicht. Man lässt sich deshalb im Verfahren der Streiterledigung meist von Juristen vertreten und den Streit selbst von Juristen entscheiden. Allerdings hat es neben der Möglichkeit des formlosen Verhandelns und der Austragung des Streits vor einem (Schieds-)Gericht stets Zwischenformen, bspw in Gestalt der Schlichtung mit unverbindlichem aber autoritativem Einigungsvorschlag oder Schiedsgutachten (Leistungsbestimmung durch Dritte/*adjudication*) mit vertragsrechtlich verbindlichem Spruch[88], gegeben.

1. Unterschied zwischen RichterIn und SchiedsrichterIn einerseits und SchlichterIn bzw MediatorIn andererseits

120 In der Streitschlichtung unterscheiden sich die Rollen von **(Schieds-)RichterInnen** auf der einen und **SchlichterInnen** bzw **MediatorInnen** auf der anderen Seite grundsätzlich voneinander.

121 Der erste grundsätzliche **Unterschied** zwischen Gerichts- oder Schiedsverfahren auf der einen Seite und Schlichtungs- und Mediationsverfahren auf der anderen ist, dass erstere darauf angelegt sind, den Streit durch eine für die Parteien verbindliche, vollstreckbare Entscheidung einer übergeordneten Entscheidungsinstanz (staatliches Gericht oder Schiedsgericht) zu beenden, während zweitere demgegenüber auf die Findung einer alle Parteien zufriedenstellenden, gemeinsamen Lösung abzielt.

122 Die rechtskräftige Entscheidung eines staatlichen Gerichts kann in jenem Staat, in dem sie ergangen ist, mit staatlichen Zwangsmitteln vollstreckt werden. In anderen Staaten wird sie nach Maßgabe der für die Anerkennung und

---

88 Siehe zu Einzelheiten unten Nr 7 Rn 80 ff.

Vollstreckung ausländischer Gerichtsurteile geltenden Rechtsvorschriften vollstreckt.

Kennzeichnend für **staatliche Gerichtsverfahren** ist, neben der Ent- **123** scheidung über den Rechtsstreit nach rein rechtlichen Kriterien, auch die **Förmlichkeit des Verfahrens,** die durch das anwendbare Prozessrecht bestimmt wird. Dieses bestimmt nicht nur, welche Begehren (Anträge) überhaupt zulässig sind, sondern enthält auch sehr detaillierte Regeln, wie die dazu gehörenden Tatsachen und rechtlichen Aspekte vorgetragen und behandelt werden müssen. Die zugrunde liegenden Interessen der Parteien treten im staatlichen Gerichtsverfahren eher in den Hintergrund.

Ein wesentlicher Unterschied und im Grundsatz bestehender **Vorteil des** **124** **Schiedsverfahrens** gegenüber staatlichen Verfahren ist, dass die Parteien im meist großzügigen, durch das am Schiedsort geltende Schiedsrecht gesetzten Rahmen, den Verfahrensablauf gestalten können.[89] Die Anfechtung, Anerkennung und Vollstreckung von Schiedssprüchen unterliegt im Vergleich zum Urteil / Entscheid staatlicher Gerichte national wie auch international jedoch anderen Regeln, die in nachfolgenden Kapiteln dargestellt werden.

Beiden Verfahrensarten ist aber gemeinsam, dass unter normierten Vo- **125** raussetzungen eine Entscheidung auch dann ergehen kann, wenn eine Partei nicht teilnimmt.[90]

Demgegenüber sind **Schlichtungs- und Mediationsverfahren** dadurch **126** gekennzeichnet, dass die Parteien die volle Kontrolle über das Ergebnis behalten. Sie können, müssen sich aber nicht einigen. Die Mediatorin / Der Mediator oder die Schlichterin / der Schlichter kann durch eine Entscheidung die Einigung nicht ersetzen oder eigenständig für die Parteien verbindlich entscheiden, es sei denn, die Parteien haben sich ausdrücklich darauf geeinigt, dass er dazu befugt ist. Die Einigung der Parteien im Schlichtungs- und Mediationsverfahren ist grundsätzlich ein **Vertrag,** der nicht wie ein Urteil oder Schiedsspruch ohne weiteres vollstreckt werden kann, auch wenn es möglich sein mag, eine Vollstreckbarkeit herbeizuführen.

Kennzeichnend ist bei Schlichtungs- und Mediationsverfahren weiter, **127** dass die Parteien auch nach Verfahrensbeginn den Ablauf ganz erheblich beeinflussen können. Von großer Bedeutung ist auch, dass es weder für die Schlichterin / den Schlichter noch eine Mediatorin / einen Mediator entscheidend ist, die dem Streit zugrunde liegenden Tatsachen aufgrund von Beweisen festzustellen.

---

89 § 1042 Abs 4 dZPO; § 595 Abs 1 öZPO; Art 182 Abs 2 schwIPRG; Art 373 Abs 1 schwZPO (intern).
90 § 1048 dZPO; § 600 öZPO.

2. Streiterledigungsmethoden, die auf ein mit dritter Hilfe verhandeltes Ergebnis zielen

128 Als auf angeleiteten Verhandlungen der Parteien gründende Streiterledigungsmethoden bauen Schlichtung und Mediation auf das oben zu formlosen, prinzipiengeleiteten Verhandlungen zwischen den Parteien Ausgeführte auf.

129 Schlichtung und Mediation unterscheiden sich aber von formlosen Verhandlungen zwischen den Parteien dadurch, dass diese gemeinsam eine/n Dritten – „SchlichterIn" oder „MediatorIn" – hinzuziehen, weil sie darin größere Chancen für eine Einigung sehen. Wesentliche Aufgabe dieser Dritten ist sowohl bei Mediation als auch Schlichtung die neutrale bzw allparteiliche **Moderation der Verhandlungen**.

130 Mit welchen Methoden die Verhandlungen dann geführt bzw moderiert werden, ist – was das Schlichtungsverfahren anbelangt – von Fall zu Fall verschieden und hängt auch maßgeblich von der Person der gewählten MediatorIn bzw SchlichterIn ab. Deshalb ist es oft schwer zu erkennen, worin sich Schlichtung von Mediation unterscheiden soll. Tatsächlich sind die Unterschiede in der Praxis an den Randzonen fließend.

3. Schlichtungspraxis

131 Die vielfältige Schlichtungspraxis kann nur typisiert dargestellt werden, um ihre kennzeichnenden Merkmale zu verdeutlichen. Typisch ist zunächst, dass die Streitenden erkannt haben, dass sie selbst mit formlosem Verhandeln nicht weiterkommen. Typisch ist auch, dass sie von der Schlichterin/vom Schlichter erwarten, dass sie/er sie entweder dazu bringt, ihren Streit durch eine selbst verhandelte Einigung zu regeln, oder ihnen einen eigenen Lösungsvorschlag unterbreitet, der ihre wechselseitigen Interessen nach ihrem Gerechtigkeitsempfinden angemessen berücksichtigt.

132 Ein Berufsbild für SchlichterInnen und einen anerkannten Methodenkanon gibt es nicht. Schlichter kann jede Person sein, welche die Parteien wählen und die es sich zutraut. Welche Methoden die Schlichterin/der Schlichter im Einzelfall benutzt, hängt damit zuerst von ihrer/seiner Persönlichkeit und ihrer/seinen Erfahrungen ab, die ihr/sein Verhalten bestimmen. Ebenso wichtig sind die Erwartungen an den Verlauf des Schlichtungsverfahrens, welche die Parteien einbringen.

133 Bspw kann es vorkommen, dass die Parteien ihre wechselseitigen Interessen kennen und auch von ihren Anwälten schon so vollständig über die Rechtslage aufgeklärt wurden, dass für sie klar ist, wie die Einigung aussehen könnte, wenn sie sich nur über gewisse streitige Tatsachen einigen. Dann liegt es für die Parteien nahe, als Schlichter eine Person ihres Vertrauens auszuwählen, welche die streitigen Tatsachen besonders kompetent beurteilen und ihnen eine Bewertung oder einen spezifischen Einigungsvorschlag unterbreiten kann. Sie werden sich also an eine nach ihrer Einschätzung fachlich qualifizierte Person wenden. Die Schlichtungsgespräche werden dementsprechend darauf fokussiert sein, die Schlichterin/den Schlichter zu informieren und ihre/seine Bewertung oder Vorschläge einzuholen. Sie können aber auch so weit gehen, diese Person mit der Befugnis auszustatten, eine für sie schuldrechtlich bindende Entscheidung von Streitpunkten vorzunehmen, wenn sie selbst nicht zur Einigung finden. Diese Bestimmung von vertraglichen Pflichten bzw Rechten, bezeichnet man in Deutschland als Schiedsgutachten (§ 317 dBGB) und im englischsprachigen Raum als *Adjudication*.[91]

134 Ebenso kann es vorkommen, dass die Parteien meinen, eine Einigung hänge in erster Linie an der Klärung einer Rechtsfrage, welche sie nicht einem Gericht überlassen wollen. Auch hier werden sie sich eher an eine von ihnen als fachlich qualifiziert angesehene Person wenden, die ihnen ihre Einschätzung vermittelt oder eine Leistungsbestimmung vornimmt.

135 Schwieriger ist es, wenn der Streit sich nicht auf geeignete Aspekte fokussieren lässt, weil die Parteien bspw die Streitpunkte ganz unterschiedlich einschätzen, weil sie sich auf keinen Dritten verständigen mögen, dem sie die beschriebenen Befugnis gemeinsam einräumen wollen oder weil der komplexe Streitgegenstand völlig unterschiedliche Fachkenntnisse oder sonstige Fähigkeiten erfordert, die keine einzige bekannte Person auf sich vereinigt. Hinzu kann kommen, dass der Streit bereits derart eskaliert ist, dass ohne eine Rückführung auf eine niedrigere Eskalationsstufe, also die Schaffung des erforderlichen „Verhandlungsklimas", Einigungsbemühungen nicht vorangebracht werden können. Auch hier werden die Parteien geneigt sein, eine ihnen geeignete Person als Schlichterin/Schlichter zu gewinnen, die mit der oder den Branche(n) der Parteien so vertraut ist, dass sie aufgrund ihrer Erfahrungen den Streit auch „ohne viele Worte" versteht und sachgerechte Lösungsvorschläge erwarten lässt. Oder sie werden eine Juristin/einen Juristen mit gewissen branchenbezogenen Erfahrungen suchen, weil diese/dieser sich mit der Lösung von Rechtsstreitigkeiten beruflich befasst. Jedoch wird der Erfolg hier voraussichtlich eher davon abhängen, dass die Schlichterin/der Schlichter mit in derartigen Situationen besonders bewährten Methoden der Moderation vertraut, also kein Fachmann auf dem Gebiet des Streitgegenstands, sondern in den Methoden der ausschließlich verhandlungsbasierten, prinzipiengeleiteten, auf die Befriedigung der wirklichen Parteiinteressen gerichteten Verhandlungsführung ist. Denn das erforderliche Fach- und Tatsachenwissen über die Streitunkte haben die Parteien letztlich regelmäßig selbst. Dann hat die Stunde der Mediatorin/des Mediators geschlagen. Auch wenn unverbindliche Schlichtung und Mediation sich für nicht vorbelastete Betrachter schwer voneinander unterscheiden lassen, gibt es somit doch strukturelle Unterschiede.

---

91 Siehe zu Einzelheiten unten Nr 7, Rn 80 ff.

136   Die Schlichtung kann in verschiedene Phasen gegliedert werden, die dem Streit eine andere Dynamik geben:

a) Erste Phase – Einleitung der Schlichtung

137   In der ersten Phase finden Verhandlungen darüber statt, ob sich die Parteien auf eine Schlichtung überhaupt einlassen wollen. Wurde bereits zuvor vertraglich eine Schlichtung vereinbart, wird diese eingeleitet.

138   Von den Parteien ist in dieser Phase auch zu erwägen, ob sie sich institutioneller Unterstützung bei der Administration des Schlichtungsverfahrens bedienen wollen. So sieht bspw die Schlichtungsordnung der Wiener Regeln vor, dass auf Antrag einer Partei im Rahmen der sachlichen Zuständigkeit des VIAC ein Schlichtungsverfahren durchgeführt werden kann.[92] Nach der Einleitung beginnt die Suche nach einer/einem geeigneten SchlichterIn. Die Suche und Bestellung einer Schlichterin/eines Schlichters kann auch auf einen Dritten (zB Schiedsinstitution) übertragen werden.[93]

139   Weiters finden in dieser Phase erste Kontakte zwischen Parteien und Schlichterin/Schlichter zur Klärung der Vorgehensweise, des zeitlichen Rahmens und der Bezahlung der Schlichterin/des Schlichters statt.

b) Zweite Phase – Die Schlichterin/Der Schlichter wird ins Bild gesetzt

140   Haben sich die Parteien auf eine Schlichterin/einen Schlichter geeinigt bzw wurde eine Schlichterin/ein Schlichter von Dritten bestellt, legt jede Partei zu Beginn der Schlichterin/dem Schlichter – meist mündlich, gelegentlich (teilweise) schriftlich – aus ihrer Sicht dar, warum es zu dem Konflikt gekommen und wie bisher der Konflikt und eine etwaige Konfliktlösung verlaufen ist, sowie welche Ergebnisse die jeweilige Partei erzielen will.

141   Die Versionen der Vorgeschichten divergieren jedoch meist. Das veranlasst die Schlichterin/den Schlichter oft dazu, den tatsächlichen, bisherigen Verlauf des Streits gemeinsam mit den Parteien zu klären und die Streitpunkte gemeinsam zu debattieren.

c) Dritte Phase – Von der Schlichterin/Vom Schlichter geleitete Verhandlungen

142   Im gemeinsamen Gespräch fokussiert die Schlichterin/der Schlichter – unter Berücksichtigung der sich auf Grund der Vorgeschichte abzeichnenden Einigungsmöglichkeiten – die Verhandlungen der Parteien auf die

---

92 Anhang 5(1) Wiener Regeln (Schlichtungsordnung der VIAC).
93 Anhang 5(3) Wiener Regeln (Schlichtungsordnung der VIAC).

von ihm wahrgenommenen wesentlichen Einigungshindernisse. Er hält die Parteien zur Suche nach Möglichkeiten an, diese Einigungshindernisse zu überwinden.

Die Schlichterin/Der Schlichter steuert und moderiert den Ablauf mit **143** Verhandlungspausen, Vertagungen und Vereinbarungen, wie weiter vorgegangen werden soll, damit nach Möglichkeit keine Partei die Verhandlungen verfrüht abbricht.

Gleichzeitig versucht die Schlichterin/der Schlichter, Verhandlungsblo- **144** ckaden oder Konflikteskalationen durch aktive Intervention zu vermeiden oder zu überwinden. Dazu können auch Einzelgespräche mit Parteien dienen.

d) Vierte (optionale) Phase – Der Vorschlag der Schlichterin/des Schlichters

Die Schlichterin/Der Schlichter erarbeitet unter Berücksichtigung des Ver- **145** handlungsstands einen Einigungsvorschlag, den sie/er den Parteien anschließend erläutert. Die Parteien können den Vorschlag annehmen oder nicht.

4. Mediation

Viele denken, eine Mediatorin/ein Mediator sei das Gleiche, wie eine Schlich- **146** terin/ein Schlichter. Das ist nicht völlig falsch. Jedoch erschwert die mit diesem Begriffsverständnis verbundene „Unschärfe" das Verständnis dessen, was Mediation ist, was leicht zu falschen Erwartungshaltungen der Parteien vor Beginn einer Mediation führen kann. Als eine Art „Kampfbegriff" genutzt wird diese begriffliche Unschärfe in Zusammenhang mit oft im deutschsprachigen Raum anzutreffenden Vergleichsbemühungen von Schiedsgerichten während der mündlichen Verhandlung. Bei diesen handelt es sich aber um Schlichtungsgespräche auf Basis einer vorläufigen rechtlichen Bewertung des Sach- und Streitstands nach rechtlichen Kriterien und nicht, wie wir sogleich aufzeigen werden, um Mediation.

Mediation ist ein verhandlungsbasiertes, nicht primär anspruchs- sondern **147** vielmehr auf Interessen fokussiertes Streitlösungsverfahren, bei dem besondere psychologisch fundierte Methoden der Kommunikation bewusst eingesetzt werden. Diese Methoden gehören zwar – persönlichkeitsabhängig mehr oder weniger – zum Schatz intuitiv erlernter Verhaltensmuster. Sie müssen aber von der Mediatorin/vom Mediator bewusst eingesetzt werden, wenn sie effizient im Verhandlungsablauf wirken sollen. Deshalb werden diese Techniken gelehrt und gelernt. Es existiert damit ein Methodenkanon, den eine Mediatorin/ein Mediator sich angeeignet haben muss. Allerdings reicht dies nicht, denn es wird stets auch der mit Intuition verbundene Charakter der Mediatorin/des Mediators erheblichen Einfluss behalten. Das Erlernen der Mediationstechniken nutzt nämlich nicht viel, wenn man über die Fähigkeit, mit Geduld genau hinzuhören, nicht verfügt, vorschnell urteilt oder leicht antagonisierend und nicht emphatisch auf andere wirkt.

148 Der Methodenkanon der Mediatorin/des Mediators baut auf die oben beschriebenen Techniken des problemorientierten bzw interessengeleiteten Verhandelns unmittelbar auf. Zwar ist in gewissen Anwendungsfeldern der Mediation[94] eine Ausrichtung auf die Beeinflussung der persönlichen Beziehungen zwischen den Beteiligten üblich. Für die Wirtschaftsmediation ist dies jedoch regelmäßig weniger der Fall. Hier werden persönliche Spannungen unter den Beteiligten nur in dem Umfang behandelt, in dem sie den Weg verstellen, auf einer niedrigeren Eskalationsstufe zur interessengerichteten Problemlösung zu schreiten.

149 Nach dem Methodenkanon wesentlich ist die Forderung, dass die Mediatorin/der Mediator eine ergebnisoffene Haltung einnimmt. Das bedeutet, dass sie/er sich vollständig darauf konzentrieren soll, einen Verhandlungsrahmen und einen Verhandlungsablauf zu fördern, der es den Parteien erlaubt, ihren Streit selbst interessengerecht zu lösen. Dieses Konzept schließt eine unmittelbare eigene Einflussnahme des Mediators auf die Problemlösung als solche – im Wesentlichen eigene Lösungsvorschläge – aus. Hierin liegt wohl, neben dem existierenden Methodenkanon als solchem, der Hauptunterschied zwischen Schlichtung im Allgemeinen und Mediation im Besonderen. Allerdings wird man im Alltag vieler Mediationsverfahren auch auf Mediatoren treffen, die zu irgendeinem Zeitpunkt einen oder mehrere Lösungsvorschläge machen; und zwar einfach deshalb, weil sie zu der Überzeugung gelangt sind, dass in diesem Moment ein solcher Vorschlag den Parteiinteressen mehr nutzt als Prinzipienstrenge.

a) Typische Techniken der Mediatorin/des Mediators

150 Die wesentlichen, von einer Mediatorin/vom Mediator angewandten Techniken lassen sich wie folgt charakterisieren:

151 – Führung der Parteien durch die Stufen des Mediationsverfahrens mittels Persuasion;
– Führung der Parteien durch „aktives" Zuhören, dh eine ergebnisoffene Fragetechnik. „Rückkoppelung" des Gesagten durch Zusammenfassung, ohne dabei zu werten. Weiter gehört zu den Techniken das sog *Framing* bei dem Frage bzw Rückkoppelung gezielt beim Zuhörer eine Wahrnehmungsverschiebung erzeugen sollen, also eine neue Wahrnehmung eines Konfliktaspekts. Wichtig ist, dass Schlussfolgerungen nicht suggestiv einfließen;

---

94 Mediation in Nachbarschafts-, Scheidungs-, Familien- aber auch arbeitsrechtlichen (Streit unter Mitarbeitern oder Streit mit Vorgesetzten) Sachen, wo sich die Mediation auch in Europa gut etabliert hat.

- Wiederherstellung und Gewährleistung der effizienten Kommunikation durch die genannten Techniken und die Förderung einer auch von den Parteien wahrgenommenen Trennung der Sachebene von emotionalen Faktoren. Dies wirkt deeskalierend und vermittelt den Parteien, dass sie verstanden werden;
- Moderation der Verhandlungen durch Anleitung zum Einsatz von bestimmten Kreativtechniken, wie Brainstorming, zur Aufdeckung von Handlungsmöglichkeiten. Visualisierung des Verfahrensfortschritts nach Phasen mit Flip-Charts, Metaplankarten und anderen Instrumenten. Weiter können Individualgespräche mit einzelnen Parteien in kritischen Situationen erfolgen, um Blockierungen der Verhandlung zu überwinden.

b) Typischer Ablauf eines Mediationsverfahrens

Der Ablauf eines Mediationsverfahrens gliedert sich nach diesem Modell in verschiedene Phasen: **152**

(1) Erste Phase – Wahl des Mediators und Klärung des Mediationsablaufs

Diese Phase unterscheidet sich im Ablauf nicht grundsätzlich von der Schlichtung. Jedoch ist charakteristisch, dass unter Anleitung der Mediatorin/des Mediators die Grundregeln des weiteren Vorgehens verhandelt werden. **153**

(2) Zweite Phase – Abklärung des Streitfalls und der Positionen

Die Parteien legen ihre jeweilige Sicht der Dinge klar. Der Konfliktgegenstand wird im Dialog zwischen den Parteien und der Mediatorin/dem Mediator herausgearbeitet. **154**

Es soll hier auch ans Tageslicht gebracht werden, inwieweit Verwerfungen auf der Ebene der Beziehungen zwischen den Beteiligten die Ebene der Sachfragen beeinflussen. Ziel ist die frühe Abschichtung der Beziehungsfragen von der Sachebene, damit sodann eine Konzentration auf die Sachfragen bzw die Interessenlage erfolgen kann. **155**

(3) Dritte Phase – Herausarbeiten der Interessenlage

Durch „aktives" Zuhören und „Rückkopplung" des Gesagten unterstützt die Mediatorin/der Mediator unter Berücksichtigung der zuvor gewonnenen Informationen die Parteien dabei, ihr Augenmerk auf die ihren Positionen zugrunde liegenden Interessen zu richten und diese offen zu legen. **156**

Erarbeitung von durch die Parteien akzeptierten Kriterien, die durch eine einvernehmliche Regelung erfüllt werden sollten. **157**

(4) Vierte Phase – Erarbeitung von Handlungsoptionen

158   In dieser Phase können zunächst bereits von den Parteien erkannte Handlungs- bzw Lösungsmöglichkeiten festgehalten werden. Auch kann das Bewusstsein der Parteien über ihre BATNA und WATNA gefördert werden. Optional können rechtliche Risiken einzelner Optionen herausgearbeitet und abgewogen werden.

159   In erster Linie zielt diese Phase aber darauf ab, die Parteien zu stimulieren, möglichst ohne irgendeine Gewichtung oder Wertung eine größere Zahl von denkbaren Lösungen zu erarbeiten. In der Praxis erfolgt oft ein schneller, gleitender Übergang in die Verhandlung der Lösungen (Phase 6).

(5) Fünfte Phase – Auswertung von Handlungsoptionen

160   Auswertung der generierten Optionen anhand der vereinbarten Kriterien und Klärung der Umsetzbarkeit, dh Reduzierung der Anzahl möglicher auf brauchbare Lösungen.

(6) Sechste Phase – Verhandlung über ausgewählte Einigungsmöglichkeiten

161   Verhandlung der verbliebenen Lösungsoptionen, die noch im Detail diskutiert werden.

162   Aus der Freiwilligkeit des Mediationsverfahrens und seiner Parteibestimmtheit folgt, dass die Sequenz der Phasen nicht zwingend gewahrt werden muss. Insb kann die Mediation zu jedem Zeitpunkt scheitern, indem Parteien sie als sinnlos abbrechen. Weiter ist es möglich, in vorangehende Phasen zurückzuspringen, wenn und so oft dies für zweckmäßig erachtet wird. In der Praxis geschieht das auch häufig. Schließlich können die Parteien den Mediator auch jederzeit bitten, sie mit eigenen Vorschlägen zur Sache zu unterstützen, obwohl die Theorie der Mediation dafür eigentlich keinen Raum vorsieht.

163   Der hier dargestellte Ablauf und die auf die Interessen fokussierenden Mediationstechniken werden im Regelfall nicht nur die Qualität der Verhandlungsinhalte und damit potentiell auch der Einigung verbessern. Sie sind strukturell darauf angelegt, den Streit auf eine Ebene der Kooperation zurückzuführen, ohne dass darüber viele Worte zu verlieren sind. Das liegt vor allem an Folgendem:

164   – Ein nicht unerheblicher Teil der Kommunikation findet jeweils zwischen einer Partei und der Mediatorin/dem Mediator statt, die/der kein Widerpart ist. Die andere Partei hört zu, muss und soll auch nicht unmittelbar reagieren. Damit sieht sie sich auch nicht gezwungen, ihr Gegenargument zu formulieren, noch während die andere Seite spricht.

–   Mit der Segmentierung in Phasen wird, gegenüber zweiseitigen Verhandlungen, in denen sich die Einzelaspekte häufig bei der Argumentation überlagern, eine gewisse Entspannung herbeigeführt. Denn der mit der

Verhandlung über die Lösung typischerweise verbundene Druck bleibt einer späteren Phase vorbehalten.

– Durch die Fragen und die Zusammenfassungen des Gesagten seitens der Mediatorin/des Mediators wird das Tempo reduziert. Gleichzeitig wird der jeweiligen Partei vermittelt, dass sie Gehör findet und auch verstanden wird.

Hierdurch wird die Kette der Konflikteskalation durchbrochen und eine **165** Rückführung des Streits auf eine Ebene gefördert, bei der es von den Parteien nicht mehr als Gesichtsverlust angesehen wird, wenn sie sich gegenseitig auf eine Einigung einlassen.

c) Mediation als Shuttle-Diplomacy – Getrenntes Verhandeln

Das oben dargestellte Mediationsmodell basiert auf der Annahme, dass die **166** Gespräche mit der Mediatorin/dem Mediator in Anwesenheit aller beteiligten Parteien stattfinden. Einzelgespräche erfolgen, wenn das erforderlich ist, um irgendeine Schwierigkeit auszuräumen. Ein anderer, bspw in den USA in ganz erheblichem Umfang praktizierter und als erfolgreich anerkannter, methodischer Ansatz ist die getrennte Gesprächsführung der Mediatorin/des Mediators mit den Parteien ab der zweiten oder dritten Phase als Regelfall. Allenfalls, wenn die Einigung greifbar ist, erfolgen wieder gemeinsame Gespräche. Die Mediatorin/Der Mediator agiert dabei als eine Art Bote, der zwischen den in getrennten Räumen sitzenden Parteien hin und her eilt und Argumente sowie Vorschläge übermittelt. Dabei ist vereinbart, dass die Mediatorin/der Mediator aus den geführten Einzelgesprächen nur das preisgibt, was von der betroffenen Partei dazu freigegeben worden ist. Grundsätzlich wendet die Mediatorin/der Mediator in den Einzelgesprächen die beschriebenen Gesprächstechniken an. Allerdings bedarf es keiner großen Phantasie um zu erkennen, dass sie/er gegenüber den Parteien – was ihre eigenen Vorstellungen anbelangt – das eine oder andere offene Wort sagen wird, das sie/er in Gegenwart aller Seiten nicht äußern würde. Dies kann zur verbesserten Wahrnehmung der Realitäten durch die jeweilige Partei nützlich und wirksam sein. Die Transparenz des Verfahrens wird dadurch jedoch nicht gefördert.

d) Mediation, Recht und RechtsanwältInnen

Die Mediation ist meist der letzte Versuch, einen Rechtsstreit zu vermeiden **167** und sie kann scheitern. Regelmäßig ist dann ein Rechtsstreit vor einem staatlichen oder einem Schiedsgericht für die Parteien die maßgebliche Alternative zu einer Einigung. In der Regel wird jede Partei sich mit den mit dieser Alternative verbundenen Chancen und Risiken spätestens in Zusammenhang mit der Entscheidung befasst haben, ob sie sich auf die Mediation einlässt.

168   Zudem handeln die Parteien nicht im rechtsfreien Raum und sollten deshalb daran interessiert sein, eine Einigung unter Einhaltung rechtlich vorgeschriebener Formen und ohne gegen zwingendes Recht zu verstoßen, zu erzielen.

169   Deshalb ist es vernünftig, wenn sich die Parteien auch in Zusammenhang mit der Mediation rechtlich beraten lassen. Dabei ist gegen eine Beteiligung des Rechtsanwalts an den Gesprächen nichts einzuwenden. Wünschenswert ist allerdings die Zuziehung von Anwältinnen/Anwälten, die der Mediation nicht – aus welchen Gründen auch immer[95] – grundsätzlich ablehnend gegenüberstehen.

170   Allerdings setzt Mediation die unmittelbare Beteiligung der Partei voraus, die ja ihre Interessen und die Umstände am besten kennt und ihrem Anwalt regelmäßig schon aus Effizienzgründen nur das wesentlich Erscheinende mitgeteilt hat. Dies spricht oft auch dafür, die Anwältin/der Anwalt nicht als Verhandlungsführer einzusetzen, solange nicht der Text der Einigung entworfen und verhandelt wird. Denn dafür ist eine Anwältin/ein Anwalt regelmäßig besser ausgebildet als eine juristisch nicht geschulte Partei.

e)   *Mediation und kulturelles Umfeld*
    bei grenzüberschreitenden Streitigkeiten

171   Bei allen Verhandlungen mit dem Ziel eines Interessenausgleichs kommt es im Rahmen der Vorbereitung entscheidend darauf an, Strategie und Taktik des Gegners zu verstehen, um das eigene Verhandlungsverhalten zu planen, damit es zum bestmöglichen Erfolg führt. Die Praxis zeigt, dass dies häufig nicht beherzigt wird. Ein mexikanisches Sprichwort sagt. *„Der Löwe denkt, alle Tiere im Wald seien wie er."* Das ist ein schönes Sinnbild, weil es zeigt, dass nur aus dem eigenen Erfahrungshorizont hergeleitete Erwartungshaltungen, die andere betreffen, zwangsläufig zu Missverständnissen führen können, die streitverschärfend wirken. Besonders hoch ist das Risiko dann, wenn die beteiligten Personen in sehr unterschiedlichen Kulturen groß wurden und dort leben. Das macht die Verhandlungen bei der Streiterledigung komplexer. Letztlich bewältigt werden kann diese Komplexität dadurch, dass man auch das, was selbstverständlich erscheint, hinterfragt und erläutert. Wenn also eine deutsche Partei einer nordamerikanischen Partei vorschlägt, einen Streit durch Mediation zu lösen, sollte letztere fragen: *„Was genau stellen Sie sich unter Mediation vor? Welche Aufgaben soll die Mediatorin/der Mediator haben?"* Das ist natürlich ein banales Beispiel für viel komplexere Kommunikations-

---

95   Weiterführend *Mnookin/Peppet/Tulumello*, Beyond Winning 69.

vorgänge. Sich einmal gedanklich insgeheim in „die Schuhe der anderen Seite zu stellen" wird wohl nie schaden.

5. Abwicklung und Durchsetzung von Vergleichen

Wenn eine Partei sich auf eine Schlichtung oder Mediation einlässt, will sie **172** regelmäßig den Streit abschließend und umfassend beenden, also so weit als möglich sicher sein, dass die Einigung hält und notfalls ohne Komplikationen durchgesetzt werden kann.

Dieses Sicherheitsbedürfnis ist in den richtigen Kontext zu setzen. Dazu **173** ist daran zu erinnern, dass nicht jedes Urteil mit Rechtsmitteln angegriffen wird und auch nicht jedes rechtskräftige Urteil der Zwangsvollstreckung bedarf. Nach verbreiteter Meinung trifft dies in noch größerem Umfang auf Schiedssprüche zu. Man kann deshalb fragen, ob nicht eine freiwillig, nach meist schwierigen Verhandlungen zur Streiterledigung geschlossene Vereinbarung nicht mit noch größerer Wahrscheinlichkeit auch freiwillig erfüllt wird als Schiedssprüche. Skeptiker werden dem entgegenhalten, dass die freiwillige Erfüllungsquote bei Schiedssprüchen und Urteilen durch die Vollstreckungsmöglichkeit bedingt ist. Deshalb wird auch für Vereinbarungen aus Schlichtungen oder Mediationen nach Wegen gesucht, möglichst direkt zur Vollstreckbarkeit zu kommen.

a) Vergleich als Vertrag

Der Vergleich ist ein Vertrag und kann wie ein solcher durchgesetzt wer- **174** den. Bei Auslandsberührung ist deshalb zu empfehlen, im Vergleich das anwendbare Recht zu bestimmen und eine Gerichtsstands- bzw Schiedsklausel aufzunehmen. Wird der Vergleich nicht erfüllt, kann auf Erfüllung geklagt werden.

b) Anwaltsvergleich und andere Möglichkeiten der Vollstreckbarkeitserklärung

In Deutschland ist es bei Beteiligung von Rechtsanwälten möglich, den von **175** den Rechtsanwälten für ihre Mandanten unterzeichneten und mit einer Vollstreckungsklausel versehenen Vergleich[96] durch das Prozessgericht[97] oder einen Notar[98] für vollstreckbar erklären zu lassen. Bei Wahrung der gesetzlichen Erfordernisse im Übrigen kann auch ein ausländischer, von ausländischen

---

96 § 796a dZPO.
97 § 796b dZPO.
98 §§ 796c, 796f dZPO.

Anwälten unterzeichneter Vergleich in Deutschland für vollstreckbar erklärt werden.[99] Der Anwaltsvergleich wird durch die notarielle bzw gerichtliche Vollstreckbarerklärung zur öffentlichen Urkunde und kann damit nach Art 57 EuGVVO bzw Art 50 EuGVÜ/LGVÜ in Vertragsstaaten wie eine solche als vollstreckbar anerkannt werden.[100] Österreich hat die Möglichkeit eröffnet, den Vergleich vor dem Gericht zu errichten, um zu seiner Vollstreckbarkeit zu gelangen (gerichtlicher Mediationsvergleich).[101] Letztlich bleiben beide Staaten damit hinter dem Regelungsgedanken von Art 6 der RL 2008/52/EG vom 21.5.2008 zurück. Die Schweiz sieht in ihrer seit dem Jahr 2011 schwZPO für Schlichtungs- bzw Mediationsverfahren, die grundsätzlich zur Einleitung eines Gerichtsverfahrens durchgeführt werden müssen, die Möglichkeit vor, die Einigung der Parteien protokollieren bzw genehmigen zu lassen, woraufhin diese einem rechtskräftigen Entscheid gleichgestellt wird.[102]

176 Für Mediationen außerhalb eines staatlichen Schlichtungs- bzw Gerichtsverfahrens besteht unter gewissen Voraussetzungen immerhin die Möglichkeit, die Einigung der Parteien als vollstreckbare öffentliche Urkunde auszufertigen.[103] Für andere Staaten ist eine Einzelfallprüfung angezeigt, zumal zunehmend Gesetze zur Mediation erlassen werden, die gelegentlich auch Vollstreckbarkeitsfragen regeln. Im weiteren internationalen Kontext ist die unmittelbare Vollstreckbarkeit auch von Anwaltsvergleichen heute noch völlig offen. Die Zurückhaltung bei der Schaffung von Möglichkeiten unmittelbarer Vollstreckung von Mediationsvergleichen ist letztlich nachvollziehbar, sind diese doch, wie oben betont, Verträge. Warum sollte man diese Art von Vertrag gegenüber anderen Vereinbarungen privilegieren, wo doch die menschliche Natur ohne große Phantasie Missbräuche als möglich erscheinen lässt?

c) Schiedsspruch mit vereinbartem Wortlaut

177 Weil Schiedssprüche, die einen Vergleich beinhalten, im internationalen Kontext durch das NYÜ in sehr vielen, wenn nicht den meisten Staaten anerkannt werden können, wird vorgeschlagen, die Parteien sollten den Mediator nach Einigung einfach zur Einzelschiedsrichterin/zum Einzelschiedsrichter mit dem Auftrag ernennen, einen solchen Schiedsspruch zu erlassen. Viele halten dem das rechtliche Bedenken entgegen, in diesem Zeitpunkt fehle es bereits an dem für ein Schiedsverfahren rechtlich erforderlichen Streit. Die Frage

---

99 *Stöber* in Zöller, Zivilprozessordnung[31] § 796a Rn 27.
100 *Nagel/Gottwald*, Internationales Zivilprozessrecht[7] § 12 Rn 60 ff; *Geimer/Schütze*, Europäisches Zivilverfahrensrecht[3] A.1 Art 57 Rn 1 f.
101 § 433a öZPO.
102 Art 208 Abs 2, 217 schwZPO.
103 Art 347 ff schwZPO; vgl *Möhler* in Gehri/Jent-Sørensen/Sarbach, ZPO[2] Art 218 Rn 6.

ist, soweit dem Autor bekannt, noch nicht höchstrichterlich entschieden. Sie muss auf Basis der im Einzelfall maßgebenden Rechtsordnung, also meist derjenigen des Vollstreckungsstaates entschieden werden. Es ist damit offen, ob diese Lösung stets zu dem angestrebten rechtlichen Erfolg, also einem vollstreckbaren Titel, führen wird.[104]

6. Vorsorge für den Fall, dass die Einigung scheitert

Es kann nicht ausgeschlossen werden, dass Mediation oder Schlichtung scheitern. Deshalb ist schon vor Einleitung des Einigungsversuches Folgendes zu bedenken: **178**

a) Verjährung

Grundsätzlich steht die Einleitung einer Mediation oder Schlichtung nicht der durch Klageerhebung eintretenden Rechtsanhängigkeit gleich. Deshalb ist regelmäßig zu prüfen, ob die Verjährung von im Streit stehenden Ansprüchen droht. Dies ist im deutschen, österreichischen und Schweizer Recht eine materiell-rechtliche Frage.[105] In anderen Rechtssystemen können die entsprechenden Regeln aber gelegentlich auch als prozessuales Recht qualifiziert werden. Wenn keine wirksame Wahl des anwendbaren materiellen Rechts zwischen den Parteien vereinbart wurde, ist diese Frage unter Berücksichtigung der in Betracht kommenden Rechte zu prüfen. Droht innerhalb des für den Einigungsversuch in Betracht gezogenen Zeitrahmens die Verjährung, ist weiter zu prüfen, ob die Aufnahme der Verhandlungen zu einer Hemmung oder Unterbrechung der Fristen führt[106] oder ob diese, wenn das nicht der Fall ist, verlängert werden können.[107] **179**

---

104 § 605 öZPO, § 1053 dZPO und Art 385 schwZPO sehen dem Wortlaut nach die Möglichkeit, einen Schiedsspruch mit vereinbartem Wortlaut zu erlassen, nur für Fälle vor, in denen sich die Parteien während – also nicht vor – einem laufenden Schiedsverfahren einigen. Freilich gilt, dass wer nichts wagt, auch nichts gewinnt. Wer diese Lösung wählt, sollte jedoch vorsorglich den Vergleich auch als von Parteivertretern wirksam unterzeichnete Urkunde fixieren.

105 Art 135 schwOR.

106 §§ 203, 204 Nr 4 dBGB – Hemmung; § 22 öZivMediatG – Hemmung nur, wenn die Mediatorin/der Mediator in Österreich nach dem Gesetz eingetragen ist; § 1494 ABGB regelt dies nicht explizit, doch die Rsp erkennt eine Hemmung bei Vergleichsverhandlungen an; *Rehm* in Koziol/Bydlinski/Bollenberger, ABGB[4] § 1493 Rn 3; in der Schweiz hemmt die bloße Aufnahme von Verhandlungen die Verjährung nicht.

107 § 202 dBGB; in der Schweiz kann gem Art 129, 141 schwOR nach Vertragsschluss ein Verjährungsverzicht erklärt werden, wobei der Verzicht die ordentliche Verjährungsfrist von 10 Jahren gem Art 127 schwOR nicht überschreiten darf, vgl dazu BGE 132 III 226.

b) Trennung der Mediation oder Schlichtung
   von einem Schieds- oder Gerichtsverfahren

180   Die bis zur Einigung bestehende Ungewissheit, ob nicht doch ein Schieds-oder Gerichtsverfahren durchgeführt wird, kann die Mediation oder Schlichtung belasten und die effiziente Verhandlung beeinträchtigen. Denn die Parteien haben nicht grundlos die Sorge, dass von ihnen nur für die Gespräche offenbarte Informationen später zu ihrem Nachteil verwendet werden könnten. Die Kommunikation wird dann nicht so offen stattfinden, wie das nach den dargestellten Modellen wünschenswert ist.

181   Deshalb ist es ratsam, ja sogar erforderlich, dass die Parteien sich mit der Mediatorin/dem Mediator oder Schlichterin/Schlichter zu Beginn des Verfahrens verbindlich auf gewisse Grundregeln einigen. Eine Regel ist, dass keine Partei Informationen oder Beweismittel, die von der anderen in die Gespräche eingeführt wurden, in einem etwa folgenden Schieds- oder Gerichtsverfahren einführen darf, wenn diese Informationen oder Beweismittel ihr nicht schon aus unabhängiger Quelle zu Verfügung standen oder nachträglich aus einer solchen Quelle bzw in sonst vom Vergleichsversuch unabhängiger und zulässiger Weise beschafft werden können.[108] Weiter sollte vereinbart werden, dass die Schlichterin/der Schlichter oder Mediatorin/Mediator nicht als Zeugin/Zeuge für den Streit betreffende Wahrnehmungen bei den oder aus Anlass der Vergleichsbemühungen benannt werden darf.[109] Während des Verfahrens erstellte Unterlagen sollten von einer späteren Herausgabepflicht ausgeschlossen werden. Allerdings ist dabei nicht zu vergessen, dass die Wirksamkeit solcher Vereinbarungen im Falle eines Verstoßes vom Gericht nach seinem Prozessrecht oder vom Schiedsgericht nach den anwendbaren Verfahrensregeln beurteilt werden wird. Wegen des Primats der Parteivereinbarung[110] für den Ablauf von Schiedsverfahren wird ein Schiedsgericht derartige Vereinbarungen aber regelmäßig zu beachten haben.

---

108   Formulierungen für solche Regeln finden sich in Mediations-/Schlichtungsordnungen: Art 10, 20 UNCITRAL Conciliation Rules (www.uncitral.org), Art 12 Vienna Mediation Rules (2016 – www.viac.eu), Art 18 Schweizerische Mediationsordnung für Wirtschaftskonflikte, der schweizerischen Handelskammern, Art 9 ICC Mediation Rules (2014 – www.iccwbo.org), Art 10 DIS Mediationsordnung (2010 – www.dis-arb. de), Art 15–18 WIPO Mediation Rules (2016 – www.wipo.int); M-12 der AAA Mediation Procedures (http://www.adr.org > Rules > Commercial Arbitration Rules and Mediation Procedures); Rule IX CPR Mediation Procedure (http://www.cpradr.org > CPR Clauses, Rules > Procedures).

109   Formulierungen für solche Regeln finden sich in Mediations-/Schlichtungsordnungen: Art 12 Vienna Mediation Rules, Art 22 Schweizerische Mediationsordnung für Wirtschaftskonflikte, Art 9(2) ICC Mediation Rules, Art 18 WIPO Mediation Rules.

110   Vgl § 1042 Abs 4 dZPO, § 595 Abs 1 öZPO, Art 182 Abs 2 schwIPRG, Art 189 schwZPO.

7. Hybride Streiterledigungsmethoden

Die Möglichkeiten, mit Hilfe eines neutralen Dritten Streitigkeiten außer- **182**
halb eines Schieds- oder Gerichtsverfahrens zu klären, erschöpfen sich allerdings nicht in Schlichtung oder Mediation. Die folgenden Möglichkeiten sind
weitere Alternativen:

a) Die Schiedsgutachterin/Der Schiedsgutachter

Hier geht es um eine Bestimmung vertraglicher Leistungen durch Dritte.[111] **183**
Die Schiedsgutachterin/Der Schiedsgutachter kommt der Schlichterin/
dem Schlichter sehr nahe, hat jedoch durch Parteivereinbarung die Befugnis, nicht nur einen Vorschlag, sondern vielmehr eine Regelung zu erlassen,
welche die Parteien vertraglich bindet. Diese ist freilich kein vollstreckbarer
Schiedsspruch und beruht regelmäßig auf einer freien Ermessensentscheidung. SchiedsgutachterInnen werden zB gern eingeschaltet, wenn es um
Bewertungsfragen in Zusammenhang mit Unternehmenskäufen und Ähnlichem geht. Sowohl Schlichtung als auch Mediation können für den Fall des
Scheiterns mit einer Befugnis des Dritten verbunden werden, als Schiedsgut-
achterIn zu entscheiden.

b) Mini Trial

Hier stehen der/dem neutralen Dritten Mitglieder der Geschäftsführung je- **184**
der der Parteien in gleicher Anzahl (je einer) zur Seite. Wie in einem Prozess,
jedoch unter strengen zeitlichen Limitationen, tragen die Parteien zunächst
ihre Positionen vor. Sodann beraten, dh verhandeln, die Mitglieder der Geschäftsführung unter Anleitung der/des Dritten. In diesem Verfahren stehen
meist rechtliche Kriterien im Vordergrund. Ein vollstreckbarer Spruch ist
regelmäßig nicht vorgesehen.[112]

c) Dispute Resolution Boards

Dispute Resolution Boards werden bei komplexen Langzeitverträgen (insb im **185**
Bau- und Anlagenbauwesen) eingesetzt. Im Projektablauf treten erfahrungsgemäß Störungen auf, die den Projektfortgang belasten können und deshalb

---

111 §§ 317, 319 dBGB; § 879 öABGB; Art 189 schwZPO; vgl *Zeiler*, Schiedsverfahren[2]
§ 581 Rn 142 f; *Schiffer*, Mandatspraxis Schiedsverfahren und Mediation[2] 16 f.
112 Siehe hierzu die *Mini Trial Rules* der *American Arbitration Organization* (http://
www.adr.org > Rules > Mini Trial Procedures) und des *CPR International Institute
for Conflict Prevention & Resolution* in New York (http://www.cpradr.org > CPR
Clauses, Rules > Mintrial Procedure > Procedure).

zeitnah zumindest vorläufig geregelt werden müssen. Deshalb wird ein Team von meist drei ExpertInnen bestellt, das entweder SchlichterInnen-[113] oder SchiedsgutachterInnenkompetenzen[114] hat.

8. Kriterien für die Wahl des Verfahrens

186 Alle oben beschriebenen Streiterledigungsmethoden sind komplementär zu Schieds- oder Gerichtsverfahren. Im besten Fall werden sie eingesetzt, bevor ein Schieds- oder Gerichtsverfahren eingeleitet wird. Denn dann wirken die mit ihnen verbundenen Vorteile von Zeit- und Kostenersparnis effizienter. Wenn eine Schiedsgutachterin/ein Schiedsgutachter oder ein *Dispute Resolution Board* als Schiedsgutachter entscheidet, ist es allerdings wichtig, vorab durch Vereinbarung klarzustellen, in welchem Umfang ihre/seine Entscheidung der Überprüfung und ggf Abänderung im Streitverfahren unterliegt.

187 Wenn bereits im Rahmen von Vertragsverhandlungen, also bevor ein Streit entstanden ist, über eine Klausel verhandelt wird, die eines der oben genannten alternativen Verfahren vorsieht, ist insb zu überlegen, ob der neutrale Dritte lediglich moderieren und ggf einen Einigungsvorschlag unterbreiten, oder ob er – wenn das scheitert – als Schiedsgutachter tätig sein soll. Letzteres erhöht psychologisch den Einigungsdruck, bringt aber auch Risiken mit sich. Weitere Kriterien wurden bereits oben angesprochen.

9. Auswahl der/des neutralen Dritten

188 Ob Mediation oder Schlichtung, letztlich werden die Qualität und das Ergebnis des Verfahrens davon abhängen, ob die richtige Person als neutrale/r Dritte/r ausgewählt wurde.

189 Wesentlichstes Kriterium der Auswahl ist das allseitige Vertrauen in den und die Glaubwürdigkeit der/des Dritten. Wichtig ist auch, dass sie/er ihre/seine Aufgabe standfest und geduldig wahrnimmt und zuhören kann, ohne sich vorschnell eine Meinung zu bilden, die sie/er dann in die Verhandlungen einbringt. Sie/er muss also ihre/seine persönliche Meinung zurückhalten und die Verhandlungen objektiv moderieren können.

190 Sehr wichtig wird auch sein, was für einen Schlichtungs- oder Mediationsstil die Parteien wünschen. Besonders wichtig ist es, mit den KandidatInnen für das Amt darüber zu sprechen, ob sie gemeinsame oder getrennte Verhandlungen organisieren wollen, sowie ob sie eher anspruchs- oder interessengeleitet vorgehen wollen und ob die Parteien davon ausgehen, dass

---

113 Art 16 – 18 ICC Dispute Board Rules (2015 – www.iccwbo.org).
114 Art 18, 24 ICC Dispute Board Rules.

die/der gewählte MediatorIn oder SchlichterIn einen Schlichtungsvorschlag unterbreiten wird.

Weitere Kriterien sind die Verfügbarkeit des Mediators/der Mediatorin oder des Schlichters/der Schlichterin, ihre/seine ggf durch eine Zertifizierung oder ein Ausbildungsdiplom nachgewiesene Vertrautheit mit den Methoden, sowie gelegentlich Kenntnis der Branche oder des technischen Gebiets des Streits. **191**

Voraussetzung für eine erfolgreiche Auswahl des/der Dritten ist, dass jede Partei sich über die relevanten Auswahlkriterien klar ist und diese gewichtet. Dabei ist ein gewisser Realismus angebracht. Je mehr Kriterien ein Dritter/eine Dritte erfüllen muss, desto schwieriger wird es, ihn zu finden. Die Parteien können hierüber verhandeln und den Dritten/die Dritte selbst gemeinsam auswählen. Sie können dies auch einem/einer Dritten – regelmäßig einer Institution – übertragen. **192**

Ein Problem bildet meist die Suche nach geeigneten KandidatInnen. Denn den Parteien fehlen zumeist aussagekräftige Informationen dafür. Hier sollte man sich nicht auf jene beschränken, die der einen oder anderen Partei „spontan" einfallen. Vielmehr ist es sinnvoll, Erkundigungen über potentielle KandidatInnen einzuholen. AnsprechpartnerInnen sind dabei Dritte, die schon an Mediationen oder Schlichtungen teilgenommen haben oder auch Handelskammern bzw andere Institutionen, die sich mit Mediation oder Schlichtung befassen. **193**

Ist die Auswahl an eine Institution delegiert worden, sollte jede Partei ihre hierfür wesentlichen Kriterien und deren Gewichtung definieren und an die Institution kommunizieren. Denn diese kennt den Fall ja nicht so gut wie die Parteien. **194**

10. Bedeutung und Nutzen von institutionellen Mediations- oder Schlichtungsordnungen

Auch im Bereich von Mediation oder Schlichtung haben die Regelwerke von Institutionen eine Rolle, selbst wenn diese Verfahren im Kern auf eine formlos verhandelte Streiterledigung ausgerichtet sind. Wesentlich ist dabei die Seriosität der jeweiligen Institution. Diese ist gekennzeichnet durch eine stabile, auf Langfristigkeit angelegte, rechtliche Struktur und Transparenz. Es ist also wesentlich zu wissen, wer hinter der Institution steht und wer die neutralen Dritten sein können, die sie ggf ernennt. **195**

a) Vereinfachung durch Standardklauseln

Wenn man eine Schlichtung oder eine Mediation vorsehen will, ist an vieles zu denken, das erst dann wichtig wird, wenn es zum Streit gekommen **196** ist. Damit will man Vertragsverhandlungen oft nicht belasten, weil man das Streitrisiko gering einschätzt. Dann kann es zweckmäßig sein, schlicht eine als ausgewogen akzeptierte Standardklausel über die Schlichtung oder Mediation zu vereinbaren, die auf eine institutionelle Schlichtungs- oder Mediationsordnung verweist, wo die Einzelheiten geregelt sind.

b) Vereinfachung durch Standardverfahrensregeln

197 Schlichtung- oder Mediationsordnungen enthalten ein Mindestmaß an disponiblen Regeln, die den Ablauf vorhersehbarer machen. Insb enthalten sie aber auch Bestimmungen, die Vorsorge für den Fall eines Scheiterns der Verhandlungen treffen.

c) Entlastung von Verhandlungen zu Kostenfragen

198 Verhandlungen mit dem Dritten über das Honorar und die Erstattung von Auslagen, sowie der Art und Weise, wie die Parteien dafür aufkommen, können die Verfahrenseinleitung verkomplizieren und auch das Verhältnis der Parteien zu dem Dritten belasten. Schlichtung- oder Mediationsordnungen enthalten deshalb zu diesen Punkten Regelungen meist einschließlich einer Honorarordnung. Dies verbessert auch die Vorhersehbarkeit der Kosten.[115]

d) Sicherheit bei Auswahl und Ernennung der/des neutralen Dritten

199 Schlichtungs- oder Mediationsordnungen sehen vor, dass die Institution einspringt, wenn sich die Parteien nicht auf die neutrale Dritte/den neutralen Dritten einigen.[116] Regelmäßig kennen sich die VertreterInnen der Institution mit Schlichtungs- oder Mediationsverfahren aus, was ihnen nach adäquater Information durch die Parteien die sachgerechte Auswahl erleichtert. Dabei können sie auf einen Pool von Personen mit nachgewiesenen fachlichen Qualifikationen zurückgreifen. Die Institutionen haben also meist eher Zugang zu den für die Auswahl wesentlichen Informationen als die Parteien.

---

115 Art 18 UNCITRAL Conciliation Rules, Art 8 Vienna Mediation Rules, Art 26–31 Schweizerische Mediationsordnung für Wirtschaftskonflikte der schweizerischen Handelskammern, Art 6 ICC Mediation Rules, Art 11 DIS Mediationsordnung, Art 22–25 WIPO Mediation Rules.
116 Art 4(2) UNCITRAL Conciliation Rules, Art 3 ICC ADR Rules, Art 8 DIS Schlichtungsordnung, Art 6 WIPO Mediation Rules.

D. Nutzen und Risiken des Einsatzes von Schlichtungs- und Mediationstechniken während des laufenden Schiedsverfahrens

Ein **tragfähiger Vergleich** ist einer streitigen Entscheidung stets vorzuziehen. Nichts hindert die Parteien, vor Augen oder hinter dem Rücken des bestellten Schiedsgerichts mit oder ohne Beteiligung eines neutralen Dritten Verhandlungen zur Streitbeilegung zu führen. Einen gemeinsam gestellten Aussetzungsantrag kann ein Schiedsgericht nicht abweisen. Auch den Antrag, einen so erzielten Vergleich in die Form eines Schiedsspruchs mit vereinbartem Wortlaut zu gießen, wird das Schiedsgericht regelmäßig erfüllen; es sei denn, es sieht sich aus rechtlichen Gründen daran gehindert.   **200**

Klärungsbedürftig ist damit allein die Rolle, die das Schiedsgericht bei Vergleichsanstrengungen spielen kann.   **201**

1. Vergleichsbemühungen des Schiedsgerichts

Hier stellt sich nicht nur die Frage, ob und wie das Schiedsgericht die Vergleichsinitiative ergreifen kann. Es ist auch danach zu fragen, welcher Methoden es sich bedienen darf. Beide Fragen werden international unterschiedlich beantwortet; und zwar in Abhängigkeit vom zivilprozessualen Vorverständnis der beteiligten Juristen.   **202**

a) Der deutschsprachige Raum

Im deutschsprachigen Raum ist die Erörterung der Sach- und Rechtslage zwischen Parteivertretern und Schiedsgericht verbreitet. Zum Zwecke der Konzentration auf entscheidungserhebliche Fragen und der Verfahrensleitung wird das Schiedsgericht hier geneigt sein, auf Antrag der Parteien vorläufige Ansichten (zB nach durchgeführtem Schriftenwechsel, aber vor Beweiserhebungen) mitzuteilen. Nicht selten bitten die Parteien sogar um einen Vergleichsvorschlag des Schiedsgerichts. Kommt keine Einigung zustande, wird das Verfahren fortgeführt und durch einen Schiedsspruch beendet. Die Beteiligten kennen dieses Vorgehen aus dem Zivilprozess.[117]   **203**

Vor diesem Hintergrund bestehen bei Schiedsort in Deutschland, Österreich oder der Schweiz keine Bedenken, dass Aktivitäten des Schiedsgerichts, die auf einen Vergleich zielen, als solche einen gravierenden Verfahrensfehler bilden könnten, es sei denn, die Parteien haben solche Vergleichsbemühungen durch Vereinbarung ausgeschlossen. Gleichwohl gilt selbst dann, wenn am Verfahren keine Partei aus einem anderen Rechtskreis und keine Partei-   **204**

---

117 § 204 Abs 1 öZPO; § 279 dZPO; Art 226 schwZPO.

verterterInnen ohne juristische Ausbildung in einem der deutschsprachigen Staaten beteiligt sind, dass es guter schiedsrichterlicher Übung entspricht, Parteien nicht entgegen deren Wünschen in vom Schiedsgericht angeleitete Vergleichsgespräche zu drängen. Vielmehr entspricht es einer angemessenen Verfahrensführung, mit Augenmaß einen geeigneten Zeitpunkt zu finden, um zunächst mit den Parteien den Ablauf der schiedsgerichtlich angeleiteten Vergleichsgespräche zu erörtern, ihre Bedenken und Wünsche dazu zu hören und sodann unter deren Würdigung möglichst einvernehmliche den Ablauf festzulegen. Diese Regelungen, insbesondere die Zustimmung der Parteien sollten in einem Protokoll oder sonst in geeigneter Weise verschriftlicht werden. Darüber, ob über solche Befugnisse des Schiedsgerichts schon zu Beginn des Schiedsverfahrens zu sprechen und eine entsprechende ausdrückliche Regelung in die Verfahrensregeln aufzunehmen sein könnte, kann man geteilter Auffassung sein. Denn zu diesem frühen Zeitpunkt im Verfahren kennt das Schiedsgericht den Fall zu wenig, um überhaupt ein Vergleichspotenzial und den geeigneten Gesprächszeitunkt absehen zu können. Die Erörterungen zu Regelungen über Vergleichsgespräche im Zeitpunkt der Verfahrenseinleitung tendieren dementsprechend eher rechtstechnisch steril denn praktisch und wirtschaftlich zweckmäßig ausgerichtet zu sein. Zweckmäßig wird es aber allemal sein, wenn die Parteien vor Aufnahme der eigentlichen Vergleichsbemühungen des Schiedsgerichts den Verzicht auf spätere Befangenheitsanträge gegen das Schiedsgericht schriftlich dokumentiert erklären, die darauf basieren, dass das Schiedsgericht zuvor vermittelnd tätig war. Freilich, sollte dies nicht dazu führen, sich im Rahmen eines Rechtsgesprächs zwischen Schiedsgericht und Parteien ungeplant ergebende Erörterungen zu Vergleichspotenzial unversehens ‚abzuwürgen' um die Vorgehensregeln zu formalisieren. Gerade in solchen Momenten zeigt sich für den Verfasser die einer völligen formellen Verrechtlichung im Wege stehende Flexibilität des Schiedsverfahrens als besondere Stärke.

b) Die Haltung anderer Rechtskulturen

205 In Staaten, die in der Tradition des französischen Zivilprozesses stehen, aber va auch in Großbritannien, den USA und Kanada ist das beschriebene Prozessgeschehen unbekannt. Entsprechend schockiert werden deshalb häufig aus diesen Rechtskreisen stammende Verfahrensbeteiligte auf Versuche des Schiedsgerichts zu Vergleichsgesprächen in der mündlichen Verhandlung reagieren. Begründet wird dies damit, dass die SchiedsrichterInnen sich so vor Schluss der mündlichen Verhandlung bereits festlegen, also mental voreingenommen und für weiteres Parteivorbringen in eine andere Richtung unempfänglich würden. Hinzu käme, dass die SchiedsrichterInnen ihr Rollenverständnis umstellen müssten, und die Parteien dann in den Vergleichsgesprächen Informationen offen legen, die ihnen beim Scheitern der Gespräche im streitigen Verfahren schaden könnten. Denn selbst wenn die Vergleichsgespräche außerhalb der eigentlichen mündlichen Verhandlung getrennt vom Schiedsgericht geführt würden, könnten die SchiedsrichterInnen derartige Informationen nicht mental „ausblenden".

c) Konsequenzen aus den kulturellen Unterschieden

Weil die Verfahrensführung des Schiedsgerichts sich regelmäßig an den legitimen Erwartungen der Parteien orientieren wird und soll, wird es die beschriebenen Erwartungshaltungen in einem homogenen Umfeld regelmäßig berücksichtigen. Bei divergenten Erwartungshaltungen, die auch Mitglieder des Schiedsgerichts einschließen können, ist den Unterschieden dadurch Rechnung zu tragen, dass sie nicht schlicht übergangen werden. Vergleichsverhandlungen gegen den Willen einer Partei sind unzweckmäßig.

206

d) Der Handlungsrahmen des Schiedsgerichts

Vergleichsgespräche vor dem Schiedsgericht finden traditionell im Rahmen des Prozessstoffs und der Parteibegehren statt. Rechtliche Kriterien dominieren. Sie unterscheiden sich damit deutlich von der Mediation und auch von der Schlichtung als selbständige Methoden. Am Schiedsort geltende Gesetze zum Schiedsverfahren enthalten jedoch regelmäßig keine ausdrücklichen Bestimmungen zum Ablauf von Vergleichsverhandlungen unter Beteiligung des Schiedsgerichts. Damit kann der Handlungsrahmen durch Parteivereinbarung oder – wenn diese nicht vorliegt – durch Entscheidung des Schiedsgerichts definiert werden.[118] Dabei ist dafür Sorge zu tragen, dass die im Schiedsverfahren geltenden Grundprinzipien der Gewährung rechtlichen Gehörs und der Waffengleichheit (Gleichbehandlung) auch in dieser Phase gewahrt werden. Es ist eine gute Praxis, jedenfalls dann, wenn die Vergleichsgespräche komplexer sind, die Grundregeln vorher im Einverständnis mit den Parteien festzulegen und zu protokollieren. Getrenntes Verhandeln des Schiedsgerichts mit Parteien kommt regelmäßig nicht in Betracht, weil die Verfahrenstransparenz gefährdet wird. Allerdings hat es insoweit in der Vergangenheit in besonderen Fällen Ausnahmen gegeben, und es wird sie wieder geben. Ob und unter welchen Umständen das zu einer Aufhebung des Schiedsspruchs führen könnte, ist offen. Ohne schriftliches Einverständnis der Parteien nach

207

---

118 § 1042 Abs 4 dZPO; § 595 Abs 1 öZPO; Art 182 Abs 2 schwIPRG; Art 373 Abs 2 schwZPO (intern).

Klärung der Vorgehensweise sollte Derartiges innerhalb eines Schiedsverfahrens nicht unternommen werden.[119]

2. Vereinbarungen über den Verfahrensablauf und einzelne Aspekte des Streitfalls

208 Nationale Schiedsgesetze, aber auch SchO, stellen nur ein grundlegendes Regelwerk für den Verfahrensablauf bereit, das im einzelnen Fall ausgefüllt werden muss. Dies kann in erster Linie durch Parteivereinbarung erfolgen und obliegt im Übrigen dem Schiedsgericht. Weil internationale Schiedsverfahren nicht selten komplexe Streitigkeiten zum Gegenstand haben und oft unterschiedliche Erwartungen an den Verfahrensablauf aufeinander treffen, liegt es nahe, Verfahrensaspekte zu erörtern und sich unter Leitung des Schiedsgerichts dazu zu vereinbaren. Im Laufe des Verfahrens kann es sich auch erweisen, dass einzelne Streitpunkte durch (Teil-)Vereinbarungen ausgeräumt werden können; und zwar weil sie bspw unstreitig werden, oder auch weil sie wirtschaftlich eher unbedeutend sind, im Verfahren aber unverhältnismäßige Kosten erzeugen würden.

3. Beauftragung einer/eines neutralen Dritten als MediatorIn oder SchlichterIn während eines laufenden Schiedsverfahrens

209 In den USA wäre dies bei Vergleichsgesprächen während des Verfahrens die Methode erster Wahl. Sonst bietet sich dieses Vorgehen an, wenn wesentliche, hinter dem Rechtsstreit stehende Interessen der Parteien außerhalb des Rahmens des im Schiedsverfahren anhängigen Rechtsstreits liegen oder wenn der Streit „vertrackt" ist. Dann können die Parteien zu dem Ergebnis gelangen, die dem Schiedsgericht im Rahmen der Fallerörterung zu Gebote stehenden Möglichkeiten reichten nicht aus, um den Vergleich wirksam zu fördern. Außerdem müssen SchiedsrichterInnen andere Qualifikationen als Mediatoren aufweisen, sodass das Schiedsgericht möglicherweise nicht die erforderlichen Mediationstechniken beherrscht. Dann kann es sinnvoll sein, den Streit ganz oder teilweise vor dem Schiedsgericht auszusetzen und einen Mediator oder Schlichter zu beauftragen. Das setzt freilich auch voraus, dass der erwartete Nutzen die Mehrkosten rechtfertigt. Wichtig ist es gerade in diesem Fall, Regeln zur Trennung der Mediation vom Schiedsverfahren zu vereinbaren.

210 Es gibt keinen Grund, warum das Schiedsgericht ein solches Vorgehen nicht vorschlagen könnte, wenn es meint, der Fall gebiete dies. Die Entscheidung liegt aber bei den Parteien. Eine Anordnungsbefugnis hat das Schiedsgericht nicht.

---

119 *Koch/Schäfer*, ADRLJ 1999, 153; *Raeschke-Kessler*, ArbInt 2005, 523.

E. Schluss

Mediation und Schlichtung sind nach alledem zum Schieds- oder Gerichts-   **211**
verfahren komplementär und werden von letzteren nicht ausgeschlossen.

Besonders geeignet, wenn nicht gar überlegen, sind Mediation und Schlich-   **212**
tung bei Streitigkeiten in komplexen Projektverträgen und anderen Langzeitverträgen, sowie dann, wenn die Parteien noch häufig geschäftlich miteinander zu tun haben werden. Auch wenn aufgrund der Komplexität oder
des Einflusses äußerer Faktoren der Rechtsstreit komplex und letztlich von
einer gerichtlichen oder schiedsgerichtlichen Entscheidung nur unzureichend
erfasst werden kann, bieten sich Mediation und Schlichtung an. Der Vorteil
ist, dass nicht ausschließlich einklagbare Ansprüche Verhandlungs- und Ei-
nigungsgegenstand sein müssen, wobei selbstverständlich zwingendes Recht,
das der Parteidisposition entzogen ist, zu berücksichtigen ist.

2. Kapitel

Ad hoc Schiedsverfahren versus institutionelle Schiedsgerichtsbarkeit

In der Literatur wie auch in der Praxis der Schiedsgerichtsbarkeit wird tra- **213** ditionell zwischen institutionellen Schiedsverfahren einerseits und *ad hoc* Schiedsverfahren andererseits unterschieden. Diese Unterscheidung richtet sich vor allem danach, dass bei institutionellen Schiedsverfahren eine permanent eingerichtete Schiedsinstitution das Verfahren gem der von ihr erlassenen Schiedsverfahrensordnung administriert (im Kontext dieses Handbuchs also insb ICC, DIS, VIAC und Schweizer Handelskammern mit ihren Swiss Rules). *Ad hoc* Schiedsverfahren sind üblicherweise mit keiner (Schieds-) Institution verbunden, sodass lediglich die Schiedsverfahrensparteien und das Schiedsgericht im Verfahren involviert sind. Schiedsverfahren, die nach der UNCITRAL SchO geführt werden, nehmen in diesem Spektrum eine Hybrid-Stellung ein, weil die UNCITRAL SchO zum einen eine Ernennende Stelle vorsieht, die unter bestimmten Umständen für einzelne Aufgaben und Entscheidungen im Verfahren zuständig ist, und zum anderen auf den Generalsekretär des Internationalen Schiedsgerichtshofs in Den Haag verweist (*Permanent Court of Arbitration* – PCA), der mangels Bestimmung einer Ernennenden Stelle durch die Parteien diese festlegt. Aus diesem Grund könnte man die UNCITRAL SchO auch als „institutionelle" Schiedsordnung bezeichnen, weil sie doch nicht ohne eine Institution auskommt. Für die Zwecke dieses Handbuchs wird ein nach der UNCITRAL SchO geführtes Schiedsverfahren aber als eine – wenn auch besondere – Art des *ad hoc* Verfahrens betrachtet.[120]

---

120 Vgl etwa *Patocchi/Niedermaier* in Schütze, Schiedsgerichtsbarkeit[2] Kap XII, UNCITRAL-Schiedsgerichtsordnung („UncitralO"), II. Einleitung Rn 9 ff; *Webster*, UNCITRAL Arbitration Rn 0–47 ff; *Poudret/Besson*, Arbitration[2] Rn 93 ff.

I. Prinzipien und Grundlagen von *ad hoc* Verfahren

Venus Valentina Wong

A. Rechtliche Grundlagen

1. Allgemeines

214 Rechtliche Grundlage eines jeden *ad hoc* Schiedsverfahrens ist – wie auch bei institutionellen Verfahren – eine (eigenständige) Schiedsvereinbarung oder eine Schiedsklausel in einem Hauptvertrag. Der grundlegende Unterschied liegt darin, dass bei einer *ad hoc* Schiedsvereinbarung auf keine Schiedsinstitution, die das Schiedsverfahren administriert, oder auf keine institutionellen Schiedsregeln, nach denen das Schiedsverfahren geführt werden soll, verwiesen wird.[121]

2. Die Bedeutung des Sitzes des Schiedsgerichts

215 Den rechtlichen Rahmen eines *ad hoc* Verfahrens bildet – wie auch bei institutionellen Verfahren – die *lex arbitri*, also das (Schieds-)Recht am Sitz des Schiedsgerichts[122]. Die Parteien einer *ad hoc* Schiedsvereinbarung sind gut beraten, in der Schiedsvereinbarung auch den Sitz des Schiedsgerichts festzulegen, damit daraus die *lex arbitri* abgeleitet werden kann. Die Festlegung eines Sitzes in der Schiedsvereinbarung ist zwar selbst bei *ad hoc* Verfahren kein zwingendes Wirksamkeitserfordernis, weil einerseits auch Schiedsverfahren theoretisch ohne Festlegung eines Schiedsortes durchgeführt werden können[123] und andererseits die Festlegung des Sitzes auch indirekt erfolgen kann (zB durch Vereinbarung bestimmter Verfahrensregeln oder einer Ernennenden Stelle (*Appointing Authority*)). Es ist aber jedenfalls sehr ratsam, sich schon in der *ad hoc* Schiedsvereinbarung auf einen Sitz zu einigen, insb dann, wenn im Übrigen keine Verfahrensregeln oder keine Ernennende Stelle

---

121 Es entspricht internationaler Praxis, dass die Musterschiedsklauseln der meisten internationalen Schiedsinstitutionen (zB ICC SchO, DIS-Regeln, Wiener Regeln, Swiss Rules) auf die Schiedsverfahrens*regeln* einer Institution verweisen. Im Gegensatz dazu verweist zB die CIETAC-Musterschiedsklausel auf die Schieds*institution*, weil das chinesische Schiedsrecht keine *ad hoc* Verfahren erlaubt und daher die ausdrückliche Nennung einer Schiedsinstitution, die das Verfahren administriert, unbedingt zu empfehlen ist.

122 Im Folgenden werden die Begriffe „Sitz des Schiedsgerichts", „Sitz des Schiedsverfahrens" bzw „Schiedsort" synonym verwendet; siehe zum Konzept der *lex arbitri* *Voser/Schramm/Haugeneder* Rn 782 ff.

123 Siehe zum Konzept von *delocalised arbitration* zB *Poudret/Besson*, Comparative Law² Rn 120 ff.

festgelegt werden, damit das Verfahren im *worst case* nicht rechtlich oder faktisch undurchführbar werden könnte.

Haben die Parteien bereits in der Schiedsvereinbarung den Sitz des Schieds- **216** gerichts festgelegt, kann daraus die *lex arbitri* abgeleitet werden. Diese bestimmt einerseits die auf das Schiedsverfahren zwingend anzuwendenden Bestimmungen und andererseits jene Verfahrensregeln, die mangels abweichender Parteienvereinbarung gelten. Zu den zwingenden Bestimmungen gehören etwa jene über die Zuständigkeit der staatlichen Gerichte im Zusammenhang mit Schiedsverfahren.

Haben die Parteien keinen Sitz festgelegt, ist es dringend ratsam, sich auf **217** weitere Verfahrensbestimmungen zu einigen oder auf eine komplette Schiedsordnung (insb die UNCITRAL SchO) zu verweisen. Denn ohne Festlegung eines Sitzes und ohne Einigung auf bestimmte Verfahrensregeln (wie zB über die Konstituierung des Schiedsgerichts) kann die Durchführung eines Schiedsverfahrens bereits ganz am Beginn scheitern, wenn sich bspw keine staatlichen Gerichte für zuständig erachten, bei Untätigkeit einer der Parteien oder bei fehlender Einigung der Parteien bei der Bestellung der SchiedsrichterInnen unterstützend einzugreifen.

Überhaupt kommt bei *ad hoc* Verfahren der Festlegung des Schiedsortes **218** und der daraus abgeleiteten *lex arbitri* eine im Vergleich zu institutionellen Verfahren besondere Bedeutung zu, wenn und soweit die Parteien keine Verfahrensregeln festgelegt haben. Während bei institutionellen Schiedsverfahren von der Einleitung des Verfahrens bis zur Erlassung des Schiedsspruchs alle wesentlichen Schritte in der institutionellen Schiedsordnung geregelt sind und sich im besten Fall die Anrufung der Gerichte am Sitz des Schiedsgerichts erübrigt, sind in einem *ad hoc* Verfahren – mangels sonstiger Parteienvereinbarung – normalerweise die staatlichen Gerichte zuständig, bei der Konstituierung des Schiedsgerichts oder auch in Ablehnungsfragen tätig zu werden. Infolgedessen ist die Kompetenz und Effizienz der staatlichen Gerichte am Sitz des Schiedsgerichts ein relevanter Faktor, den die Parteien bei der Wahl des Schiedsortes berücksichtigen sollten, wenn sie keine sonstigen Verfahrensregeln vereinbart haben.

Die hier zu behandelnden Jurisdiktionen Deutschland, Österreich und **219** Schweiz haben allesamt moderne Schiedsgesetze, die die Durchführung von *ad hoc* Schiedsverfahren nicht nur erlauben,[124] sondern auch durch die Zuweisung von speziellen Kompetenzen an staatliche Gerichte legislativ unterstützen.

---

124 Es gibt auch Jurisdiktionen, die keine *ad hoc* Verfahren erlauben, wie zB die VR China.

3. Besonderheiten von *ad hoc* Verfahren

220 Die folgenden Absätze gehen von dem Szenario aus, dass die Parteien keine bestimmten oder individuellen Verfahrensregeln vereinbart oder auf eine bestimmte Schiedsordnung (wie zB jene der UNCITRAL) verwiesen haben, sodass auf die dispositiven Bestimmungen des jeweiligen Schiedsrechts am Sitz des Schiedsgerichts zurückzugreifen ist.

a) Einleitung eines ad hoc Verfahrens

221 Während bei einem institutionellen Verfahren das **verfahrenseinleitende Schriftstück** üblicherweise nur bei der Schiedsinstitution eingebracht werden muss, hat bei einem *ad hoc* Verfahren die Schiedsklägerin eine viel größere Bringschuld. Sie muss das verfahrenseinleitende Schriftstück der Gegnerin selbst zukommen lassen, was bei einer unkooperativen oder gänzlich abwesenden Schiedsbeklagten zu einem nicht zu unterschätzenden Problem werden kann. Das verfahrenseinleitende Schriftstück wird im Englischen regelmäßig als *notice of arbitration* oder *request for arbitration* bezeichnet, während im Deutschen die Begriffe „Einleitungsanzeige"[125] oder „Schiedsklage"[126] verwendet werden. Letzterer Begriff bezeichnet aber auch oft die – erst in einem späteren Verfahrensstadium einzubringende – „ausführliche Schiedsklage", die im Englischen wiederum meist als *(Full) Statement of Claim* genannt wird.

222 Die Einleitung des Schiedsverfahrens durch Einbringung des verfahrenseinleitenden Schriftstückes ist nicht nur ein prozessualer Akt, sondern kann auch gravierende **materiell-rechtliche Konsequenzen** nach sich ziehen, insb was die Unterbrechung von allfälligen Ausschluss- und Verjährungsfristen anlangt. In allen drei hier relevanten Jurisdiktionen werden diese Fristen als materiell-rechtliche Frage gesehen, sodass aufgrund der üblicherweise vorzunehmenden Anknüpfung an die nach der jeweiligen *lex arbitri* (bzw *lex loci*) vorgenommenen Unterscheidung alle damit zusammenhängenden Fragen nach dem auf den Fall materiell anwendbaren Recht zu beurteilen sind. Das gilt etwa für die Frage, ob es für die Fristenunterbrechung ausreicht, dass das verfahrenseinleitende Schriftstück bei der zuständigen Schiedsinstitution einlangt[127] und nicht dem Schiedsbeklagten selbst wirksam zugestellt wer-

---

125   Art 3(1) Swiss Rules.
126   Art 7 Wiener Regeln.
127   So die Rsp in Österreich: OGH 31.3.1966, 5 Ob 30/66; vgl auch § 584 Abs 4 öZPO, der eine materiell-rechtliche Verjährungsbestimmung enthält, sowie zur Verjährungsproblematik ausführlich *Rechberger* in Liebscher/Oberhammer/Rechberger, Schiedsverfahrensrecht I Rn 6/83 ff; für Deutschland siehe *Münch* in MünchKom ZPO[4] § 1044 Rn 32; für die Schweiz siehe *B. Berger/Kellerhals*, Arbitration[3] Rn 1069 zweiter Spiegelstrich.

den muss oder, im letzteren Fall, ob die Zustellung bei der zuletzt bekannt gegebenen Adresse des Schiedsbeklagten ausreichend ist.

Ein *ad hoc* Schiedsverfahren mit Sitz in **Deutschland** wird gem § 1044 dZPO eingeleitet, indem die Schiedsbeklagte den Antrag der Schiedsklägerin, ein Schiedsverfahren einzuleiten, empfangen hat. Dieser verfahrenseinleitende Antrag muss die Bezeichnung der Parteien, die Angabe des Streitgegenstandes und einen Hinweis auf die Schiedsvereinbarung enthalten. § 1044 dZPO verlangt also nicht, dass die Schiedsklägerin in diesem Antrag auch schon eine Schiedsrichterin/einen Schiedsrichter bestellt. Die Zustellung dieses Antrags an die Schiedsbeklagte hat – mangels anderer Parteienvereinbarung – auch verjährungsunterbrechende Wirkung gem § 204 Abs 1 Nr 11 dBGB.[128] **223**

In der **öZPO** gibt es – abweichend von Art 21 UNCITRAL ModG – keine Bestimmung, die den Beginn des Schiedsverfahrens (entsprechend der „Gerichtsanhängigkeit") bzw die so genannte „Schiedshängigkeit" (entsprechend der „Streitanhängigkeit")[129] ausdrücklich festlegt.[130] Unter Hinweis auf die Rsp geht die hA davon aus, dass erst durch den Zugang des verfahrenseinleitenden Schriftsatzes an die Beklagte die Sache schiedshängig wird. Dieser Schriftsatz muss den Streitgegenstand ausreichend spezifizieren, so dass bspw allein die Benennung einer Schiedsrichterin/eines Schiedsrichters nicht ausreichend ist.[131] Umgekehrt wird in einem solchen verfahrenseinleitenden Schriftsatz die Schiedsklägerin regelmäßig schon eine Schiedsrichterin/einen Schiedsrichter bestellen[132] und gleichzeitig die Schiedsbeklagte auffordern, ihrerseits eine Schiedsrichterin/einen Schiedsrichter zu bestellen. Für die Einleitung des *ad hoc* Schiedsverfahrens bzw für die Schiedshängigkeit und damit in weiterer Folge für die Unterbrechungswirkung einer Verjährung ist es allerdings nicht erforderlich, dass in diesem Einleitungsschriftsatz schon eine Schiedsrichterin/ein Schiedsrichter bestellt wird. **224**

Art 181 **schwIPRG** sieht lediglich vor, dass das Schiedsverfahren hängig ist, sobald eine Partei mit einem Rechtsbegehren den oder die in der Schiedsvereinbarung bezeichnete(n) SchiedsrichterIn anruft (was in der Praxis wohl in den seltensten Fällen vorkommt) oder das Verfahren zur Bildung eines Schiedsgerichts einleitet. Wenn die Parteien zur Bildung des Schiedsgerichts keine Vereinbarung getroffen haben, ist die Richterin/der Richter gem Art 179 **225**

---

128 Vgl *Münch* in MünchKom, ZPO[4] § 1044 Rn 31 ff; *Wilske* in Böckstiegel et al, Arbitration in Germany[2] Part IV *ad hoc* Arbitration in Germany Rn 20.

129 Siehe zur Terminologie jüngst OGH 17.3.2015, 18 ONc 1/15i.

130 Siehe zur Gesetzesgeschichte zB *Hausmaninger* in Fasching/Konecny, ZPO[3] § 584 Rn 35.

131 Vgl *Hausmaninger* in Fasching/Konecny, ZPO[3] § 584 Rn 35; *Zeiler*, Schiedsverfahren § 584 Rn 12 ff.

132 Vgl *Hahnkamper* in Torggler, Schiedsgerichtsbarkeit, *Ad hoc* Schiedsverfahren – Teil 1, Rn 19.

Abs 2 schwIPRG am Sitz des Schiedsgerichts zuständig, nach sinngemäßer Anwendung der schwZPO den oder die SchiedsrichterInnen zu benennen. Art 361 Abs 2 schwZPO sieht lediglich vor, dass die Parteien die gleiche Anzahl von SchiedsrichterInnen zu benennen haben. Anders als etwa nach der dZPO oder der öZPO ist also kein Dreier-Schiedsgericht als *Fallback* vorgesehen. Ein *ad hoc* Verfahren mit Sitz in der Schweiz wird regelmäßig durch die Zustellung einer Schiedsklage an die Schiedsbeklagte eingeleitet, in der die Schiedsklägerin – wenn es sich um ein Dreier-Schiedsgericht handelt – ihre Schiedsrichterin/ihren Schiedsrichter nominiert. In der ersten Alternative von Art 181 schwIPRG, also wenn die Schiedsvereinbarung die Namen der SchiedsrichterInnen enthält, sollte die Anrufung des Schiedsgerichts mit einem „Rechtsbegehren" versehen sein. Dies bedeutet zwar nicht eine vollständige Schiedsklage, wie sie nach den meisten institutionellen Schiedsordnungen vorgesehen ist, aber doch die konkrete Bezeichnung eines Streitgegenstandes samt ausreichend klarem Klagebegehren.[133] Manche Autoren verlangen auch für die zweite Alternative, also wenn die SchiedsrichterInnen nicht in der Schiedsvereinbarung genannt sind, eine Umschreibung der Streitsache samt ausreichend klarem Klagebegehren.[134] Für die verjährungsunterbrechende Wirkung gem Art 135 Abs 2 schwOR ist jedenfalls eine hinreichend spezifizierte Schiedsklage mit Beschreibung des Streitgegenstandes und – im Falle eines monetären Begehrens – eine Bezifferung des Klagebegehrens notwendig.[135]

b) Bildung des Schiedsgerichts

226 Gem § 1034 Abs 1 **dZPO** können die Parteien die Anzahl der SchiedsrichterInnen frei vereinbaren. Mangels einer derartigen Vereinbarung beträgt die Anzahl drei. Das bedeutet, dass die Parteien bspw auch fünf SchiedsrichterInnen vereinbaren können oder – was in der Praxis eher unwahrscheinlich ist – auch eine gerade Anzahl an SchiedsrichterInnen. In der Tat ist die Möglichkeit, bspw eine SchiedsrichterInnen-Anzahl von fünf zu vereinbaren, mit ein Grund, weshalb sich Parteien für ein *ad hoc* Schiedsverfahren entscheiden, weil nach institutionellen Regeln üblicherweise nur eine Einzelschiedsrichterin/ein Einzelschiedsrichter oder ein Dreier-Schiedsgericht vorgesehen ist. Können sich die Parteien nicht auf die Einzelschiedsrichterin/den Einzelschiedsrichter oder können sich die partei-bestellten MitschiedsrichterInnen nicht auf eine Vorsitzende/einen Vorsitzenden des Schiedsgerichts einigen oder macht eine Partei von ihrem Nominierungsrecht nicht fristgerecht Ge-

---

133 *B. Berger/Kellerhals*, Arbitration[3] Rn 1022.
134 *B. Berger/Kellerhals*, Arbitration[3] Rn 1023 ff.
135 *B. Berger/Kellerhals*, Arbitration[3] Rn 1066 ff; *Stacher*, Einführung Rn 298 f.

brauch, ist das Oberlandesgericht, in dessen Gerichtsbezirk der Schiedsort liegt, für die Ersatzbestellung zuständig.[136]

Das deutsche Schiedsverfahrensrecht sieht – über das UNCITRAL ModG **227** hinausgehend – vor, dass eine Partei das zuständige Gericht anrufen kann, wenn es bei der Zusammensetzung des Schiedsgerichts benachteiligt wird. Das Gericht kann dann abweichend von der erfolgten Benennung oder dem vereinbarten Bestellmodus eine andere Schiedsrichterin/einen anderen Schiedsrichter bestellen.[137] Diese Regelung ist eine Reaktion auf die bekannte *Dutco*-Entscheidung,[138] wonach bei einem Mehrparteienschiedsverfahren eine Seite benachteiligt sein könnte, wenn sie – bei widerstreitenden Interessen – „gezwungen" wäre, sich auf eine Mitschiedsrichterin/einen Mitschiedsrichter zu einigen, während die andere Seite, die womöglich nur aus einer einzigen Partei besteht, naturgemäß keine Probleme hätte, eine Mitschiedsrichterin/einen Mitschiedsrichter zu bestellen.[139]

Obwohl **Österreich** – so wie Deutschland – als so genanntes UNCITRAL **228** Modellgesetz-Land gilt, können Parteien mit Schiedsort in Österreich – im Gegensatz zu Deutschland – nur eine ungerade Anzahl vereinbaren. Fehlt eine Einigung auf eine bestimmte Anzahl (also eins oder drei), beträgt die Anzahl gem § 586 Abs 1 öZPO jedenfalls drei. Ein *ad hoc* Schiedsverfahren mit Sitz in Österreich wird regelmäßig durch ein so genanntes Aufforderungsschreiben der Schiedsklägerin an die Schiedsbeklagte eingeleitet. Haben sich die Parteien zuvor geeinigt, dass eine Einzelschiedsrichterin/ein Einzelschiedsrichter den Streit entscheiden soll, wird in dem Aufforderungsschreiben die Beklagte aufgefordert, sich mit der Schiedsklägerin auf eine Person als Einzelschiedsrichterin/Einzelschiedsrichter zu einigen. Haben sich die Parteien auf eine Anzahl von drei SchiedsrichterInnen geeinigt, hat die Schiedsklägerin in ihrem Aufforderungsschreiben ihre eigene Schiedsrichterin/ihren eigenen Schiedsrichter zu bestellen und gleichzeitig die Schiedsbeklagte aufzufordern, ihrerseits eine Schiedsrichterin/einen Schiedsrichter zu bestellen.[140] In jedem Fall muss die Schiedsklägerin im Aufforderungsschreiben auch einen bestimmten Anspruch geltend machen und sich auf eine bestimmte Schiedsvereinbarung berufen.[141] Wie bereits oben ausgeführt, ist die Aufforderung, sich auf eine Einzelschiedsrichterin/einen Einzelschiedsrichter zu einigen oder eine Mit-

---

136 § 1035 Abs 3 iVm § 1062 Abs 1 Z 1 dZPO.

137 § 1034 Abs 2 dZPO.

138 Siehe *Wilske* in Böckstiegel et al, Arbitration in Germany[2] Part IV *Ad hoc* Arbitration in Germany Rn 14 ff.

139 Siehe aber auch die Entscheidungen des BGH vom 6.4.2009, NJW 2009, 1962 und vom 24.11.2008, ZIP 2009, 216, wonach eine derartige Konstellation gerade nicht als Benachteiligung iSd § 1034 Abs 2 dZPO zu qualifizieren ist.

140 § 587 Abs 2 iVm Abs 4 öZPO.

141 § 587 Abs 4 öZPO.

schiedsrichterin/einen Mitschiedsrichter zu bestellen, kein zwingendes Erfordernis für die formelle Einleitung eines Schiedsverfahrens oder für die Herbeiführung einer verjährungsunterbrechenden Wirkung. Umgekehrt ist aber die Geltendmachung eines bestimmten Anspruchs und die Berufung auf eine bestimmte Schiedsvereinbarung ein Wirksamkeitserfordernis für die Bestellung einer Schiedsrichterin/eines Schiedsrichters.[142] Für Ersatzbestellungen in den Fällen, in denen eine Seite – auch in einem Mehrparteienverfahren – ihrer Bestellungspflicht nicht fristgemäß nachkommt oder sich die partei-bestellten SchiedsrichterInnen nicht auf eine Vorsitzende/einen Vorsitzenden einigen können, ist – seit dem Inkrafttreten des öSchiedsRÄG 2013[143] – der OGH zuständig.[144]

229   Für internationale Schiedsverfahren mit Sitz in der **Schweiz** regelt Art 179 schwIPRG, dass die SchiedsrichterInnen grundsätzlich nach der Parteienvereinbarung bestellt werden (Abs 1) und mangels einer derartigen Vereinbarung die Richterin/der Richter am Sitz des Schiedsgerichts dazu berufen ist, die/der die Bestimmungen der schwZPO über die *„Ernennung, Abberufung oder Ersetzung"* sinngemäß anzuwenden hat, dh die maßgeblichen Bestimmungen im 3. Teil („Schiedsgerichtsbarkeit") der schwZPO aus 2008. Art 179 schwIPRG enthält keine Auffangregel für den Fall, dass die Parteien sich auf keine Anzahl der SchiedsrichterInnen geeinigt haben. Es stellt sich also hier die Frage, ob auch auf diese Frage die relevanten Bestimmungen der schwZPO heranzuziehen sind. Nach einer Ansicht entspricht es internationaler Schiedspraxis, dass im Falle einer fehlenden Parteienvereinbarung die Anzahl der SchiedsrichterInnen drei sein soll, so wie dies auch in Art 360 Abs 1 schwZPO vorgesehen ist.[145] Anderes soll aber gelten, wenn die Parteien eine gerade Anzahl an SchiedsrichterInnen vorgesehen haben; abweichend von Art 360 Abs 2 schwZPO, der in einem solchen Fall von einer weiteren Schiedsrichterin/einem weiteren Schiedsrichter als Vorsitzenden ausgeht, soll eine Parteienvereinbarung auf eine gerade Anzahl in einem internationalen Schiedsverfahren sehr wohl Gültigkeit behalten.[146] Ähnlich wie die gesetzlichen Bestimmungen in Deutschland und Österreich sieht auch das Schweizer Schiedsverfahrensrecht vor, dass das zuständige staatliche Gericht die Ersatzbestellung vornimmt, wenn sich die Parteien nicht auf die Einzelschiedsrichterin/den Einzelschiedsrichter oder die Parteien bzw die MitschiedsrichterInnen nicht auf die Vorsitzende/den Vorsitzenden des Schiedsgerichts einigen oder wenn

---

142 *Hausmaninger* in Fasching/Konecny, ZPO³ § 587 Rn 148.
143 BGBl I 2013/118: § 615 idgF ist anwendbar, wenn der das gerichtliche Verfahren einleitende Schriftsatz nach dem 31.12.2013 bei Gericht eingebracht wird.
144 § 587 iVm § 615 öZPO.
145 Vgl *B. Berger/Kellerhals*, Arbitration³ Rn 798.
146 Vgl *B. Berger/Kellerhals*, Arbitration³ Rn 799.

eine Partei nicht fristgerecht ihre Mitschiedsrichterin/ihren Mitschiedsrichter bestellt.[147] Im Falle eines Mehrparteienschiedsverfahrens kann das Gericht auch alle Mitglieder des Schiedsgerichts bestellen; diese Bestimmung ist inhaltsgleich wie jene der ICC SchO[148], welche als Konsequenz auf die bereits erwähnte *Dutco*-Entscheidung[149] erlassen wurde.

c) Rechtsverhältnis zwischen SchiedsrichterInnen und Verfahrensparteien

Ein wesentlicher Unterschied zwischen einem institutionellen Schiedsverfahren und einem *ad hoc* Schiedsverfahren liegt in der Gestaltung des zwischen den Parteien und den SchiedsrichterInnen geschlossenen **Schiedsrichtervertrags**, insb was die finanziellen Aspekte betrifft. In institutionellen Schiedsverfahren übernimmt die Schiedsinstitution alle wesentlichen Aufgaben in Zusammenhang mit der Honorierung des Schiedsgerichts und der Gebarung der Finanzen (wobei aber in diesem Zusammenhang hinzuzufügen ist, dass zwischen den Schiedsinstitutionen teils erhebliche Unterschiede liegen, was Umfang und Intensität ihrer Involvierung betrifft). Bei einem *ad hoc* Schiedsverfahren sollten daher die SchiedsrichterInnen und die Schiedsverfahrensparteien am Beginn einen konkreten Schiedsrichtervertrag abschließen, der insb die **Honorierung** der SchiedsrichterInnen regelt. Hierbei können die Parteien des Schiedsrichtervertrags ihrem Vertrag entweder eine Gebührentabelle einer Schiedsinstitution zugrunde legen, die Abrechnung nach Stundensätzen oder einem Anwaltstarif[150] festlegen oder eine Mischform, allenfalls mit Mindest- und Höchstbeträgen, vereinbaren. Darüber hinaus sollte auch eine Vereinbarung über die Art und Höhe von Auslagen getroffen werden (zB für Reise- und Nächtigungskosten, allenfalls auch ob es ein *per diem* wie bei ICC-Schiedsverfahren gibt). Wird – im unwahrscheinlichen Fall – keine ausdrückliche Vereinbarung über die Honorierung des Schiedsgerichts getroffen, gebührt ein „angemessenes"[151] bzw „übliches"[152] Entgelt wie es in einem Schuldverhältnis geschuldet ist. Darüber hinaus ist es zu empfehlen, dass der Honoraranspruch auch eine allenfalls abzuführende Umsatzsteuer umfasst. Grundsätzlich unterliegen SchiedsrichterInnen mit Steuersitz in Deutschland einer 19%-igen und solche mit Steuersitz in Österreich einer

230

---

147 Art 362 Abs 1 schwZPO.

148 Art 12(8) ICC SchO.

149 Cour de Cassation 7.1.1992, *Société BKMI et Siemens v Société Dutco*, siehe Yearbook XVIII (1993), 140 = Rev Arb No 3 (1992) 470.

150 Etwa dRVG oder öRATG.

151 ISd § 1152 öABGB.

152 ISd §§ 612, 316 dBGB, siehe *Wilske* in Böckstiegel et al, Arbitration in Germany² Part IV Ad hoc Arbitration in Germany Rn 46 bzw iSd Art 394 Abs 3 schwOR, siehe *Stacher*, Einführung Rn 176.

20 %-igen Umsatzsteuerpflicht. Schweizer SchiedsrichterInnen müssen hingegen keine Umsatzsteuer abführen.[153]

231   Abgesehen von der Honorierung sollte ein Schiedsrichtervertrag auch das auf diesen Vertrag **anwendbare Recht** sowie eine **Schieds- oder Gerichtsstandsvereinbarung** für allfällige Klagen aus diesem Schiedsrichtervertrag festlegen. Dies ist insofern ratsam, als allfällige Honoraransprüche des Schiedsgerichts oder Schadenersatzansprüche der Parteien vor einem einzigen Forum und nach einem einheitlichen Sachrecht beurteilt werden. In diesem Zusammenhang finden sich auch oft Bestimmungen zu einer Haftungsbegrenzung des Schiedsgerichts (soweit nicht sowieso gesetzliche Bestimmungen zur Haftungsbegrenzung[154] als ausreichend erachtet werden).

232   Es empfiehlt sich zur Sicherung des Honoraranspruchs die Einzahlung eines **Kostenvorschusses** durch die Schiedsverfahrensparteien, der je nach Vereinbarung und Notwendigkeit im Laufe des Schiedsverfahrens auch erhöht werden kann. So wie bei institutionellen Verfahren ist es auch bei *ad hoc* Schiedsverfahren üblich, dass der Kostenvorschuss von den Schiedsverfahrensparteien in gleichen Teilen einbezahlt wird. Zahlt eine Partei ihren Anteil nicht, wird die klagende Partei in Vorlage treten müssen, um das Schiedsverfahren in Gang zu setzen bzw fortzuführen, selbst wenn es – anders als in den institutionellen Schiedsordnungen – an einer entsprechenden Bestimmung (zB in der Schiedsvereinbarung) mangelt. In der Praxis wird häufig – im Falle eines Dreier-Schiedsgerichts – die/der Vorsitzende des Schiedsgerichts ein Treuhandkonto einrichten, auf dem der Kostenvorschuss für alle drei SchiedsrichterInnen einbezahlt wird. Gerade bei einer Einigung auf eine Gebührentabelle auf Basis des Streitwerts sollte der Schiedsrichtervertrag auch Bestimmungen darüber enthalten, wie die Honorierung im Falle einer vorzeitigen Beendigung des Schiedsverfahrens (zB durch Abschluss eines Vergleiches der Schiedsverfahrensparteien oder Zurücknahme der Klage) oder des Schiedsrichteramtes (zB aufgrund einer erfolgreichen Ablehnung oder Rücktritts wegen eines sonstigen Grundes) erfolgt. Fehlt eine derartige Vereinbarung und können sich die Verfahrensparteien und das Schiedsgericht auch nach Entstehung der (Honorar-)Streitigkeit nicht gütlich einigen, muss der Klagsweg bestritten werden, insb wenn auch keine Einigung auf eine Schiedsinstitution oder Ernennende Stelle vorliegt, die in einem solchen Streitfall angerufen werden könnte.

233   Anhand der Frage der Honorierung des Schiedsgerichts und der entsprechenden Gebarung der Finanzen wird der Unterschied zwischen einem *ad hoc* Verfahren und einem institutionellen Verfahren besonders deutlich. In-

---

153   Siehe zur Umsatzsteuerpflicht von SchiedsrichterInnen die informativen Beiträge von *Risse/Meyer-Burow*, SchiedsVZ 2009, 326 ff; *Risse/Kuhli*, SchiedsVZ 2016, 1 ff; weiters *Horvath/Fischer/Prantl* Rn 1358 ff

154   § 839 Abs 2 dZPO *per analogiam*; § 594 Abs 4 öZPO.

stitutionelle Schiedsordnungen enthalten stets entsprechende Bestimmungen, die somit nicht nur rein administrativer Natur sind, sondern den zwischen den Schiedsverfahrensparteien und dem Schiedsgericht abzuschließenden Schiedsrichtervertrag[155] ganz wesentlich gestalten. Denn anders als bei den wesentlichen Verfahrensfragen (zB Fristenberechnung und Zustellungsfiktion, Bestellung, Ablehnung und Abberufung des Schiedsgerichts, Beweisverfahren etc) finden sich in den hier behandelten nationalen Schiedsgesetzen keine Bestimmungen über diese finanziellen Aspekte. Insb ist gesetzlich nicht vorgesehen, dass etwa das staatliche Gericht am Sitz des Schiedsgerichts automatisch und ausschließlich für Honorarstreitigkeiten zwischen den Schiedsverfahrensparteien und dem Schiedsgericht zuständig wäre (während es hingegen zwingende und ausschließliche Zuständigkeiten für die Bestellung, Ablehnung und Abberufung des Schiedsgerichts gibt).[156] Haben die Parteien also weder in der Schiedsvereinbarung noch im Schiedsrichtervertrag entsprechende Vorkehrungen getroffen (insb was die Honorierung betrifft, aber auch das auf den Schiedsrichtervertrag anwendbare Recht sowie einen Gerichtsstand), kommen im Streitfall die allgemeinen – dh schiedsunabhängigen – Bestimmungen zur Anwendung, was im Extremfall zu drei unterschiedlichen anwendbaren Sachrechten und drei unterschiedlichen *Fora* führen könnte.

Gerade in einem *ad hoc* Schiedsverfahren, bei dem keine Schiedsinstitution **234** administrative Dienstleistungen erbringt, wird in der Praxis vom Schiedsgericht oft eine Verwaltungssekretärin/ein Verwaltungssekretär bestellt. Diese/Dieser kann eine Mitarbeiterin/ein Mitarbeiter einer Schiedsrichterin/eines Schiedsrichters sein, wobei es aus Gründen der Gewichtung innerhalb des Schiedsgerichts zu empfehlen ist, dass die Mitarbeiterin/der Mitarbeiter der Vorsitzenden/dem Vorsitzenden des Schiedsgerichts zugeordnet ist. Es ist aber auch denkbar, eine „selbständige" Verwaltungssekretärin/einen „selbständigen" Verwaltungssekretär zu engagieren, die/der keinem Mitglied des Schiedsgerichts zugeordnet werden kann. Hier stellt sich dann die Frage, ob die Honorierung der Sekretärin/des Sekretärs vom Honorar des

---

155 In diesem Zusammenhang ist anzumerken, dass bei institutionellen Schiedsverfahren nicht explizit ein Schiedsrichtervertrag abgeschlossen wird, sondern dieser – je nach Rechtsansicht – bereits durch die Schiedsvereinbarung, die auf eine bestimmte institutionelle Schiedsordnung verweist, und die Annahme des Amtes durch die Schiedsrichterin/den Schiedsrichter zustande kommt; vgl *Hahnkamper* Rn 997 f.

156 Im Kontext der hier relevanten Jurisdiktionen sind das LGVÜ und die EuGVVO für die Bestimmung des Gerichtsstands heranzuziehen, wobei zwei alternative Gerichtsstände denkbar sind, wenn gegen eine Mitglied des Schiedsgerichts geklagt wird: entweder der allgemeine Gerichtsstand am Wohnsitz des Mitglieds oder der Erfüllungsgerichtsstand am Sitz des Schiedsgerichts; vgl dazu *Wilske* in Böckstiegel et al, Arbitration in Germany[2] Part IV Ad hoc Arbitration in Germany Rn 44 für den EU-Kontext sowie *Stacher*, Einführung Rn 172 f für die Schweiz.

Schiedsgerichts gedeckt ist oder ob die Parteien ihre/seine Honorierung gesondert tragen sollen. Im letzteren Fall ist jedenfalls eine Vereinbarung mit den Parteien erforderlich, idealerweise ebenfalls im Schiedsrichtervertrag. Aber selbst wenn das Honorar „aus der Tasche" der Vorsitzenden/des Vorsitzenden oder aller drei SchiedsrichterInnen bezahlt wird, muss aus Gründen der Vertraulichkeit die Zustimmung der Parteien eingeholt werden. Typische Aufgaben einer Verwaltungssekretärin/eines Verwaltungssekretärs sind die Führung des Aktes, die Organisation der Schiedsverhandlung sowie – gerade bei einem *ad hoc* Verfahren – die Betreuung der finanziellen Aspekte. Ob die Verwaltungssekretärin der Verwaltungssekretär auch unterstützende Aufgaben des Schiedsgerichts (zB Entwurf von Prozessleitenden Verfügungen etc) übernehmen darf und kann, ist eine seit je her umstrittene Frage unter den SchiedspraktikerInnen.[157]

d) Ablehnung von SchiedsrichterInnen

235   § 1036 **dZPO** und § 588 **öZPO** basieren im Wesentlichen auf dem inhaltsgleichen Art 12 UNCITRAL ModG. Eine Person, die als Schiedsrichterin/Schiedsrichter fungieren soll, hat alle Umstände offenzulegen, die Zweifel an ihrer Unabhängigkeit oder Unparteilichkeit wecken könnten, und – nach österreichischem Recht – auch solche Umstände, die der Parteienvereinbarung widersprechen könnten (zB Unkenntnis einer bestimmten Sprache, Nicht-Erfüllung bestimmter formaler Qualifikationen etc). Die Ablehnung einer Schiedsrichterin/eines Schiedsrichters ist in diesen beiden Jurisdiktionen nur möglich, wenn **berechtigte Zweifel an der Unabhängigkeit oder Unparteilichkeit** vorliegen oder die betreffende Person den von den Parteien vereinbarten Eigenschaften nicht entspricht. In diesem Zusammenhang ist es interessant zu erwähnen, dass gem § 1036 Abs 1 dZPO die in Aussicht genommene Schiedsrichter-Kandidatin/der in Aussicht genommene Schiedsrichter-Kandidat keine Offenlegungspflicht hinsichtlich der von den Parteien vereinbarten Eigenschaften hat, dass aber gem Abs 2 *leg cit* eine Ablehnung wegen genau eines solchen Mangels in einem späteren Stadium möglich ist. Nach österreichischem Recht besteht die Offenlegungspflicht auch für vereinbarte Schiedsrichter-Eigenschaften. Dieser Unterschied bei der Offenlegungspflicht könnte bei der Frage, ob allein durch die Verletzung der Offenlegungspflicht ein Ablehnungstatbestand erfüllt werden kann, eine Rolle spielen.[158]

---

157   Vgl Young ICCA Guide on Arbitral Secretaries (2014); *Partasides*, Secretaries to Arbitral Tribunals, in Hanotiau/Mourre (Hrsg), Dossier of the ICC Institute of World Business Law 89.

158   Siehe *Hahnkamper* Rn 985.

Mangels einer abweichenden Parteienvereinbarung hat eine Partei **236** binnen zwei Wochen[159] bzw vier Wochen[160] ab Kenntnis der relevanten Umstände die Ablehnungsgründe schriftlich darzulegen. Stimmt die andere Partei der Ablehnung nicht zu oder tritt die abgelehnte Schiedsrichterin/ der abgelehnte Schiedsrichter nicht von sich aus zurück, hat das Schiedsgericht (einschließlich der abgelehnten Schiedsrichterin/des abgelehnten Schiedsrichters) über die Ablehnung zu entscheiden. Weder § 589 öZPO noch § 1037 dZPO legen im Detail fest, wie das Ablehnungsverfahren vonstattenzugehen hat.

Auch wenn im Gesetz implizit die Möglichkeit vorgesehen ist, dass die **237** andere Partei der Ablehnung nicht zustimmen könnte, ist nicht geregelt, ob bspw der anderen Partei ausdrücklich ein Recht auf Stellungnahme durch das Schiedsgericht einzuräumen ist oder ob die andere Partei von sich aus tätig werden muss und wie lange die Frist für eine solche Stellungnahme betragen muss oder kann. Aus Gründen der Gleichbehandlung wird man für die Stellungnahme der Ablehnungsgegnerin wohl die gleiche Frist wie bei der Einreichung der Ablehnung annehmen müssen, also zwei Wochen nach deutschem Recht und vier Wochen nach österreichischem Recht. Eine Ungleichbehandlung der Ablehnungsgegnerin ist hier – anders als etwa im Fall der Einreichung der Klage und Klagebeantwortung – nicht gegeben, weil ja auch die ablehnende Partei nur zwei bzw vier Wochen ab Kenntnis der Umstände Zeit hat, also keine zusätzliche Zeit für „Vorarbeiten" haben konnte. Für den Fall, dass die abgelehnte Schiedsrichterin/der abgelehnte Schiedsrichter nicht von sich aus zurücktritt, ist es empfehlenswert, dass das Schiedsgericht der anderen Seite eine bestimmte Frist aufträgt, binnen welcher diese zur Ablehnung Stellung nehmen soll. Stimmt die andere Partei der Ablehnung zu, endet das Schiedsrichteramt der abgelehnten Schiedsrichterin/des abgelehnten Schiedsrichters automatisch.

Eine Stellungnahme der abgelehnten Schiedsrichterin/des abgelehnten **238** Schiedsrichters ist in den Gesetzesbestimmungen nicht vorgesehen. Genauso wenig ist in den dispositiven Gesetzesbestimmungen vorgesehen, zu welchem Zeitpunkt die abgelehnte Schiedsrichterin/der abgelehnte Schiedsrichter eine Äußerung abgeben soll, insb innerhalb welchen Zeitraumes bzw ob vor oder nach einer allfälligen Stellungnahme durch die Ablehnungsgegnerin. Eine Stellungnahme der abgelehnten Schiedsrichterin/des abgelehnten Schiedsrichters, die nicht nur innerhalb des Schiedsgerichts, sondern auch gegenüber den Parteien kommuniziert wird, würde jedenfalls die Transparenz und auch die Legitimität des Schiedsverfahrens im Allgemeinen und des Ablehnungsverfahrens

---

159 § 1037 Abs 2 dZPO.
160 § 589 Abs 2 öZPO.

im Besonderen erhöhen.[161] Idealerweise wäre diese Stellungahme der betroffenen Schiedsrichterin/des betroffenen Schiedsrichters nach Einholung der Stellungnahme der Ablehnungsgegnerin zu erstatten, damit diese/dieser nicht nur auf die begründete Ablehnung, sondern allenfalls auch auf die Gründe der Ablehnungsgegnerin eingehen kann. Bei komplexen Sachverhalten ist es durchaus angezeigt, dass das Schiedsgericht einen weiteren Schriftwechsel zulässt.

239   Tritt die abgelehnte Schiedsrichterin/der abgelehnte Schiedsrichter nicht von sich aus zurück oder stimmt die Ablehnungsgegnerin der Ablehnung nicht zu, entscheidet das Schiedsgericht selbst, einschließlich der abgelehnten Schiedsrichterin/des abgelehnten Schiedsrichters.[162]

240   Ist die Ablehnung erfolglos, dh entscheidet sich das Schiedsgericht gegen die Ablehnung, kann die ablehnende Partei binnen eines Monats[163] bzw vier Wochen[164] eine Entscheidung vom zuständigen staatlichen Gericht begehren. Hingegen hat im umgekehrten Fall, dh bei Bestätigung der Ablehnung, die andere Partei kein (unmittelbares) Rechtsmittel gegen die Entscheidung des Schiedsgerichts,[165] obwohl sie sich möglicherweise gegen die Ablehnung ausgesprochen hat und sich durch die Bestätigung der Ablehnung (womöglich der von ihr benannten Schiedsrichterin/des von ihr benannten Schiedsrichters) beschwert erachtet. ME müsste die Ablehnungsgegnerin nach Erlassung des Schiedsspruchs die ihrer Meinung nach ungerechtfertigte Ablehnung mittels Anfechtungsklage gem § 611 Abs 1 Z 4 öZPO bzw § 1059 Abs 2 Z 1 lit d dZPO geltend machen können, da nicht nur eine die Ablehnung zurückweisende Entscheidung des Schiedsgerichts, sondern auch eine die Ablehnung bestätigende Entscheidung des Schiedsgerichts vom staatlichen Gericht überprüft können werden soll.[166] Allerdings muss die Ablehnungsgegnerin einen allfälligen Verstoß des Schiedsgerichts gegen das Ablehnungsverfahren bei sonstiger Präklusion unverzüglich rügen.[167]

---

161 Vgl dazu die Art 14(3) ICC SchO, wonach für die Entscheidung durch ICC Gerichtshof das Sekretariat von der betroffenen Schiedsrichterin/vom betroffenen Schiedsrichter, den anderen Parteien sowie den anderen Mitgliedern des Schiedsgerichts eine Stellungnahme einholt; ähnlich Art 20(3) Wiener Regeln; § 18.2 DIS-Regeln ist nicht zu entnehmen, ob die von der DIS Geschäftsstelle eingeholten Stellungnahmen der betroffenen Schiedsrichterin/des betroffenen Schiedsrichters und der anderen Parteien an alle Beteiligten des Schiedsverfahrens kommuniziert werden; die Swiss Rules sehen gar keine Möglichkeiten der Stellungnahme vor.

162 § 1037 Abs 2 dZPO und § 589 Abs 2 öZPO.

163 § 1037 Abs 3 dZPO.

164 § 589 Abs 3 öZPO.

165 Vgl *Schlosser* in Stein/Jonas, ZPO[22] § 1037 Rn 4, die die bestätigende Entscheidung des Schiedsgerichts für unanfechtbar halten.

166 So jedenfalls *Münch* in MünchKom ZPO[4] § 1037 Rn 21 FN 47; vgl auch die allgemeinen Überlegungen bei *Hausmaninger* in Fasching/Konecny, ZPO[3] § 589 Rn 80 f.

167 Siehe *Hausmaninger* in Fasching/Konecny, ZPO[3] § 589 Rn 79.

In Deutschland ist das örtlich zuständige Oberlandesgericht für das staatliche **241** Ablehnungsverfahren zuständig.[168] In Österreich ist nach dem öSchiedsRÄG 2013[169], das am 1.1.2014 in Kraft getreten ist, allein der Oberste Gerichtshof für das Verfahren über die Entscheidung der Ablehnung zuständig.[170]

Nach einer erfolgreichen Ablehnung erfolgt die Ersatzbestellung nach **242** den ursprünglichen, auf die abgelehnte Schiedsrichterin/den abgelehnten Schiedsrichter anzuwendenden Verfahrensregeln.[171]

Gem Art 180 Abs 1 **schwIPRG** kann eine Schiedsrichterin/ein Schieds- **243** richter abgelehnt werden, wenn sie/er nicht den von den Parteien vereinbarten Anforderungen entspricht, wenn ein in der von den Parteien vereinbarten Verfahrensordnung enthaltener Ablehnungsgrund vorliegt oder wenn Umstände vorliegen, die Anlass für berechtigte Zweifel an ihrer/seiner Unabhängigkeit geben. Obwohl der Gesetzestext nur die Unabhängigkeit erwähnt, nicht aber die Unparteilichkeit, hat das schwBGes klargestellt, dass auch die fehlende Unparteilichkeit ein Ablehnungsgrund iSd Gesetzesbestimmung sein kann.[172] Abs 2 dieser Bestimmung besagt, dass eine Partei eine Schiedsrichterin/einen Schiedsrichter, an deren Ernennung sie zumindest mitgewirkt hat, nur aus Gründen ablehnen darf, von denen sie erst nach Ernennung Kenntnis erlangt hat. Die Ablehnung ist gegenüber dem Schiedsgericht und der anderen Partei „unverzüglich" geltend zu machen,[173] wobei die Schweizer Bestimmung – im Gegensatz zu dZPO und öZPO – aber keine nach Tagen bestimmte Frist festsetzt.

Stimmt die Ablehnungsgegnerin der Ablehnung nicht zu oder tritt die **244** abgelehnte Schiedsrichterin/der abgelehnte Schiedsrichter nicht von sich aus zurück, ist wie folgt zu differenzieren: Sofern die Parteien kein besonderes Verfahren zur Ablehnung von SchiedsrichterInnen vereinbart haben, also insb keine Verfahrens- oder Schiedsordnung gewählt haben, entscheidet die Richterin/der Richter am Sitz des Schiedsgerichts über die Ablehnung. Dies bedeutet, dass mangels jedweder Parteienvereinbarung das Schiedsgericht selbst gar nicht über die Ablehnung zu entscheiden hat, sondern direkt der *juge d'appui* am Sitz des Schiedsgerichts mit dieser Frage zu befassen ist. Umgekehrt ist der *juge d'appui* gänzlich unzuständig, wenn die Parteien etwa das Schiedsgericht selbst, eine Schiedsinstitution oder eine Ernennende Stelle mit der Entscheidung über eine Ablehnung betraut haben.[174] In so einem Fall gibt es – anders als nach der dZPO und der öZPO – überhaupt kein Rechts-

---

168 § 1062 Abs 1 Z 1 dZPO.
169 BGBl I 2013/118.
170 § 615 öZPO.
171 § 1039 Abs 1 dZPO und § 591 Abs 1 öZPO.
172 Siehe *B. Berger/Kellerhals*, Arbitration³ Rn 790.
173 Art 180 Abs 2 schwIPRG.
174 Vgl dazu *B. Berger/Kellerhals*, Arbitration³ Rn 894 ff.

mittel an ein staatliches Gericht.[175] Eine Partei, die sich durch eine derartige Ablehnungsentscheidung beschwert erachtet, kann „nur" gegen einen in der Folge ergangenen (Teil-, Zwischen- oder End-)Schiedsspruch Beschwerde gem Art 190 Abs 2 lit a schwIPRG erheben.[176]

245 Anhand der rudimentären Bestimmungen zur Ablehnung von SchiedsrichterInnen und dem Ablehnungsverfahren in den hier relevanten Schiedsgesetzen tritt klar zutage, dass die Parteien gut daran tun, sich entweder bereits in der Schiedsvereinbarung oder spätestens am Beginn des Schiedsverfahrens auf speziellere Verfahrensregeln (hier: zum Ablehnungsverfahren) oder auf eine vollständige Schiedsordnung (insb jene der UNCITRAL SchO) zu einigen, um Unklarheiten zu vermeiden, die das Verfahren erheblich verzögern können. Die zwingende Einschaltung der staatlichen Gerichte nach deutschem bzw österreichischem Schiedsverfahrensrecht bzw deren subsidiäre Zuständigkeit nach Schweizer Recht macht ebenso deutlich, dass es höchst ratsam ist, sich in einem *ad hoc* Schiedsverfahren auf den Sitz des Schiedsgerichts zu einigen.

e) Durchführung des Schiedsverfahrens

246 § 1042 Abs 4 dZPO, § 594 Abs 1 öZPO sowie Art 182 Abs 1 und 2 schwIPRG bestimmen inhaltsgleich, dass die Parteien selbst das Verfahren bestimmen können; mangels einer derartigen Parteienvereinbarung bestimmt das Schiedsgericht nach seinem Ermessen, wie es das Verfahren gestaltet. Gerade bei einem *ad hoc* Schiedsverfahren empfiehlt es sich daher, dass am Beginn des Schiedsverfahrens eine Verfahrensordnung festgelegt wird, will man nicht auf die eher rudimentären Bestimmungen in der jeweiligen *lex arbitri* zurückgreifen bzw sich dem alleinigen Ermessen des Schiedsgerichts aussetzen. In der Praxis legt das Schiedsgericht den Entwurf einer Prozessleitenden Verfügung vor, zu dem die Parteien Stellung nehmen können, bevor die Verfügung endgültig erlassen wird. Inhalt dieser Verfügung ist typischerweise die Art und Weise der Einbringung von Schriftsätzen und schriftlichen Beweismitteln, die Behandlung von Zeugen- und Sachverständigenbeweis etc.[177] Im Normalfall wird das Schiedsgericht übereinstimmende Parteienpositionen aufgreifen. Dennoch ist es ratsam, die Verfügung als Anordnung des Schiedsgerichts zu erlassen und nicht als (Verfahrens-)Vereinbarung der Parteien festzulegen, damit das Schiedsgericht jederzeit von sich aus auch wieder von dieser Verfügung abgehen kann, ohne die Zustimmung der Parteien einzuholen.[178]

---

175 *B. Berger/Kellerhals*, Arbitration³ Rn 907 f.

176 *B. Berger/Kellerhals*, Arbitration³ Rn 9o9.

177 Siehe *Dorda* Rn 1076 ff.

178 Vgl OLG Frankfurt/Main 17.2.2011, Az 26 Sch 13/10, abgedruckt in SchiedsVZ 2013, 49 ff.

Die oben zitierten Bestimmungen besagen ausdrücklich, dass die Parteien **247** bei der Verfahrensgestaltung auch auf Schiedsordnungen Bezug nehmen können. Hier drängt sich naturgemäß der Verweis auf die UNCITRAL SchO auf. Manche Parteienvereinbarungen verweisen auf institutionelle Verfahrensordnungen. Dann muss allerdings Vorsorge für den Fall getroffen werden, dass die Verfahrensordnung auf Aufgaben verweist, die von der Institution erfüllt werden (insb hinsichtlich der Bestellung, Abberufung und Ablehnung von SchiedsrichterInnen, und bei der ICC SchO die Prüfung des Schiedsspruchs durch den Schiedsgerichtshof); in einem solchen Fall muss klar geregelt sein, wie vorzugehen ist, wenn eben keine Institution die vorgesehen Aufgabe erfüllen kann. Abgesehen davon, dass es oft eine komplexe Interpretationsfrage ist, ob die Parteien tatsächlich ein *ad hoc* Verfahren oder nicht doch ein institutionelles Verfahren vereinbart haben, ist von einem Verweis auf eine institutionelle Schiedsordnung bei grundsätzlichem Wunsch, ein *ad hoc* Verfahren zu führen, abzuraten.[179] Genauso wenig eignet sich eine Bezugnahme auf nationale Verfahrensrechte, weil diese auf Sachverhalte und Rechtsfragen in einer bestimmten Jurisdiktion zugeschnitten sind, sodass damit regelmäßig ein Verlust der Flexibilität einhergeht, die ja gerade ein gewichtiger Grund für *ad hoc* Schiedsverfahren ist.[180]

§§ 1033, 1041 dZPO, § 593 öZPO sowie Art 183 schwIPRG sehen je- **248** weils die Kompetenz des Schiedsgerichts vor, **einstweilige Maßnahmen** zu erlassen,[181] wenn die Parteien nichts anderes vereinbart haben. Diese Kompetenz des Schiedsgerichts besteht unabhängig von der Zuständigkeit der staatlichen Gerichte, einstweilige Maßnahmen zu erlassen, deren Wirkungsbereich grundsätzlich von einer Schiedsvereinbarung erfasst ist. § 1033 dZPO sowie § 585 öZPO stellen klar, dass die Anrufung eines staatlichen Gerichts für einstweilige Maßnahmen nicht den Verzicht auf die Schiedsvereinbarung bedeutet. Dieser Grundsatz ist auch ohne explizite Gesetzesbestimmung in der Schweiz anerkannt.[182] Die in manchen institutionellen Schiedsordnungen aufgenommenen Bestimmungen zur so genannten Eilschiedsrichterin/zum so genannten Eilschiedsrichter (*„emergency arbitrator"*)[183] bzw Dringlichkeitsschiedsrichterin/Dringlichkeitsschiedsrichter[184] spiegeln sich in den hier relevanten nationalen Schiedsgesetzen (noch) nicht wider. Bei diesen handelt es sich um (Einzel-)SchiedsrichterInnen, die vor Konstituierung des eigentlichen Schiedsgerichts Maßnahmen des einstweiligen Rechtschutz erlassen können.

---

179 Vgl *Schlaepfer/Petti* in Geisinger/Voser, Arbitration in Switzerland² 14.
180 *Wilske* in Böckstiegel et al, Arbitration in Germany² Part IV Ad hoc Arbitration in Germany Rn 40 ff.
181 Siehe *Riegler/Pickrahn/Zenhäusern* Rn 1363 ff.
182 *B. Berger/Kellerhals*, Arbitration³ Rn 1274.
183 Art 29 und Anhang V der ICC SchO.
184 Art 43 Swiss Rules.

Ob § 1041 dZPO, § 593 öZPO sowie Art 183 schwIPRG auf diese Art von einstweiligen Maßnahmen anzuwenden sind, ist gesetzlich nicht ausdrücklich geregelt.[185] Genauso wenig gibt es gesetzliche Bestimmungen darüber, ob und wenn ja, auf welche Weise Entscheidungen von EilschiedsrichterInnen von nationalen Gerichten zu vollstrecken sind.

f) Beendigung des Verfahrens

249 Im Regelfall wird das Schiedsverfahren durch einen Schiedsspruch des Schiedsgerichts beendet. Hierbei kann es sich um eine Entscheidung in der Sache selbst oder auch um eine prozessuale Entscheidung (zB Unzuständigkeitsschiedsspruch) handeln. Es gibt aber auch andere Möglichkeiten der Verfahrensbeendigung, insb wenn die Schiedsklägerin die Klage zurückzieht (sei es mit oder ohne Anspruchsverzicht) und/oder die Parteien einen Vergleich abschließen oder aus anderen Gründen.

250 Auf Basis des UNCITRAL ModG regeln §§ 1051–1058 **dZPO** bzw §§ 603–610 **öZPO** jeweils das Kapitel *„Schiedsspruch und Beendigung des Verfahrens"*. In § 1051 dZPO bzw § 603 öZPO finden sich die Bestimmungen zu dem auf die Sache anwendbaren Recht.[186] § 1052 dZPO bzw § 604 öZPO regeln mehr oder weniger inhaltsgleich, dass im Falle eines Schiedsgerichts mit mehr als einer Schiedsrichterin/einem Schiedsrichter die **Stimmenmehrheit** der SchiedsrichterInnen zu entscheiden hat und nur in Verfahrensfragen die Vorsitzende/der Vorsitzende allein entscheiden kann. Nimmt ein Mitglied des Schiedsgerichts nicht an der Abstimmung über einen Schiedsspruch teil, entscheidet dennoch die Mehrheit der teilnehmenden und nicht-teilnehmenden SchiedsrichterInnen, vorausgesetzt ein solches Vorgehen wird den Parteien vorab mitgeteilt. In allen anderen Fragen ist ein solches Vorgehen nachträglich den Parteien mitzuteilen. Abweichende Parteienvereinbarungen werden vom Gesetz ausdrücklich für zulässig erachtet. In der Praxis werden solche Parteienvereinbarungen wohl meistens im Schiedsrichtervertrag oder in einer Prozessleitenden Verfügung, die auf eine entsprechende Parteienvereinbarung verweist, getroffen. Bspw kann es sinnvoll sein, der Vorsitzenden/dem Vorsitzenden des Schiedsgerichts ein **Dirimierungsrecht** zukommen zu lassen, wenn keine Stimmenmehrheit etwa in Fragen des Quantums zustande kommt (wenn also jedes der drei Mitglieder ein unterschiedlich hohes Quantum befürwortet). Das Schweizer Schiedsrecht berücksichtigt eine derartige Situation ausdrücklich in Art 189 Abs 2 schwIRPG: Vorbehaltlich einer anderen Parteienvereinbarung entscheidet die Stimmenmehrheit; wenn aber

---

185 Bejahend für die Schweiz *B. Berger/Kellerhals*, Arbitration[3] Rn 1288 f.; vgl für Österreich *Hausmaninger* in Fasching/Konecny, ZPO[3] § 593 Rn 42/1 ff.
186 Siehe *Voser/Schramm/Haugeneder* Rn 816 ff.

keine Stimmenmehrheit zustande kommt, entscheidet die Vorsitzende/der Vorsitzende des Schiedsgerichts.

§ 1053 dZPO und § 605 öZPO regeln den im Rahmen eines Schieds- **251** verfahrens getroffenen **Vergleich**. Den Parteien steht es frei, dem Schiedsgericht lediglich ihre Einigung anzuzeigen und keine weitere Involvierung des Schiedsgerichts zu verlangen. Diesfalls ist ihr Vergleich weder nach nationalem noch nach transnationalem Recht vollstreckbar, der Vergleich hat die materiell-rechtlichen Wirkungen gem § 779 dBGB bzw § 1380 öABGB. Sie können aber auch auf gemeinsamen Antrag hin die Erlassung eines **Schiedsspruchs mit vereinbartem Wortlaut** begehren, sofern der Inhalt nicht dem jeweiligen nationalen *ordre public* widerspricht.[187] Ein solcher Schiedsspruch hat die gleichen Rechtswirkungen wie jeder andere Schiedsspruch, insb ist er nach dem EÜ und dem NYÜ anerkennungsfähig und vollstreckbar. Gem § 1053 Abs 4 dZPO kann auch ein Notar im Bezirk des zuständigen Oberlandesgerichts den Schiedsspruch mit vereinbartem Wortlaut für vollstreckbar erklären, wenn dies die Parteien übereinstimmend beantragen. Damit erübrigt sich die ansonsten notwendige Einholung der Vollstreckbarkeitserklärung durch das zuständige Gericht.[188] Darüber hinaus sieht § 605 Z 1 öZPO auch die Möglichkeit der **Protokollierung des Vergleichs** vor. Eine solche Protokollierung ist zwar nach § 1 Z 16 EO innerhalb Österreichs und gem bestimmter bilateraler Abkommen vollstreckbar,[189] gilt aber nicht als Schiedsspruch iSd EÜ oder des NYÜ. Auch wenn die meisten hier relevanten institutionellen Schiedsordnungen keinen protokollierten Vergleich vorsehen, ist das Schiedsgericht bei Vorliegen der Voraussetzungen jedenfalls gem § 605 Z 1 öZPO dazu befugt. Auch wenn § 1053 dZPO selbst keinen Schiedsvergleich mehr vorsieht,[190] können in Deutschland aufgrund bilateraler Abkommen nach wie vor ausländische Schiedsvergleiche vollstreckt werden.[191]

Obwohl das **schwIPRG** keine Bestimmung über den Vergleich im Rah- **252** men eines Schiedsverfahrens enthält, ist allgemein anerkannt, dass ein *ad hoc* Schiedsgericht mit Sitz in der Schweiz – auch ohne Verweis auf eine (institutionelle) Schiedsordnung oder explizite Parteienvereinbarung – die verfahrensrechtliche Befugnis hat, einen vollstreckbaren Schiedsspruch mit vereinbartem

---

187 § 1053 Abs 1 letzter HS dZPO bzw § 605 Z 1 erster Satz öZPO.
188 Krit zur notariellen Vollstreckbarerklärung *Münch* in MünchKom ZPO⁴ § 1053 Rn 51 ff.
189 Liechtenstein (BGBl Nr 114/1975), Deutschland (BGBl Nr 105/1960).
190 Zur alten Rechtslage in Deutschland (§ 1044 dZPO aF) siehe *Schlosser* in Stein/Jonas, Zivilprozessordnung²² § 1053 Rn 1.
191 Abkommen gibt es mit der Schweiz, Italien, Belgien, Österreich, Griechenland und Tunesien; siehe *Schlosser* in Stein/Jonas, ZPO²² § 1053 Rn 10.

Wortlaut oder einen Beendigungsbeschluss aufgrund eines Vergleiches der Parteien zu erlassen.[192]

253 Wie bereits erwähnt, wird in den meisten Fällen das Verfahren mit einem Schiedsspruch beendet. Im Zustandekommen und der **Erlassung des Schiedsspruchs** werden die Unterschiede zwischen einem *ad hoc* Verfahren und einem institutionellen Verfahren deutlich. Bei einem *ad hoc* Schiedsspruch wird dieser von den SchiedsrichterInnen begründet, grundsätzlich von allen unterschrieben und mit Datum und Schiedsort versehen. In § 1054 Abs 4 dZPO bzw in § 606 Abs 4 öZPO ist ausdrücklich vorgesehen, dass das Schiedsgericht jeder Partei ein Original des Schiedsspruchs zukommen lassen muss. Im schwIPRG fehlt eine entsprechende Bestimmung. Die Regelung, auf welche Art und Weise den Parteien der Schiedsspruch zuzustellen ist, fällt daher bei *ad hoc* Verfahren in die allgemeine Verfahrenskompetenz des Schiedsgerichts gem Art 182 Abs 1 schwIPRG,[193] die freilich unter dem Vorbehalt der Parteienvereinbarung steht. Bei institutionellen Verfahren ist meistens die Schiedsinstitution insofern involviert, als sie die Aufgabe hat, den Schiedsspruch mit ihrem Stempel und/oder der Unterschrift des Generalsekretärs zu versehen[194] und die Originale den Parteien zuzustellen.[195] Während die ICC SchO vor Erlassung des Schiedsspruchs sogar eine förmliche Prüfung des Schiedsspruchs durch den ICC Schiedsgerichtshof vorsieht,[196] ist bei anderen Institutionen eine informelle Involvierung möglich bzw denkbar.

254 Während in Deutschland und in der Schweiz[197] ein inländischer Schiedsspruch vom zuständigen Gericht für **vollstreckbar erklärt** werden kann bzw muss, obliegt diese Aufgabe gem § 606 Abs 6 öZPO der Vorsitzenden/dem Vorsitzenden des Schiedsgerichts (in ihrer/seiner Verhinderung ein anderes Mitglied des Schiedsgerichts). Diese Pflicht und Befugnis der Vorsitzenden/des Vorsitzenden besteht unabhängig davon, ob es sich um ein institutionelles oder *ad hoc* Verfahren handelt.

255 Wird das Schiedsverfahren beendet, so hat das Schiedsgericht die Pflicht gem § 1057 dZPO bzw § 609 öZPO auch über die **Kosten in einem Schiedsspruch** zu entscheiden. Grundsätzlich besteht diese Pflicht auch ohne einen entsprechenden Parteiantrag, weil das Schiedsgericht auch die Kostenquote zwischen den Parteien festzulegen hat.[198] Allerdings kann das Schiedsgericht

---

192 Vgl *B. Berger/Kellerhals*, Arbitration³ Rn 154off; *Stacher*, Einführung Rn 408.
193 Siehe *B. Berger/Kellerhals*, Arbitration³ Rn 1503.
194 Art 36(4) Wiener Regeln.
195 Siehe Art 35(1) ICC SchO, § 36.12 DIS-Regeln, Art 36(5) Wiener Regeln; anders Art 32(6) Swiss Rules, wonach das Schiedsgericht sowohl den Parteien als auch dem Sekretariat je ein Exemplar des Schiedsspruchs zu übermitteln hat.
196 Art 34 ICC SchO.
197 Art 193 Abs 2 schwIPRG.
198 *Münch* in MünchKom ZPO⁴ § 1057 Rn 4; *Reiner,* öSchiedsRÄG 2006 § 609 Rn 177.

nur dann einer Partei ziffernmäßig Kosten zusprechen, wenn sie ihre Kosten entsprechend beziffert und (dadurch zumindest implizit) einen Kostenzuspruch begehrt. Sowohl der deutsche als auch der österreichische Gesetzestext sprechen pauschal von „zur zweckentsprechenden Rechtsverfolgung notwendigen bzw angemessenen Kosten" und differenziert nicht zwischen den Kosten für das Schiedsgericht (Honorar und Auslagen), den Parteienvertretungskosten (Honorar und Auslagen für AnwältInnen, ZeugInnen, ExpertInnen) und sonstiger Kosten (etwa für die mündliche Verhandlung, Protokollierung, DolmetscherInnen etc), wie dies in institutionellen Schiedsordnungen üblich ist.[199] Während in institutionellen Verfahren die Höhe der SchiedsrichterInnenhonorare regelmäßig von der Institution festgesetzt wird,[200] legt im *ad hoc* Verfahren das Schiedsgericht jenen Kostenbetrag hinsichtlich des eigenen Honorars fest, der in Übereinstimmung mit der Honorarvereinbarung gemäß dem Schiedsrichtervertrag und entsprechend den von den Parteien erlegten Kostenvorschüssen steht. Die Kostenentscheidung ist daher – wie auch bei einem institutionellen Verfahren – keinesfalls eine Entscheidung in eigener Sache; das Schiedsgericht schafft keinen Kostentitel in eigener Sache und muss allfällige Honoraransprüche auf dem Rechtsweg gegenüber den Parteien geltend machen. Die Kostenentscheidung in Form eines Schiedsspruchs bildet lediglich einen Titel im Verhältnis der Verfahrensparteien.[201]

Auch wenn das schwIPRG keine explizite Bestimmung über die Kosten **256** aufgenommen hat, ist allgemein anerkannt, dass – vorbehaltlich anderer Parteienvereinbarung – das Schiedsgericht zuständig ist, über die Kosten des Schiedsverfahrens abzusprechen.

Schließlich regeln § 1058 dZPO bzw § 610 öZPO die **Berichtigung,** **257** **Auslegung** und **Ergänzung** des Schiedsspruchs nach Vorbild von Art 33 UNCITRAL ModG. Die Frist für den entsprechenden Parteiantrag beträgt in Deutschland, vorbehaltlich anderer Parteienvereinbarung, einen Monat, in Österreich vier Wochen ab Empfang des Schiedsspruchs. Vor der Entscheidung hat das Schiedsgericht die anderen Parteien zu hören. Das Schiedsgericht hat im Falle der Berichtigung und Auslegung jeweils einen Monat bzw vier Wochen Zeit, im Falle der Ergänzung zwei Monate bzw acht Wochen Zeit. Eine Berichtigung des Schiedsspruchs kann das Schiedsgericht auch ohne Parteiantrag von sich aus vornehmen.

---

199   Art 38 ICC SchO; § 40 DIS-Regeln; Art 44 Wiener Regeln; Art 38 Swiss Rules.
200   Art 2 des Anhangs III zur ICC SchO; Art 37 iVm 44 Wiener Regeln; abweichend Art 40(4) Swiss Rules, wonach die Institution lediglich vorab die Kostenentscheidung genehmigt.
201   Siehe *Münch* in MünchKom ZPO⁴ § 1057 Rn 3 und 8 ff; *Hausmaninger* in Fasching/ Konecny, ZPO³ § 609 Rn 71 f.

B. UNCITRAL SchO

1. Allgemeines

258   Die bekannteste und gebräuchlichste Schiedsordnung für *ad hoc* Schiedsverfahren ist sicherlich die von der *United Nations Commission on International Trade Law* (UNCITRAL) verabschiedete Schiedsordnung.[202] Die
UNCITRAL ist keine Schiedsinstitution, sondern eine Institution der Vereinten Nationen, die sich die Entwicklung und Harmonisierung des internationalen Wirtschaftsrechts zum Ziel gesetzt hat. Die UNCITRAL SchO ist
daher keine „institutionelle" Schiedsgerichtsordnung im herkömmlichen
Sinn, weil nicht notwendigerweise eine bestimmte Institution mit der Administrierung des Verfahrens betraut wird, sondern eine Verfahrensordnung,
die von den Parteien gewählt und ihrem Schiedsverfahren zugrunde gelegt
werden kann. Ihr Anwendungsgebiet liegt einerseits bei (kommerziellen)
ad hoc Schiedsverfahren und andererseits bei völkerrechtlichen Schiedsverfahren, sei es solchen, die zwischen zwei Staaten geführt werden, oder in
jüngster Zeit bei den zunehmenden Investitionsschiedsverfahren zwischen
einem privaten Investor und einem Gaststaat (*Investor State Dispute Settlement* – ISDS). Die folgenden Absätze behandeln – dem Zweck dieses Hand-
buches entsprechend – ausschließlich die Anwendung der UNCITRAL SchO
in kommerziellen Schiedsverfahren.

259   Da die offiziellen Amtssprachen der UNCITRAL Arabisch, Chinesisch,
Englisch, Französisch, Russisch und Spanisch sind, gibt es keine offizielle
Übersetzung der UNCITRAL SchO in die deutsche Sprache.[203]

260   Die Erstfassung der UNCITRAL SchO stammt aus 1976, die im Jahr 2010
eine grundlegende Neufassung erfahren hat. Im Jahr 2013 wurde Art 1(4)
angefügt, der auf die *UNCITRAL Rules on Transparency in Treaty-based
Investor-State Arbitration* als Anhang zur UNCITRAL SchO verweist. Für
kommerzielle Schiedsverfahren hat sich dadurch nichts geändert, für diese sind
daher nach wie vor die Fassung aus 2010 maßgeblich. Die UNCITRAL SchO
eignet sich nach ihrem eigenen Anspruch für alle Arten von Schiedsverfahren,
insb auch für Verfahren mit der Beteiligung von Staaten oder staatlichen Ein-
heiten, egal ob es sich um ein kommerzielles oder Investitionsschiedsverfahren
handelt. Art 1(2) enthält die Vermutung, dass ein UNCITRAL-Schiedsver-

---

202   Abrufbar unter www.uncitral.org/uncitral/en/uncitral_texts/arbitration/2010Arbi-
tration_rules.html (zuletzt abgerufen am 14.1.2017).

203   Eine inoffizielle, wenn auch von breitem Konsens getragene Übersetzung der
UNCITRAL SchO 1976 findet sich im Kommentar von *Patocchi/Niedermaier* in
Schütze, Schiedsgerichtsbarkeit[2] Kap XII Einleitung Rn 19. Die vorliegende Kom-
mentierung orientiert sich an dieser Übersetzung, wenngleich auch nicht sämtliche
Begriffe übernommen werden.

fahren gem jener Fassung der UNCITRAL SchO durchgeführt werden soll, die im Zeitpunkt der Einleitung des Verfahrens in Kraft ist, sofern die Parteien die Schiedsvereinbarung nach dem Stichtag 15. 8. 2010 abgeschlossen haben. Für Verfahren, die auf einer vor dem 15. 8. 2010 abgeschlossenen Schiedsvereinbarung beruhen, gilt daher die Fassung aus 1976, es sei denn, die Parteien haben sich in der Schiedsvereinbarung (oder zu einem späteren Zeitpunkt) explizit darauf geeinigt, dass jene Fassung zur Anwendung kommen soll, die im Zeitpunkt der Einleitung des Verfahrens in Kraft ist. Unabhängig vom Zeitpunkt des Abschlusses der Schiedsvereinbarung können die Parteien selbstverständlich einvernehmlich festlegen, dass eine bestimmte Fassung maßgeblich sein soll, dh bspw dass Parteien nach dem 15. 8. 2010 vereinbaren konnten, die UNCITRAL SchO von 1976 auf ihr Verfahren anzuwenden.[204]

261 Art 2 UNCITRAL SchO enthält die Bestimmungen zur Zustellung und zur Berechnung von Fristen. Haben die Parteien (etwa in der Schiedsvereinbarung selbst, im Hauptvertrag oder zu einem späteren Zeitpunkt) bestimmte Kontaktdaten für die Zwecke des Schiedsverfahrens bestimmt oder wurden sie vom Schiedsgericht zugelassen, so sind alle Mitteilungen an diese Kontaktdaten zu senden und gelten diesfalls auch als zugestellt. Dies gilt auch für elektronische Mitteilungen per Telefax und/oder Email.[205] Haben die Parteien keine Kontaktdaten für diese Zwecke bestimmt, ist eine Mitteilung erhalten, wenn sie dem Adressaten physisch zugekommen ist, bzw gilt die Mitteilung als zugestellt, wenn sie am Geschäftssitz, am gewöhnlichen Aufenthaltsort oder an der Postadresse abgegeben wurde.[206]

2. Die Ernennende Stelle

262 Das bekannteste Institut der UNCITRAL SchO ist jenes der „Ernennenden Stelle" (*Appointing Authority*). Diese übernimmt im Wesentlichen die Aufgaben einer Schiedsinstitution, was einerseits die Bestellung, Ablehnung und Abberufung der SchiedsrichterInnen und andererseits deren Honorierung betrifft. Haben sich die Parteien lediglich auf die Anwendung der UNCITRAL SchO geeinigt, aber keine Ernennende Stelle bestimmt, verweist Art 6 UNCITRAL SchO auf den Generalsekretär des Ständigen Schiedsgerichtshof in Den Haag (*Permanent Court of Arbitration* – PCA), der eine Ernennende Stelle am Sitz des Schiedsgerichts zu bestimmen hat. Mit dieser Regelungstechnik kann die Zuständigkeit der Gerichte, denen diese Aufgaben normalerweise nach der jeweiligen *lex arbitri* zukommt, umschifft werden.[207]

---

204 Siehe *Webster*, UNCITRAL Arbitration Rn 1–104 f.
205 Art 2(2) UNCITRAL SchO.
206 Art 2(3) UNCITRAL SchO.
207 *Poudret/Besson*, Arbitration² Rn 98.

Auch wenn über den Generalsekretär des PCA stets eine Ernennende Stelle bestimmt werden kann, empfiehlt es sich, bereits in der Schiedsvereinbarung, die auf die UNCITRAL SchO verweist, auch eine Ernennende Stelle festzulegen. Erstens werden nicht unnötig Zeit und Kosten aufgrund des „Umwegs" über den Generalsekretär des PCA vergeudet, zweitens besteht somit frühzeitig Gewissheit über die Ernennende Stelle, und drittens können die Parteien eine Ernennende Stelle bestimmen, die für ihre Bedürfnisse maßgeschneidert ist.

263   Grundsätzlich kommt jede natürliche oder juristische Person als Ernennende Stelle in Frage.[208] Die Festlegung einer bestimmten natürlichen Person ist nicht zu empfehlen, wenn diese im Zeitpunkt der Anrufung aus faktischen oder rechtlichen Gründen nicht imstande sein sollte, dieses Amt auszuüben. Hingegen ist es denkbar, ein bestimmtes Amt, das von einer natürlichen Person ausgeführt wird, zu bestimmen (zB den Generalsekretär einer Schiedsinstitution, den Präsidenten eines Gerichts oder einer bestimmten Wirtschafts- oder Rechtsanwaltskammer). In jedem Fall sollten die Parteien sicherstellen, dass die Ernennende Stelle (sei es eine natürliche oder eine juristische Person) über ausreichende Kenntnis des (internationalen) Schiedsverfahrensrechts, aber auch der Schiedspraxis hat, damit der Bestellvorgang korrekt abgewickelt wird und wirklich für den jeweiligen Sachverhalt geeignete SchiedsrichterInnen bestellt werden.

264   In der Praxis wird daher von den Parteien häufig eine internationale oder in der Region bekannte Schiedsinstitution gewählt. Die ICC hat beispielsweise eigene Bestimmungen, die seit 1.1.2004 zur Anwendung kommen, wenn sie als „Ernennende Stelle" (nicht notwendigerweise in einem Schiedsverfahren nach der UNCITRAL SchO) tätig werden soll.[209] Diese Bestimmungen sehen auch eine bestimmte Gebühr vor, die die Parteien im Voraus zu entrichten haben, damit die ICC überhaupt als Ernennende Stelle tätig wird. Auch die Swiss Chambers' Arbitration Institution hat für derartige Dienstleistungen eigene Regeln erlassen.[210] Schließlich hat auch die VIAC gleichzeitig mit der Revision ihrer Wiener Regeln im Jahr 2013 (in Kraft seit 1.7.2013) eine Gebührenbestimmung eingeführt.[211] Demgegenüber hat die DIS eine eigene adaptierte Schiedsordnung, die freilich in wesentlichen Teilen

---

208 *Patocchi/Niedermaier* in Schütze, Schiedsgerichtsbarkeit[2] Kap XII Art 6 Rn 9.

209 *Rules of ICC as Appointing Authority in Uncitral or other ad hoc arbitration proceedings*, abrufbar unter www.iccwbo.org/products-and-services/arbitration-and-adr/ appointing-authority/rules-of-icc-as-appointing-authority/ (zuletzt abgerufen am 14.1.2017); derzeit ist eine Überarbeitung dieser Regeln im Gange.

210 Diese Regeln sind abrufbar unter www.swissarbitration.org/Arbitration/Appointing-Authority (zuletzt abgerufen am 14.1.2017).

211 Annex 4 zu den Wiener Regeln sieht eine Gebühr von EUR 2.000,– vor, die vorab zu zahlen ist.

mit der UNCITRAL SchO ident ist, welche dann zur Anwendung kommt, wenn die Parteien ein Schiedsverfahren gem der UNCITRAL SchO, allerdings von der DIS administriert, vereinbart haben. Diese von der DIS adaptierte Schiedsordnung enthält unter anderem als Annex III eine Tabelle für die SchiedsrichterInnenhonorare in derartigen Fällen.[212]

Haben die Parteien – insb in der Schiedsvereinbarung – keine Ernennende **265** Stelle bestimmt, kann jede Partei zu jedem Zeitpunkt eine Ernennende Stelle vorschlagen.[213] Kommt binnen 30 Tagen ab dem Zugang eines solchen Vorschlags keine Einigung auf eine Ernennende Stelle zustande, kann jede Partei (also nicht nur diejenige, die als erste einen Vorschlag unterbreitet hat) die Generalsekretärin/den Generalsekretär des PCA ersuchen, eine Ernennende Stelle zu bestimmen.[214] Für den Fall, dass die auf diese Weise bestimmte Ernennende Stelle nicht oder nicht fristgerecht tätig wird und die ihr zugewiesene Aufgabe erfüllt, kann jede Verfahrenspartei die Generalsekretärin/den Generalsekretär des PCA ersuchen, einen Ersatz für die Ernennende Stelle zu bestimmen.[215]

Die zwei wesentlichen Aufgaben, die der Ernennenden Stelle nach der **266** UNCITRAL SchO zugewiesen sind, betrifft die Zusammensetzung des Schiedsgerichts gem dem II. Abschnitt sowie die Festlegung der Kosten des Schiedsgerichts (Honorar und Auslagen) gem Art 41 UNCITRAL SchO.

3. Einleitung des Verfahrens

Art 3 UNCITRAL SchO bestimmt die Voraussetzungen für die Einleitung **267** des Schiedsverfahrens mittels einer **Schiedsanzeige**[216] (*notice of arbitration*) durch die Schiedsklägerin. Gem Art 3(1) muss die Schiedsbeklagte von dieser Schiedsanzeige benachrichtigt werden. Art 3(2) folgend gilt das Schiedsverfahren als eingeleitet, wenn die Schiedsbeklagte diese Schiedsanzeige erhalten hat. An dieser Bestimmung zeigt sich, weshalb die UNCITRAL SchO – trotz Verweises auf eine Ernennende Stelle – nicht als institutionelle Schiedsordnung angesehen wird. In institutionellen Verfahren löst regelmäßig die Einreichung der Schiedsanzeige oder Schiedsklage bei der Institution den formellen Beginn

---

212 UNCITRAL Arbitration Rules – Administered by the DIS, abrufbar unter www.dis-arb.de/de/16/rules/uncitral-arbitration-rules-administered-by-the-dis-id32 (zuletzt abgerufen am 14.1.2017).
213 Art 6(1) UNCITRAL SchO.
214 Art 6(2) UNCITRAL SchO.
215 Art 6(4) UNCITRAL SchO.
216 Der Begriff „Schiedsanzeige" ist mE eine passendere und auch die in der internationalen Praxis üblichere Übersetzung als „Benachrichtigung über die Einleitung des Schiedsverfahrens", siehe dazu auch *Patocchi/Niedermaier* in Schütze, Schiedsgerichtsbarkeit² Kap XII Art 3 Rn 2.

des Verfahrens aus. Wann dieses verfahrenseinleitende Schriftstück tatsächlich an die Schiedsbeklagte übermittelt wird, hat dann – zumindest nach der jeweiligen Schiedsordnung – keine Auswirkungen auf den formellen Beginn.[217] Hingegen hat bei *ad hoc* Verfahren die Schiedsklägerin selbst dafür zu sorgen, dass das verfahrenseinleitende Schriftstück an die Schiedsbeklagte zugestellt wird oder dass zumindest eine Zustellfiktion – wie nach Art 2 UNCITRAL SchO – ausgelöst wird.

268   Die Schiedsanzeige sollte gem Art 3(3) UNCITRAL SchO alle relevanten prozessualen wie inhaltlichen Informationen enthalten, also a) das Verlangen, die Streitigkeit der Schiedsgerichtsbarkeit zu unterwerfen, b) Namen und Anschriften der Parteien, c) eine Bezugnahme auf die geltend gemachte Schiedsklausel oder Schiedsvereinbarung, d) eine Bezugnahme auf den Vertrag oder ein sonstiges rechtliches Instrument, aus dem sich der Streitfall ergibt oder auf den er sich bezieht, oder mangels eines solchen Vertrags oder Instruments eine kurze Beschreibung des relevanten Rechtsverhältnisses, e) eine kurze Beschreibung des Anspruchs und gegebenenfalls eine Angabe über die Höhe des Streitwerts, f) das Klagebegehren und g) einen Vorschlag hinsichtlich der Anzahl der SchiedsrichterInnen, der Verfahrenssprache und des Schiedsortes, wenn die Parteien vorher nichts darüber vereinbart haben.

269   Gerade das Kriterium nach Art 3(3) lit a) UNCITRAL SchO, also das Verlangen, dass über die Streitigkeit ein Schiedsgericht zu entscheiden hat, hat bei *ad hoc* Verfahren besondere Relevanz. Zeigt die Schiedsklägerin gegenüber der Schiedsbeklagten lediglich einen Streit an, ohne die Unterwerfung unter ein Schiedsgericht zu begehren, kann dies für die Anhängigmachung des Streits und infolgedessen auch für die Unterbrechung allfälliger Präklusions- und Verjährungsfristen Auswirkungen haben.[218] Die Formulierung, dass ein Streit der Schiedsgerichtsbarkeit unterworfen werden soll, kann auch für die Frage entscheidend sein, ob tatsächlich schon ein Schiedsverfahren oder ein zuvor geschaltetes Schlichtungs- oder sonstiges Vorverfahren (zB *pre-arbitral referee* oder DAB-Verfahren in Baustreitigkeiten) eingeleitet werden soll. Die Ausschöpfung (allenfalls zwingender) alternativer Streitbeilegungsverfahren hat – je nach dem prozessual oder materiell anwendbaren Recht – Auswirkungen auf die Frage, ob die Einleitung eines Schiedsverfahrens überhaupt zulässig ist oder der Anspruch überhaupt fällig ist. Freilich sind an dieses Kriterium nicht allzu hohe Anforderungen zu stellen, so dass bspw die Bezeichnung „Schiedsanzeige" oder „Schiedsklage" ausreichend sein sollte.

---

217 Die Unterbrechungswirkung von allfälligen (materiell-rechtlichen) Präklusions- oder Verjährungsfristen richtet sich dagegen nach dem anwendbaren Recht, das in den hier behandelten Rechtsordnungen dem materiellen Recht zu entnehmen ist.

218 Siehe *Webster,* UNCITRAL Arbitration Rn 3–36.

Name und **Kontaktdaten** der Schiedsbeklagten gem Art 3(3) lit b **270**
UNCITRAL SchO sind insofern relevant, als es um die rechtmäßige Zustellung der Schiedsanzeige (und aller darauf folgenden Mitteilungen im Laufe
des Schiedsverfahrens) geht. Sind die Zustellungsvoraussetzungen gem Art 2
UNCITRAL SchO erfüllt, kann auch ein Schiedsverfahren gegen eine nicht-
teilnehmende Partei geführt werden.

Der Verweis auf die Schiedsvereinbarung gemäß Art 3(3) lit c UNCITRAL **271**
SchO wird üblicherweise so ausgeführt, dass gleich der gesamte Text der
Schiedsvereinbarung wiedergegeben wird. Die Revision aus 2010 hat die
Voraussetzung gem Art 3(3) lit d UNCITRAL SchO (Beschreibung des Vertrags, sonstigen rechtlichen Instruments oder Rechtsverhältnisses) insofern
erweitert, als im Hinblick auf Investitionsstreitigkeiten nicht nur ein bestimmter Vertrag als Rechtsgrundlage in Frage kommt, sondern bspw auch
bi- oder multilaterale Investitionsschutzabkommen, die ein Schiedsverfahren
auch ohne bestimmten Vertrag zwischen Investor und Gaststaat ermöglichen. So wie bei der Voraussetzung gem Art 3(3) lit a UNCITRAL SchO
sind auch jene gem lit d und e (kurze Beschreibung des Anspruchs) für die
Unterbrechung allfälliger Präklusions- oder Verjährungsfristen relevant.[219]
Einerseits werden an diese Voraussetzung keine allzu hohen Erfordernisse
gestellt, so dass es nicht erforderlich ist, den zugrunde liegenden Sachverhalt
oder die möglichen Anspruchsgrundlagen darzulegen. Andererseits sollte aus
der kurzen Beschreibung doch klar hervorgehen, um welchen Anspruch es
sich handelt. Denn Änderungen und Erweiterungen des geltend gemachten
Anspruchs unterliegen den Voraussetzungen gem Art 20 UNCITRAL SchO
(„Schiedsklage").

Die Vorschläge hinsichtlich Anzahl der SchiedsrichterInnen, Verfahrens- **272**
sprache und Schiedsort sind zwar grundsätzlich „zwingende" Erfordernisse
einer Schiedsanzeige, dennoch kann ein diesbezüglicher Mangel nicht sanktioniert werden.[220]

Gem Art 3(4) UNCITRAL SchO kann die Schiedsanzeige darüber hinaus **273**
auch noch folgende Angaben enthalten: a) einen Vorschlag für die Bestimmung
einer Ernennenden Stelle nach Art 6(1), b) einen Vorschlag für die Bestellung
einer Einzelschiedsrichterin/eines Einzelschiedsrichters nach Art 8(1) sowie c)
die Benachrichtigung von der Bestellung einer Schiedsrichterin/eines Schiedsrichters nach Art 9 oder 10. Es handelt sich um **fakultative Voraussetzungen**.

Der neu eingefügte Art 3(5) UNCITRAL SchO bestimmt, dass allfällige **274**
Streitigkeiten über die Vollständigkeit der Schiedsanzeige nicht die Konstitu-

---

219 Vgl *Patocchi/Niedermaier* in Schütze, Schiedsgerichtsbarkeit[2] Kap XII Art 3 Rn 17;
    Webster, UNCITRAL Arbitration Rn 3–74.
220 *Webster*, UNCITRAL Arbitration Rn 3–89.

ierung des Schiedsgerichts hindern soll, welches über diese Fragen endgültig entscheiden soll.

275   Die Revision aus 2010 hat die „Antwort auf die Schiedsanzeige" in Art 4 neu UNCITRAL SchO neu eingeführt, sodass nunmehr explizit ein Pendant zur Schiedsanzeige vorgesehen ist. Zwingender Inhalt sind gem Art 4(1) lit a UNCITRAL SchO der Name und die Kontaktdaten der Schiedsbeklagten sowie eine Antwort auf die in der Schiedsanzeige gem Art 3(3) lit c-g UNCITRAL SchO erwähnten Angaben. Die Frist für die Einreichung der Antwort auf die Schiedsanzeige ist mit 30 Tagen relativ kurz bemessen. Insb kann diese Frist mangels entsprechender Bestimmung in der UNCITRAL SchO nicht verlängert werden.[221]

276   Für das Unterlassen der Einreichung einer Antwort auf die Schiedsanzeige gibt es keine Sanktion nach der UNCITRAL SchO. Insb sind etwa der Einwand hinsichtlich der Zuständigkeit des Schiedsgerichts gem Art 4(2) lit a UNCITRAL SchO oder die Erhebung einer Widerklage oder Aufrechnungseinrede gem Art 4(2) lit e UNCITRAL SchO bloß **fakultativer Natur**. Diese beiden prozessualen Mittel können auch erst mit der Klagebeantwortung gem Art 21 UNCITRAL SchO erhoben werden (siehe auch Art 23(2) UNCITRAL SchO hinsichtlich des Zuständigkeitseinwands), im Falle einer Widerklage bzw Aufrechnungseinrede auch noch zu einem späteren Stadium, wenn und soweit das Schiedsgericht eine solche Verspätung zulässt (siehe Art 21(3) UNCITRAL SchO). Weitere fakultative Angaben sind der Vorschlag einer Ernennenden Stelle gem Art 4(2) lit b UNCITRAL SchO, der Vorschlag der Bestellung einer Einzelschiedsrichterin/eines Einzelschiedsrichters gem Art 4(2) lit c UNCITRAL SchO, die Benachrichtigung der Bestellung einer Schiedsrichterin/eines Schiedsrichters gem Art 4(2) lit d UNCITRAL SchO sowie eine allfällige Schiedsanzeige der Schiedsbeklagten gegen eine Drittpartei gem Art 4(2) lit f UNCITRAL SchO. Voraussetzung für eine so genannte *cross-claim* ist aber das Vorliegen einer Schiedsvereinbarung, die nicht nur die Schiedsbeklagte und die Drittpartei, sondern auch die Schiedsklägerin bindet.[222]

4. Zusammensetzung des Schiedsgerichts

277   Haben die Parteien die Anzahl der SchiedsrichterInnen nicht spätestens binnen 30 Tagen ab Erhalt der Schiedsanzeige durch die Schiedsbeklagte vereinbart, entscheidet gem Art 7(1) UNCITRAL SchO ein Schiedsgericht bestehend aus drei SchiedsrichterInnen die Streitsache. Die Bestimmung in Art 7(2) UNCITRAL SchO ist mit der 2010-Revision neu eingeführt wor-

---

221   *Webster*, UNCITRAL Arbitration Rn 4–9.
222   *Webster*, UNCITRAL Arbitration Rn 4–46 ff.

den: Trotz fehlender Parteienvereinbarung, die Sache einer Einzelschiedsrichterin/einem Einzelschiedsrichter zuzuweisen, kann die Ernennende Stelle in Anbetracht der konkreten Umstände eine Einzelschiedsrichterin/ einen Einzelschiedsrichter bestellen, wenn binnen der 30-Tages-Frist keine andere Partei „ihre" Schiedsrichterin/„ihren" Schiedsrichter nominiert hat, nachdem eine Partei eine Einzelschiedsrichterin/einen Einzelschiedsrichter vorgeschlagen hat. Dieser Mechanismus kommt va dann in Betracht, wenn sich bspw die Schiedsbeklagte gar nicht am Verfahren beteiligt. Die Umstände, die zu berücksichtigen sind, betreffen im Wesentlichen den Streitwert sowie die Komplexität der Sache.[223]

Art 8 UNCITRAL SchO regelt die **Bestellung der Einzelschiedsrichterin/des Einzelschiedsrichters.** Hat eine Partei einen Vorschlag gemacht und konnten sich alle Parteien nicht binnen 30 Tagen ab Erhalt dieses Vorschlags auf eine Person einigen, kann jede Partei (also nicht nur diejenige, die den ursprünglichen Vorschlag gemacht hat) die Ernennende Stelle ersuchen, eine Einzelschiedsrichterin/einen Einzelschiedsrichter zu bestellen. Dabei hat die Ernennende Stelle nach dem so genannten **Listen-System** vorzugehen, indem sie jeder Partei eine Liste mit mindestens drei Namen vorschlägt. Jede Partei kann binnen 15 Tagen einen oder mehrere Namen streichen und in die präferierte Reihenfolge bringen und an die Ernennende Stelle zurückstellen. Diese bestellt jene Person als Einzelschiedsrichterin/Einzelschiedsrichter, die die höchste Übereinstimmung der Parteien aufweist. Kommt auf diese Weise keine Bestellung zustande, kann die Ernennende Stelle nach ihrem Ermessen eine Einzelschiedsrichterin/einen Einzelschiedsrichter bestellen.   **278**

Art 9 UNCITRAL SchO regelt die **Bestellung eines Dreier-Schiedsgerichts.** Bei zwei Streitparteien soll jede Partei eine Schiedsrichterin/einen Schiedsrichter bestellen. Macht eine Partei von diesem Recht keinen Gebrauch, kann die andere Partei die Ernennende Stelle ersuchen, für die säumige Partei eine Schiedsrichterin/einen Schiedsrichter zu bestellen. Die Vorsitzende/ Der Vorsitzende soll von den beiden partei-ernannten SchiedsrichterInnen bestellt werden. Können sich diese beiden nicht auf einen Vorsitz einigen, wird dieser gem dem Listensystem nach Art 8 UNCITRAL SchO von der Ernennenden Stelle bestellt.   **279**

Art 10 UNCITRAL SchO regelt die Bestellung des Schiedsgerichts, wenn auf einer Seite mehr als eine Partei steht. So wie die meisten Schiedsregeln auch ist bei der UNCITRAL SchO vorgesehen, dass die Parteien auf der Klägerseite und jene auf Beklagtenseite je eine Schiedsrichterin/einen Schiedsrichter bestellen sollen und die so bestellten MitschiedsrichterInnen die Vorsitzende/ den Vorsitzenden zu bestellen haben. Kommt keine Einigung zustande, kann auf Ersuchen wieder die Ernennende Stelle eingeschaltet werden. An dieser   **280**

---

223 *Webster*, UNCITRAL Arbitration Rn 7–19.

Stelle ist zu erwähnen, dass die UNCITRAL SchO – ähnlich wie die ICC SchO – vorsieht, dass die Ernennende Stelle auch die bereits von einer Seite vorgenommene Bestellung einer Schiedsrichterin/eines Schiedsrichters zurücknehmen und alle drei SchiedsrichterInnen neu bestellen kann. Diese Möglichkeit soll die Gleichbehandlung der Parteien gewährleisten, wenn eine aus mehreren Parteien bestehende Seite – bspw aufgrund unterschiedlicher Interessenlagen – sich nicht auf eine parteiernannte Schiedsrichterin/einen parteiernannten Schiedsrichter einigen kann. Wenn also bspw die Klägerseite, die mehrere konzernzugehörige Parteien erfasst, eine Mitschiedsrichterin/einen Mitschiedsrichter bestellt hat, die Gegenseite dies aber nicht schafft, weil die Parteien rechtlich und wirtschaftlich unabhängige Unternehmen sind, dann kann die Ernennende Stelle das von der Klägerseite bestellte Mitglied absetzen und sowohl für die Kläger- als auch für die Beklagtenseite je ein Mitglied bestellen. Dieser Gedanke der Gleichbehandlung geht auf die bekannte „*Dutco*"-Entscheidung der französischen Gerichte zurück.[224]

281   Folgende Aspekte sind bei der SchiedsrichterInnenbestellung gem Art 8 bis 10 UNCITRAL SchO zu beachten:

Selbst wenn die Anzahl der SchiedsrichterInnen feststeht, ist die Schiedsklägerin nicht verpflichtet, in ihrer Schiedsanzeige gem Art 3 UNCITRAL SchO einen Vorschlag für eine Einzelschiedsrichterin/einen Einzelschiedsrichter zu machen oder „ihre" Mitschiedsrichterin/„ihren" Mitschiedsrichter zu bestellen. Die Frist von 30 Tagen, binnen der die Schiedsbeklagte zum Vorschlag bzw zur Bestellung Stellung nehmen kann, bezieht sich stets auf den Empfang der Mitteilung der Gegenseite.

282   Weiters setzen die Art 8 bis 10 UNCITRAL SchO voraus, dass die Ernennende Stelle bereits feststeht, dh dass es entweder eine Parteienvereinbarung gibt oder dass die Generalsekretärin/der Generalsekretär des PCA eine solche bestimmt hat. Die Schiedsklägerin tut daher gut daran, bereits in ihrer Schiedsanzeige einen Vorschlag für eine Ernennende Stelle zu unterbreiten[225] (wenn eine solche noch nicht feststeht) bzw „ihr" Mitglied des Schiedsgerichts zu bestellen[226], wenn sie das Schiedsverfahren zügig vorantreiben möchte. Denn steht die Ernennende Stelle noch nicht fest, müsste die jeweilige Partei spätestens mit dem Antrag, dass die Ernennende Stelle eine Einzelschiedsrichterin/einen Einzelschiedsrichter bzw die Vorsitzende/den Vorsitzenden bestellt, gleichzeitig auch den Antrag an die Generalsekretärin/den Generalsekretär des PCA stellen, eine Ernennende Stelle am Sitz des Schiedsgerichts gem Art 6 UNCITRAL SchO zu bestimmen. Art 8 und 9

---

224 Cour de Cassation 7.1.1992, *Société BKMI et Siemens v Société Dutco*, siehe Yearbook XVIII (1993), 140 = Rev Arb No 3 (1992) 470.
225 Siehe Art 3(4) lit a) UNCITRAL SchO.
226 Siehe Art 3(4) lit c) UNCITRAL SchO.

UNCITRAL SchO sehen zwar keine Fristen für die Ernennende Stelle vor, binnen derer diese ihre Liste an potentiellen SchiedsrichterInnen an die Parteien zu kommunizieren bzw nach Erhalt der Stellungnahmen zu den Listen die jeweilige Bestellung vorzunehmen hat. Art 6(4) UNCITRAL SchO sieht aber vor, dass die Ernennende Stelle binnen 30 Tagen ab Antrag die jeweilige Schiedsrichterin/den jeweiligen Schiedsrichter zu bestellen hat. Diese Frist ist insofern kurz, als darin auch schon die 15 Tage enthalten sind, binnen der die Parteien zum Listenvorschlag der Ernennenden Stelle Stellung nehmen können. Wird nicht binnen der 30-Tages-Frist die beantragte SchiedsrichterInnen-Bestellung vorgenommen, können die Parteien einen Antrag auf Bestimmung einer anderen Ernennenden Stelle stellen. Es ist diese Art von Zwischenverfahren, die bei Verfahren nach der UNCITRAL SchO bereits am Beginn eine erhebliche Zeitverzögerung nach sich bringen kann, sodass es höchst ratsam ist, dass die Parteien bereits in ihrer Schiedsvereinbarung eine Ernennende Stelle bestimmt haben.

283 Art 11 bis 19 UNCITRAL SchO regeln die **Offenlegungspflichten** von (potentiellen) SchiedsrichterInnen sowie das **Ablehnungsverfahren**. Hervorzuheben ist, dass die Frist zur Ablehnung nur 15 Tage beträgt.[227] Wenn nicht alle anderen Parteien binnen 15 Tagen der Ablehnung zustimmen oder die abgelehnte Schiedsrichterin/der abgelehnte Schiedsrichter von sich aus zurücktritt, kann die ablehnende Partei binnen 30 Tagen ab der Ablehnung eine Entscheidung von der Ernennenden Stelle verlangen. Auch in diesem Fall gilt, dass es zu Verzögerungen kommen kann, wenn die Ernennende Stelle noch nicht feststeht. Die Neubestellung der zu ersetzenden Schiedsrichterin/des zu ersetzenden Schiedsrichters erfolgt gem den oben erläuterten Art 8 bis 11 UNCITRAL SchO unabhängig davon, ob sich die jeweilige Partei zuvor an der SchiedsrichterInnen-Bestellung beteiligt hat. Art 14(2) UNCITRAL SchO sieht vor, dass die Ernennende Stelle aufgrund der besonderen Umstände entscheiden kann, dass der betroffenen Partei das Recht zur SchiedsrichterInnen-Bestellung entzogen wird, die Ernennende Stelle selbst die Ersatzbestellung vornimmt oder allenfalls die verbleibenden SchiedsrichterInnen ohne Ersatz-Schiedsrichterin/Ersatz-Schiedsrichter das Verfahren fortsetzen und einen Schiedsspruch erlassen dürfen. Die Ernennende Stelle wird bspw dann von dieser Bestimmung Gebrauch machen, wenn der betroffenen Partei so genannte *guerilla tactics* vorgeworfen werden können, die darauf abzielen, das Verfahren ungebührlich zu verzögern oder überhaupt zu torpedieren.

284 Anders als in den meisten institutionellen Schiedsordnungen findet sich in der UNCITRAL SchO keine Bestimmung über die **vorzeitige Beendigung des Schiedsrichteramtes** aus einem anderen Grund als nach einer erfolgrei-

---

227 Art 13(1) UNCITRAL SchO.

chen Ablehnung. Insb gibt es keine Regelung über den freiwilligen Rücktritt vom Schiedsrichteramt oder eine allfällige Enthebung vom Schiedsrichteramt, bspw wenn die Schiedsrichterin/der Schiedsrichter ihren/seinen Pflichten aus faktischen oder rechtlichen Gründen nicht nachkommen kann.[228]

5. Durchführung des Verfahrens

285   Art 17 UNCITRAL SchO bestimmt allgemein, auf welche Art und Weise das Schiedsgericht das Verfahren zu führen hat, und entspricht dabei internationaler Praxis: insb Gleichbehandlung der Parteien, Gewährung des rechtlichen Gehörs, zügige Durchführung des Verfahrens, Abhaltung einer mündlichen Verhandlung etc. In Art 17(4) UNCITRAL SchO ist eine relativ knapp gehaltene Bestimmung über die **Miteinbeziehung von Drittparteien** „versteckt". Diese setzt lediglich voraus, dass die Drittpartei von derselben Schiedsvereinbarung erfasst ist wie jene, die dem Schiedsverfahren zugrunde liegt. Anders als bei den meisten institutionellen Schiedsordnungen, wo die Schiedsinstitution in einem solchen Fall involviert ist, trifft in einem Verfahren nach der UNCITRAL SchO das Schiedsgericht die Entscheidung über eine allfällige Miteinbeziehung. Auffallend ist auch, dass die UNCITRAL SchO keine Bestimmung über eine mögliche Konsolidierung bzw Verbindung von Verfahren enthält.[229]

286   Mangels Parteienvereinbarung liegt die Festlegung des **Schiedsortes**[230] und der **Verfahrenssprache**[231] in der Kompetenz des Schiedsgerichts.

287   Die **Klageschrift** gem Art 20 UNCITRAL SchO und die **Klagebeantwortung** gem Art 21 UNCITRAL SchO sind jene Schriftsätze, in denen eine **vollständige Ausführung der Fakten** und – seit 2010 neu – auch der rechtlichen Argumente erfolgen soll. Die Schiedsklägerin soll gem Art 20(3) UNCITRAL SchO gemeinsam mit ihrer Klageschrift jedenfalls auch den Vertrag, aus dem die geltend gemachten Ansprüche abgeleitet werden, vorlegen. Neu ist, dass mit der Klageschrift und der Klagebeantwortung „so weit wie möglich" auch sämtliche Beweismittel vorzulegen sind oder auf solche Bezug genommen wird. Damit sind nicht nur Beweisurkunden, sondern auch allfällige schriftliche Zeugenerklärungen (*witness statements*) erfasst. Ob lediglich die Bezugnahme auf Beweismittel ausreicht (ohne sie auch vorzulegen), sollte wohl eher der Ausnahmefall sein und vom Schiedsgericht geklärt werden. Andernfalls wäre der Beschleunigungs- und Konzentrationseffekt dieser Be-

---

228   Siehe dazu Art 15 ICC SchO, Art 19 DIS-Regeln, Art 21 Wiener Regeln, Art 12 Swiss Rules.
229   Siehe Art 10 ICC SchO, Art 15 Wiener Regeln, Art 4(1) Swiss Rules.
230   Art 18 UNCITRAL SchO.
231   Art 19 UNCITRAL SchO.

stimmung, der mit der Revision von 2010 neu eingeführt wurde, verpufft. Art 24 UNCITRAL SchO enthält eine prozessuale Selbstverständlichkeit, wonach das Schiedsgericht über weitere Schriftsatzwechsel entscheidet; ein solcher wird in den meisten Verfahren auch von den Parteien übereinstimmend gewünscht sein.

Die Parteien können ihre Klagsansprüche, Aufrechnungseinreden und **288** Widerklagsansprüche grundsätzlich in jedem Stadium des Verfahrens abändern oder ausdehnen, wenn und soweit das Schiedsgericht dies angesichts der vorliegenden Umstände, insb des (späten) Verfahrensstadiums nicht für unangemessen hält.[232]

Art 26 UNCITRAL SchO enthält die Voraussetzungen zum Erlass **einst-** **289** **weiliger Maßnahmen** durch das Schiedsgericht. Im Vergleich zur Version von 1976 und zu den meisten institutionellen Schiedsordnungen beschreibt Art 26(2) UNCITRAL SchO relativ detailliert, um welche Typen es sich handeln kann: Aufrechterhaltung oder Wiederherstellung des Status quo während der Anhängigkeit des Schiedsverfahrens gem lit a, Maßnahmen zur Abwehr eines unmittelbaren Schadens oder eines Nachteils für das Schiedsverfahren gem lit b, die Sicherung von Vermögen zur Befriedigung eines später zu erlassenden Schiedsspruchs gem lit c, Sicherung von Beweismitteln gem lit d. Hinsichtlich der drei erstgenannten Sachverhalte muss gem Art 26(3) UNCITRAL SchO ein unwiederbringlicher Schaden vorliegen, der den Schaden des Antragsgegners überwiegt, sowie eine *prima facie* Beurteilung im Hinblick auf den Verfahrensausgang. Das Schiedsgericht ist ermächtigt, gem Art 26(6) UNCITRAL SchO eine Sicherheitsleistung von der antragstellenden Partei zu verlangen sowie gem Art 26(7) UNCITRAL SchO die antragstellende Partei zu Schadenersatz und Kosten zu verurteilen, wenn das Schiedsgericht später erkennt, dass die Maßnahme nicht hätte gewährt werden sollen. Die hier erörterten Voraussetzungen stehen freilich unter dem Vorbehalt des anwendbaren materiellen Rechts, der *lex arbitri* am Sitz des Schiedsgerichts sowie einem allfälligen Vollstreckungsregime im Vollstreckungsstaat. Auch wenn in den drei hier relevanten Jurisdiktionen Schiedsgerichte die Kompetenz haben, einstweilige Maßnahmen zu erlassen,[233] muss beachtet werden, dass es auch solche Staaten gibt, die dem Schiedsgericht eine derartige Kompetenz absprechen (zB Italien oder VR China). Oftmals kann es kostengünstiger, effizienter oder schlichtweg die einzig rechtlich zulässige Möglichkeit sein, eine einstweilige Maßnahme vor einem staatlichen Gericht im Vollstreckungsstaat zu beantragen. Art 26(9) UNCITRAL SchO enthält daher den mittlerweile allgemein anerkannten Grundsatz, dass die Antrag-

---

232 Art 22 UNCITRAL SchO.
233 Siehe § 1041 dZPO, § 593 öZPO, Art 183 schwIPRG.

stellung auf Erlass einer einstweiligen Maßnahme vor einem staatlichen Gericht keineswegs ein Verzicht auf die Schiedsvereinbarung bedeutet.

6. Beendigung des Verfahrens

290 Art 34 UNCITRAL SchO sieht die Verfahrensbeendigung durch **Schiedsspruch** vor. Dass ein Schiedsgericht gem Art 34(1) UNCITRAL SchO auch mehrere getrennte Schiedssprüche erlassen kann, ist mittlerweile eine Selbstverständlichkeit in der internationalen Praxis. Die Revision von 2010 verzichtet daher auch auf die Unterscheidung von vorläufigen Schiedssprüchen, Zwischen- oder Teilschiedssprüchen, wie sie noch in Art 32 UNCITRAL SchO 1976 vorhanden war; eine Unterscheidung, die mehr deklarativer Natur war und für Fragen der Schiedsspruchaufhebung und -vollstreckung nicht wirklich relevant war. Art 34(2) UNCITRAL SchO sieht vor, dass ein nach der UNCITRAL SchO erlassener Schiedsspruch **endgültig** und **verbindlich** für die Parteien ist und diese den Schiedsspruch unverzüglich erfüllen sollen. Diese Verpflichtung kann natürlich nicht darüber hinweg täuschen, dass zwingende Bestimmungen der *lex arbitri* Vorrang haben. Dh dass das Recht der Parteien, den Schiedsspruch je nach nationalem Recht anzufechten oder dessen Vollstreckung hintanzuhalten, nach dem jeweils anwendbaren Recht zu beurteilen ist. Der Schiedsspruch soll **schriftlich** ergehen, mangels anderer Parteienvereinbarung eine Begründung enthalten, von allen SchiedsrichterInnen unterfertigt werden sowie Datum und Schiedsort angeben.[234] Art 34(5) UNCITRAL SchO sieht vor, dass der Schiedsspruch nur bei Zustimmung der Parteien veröffentlicht werden kann oder wenn eine Partei in Erfüllung einer Rechtspflicht oder zu ihrer Rechtsverfolgung vor einer öffentlichen Behörde oder einem Gericht die Veröffentlichung benötigt. Die Bestimmung ist nicht so zu verstehen, dass Schiedsverfahren nach der UNCITRAL SchO grundsätzlich vertraulich sind;[235] eine allfällige Verpflichtung der Parteien, das Schiedsverfahren an sich und seinen Inhalt vertraulich zu halten, hängt vom anwendbaren Recht ab. Wie bei sonstigen *ad hoc* Verfahren auch hat das Schiedsgericht für die Übermittlung des Schiedsspruchs an die Parteien zu sorgen (Art 34(6) UNCITRAL SchO).

291 Welches **Sachrecht** das Schiedsgericht anwenden soll, bestimmt Art 35 UNCITRAL SchO. Art 35(1) UNCITRAL SchO hat eine längst fällige Neuerung gebracht, wonach bei fehlender Rechtswahl der Parteien das Schiedsgericht jenes Recht anwenden soll, das es für angemessen hält. Nach der Vorgängerbestimmung, Art 33(1) UNCITRAL SchO 1976, hat das Schiedsgericht jenes Recht anzuwenden, das von den Kollisionsnormen, die es für

---

234 Abs 2 bis 4.
235 Vgl *Patocchi/Niedermaier* in Schütze, Schiedsgerichtsbarkeit[2] Kap XII Art 32 Rn 14.

anwendbar erachtet, bezeichnet wird. Die Neufassung entspricht der internationalen Tendenz, nicht den Umweg über das anwendbare Kollisionsrecht zu gehen, sondern dem Schiedsgericht eine unmittelbare Heranziehung des ihm angemessen erscheinenden Rechts oder jenes Rechts, das die engste Verbindung zur Sache aufweist, zu ermöglichen. Auch die hier relevanten Schiedsgesetze[236] und institutionellen Schiedsordnungen[237] folgen diesem Ansatz der direkten Verweisung.

Art 36 UNCITRAL SchO sieht **andere Formen der Verfahrensbeendigung** vor. Vergleichen sich die Verfahrensparteien, soll das Schiedsgericht einen Beendigungsbeschluss erlassen oder, falls dies von den Parteien gewünscht ist, einen Schiedsspruch mit vereinbartem Inhalt erlassen.[238] Für diesen Schiedsspruch gelten die Vorgaben gem Art 34(2) (Schriftlichkeit und Verbindlichkeit), Art 34(4) (Unterschrift der SchiedsrichterInnen sowie Angabe von Datum und Schiedsort) sowie Art 34(5) (Veröffentlichung). Vom Erfordernis der Begründung wird allerdings in einem solchen Fall abgesehen. Auch aus anderen Gründen kann das Schiedsgericht einen Beendigungsbeschluss fassen, wenn das Schiedsverfahren unnötig oder unmöglich wird.[239]

292

Die Art 40 bis 43 UNCITRAL SchO regeln die **Kostenfragen** in einem *ad hoc* Verfahren nach der UNCITRAL SchO. Art 40 UNCITRAL SchO zählt jene Bestandteile auf, die unter den Begriff „Kosten" zu subsumieren sind und im Endschiedsspruch, allenfalls in einer anderen Entscheidung, zu bestimmen sind; abgesehen von den allgemein üblichen Kostenbestandteilen wie Honorar und Auslagen des Schiedsgerichts, Kosten und Auslagen für ExpertInnen und ZeugInnen und Parteienvertretungskosten, fallen darunter auch das Honorar und die Auslagen der Ernennenden Stelle sowie der Generalsekretärin/des Generalsekretärs des PCA. Art 41(1) statuiert den allgemeinen Grundsatz, dass das Honorar des Schiedsgerichts dem Streitwert, dem Stundenaufwand und anderen Umständen angemessen sein sollen. Das Schiedsgericht hat gem Art 41(3) den Parteien unverzüglich nach seiner Konstituierung einen Vorschlag zu seiner Honorierung vorzulegen, der binnen 15 Tagen von jeder Partei an die Ernennende Stelle zur Überprüfung vorgelegt werden kann. Bei der Festlegung seines Honorars soll das Schiedsgericht, wenn es eine Ernennende Stelle gibt und diese eine bestimmte Kostentabelle oder Methode für die Honorierung von SchiedsrichterInnen in internationalen Fällen anwendet, diese berücksichtigen. Für diese Bestimmung kommen *de facto* nur Schiedsinstitutionen in Betracht, die anbieten, als Ernennende Stelle

293

---

236 § 1051 dZPO, § 603 öZPO, Art 187 schwIPRG.
237 Art 21(1) ICC SchO, § 23.2 DIS-Regeln, Art 27(2) Wiener Regeln, Art 33(1) Swiss Rules.
238 Abs 1.
239 Abs 2.

in *ad hoc* Verfahren zu fungieren.[240] Schiedsgerichte werden üblicherweise eine Honorierung auf Basis einer anerkannten Kostentabelle (bspw einer Schiedsinstitution) oder eines Stundensatzes vorschlagen, wobei selbstverständlich auch alternative Modelle zulässig sind. Der Vorschlag sollte jedenfalls auch die Erstattung von Auslagen (Aufenthalts- und Reisekosten, sonstige Spesen etc) erfassen.[241] Die Periode von 45 Tagen ist mE relativ lang, innerhalb derer die Ernennende Stelle die Angemessenheit des Vorschlags des Schiedsgerichts beurteilen kann. Der Beurteilungsmaßstab ist jener von Art 41(1) UNCITRAL SchO, das Verfahren nach Art 41(3) UNCITRAL SchO ist für die SchiedsrichterInnen bindend.

294 Wenn das Schiedsgericht die Kosten hinsichtlich seines Honorars und Auslagen bestimmt, hat es gem Art 41(4) lit a UNCITRAL SchO gegenüber den Parteien die Berechnungsmethoden bekannt zu geben. Diese Bekanntgabe kann gleichzeitig mit der Erlassung der Kostenentscheidung erfolgen, sie kann aber auch idealerweise schon davor erfolgen, weil die Parteien gem Art 41(4) lit b UNCITRAL SchO ein Stellungnahmerecht binnen 15 Tagen haben. Legt eine Partei die Kostenbestimmung der Ernennenden Stelle vor, hat diese bzw im Fall ihrer Verhinderung die Generalsekretärin/der Generalsekretär des PCA binnen 45 Tagen zu prüfen, ob die Kostenbestimmung dem Vorschlag des Schiedsgerichts Art 41(3) UNCITRAL SchO entspricht oder sonst wie manifest exzessiv ist und erforderlichenfalls eine Anpassung entsprechend den Kriterien von Art 41(1) UNCITRAL SchO vorzunehmen. Diese von der Ernennenden Stelle bzw dem Generalsekretär des PCA getroffene **Anpassung** ist für das Schiedsgericht bindend. Wenn der Schiedsspruch einschließlich der ursprünglichen Kostenentscheidung im Zeitpunkt der Anpassung durch die Ernennende Stelle bzw den Generalsekretär des PCA bereits erlassen wurde, hat das Schiedsgericht eine Korrektur des Schiedsspruchs gem Art 38(3) UNCITRAL SchO vorzunehmen. Bei potentiell umstrittenen Kostenentscheidungen ist es also empfehlenswert, wenn das Schiedsgericht vor Erlassung der Kostenentscheidung seine Berechnungsgrundlage an die Parteien übermittelt. Es ist hervorzuheben, dass das **Überprüfungsrecht** der Ernennende Stelle bzw des Generalsekretärs des PCA sich nur auf das Honorar und die Auslagen der SchiedsrichterInnen bezieht (also gem Art 40(2) lit a und b UNCITRAL SchO), nicht aber auf die sonstigen in Art 40 UNCITRAL SchO genannten Kostenbestandteile. Diese Überprüfungsmöglichkeit, die rund zwei Monate in Anspruch nehmen kann, sollten die Parteien berücksichtigen.

295 Die UNCITRAL SchO sieht wie die meisten institutionellen Schiedsordnungen und nationalen Schiedsgesetze vor, dass eine **Auslegung** (Art 37), eine **Berichtigung** (Art 38) oder eine **Ergänzung** (Art 39) des Schiedsspruchs

---

240 Siehe oben Rn 264.
241 Siehe oben Rn 230 ff.

unter den dort genannten Voraussetzungen vorzunehmen ist. Die Antragsfrist beträgt in allen Fällen 30 Tage ab Zustellung des Schiedsspruchs. Alle drei Fälle setzen daher einen entsprechenden Antrag einer Partei voraus, nur bei der Korrektur kann auch das Schiedsgericht binnen 30 Tagen von sich aus tätig werden.

7. Musterschiedsklausel und Empfehlungen

Die UNCITRAL empfiehlt folgende Musterschiedsklausel: **296**

„Jede Streitigkeit, Meinungsverschiedenheit oder jeder Anspruch, die sich aus diesem Vertrag ergeben oder sich auf diesen Vertrag, seine Verletzung, seine Auflösung oder seine Nichtigkeit beziehen, sind durch ein Schiedsverfahren nach der UNCITRAL-Schiedsgerichtsordnung zu regeln."[242]

Darüber hinaus ist es empfehlenswert, folgende Zusätze zu vereinbaren:

„Die Ernennende Stelle ist [...]."

„Die Anzahl der SchiedsrichterInnen beträgt [...]."

„Der Ort des Schiedsverfahrens ist [...]."

„Die im Schiedsverfahren zu verwendende(n) Sprache(n) ist (sind) [...]."

Die UNCITRAL hat darüber hinaus *Recommendations to assist arbitral*   **297**
institutions and other interested bodies with regard to arbitration under the UNCITRAL Arbitration Rules herausgegeben, die sich primär an Institutionen wenden, die (i) die UNCITRAL SchO als institutionelle Schiedsordnung anwenden, (ii) Schiedsverfahren nach der UNCITRAL SchO administrieren oder auf andere Weise administrative Dienstleistungen anbieten oder (iii) als Ernennende Stelle iSd Art 6 UNCITRAL SchO fungieren.

Die UNCITRAL SchO ist ein ausgewogenes, wohldurchdachtes und   **298**
konsistentes Regelwerk, deren Heranziehung als Verfahrensordnung in den meisten *ad hoc* Verfahren durchaus zu empfehlen ist. In ihrer Version von 2010 (2013) entspricht sie dem heutigen internationalen Standard und überbrückt auch rechtskulturelle Unterschiede. Die Alternative bei *ad hoc* Verfahren ist oft gar keine Vereinbarung einer Verfahrensordnung, sodass das Schiedsgericht am Beginn des Verfahrens mit den Parteien die anzuwendenden Verfahrensregeln erst zu verhandeln und festzulegen hat. Dies kann bei kooperativen und erfahrenen Verfahrensparteien durchaus rasch erfolgen, kann aber auch im gegenteiligen Fall zu zeitlichen Verzögerungen führen und bei einem unerfahrenen Schiedsgericht auch zu Lücken in den anzuwendenden Verfahrensregeln. Freilich, die so wesentlichen Fragen der Honorierung der SchiedsrichterInnen muss auch bei einem Schiedsverfahren nach der UNCITRAL SchO zwischen den SchiedsrichterInnen und den Verfahrens

---

242 Übersetzung angelehnt an *Patocchi/Niedermaier* in Schütze, Schiedsgerichtsbarkeit[2] Kap XII, III. Empfohlene Musterschiedsklausel, Vor Rn 1.

parteien individuell vereinbart werden. Dem „Nachteil" eines *ad hoc* Verfahrens wird mit der „Ernennenden Stelle" versucht beizukommen, doch erweckt gerade dieses Institut oft den Eindruck, dass dessen Bestimmung und Einschaltung zu Verzögerungen des Verfahrens führen können. Alles in allem gibt es zur UNCITRAL SchO keine bekannte und empfehlenswerte Alternative, wollen die Parteien auf eine vollständige Verfahrensordnung für ein *ad hoc* Verfahren zurückgreifen.

C. Vor- und Nachteile von *ad hoc* Schiedsverfahren

1. Vorteile

299 **Keine Verwaltungsgebühren für die Institution**: Gerade bei niedrigeren Streitwerten kann es vorteilhaft sein, keine Verwaltungsgebühr für die Schiedsinstitution entrichten zu müssen. Bei größeren Streitwerten fällt die Verwaltungsgebühr im Vergleich zum Honorar des Schiedsgerichts und insbesondere zu den Parteienvertretungskosten kaum ins Gewicht, sodass dieser Aspekt nicht maßgeblich sein sollte, ob sich Parteien für ein *ad hoc* Verfahren oder ein institutionelles Verfahren entscheiden. Es ist jedoch zu beachten, dass das Fehlen einer administrierenden Institution und somit der Wegfall der Verwaltungsgebühr regelmäßig mit einem erhöhten Administrativaufwand für die Vorsitzende/den Vorsitzenden des Schiedsgerichts einhergeht, so dass diese/dieser womöglich erst recht eine zusätzliche Honorierung für diese Tätigkeiten verlangen könnte.

300 **Keine administrativen Hemmnisse für die Entscheidungen des Schiedsgerichts**: Institutionelle Verfahren bringen es mit sich, dass die Schiedsklage zuerst bei der Schiedsinstitution einzubringen ist. Diese führt üblicherweise eine *prima facie* Prüfung dahingehend durch, ob eine gültige Schiedsvereinbarung vorliegt. Auch wenn Schiedsinstitutionen naturgemäß eine liberale Haltung bei dieser Prüfung an den Tag legen, liegt darin oftmals schon eine erste Hürde. In *ad hoc* Verfahren würde das Schiedsgericht unmittelbar die Frage seiner eigenen Zuständigkeit prüfen. Ähnliches gilt für die Ausdehnung von Schiedsklagen oder die Einbringung von Widerklagen und Aufrechnungseinreden. Schiedsinstitutionen machen die Zulässigkeit dieser prozessualen Rechtsverfolgungs- oder -Verteidigungsmittel regelmäßig von der Zahlung eines Kostenvorschusses abhängig. Solche administrativen Entscheidungen können aber mit den materiell-rechtlichen Rechtswirkungen kollidieren (zB wenn nach dem anwendbaren Recht die Aufrechnungseinrede „unmittelbar" wirkt und eine „administrative" Zulassung keine rechtliche Relevanz hat).

301 **Zeitersparnis**: Diese wirkt sich am ehesten am Beginn des Verfahrens aus, wenn das Verfahren überhaupt erst eingeleitet, das Schiedsgericht bestellt, der Kostenvorschuss eingefordert werden muss etc, sowie am Ende des Verfahrens, wenn der Schiedsspruch erlassen und zugestellt wird. Am markantesten zeigt sich der Vergleich mit einem Schiedsverfahren nach der ICC SchO, weil dort am Beginn die Abfassung und Unterzeichnung bzw Genehmigung des Schiedsauftrags[243] sowie am Ende des Verfahrens die Prüfung des Schiedsspruchs durch den Schiedsgerichtshof[244] zwingend zu erfolgen hat.

Größere Vertraulichkeit: Gerade bei Streitigkeiten unter GesellschafterInnen iwS sind die Parteien oftmals bestrebt, die Tatsache, dass überhaupt ein (Schieds-)Verfahren stattfindet sowie den Inhalt des Verfahrens so umfassend wie möglich vertraulich zu halten. Handelt es sich um ein institutionelles Verfahren, sind normalerweise die zuständigen Mitglieder des Sekretariats sowie auch die Mitglieder des Entscheidungsgremiums (ICC: Gerichtshof, DIS: Ernennungsausschuss, VIAC: Präsidium, Swiss Rules: Gerichtshof) in den jeweiligen Fällen involviert. **302**

Flexibilität: Schiedsverfahrensparteien können in *ad hoc* Verfahren alle verfahrensrelevanten Aspekte maßgeschneidert nach ihren Bedürfnissen bestimmen, so sie sich darauf einigen können. In institutionellen Verfahren sind einzelne Aspekte insofern zwingend, als die Parteien nicht davon abweichen dürfen, wenn sie die Führung des Verfahrens durch die jeweilige Institution wünschen. Dies betrifft insb die Honorierung des Schiedsgerichts, weil nach den hier relevanten Schiedsordnungen eine niedrigere Honorierung nicht zulässig ist und auch eine höhere Honorierung zwar nicht verhindert werden kann, aber jedenfalls von der Institution nicht gewünscht ist. Bspw ist bei einem ICC-Schiedsverfahren die Prüfung des Schiedsspruchs durch den Gerichtshof ebenso ein zwingendes Erfordernis, von dem die Parteien selbst durch Vereinbarung nicht abweichen dürfen.[245] **303**

2. Nachteile

Risiko des Deadlocks: Gerade wenn die Parteien keine Verfahrensordnung wie jene der UNCITRAL SchO vereinbart haben, kann die Einleitung und Fortführung eines Schiedsverfahrens bei einer nicht kooperativen oder gar nicht-teilnehmenden Gegenpartei und/oder bei einem unerfahrenen Schiedsgericht zu erheblichen Verzögerungen und im schlimmsten Fall auch zu einem Deadlock führen, der das Schiedsverfahren *de facto* unmöglich macht. **304**

Verhandlung über das Schiedsrichterhonorar: Manche Parteien empfinden es als unangenehm, am Beginn des Schiedsverfahrens mit den benannten bzw bestellten Mitgliedern des Schiedsgerichts über deren Honorar verhandeln zu müssen, sofern nicht schon in der Schiedsvereinbarung eine Regelung **305**

---

243 Art 23 ICC SchO.
244 Art 34 ICC SchO.
245 *Fry/Greenberg/Mazza*, ICC Arbitration Rn 3-1183.

darüber getroffen wurde, was eher der Ausnahmefall ist. Selbstverständlich wollen die Parteien die Mitglieder des Schiedsgerichts nicht bereits am Beginn des Verfahrens insofern vergraulen, als sie auf einer Honorierung bestehen, die den Mitgliedern als zu niedrig erscheint. Diese Situation kann vermieden werden, wenn bereits in der Schiedsvereinbarung eine Bestimmung über die Honorierung aufgenommen wird, bspw durch Verweis auf die Gebührenordnung einer Schiedsinstitution oder durch eine andere klare Regelung.

306   **Keine begleitende Kontrolle durch Schiedsinstitution:** Es entspricht gängiger Praxis nahezu jeder Schiedsinstitution, dass sich Verfahrensparteien an die Schiedsinstitution wenden können und sollen, wenn verfahrensrechtliche Probleme auftauchen, die auch zu Konflikten mit dem Schiedsgericht führen können. Regelmäßig werden sich Parteien an die Institution wenden, wenn die Erlassung einer bestimmten Prozessleitenden Verfügung (zB wenn eine einstweilige Maßnahme beantragt wurde) oder überhaupt eines Schiedsspruchs auf sich warten lässt. Hier kann die Institution oftmals mit mehr oder weniger sanftem Druck auf das Schiedsgericht einwirken.[246] Die begleitende Kontrolle kann sich auch auf die finanziellen Aspekte eines Schiedsverfahrens beziehen. Wenn in einem *ad hoc* Verfahren bspw eine Honorartabelle auf Basis des Streitwerts vereinbart wurde, aber nicht auf alle prozessualen Eventualitäten Bedacht genommen wurde, ist eine Schiedsinstitution oftmals in der besseren, weil neutralen Lage, Entscheidungen über die Höhe des Honorars der Mitglieder des Schiedsgerichts zu treffen (zB wenn sich die Parteien – allenfalls vor oder nach einer mündlichen Verhandlung – vergleichen, wenn aufgrund einer erfolgreichen Ablehnung, Rücktritts oder Ableben einer Schiedsrichterin/eines Schiedsrichters mehrere SchiedsrichterInnen für unterschiedliche Leistungen zu honorieren sind, wenn entgegen der ursprünglichen Annahme der Fall viel komplexer ist oder Verfahrensparteien hinzutreten etc).

307   **Kompetenz einer Schiedsinstitution bzw Ernennenden Stelle versus Kompetenz des staatlichen Gerichts am Sitz des Schiedsgerichts:** Haben die Parteien ein *ad hoc* Verfahren vereinbart, aber weder eine Schiedsinstitution noch eine Ernennende Stelle als Entscheidungsinstanz für bestimmte Verfahrensfragen bestimmt, ist nach den hier relevanten Schiedsgesetzen stets das Gericht am Sitz des Schiedsgerichts für solche Fragen zuständig. Ohne eine grundsätzliche Wertung vornehmen zu wollen und zu können, stellt sich dennoch die Frage, ob das staatliche Gericht genauso viel Expertise in rechtlichen wie praktischen Aspekten des internationalen Schiedsverfahrensrechts aufweist und diese Expertise auch möglichst effizient umzusetzen weiß.

---

246 In ICC-Verfahren kann die übermäßige Dauer zur Erlassung des Schiedsspruchs auch eine Kürzung des Schiedsrichterhonorars zur Folge haben; siehe *Fry/Greenberg/Mazza*, ICC Arbitration Rn 3–1455.

II. Institutionelle Schiedsgerichtsbarkeit

A. Allgemeines[247]

Friederike Schäfer

1. Einführung

Institutionelle Schiedsverfahren sind dadurch geprägt, dass sie neben den **308** Parteien und dem Schiedsgericht einen dritten Akteur vorsehen: die Schiedsinstitution. Diese ist Dienstleister, der einen bestimmten Service anbietet,[248] nämlich bestimmte Aufgaben bei der Verwaltung von Schiedsverfahren zu übernehmen, die andernfalls von den Parteien, den Mitgliedern des Schiedsgerichts oder auch von staatlichen Gerichten übernommen werden müssen.[249] Voraussetzung für die Einbeziehung dieses dritten Akteurs in das Schiedsverfahren ist stets eine Parteivereinbarung. Die Entscheidung für das Einschalten einer Schiedsinstitution treffen die Parteien idR bereits in der Schiedsvereinbarung, indem sie vorsehen, dass allfällige Streitigkeiten nach den Schiedsregeln einer bestimmten Schiedsinstitution beizulegen sind. Sie können sich allerdings auch noch nach Entstehen auf die Anwendbarkeit institutioneller Schiedsregeln und damit idR auf die Verwaltung des Verfahrens durch die jeweilige Schiedsinstitution einigen.[250]

Der Kern der institutionellen Schiedsgerichtsbarkeit ist die Symbiose **309** von Erfahrungen der Schiedsinstitution aus vergangener Tätigkeit und die Weitsicht für zukünftige Fälle, welche sich in den Schiedsordnungen und der verwaltenden Tätigkeit der Schiedsinstitution niederschlägt.[251] Im Folgenden werden die Aufgaben der Schiedsinstitutionen, ihre Vorteile sowie auch die an ihnen geäußerte Kritik behandelt. Daneben werden einige Fragen gesondert angesprochen: die Rechtsbeziehungen zwischen den Beteiligten im

---

247 Die Autorin dankt Frau ref. iur. Ilka Beimel, wissenschaftliche Mitarbeiterin am Lehrstuhl von Prof. Dr. Schwenzer, LL.M. (Berkeley) für ihre wertvolle Unterstützung bei der Erstellung des Beitrags.

248 *Schläpfer* in Geisinger/Voser, Arbitration in Switzerland[2] 19; *Nacimiento*, ZUM 2004, 785 ff.

249 Siehe oben *Wong* Rn 220 ff.

250 Dies geschieht in solchen Fällen recht häufig, in denen der Verweis auf bestimmte institutionelle Schiedsregeln in der Schiedsvereinbarung nicht eindeutig ist, die Klägerin die Schiedsklage bei einer der theoretisch in Frage kommenden Schiedsinstitutionen einreicht und die Beklagte sich entweder einverstanden erklärt oder auf das Verfahren einlässt.

251 *Born* streicht es als eine der Besonderheiten von Schiedsordnungen heraus, dass diese bisherige Erfahrungen und zukünftige Erwartungen potenzieller Nutzer verbinden; *Born*, Commercial Arbitration[2] 395.

institutionellen Verfahren, die Bedeutung der Parteiautonomie und was bei der Wahl einer Schiedsinstitution zu beachten ist.

2. Aufgaben einer Schiedsinstitution

a) Verwaltung und Organisation des Verfahrens

310 Institutionelle Verfahren sind „verwaltete Schiedsverfahren". Was darunter im Einzelnen zu verstehen ist, hängt von der jeweiligen Schiedsinstitution und ihrer Schiedsordnung ab. Es lassen sich aber einige Gemeinsamkeiten herausarbeiten. Im Allgemeinen werden als **Aufgaben der Schiedsinstitutionen** typischerweise genannt: die Kontrolle der Anwendung und Einhaltung der eigenen Schiedsordnung, Hilfestellung bei der Bildung des Schiedsgerichts (insb Entscheidungen bzgl der Anzahl, Bestätigung, Ernennung – im Fall, dass die Parteien sich nicht einigen können – und Ersetzung), die Entscheidung über Verlängerung bestimmter Fristen und gegebenenfalls die Verwaltung von und Entscheidung über die Honorare der Mitglieder des Schiedsgerichts.[252] Inwieweit diese und weitere verwaltende und organisatorische Aufgaben der Institution jeweils reichen, hängt von den jeweiligen Schiedsordnungen ab, deren Geltung wiederum auch von dem jeweiligen Schiedsrecht am Schiedsort abhängt (*lex arbitri*).[253] Die Streitlösung selbst gehört nicht zu den Aufgaben der Institution.[254]

311 In der Regel sind der Beginn und das Ende eines Verfahrens diejenigen Phasen, in denen die Schiedsinstitution besonders involviert ist. Zu Beginn des Verfahrens kann die Schiedsinstitution ua die Zustellung der Schiedsklage an den Schiedsbeklagten übernehmen,[255] das Vorhandensein einer Vereinbarung über den Schiedsort, die Verfahrenssprache und die Zusammensetzung des Schiedsgerichts überprüfen[256] und die Parteien über die Möglichkeiten der Verfahrensgestaltung informieren.[257] Nach der Zustellung der Schiedsklage

---

252 *Born*, Commercial Arbitration[2] 171; *Emanuele/Molfa*, International Arbitration: Italian Perspective 86 f;

253 *Emanuele/Molfa*, International Arbitration: Italian Perspective 86.

254 *Emanuele/Molfa* International Arbitration: Italian Perspective 85; *Nacimiento*, ZUM 2004, 785.

255 *Redfern/Hunter*, International Arbitration[6] Rn 1.69, *Gerbay*, Functions of Arbitral Institutions 60; wobei die Schiedsklägerin die Institution im Zweifel unterstützen muss, wenn zB die Schiedsklage wegen falscher oder fehlender Adresse nicht zugestellt werden kann.

256 Die Festlegung dieser Punkte kann entweder der Institution oder dem Schiedsgericht zugeschrieben werden; *Gerbay*, Functions of Arbitral Institutions 63 ff.

257 ZB die Möglichkeiten zur Zusammenlegung mehrere Verfahren oder der Einbeziehung einer zusätzlichen Partei, wobei die Entscheidung der Durchführung diesbezüglich idR bei der Institution liegt; *Gerbay*, Functions of Arbitral Institutions 73 ff.

leitet die Institution idR die Konstituierung des Schiedsgerichts ein. Die Parteien können die Zusammensetzung des Schiedsgerichts in der Schiedsvereinbarung vor Beginn oder nach Beginn des Verfahrens (*subsequent agreement*) bestimmen. Einigen die Parteien sich weder vor noch nach Beginn des Verfahrens, sehen die jeweiligen Schiedsordnungen oft einen Mechanismus zur Bestimmung der Anzahl und, wenn nötig, der konkreten Besetzung des Schiedsgerichts vor.[258]

Die typischen Handlungen und Aufgaben, die die jeweiligen Schiedsinstitutionen im weiteren Verlauf des Verfahrens und dessen Ende übernehmen, haben je nach Schiedsinstitution eine größere Bandbreite. Während des Schiedsverfahrens können Fragen der Unparteilichkeit und Unabhängigkeit von Mitgliedern des Schiedsgerichts auftreten (oder den Parteien erst dann bekannt werden), sodass eine Partei ein Mitglied des Schiedsgerichts oder das ganze Schiedsgericht austauschen möchte. Je nach anwendbarer Schiedsordnung können die Institutionen hierbei eine Rolle spielen. Eine besonders starke Rolle spielen beispielsweise der ICC Schiedsgerichtshof und der LCIA in dieser Situation, die die Entscheidung zur Ersetzung bzw Ablehnung eines Mitglieds des Schiedsgerichts bindend treffen.[259] **312**

Ebenfalls sehr unterschiedlich gestaltet sich die Rolle der einzelnen Institutionen am Ende des Verfahrens. Einige Institutionen behalten sich das Recht vor, einen Entwurf des Schiedsspruchs vor Erlass zu prüfen.[260] Daneben können am Ende des Verfahrens spezielle Regeln zu Kosten und Honoraren greifen.[261] **313**

Neben der Frage wann eine Institution handeln kann, ist zu klären, was die Schiedsordnung einer Schiedsinstitution regeln kann. Es gibt einige Schiedsordnungen, die der Institution die Kompetenz für bindende und weitreichende Entscheidungen, in seltenen Fällen auch entgegen einer anderslautenden Vereinbarung der Parteien zuweisen.[262] Auch in der Regelungsdichte unterscheiden sich die Schiedsordnungen. Allgemein lässt sich zum Regelungsgehalt **314**

---

258 Einige Schiedsordnungen geben auch eine besondere Hilfestellung bei der Ernennung des Schiedsgerichts, indem sie Listen mit Namen veröffentlichen oder Vorschläge unterbreiten.

259 Der Vorteil einer solchen Regelung ist, dass nicht das ansonsten zuständige Schiedsgericht hierüber entscheiden muss, sondern eine neutrale Institution. Deren Entscheidung ist aber gegebenenfalls gerichtlich überprüfbar; vgl (§ 1037 Abs 3 dZPO, § 589 Abs 3 öZPO).

260 Bspw der ICC Schiedsgerichtshof, siehe dazu weiter unten.

261 Bspw die Praxis des ICC Schiedsgerichtshofs, Honorare und eigene Verfahrensgebühren zu kürzen, wenn eine Bewertung der Arbeit des Schiedsgerichts und der Institution am Ende diese Kürzung notwendig erscheinen lässt; siehe *Fry/Greenberg/Mazza*, ICC Arbitration Rn 3–1455.

262 Der ICC Schiedsgerichtshof würde bspw eine Parteivereinbarung, wonach die Überprüfung des Schiedsspruchs durch den ICC Schiedsgerichtshof abbedungen wird,

von Schiedsordnungen sagen, dass sie nicht ein staatliches Prozessrecht wie die öZPO, schwZPO, schwIPRG oder dZPO ersetzen können oder das anstreben.[263] Sie konzentrieren sich zumeist darauf, die Rolle der Institution im Zusammenspiel mit den Parteien und dem Schiedsgericht zu regeln und einen Rahmen für die Verfahrensführung selbst vorzugeben, der von Parteien und dem Schiedsgericht ausgefüllt werden muss,[264] dabei aber eben auch die für Schiedsverfahren typische Flexibilität in der Verfahrensgestaltung gewährleistet.

315   Trotz Unterschieden im Inhalt der konkreten Aufgaben und der Art und Weise der Durchführung, lassen sich gewisse Aufgaben benennen, die bei jedem Schiedsverfahren zu übernehmen sind und deren Übernahme durch die Schiedsinstitution anstelle des Schiedsgerichts oder einer Verwaltungssekretärin oder eines Verwaltungssekretärs gerade den Mehrwert eines intentionellen Verfahrens ausmacht.

b) Einzelne Aufgaben

(1) Logistik

316   Die Institution übernimmt idR die logistischen Aufgaben, die während des Verfahrens anfallen.[265] Insb internationale Verfahren haben oftmals einen erhöhten logistischen Aufwand.[266] Davon umfasst sind ua die Zustellungen jeglicher Dokumente,[267] bei Bedarf die Organisation einer Verhandlung (oder gewisser Räume) und die mit einer Verhandlung verbundene Organisation einer Unterkunft und ggf die Vermittlung von Übersetzern und Sachverständigen.[268] Schließlich sind die Schiedsinstitutionen oft allgemein Ansprechpartner für Parteien und SchiedsrichterInnen bei prozessualen und organisatorischen Fragen.

(2) Mitwirkung bei der Konstituierung des Schiedsgerichts

317   Ein wesentlicher Vorteil von institutionellen Schiedsordnungen ist es, dass sie bei der Konstituierung des Schiedsgerichts Hilfestellung leisten. So ent-

---

nicht anerkennen bzw das Verfahren unter dieser Bedingung nicht verwalten; siehe *Fry/Greenberg/Mazza*, ICC Arbitration Rn 3–1183.

263 *Nacimiento*, ZUM 2004, 787; obwohl in der Lit und Rechtsprechung teilweise von „parteilich vereinbartem Prozessrecht" die Rede ist; *Born*, Commercial Arbitration[2] 1388.

264 *Nacimiento*, ZUM 2004, 787.

265 *Gerbay*, Functions of Arbitral Institutions 35.

266 *Schläpfer* in Geisinger/Voser, Arbitration in Switzerland[2] 15.

267 Die nicht-erfolgte Zustellung ist ein Grund, den Schiedsspruch nach Art V 1(b) NYÜ nicht zu vollstrecken oder anzuerkennen.

268 *Gerbay*, Functions of Arbitral Institutions 84 ff.

halten die meisten Schiedsordnungen Regeln für den Fall, dass die Parteien sich weder in der Schiedsvereinbarung noch nachträglich auf die Anzahl der Mitglieder des Schiedsgerichts geeinigt haben. Einige Schiedsordnungen regeln die Anzahl für solche Fälle,[269] andere sehen vor, dass dann die Schiedsinstitution die Anzahl festlegt.[270] Dies gewährleistet eine einzelfallgerechte Entscheidung, auch wenn die Parteien sich zu diesem Zeitpunkt bereits nicht mehr auf Verfahrensfragen verständigen können.

318 Sollten sich die Parteien nicht auf die konkrete Besetzung des Schiedsgerichts einigen können, übernimmt es die Schiedsinstitution, Personen zu finden und benennt diese. Das gilt sowohl für EinzelschiedsrichterInnen als auch für MitschiedsrichterInnen, falls eine Partei eine Benennung versäumt, und die Vorsitzende oder den Vorsitzenden des Schiedsgerichts. Auch wenn Ernennungen durch Schiedsinstitutionen und dabei allenfalls berücksichtigte Kriterien häufig kritisiert werden und die Mehrheit der Mitglieder von Schiedsgerichten von den Parteien benannt wird,[271] ist doch die Ernennung von Mitgliedern durch das Schiedsgericht in der Regeln die deutlich schnellere und berechenbarere Alternative als die Ersatzbestellung durch staatliche Gerichte, wie sie in *ad hoc* Verfahren notwendig werden kann.

319 Viele Schiedsordnungen geben einen eigenen Maßstab für die Unabhängigkeit und Unparteilichkeit der Mitglieder des Schiedsgerichts vor,[272] mit dem sich die Kandidatinnen und Kandidaten für ein Schiedsrichteramt einverstanden erklären müssen, um nach den jeweiligen Schiedsordnungen tätig zu werden. Einige Schiedsinstitutionen fordern die jeweiligen Kandidaten auch auf, ihre Verfügbarkeit zu bestätigen. Der Großteil der Schiedsordnungen[273] sieht vor, dass die Schiedsinstitution bzw eine ihrer Einrichtungen – und nicht, wie bspw nach der entsprechenden Regelung des UNCITRAL Modellgesetzes das Schiedsgericht selbst – über Befangenheitsanträge der Parteien wegen behaupteter fehlender Unabhängigkeit oder wegen Parteilichkeit entscheidet.

320 Kann aber eine Schiedsordnung überhaupt den Maßstab für die Unabhängigkeit und Unparteilichkeit für Mitglieder des Schiedsgerichts wirksam festlegen? Dafür spricht, dass die Schiedsordnung das von den Parteien vereinbarte anwendbare Prozessrecht ist[274] und die Schiedsinstitution bei der Entscheidung über Befangenheitsanträge ihren eigenen Maßstab anwenden

---

269 § 3 DIS SchO.
270 Art 12 ICC SchO; Art 17(2) Wiener Regeln.
271 Im Jahr 2015 wurden in ICC Schiedsverfahren ca 29% aller Mitglieder der Schiedsgerichte von der Institution ernannt.
272 *Born*, Commercial Arbitration² 1761.
273 Nicht so die DIS SchO.
274 Mit diesem Argument könnte auch ein Verzicht der Parteien konstruiert werden, dass sie mit der Wahl einer Schiedsordnung auf die Anfechtung einer bindenden Entscheidung der Institution verzichten; *Born*, Commercial Arbitration² 3602.

kann. Allerdings wird sich ein staatliches Gericht in einem allfälligen Aufhebungsverfahren oder im Verfahren für die Anerkennung und Vollstreckung von Schiedssprüchen bei der Anwendung des Art V NYÜ nicht notwendigerweise an den von der Schiedsordnung vorgegeben Maßstab gebunden fühlen. Zumindest gem Art 13(3) UNCITRAL Modellgesetz ist die Entscheidung der Schiedsinstitution über einen Befangenheitsantrag auch unmittelbar überprüfbar.[275] Im Ergebnis gibt es also trotz entsprechenden Vorschriften in vielen Schiedsordnungen und auch sonstigen internationalen Vereinheitlichungsbemühungen[276] keinen einheitlichen, objektivierten Standard für die Unabhängigkeit und Unparteilichkeit.[277]

321   Nach einem erfolgreichen Ablehnungsverfahren oder dem Rücktritt des betroffenen Mitglieds des Schiedsgerichts wirkt, wie bei der Konstituierung des Schiedsgerichts, die Schiedsinstitution bei der Nachbesetzung mit.

(3) Allgemeine Aufgaben im laufenden Verfahren

322   Viele Institutionen verstehen sich als Dienstleister, der allgemein bei der Durchführung des Verfahrens Unterstützung leistet. Dies umfasst die erwähnten logistischen Dienstleistungen und reicht darüber hinaus von prozessualen Hilfestellungen bis zur Entscheidung wichtiger prozessualer Fragen.

323   Eine prozessuale Hilfestellung bieten viele Schiedsinstitutionen, in dem sie die Parteien bei unklaren Regelungen in der Schiedsvereinbarung gezielt befragen und so häufig eine nachträgliche Einigung der Parteien auf bestimmte Punkte erleichtern. Weiter weisen in bestimmten Fällen Schiedsinstitutionen auch auf die Notwendigkeit bestimmter (fehlender) Angaben in einer Schiedsklage, bzw -widerklage hin, laden KandidatInnen für ein Schiedsrichteramt ein, die erforderlichen Erklärungen abzugeben und zirkulieren diese etc.

324   Prozessuale Entscheidungen reichen von der Verlängerung von in der jeweiligen Schiedsordnung vorgesehenen Fristen bis zu für das Verfahren sehr tiefgreifenden prozessualen Entscheidungen, wie der Festlegung des Schiedsorts,[278] der dann über die *lex arbitri* entscheidet. Oben bereits erwähnt wurden Entscheidungen in Zusammenhang mit der Konstituierung des Schiedsgerichts. Häufig haben die Schiedsinstitutionen auch die Kompetenz, über die Zusammenlegung von Verfahren (*consolidation*) zu entscheiden.[279] Wenigen Schiedsordnungen eigen ist die Kompetenz der Schiedsinstitution, darüber zu entscheiden, ob schon *prima facie* keine

---

275 So auch umgesetzt bspw in Deutschland und Österreich.
276 IBA Guidelines (Conflict of Interest).
277 *Born*, Commercial Arbitration² 3603.
278 ZB Art 18(1) ICC SchO.
279 *Gerbay*, Functions of Arbitral Institutions 73 ff; *Emanuele/Molfa*, International Arbitration: Italian Perspective 87.

entsprechende Schiedsvereinbarung besteht und das Schiedsverfahren deshalb insgesamt oder hinsichtlich bestimmter Ansprüche oder Parteien nicht weitergeführt wird.[280]

Solche Hilfestellungen und prozessualen Entscheidungen dienen grundsätzlich der Effizienz des Verfahrens und der Wahrung grundlegender verfahrensrechtlicher Prinzipien (*due process*).[281] Die Arbeit einer Schiedsinstitution trägt damit einerseits dazu bei, die Integrität des Verfahrens zu wahren, andererseits Blockaden oder sonstige Verzögerungen zu vermeiden, die bspw entstehen würden, wenn sich die Parteien zur Herbeiführung bestimmter Entscheidungen in einem *ad hoc* Verfahren an staatliche Gerichte wenden müssten. **325**

c) Finanzielle Aspekte des Verfahrens

Eine wichtige Aufgabe der meisten Schiedsinstitutionen ist die Verwaltung von Kostenvorschüssen für die Kosten des Schiedsverfahrens sowie die Festsetzung der Honorare der Mitglieder des Schiedsgerichts am Ende des Verfahrens.[282] Viele Institutionen legen nicht nur die Honorare der Mitglieder des Schiedsgerichts fest, sondern auch ihre eigenen Verwaltungskosten (in der Regel anhand von Gebührentabellen). Naturgemäß ist die Höhe der Kosten der jeweiligen Schiedsinstitution ein wichtiges Unterscheidungsmerkmal im Wettbewerb der zahlreichen Schiedsinstitutionen.[283] **326**

Ein wesentlicher Vorteil der Überwachung der finanziellen Aspekte des Verfahrens durch die Schiedsinstitution ist, dass hinsichtlich der Honorare der Mitglieder des Schiedsgerichts keine Missverständnisse oder Konflikte zwischen den Parteien und dem Schiedsgericht entstehen.[284] Vielmehr kann sich das Schiedsgericht auf die rechtliche Auseinandersetzung mit dem Fall, konzentrieren und wahrt eine gewisse Distanz, indem es nicht, wie in *ad hoc* Verfahren, über die Höhe der Honorare mit den Parteien verhandeln muss, bevor die Arbeit des Schiedsgerichts überhaupt erst beginnt. **327**

d) Gewährleistung der Vollstreckbarkeit des Schiedsspruchs?

Gehört es auch zu den Aufgaben einer Institution, dass ein vollstreckbarer Schiedsspruch erlassen wird? Wie erwähnt, sehen einige Schiedsordnun- **328**

---

280 Art 6(4) ICC SchO; Art 12(i) SCC Regeln.

281 *Schläpfer/Paralika*, BCDR International Arbitration Review 2015, 330 f.

282 *Gerbay*, Functions of Arbitral Institutions 86 f; *Emanuele/Molfa*, International Arbitration: Italian Perspective 87; einige Schiedsordnungen sehen allerdings auch vor, dass das Schiedsgericht die Kosten einschließlich der Schiedsrichterhonorare festsetzt.

283 *Gerbay*, Functions of Arbitral Institutions 87.

284 *Gerbay*, Functions of Arbitral Institutions 38.

gen explizit die Überprüfung eines Entwurfs des Schiedsspruchs vor, bevor der Schiedsspruch erlassen wird. Allerdings ist der Schluss aus solchen Bestimmungen auf Aufgabe bzw Verpflichtung der Schiedsinstitution, dass ein vollstreckbarer Schiedsspruch erlassen wird, wohl kaum zu rechtfertigen.[285] Eine Aufgabe der Schiedsinstitution, bzw eine Pflicht aus ihrem Vertrag mit den Parteien,[286] kann es sein, auf die Wahrung der Integrität des Verfahrens und damit auf den Erlass eines vollstreckbaren Schiedsspruchs hinzuwirken. Eine Erfolgspflicht lässt sich aber daraus wohl nicht ableiten. Dies entspricht nicht der Rolle der Schiedsinstitution im Verfahren, in dem sie nur einige, bestimmte prozessuale Entscheidungen trifft und im Übrigen die Regelung prozessualer Fragen und vor allem die Entscheidung über den Streitgegenstand dem Schiedsgericht überlässt.

3. Rechtsverhältnisse im institutionellen Schiedsverfahren

a) Überblick

329 Ein besonderes Problem des institutionellen Schiedsverfahrens gegenüber dem *ad hoc* Verfahren ist das Rechtsverhältnis der drei Akteure: Parteien, Schiedsgericht und Institution. Bei der Bestimmung dieser Rechtsverhältnisse ist nicht nur die jeweilige Schiedsordnung maßgeblich, sondern auch die *lex arbitri* und allgemeine Fragen des anwendbaren Vertragsrechts spielen eine Rolle. Vor dem Hintergrund dieser von Fall zu Fall sehr unterschiedlichen rechtlichen Grundlagen, soll hier nur auf einer abstrakten Ebene ein Überblick über die jeweiligen Rechtsverhältnisse und die damit zusammenhängenden Fragestellungen gegeben werden.

330 Grundsätzlich lassen sich vier Rechtsverhältnisse im Schiedsverfahren unterscheiden: das Rechtsverhältnis zwischen den Parteien, das zwischen den Parteien und dem Schiedsgericht und diejenigen zwischen Schiedsinstitution und Parteien und Schiedsinstitution und dem Schiedsgericht. Die Institution wirkt auf die ersten beiden genannten Rechtsverhältnisse zwar durch die Regelungen in ihrer Schiedsordnung ein,[287] ist aber nicht Partei dieser Rechtsverhältnisse. Partei ist sie naturgemäß in ihrem Rechtsverhältnis zu den Parteien und zum Schiedsgericht, die beide hier näher betrachtet werden:

---

285 Wohl bejahend *Bühring-Uhle*, Arbitration and Mediation 36.
286 *Born*, Commercial Arbitration² 2140; *Schläpfer/Paralika*, BCDR International Arbitration Review 2015, 336.
287 *Born*, Commercial Arbitration² 1984.

b) Rechtsverhältnis zwischen Schiedsinstitution und Parteien des Schiedsverfahrens

In diesem Rechtsverhältnis ist das Schiedsgericht nicht involviert.[288] Un- **331** umstritten ist, dass die Verfahrensparteien und die Schiedsinstitution einen Vertrag miteinander abschließen, wenn ein Verfahren unter der Schiedsordnung einer Schiedsinstitution, und damit unter ihrer Verwaltung, von den Verfahrensparteien geführt wird.[289] Umstritten ist aber der Zeitpunkt des Vertragsschlusses und insbesondere die Rechte und Pflichten der Beteiligten.

Hinsichtlich des Vertragsschlusses[290] bestehen folgende Möglichkeiten: **332** Die Institution macht durch Veröffentlichung ihrer Schiedsordnung ein An- **333** gebot zum Vertragsabschluss. Dieses Angebot wird von den jeweiligen Parteien dadurch angenommen, dass sie in ihrer Schiedsvereinbarung vorsehen, dass ein allfälliger Konflikt nach der Schiedsordnung der jeweiligen Schiedsinstitution zu lösen ist.[291] Problematisch ist hier, dass die Schiedsinstitution die konkrete Schiedsvereinbarung nicht kennt und damit nicht weiß, ob sie das Verfahren verwalten kann bzw will.[292]

Dagegen könnte der Vertragsschluss auch so vonstatten gehen, dass die- **334** ser erst dann stattfindet, wenn die Schiedsklägerin ihre Schiedsklage bei der Schiedsinstitution einreicht und die Schiedsinstitution die Schiedsklage zur Verwaltung annimmt.[293] Auf diese Weise kann unter Umständen das Problem der nicht durchführbaren Schiedsklausel vermieden werden. Allerdings gibt diese Sichtweise bspw keine Antwort auf die Frage, wie die in bestimmten Schiedsordnungen vorgesehenen Möglichkeiten, das Verfahren nicht weiterzuführen, wenn prima facie keine gültige Schiedsvereinbarung vorliegt, einzuordnen ist.

Der Inhalt des Rechtsverhältnisses von Verfahrensparteien und Schieds- **335** institution, des sog **Schiedsorganisationsvertrags**, ist maßgeblich von der konkreten Schiedsordnung abhängig.[294] Dies gilt sowohl für die Verpflichtung

---

288 *Fouchard*, ICC Bulletin Special Supplement 1995, 12.

289 Paris Cour d'appel, 22.1.2009, XXXIV Y.B. Comm. Arb. 263 (2009); *Fouchard*, ICC Bulletin Special Supplement 1995, 13; ICC, Final Report on the Status of the Arbitrator, 7(1) ICC Court Bulletin 27, 29 (1996).

290 Bevor der Vertragsschluss analysiert werden kann, muss an sich das anwendbare Recht bestimmt werden. Dies ist ebenfalls höchst umstritten; *Schütze*, Institutional Arbitration 14.

291 *Schütze*, Institutional Arbitration 15 f; *Fouchard*, ICC Bulletin Special Supplement 1995, 12 ff.

292 *Schütze*, Institutional Arbitration 16, der die Offerte lediglich als nicht bindende *invitatio ad offerendum* bestimmt.

293 Dies wird zumeist konkludent durch Beginn der Verwaltung sein.

294 Und dem auf das Rechtsverhältnis anwendbaren Recht; *Schütze*, Institutional Arbitration 16; die Schiedsordnung kann zB das Rechtsverhältnis der Parteien bzgl des

der Parteien zur Entlohnung als auch für die Verpflichtung der Schiedsinstitution zur Erbringung von Betreuungsleistungen.[295] Der Schiedsorganisationsvertrag ist ein gemischttypischer Vertrag mit Geschäftsbesorgungs- und anderen Dienstleistungselementen.[296]

c) Rechtsverhältnis zwischen Schiedsinstitution und Mitgliedern des Schiedsgerichts

336 Die korrekte Beschreibung des Rechtsverhältnisses zwischen der Schiedsinstitution und dem Schiedsgericht ist noch umstrittener als jenes zwischen der Schiedsinstitution und den Verfahrensparteien.[297] Es ist klar, dass die Mitglieder des Schiedsgerichts keine Angestellten der Schiedsinstitution sind.[298] Das Verhältnis könnte als ein quasi-vertragliches qualifiziert werden, indem die Schiedsinstitution in das Vertragsverhältnis zwischen Schiedsgericht und Verfahrensparteien mit einbezogen wird.[299] Überzeugender ist aber, dass auch zwischen der Schiedsinstitution und den Mitgliedern des Schiedsgerichts ein vertragliches Verhältnis besteht, das beiden Seiten Rechte und Pflichten im Zusammenhang mit der Betreuung des Verfahrens auferlegt.[300]

337 Je nachdem ob ein vertragliches oder quasi-vertragliches Geschäftsverhältnis angenommen werden kann, ist eine weitere Frage, ob die Institution gegenüber einem Mitglied des Schiedsgerichts haftbar gemacht werden kann, ob das Schiedsgericht gegenüber der Institution haftbar sein kann und ob die Institution nach außen für das Schiedsgericht haften muss.[301] Zu dieser Frage ist zu sagen, dass die Mitglieder des Schiedsgerichts in einigen Staaten wie staatliche Richter einen Schutz durch Immunität genießen.[302]

338 Abgesehen von der Haftungsfrage ist die Bedeutung eines Vertragsverhältnisses zwischen Schiedsinstitution und Schiedsgericht allerdings eher

---

Honorars der Institution oder des Zeitplans des Verfahrens regeln, *Born*, Commercial Arbitration[2] 1984.

295 *Münch* in MünchKom ZPO[4] Vor § 1034 Rn 71.

296 *Fouchard*, ICC Bulletin Special Supplement 1995, 22, spricht von einer Mischung aus Dienstvertrag und Geschäftsbesorgungsvertrag (Auftrag); generell zur Einordnung als gemischttypisch bzw als Vertrag *sui generis*: *Münch* in MünchKom ZPO[4] Vor § 1034 Rn 70.

297 Auch hier ist das anwendbare Recht auf dieses Rechtsverhältnis höchst umstritten; *Born*, Commercial Arbitration[2] 2047.

298 *Born*, Commercial Arbitration[2] 170.

299 *Born*, Commercial Arbitration[2] 1984; *Wilke*, Prozessführung in administrierten internationalen Handelsschiedsverfahren 19 („*Kette aus Administrierungs- und Schiedsrichtervertrag*").

300 *Fouchard*, ICC Bulletin Special Supplement 1995, 12 ff.

301 ZB in Form der schon erwähnten *culpa in contrahendo*.

302 *Born*, Commercial Arbitration[2] 2035 ff.

gering.[303] Dieses Vertragsverhältnis hat keine Auswirkungen auf die Schieds-vereinbarung, den Schiedsrichtervertrag oder den Vertrag zwischen der Schiedsinstitution und den Parteien.[304] Jedwedes Vertragsverhältnis zwischen Schiedsinstitution und Schiedsgericht steht neben diesen anderen Vertragsverhältnissen.[305]

4. Parteiautonomie im institutionellen Schiedsverfahren

Eine weitere Besonderheit des institutionellen Schiedsverfahrens sind der Umgang mit und die Ausformungen der Parteiautonomie. Der Grundsatz der Parteiautonomie gilt allgemein im Schiedsverfahren und bewirkt, dass die Parteien über fast alle Aspekte des Schiedsverfahrens selbst entscheiden können.[306] Ein Schiedsverfahren kann ohne den Willen der Parteien, eine Schiedsverein-barung zu schließen, nicht stattfinden. Aus diesen Gründen gewähren Schieds-ordnungen den Parteien und dem Schiedsgericht idR einen weiten Spielraum.[307]   **339**

Parteiautonomie gilt im institutionellen Schiedsverfahren aber nicht un-eingeschränkt. Mit der Wahl einer Schiedsordnung unterwerfen sich die Par-teien bestimmten Vorschriften dieser Schiedsordnung.[308] Diese Einschränkung kann aber wohl nicht so weit gehen, dass die Wahl einer Schiedsordnung als Verzicht auf das Anfechtungsrecht bzgl Entscheidungen der Institution aus-gelegt wird.[309] Im Einzelnen kann es schwierig sein zu entscheiden, inwie-weit eine Einschränkung der Parteiautonomie durch Vorschriften in einer Schiedsordnung möglich ist. Die Antwort darauf kann je nach *lex arbitri* und staatlichem Gericht, das mit der Frage in einem Aufhebungs- oder Vollstreck-barkeitsverfahren befasst ist, unterschiedlich ausfallen.[310]   **340**

---

303 An Relevanz kann das vertragliche Verhältnis allerdings dann gewinnen, wenn der Schiedsinstitution bei der Bestimmung der Honorare der Mitglieder des Schieds-gerichts Ermessen zukommt und unterschiedliche Auffassungen über die Ausübung dieses Ermessens bestehen.

304 *Born*, Commercial Arbitration[2] 1985.

305 *Born*, Commercial Arbitration[2] 1986.

306 *Böckstiegel*, SchiedsVZ 2013, 1 ff.

307 Mit Ausnahme von zwingenden Vorschriften; *Böckstiegel*, SchiedsVZ 2013, 1 ff.

308 Eine Schiedsordnung kann auch dem Schiedsgericht die Ermächtigung geben, die Parteiautonomie prozessrechtlich einzuschränken; *Born*, Commercial Arbitration[2] 2149; aA im Fall einer Kollision von zwingenden Bestimmungen der Schiedsordnung und Parteivereinbarung *Lye/Tat*, GAR, 25.1.2013. Die Einschränkung wird aber eher selten der Fall sein, weil das Schiedsgericht mit den Parteien in der Praxis eher selten ganz unterschiedlicher Meinung sein wird; *Born*, Commercial Arbitration[2] 2153; *Böckstiegel*, SchiedsVZ 2013, 1 ff.

309 *Born*, Commercial Arbitration[2] 3602.

310 Die in den ab März 2017 geltenden Regeln zum beschleunigten Verfahren vorgesehene Möglichkeit des ICC Schiedsgerichtshofs, die Anzahl der Mitglieder des Schieds-

341   In besonders gelagerten Fällen kann eine von den wesentlichen Vorschriften einer Schiedsordnung abweichende Parteivereinbarung dazu führen, dass die Schiedsinstitution die Betreuung des Falles nicht übernimmt, weil aus ihrer Sicht zwingende Bestimmungen der Schiedsordnung nicht eingehalten werden.[311]

5. Vor- und Nachteile eines institutionellen Schiedsverfahrens

a) Vorteile gegenüber einem ad hoc Verfahren[312]

342   Es wird vielfach betont, dass die Anzahl institutioneller Schiedsverfahren in den letzten Jahren stark gestiegen ist.[313] So sind beispielsweise die jährlich neuen Verfahren bei der ICC von 32 Verfahren im Jahr 1956 auf 801 Verfahren im Jahr 2015 angestiegen. Nicht nur die Anzahl der Verfahren selbst steigt stetig an, sondern auch die Anzahl der Institutionen wächst.[314] In China gibt es mittlerweile 180 Institutionen die national und/oder international agieren.[315] Der Grund für das Wachstum ist die wachsende Anzahl an Schiedsverfahren überhaupt.[316] Die Gründe dafür sind wiederum vielschichtig. Ua lässt sich anführen, dass die noch immer zunehmende Globalisierung die Anzahl internationaler Streitigkeiten erhöht und das Vertrauen in fremde Jurisdiktionen nicht gewachsen ist, während sich auf internationaler Ebene das Schiedsverfahren bewährt hat und dass insbesondere Institutionen oft Regelwerke anbieten, die relativ häufig überarbeitet werden und sich damit aktuellen wirtschaftlichen Bedürfnissen anpassen.

343   Oben wurden bereits wesentliche Vorteile institutioneller Verfahren gegenüber *ad hoc* Verfahren genannt: Durch die Mitwirkung einer Schiedsinstitution kann das Risiko der Blockade des Verfahrens verringert werden; die Mitglieder des Schiedsgerichts müssen nicht mit den Parteien zu Beginn des Verfahrens über ihr Honorar verhandeln; die Schiedsinstitution steht als Ansprechpartnerin zur Verfügung; Schiedsinstitutionen haben Expertise

---

       gerichts entgegen der Parteivereinbarung auf 1 festzusetzen, wird bspw teilweise kritisch gesehen und ist sicher sehr weitreichend, wenn auch wohl zulässig.

311 Planen die Parteien, beim Abschluss einer Schiedsvereinbarung detaillierte Regeln zu treffen, die von der gewählten Schiedsordnung abweichen, empfiehlt sich, die konkrete Schiedsvereinbarung im Vorfeld mit der Schiedsinstitution zu diskutieren und gegebenenfalls abzustimmen.

312 Siehe dazu oben *Wong* Rn 229 ff.

313 *Redfern/Hunter*, International Arbitration[6] Rn 1.156; *Capper/Connellan*, Kluwer Arbitration Blog 2009.

314 *Kreindler/Wolff/Riedler*, Commercial Arbitration in Germany Rn 2.198.

315 *Gerbay*, Functions of Arbitral Institutions 34.

316 *Gerbay*, Functions of Arbitral Institutions 35.

und Routine bei der Mitwirkung an der Konstituierung des Schiedsgerichts, anders als viele ernennenden Stellen. Allgemein lässt sich sagen, dass einer der wesentlichen Vorteile eines institutionellen Verfahrens gegenüber einem *ad hoc* Verfahren die Betreuung und Verwaltung durch die Institution ist.[317]

Neben diesen praktischen Vorteilen lassen sich aber auch große Vorteile auf regulatorischer Ebene identifizieren: **344**

Berechenbarkeit: Die Schiedsordnungen decken Fallkonstellationen ab, **345** an die die Parteien bei Abschluss der Schiedsvereinbarung nicht denken.[318] Sie bieten ein umfängliches Regelwerk, wie es in einem *ad hoc* Verfahren von den Parteien oftmals nicht vereinbart wird[319] und sichern damit ab, dass der Rechtsstreit, wie von den Parteien intendiert, gelöst werden kann. Außerdem sind die Schiedsordnungen vor Beginn des Verfahrens und bei Abschluss der Schiedsvereinbarung vorhanden (abgesehen von allfälligen Änderungen, deren Anwendbarkeit normalerweise durch Übergangsvorschriften geregelt wird).[320] Es lässt sich vorhersehen, welche Schiedsordnungen für welche Fälle und ihre Besonderheiten wahrscheinlich die geeignetsten sind.[321] Insb wenn die beteiligten Parteien aus unterschiedlichen Rechtsordnungen kommen, könnten sie ohne eine bestehende Schiedsordnung divergierende rechtliche Erwartungen an das Verfahren haben. Außerdem kann es in dieser Situation auch hilfreich sein, dass die Institution selbst eine neutrale Einheit, die Erfahrungen mit unterschiedlichen Rechtstraditionen hat, ist.[322]

Integrität des Verfahrens: Schiedsinstitutionen leisten einen wichtigen **346** Beitrag zur Sicherstellung der Einhaltung grundlegender Verfahrensprinzipien (*due process*). Durch Regelungen in den Schiedsordnungen aber auch die tatsächliche Betreuung des Verfahrens, gewährleisten Schiedsinstitutionen, dass Zustellungen korrekt erfolgen,[323] dass den Parteien Gelegenheit zur Stellungnahme zu wesentlichen prozessualen Fragen gegeben wird und dass dies für beide Parteien gleichermaßen gilt. Schließlich können prozessuale Fehler durch die Beobachtung des Verfahrensverlaufs durch die Schiedsinstitution vermieden werden. Dies gilt insb für Schiedsordnungen bzw Schiedsinstitutionen, die eine Überprüfung des Schiedsspruchs (*scrutiny*) vor Erlass vorsehen.

---

317 *Schläpfer* in Geisinger/Voser, International Arbitration in Switzerland[2] 15; *Bühring-Uhle*, Arbitration and Mediation 36.
318 *Redfern/Hunter*, International Arbitration[6] Rn 1.150.
319 In einem *ad hoc* Verfahren wird allerdings oft die UNCITRAL SchO verwendet, die ebenfalls eine gewisse Sicherheit gibt.
320 *Born*, Commercial Arbitration[2] 174 f.
321 *Flannery/Garel*, GAR 17.11.2010.
322 *Nacimiento*, ZUM 2004, 787.
323 Maßstab für die Überprüfung der ordnungsgemäßen Zustellung kann allerdings nur die Schiedsordnung, auf die sich beide Parteien in ihrer Schiedsvereinbarung geeinigt haben, sein und nicht das nationale Zustellungsrecht am Sitz einer der Parteien.

347 Zumindest nicht in jedem Fall ein Nachteil sind die **Kosten** des institutionellen Verfahrens, obwohl sie in der Regel als solcher genannt werden. Meist werden aber gleichzeitig Erklärungen und Analysen geliefert, die den Schluss zulassen, dass es ein Vorurteil ist, dass institutionelle Verfahren stets teurer sind.[324] Jedenfalls sind die Kosten institutioneller Verfahren vorhersehbar, weil die Schiedsordnungen in der Regel festlegen, wie die Kosten des Schiedsverfahrens berechnet werden.[325] Außerdem kann ein institutionelles Verfahren die Kosten für zusätzliche staatliche Gerichte verhindern, die angerufen werden müssen, wenn das Schiedsverfahren festgefahren ist.[326] Schließlich müssen in einem *ad hoc* Verfahren die Aufgaben, die von der Schiedsinstitution übernommen werden, von den Parteien oder dem Schiedsgericht übernommen werden, so dass in der Regeln auch in *ad hoc* Verfahren dafür Kosten anfallen.

b) Vorteile gegenüber einem staatlichen Verfahren

348 Die Vorteile von Schiedsverfahren gegenüber einem staatlichen Verfahren lassen sich nur bis zu einem gewissen Grad verallgemeinern und sind bereits oben eingehend besprochen worden.[327]

6. Kritik am institutionellen Schiedsverfahren

349 Trotz der genannten, vielfältigen Vorteile ist das Schiedsverfahren im Allgemeinen und auch das institutionelle Schiedsverfahren im Besonderen einiger Kritik ausgesetzt. Allgemein wird neben politisch brisanten Aspekten wie der Transparenz im Schiedsverfahren die, für die Parteien wichtige, Vollstreckbarkeit angezweifelt.[328] Ein Schiedsspruch ist nur dann vollstreckbar, wenn das angerufene staatliche Gericht ihn anerkennt. Je nach Jurisdiktion kann dies problematisch sein.[329]

350 Beim institutionellen Schiedsverfahren wird daneben moniert, dass es weniger flexibel sei als ein *ad hoc* Schiedsverfahren.[330] Eine zu starke Ein-

---

324 *Schläpfer* in Geisinger/Voser, Arbitration in Switzerland[2] 17.
325 Eine vergleichende Analyse ist zu finden bei *Flannery/Garel*, GAR 15.1.2013 und *Flannery/Garel*, GAR 1.11.2010.
326 ZB wenn sich die Parteien nicht auf einen Schiedsort oder eine/n gemeinsam zu ernennende/n Einzelschiedsrichterin/Einzelschiedsrichter einigen können und keine Institution diese Wahl übernehmen kann.
327 Siehe oben *Kutschera* Rn 42 ff sowie *Burger-Scheidlin/Kopetzki* Rn 5 ff.
328 *Bühring-Uhle*, Arbitration and Mediation 36 f, obwohl die Unsicherheit der Vollstreckung bei einem *ad hoc* Verfahren noch höher ist, 38.
329 ZB Cour de Cassation, 6.1.1987; Cour d'appel Paris 19.12.1986, Revue d'Arbitrage 1987, 359.
330 *Schläpfer* in Geisinger/Voser, Arbitration in Switzerland[2] 14; siehe *Wong* Rn 303.

mischung durch Institutionen wird oftmals negativ bewertet.[331] Insb enthalten Schiedsordnungen immer mehr strikte und prozessrechtlich komplexere Bestimmungen.[332] Es ist richtig, dass institutionelle Schiedsverfahren weniger flexibel und einige Schiedsordnungen sehr komplex sind. Die mangelnde Flexibilität lässt sich damit begründen, dass das Verfahren von einer Institution verwaltet wird, die idR gewissen Regeln zu folgen hat. Die zunehmende Komplexität der Schiedsordnungen ist wiederum auf einen generellen Trend der Zunahme an komplexen Rechtsstreitigkeiten zurückzuführen.[333]

Neben mangelnder Flexibilität und zunehmender Komplexität wird dem institutionellen Schiedsverfahren auch vorgeworfen, dass es nicht den Vorstellungen der Parteien eines schnellen und kostengünstigen Verfahrens entspricht.[334] Abgesehen von den Unterschieden zwischen einzelnen Schiedsordnungen, ist in dieser Hinsicht zu bedenken, dass der Verlauf eines Verfahrens nicht allein von dem Verhalten und dem Regelwerk der Schiedsinstitution abhängt, sondern zu einem Großteil von den Parteien, den Parteivertretern und dem Schiedsgericht. **351**

7. Wahl einer Schiedsinstitution

Zuletzt sollen ein paar Punkte genannt werden, die bei der Wahl einer bestimmten Schiedsinstitution wichtig sein können. Nicht jede Institution passt zu jedem Fall. In den letzten Jahren ist die Zahl der Schiedsinstitutionen stark gestiegen. Zwar bleiben renommierte und alt bewährte Schiedsinstitutionen beliebt,[335] es lohnt sich aber sicherlich ein Blick in die Schiedsordnungen vor der Wahl einer Schiedsinstitution, um für besondere Vertragskonstellationen die richtige Schiedsinstitution zu finden. **352**

Eines der wichtigsten Kriterien sind die Kosten der Institution.[336] Diese können sehr unterschiedlich sein.[337] Weitere Faktoren, die bei der Wahl einer Institution relevant sein können, sind ua: die Spezialisierung auf und Erfahrung der Schiedsinstitution mit bestimmten nationalen oder eben in- **353**

---

331 *Gerbay*, Functions of Arbitral Institutions 45 f.
332 *Gerbay*, Functions of Arbitral Institutions 51 f.
333 *Gerbay*, Functions of Arbitral Institutions 52.
334 In *Redfern/Hunter*, International Arbitration⁶ Rn 1.93, 1.173 wird zB pauschal von rechtlicheren, komplexeren und teureren institutionalisierten Verfahren gesprochen.
335 *White & Case/Queen Mary University London*, 2015 International Arbitration Survey, 2, abrufbar unter http://www.whitecase.com/publications/insight/2015-international-arbitration-survey-improvements-and-innovations (zuletzt abgerufen am 9.12.2016); was auch verständlich ist, da bei der Wahl einer Institution darauf geachtet werden sollte, dass die jeweilige Institution in den kommenden Jahren weiterhin besteht.
336 *Nacimiento*, ZUM 2004, 791.
337 *Flannery/Garel*, GAR 15.1.2013 und *Flannery/Garel*, GAR 1.11.2010.

ternationalen Verfahren, die Spezialisierung auf bestimmte Handelsbereiche, Länder oder Regionen,[338] die Dauer des Bestands der Schiedsinstitution,[339] die Aktualität der Schiedsordnung,[340] die Professionalität bzw Ausbildung des Personals der Institution[341] und der jeweilige Standard der Unabhängigkeit und Unparteilichkeit, der in der Schiedsordnung niedergelegt ist.[342] Außerdem haben einige Schiedsordnungen weitere Besonderheiten, wie die Festlegung des Schiedsortes in Abwesenheit einer Parteivereinbarung,[343] von der Schiedsinstitution publizierte Listen von SchiedsrichterInnen, vorgeschriebene Kriterien zur Bestimmung des anwendbaren Rechts durch das Schiedsgericht und ggf Bestimmungen zur Staatsangehörigkeit der Mitglieder des Schiedsgerichts. Daneben bieten einige Schiedsinstitutionen bestimmte Regeln für bestimmte Streitigkeiten an.[344]

354   Allerdings steht in der Praxis der Abschluss einer Schiedsvereinbarung häufig nicht im Mittelpunkt der Vertragsverhandlungen, sodass das differenzierte Angebot an Schiedsordnungen meist nicht ausgeschöpft wird. Bestenfalls informieren sich die Parteien aber vor Abschluss einer Schiedsvereinbarung über Besonderheiten der jeweiligen Schiedsordnungen und treffen auf dieser Grundlage eine Auswahl für das jeweilige Vertragsverhältnis.

B. DIS[345]

Peter Heckel

1. Allgemeines

355   Die **Deutsche Institution für Schiedsgerichtsbarkeit e. V. (DIS)** besteht in ihrer heutigen Form seit 1. 1. 1992. Hauptaufgabe der DIS ist die Mitwirkung bei der Durchführung von Schiedsverfahren nach der **DIS Schiedsgerichtsordnung (DIS-Regeln)**. Die DIS-Regeln sind in der heutigen Fassung seit 1. 7. 1998 in Kraft; seit 1. 3. 2016 gilt eine neue Kostentabelle.

---

338 *Nacimiento*, ZUM 2004, 786; so sind beispielsweise die GMAA (*German Maritime Arbitration Association*) und die LMAA (*London Maritime Arbitration Association*) auf seerechtliche Streitigkeiten spezialisiert.

339 *Redfern/Hunter*, International Arbitration[6] Rn 1.160.

340 *Redfern/Hunter*, International Arbitration[6] Rn 1.162.

341 *Redfern/Hunter*, International Arbitration[6] Rn 1.163.

342 *Redfern/Hunter*, International Arbitration[6] Rn 1.178 ff.

343 LCIA: London; die Wahl der Institution folgt oftmals der Wahl des Schiedsortes; *Flannery/Garel*, GAR 17.11.2010.

344 Vgl bspw DIS-Ergänzende Regeln für gesellschaftsrechtliche Streitigkeiten 09 (DIS-ERGeS).

345 Der Verfasser dankt Frau Dr. Francesca Mazza, Generalsekretärin der DIS, für die kritische Durchsicht des Manuskripts und die Überlassung statistischen Materials.

Dabei bietet die DIS eine Reihe weiterer Verfahrensordnungen für die **356** außergerichtliche Streiterledigung an:[346]
- DIS-Ergänzende Regeln für beschleunigte Verfahren 08 (DIS-ERBV)
- DIS-Ergänzende Regeln für gesellschaftsrechtliche Streitigkeiten 09 (DIS-ERGeS)
- DIS-Konfliktmanagementordnung 10 (DIS-KMO)
- DIS-Schlichtungsordnung 02 (DIS-SchlO)
- DIS-Mediationsordnung 10 (DIS-MedO)
- DIS-Schiedsgutachtensordnung 10 (DIS-SchGO)
- DIS-Gutachtensordnung 10 (DIS-GO)
- DIS-Verfahrensordnung für Adjudikation 10 (DIS-AVO)
- DIS-Sportschiedsgerichtsordnung 16.

2. Die besonderen Vorzüge der DIS-Schiedsgerichtsordnung im Überblick

Die DIS-Regeln weisen im Vergleich zu anderen Schiedsgerichtsordnungen **357** folgende besondere Vorzüge auf:
- Anwendbarkeit für nationale und internationale Schiedsverfahren;
- hohes Maß an Flexibilität für die Parteien bei der Verfahrensgestaltung;
- freie Bestimmung von Schiedsort, Verfahrenssprache und anwendbarem Recht, sowie Möglichkeit zur freien Auswahl der Schiedsrichter;
- eine reine Billigkeitsentscheidung des Schiedsgerichts (*ex aequo et bono*) nur mit Ermächtigung der Parteien zulässig;
- Förderung einer einvernehmlichen Streitbeilegung;
- unbürokratische Administration und Kostentransparenz.

3. Abschluss einer DIS-Schiedsvereinbarung

Nach deutschem Recht bedarf eine Schiedsvereinbarung grundsätzlich der **358** Schriftform.[347]

Die DIS empfiehlt für die Schiedsvereinbarung folgenden Wortlaut: **359**

„Alle Streitigkeiten, die sich im Zusammenhang mit dem Vertrag [Bezeichnung des Vertrages] oder über seine Gültigkeit ergeben, werden nach der Schiedsgerichtsordnung der Deutschen Institution für Schiedsgerichtsbarkeit e. V. (DIS) unter Ausschluss des ordentlichen Rechtsweges endgültig entschieden.“[348]

---

346 All diese Verfahrensordnungen können auf der Website der DIS unter http://www.dis-arb.de/de/ abgerufen werden.

347 § 1031 dZPO.

348 Vgl http://www.dis-arb.de/de/16/regeln/dis-schiedsgerichtsordnung-98-id2 (zuletzt abgerufen am 10.5.2016).

4. Typischer Ablauf eines DIS-Schiedsverfahrens[349]

360 Die DIS-Regeln enthalten im Wesentlichen die Regeln, die für ein (durch eine Schiedsgerichtsorganisation) administriertes Verfahren typisch sind. Sie weisen allerdings eine Reihe von Besonderheiten auf, die sie von den meisten anderen Schiedsgerichtsordnungen unterscheiden.

a) Einleitung des schiedsrichterlichen Verfahrens durch Einreichung der Schiedsklage

361 Das schiedsrichterliche Verfahren beginnt mit dem Zugang der Klage bei einer der drei DIS-Geschäftsstellen (Köln, Berlin und München).[350] Dabei sind bestimmte formale und inhaltliche Erfordernisse einzuhalten.[351]

362 Im Wesentlichen hat die Schiedsklage einer Klage zu einem staatlichen Gericht in Deutschland zu entsprechen.[352] Im Übrigen muss sie einen Schiedsrichter benennen.[353]

363 Mit der Einreichung der Klage hat die Klägerin die DIS-Bearbeitungsgebühr sowie einen vorläufigen Vorschuss für die Schiedsrichter gemäß der DIS-Kostentabelle[354] zu zahlen.[355]

364 Mängel bei der Einreichung der Schiedsklage hat die Klägerin auf Mahnung der DIS fristgerecht zu heilen. Versäumt sie dies, endet das Schiedsverfahren automatisch.[356] Eine erneute Einreichung der Klage ist zulässig, dabei fällt allerdings auch die DIS-Bearbeitungsgebühr erneut an.

b) Übersendung der Klage an die Beklagte

365 Die DIS-Geschäftsstelle hat eine ordnungsgemäß erhobene Klage der Beklagten unverzüglich zu übersenden und diese aufzufordern, ihrerseits einen Schiedsrichter zu benennen.[357]

---

349 Aus Vereinfachungsgründen geht die vorliegende Darstellung von einem DIS-Schiedsverfahren aus, in dem seitens der Klägerin und seitens der Beklagten lediglich eine Partei auftritt und das Schiedsgericht – wie im Regelfall – aus drei Personen besteht.
350 § 6.1 DIS-Regeln.
351 §§ 4, 5 sowie 6.2 und 6.4 DIS-Regeln.
352 *Schilling* in Nedden/Herzberg, ICC-SchO/DIS-SchO § 6 DIS-SchO Rn 1.
353 § 6.2 Z 5 DIS-Regeln.
354 Anlage zu § 40.5 DIS-Regeln.
355 § 7.1 DIS-Regeln.
356 § 6.4 DIS-Regeln.
357 § 12.1 DIS-Regeln.

Besonderheit: Die DIS-Geschäftsstelle setzt bei der Übersendung der **366** Schiedsklage an die Beklagte keine Frist zur Klageerwiderung. Diese Fristsetzung bleibt dem noch zu bildenden Schiedsgericht vorbehalten.[358]

c) Ernennung der Schiedsrichter (Konstituierung des Schiedsgerichts)

(1) Benennung der Parteischiedsrichter (§§ 6.2 Z 5, 12.1 DIS-Regeln)

Die Klägerin hat ihren Parteischiedsrichter in der Klageschrift zu benennen,[359] **367** die Beklagte innerhalb einer (verlängerbaren) Frist von 30 Tagen nach Empfang der Klage.[360]

Besonderheit: Versäumt dies die Beklagte, kann die Klägerin die Benen- **368** nung durch den DIS-Ernennungsausschuss beantragen.[361]

Sobald die DIS-Geschäftsstelle die Benennung eines Parteischiedsrichters **369** empfangen hat, ist die betreffende Partei an diese Benennung gebunden.[362]

Ein benannter Schiedsrichter muss gegenüber der DIS-Geschäftsstelle die **370** üblichen Erklärungen hinsichtlich seiner Unparteilichkeit und Unabhängigkeit abgeben und auf mögliche Zweifelsfälle hinweisen.[363] Die DIS-Geschäftsstelle gibt den Parteien im Zweifelsfall Gelegenheit zur Stellungnahme.[364]

(2) Bestellung der Parteischiedsrichter durch die DIS (§ 17 DIS-Regeln)

Von der **Benennung** der Schiedsrichter durch die Parteien gegenüber der **371** DIS ist die **Bestellung** der benannten Schiedsrichter durch die DIS zu unterscheiden. In unproblematischen Fällen kann der DIS-Generalsekretär den benannten Schiedsrichter unverzüglich bestellen.[365] In allen anderen Fällen entscheidet der DIS-Ernennungsausschuss über die Bestellung.[366]

(3) Benennung des Vorsitzenden des Schiedsgerichts durch die Parteischiedsrichter (§ 12.2 DIS-Regeln)

Mit der (üblicherweise zeitgleichen) Bestellung der Parteischiedsrichter for- **372** dert die DIS-Geschäftsstelle diese auf, innerhalb einer 30-Tages-Frist den Vorsitzenden des Schiedsgerichts zu benennen.

Üblicherweise in Abstimmung mit den Parteien versuchen die Partei- **373** schiedsrichter, sich auf einen Vorsitzenden zu verständigen.

---

358 § 9 DIS-Regeln.
359 § 6.2 Z 5 DIS-Regeln.
360 § 12.1 Abs 1 DIS-Regeln.
361 § 21.1 Satz 2–4 DIS-Regeln.
362 § 12.1 Abs 2 DIS-Regeln.
363 § 16.1 DIS-Regeln.
364 § 16.2 DIS-Regeln.
365 § 17.1 DIS-Regeln.
366 § 17.2 DIS-Regeln.

Besonderheit: Übereinstimmende Wünsche der Parteien sollen dabei berücksichtigt werden.[367] Gelingt dies nicht, erfolgt auf Antrag einer Partei die Benennung des Vorsitzenden durch den DIS-Ernennungsausschuss.[368]

(4) Bestellung des Vorsitzenden durch die DIS (§ 17 DIS-Regeln)

374 Auch der Vorsitzende des Schiedsgerichts muss nach den oben genannten Regeln durch die DIS bestellt werden.

375 Mit der Bestellung aller Schiedsrichter ist das Schiedsgericht konstituiert, dh in Existenz getreten. Die DIS-Geschäftsstelle informiert die Parteien entsprechend.[369]

d) Klageerwiderung

376 Das Schiedsgericht hat der Beklagten eine angemessene Frist zur Klageerwiderung zu setzen.[370] Die DIS-Regeln stellen an den Inhalt der Klageerwiderung keine Anforderungen.[371] Die Beklagte sollte sich schon im Eigeninteresse in der Klageerwiderung mit der Klage substantiiert auseinandersetzen.

377 Die Beklagte muss die vollständige Klageerwiderung den Schiedsrichtern und dem Prozessbevollmächtigten der Klägerin fristgerecht unter Einhaltung bestimmter Formvorschriften übersenden. Bei unentschuldigtem Fristversäumnis durch die Beklagte kann das Schiedsgericht das Verfahren dennoch fortsetzen.[372]

e) Mögliches organisatorisches Treffen des Schiedsgerichts mit den Parteien ("Organisational Hearing")

378 Nach Erhalt der Klageerwiderung wird das Schiedsgericht idR die Parteien zu einem ersten Treffen oder einer Telefonkonferenz einladen, um den weiteren Ablauf des Schiedsverfahrens zu erörtern (*Organisational Hearing*).[373] Dabei werden gewöhnlich insb folgende Punkte behandelt:
– Zweite Schriftsatzrunde (Replik und Duplik) vor der mündlichen Verhandlung;
– Schriftliche Zeugenaussagen (*Written Witness Statements*);
– Mögliche Expertengutachten der Parteien;

---

367 § 12.2 DIS-Regeln.
368 § 12.2 Satz 3 DIS-Regeln.
369 § 17.3 DIS-Regeln.
370 § 9 DIS-Regeln.
371 *Schilling* in Nedden/Herzberg, ICC-SchO/DIS-SchO § 9 DIS-SchO Rn 14.
372 § 30.1 DIS-Regeln.
373 Vgl *Böckstiegel*, SchiedsVZ 2009, 8.

- Regeln für die Beweiserhebung;[374]
- Fristen und Termine.

Auf der Grundlage des *Organisational Hearing* erlässt das Schiedsgericht **379** nach Anhörung der Parteien üblicherweise eine prozessleitende Verfügung.

Besonderheit: Anders als nach der ICC SchO ist die Erstellung einer **380** Zusammenfassung des wesentlichen tatsächlichen und rechtlichen Vorbringens der Parteien nicht die Grundlage für das weitere Verfahren (*Terms of Reference*).

f) Sachverhaltsermittlung durch das Schiedsgericht

Das Schiedsgericht hat den Sachverhalt von Amts wegen zu ermitteln, es **381** sei denn, dass die Parteien etwas anderes vereinbart haben. Hierzu kann das Schiedsgericht nach seinem Ermessen Zeugen und Sachverständige vernehmen und sonstige Anordnungen, wie etwa zur Vorlage von Urkunden, treffen.[375]

Besonderheit: Bei der Sachverhaltsermittlung ist das Schiedsgericht nicht **382** an Beweisanträge der Parteien gebunden.[376] Beweismittel, deren Ausschluss die Parteien vereinbart haben, darf das Schiedsgericht aber nicht in das Verfahren einführen.[377]

Das Schiedsgericht kann sich der Hilfe eines eigenen Sachverständigen **383** bedienen.[378] Auf Wunsch des Schiedsgerichts oder einer Partei hat der Sachverständige nach Erstattung seines Gutachtens an einer mündlichen Verhandlung teilzunehmen. In dieser Verhandlung können die Parteien dem „schiedsgerichtlichen" Sachverständigen Fragen stellen und eigene Sachverständige aussagen lassen.[379] Abweichende Vereinbarungen der Parteien sind möglich.

g) Wesentliche Verfahrensgrundsätze

(1) Anwendbare Verfahrensvorschriften (§ 24 DIS-Regeln)

Für das schiedsrichterliche Verfahren gelten in folgender Reihenfolge (1) die **384** zwingenden Schiedsverfahrensvorschriften des Schiedsortes, (2) die DIS-

---

374 In DIS-Schiedsverfahren mit internationalen Parteien wird häufig ganz oder teilweise die Anwendung der *IBA Rules on the Taking of Evidence in International Arbitration* vereinbart, die eine Mischform von Elementen des kontinentaleuropäischen Rechtssystems (*civil law*) und des anglo-amerikanischen Rechtssystems (*case law*) darstellen; siehe dazu näher *Liebscher/Mosimann/Schmidt-Ahrendts* Rn 1164 ff.

375 § 27.1 DIS-Regeln.

376 § 27.1 DIS-Regeln.

377 *Schütze*, SchiedsVZ 2006, 3.

378 § 27.2 DIS-Regeln.

379 § 27.3 DIS-Regeln.

Regeln, (3) gegebenenfalls weitere Parteivereinbarungen, die (4) vom Schiedsgericht nach freiem Ermessen festgesetzten Verfahrensregeln und (5) die dispositiven Schiedsverfahrensvorschriften des Schiedsortes.[380]

(2) Verfahrensleitung (§§ 24.3 und 4 DIS-Regeln)

385 Die Verfahrensleitung obliegt dem Vorsitzenden des Schiedsgerichts, der allerdings den Parteischiedsrichtern hinreichend Gelegenheit zur Mitwirkung einräumen muss. Auf Ermächtigung der Parteischiedsrichter kann der Vorsitzende über einzelne Verfahrensfragen allein entscheiden.[381]

(3) Gleichbehandlung und rechtliches Gehör (§ 26 DIS-Regeln)

386 Das Schiedsgericht muss die Parteien gleich behandeln und ihnen bei jedem Stand des Verfahrens rechtliches Gehör gewähren.[382]

387 Das Schiedsgericht muss alle Schriftstücke und sonstigen Mitteilungen, die es von einer Partei erhält, unverzüglich der anderen Partei zur Kenntnis bringen und beiden Parteien Gutachten und andere schriftliche Beweismittel, auf die sich das Schiedsgericht bei seiner Entscheidung stützen kann, unverzüglich übermitteln.[383]

(4) Vertraulichkeit (§ 43 DIS-Regeln)

388 Die Parteien, die Schiedsrichter sowie die DIS-Mitarbeiter sind gegenüber jedermann zur Verschwiegenheit verpflichtet.[384] Anders als etwa bei den Wiener Regeln unterliegen daher auch die Parteien selbst einer Verschwiegenheitspflicht.

389 Eine Veröffentlichung des Schiedsspruchs darf nur in anonymisierter Form erfolgen und erfordert die schriftliche Zustimmung der Parteien und der DIS.[385]

(5) Verlust des Rügerechts (§ 41 DIS-Regeln)

390 Verfahrensmängel muss eine Partei unverzüglich rügen, sobald ihr der Mangel bekannt wird. Sonst verliert sie das Rügerecht.

---

380 BT-Drs. 13/5274, 46 f.
381 *Nedden/Büstgens*, SchiedsVZ 2015, 172.
382 § 26.1 DIS-Regeln; *Balthasar* in Balthasar, International Commercial Arbitration § 10 Rn 54 ff.
383 § 26.2 DIS-Regeln.
384 § 43.1 DIS-Regeln.
385 *von Levetzow* in Nedden/Herzberg, ICC-SchO/DIS-SchO § 42 DIS-SchO Rn 6 ff.

h) Die mündliche Verhandlung

(1) Die mündliche Verhandlung als Mittel- und Höhepunkt des Schiedsverfahrens

IdR wird das Schiedsgericht seinen Schiedsspruch erst nach einer mündlichen **391** Verhandlung erlassen. Auf Antrag einer Partei muss das Schiedsgericht eine solche Verhandlung stets durchführen, sofern sich nicht die Parteien auf deren Ausschluss verständigt haben (in der Praxis selten).[386]

Mündliche Verhandlungen vor einem DIS Schiedsgericht können in kom- **392** plexeren Verfahren durchaus mehrere Tage dauern. Ausführliche Plädoyers durch die Prozessbevollmächtigten sind mittlerweile die Regel.[387]

Spätestens in der mündlichen Verhandlung hat das Schiedsgericht darauf **393** hinzuwirken, dass sich die Parteien über alle erheblichen Tatsachen vollständig erklären und sachdienliche Prozessanträge stellen.[388]

(2) Zeugenvernehmung

In der Praxis wird die Zeugenvernehmung häufig mit der mündlichen Ver- **394** handlung verbunden. Es obliegt grundsätzlich den Parteien, für das Erscheinen der von ihnen benannten Zeugen zu sorgen. Das Erscheinen säumiger Zeugen kann das Schiedsgericht nur mit Hilfe der staatlichen Gerichte erzwingen.

Die Zeugenvernehmung hat nach den vereinbarten Verfahrensregeln zu **395** erfolgen und steht im Übrigen im freien Ermessen des Schiedsgerichts.

Bei einem rein nationalen Schiedsverfahren bietet es sich an, die Zeugen- **396** vernehmung nach den Regeln der dZPO vorzunehmen, dh zuerst Befragung des Zeugen durch das Schiedsgericht und danach durch die Parteien; zwingend ist diese Vorgehensweise jedoch nicht. Selbst in nationalen Schiedsverfahren ist in jüngster Zeit die Tendenz zu beobachten, die Zeugenvernehmung dem Verfahren anzunähern, wie es aus dem anglo-amerikanischen Rechtskreis bekannt ist. Dabei legt jede Partei für die von ihr benannten Zeugen im Vorfeld der Zeugenvernehmung eine schriftliche Zeugenaussage (*Written Witness Statement*) vor und nimmt auf dieser Grundlage die Befragung des betreffenden Zeugen zunächst selbst vor, bevor dann dieser Zeuge im Wege des Kreuzverhörs (*Cross Examination*) der Gegenpartei und zuletzt auch dem Schiedsgericht für Fragen zur Verfügung steht.[389]

---

386 § 28 DIS-Regeln.
387 § 42 DIS-Regeln; *Stumpe/Haller* in Nedden/Herzberg, ICC-SchO/DIS-SchO § 28 DIS-SchO Rn 31.
388 § 24.2 DIS-Regeln.
389 *Stumpe/Haller* in Nedden/Herzberg, ICC-SchO/DIS-SchO § 28 DIS-SchO Rn 35 ff; zu den *IBA Rules on the Taking of Evidence in International Arbitration* s FN 30.

397   In zunehmendem Maße beginnt sich auch die gleichzeitige Befragung sämtlicher zu einem Themenbereich benannten Zeugen (*Witness Conferencing*) durchzusetzen. Dabei versucht das Schiedsgericht, den Sachverhalt gewissermaßen im konfrontativen Dialog mehrerer Zeugen und Gegenzeugen zu ermitteln. Diese Methode sollte allerdings nur im Einverständnis sämtlicher Parteien Anwendung finden, damit eine spätere Aufhebung des Schiedsspruches aus verfahrensrechtlichen Gründen (etwa wegen einer Verletzung des rechtlichen Gehörs) ausgeschlossen werden kann.

398   Wortprotokolle von mündlicher Verhandlung und Zeugenvernehmung durch professionelle Protokollanten (*Court Reporter*) haben sich in der Praxis durchgesetzt.

(3) Beweiswürdigung

399   Nach Durchführung der Beweisaufnahme fordert das Schiedsgericht die Parteien auf, zum Beweisergebnis Stellung zu nehmen. In einfacheren Fällen kann dies unmittelbar nach der Beweisaufnahme durch mündlichen Vortrag der Parteivertreter erfolgen. Ansonsten gibt das Schiedsgericht nach Abschluss der Beweisaufnahme den Parteien auf, auf der Grundlage des Verhandlungsprotokolls eine schriftsätzliche Beweiswürdigung samt abschließender rechtlicher Würdigung (*Post Hearing Brief*) vorzulegen.

i) Vergleich

(1) Pflicht zur Bemühung um einvernehmliche Streitbeilegung (§ 32.1 DIS-Regeln)

400   **Besonderheit:** Das Schiedsgericht soll in jeder Lage des Verfahrens auf eine einvernehmliche Streitbeilegung hinwirken.

401   Für eine deutsche Partei ist dies wenig überraschend, da vor dem staatlichen Zivilgericht nichts anderes gilt.[390] Parteien aus dem anglo-amerikanischen Rechtskreis, aber auch Parteien aus einigen europäischen Jurisdiktionen (zB Frankreich) halten dies häufig im Hinblick auf die schiedsrichterliche Unvoreingenommenheit für eher problematisch.

(2) Beendigung des Verfahrens durch Vergleich (§ 32.2 Satz 1 DIS-Regeln)

402   Kommt es zum Vergleich, beendet das Schiedsgericht das Verfahren durch Beschluss gem § 39.2 Z 2 DIS-Regeln, wenn nicht die Parteien einen Schiedsspruch mit vereinbartem Wortlaut beantragen.

---

390   § 278 Abs 1 dZPO.

(3) Schiedsspruch mit vereinbartem Wortlaut (§§ 32.2 Satz 2, 32.3 DIS-Regeln)

Die Parteien können einvernehmlich beim Schiedsgericht beantragen, den Ver- **403**
gleich in der Form eines Schiedsspruchs mit vereinbartem Wortlaut festzuhalten. Dieser hat dieselbe Wirkung wie jeder andere Schiedsspruch zur Sache.

j) Erlass des Schiedsspruchs

(1) Bindung an die Anträge der Parteien (§ 33.2 DIS-Regeln)

Bei Erlass des Schiedsspruchs ist das Schiedsgericht an die Anträge der Par- **404**
teien gebunden (*ne ultra petita*).

(2) Grundsätzliche Entscheidung mit Stimmenmehrheit der Schiedsrichter (§ 33.3 DIS-Regeln)

Wenn die Parteien nichts anderes vereinbart haben, treffen die Schiedsrichter **405**
ihre Entscheidungen mit einfacher Stimmenmehrheit. Jede Stimme hat den
gleichen Wert.

(3) Formale Anforderungen an den Schiedsspruch (§ 34 DIS-Regeln)

Der Schiedsspruch bedarf der Schriftform und der Unterzeichnung durch **406**
die Schiedsrichter.[391]

Ein Schiedsspruch ist grundsätzlich zu begründen, nicht jedoch ein **407**
Schiedsspruch mit vereinbartem Wortlaut.[392]

Der Schiedsspruch muss den Tag seines Erlasses nennen und den Schieds- **408**
ort angeben.[393]

(4) Kostenentscheidung (§ 35 DIS-Regeln)

Der Schiedsspruch hat grundsätzlich eine Kostenentscheidung zu enthalten, **409**
und zwar ähnlich den Swiss Rules,[394] jedoch anders als nach den Wiener Regeln,[395] auch ohne Antrag einer Partei.[396]

Regelmäßig hat die unterliegende Partei die Kosten des schiedsrichterlichen **410**
Verfahrens zu tragen, jedoch kann das Schiedsgericht im Einzelfall auch eine
abweichende Kostenverteilung vornehmen.[397]

---

391 § 34.1 DIS-Regeln.
392 § 34.3 DIS-Regeln.
393 § 34.4 DIS-Regeln.
394 Art 38 ff Swiss Rules.
395 Art 37 Wiener Regeln.
396 § 35.1 DIS-Regeln.
397 § 35.2 DIS-Regeln.

(5) Keine Überprüfung des Schiedsspruchs durch die DIS

411 **Besonderheit**: Die DIS-Regeln sehen nicht vor, dass der Schiedsspruch vor Erlass durch die DIS überprüft wird (anders in ICC-Verfahren). Dadurch bleiben den Parteien in DIS-Schiedsverfahren erhebliche Verzögerungen erspart.

(6) Übersendung des Schiedsspruchs (§ 36 DIS-Regeln)

412 Die DIS-Geschäftsstelle kann die Übersendung des Schiedsspruchs an die Parteien bis zur vollständigen Bezahlung der Kosten des schiedsrichterlichen Verfahrens an das Schiedsgericht und die DIS zurückhalten.[398]

(7) Auslegung und Berichtigung eines Schiedsspruchs (§ 37 DIS-Regeln)

413 Unter bestimmten Voraussetzungen kann eine Partei binnen 30 Tagen nach Empfang des Schiedsspruchs beim Schiedsgericht die Berichtigung redaktioneller Fehler, eine Auslegung und eine Ergänzung des Schiedsspruchs beantragen.

(8) Wirkung des Schiedsspruchs (§ 38 DIS-Regeln)

414 Der Schiedsspruch ist endgültig und hat unter den Parteien die Wirkung eines rechtskräftigen Gerichtsurteils.[399] Eine zweite Schiedsinstanz zur Überprüfung des Schiedsspruches gibt es im DIS-Schiedsverfahren nicht.

k) Kosten des schiedsrichterlichen Verfahrens

(1) Honoraranspruch der Schiedsrichter (§ 40.1 DIS-Regeln)

415 Den Schiedsrichtern steht ein Anspruch auf Honorar und die Erstattung von Auslagen jeweils zuzüglich gesetzlicher Umsatzsteuer (in Deutschland derzeit 19 %, in Österreich derzeit 20 %) zu. Zur Verwaltung der Kostenvorschüsse richtet der Vorsitzende des Schiedsgerichts ein Treuhandanderkonto ein. Für die Kosten des Verfahrens haften die Parteien gesamtschuldnerisch;[400] dh eine Partei hat dem Schiedsgericht für die Kosten einzustehen, wenn die andere Partei nicht zahlt.

(2) Festsetzung der Schiedsrichterhonorare (§§ 40.2 und 40.5 DIS-Regeln)

416 Das Honorar der Schiedsrichter bestimmt sich nach dem Streitwert, der vom Schiedsgericht nach pflichtgemäßem Ermessen festgesetzt wird. Die konkrete Höhe der Honorare ist aus der DIS-Kostentabelle abzulesen.[401] Da das Schiedsgericht den Streitwert selbst festlegt, haben, anders als etwa

---

398 § 36.2 und 36.3 DIS-Regeln.
399 *Manner* in Nedden/Herzberg, ICC-SchO/DIS-SchO § 38 DIS-SchO Rn 1, 4 ff.
400 § 40.1 DIS-Regeln.
401 Anlage zu § 40.5 DIS-Regeln.

bei ICC-[402] oder VIAC-Verfahren[403], die Schiedsrichter unmittelbaren Einfluss auf die Festsetzung der Höhe ihrer eigenen Honorare. Der Maßstab des pflichtgemäßen Ermessens bei der Streitwertfestsetzung verhindert, dass es bei der Honorarbestimmung zu einem unbilligen Ergebnis kommt.

(3) DIS-Bearbeitungsgebühr (§ 40.4 DIS-Regeln)

Die DIS erhält für ihre Mitwirkung bei der Durchführung des Schiedsver- **417** fahrens eine Bearbeitungsgebühr zuzüglich gesetzlicher Umsatzsteuer. Die Höhe der Bearbeitungsgebühr ist streitwertabhängig und beträgt maximal EUR 25.000. Auch hierfür haften die Parteien gesamtschuldnerisch.

l) Haftungsausschluss der Schiedsrichter und der DIS (§ 44 DIS-Regeln)

Die Schiedsrichter haften für ihre Entscheidungstätigkeit lediglich bei vor- **418** sätzlicher Pflichtverletzung.[404] Für jede andere Handlung oder Unterlassung haften die Schiedsrichter, die DIS, ihre Organe und ihre Mitarbeiter lediglich bei grob fahrlässiger oder vorsätzlicher Pflichtverletzung.[405] Der Haftungsausschluss gilt freilich nur unter Vorbehalt des materiellen Rechts, das auf allfällige Haftungsfragen anwendbar ist.

5. Besondere Fallgestaltungen eines DIS-Schiedsverfahrens

a) Widerklage

Für eine Widerklage gelten grundsätzlich dieselben Voraussetzungen wie für **419** eine Schiedsklage.[406] Bei nicht fristgemäßer Zahlung der DIS-Bearbeitungsgebühr gilt die Widerklage als nicht erhoben.[407]

Die DIS-Geschäftsstelle übersendet die Widerklage unverzüglich der Klä- **420** gerin und dem Schiedsgericht, das über deren Zulässigkeit entscheidet.[408] Die Widerklage muss der für die Klage maßgeblichen Schiedsvereinbarung unterfallen.

Eine verspätet erhobene Widerklage kann das Schiedsgericht wegen Ver- **421** zögerung des Verfahrens ausschließen.

---

402 Siehe Art 1(4) des Anhangs III zur ICC SchO.
403 Siehe Art 44(2) Wiener Regeln.
404 § 44.1 DIS-Regeln.
405 § 44.2 DIS-Regeln.
406 § 10.1 DIS-Regeln.
407 § 11.2 Satz 3 DIS-Regeln.
408 § 10.2 DIS-Regeln.

b) Mehrheit von Parteien

(1) Mehrheit von Klägern (§ 13.1 DIS-Regeln)

422 Mehrere Kläger müssen grundsätzlich gemeinsam einen Schiedsrichter benennen. Unterbleibt dies auch nach Fristsetzung durch die DIS-Geschäftsstelle, endet das Verfahren. Gegebenenfalls können die Kläger aber ihre Klage dann erneut, diesmal in getrennten Verfahren, einbringen.

(2) Mehrheit von Beklagten (§ 13.2 DIS-Regeln)

423 Eine Mehrheit von Beklagten muss grundsätzlich innerhalb einer (verlängerbaren) Frist von 30 Tagen gemeinsam einen Schiedsrichter benennen. Unterbleibt dies, kommt es zu einem Ersatzbenennungsverfahren.

424 **Besonderheit**: Der DIS-Ernennungsausschuss benennt in diesem Falle nach Anhörung der Parteien zwei Schiedsrichter, soweit die Parteien nichts anderes vorsehen. Auf das Versäumnis der Beklagten verliert also auch die Klägerseite den von ihr benannten Schiedsrichter ihres Vertrauens.

425 Die zwei von den Parteien oder vom DIS-Ernennungsausschuss benannten Schiedsrichter benennen den Vorsitzenden. Erfolgt diese Benennung nicht innerhalb einer Frist von 30 Tagen, wird auf Antrag einer Partei auch der Vorsitzende durch den DIS-Ernennungsausschuss benannt.

c) Einzelschiedsrichter

426 **Besonderheit**: Wenn die Parteien einen Einzelschiedsrichter wollen, müssen sie dies einvernehmlich festlegen. Mangels abweichender Parteivereinbarung besteht das Schiedsgericht aus drei Schiedsrichtern.[409] Bei Verfahren nach der ICC SchO, den Wiener Regeln und den Swiss Rules entscheidet mangels Parteivereinbarung jeweils die Institution über die Anzahl der Schiedsrichter.[410]

d) Ablehnung eines Schiedsrichters

427 Ein Schiedsrichter kann nur aus zwei Gründen abgelehnt werden. Wenn berechtigte Zweifel an seiner Unparteilichkeit oder Unabhängigkeit aufkommen, oder wenn er die zwischen den Parteien vereinbarten Voraussetzungen nicht erfüllt.[411] Eine Partei kann den von ihr benannten Parteischiedsrichter nur aus Gründen ablehnen, die erst nach der Benennung bekannt geworden sind.[412]

---

409 § 3 DIS-Regeln.
410 Art 12(2) ICC SchO, Art 17(2) Wiener Regeln sowie Art 6(1) Swiss Rules.
411 § 18.1 DIS-Regeln; *Klich* in Nedden/Herzberg, ICC-SchO/DIS-SchO § 18 DIS-SchO Rn 1, 9 ff.
412 § 18.2 DIS-Regeln.

Die Ablehnungsfrist beträgt zwei Wochen ab Erhalt der Information **428** über die Konstituierung des Schiedsgerichts oder nach Kenntniserlangung des Ablehnungsgrundes. Die Ablehnung ist gegenüber der DIS-Geschäftsstelle zu erklären und zu begründen.[413] Die DIS-Geschäftsstelle hat alle Verfahrensbeteiligten von der Ablehnung zu unterrichten und der abgelehnten Schiedsrichterin/dem abgelehnten Schiedsrichter und der anderen Partei eine angemessene Erklärungsfrist zu setzen.[414]

Besonderheit: Über die Ablehnung einer Schiedsrichterin/eines Schieds- **429** richters entscheidet (mangels abweichender Parteivereinbarung) das Schiedsgericht selbst und nicht die DIS.[415] Abhängig von der anzuwendenden *lex arbitri* kann eine solche Ablehnungsentscheidung durch das jeweils zuständige staatliche Gericht überprüft werden.[416]

Nach erfolgreicher Ablehnung einer Schiedsrichterin/eines Schiedsrichters **430** hat eine Ersatzbenennung nach den Regeln über die ursprüngliche Schiedsrichterbenennung zu erfolgen.[417]

e) Säumnis einer Partei

Im Falle einer nicht genügend entschuldigten Säumnis einer Partei kann das **431** Schiedsgericht grundsätzlich das Verfahren fortsetzen und den Schiedsspruch nach vorliegenden Erkenntnissen erlassen.[418] Anders als im staatlichen Verfahren ergeht keine Säumnisentscheidung (bei der die Säumnis der Beklagten als Zugeständnis der klägerischen Behauptungen behandelt wird), sondern hat das Schiedsgericht dennoch den Sachverhalt von Amts wegen zu ermitteln.[419]

f) Einstweiliger Rechtsschutz durch das Schiedsgericht

Mangels abweichender Parteivereinbarung kann das Schiedsgericht auf An- **432** trag einer Partei, gegebenenfalls gegen Sicherheitsleistung, vorläufige oder sichernde Maßnahmen anordnen.[420]

Mit dem Antrag beim Schiedsgericht auf Anordnung einer vorläufigen **433** oder sichernden Maßnahme erhöht sich das Schiedsrichterhonorar um 30 % des Honorars zum Zeitpunkt der Antragstellung.[421]

---

413 § 18.2 Satz 1 DIS-Regeln.
414 § 18.2 Satz 2 DIS-Regeln.
415 § 18.2 Satz 3 DIS-Regeln.
416 Siehe *Hahnkamper* Rn 986 ff.
417 § 18.3 DIS-Regeln.
418 § 30 DIS-Regeln.
419 *Bassini* in Nedden/Herzberg, ICC-SchO/DIS-SchO § 30 DIS-SchO Rn 6.
420 § 20.1 DIS-Regeln.
421 Nr 14 der DIS Kostentabelle, Anlage zu § 40.5 DIS-Regeln.

434   Statt beim Schiedsgericht können die Parteien auch stets die Gewährung einstweiligen Rechtsschutzes bei einem staatlichen Gericht beantragen, ohne dass dies als ein Verzicht auf die Schiedsvereinbarung ausgelegt werden könnte.[422]

6. Bedeutung der DIS-Schiedsgerichtsbarkeit

435   Die DIS-Schiedsgerichtsbarkeit hat sich mittlerweile in der internationalen Handelsschiedsgerichtsbarkeit fest etabliert. Sie dürfte auch in Zukunft eine bedeutende Rolle spielen und das nicht nur im nationalen Bereich. In den letzten Jahren lag der Anteil der DIS-Schiedsverfahren mit ausländischen Parteien bei ca 30 %.

436   Nahezu alle DIS-Schiedsverfahren unterliegen in materiell-rechtlicher Hinsicht entweder durch Rechtswahl der Parteien oder kraft Gesetzes dem deutschen Recht. In ca 85 % der Verfahren haben die Parteien Deutsch zur Verfahrenssprache bestimmt. In rund 85 % der Verfahren wurden Dreierschiedsgerichte tätig.

437   Eine von der DIS eingesetzte Kommission arbeitet derzeit mit Unterstützung weiterer ExpertInnen an einer Revision der DIS-Regeln. Nach gegenwärtigem Stand ist damit zu rechnen, dass die revidierten DIS-Regeln bis Ende 2017 vorliegen werden.

C. Swiss Rules

Bernhard F. Meyer/Dominik Vock

1. Allgemeines

a) Bedeutung der Swiss Rules

438   Ursprünglich hatten die schweizerischen Handels- und Industriekammern von Basel, Bern, Genf, Tessin, Waadt und Zürich („Kammern") je eine eigene Schiedsordnung für internationale Handelsstreitigkeiten. Im Zuge der Harmonisierung haben sie die einheitlichen **Swiss Rules of International Arbitration (Swiss Rules)** erlassen, die in ihrer Erstfassung am 1.1.2004 in Kraft traten.

439   Im Jahre 2010 entschieden die Kammern, die Swiss Rules zu revidieren, um sie den neusten Entwicklungen in der internationalen Schiedsgerichts-

---

422 § 20.2 DIS-Regeln; Ausführlich zu den Grenzen der Parallelität von Gerichts- und Schiedsverfahren *Lachmann*, Handbuch[3] Rn 2859 ff sowie *Schroth*, SchiedsVZ 2003, 102 ff.

barkeit anzupassen. Da die Swiss Rules bereits in ihrer Erstfassung als eine der modernsten und praktikabelsten Schiedsordnungen weltweit galten, war der Revisionsbedarf gering. Ziel der Revision war insb, die Schiedsgerichts-institution neu zu organisieren, das Schiedsverfahren noch effizienter und kostenbewusster zu gestalten, Mehrparteien-Verfahren flexibler zu regeln, die Kontrolle der Kosten durch den Gerichtshof zu verstärken und das Ver-fahren eines Dringlichkeitsschiedsgerichtes (Eilschiedsrichterin/Eilschieds-richter) einzuführen. Die leicht überarbeiteten Swiss Rules traten am 1.6.2012 in Kraft.[423] Statt der ursprünglichen 44 Bestimmungen zählen die Swiss Rules heute 45 Artikel.

b) Institutionen

Swiss Chambers' Arbitration Institution: Zum Zwecke der Erbringung von **440** Dienstleistungen im Bereich der Schiedsgerichtsbarkeit haben die Industrie- und Handelskammern von Basel, Bern, Genf, Neuenburg, Tessin, Waadt und Zürich die Swiss Chambers' Arbitration Institution gegründet. Diese ist als schweizerischer Verein organisiert.

Schiedsgerichtshof: Die Swiss Chambers' Arbitration Institution hat **441** einen aus erfahrenen Praktikern der internationalen Schiedsgerichtsbarkeit bestehenden Schiedsgerichtshof geschaffen. Der Gerichtshof ist für die Ad-ministration der Schiedsverfahren unter den Swiss Rules verantwortlich. Er kann gestützt auf eine Geschäftsordnung Befugnisse an eines oder mehrere seiner Mitglieder oder an Ausschüsse delegieren.[424] Trotz der Schaffung eines Gerichtshofs ist die Kontrolle der Schiedsverfahren den Schiedsgerichten überlassen.

Sekretariat: Der Gerichtshof wird in seiner Arbeit vom Sekretariat des **442** Gerichtshofs unterstützt. Dieses kommuniziert direkt mit den Schiedsparteien und den Schiedsgerichten.

c) Anwendungsbereich und Übergangsrecht

Die Swiss Rules sind anwendbar auf Schiedsverfahren in Fällen, in denen eine **443** Schiedsvereinbarung auf diese oder auf die Schiedsordnungen der Industrie- und Handelskammern von Basel, Bern, Genf, Neuenburg, Tessin, Waadt, Zürich oder jeder weiteren Kammer, welche sich den Swiss Rules anschließt,

---

423 Die *Swiss Rules of International Arbitration* können in Deutsch, Englisch, Franzö-sisch, ja sogar in Russisch, Chinesisch und vielen anderen Sprachen vom Internet www.swissarbitration.org heruntergeladen werden.

424 Die Geschäftsordnung ist auf der Website der *Swiss Chambers' Arbitration Institution* www.swissarbitration.org einsehbar.

verweist.[425] Sowohl in internationalen als auch in nationalen Fällen finden die Swiss Rules Anwendung. Dies ergibt sich nun direkt aus dem Wortlaut von Art 1(1) Swiss Rules.

444   Die Swiss Rules aus dem Jahr 2012 finden auf alle Schiedsverfahren Anwendung, in welchen die Einleitungsanzeige am oder nach dem Datum des Inkrafttretens am 1. 6. 2012 eingereicht worden ist.[426] Vorbehalten bleibt eine anderslautende Vereinbarung der Parteien.

2. Genereller Ablauf des Verfahrens

a) Einleitungsanzeige/Einleitungsantwort

445   Die Partei, die das Schiedsverfahren einleiten will, hat dem Sekretariat eine **Einleitungsanzeige** einzureichen. Diese kann an jede der sieben Geschäftsstellen des Sekretariats des Gerichtshofes (Basel, Bern, Genf, Neuchâtel, Tessin, Waadt oder Zürich) gerichtet werden.[427]

446   Die Einleitungsanzeige hat die in Art 3(3) lit a-i Swiss Rules aufgeführten Angaben zu enthalten. Es besteht die Pflicht der klagenden Partei, eines oder mehrere Mitglieder des Schiedsgerichts zu bezeichnen, wenn die Vereinbarung der Parteien dies so verlangt. Zudem besteht auch die Pflicht, einen Vorschlag hinsichtlich der Anzahl der Mitglieder des Schiedsgerichts, der Sprache des Verfahrens und des Sitzes des Schiedsverfahrens zu machen, wenn die Parteien nichts anderes vereinbart haben. Die Einleitungsanzeige kann sich auf die Darstellung der wesentlichen Sachverhaltselemente beschränken.[428] Eine substantiierte Klageschrift – wie zB bei den Wiener Regeln – ist nicht erforderlich.[429] Allerdings muss das Klagebegehren bereits klar formuliert sein, damit das Prozessthema des Schiedsprozesses bestimmt ist.[430] Eine Abänderung des Antrages ist nachträglich noch möglich.[431]

447   Das Sekretariat stellt der beklagten Partei ohne Verzug ein Exemplar der Einleitungsanzeige mit sämtlichen Beilagen zu.[432] Das Sekretariat ist in jedem Fall verpflichtet, die Einleitungsanzeige der beklagten Partei zuzustellen, selbst wenn offensichtlich keine Schiedsvereinbarung vorliegt. Grund hierfür ist, dass der beklagten Partei Gelegenheit gegeben werden muss, sich

---

425   Art 1(1) Swiss Rules.
426   Art 1(3) Swiss Rules.
427   Art 3(1) Swiss Rules.
428   Ähnliche Inhaltserfordernisse sehen auch Art 2 SCC Regeln und Art 1 LCIA Regeln vor.
429   Art 7(3) Wiener Regeln; *Rechberger/Pitkowitz* in VIAC, Handbuch Art 7 Rn 5.
430   *Bärtsch/Pittet* in Zuberbühler/Müller/Habegger, Swiss Rules[2] Art 3 Rn 9.
431   Art 20 Swiss Rules.
432   Art 3(6) Swiss Rules.

gleichwohl auf das Schiedsverfahren einzulassen.[433] Innerhalb von 30 Tagen ab Erhalt hat die Beklagte eine Antwort beim Sekretariat einzureichen. Die **Einleitungsantwort** hat die in Art 3(7) lit a-f Swiss Rules aufgeführten Angaben zu enthalten. Widerklage und Verrechnungseinrede sind grundsätzlich mit der Einleitungsantwort der Beklagten zu erheben.[434]

Falls die beklagte Partei keine Einleitungsantwort einreicht oder falls sie geltend macht, das Verfahren dürfe nicht unter den Swiss Rules geführt werden, führt der Gerichtshof das Verfahren fort, außer es liegt offensichtlich keine Schiedsvereinbarung vor, welche auf die Swiss Rules verweist.[435] Die Kompetenz des Gerichtshofes, ohne Unzuständigkeitseinrede der beklagten Partei selbständig über die eigene Zuständigkeit zu entscheiden, ist somit ausschließlich auf die Frage beschränkt, ob offensichtlich keine Schiedsvereinbarung vorliegt. Bejaht der Gerichtshof die Zuständigkeit, so ist dieser Entscheid jedoch nicht definitiv. Die Parteien haben immer noch das Recht, die Zuständigkeitsfrage dann dem Schiedsgericht vorzulegen, das schließlich definitiv entscheidet.[436]

448

b) Bildung des Schiedsgerichts

Alle Mitglieder des Schiedsgerichts sind vom Gerichtshof zu bestätigen. Erst mit der **Bestätigung** wird die Ernennung zur Schiedsrichterin/zum Schiedsrichter wirksam.[437]

449

Kann das Schiedsgericht nicht bestellt werden, hat der Gerichtshof sämtliche Befugnisse, die Bestellung selbst zu bewirken. Er kann insb bereits erfolgte Ernennungen von Mitgliedern des Schiedsgerichts widerrufen und Mitglieder neu oder wieder ernennen, sowie eines von ihnen als die Vorsitzende/den Vorsitzenden ernennen.[438] Dieser neu eingeführte Artikel basiert auf Art 10(3) UNCITRAL SchO, wobei die Kompetenz des Gerichtshofes bei den Swiss Rules weiter geht. Im Gegensatz zur UNCITRAL SchO braucht es nämlich bei den Swiss Rules keinen diesbezüglichen Antrag der Parteien. Mit Art 5(3) Swiss Rules können va Verzögerungstaktiken der beklagten Partei verhindert werden.[439]

450

Haben die Parteien keine Vereinbarung über die Anzahl der Mitglieder des Schiedsgerichts getroffen, entscheidet der Gerichtshof unter Berücksich-

451

---

433 *Bärtsch/Pittet* in Zuberbühler/Müller/Habegger, Swiss Rules[2] Art 3 Rn 1d.
434 Art 3(10) Swiss Rules.
435 Art 3(12) Swiss Rules.
436 *Bärtsch/Pittet* in Zuberbühler/Müller/Habegger, Swiss Rules[2] Art 3 Rn 19f.
437 Art 5(1) Swiss Rules; siehe auch Art 19 Wiener Regeln und § 17 DIS-Regeln.
438 Art 5(3) Swiss Rules.
439 Vgl zum Ganzen *Bärtsch/Pittet* in Zuberbühler/Müller/Habegger, Swiss Rules[2] Art 5 Rn 33.

tigung aller maßgeblichen Umstände, ob die Streitsache einem Einzel- oder Dreierschiedsgericht zuzuweisen ist.[440] Der Gerichtshof wird grundsätzlich die Streitsache einem Einzelschiedsgericht zuweisen, es sei denn, die Komplexität des Falles und/oder Streitwert rechtfertige die Zuweisung an ein Dreierschiedsgericht.[441]

452   Wenn der Streitwert CHF 1 Mio nicht übersteigt, wird der Schiedsprozess automatisch im beschleunigten Verfahren gemäß Art 42(2) Swiss Rules durchgeführt.[442]

453   Art 7 und 8 Swiss Rules enthalten übliche Bestimmungen über die Bestellung des Einzelschiedsgerichts oder des Dreierschiedsgerichts, wenn eine Partei nicht kooperiert. Bei Säumnis erfolgt die Ernennung durch den Gerichtshof.[443] Besondere Bestimmungen gelten bei Mehrparteienverfahren.[444]

454   Jedes Mitglied des Schiedsgerichts kann abgelehnt werden, wenn Umstände vorliegen, die Anlass zu berechtigten Zweifeln an seiner Unparteilichkeit oder Unabhängigkeit geben.[445] Im Gegensatz zu den DIS- und Wiener Regeln gibt es keinen Ablehnungsgrund, wonach ein Mitglied des Schiedsgerichts die zwischen den Parteien vereinbarten Voraussetzungen nicht erfüllt. Das **Ablehnungsbegehren** ist innert 15 Tagen seit Kenntnis der Ablehnungsgründe beim Sekretariat einzureichen.[446] Stimmen nicht alle Parteien der Ablehnung zu oder tritt die/der betroffene Schiedsrichterin/Schiedsrichter nicht von sich aus zurück, entscheidet der Gerichtshof – und nicht das Schiedsgericht wie bei den DIS-Regeln – endgültig über das Ablehnungsbegehren.[447]

455   Im Gegensatz zu Art 13(5) ICC SchO[448] fehlt in den Swiss Rules eine Bestimmung, wonach EinzelschiedsrichterInnen bzw das vorsitzende Mitglied von Dreierschiedsgerichten nicht die gleiche Nationalität wie die Schiedsparteien haben dürfen. Damit hat der Gerichtshof bei der Bestellung größeres Ermessen als der ICC-Gerichtshof.

456   Fachliche Voraussetzungen für die Ausübung des Schiedsrichteramtes nennen die Swiss Rules nicht. Es können auch Nicht-Juristen und ausländische Staatsangehörige als SchiedsrichterInnen ernannt werden, dies im Gegensatz zu den DIS-Regeln, wo die Vorsitzende/der Vorsitzende oder

---

440 Art 6(1) Swiss Rules.
441 Art 6(2) Swiss Rules.
442 Art 6(4) Swiss Rules.
443 Siehe dazu Art 7(3) und 8(2) Swiss Rules.
444 Art 8(3)-(5) Swiss Rules.
445 Art 10(1) Swiss Rules.
446 Art 11(1) Swiss Rules.
447 Art 11(2) und 11(3) Swiss Rules.
448 Art 13(5) ICC SchO gilt nicht für die Parteien bzw parteiernannten Mitglieder des Schiedsgerichts.

EinzelschiedsrichterInnen mangels anderslautender Parteienvereinbarung Jurist sein muss.[449]

c) Zuständigkeit des Schiedsgerichts

Das Schiedsgericht entscheidet über seine eigene Zuständigkeit (**Kompetenz-Kompetenz**), wie dies heute in der internationalen Schiedsgerichtsbarkeit üblich ist.[450]   **457**

Im Gegensatz zu anderen Schiedsinstitutionen ist das Schiedsgericht zur Beurteilung einer **Verrechnungseinrede** auch dann zuständig, wenn die zur Verrechnung gestellte Forderung nicht unter die Schiedsklausel fällt oder Gegenstand einer anderen Schiedsklausel ist.[451] Diese liberale Regelung wurde kritisiert. In der Literatur wurde der Kritik mit den Argumenten entgegengetreten, die Verrechnung sei ein materiell-rechtliches Verteidigungsmittel, weshalb ein Schiedsgericht ein solches zwingend berücksichtigen müsse, bevor es der Klage stattgebe. Es liege zudem im Interesse der Parteien, nicht zwei Verfahren führen zu müssen, sondern in einem Verfahren Klarheit über Forderung und Gegenforderung zu gewinnen.[452]   **458**

d) Verfahrensablauf

Das Schiedsgericht kann das Schiedsverfahren nach **freiem Ermessen** durchführen, vorausgesetzt die Gleichbehandlung und das rechtliche Gehör der Parteien sind gewahrt.[453] Allerdings kann es vom grundsätzlichen Verfahrensablauf, wie er in den Art 18–20, 21, 22, 23, 24 und 27 Swiss Rules festgelegt ist, nicht ohne Einverständnis der Parteien abweichen.[454]   **459**

Der **Verfahrensablauf** entspricht im Wesentlichen den Schiedsordnungen anderer institutioneller Schiedsgerichte, mit folgenden Abweichungen: **460**
a) Entsprechend der Zielsetzung der neuen Swiss Rules, die Verfahren noch effizienter zu gestalten, wurde eine Bestimmung eingeführt, wonach das Schiedsgericht mit Zustimmung aller Parteien Schritte zur Beilegung des Streitfalles durch einvernehmliche Einigung unternehmen kann. Die Zustimmung der Parteien gilt als deren Verzicht auf das Recht, ein Mitglied des Schiedsgerichts wegen fehlender Unparteilichkeit als Folge seiner

---

449 *Bühler/Feit* in Zuberbühler/Müller/Habegger, Swiss Rules² Art 7 Rn 13; § 2.2 DIS-Regeln.

450 Siehe dazu ausführlich *Born*, Commercial Arbitration² 1047 ff.

451 Art 21(5) Swiss Rules.

452 *Altenkirch/Balland/Young Cho/Reinlein*, SchiedsVZ 2005, 155.

453 Art 15(1) Swiss Rules.

454 *Jermini/Gamba* in Zuberbühler/Müller/Habegger, Swiss Rules² Art 15 Rn 4.

Teilnahme an den vereinbarten Schritten oder seiner dabei gewonnenen Kenntnisse abzulehnen.[455]

b) Der Kläger soll in seiner Klageschrift alle Schriftstücke, die er für erheblich erachtet beifügen.[456]

c) Obgleich nicht ausdrücklich in den Swiss Rules erwähnt, hat der Beklagte seine Widerklage bzw Verrechnungseinrede spätestens mit der Klageantwort bzw Widerklageantwort zu erheben. Werden sie in einem späteren Stadium des Schiedsprozesses erhoben, fragt es sich, ob das Schiedsgericht sie als unzulässig betrachten kann. Jedenfalls muss es sie zulassen, wenn vernünftige Gründe für die verspätete Erhebung vorliegen.[457]

d) Nach vorheriger Konsultation der Parteien kann das Schiedsgericht entscheiden, das Verfahren auf der Grundlage von Schriftstücken und anderen Unterlagen durchzuführen.[458] Ein mündliches Beweisverfahren mit Zeugeneinvernahmen usw entfällt dann. Ein solches Vorgehen ist allerdings nur dann angezeigt, wenn die rechtserheblichen Tatsachen bereits mit den eingereichten Urkunden genügend bewiesen sind, wenn die beantragten Beweismittel untauglich sind, oder wenn das Schiedsgericht aufgrund antizipierter Beweiswürdigung in der Lage ist, einen Schiedsspruch zu fällen.[459]

e) In jedem Zeitpunkt des Verfahrens kann das Schiedsgericht die Parteien zur Vorlage von Schrift- oder Beweisstücken oder anderen Beweismitteln innerhalb einer bestimmten Frist auffordern.[460] Einen Parteiantrag braucht es dazu nicht,[461] aber selbstverständlich kann ein Parteiantrag auch Auslöser dafür sein. Das Akteneditionsverfahren gemäß den Swiss Rules ist einem *pre trial discovery* Verfahren nach amerikanischem Vorbild nicht gleichzusetzen. Ein solches würde eine ausdrückliche Vereinbarung der Parteien bedingen. Legt eine der Parteien nach ordnungsgemäßer Aufforderung Urkunden- oder andere Beweise nicht innerhalb der gesetzten Frist vor, ohne dafür ausreichende Gründe vorzubringen, so kann das Schiedsgericht den Schiedsspruch aufgrund der ihm vorliegenden Beweisergebnisse erlassen und das Verhalten der verweigernden Partei entsprechend rechtlich würdigen.[462]

---

455 Art 15(8) Swiss Rules.
456 Art 18 Swiss Rules; im Gegensatz hierzu überlässt es Art 20(4) UNCITRAL SchO den Parteien, welche Dokumente sie dem Schiedsgericht vorlegen wollen.
457 *Berger/Pfisterer* in Zuberbühler/Müller/Habegger, Swiss Rules² Art 19 Rn 9.
458 Art 15(2) Swiss Rules.
459 *Jermini/Gamba* in Zuberbühler/Müller/Habegger, Swiss Rules² Art 15 Rn 14.
460 Art 24(3) Swiss Rules.
461 *Nater-Bass/Rouvinez* in Zuberbühler/Müller/Habegger, Swiss Rules² Art 24 Rn 28.
462 Art 28(3) Swiss Rules.

f) Wenn die Parteien nach Ansicht des Schiedsgerichts ausreichend Gelegenheit hatten, zu den in einem Schiedsspruch zu entscheidenden Angelegenheiten vorzutragen, kann das Schiedsgericht das Verfahren bezüglich dieser Angelegenheit für geschlossen erklären.[463] Im Gegensatz zur ICC SchO besteht nach den Swiss Rules keine Pflicht des Schiedsgerichts, das Verfahren vor Erlass des Schiedsspruches zu schließen. Der Gerichtshof wird somit nicht intervenieren, wenn das Schiedsgericht das Verfahren formell nicht schließt.[464] Es kann allerdings jederzeit vor Erlass des Schiedsspruches von sich aus oder auf Parteiantrag ein für bereits geschlossen erklärtes Verfahren wieder eröffnen, wenn es dies wegen außerordentlicher Umstände für notwendig hält.[465]

g) Im Gegensatz zur ICC SchO unterliegen Schiedssprüche nach den Swiss Rules keiner Überprüfung durch den Gerichtshof. Der Gerichtshof überprüft einzig den Kostenentscheid des Schiedsgerichts.[466] Sollte der Gerichtshof mit der Kostenentscheidung nicht einverstanden sein, kann er im Gegensatz zu den früheren Regeln nun selbst einen Kostenentscheid fällen. Diese Überwachung der Kosten entspricht den Grundsätzen der Art 41(3) und 41(4) der revidierten UNCITRAL SchO von 2010. Der Gerichtshof ist aber nicht zuständig, über die Verteilung der Kosten zu entscheiden. In dieser Frage ist einzig das Schiedsgericht zuständig.

h) Zudem kann der Gerichtshof auch die Verteilung der Honorare unter den Mitgliedern des Schiedsgerichts festlegen, wenn sich diese hierüber nicht einigen. Der Entscheid des Schiedsgerichts über sein eigenes Honorar ist nach der neueren Rsp des BGer nicht vollstreckbar, weil zum einen Ansprüche aus dem Verhältnis zwischen dem Schiedsgericht und den Parteien nicht unter die Schiedsvereinbarung fallen und zum anderen damit ein nicht hinnehmbares Urteilen in eigener Sache verbunden wäre.

i) Originale des von den Mitgliedern des Schiedsgerichts unterschriebenen Schiedsspruches sind den Parteien und dem Sekretariat durch das Schiedsgericht zu übermitteln.[467] Der Gerichtshof erhält somit den Schiedsspruch einzig zur Aufbewahrung.

k) Findet das Schiedsverfahren in der Schweiz statt, kann der Schiedsspruch unter gewissen Umständen mit Beschwerde beim höchsten schweizerischen Gericht, dem Bundesgericht in Lausanne, als einziger Instanz, angefochten werden.[468] Die Beschwerdefrist beträgt 30 Tage. Die Be-

---

463 Art 29(1) Swiss Rules.
464 *Habegger*, ASA Bulletin 2012, 288.
465 Art 29(2) Swiss Rules.
466 Art 40(4) Swiss Rules.
467 Art 32(6) Swiss Rules.
468 Art 191 schwIPRG.

schwerdegründe sind jedoch sehr beschränkt.[469] Es kann nur die Verletzung wesentlicher Verfahrensgrundsätze sowie des *ordre public* gerügt werden. Die Verletzung materiellen Rechts ist kein Beschwerdegrund.

e) Verfahrensfragen

(1) Verfahrenskonsolidierung, Mitwirkung von Drittparteien

461 Wird eine Einleitungsanzeige in einer Streitsache zwischen Parteien eingereicht, die an einem anderen unter den Swiss Rules bereits anhängigen Schiedsverfahren beteiligt sind, kann der Gerichtshof nach Konsultation aller Parteien und Mitglieder des Schiedsgerichts in allen betroffenen Verfahren entscheiden, das neue Verfahren mit dem bereits anhängigen Schiedsverfahren zu vereinen. Der Gerichtshof kann in gleicher Weise vorgehen, wenn eine Einleitungsanzeige in einer Streitsache zwischen Parteien eingereicht wird, die mit derjenigen eines bereits anhängigen Verfahrens nicht identisch sind. Beim diesbezüglichen Entscheid hat der Gerichtshof aber alle relevanten Umstände zu berücksichtigen, einschließlich des Zusammenhangs zwischen den beiden Streitsachen sowie des Stadiums, in welchem sich das anhängige Verfahren befindet.

462 Falls der Gerichtshof entscheidet, das neue Verfahren mit dem bereits anhängigen Schiedsverfahren zu vereinen, so bedeutet dies den Verzicht der Parteien aller Verfahren auf ihr Recht, ein Mitglied des Schiedsgerichts zu bezeichnen und der Gerichtshof kann bereits erfolgte Ernennungen und Bestätigungen von Mitgliedern der Schiedsgerichte widerrufen und nach den Art 5 ff Swiss Rules SchiedsrichterInnen neu ernennen und bestätigen.[470]

463 Die Regelung über den impliziten Verzicht auf die Bezeichnung des eigenen Mitglieds des Schiedsgerichts wird international teilweise kritisiert, insb wenn ein Schiedsgericht bereits konstituiert ist und die Parteien im neuen Verfahren nicht mehr Gelegenheit haben, das eigene Mitglied des Schiedsgerichts zu bezeichnen. Damit wird nach Ansicht der Kritiker das Recht auf Gleichbehandlung der Parteien bei der Ernennung von SchiedsrichterInnen verletzt.[471]

464 Dieser Kritik ist aus folgenden Gründen entgegenzutreten: Indem die Parteien sich in der Schiedsvereinbarung auf die Anwendung der Swiss Rules geeinigt haben, haben sie implizit auch ihr Einverständnis zu einer möglichen Verfahrensvereinigung im Sinne von Art 4(1) Swiss Rules gegeben. Damit haben die Parteien im Falle einer Verfahrensvereinigung mit einem bereits anhängigen Schiedsprozess auch auf ihr Recht verzichtet, ein eigenes Mit-

---

469   Art 190 schwIPRG.
470   Art 4(1) Swiss Rules.
471   *Bärtsch/Petti* in Zuberbühler/Müller/Habegger, Swiss Rules[2] Art 4 Rn 31.

glied des Schiedsgerichts zu bezeichnen. Die Frage, ob ein solcher Verzicht zulässig ist, bestimmt sich nach der *lex arbitri*. Nach schweizerischem Recht ist er zulässig, solange die Parteien gleich behandelt werden.[472]

Falls eine oder mehrere Drittpersonen an einem unter den Swiss Rules **465** hängigen Schiedsverfahren teilzunehmen wünschen, oder falls eine an einem Schiedsverfahren unter dieser Schiedsordnung beteiligte Partei die Teilnahme einer oder mehrerer Drittpersonen am Verfahren verlangt, entscheidet das Schiedsgericht über das entsprechende Begehren nach Konsultation aller Parteien, einschließlich der einzubeziehenden Drittpersonen, und in Berücksichtigung aller maßgeblichen Umstände.[473] Die Drittpersonen müssen nicht unbedingt nur als Klägerin oder Beklagte auftreten, sondern können auch NebenintervenientInnen sein. Im Gegensatz zu Art 17(4) UNCITRAL SchO muss die Drittperson aber nicht Partei einer Schiedsvereinbarung sein, um am Schiedsprozess teilzunehmen. Auch gibt es keine Einschränkungen wie bei Art 7 ICC SchO, wonach eine Drittperson nur im Rahmen einer Streitverkündungsklage am Schiedsprozess teilnehmen kann.[474]

(2) Vorläufige und sichernde Maßnahmen

Wie bei allen anderen institutionellen Schiedsordnungen kann das Schieds- **466** gericht nach Art 26 Swiss Rules auf Parteiantrag **vorläufige** oder **sichernde Maßnahmen** treffen. Substantiell neu ist die Bestimmung, wonach das Schiedsgericht auch vorläufige und sichernde Maßnahmen *ex parte* erlassen kann, dies aber nur bei Vorliegen außerordentlicher Umstände. Solche Umstände liegen bei besonderer Dringlichkeit, insb bei Vereitelungsgefahr, vor. Das Schiedsgericht kann solche Maßnahmen nicht in Form eines vorläufigen Schiedsspruches erlassen, sondern lediglich in Form eines prozessualen Entscheides. Spätestens mit einer solchen Anordnung hat das Schiedsgericht den anderen Parteien den Antrag zur Kenntnis zu bringen und ihnen ohne Verzug rechtliches Gehör zu gewähren.[475]

3. Beschleunigtes Verfahren

Wenn die Parteien es vereinbaren oder wenn in einer Streitigkeit der Streit- **467** wert (Klage- und Widerklagesumme) CHF 1 Mio nicht übersteigt, wird das Schiedsverfahren in einem beschleunigten Verfahren nach Art 42 Swiss Rules

---

472 *Bärtsch/Petti* in Zuberbühler/Müller/Habegger, Swiss Rules² Art 4 Rn 36; nach französischem Recht ist ein solcher Verzicht nicht zulässig, wie der Entscheid *Dutco* zeigt.

473 Art 4(2) Swiss Rules.

474 Vgl zum Ganzen *Habegger,* ASA Bulletin 2012, 279.

475 Art 26(3) Swiss Rules; vgl auch zum Ganzen *Habegger,* ASA Bulletin 2012, 287.

durchgeführt. Bei einem Streitwert von unter CHF 1 Mio ist das beschleunigte Verfahren somit auch anwendbar, wenn es die Parteien nicht vereinbart
haben. Dies im Gegensatz zu den Wiener Regeln und den DIS-ERBV, wo die
ergänzenden Regeln über das beschleunigte Verfahren nur zur Anwendung
kommen, wenn die Parteien diese in die Schiedsvereinbarung aufgenommen
oder sich auf ihre Anwendung nachträglich geeinigt haben.[476]

468   Beschleunigt im Sinne der Swiss Rules heißt: (i) in der Regel ein Schriftenwechsel, (ii) eine mündliche Verhandlung und (iii) Erlass Schiedsspruch innerhalb von 6 Monaten ab Zustellung des Schiedsaktes an das Schiedsgericht
mit summarischer Begründung.[477]

469   Obgleich der Schiedsspruch nur summarisch zu begründen ist, hat er die
gleichen Wirkungen wie ein „normaler" Schiedsspruch. Er ist endgültig, die
Rechtskraftwirkung ist dieselbe, und er ist auch gemäß Art 190 schwIPRG
anfechtbar.[478]

4. Dringlicher Rechtsschutz

470   Ähnlich wie Appendix 5 der ICC SchO kann eine Partei, welche vor der Bestellung des Schiedsgerichts vorläufiger oder sichernder Maßnahmen bedarf,
beim Sekretariat ein Begehren um dringlichen Rechtsschutz einreichen, sofern
die Parteien nichts anderes vereinbart haben.[479]

471   Für die Zuständigkeit des **Dringlichkeitsschiedsgerichts** reicht der Verweis in der Schiedsvereinbarung auf die Swiss Rules. Es braucht keine spezielle
Schiedsvereinbarung, die auf die Bestimmungen des dringlichen Rechtsschutzes verweist.[480] Besteht offensichtlich keine Schiedsvereinbarung, die auf die
Swiss Rules verweist, ist das Dringlichkeitsschiedsgericht nicht zuständig.[481]
Der Gerichtshof muss die Zuständigkeit nur *prima facie* überprüfen. Diesbezüglich fragt es sich, ob hier der Gerichtshof nicht eine genauere Prüfung
der Zuständigkeit vornehmen sollte, denn das Dringlichkeitsschiedsgericht
hat für die Zuständigkeitsfrage kaum Zeit.

472   Nach Eingang des Begehrens ernennt der Gerichtshof sobald als möglich eine Einzelperson als Dringlichkeitsschiedsgericht und stellt dieser
die Akten zu.[482] Wenn die Einleitungsanzeige nicht bereits anhängig ist
oder bis spätestens zehn Tage nach Eingang des Begehrens eingereicht

---

476   Art 45(1) Wiener Regeln; § 1.1 DIS-ERBV.
477   Art 42(1) Swiss Rules.
478   *Scherer,* SchiedsVZ 2005, 235.
479   Art 43 Swiss Rules.
480   *Besson/Thommesen* in Zuberbühler/Müller/Habegger, Swiss Rules² Introduction
      Rn 24.
481   Art 43(2) lit a Swiss Rules.
482   Art 43(2) Swiss Rules.

wird, stellt der Gerichtshof das Verfahren für dringlichen Rechtsschutz ein, wobei der Gerichtshof in außergewöhnlichen Umständen diese Frist erstrecken kann.[483]

Das Dringlichkeitsschiedsgericht führt das Verfahren nach seinem freien **473** Ermessen, unter Berücksichtigung der dem Verfahren eigenen Dringlichkeit und vorausgesetzt, jede Partei hat ausreichend Gelegenheit, sich zu dem Begehren zu äußern.[484] Ob zwei kurze Schriftenwechsel oder die Durchführung einer mündlichen Verhandlung geboten sind, entscheidet das Dringlichkeitsschiedsgericht nach freiem Ermessen. Es kann auch eine Telefon- oder Videokonferenz anordnen oder nur einen Schriftenwechsel zulassen. Für die Verfahrensgestaltung ist einzig maßgeblich, was praktikabel und effizient ist.

Die Entscheidung über das Begehren ist innerhalb von 15 Tagen nach **474** Zustellung der Akten zu erlassen. Diese Frist kann durch Vereinbarung der Parteien oder bei Vorliegen angemessener Umstände durch den Gerichtshof erstreckt werden.[485] Das Dringlichkeitsschiedsgericht kann im Gegensatz zu vielen anderen institutionellen Schiedsordnungen (vgl zB Appendix V Art 1(5) ICC SchO) auch **vorläufige Maßnahmen** anordnen, ohne die Gegenpartei angehört zu haben. Der Gegenpartei ist nach der Anordnung jedoch das rechtliche Gehör zu gewähren.

Die angeordneten Maßnahmen können vom Dringlichkeitsschiedsgericht **475** oder vom Schiedsgericht selbst abgeändert, ausgesetzt oder aufgehoben werden. Sie fallen mit dem Erlass des endgültigen Schiedsspruches (außer das Schiedsgericht entscheidet darin anders) oder mit der Einstellung des Verfahrens für dringlichen Rechtsschutz bzw des Schiedsverfahrens dahin.[486]

Die als Dringlichkeitsschiedsgericht bestellte Person darf für Schieds- **476** verfahren, welche mit dem ihr unterbreiteten Streitfall im Zusammenhang stehen, nicht als Mitglied des Schiedsgerichts bestellt werden, außer die Parteien haben dies anders vereinbart.[487]

Bis heute wurden sechs Begehren um dringlichen Rechtsschutz gestellt **477** und behandelt. Die Praxis hat bisher gezeigt, dass sich die Regeln bewähren und dass es auch möglich ist, innerhalb von 15 Tagen eine Entscheidung zu erlassen.

---

483 Art 43(3) Swiss Rules.
484 Art 43(6) Swiss Rules.
485 Art 43(7) Swiss Rules.
486 Art 43(10) Swiss Rules.
487 Art 43(11) Swiss Rules.

5. Charakteristische Merkmale

a) Keine Prüfung des Schiedsspruches und keine Terms of Reference

478 Im Gegensatz zur ICC SchO unterliegen Schiedssprüche nach den Swiss Rules **keiner Überprüfung durch den Gerichtshof.** Der Gerichtshof überprüft einzig den Kostenentscheid des Schiedsgerichts.[488] Sodann kennen die Swiss Rules, anders als Art 23 ICC SchO, keine obligatorischen *Terms of Reference*; zur Regelung der üblicherweise in den *Terms of Reference* enthaltenen Fragen sowie von Verfahrensregeln erlassen die Schiedsgerichte einen zuvor mit den Parteien besprochenen **Konstituierungsbeschluss.**

b) Zuständigkeit des Schiedsgerichts für finanzielle Aspekte

479 Abgesehen von einer fixen **Einschreibegebühr**, die zusammen mit der Einleitungsanzeige an das Sekretariat zu leisten ist, ist das Schiedsgericht nach Rücksprache mit dem Gerichtshof zur **Festlegung und Einforderung von Kostenvorschüssen** der Parteien selbst zuständig.[489] Dies ist ein Unterschied zu anderen institutionellen Schiedsverfahren (zB Verfahren nach der ICC SchO oder den Wiener Regeln), wo die Institution den Kostenvorschuss einfordert. Während des Schiedsverfahrens kann das Schiedsgericht nach Konsultation des Gerichtshofs von den Parteien die Erhöhung der hinterlegten Beträge verlangen.[490] Unter den Swiss Rules werden Kostenvorschüsse meist gesamthaft eingefordert. Ähnlich wie in anderen institutionellen Schiedsverfahren kann sie im Laufe des Verfahrens erhöht werden, wenn sie nicht ausreichen. Wird das Schiedsverfahren vorzeitig durch Vergleich erledigt, so fällt idR kein volles Schiedsgerichtshonorar an. In seinem endgültigen Schiedsspruch hat das Schiedsgericht gegenüber den Parteien betreffend Verwendung der hinterlegten Beträge Rechnung zu legen.[491]

c) Internationale Verankerung der Swiss Rules

480 Die Swiss Rules sind auch anwendbar, wenn der Sitz des Schiedsgerichts nicht in der Schweiz, sondern in einem anderen Land ist.[492] Damit wird dem Bedürfnis Rechnung getragen, die Swiss Rules auch international anwenden zu können.

---

488 Art 40(4) Swiss Rules.
489 Art 41(1) Swiss Rules.
490 Art 41(3) Swiss Rules.
491 Art 41(5) Swiss Rules.
492 Art 1(2) Swiss Rules.

D. VIAC

Werner Melis

1. Das Internationale Schiedsgericht der Wirtschaftskammer Österreich

a) Die Institution

Das **Internationale Schiedsgericht der Wirtschaftskammer Österreich** **481**
(*Vienna International Arbitration Centre*, VIAC) hat seine Tätigkeit am
1. Januar 1975 aufgenommen. Gemäß Art 1(1) seiner VIAC Schieds- und
Mediationsordnung (**Wiener Regeln**), gültig seit 1. Juli 2013, administriert
das VIAC nur Schiedsverfahren, *„[...] wenn mindestens eine Partei zum Zeitpunkt des Abschlusses dieser Vereinbarung ihren Sitz oder gewöhnlichen Aufenthalt außerhalb Österreichs hatte"*, und Verfahren *„[...] für die Erledigung von Streitigkeiten internationalen Charakters [...]"* zwischen Parteien mit
Sitz oder gewöhnlichem Aufenthalt in Österreich.

b) Der Tätigkeitsbereich des VIAC

Das VIAC wurde gegründet, um den Erfordernissen Rechnung zu tragen, **482**
dass während der Zeit des kalten Kriegs für Ost-West-Wirtschaftsstreitigkeiten vornehmlich Schiedsgerichte in neutralen Drittstaaten, darunter auch
Österreich, vereinbart wurden. Nach dem Fall der Berliner Mauer am 9. Januar
1989 war die Institution etabliert. Sie ist heute weltweit tätig, der Anteil von
Parteien aus Mittel- und Osteuropa lag in den letzten Jahren immer noch bei
30–40 % der anhängigen Fälle. Ende 2016 waren 60 Streitfälle anhängig. Der
Gesamtstreitwert dieser Verfahren betrug 1,4 Milliarden Euro. Die Streitgegenstände umfassen mit wechselndem Anteil die ganze Palette des internationalen Wirtschaftsverkehrs mit starken Anteilen aus den Bereichen Finanz,
Bau- und Anlagen, Handel, Energie, Maschinenbau und Arbeitskräfte.

c) Information, Kontakte, Dienstleistungen

Auf der VIAC-Homepage *www.viac.eu* können alle Angaben eingesehen **483**
werden, die für eine Erstinformation wichtig sind, darunter der Text der
Schieds- und Mediationsordnung mit der als Anhang 1 angeführten empfohlenen **Musterklausel** in zahlreichen Sprachen, und eine **Liste von PraktikerInnen**, die sich als Schiedsrichterin/Schiedsrichter anbieten und ein vom
Sekretariat des VIAC ausgestelltes Formular ausgefüllt haben. Diese Liste ist
nicht als Empfehlung sondern als Arbeitsbehelf gedacht.

VIAC hat ferner 2013 im Verlag Service-GmbH der WKÖ ein *Handbuch* **484**
Wiener Regeln – ein Praxisleitfaden (auch in englischer Fassung erhältlich:

Handbook Vienna Rules – A Practitioner's Guide) und 2016 ein Handbuch *Wiener Mediationsregeln. Ein Leitfaden für die Praxis* publiziert. Ein von VIAC 2015 publiziertes Buch *Selected Arbitral Awards Volume 1* gibt ferner eine Übersicht über im Rahmen von VIAC-Verfahren erlassene Schiedssprüche.

485   Die Wirtschaftskammer Österreich, der Sitz des VIAC, verfügt über zahlreiche Sitzungsräume in jeder Größenordnung, zum Teil mit eingebauten Simultandolmetschanlagen, und jeder erforderlichen technischen Ausstattung wie für Videokonferenzen, die angemietet werden können. Außerdem verfügt sie über eine Mensa, die auch von TeilnehmerInnen am Schiedsverfahren benützt werden kann. Dadurch kann bei Verhandlungen die Mittagspause wesentlich reduziert werden. Das Sekretariat des VIAC leistet auch jede Unterstützung in organisatorischer Hinsicht, wie die Vermittlung von SchriftführerInnen und DolmetscherInnen.

2. Das Schiedsverfahren nach den Wiener Regeln

a) Die Phasen des Schiedsverfahrens

486   Wie bei den meisten international tätigen Schiedsgerichtsinstitutionen gliedert sich das Verfahren nach den Wiener Regeln in drei Phasen: die erste Phase beginnt mit der Einreichung einer Klage beim Sekretariat des VIAC; die zweite Phase umfasst das Verfahren vom Zeitpunkt der Übergabe der Unterlagen zum Fall an die Mitglieder des Schiedsgerichts mit dem Auftrag, das Schiedsverfahren durchzuführen; die dritte Phase umfasst die Beendigung des Schiedsverfahrens, die Bestimmung der Schiedsgerichtskosten durch den Generalsekretär und, falls das Verfahren durch Schiedsspruch beendet wird, die Zustellung des Schiedsspruchs an die Parteien durch den Generalsekretär.

b) Das Verfahren bis zur Übergabe der Unterlagen an die Mitglieder des Schiedsgerichts

(1) Die Schiedsklage

487   Nach den Wiener Regeln wird das Schiedsverfahren nur durch die **Übermittlung einer vollständigen Schiedsklage** an das Sekretariat des VIAC eingeleitet.[493] Das Verfahren wird daher vom Generalsekretär nur fortgesetzt, wenn eine vollständige Schiedsklage vorliegt. Das gilt auch für die Widerklage.[494] Die Wiener Regeln unterscheiden sich hier von einigen anderen Schiedsordnungen institutioneller Schiedsgerichte, wo das Schiedsverfahren auch durch eine Einleitungsanzeige (*notice of arbitration*) eingeleitet werden kann und die

---

493   Art 7 Wiener Regeln.
494   Art 9 Wiener Regeln.

Schiedsklage erst nach Konstituierung des Schiedsgerichts eingereicht werden muss. Dies ist für *ad hoc* Schiedsverfahren, wie nach der UNCITRAL SchO verständlich,[495] weil hier zu Beginn eines Schiedsverfahrens nur die Gegenpartei ein Ansprechpartner für die Klägerin ist. Für institutionelle Schiedsgerichte ist die Lösung der Wiener Regeln vorzuziehen, da sie von Anfang an Klarheit schafft und auch eine Verkürzung des Verfahrens bewirkt.

(2) Die Bestellung der SchiedsrichterInnen

Wie die meisten Schiedsordnungen sehen auch die Wiener Regeln Verfahren **488** vor einer Einzelschiedsrichterin/einem Einzelschiedsrichter oder einem aus drei Mitgliedern bestehenden SchiedsrichterInnensenat vor.[496] Mangels Parteieneinigung auf die Anzahl der SchiedsrichterInnen legt diese, anders als in anderen Schiedsordnungen, wo in diesem Fall meist drei Schiedsgerichtsmitglieder zu bestellen sind, das Präsidium des VIAC fest.[497] Nach der bisherigen Praxis hat das Präsidium des VIAC außer bei Vorliegen besonderer Gründe, bis zu einem Streitwert von EUR 1 Mio nur EinzelschiedsrichterInnen bestimmt.

Unterschiedliche Regelungen gibt es in verschiedenen Schiedsordnungen **489** auch für die **Ersatzbestellung von SchiedsrichterInnen**. Wenn eine Parteienseite nicht ihr Schiedsgerichtsmitglied benennt, wird nach mehreren Schiedsordnungen die Benennung der Schiedsrichterin/des Schiedsrichters der anderen Partei durch ein Organ der Schiedsgerichtsinstitution widerrufen und das gesamte Schiedsgericht ausschließlich von einem Organ der Institution bestellt. Nach den Wiener Regeln wird nur die Ersatzbestellung für die säumigen Parteien durch das Präsidium des VIAC vorgenommen, während die Bestellung durch die andere Partei aufrecht bleibt.[498] Nur im Ausnahmefall, der bisher noch nicht eingetreten ist, kann das Präsidium des VIAC bereits erfolgte Bestellungen im Mehrparteienverfahren widerrufen *„und die Co-Schiedsrichter oder auch alle Schiedsrichter neu bestellen".*[499] So wird idR verhindert, dass die Partei bestraft wird, die ihr Mitglied des Schiedsgerichts gemäß der Schiedsordnung bestellt hat, nur weil die andere Partei keines bestellt hat.

(3) Kostenvorschuss

Eine Besonderheit der Wiener Regeln ist, dass sich die Parteien mit Verein- **490** barung der Wiener Regeln wechselseitig zur anteiligen Tragung des vom Generalsekretär des VIAC festgesetzten Kostenvorschusses verpflichten.[500] Der

---

495 Art 3 UNCITRAL SchO.
496 Art 17(1) Wiener Regeln.
497 Art 17(2) Wiener Regeln.
498 Art 17(4) Wiener Regeln.
499 Art 18(4) Wiener Regeln.
500 Art 42(2) Wiener Regeln.

Kostenvorschuss dient zur **Vorfinanzierung des Verfahrens** und soll die voraussichtlichen Verwaltungskosten des VIAC, die Honorare der SchiedsrichterInnen und die Auslagen vollständig abdecken.[501] Die voraussichtliche Höhe des Kostenvorschusses kann auf Basis der in Anhang 3 der Wiener Regeln angeschlossenen Kostentabelle sehr zuverlässig bereits im Vorhinein selbst berechnet werden.[502] Einen ersten Hinweis auf die zu erwartenden Kosten des Schiedsverfahrens bietet auch der online-Kostenrechner auf der Homepage des VIAC.[503]

491 Der Kostenvorschuss ist von den Parteien binnen 30 Tagen ab Zustellung der Aufforderung zu gleichen Teilen zu erlegen.[504] Wie in den meisten institutionellen Schiedsordnungen wird auch nach den Wiener Regeln der Schiedsfall zur Vermeidung frustrierten Aufwands erst dann an das bestellte Schiedsgericht übergeben, wenn der vom Generalsekretär vorgeschriebene Kostenvorschuss vollständig bezahlt wurde.[505] Ist die Schiedsbeklagte mit der Erlegung des Kostenvorschusses säumig, kann die Schiedsklägerin den ausstehenden Betrag selbst vorschießen und so das Verfahren weiterführen, widrigenfalls kann der Generalsekretär das Verfahren für beendet erklären.[506] Beteiligen sich auf der Klägerseite und/oder Beklagtenseite mehrere Parteien am Schiedsverfahren, ist die jeweilige Hälfte des Kostenvorschusses sowohl für die Kläger als auch für die Beklagten gemeinsam zu erlegen. Wird im Laufe des Verfahrens klar, dass der eingehobene Kostenvorschuss nicht ausreichen wird, hat der Generalsekretär des VIAC den Parteien den Erlag eines zusätzlichen Vorschusses vorzuschreiben, wobei die Bestimmungen des Art 42 Wiener Regeln analog für diesen Fall anzuwenden sind.[507]

492 Der Kostenvorschuss ist auf ein vom Generalsekretär der VIAC zu benennendes Bankkonto via Überweisung zu erlegen, wo es von dem VIAC verwaltet wird.[508] Müssen die SchiedsrichterInnen Umsatzsteuer auf ihre Honorare abführen, berücksichtigt der Generalsekretär die voraussichtliche Umsatzsteuer bereits bei der Berechnung des Kostenvorschusses.[509]

---

501 Art 42(1) Wiener Regeln.
502 Siehe Anhang 3 zu den Wiener Regeln.
503 www.viac.eu.
504 Art 42(1) und (2) Wiener Regeln.
505 Art 42 Wiener Regeln und Art 11(3) Wiener Regeln.
506 Art 42(3) Wiener Regeln.
507 Art 42(5) Wiener Regeln; zu einer nachträglichen Erhöhung des Kostenvorschusses kann es insb bei der Einführung neuer Ansprüche in das Schiedsverfahren und der Erhöhung des Streitwerts im Rahmen einer Klageausdehnung kommen.
508 *Peters* in VIAC, Handbuch Art 42 Rn 13.
509 Siehe auch *Peters* in VIAC, Handbuch Art 42 Rn 5; allgemein zum steuerrechtlichen EU-weiten *Reverse Charge*-Mechanismus in Bezug auf Honorare von SchiedsrichterInnen siehe *Heider/Fremuth-Wolf* in VIAC, Handbuch Art 44 Rn 7; in einem Verfahren nach den Wiener Regeln müssen die Schiedsrichter bereits im Formular

Fallen für bestimmte Verfahrensschritte **zusätzliche Kosten** an, hat das   **493**
Schiedsgericht den Generalsekretär des VIAC darüber zu informieren.[510]
Sind die Kosten des geplanten Verfahrensschrittes nicht bereits durch den
am Beginn des Schiedsverfahrens eingehobenen Kostenvorschuss gedeckt,
kann das Schiedsgericht entweder selbst für die Deckung der voraussichtlichen Kosten sorgen oder alternativ den Generalsekretär des VIAC um Abwicklung der Einhebung und treuhändischen Verwaltung des Vorschusses
bitten.[511] Bis zur ausreichenden Deckung für die voraussichtlichen Kosten
darf das Schiedsgericht keine weiteren Verfahrensschritte gemäß Art 43(1)
Wiener Regeln vornehmen.[512]

c) Das Verfahren vor dem Schiedsgericht

(1) Fristen, Kontrolle, Genehmigung

Anders als in einigen anderen Schiedsordnungen sehen die Wiener Regeln,   **494**
soweit die Streitparteien nicht ein in den Wiener Regeln vorgesehenes beschleunigtes Verfahren vereinbart haben,[513] **keine Frist für die Beendigung
des Schiedsverfahrens** vor. Die durchschnittliche Verfahrensdauer hat bisher
etwa 11 Monate ab Übergabe des Falls durch das VIAC-Sekretariat an die
Mitglieder des Schiedsgerichts betragen. Auch haben nach den Wiener Regeln
die Organe des VIAC, also der Generalsekretär und das Präsidium, anders
als in einigen anderen Schiedsordnungen wie jener des Schiedsgerichts der
Internationalen Handelskammer (ICC),[514] nicht das Recht, das Verfahren
vor dem Schiedsgericht zu kontrollieren und/oder deren Entscheidungen
zu überprüfen und zu bestätigen.

(2) Verfahrensablauf vor dem Schiedsgericht

Der Verfahrensablauf vor dem Schiedsgericht (Art 28–32 Wiener Regeln)   **495**
entspricht im Wesentlichen den Bestimmungen der UNCITRAL SchO und

---

zur Annahme des SchiedsrichterInnenmandats angeben, ob sie Umsatzsteuer ab-
zuführen haben.
510   Art 43(1) Wiener Regeln.
511   Siehe dazu auch *Peters* in VIAC, Handbuch Art 43 Rn 4 ff; der vom Schiedsgericht
      selbst mittels prozessleitender Verfügung vorgeschriebene, zusätzliche Kostenvor-
      schuss für den geplanten Verfahrensschritt wird idR von der/dem Vorsitzenden des
      Schiedsgerichts treuhändisch verwaltet.
512   Art 43(2) Wiener Regeln; Verfahrensschritte gem Art 43(1) Wiener Regeln sind va
      jene, die mit Kosten verbunden sind, wie die Bestellung von Sachverständigen, Dol-
      metschern oder Übersetzern, die wörtliche Aufzeichnung des Verhandlungsverlaufes,
      die Abhaltung eines Lokalaugenscheines oder die Verlegung des Verhandlungsortes.
513   Art 45 Wiener Regeln.
514   Art 34 ICC SchO.

den Schiedsordnungen anderer Schiedsinstitutionen. Es werden daher in der Folge nur einige Besonderheiten der Wiener Regeln erwähnt. Auf umfassende Kommentierungen der Bestimmungen des Verfahrensablaufs in internationalen Schiedsverfahren wird an dieser Stelle verwiesen.[515]

(3) Einbeziehung Dritter

496 Die Bestimmungen der Wiener Regeln über die **Einbeziehung Dritter** gehen weiter als jene in einigen anderen Schiedsordnungen.[516] So entscheidet das Schiedsgericht über den Antrag einer Partei oder einer Drittperson auf Einbeziehung in ein laufendes Schiedsverfahren. Wird ein solcher Antrag schon in der Schiedsklage gestellt, übermittelt der Generalsekretär die Schiedsklage der Drittperson und lädt auch diese zur Stellungnahme ein. Vor Bestätigung der Benennung oder Bestellung einer Schiedsrichterin/eines Schiedsrichters können Drittpersonen auch an der Bildung des Schiedsgerichts nach den Bestimmungen über das Mehrparteienverfahren mitwirken.[517] Das Schiedsgericht kann aber auch die Schiedsklage zur Entscheidung über die Einbeziehung einer Drittperson dem Sekretariat des VIAC zur Behandlung in einem gesonderten Verfahren zurückstellen.[518] Drittpersonen können aber auch die Einbeziehung in ein Schiedsverfahren ohne Klage, wie als Nebenintervenient oder als *amicus curiae*, beantragen.

(4) Beschleunigtes Verfahren

497 Die Wiener Regeln enthalten ferner Bestimmungen über ein beschleunigtes Verfahren, auf das sich die Parteien in ihrer Schiedsvereinbarung oder nachträglich geeinigt haben.[519] Diese Möglichkeit wurde bisher nicht in Anspruch genommen. Auf die Aufnahme eines EilschiedsrichterInnenverfahrens (*Emergency Arbitrator*) in die Wiener Regeln, wie ua in der Schiedsgerichtsordnung der ICC,[520] wurde bisher verzichtet.

---

515 Siehe näher zum Verfahrensablauf *Dorda* Rn 1052 ff sowie *Liebscher/Mosimann/ Schmidt-Ahrendts* Rn 1135 ff; *Weigand*, Handbook² 2.73 ff; *Schwarz/Konrad*, Vienna Rules 20–001 ff; *Born*, Commercial Arbitration² 2120 ff.

516 Art 14 Wiener Regeln; siehe näher zum Mehrparteien-Verfahren *Killias* Rn 1017 ff.

517 Art 14(3)(3.2) Wiener Regeln und Art 18 Wiener Regeln.

518 Art 14(3)(3.3) Wiener Regeln.

519 Art 45 Wiener Regeln.

520 Siehe dazu näher Art 29 ICC SchO und Anhang V zur ICC SchO.

d) Kostenentscheidung und Zustellung des Schiedsspruchs

(1) Bestimmung der Verfahrenskosten
und Honorare der SchiedsrichterInnen

Wie in den Schiedordnungen anderer Schiedsgerichtsinstitutionen werden **498**
die Verwaltungskosten des VIAC, die Honorare der Mitglieder des Schiedsgerichts und deren Auslagen nach Abschluss des Verfahrens vom Generalsekretär des VIAC bestimmt. Dieser ist dabei an eine **Kostentabelle** (Anhang 3)
gebunden, die die Verwaltungskosten und die Honorare für die Mitglieder des
Schiedsgerichts anders als bei einigen anderen Schiedsgerichtsinstitutionen in
festen Prozentsätzen der Streitwerte bestimmt. Für drei SchiedsrichterInnen
beträgt die Honorarsumme das Zweieinhalbfache des Satzes für die Einzel-
schiedsrichterin/den Einzelschiedsrichter, doch kann der Generalsekretär
das Honorar der SchiedsrichterInnen bei besonderer Schwierigkeit des Falls
um bis zu 30 % erhöhen.[521] Die in der Tabelle vorgesehenen Honorarbeträge
entsprechen dem internationalen Standard und geben außerdem Parteien und
potentiellen Mitgliedern des Schiedsgerichts im Gegensatz zu weiten Mini-
mal- und Maximalmargen oder Stundensätzen für Honorare der SchiedsrichterInnen, die in anderen Schiedsgerichtsinstitutionen vorgesehen sind,
die Möglichkeit, die zu erwartenden Kosten bzw Honorare vor Verfahrensbeginn realistisch einzuschätzen.

(2) Die Zustellung des Schiedsspruchs

Ein Schiedsspruch des VIAC wird auf allen Ausfertigungen mit der Un- **499**
terschrift des Generalsekretärs und dem Stempel des VIAC versehen und
den Parteien vom Generalsekretär zugestellt. Damit wird bestätigt, dass es
sich um einen Schiedsspruch des VIAC handelt und dieser von dem/den
gemäß den Wiener Regeln bestellten SchiedsrichterInnen erlassen wurde.
Diese Bestimmung hat sich in der Praxis bei Vollstreckungsverfahren als
sehr nützlich erwiesen.

3. Die VIAC-Mediationsordnung (Wiener Mediationsregeln)

Die Wiener Regeln hatten immer eine Schlichtungsordnung enthalten, nach **500**
der auf Antrag einer Partei im Rahmen der sachlichen Zuständigkeit des
VIAC ein Schlichtungsverfahren durchgeführt werden konnte. Dafür war
das Vorliegen einer gültigen Schiedsvereinbarung nicht erforderlich. Von
dieser Möglichkeit wurde in der Vergangenheit selten und meist erfolglos
Gebrauch gemacht. Seit 1.1.2016 gilt nun eine neue *VIAC Mediationsord-*

---

521 Art 44(7) Wiener Regeln.

nung (Wiener Mediationsregeln), die in Anlehnung an die neueren Verfahrensregeln anderer Schiedsgerichtsordnungen, wie jener der Internationalen Handelskammer (ICC), gestaltet wurde. Es bleibt abzuwarten, ob dieses neue Angebot angenommen wird.

E. ICC

Friederike Schäfer

1. Allgemeines

501 Die ICC SchO ist das von der Internationalen Handelskammer (ICC) angebotene Regelwerk zur Durchführung von Schiedsverfahren, die vom Internationalen Schiedsgerichtshof der ICC (**ICC Schiedsgerichtshof**), einer von der ICC eingerichteten selbständigen Institution der Schiedsgerichtsbarkeit, verwaltet werden. Neben den Regeln zur Verfahrensdurchführung legt die ICC SchO auch den institutionellen Rahmen fest,[522] in dem der ICC Schiedsgerichtshof agiert.[523]

502 Mit einer Neufassung im Jahr 2012 wurden die Regeln modernisiert und es wurden ua Vorschriften zu Mehrvertrags- und Mehrparteienverfahren sowie zum Eilschiedsrichterverfahren aufgenommen. Am 1.3.2017 tritt eine nochmals überarbeitete Fassung in Kraft, deren hauptsächliche Neuerung im Gegensatz zu der Fassung von 2012 in der Einführung eines beschleunigten Verfahrens besteht. Im Übrigen bleibt die 2012er Fassung weitgehend bestehen, nur einige Vorschriften werden leicht angepasst.[524]

503 Die Besonderheit des ICC Schiedsgerichtshofs ist im Vergleich zu anderen Schiedsinstitutionen ohne Zweifel sein Fallaufkommen, seine Internationalität sowie die Intensität und Qualität der Betreuung der verwalteten Schiedsverfahren. Im Jahr 2015 wurden 801 neue Fälle anhängig gemacht, sodass insgesamt über 1500 Verfahren beim ICC Schiedsgerichtshof anhängig waren. An diesen Fällen waren Parteien aus 133 Ländern beteiligt und SchiedsrichterInnen aus 77 Nationen tätig.[525]

---

522 Siehe Anhang I: Satzung des Internationalen Schiedsgerichtshofs und Anhang II: Geschäftsordnung des Internationalen Schiedsgerichtshofs.

523 Neben der ICC SchO bietet die ICC die ICC Mediations-Regeln an, die seit 2014 gelten und ihren Vorläufer, die ADR-Regeln, ersetzen. Weiters werden Regeln über die ICC als benennende Stelle angeboten (Rules of ICC as Appointing Authority in UNCITRAL or Other *Ad Hoc* Arbitration Proceedings). Diese Regeln werden derzeit überarbeitet und liegen nicht in deutscher Übersetzung vor.

524 Bereits zum 1.1.2017 ist die Gebührentabelle angepasst worden, die zuletzt 2010 geändert wurde.

525 Statistical Report 2015, ICC Bulletin 2016, 1.

Die Verwaltung einer solchen Vielzahl internationaler Verfahren wird **504** durch die besondere Struktur des ICC Schiedsgerichtshofs gewährleistet. Der ICC Schiedsgerichtshof selbst setzt sich zusammen aus einer Präsidentin/ einem Präsidenten, mehreren VizepräsidentInnen sowie den Mitgliedern und deren Vertretern (Mitglieder).[526] Der ICC Schiedsgerichtshof wird in seiner Arbeit durch das **Sekretariat**, an dessen Spitze die Generalsekretärin/der Generalsekretär steht, unterstützt.[527] Die unterschiedlichen Aufgaben von ICC Schiedsgerichtshof, Präsidentin/Präsident, Generalsekretärin/Generalsekretär und Sekretariat bei der Administrierung eines Schiedsverfahrens sind in der ICC SchO und deren Anhängen geregelt.

Der ICC Schiedsgerichtshof kommt einmal im Monat in einer Vollver- **505** sammlung zusammen. Gem Art 5 Anhang I der ICC SchO hat der ICC Schiedsgerichtshof in Art 4 Anhang II der ICC SchO einen **Ausschuss** eingerichtet. Dieser Ausschuss besteht aus zwei Mitgliedern und der Präsidentin/ dem Präsidenten bzw einer Vizepräsidentin/einem Vizepräsidenten. IdR finden zwei Ausschusssitzungen pro Woche statt, in denen über einen Großteil der laufenden Angelegenheiten entschieden werden kann. Lediglich bestimmte Entscheidungen, wie bspw die Entscheidung über Befangenheitsanträge, werden grundsätzlich der Vollversammlung vorbehalten.[528] Die Arbeit des ICC Schiedsgerichtshofs wird durch das Sekretariat unterstützt, das für die Mitglieder des ICC Schiedsgerichtshofs die für die jeweilige Entscheidung erforderlichen Informationen aufbereitet und auch die laufenden administrativen Aufgaben bei der Betreuung eines Falles übernimmt.

2. Typischer Ablauf eines Schiedsverfahrens nach der ICC Schiedsgerichtsordnung

a) Einleitung des schiedsrichterlichen Verfahrens

Das schiedsrichterliche Verfahren beginnt mit dem **Zugang der Klage** beim **506** Sekretariat.[529] Die Klage sollte bestimmte Informationen enthalten, ua Angaben zur Schiedsvereinbarung, auf deren Grundlage der jeweilige Anspruch geltend gemacht wird, Angaben und Anmerkungen zur Benennung und Anzahl der Mitglieder des Schiedsgerichts sowie ggf Angaben, Anmerkungen oder Vorschläge zum Schiedsort.[530]

---

526 Art 2 Anhang I ICC SchO.
527 Art 2 Anhang I ICC SchO.
528 Art 4(5)(a) Anhang II der ICC SchO.
529 Art 4(1) ICC SchO.
530 Vgl Art 4(3) lit a) bis h) ICC SchO.

507   Derzeit muss die Klage noch **physisch** in der erforderlichen Anzahl von Exemplaren eingereicht werden.[531] Sollte eine **elektronische Fassung** der Klage vor der physischen eingehen, ist der Eingang der elektronischen Klage für die Festlegung des Datums des Verfahrensbeginns gem Art 4(2) ICC SchO maßgeblich. Mit der Klage muss die Klägerin die **Registrierungs-gebühr** einzahlen.[532] Erst wenn die erforderliche Anzahl von Exemplaren der Klage und die Registrierungsgebühr beim Sekretariat eingegangen sind, übersendet das Sekretariat die Klage an die Beklagte an die von der Klägerin angegebene Adresse.[533]

508   Mit Übersendung der Klage fordert das Sekretariat die Beklagte auf, inner-halb von 30 Tagen ab Zugang der Klage eine **Klageantwort** (die „Antwort") einzureichen, die ua eine Stellungnahme zu den Klageanträgen, Angaben oder Anmerkungen zur Anzahl der Mitglieder des Schiedsgerichts oder ggf die Benennung einer Schiedsrichterin/eines Schiedsrichters und ggf Angaben und Anmerkungen oder Vorschläge zum Schiedsort, enthalten muss.[534] Das Sekretariat kann die 30-tägige Frist idR um bis zu weitere 30 Tage verlängern, sollten keine besonderen Umstände vorliegen, die dagegen sprechen. In Aus-nahmefällen oder bei Zustimmung der Klägerin kann auch eine weitere Frist-verlängerung gewährt werden. Eine Verlängerung der Frist zur Einreichung der Antwort setzt voraus, dass die Beklagte im Antrag auf Fristverlängerung alle Anmerkungen oder Vorschläge zur Anzahl der Mitglieder des Schieds-gerichts oder eine gegebenenfalls erforderliche Benennung einer Schieds-richterin/eines Schiedsrichters vornimmt.

509   Die Antwort wird bei Vorliegen der erforderlichen Exemplare an die Klä-gerin zugestellt. Das gilt auch für eine allfällig mit der Antwort eingereichte **Widerklage**.[535] Für die Widerklage wird keine Einschreibegebühr fällig.[536]

510   Gem Art 37(1) fordert die Generalsekretärin/der Generalsekretär die Klägerin auf, einen **vorläufigen Kostenvorschuss** zu zahlen, der die voraus-sichtlichen Kosten bis zur Errichtung des Schiedsauftrags abdecken soll. Die Höhe wird auf Grundlage des in der Klage angegebenen Streitwerts ermittelt oder, falls dazu keine Angaben in der Klage enthalten sind, auf Grundlage der erbetenen Angaben der Klägerin zur Höhe des Streitwerts.

---

531   Art 4(4) lit a) ICC SchO.
532   Anhang III (Kosten und Honorare für Schiedsverfahren) ICC SchO.
533   Art 4(5) ICC SchO.
534   Art 5(1) ICC SchO.
535   Art 5(5)ICC SchO; siehe unten.
536   *Fry/Greenberg/Mazza*, ICC Arbitration Rn 3–167.

b) *prima facie Entscheidung über das Bestehen einer Schiedsvereinbarung*

Art 6(3) und (4) ICC SchO sehen einen Mechanismus vor, wonach in den **511** Fällen, in denen schon *prima facie* keine ICC-Schiedsvereinbarung besteht, nicht erst das Schiedsgericht über seine Zuständigkeit entscheidet, sondern der ICC Schiedsgerichtshof schon in einem früheren Stadium entscheiden kann, dass ein Verfahren, entweder insgesamt oder hinsichtlich einer bestimmten Partei oder eines bestimmten Anspruchs, nicht fortgeführt wird. Dadurch sollen Zeit und Kosten gespart werden, die durch eine unnötige Beschäftigung des Schiedsgerichts mit solchen Fällen entstehen würden.

Die Prüfung nach Art 6(3) und (4) ICC SchO findet immer dann statt, wenn **512** die Beklagte Einwendungen gegen die Wirksamkeit oder den Anwendungsbereich der Schiedsvereinbarung erhebt oder keine Antwort innerhalb der gesetzten Frist einreicht. In diesen Fällen untersucht die Generalsekretärin/ der Generalsekretär, ob ein Fall an den Gerichtshof verwiesen werden soll. Nur nach Verweis durch die Generalsekretärin/den Generalsekretär trifft der Gerichtshof eine Entscheidung über die Fortsetzung des Verfahrens.[537] In allen anderen Fällen wird das Verfahren jedenfalls fortgesetzt und das Schiedsgericht entscheidet über seine Zuständigkeit; die Generalsekretärin/der Generalsekretär kann nicht entscheiden, dass das Verfahren nicht fortgesetzt wird.[538]

Wenn die Generalsekretärin/der Generalsekretär die Sache an den ICC **513** Schiedsgerichtshof verwiesen hat, prüft dieser, ob er *prima facie* davon überzeugt ist, dass eine ICC-Schiedsvereinbarung bestehen könnte. Nur wenn das nicht der Fall ist, also der ICC Schiedsgerichtshof im Rahmen seiner Prüfung zu dem Ergebnis kommt, dass schon *prima facie* keine ICC- Schiedsvereinbarung bestehen könnte, trifft der ICC Schiedsgerichtshof die Entscheidung, dass das Verfahren nicht oder mit Bezug auf bestimmte Ansprüche oder Parteien nicht fortgeführt wird.

Die Entscheidung des ICC Schiedsgerichtshofs ist keine Entscheidung **514** über die Zuständigkeit des Schiedsgerichts und erwächst nicht in Rechtskraft. Sie hindert die Klägerin nicht daran, den jeweiligen Anspruch erneut mit Schiedsklage, allenfalls vor einer anderen Schiedsinstitution zu verfolgen. Es gibt kein Rechtsmittel gegen die Entscheidung des ICC Schiedsgerichtshofs.

Der Mechanismus des Art 6(3) und (4) SchO ist durch Verweis auch im **515** Fall eines Antrags auf Einbeziehung zusätzlicher Parteien,[539] sowie in Konstellationen mit mehreren Parteien[540] oder Ansprüchen aus mehreren Verträgen[541] anwendbar.

---

537 Art 6(3) und (4) ICC SchO.
538 Art 6(3) ICC SchO.
539 Art 7(1) Satz 3 ICC SchO.
540 Art 8(1) ICC SchO.
541 Art 9 ICC SchO.

c) Konstituierung des Schiedsgerichts

(1) Grundsätzliches zur Bildung des Schiedsgerichts

516   Bei der Gestaltung der Bildung des Schiedsgerichts, sind die Parteien frei. Falls und soweit die Parteien keine Vereinbarung getroffen haben oder sich nicht nachträglich einigen, wird das Schiedsgericht nach Art 12 und 13 SchO gebildet. Danach gilt Folgendes:

517   Falls die Parteien die **Anzahl der Mitglieder des Schiedsgerichts** nicht vereinbart haben, bestimmt der ICC Schiedsgerichtshof die Anzahl. Dabei gilt eine Vermutung für eine Einzelschiedsrichterin/einen Einzelschiedsrichter, wenn nicht die Bedeutung der Streitigkeit ein Dreier-Schiedsgericht rechtfertigt.[542] Bei dieser Beurteilung wird grundsätzlich der Streitwert sowie die Komplexität eines Falles einbezogen. Die Komplexität kann bspw durch den Umfang der eingereichten Schriftsätze oder auch der Einbeziehung mehrerer Parteien oder der Relevanz mehrerer Vertragsverhältnisse beeinflusst werden.

518   Wenn sich die Parteien nicht auf eine Einzelschiedsrichterin/einen Einzelschiedsrichter einigen, ernennt der ICC Schiedsgerichtshof eine Einzelschiedsrichterin/einen Einzelschiedsrichter. Wird der Streit durch ein Schiedsgericht mit drei Mitgliedern entschieden, benennen die Klägerin und die Beklagte jeweils ein Mitglied des Schiedsgerichts, die oder der Vorsitzende wird – vorbehaltlich einer anderen Parteivereinbarung – vom ICC Schiedsgerichtshof ernannt. Unterlässt es eine der Parteien, ein Mitglied des Schiedsgerichts zu benennen, so ernennt der ICC Schiedsgerichtshof dieses Mitglied des Schiedsgerichts an Stelle der Partei.

519   Ein/e vom ICC Schiedsgerichtshof ernannte/r Einzelschiedsrichterin/Einzelschiedsrichter oder die/der vom ICC Schiedsgerichtshof ernannte Vorsitzende darf grundsätzlich nicht die Staatsangehörigkeit einer der Parteien haben,[543] wenn sich die Parteien nicht damit einverstanden erklären. Deuten die Umstände eines Falles darauf hin, dass die Parteien eine Einzelschiedsrichterin/einen Einzelschiedsrichter oder eine/einen Vorsitzenden bevorzugen würden, zB weil beide Parteien dieselbe Staatsangehörigkeit haben oder beide Parteien SchiedsrichterInnen mit der Staatsangehörigkeit nur einer der Parteien benannt haben, befragt das Sekretariat die Parteien idR gezielt, ob sie mit einer Abweichung von Art 13(5) ICC SchO einverstanden sind.

520   Mehrere Klägerinnen oder mehrere Beklagte haben bei einem Dreierschiedsgericht jeweils gemeinsam ein Mitglied des Schiedsgerichts zu bestellen.[544] Sollte gem Art 7 ICC SchO eine zusätzliche Partei einbezogen worden sein, kann diese entweder gemeinsam mit der oder den Klägerinnen

---

542   Art 11(2) ICC SchO.
543   Art 13(5) ICC SchO.
544   Art 12(6) ICC SchO.

oder gemeinsam mit der oder den Beklagten ein Mitglied des Schiedsgerichts benennen.[545] Falls keine gemeinsame Benennung gem Art 12(6) und/oder Art 12(7) ICC SchO zu Stande kommt und sich die Parteien auch nicht auf ein alternatives Verfahren zur Bestellung des Schiedsgerichts geeinigt haben, kann der ICC Schiedsgerichtshof alle Mitglieder des Schiedsgerichts ernennen und einen oder eine von ihnen als Vorsizende/Vorsitzenden bestimmen.[546] Die Einschränkung des Art 13(5) ICC SchO gilt in einem solchen Fall nicht.[547]

Anders als manche andere institutionelle Schiedsordnungen bietet die **521** ICC SchO damit die Möglichkeit, nicht nur für die Kläger- oder die Beklagtenseite eine Ersatzbestellung vorzunehmen,[548] sondern alle Mitglieder des ICC Schiedsgerichtshof durch die Institution zu bestellen. Die Regelung dient der Vermeidung einer potentiellen Ungleichbehandlung der Kläger- oder Beklagtenseite oder auch einer allfällig in das Verfahren einbezogenen zusätzlichen Partei vor dem Hintergrund der *Dutco*-Entscheidung des französischen Court de Cassation.[549]

(2) Benennung und Bestätigung von Mitgliedern des Schiedsgerichts

Die ICC SchO unterscheidet zwischen der **Benennung** von Personen als Mit- **522** glieder des Schiedsgerichts durch die Parteien oder MitschiedsrichterInnen zur **Bestätigung** und der **Ernennung** von Mitgliedern des Schiedsgerichts durch den ICC Schiedsgerichtshof.[550]

Nach der Benennung durch die Partei/Parteien bittet das Sekretariat die **523** jeweilige Kandidatin/den jeweiligen Kandidaten, eine Annahme-, Verfüg- barkeits-, Unabhängigkeits- und Unparteilichkeitserklärung abzugeben.[551] In dieser Erklärung muss das künftige Mitglied des Schiedsgerichts alle Umstände offenlegen, die zum Zeitpunkt der Benennung und für die Dauer des Verfahrens geeignet sein könnten, die Unabhängigkeit in den Augen der Parteien in Frage zu stellen oder nicht unerhebliche Zweifel an der Unparteilichkeit des künftigen Mitglieds des Schiedsgerichts aufwerfen zu können. Jedes künftige Mitglied des Schiedsgerichts muss beurteilen, welche Umstände eine Offenlegung verlangen. Das Merkblatt für die Parteien und das Schiedsgericht über die Durchführung des Schiedsverfahrens nach der ICC Schiedsgerichts-

---

545 Art 12(7) ICC SchO.
546 Art 12(8) ICC SchO.
547 Art 12(8) S 2 ICC SchO.
548 Auch das ist nach den allgemeinen Regelungen des Art 12 ICC SchO möglich; Art 12(8) ICC SchO ist eine „kann"-Bestimmung.
549 *Fry/Greenberg/Mazza*, ICC Arbitration Rn 3–484; Court de Cassation, 7.1.1992, Pourvoi No 89–18708 89–18726.
550 Art 13 ICC SchO.
551 Art 11(2) ICC SchO.

ordnung („**Merkblatt**")[552] gibt in einer nicht abschließenden Liste Beispiele für Umstände, die idR bei der Offenlegung zu berücksichtigen sind sowie weitere Erläuterungen zu Aspekten, die bei der Entscheidung, welche Umstände offenzulegen sind, einbezogen werden sollten.[553]

524   Wenn das künftige Mitglied des Schiedsgerichts eine uneingeschränkte Erklärung der Unabhängigkeit und Unparteilichkeit abgegeben hat, dh die Erklärung keine Offenlegung enthält, oder wenn die Erklärung eine Offenlegung enthält und keine der Parteien Einwendungen gegen die Bestätigung erhebt, kann die Generalsekretärin/der Generalsekretär das künftige Mitglied des Schiedsgerichts bestätigen.

525   Sobald die **Bestätigung** eines Mitglieds des Schiedsgerichts problematisch erscheint, muss der ICC Schiedsgerichtshof über die Bestätigung entscheiden. Das gilt nicht nur, wenn die Erklärung der vorgeschlagenen Schiedsrichterin/ des vorgeschlagenen Schiedsrichters eine Offenlegung enthält, sondern auch, wenn Zweifel an der ausreichenden Verfügbarkeit des künftigen Mitglieds des Schiedsgerichts bestehen. Die Generalsekretärin/der Generalsekretär hat nicht die Befugnis, die Bestätigung abzulehnen; über die Ablehnung der Bestätigung muss stets der ICC Schiedsgerichtshof entscheiden.[554]

(3) Ernennung von Mitgliedern des Schiedsgerichts durch den ICC Schiedsgerichtshof

526   Vorbehaltlich einer abweichenden Vereinbarung der Parteien ernennt der ICC Schiedsgerichtshof gem Art 12 ICC SchO in den oben genannten Fällen eines oder mehrere Mitglieder des Schiedsgerichts. Die Ernennung erfolgt grundsätzlich auf Vorschlag eines ICC-Nationalkomitees oder einer ICC-Gruppe.[555] Anhand der Umstände des jeweiligen Falles (Nationalität der Parteien, Schiedsort etc) entscheidet der ICC Schiedsgerichtshof, welches ICC-Nationalkomitee oder welche ICC-Gruppe eingeladen wird, das künftige Mitglied des Schiedsgerichts vorzuschlagen. Sobald der jeweilige Vorschlag und die Annahme-, Verfügbarkeits-, Unabhängigkeits- und Unparteilichkeitserklärung des vorgeschlagenen Mitglieds des ICC Schiedsgerichtshofs vorliegt, entscheidet der ICC Schiedsgerichtshof über die Ernennung.[556]

---

552 Das Merkblatt ist abrufbar unter http://www.iccwbo.org/Products-and-Services/ Arbitration-and-ADR/Arbitration/Practice-notes,-forms,-checklists/ (zuletzt abgerufen am 29.11.2016).

553 Wie zB die Annahme, dass das künftige Mitglied des Schiedsgerichts als identisch mit ihrer/seiner Kanzlei anzusehen ist, vgl Merkblatt Rn 21 ff.

554 *Fry/Greenberg/Mazza*, ICC Arbitration Rn 3–517.

555 Art 13(3) ICC SchO.

556 Sollte die Erklärung des vorgeschlagenen Mitglieds des Schiedsgerichts eine geringfügige Offenlegung enthalten, wird idR die Erklärung den Parteien vor der Ernennung zur Stellungnahme übermittelt. Sollte die Offenlegung nicht nur geringfügige

d) Weiterer Ablauf des Verfahrens

(1) Verfahrensführung durch das Schiedsgericht und die Parteien

30 Tage nach Zustellung der **Schiedsklage**[557] oder gegebenenfalls einer vom **527** Sekretariat gewährten Fristverlängerung[558] hat die Schiedsbeklagte die Antwort einzureichen, die im Wesentlichen der Schiedsklage entsprechende Angaben enthalten muss. Art 5(5) ICC SchO beschreibt den notwendigen Inhalt einer allfälligen **Widerklage** und sieht vor, dass die Beklagte eine allfällige Widerklage mit der Antwort einzureichen hat. Allerdings ist Art 5(5) ICC SchO nicht als Ausschlussfrist zu verstehen. Das Erheben einer Widerklage bleibt auch nach Einreichen der Antwort bis zur Errichtung des Schiedsauftrags möglich. Danach richtet sich die Zulässigkeit der Erhebung einer Widerklage nach Art 23(4) ICC SchO.

Nach Übergabe der Akten an das Schiedsgericht – üblicherweise liegt zu **528** diesem Zeitpunkt die Antwort bereits vor – bereitet das Schiedsgericht idR den **Schiedsauftrag** (*Terms of Reference*) vor, der die in Art 23(1) lit a) bis g) genannten Angaben enthalten und innerhalb einer Frist von 30 Tagen bzw – bei Anwendbarkeit der bis 28. 2. 2017 geltenden Fassung – zwei Monaten nach Übergabe der Verfahrensakten an den ICC Schiedsgerichtshof übermittelt werden muss. Zweck der Erstellung des Schiedsauftrags ist es, möglichst früh im Verfahren unter Beteiligung des Schiedsgerichts und der Parteien den Rahmen des Verfahrens festzulegen und uU bereits die für die Entscheidung des Falles relevanten Fragen zu identifizieren. Die Errichtung des Schiedsauftrags zwingt die Parteien dazu, ihren Standpunkt und ihre Ansprüche bereits zu einem frühen Zeitpunkt klar zu fassen, weil neue Ansprüche, dh Ansprüche, die nicht im Schiedsauftrag erfasst sind, gem Art 23(4) ICC SchO nach Errichtung des Schiedsauftrags nur mit Zustimmung der anderen Partei oder nach Zulassung durch das Schiedsgericht in das Verfahren eingeführt werden können. Weiters können gegebenenfalls bei Errichtung des Schiedsauftrags unter Mitwirkung aller Parteien auch allfällige Zuständigkeitsprobleme geklärt oder geheilt werden.

In der Praxis erstellt das Schiedsgericht einen Entwurf des Schiedsauf- **529** trags, den es den Parteien zur Stellungnahme übermittelt und gegebenenfalls auch mit den Parteien mündlich erörtert. Gem Art 23(2) SchO ist der Schiedsauftrag von den Parteien und dem Schiedsgericht zu unterschreiben.

Umstände betreffen, wird gegebenenfalls das jeweilige ICC-Nationalkomitee oder die ICC-Gruppe um einen anderen Vorschlag gebeten.

557 Art 5(1) ICC SchO.

558 Art 5(2) ICC SchO; die Fristverlängerung wird nur gewährt, wenn der Antrag die notwendigen Angaben zur Konstituierung des Schiedsgerichts enthält, bspw Kommentare zur Anzahl der SchiedsrichterInnen, oder gegebenenfalls die Benennung eines Mitglied des Schiedsgerichts, siehe Rn 508.

Sollte sich eine Partei weigern mitzuwirken, muss der Schiedsauftrag gem Art 23(3) SchO dem ICC Schiedsgerichtshof zur Genehmigung vorgelegt werden. Auf das Erfordernis des Schiedsauftrags können die Parteien einvernehmlich verzichten.

530 Im Zusammenhang mit oder kurz nach Errichtung des Schiedsauftrags hat das Schiedsgericht gem Art 24 ICC SchO eine **Verfahrensmanagementkonferenz** durchzuführen und einen **Verfahrenskalender** zu erstellen. Die Verfahrensmanagementkonferenz kann auf unterschiedliche Arten durchgeführt werden,[559] ein bloßer Austausch von schriftlichen Stellungnahmen wird allerdings nicht als Verfahrensmanagementkonferenz angesehen.

531 Art 19 ICC SchO stellt klar, dass in Abwesenheit einer entsprechenden Parteivereinbarung oder einer Regelung durch die SchO das Schiedsgericht **Verfahrensregeln** erlassen kann. Für die Sachverhaltsermittlung räumt Art 25 ICC SchO dem Schiedsgericht außerdem ausdrücklich weitreichende Möglichkeiten ein, die Beweisaufnahme zu steuern und gegebenenfalls auch ohne Antrag einer Partei von sich aus Beweise zu erheben. Wenn keine der Parteien die Durchführung beantragt, kann das Schiedsgericht auf die Durchführung einer mündlichen Verhandlung verzichten.

532 Nach der mündlichen Verhandlung oder nach Erhalt der letzten Schriftsätze hat das Schiedsgericht das Verfahren für geschlossen zu erklären und dabei die Parteien und das Sekretariat darüber zu informieren, wann es beabsichtigt, den Entwurf des Schiedsspruchs dem ICC Schiedsgerichtshof zur Genehmigung vorzulegen.[560] Wie im Merkblatt festgehalten wird von einer Einzelschiedsrichterin/einem Einzelschiedsrichter erwartet, dass sie/er den Entwurf des Schiedsspruchs zwei Monate, von einem Dreierschiedsgericht, dass es den Entwurf des Schiedsspruchs drei Monate nach der letzten mündlichen Verhandlung oder dem letzten Schriftsatz zur Sache dem ICC Schiedsgerichtshof zur Genehmigung vorlegt. Die Prüfung des Entwurfs und die Genehmigung sollten idR höchstens drei bis vier Wochen dauern.

(2) Entscheidungen des ICC Schiedsgerichtshofs
   im Verlauf des weiteren Verfahrens

533 Ebenfalls noch in der ersten Phase des Verfahrens und gegebenenfalls parallel oder kurz nach Konstituierung des Schiedsgerichts und Übergabe der Schiedsverfahrensakten an dieses, kommen dem ICC Schiedsgerichtshof noch eine Reihe weiterer wichtiger Entscheidungen zu.[561]

---

559 Art 24(4) ICC SchO.
560 Art 27 lit a und lit b ICC SchO.
561 Zur *prima facie*-Entscheidung über das Bestehen einer Schiedsvereinbarung gem Art 6(4) ICC SchO, siehe oben Rn 511 ff.

Sobald wie möglich, dh idR nach Erhalt der Antwort, setzt der ICC **534** Schiedsgerichtshof den von den Parteien zu gleichen Teilen zu zahlenden **Kostenvorschuss** fest.[562] Zahlt eine der Parteien ihren Anteil am Kostenvorschuss nicht innerhalb der gewährten Frist, kann die andere Partei diesen Anteil einbezahlen.[563] Grundsätzlich wird ein einheitlicher Kostenvorschuss für Klage und Widerklage (oder eine aufrechnungsweise geltend gemachte Gegenforderung) festgesetzt. Auf Antrag einer Partei kann der Gerichtshof aber für Klage und Widerklage jeweils getrennte Kostenvorschüsse festsetzen und jede Partei hat dann den für ihre Klage oder ihre Widerklage bzw Gegenforderung festgesetzten Kostenvorschuss zu zahlen. Wird der festgesetzte Kostenvorschuss nicht vollständig bezahlt, kann die Generalsekretärin/der Generalsekretär nach Absprache mit dem Schiedsgericht dieses anweisen, die Arbeit am Fall auszusetzen und eine Frist zur Zahlung von mindestens 15 Tagen setzen. Wird der Kostenvorschuss innerhalb dieser Frist nicht bezahlt, gilt die Klage (oder Widerklage) gem Art 37(6) ICC SchO als zurückgenommen.

Während des Verfahrens überprüft das Sekretariat immer wieder, ob eine **535** Anpassung des Kostenvorschusses aufgrund einer Änderung des Streitwerts oder anderer Umstände (bspw unerwartet großer Arbeitsaufwand für das Schiedsgericht) erforderlich wird und lädt den ICC Schiedsgerichtshof gegebenenfalls zu einer solchen Anpassung ein.

Ebenfalls so bald wie möglich, idR nach Erhalt der Antwort, entscheidet **536** der Gerichtshof, falls erforderlich, über den Schiedsort.[564]

In jeder Phase des laufenden Schiedsverfahrens hat der ICC Schieds- **537** gerichtshof über Befangenheitsanträge gegen Mitglieder des Schiedsgerichts gem Art 14(3) ICC SchO und deren Ersetzung gem Art 15(1) ICC SchO zu entscheiden. Die Entscheidung über Befangenheitsanträge wird grundsätzlich von der Vollversammlung des ICC Schiedsgerichtshofs getroffen. Ob den Parteien die gerichtliche Überprüfung der Entscheidung des ICC Schiedsgerichtshofs offen steht, hängt von der *lex arbitri* ab.[565]

e) *Genehmigung des Entwurf des Schiedsspruch durch den*
   ICC Schiedsgerichtshof und Erlass des Schiedsspruchs (Scrutiny)

(1) *Fristen*

Gem Art 30(1) ICC SchO hat das Schiedsgericht den Schiedsspruch grund- **538** sätzlich innerhalb von sechs Monaten ab Unterzeichnung des Schiedsauftrags zu erlassen. Sollte sich aber bereits aus dem Verfahrenskalender ein späterer

---

562 Art 37(2) ICC SchO.
563 Art 37(5) ICC SchO.
564 Art 18(1) ICC SchO.
565 Siehe *Hahnkamper* Rn 989.

Zeitpunkt ergeben, kann der ICC Schiedsgerichtshof auf Grundlage des Verfahrenskalenders einen anderen Zeitpunkt festsetzen. Die jeweilige Frist kann durch den ICC Schiedsgerichtshof verlängert werden.

(2) Verfahren zur Genehmigung des Schiedsspruchs

539 Bevor das Schiedsgericht den Schiedsspruch erlassen kann, muss der Entwurf des Schiedsspruchs vom ICC Schiedsgerichtshof genehmigt werden.[566] Der ICC Schiedsgerichtshof prüft den Entwurf des Schiedsspruchs im **Genehmigungsverfahren** daraufhin, ob er den formalen Voraussetzungen der ICC SchO entspricht. Der ICC Schiedsgerichtshof berücksichtigt bei der Prüfung außerdem, soweit möglich, die am Schiedsort bestehenden zwingenden rechtlichen Anforderungen.[567]

540 Gem Art 34 ICC SchO kann der ICC Schiedsgerichtshof dem Schiedsgericht **Änderungen** in der Form vorschreiben, während er Änderungen des sachlichen Inhalts des Schiedsspruchs nicht vorschreiben kann. Diesbezüglich kann der ICC Schiedsgerichtshof nur unter Wahrung der Entscheidungsfreiheit des Schiedsgerichts auf bestimmte Punkte hinweisen. Die Abgrenzung von Fragen der Form und Fragen des Inhalts können mitunter Schwierigkeiten bereiten. Dies versucht er in der Praxis dadurch zu vermeiden, dass er dort, wo möglich, nur auf bestimmte Punkte, wie zB Inkonsistenzen in der Begründung, nicht behandelte Tatbestandsvoraussetzungen etc hinweist, ohne Vorgaben zu machen, wie damit umzugehen ist. Im Übrigen lässt sich die Frage nach der Art und Notwendigkeit der Umsetzung des überwiegenden Teils der Kommentare des ICC Schiedsgerichtshof im Dialog mit dem Schiedsgericht klären.[568]

(3) Erlass des Schiedsspruchs

541 Nach Genehmigung des Entwurfs des Schiedsspruchs, kann dieser durch das Schiedsgericht erlassen werden. Die **Zustellung** an die Parteien übernimmt das Sekretariat. Die Zustellung kann gem Art 35(1) ICC SchO davon abhängig gemacht werden, dass der gesamte Kostenvorschuss an die ICC bezahlt worden ist.

542 Art 35(6) ICC SchO hält ausdrücklich fest, dass jeder Schiedsspruch für die Parteien verbindlich ist und sich die Parteien mit der Wahl der ICC SchO verpflichtet haben, jeden Schiedsspruch unverzüglich zu erfüllen.

---

566 Art 34 Satz 3 ICC SchO.
567 Art 6 Anhang II der ICC SchO.
568 Weiterführend zu den Details des Genehmigungsverfahrens *Fry/Greenberg/Mazza*, ICC Arbitration Rn 3–1198 ff.

3. Beschleunigtes Verfahren

Mit der Neufassung der ICC SchO zum 1.3.2017 wird in Art 30 ein be- **543**
schleunigtes Verfahren eingeführt.[569] Die Regelungstechnik folgt derjenigen
des Eilschiedsrichterverfahrens. In der ICC SchO selbst wird der grundsätzliche Rahmen für diese Verfahrensart festgelegt, während die Einzelheiten in
einem Anhang zur ICC SchO geregelt sind. Für das beschleunigte Verfahren
verweist **Art 30 ICC SchO** auf den **neuen Anhang VI** zur ICC SchO.

Die Regeln zum beschleunigten Verfahren kommen zur Anwendung, wenn **544**
das Verfahren auf einer Schiedsvereinbarung beruht, die nach dem 1.3.2017
abgeschlossen wurde oder die Parteien ihre Geltung vereinbaren. Sachliche
Anwendungsvoraussetzung ist, dass der Streitwert USD 2.000.000,00 nicht
übersteigt und die Parteien die Anwendbarkeit der Regeln über das beschleunigte Verfahren nicht ausgeschlossen haben.[570] Maßgeblicher Zeitpunkt für
die Feststellung, ob der Streitwert USD 2.000.000,00 übersteigt, ist der Eingang der Antwort (oder der Zeitpunkt, zu dem die Antwort hätte eingehen
sollen).[571] Der ICC Schiedsgerichtshof kann zu jedem Zeitpunkt des Verfahrens nach Anhörung des Schiedsgerichts und der Parteien entscheiden,
dass die Regeln über das beschleunigte Verfahren keine Anwendung mehr
finden.[572] In diesem Fall kann der ICC Schiedsgerichtshof auch das Schiedsgericht ersetzen oder neu konstituieren, sollte er das für angemessen halten.[573]

Gem den Regeln über das beschleunigte Verfahren kann der ICC Schieds- **545**
gerichtshof auch abweichend von einer anderslautenden Schiedsvereinbarung
eine Einzelschiedsrichterin/einen Einzelschiedsrichter ernennen.[574] Für die
Benennung einer künftigen Einzelschiedsrichterin/eines künftigen Einzelschiedsrichters kann das Sekretariat eine Frist setzen. Bei fruchtlosem Ablauf
dieser Frist wird die Einzelschiedsrichterin/der Einzelschiedsrichter so rasch
wie möglich durch den ICC Schiedsgerichtshof ernannt.

Ein weiteres Element, das zur Beschleunigung des Verfahrens beiträgt, ist **546**
der Verzicht auf die Notwendigkeit, einen Schiedsauftrag gem Art 23 ICC
SchO zu errichten.[575] Die Verfahrensmanagementkonferenz gem Art 24 ICC
SchO bleibt erforderlich, allerdings muss sie grundsätzlich innerhalb einer

---

569 Dieses ist vom Eilschiedsrichterverfahren gem Art 29 ICC SchO, das dem einstwei-
     ligen Rechtsschutz vor Konstituierung des Schiedsgerichts dient, zu unterscheiden.
     Siehe ausführlicher zum Eilschiedsrichterverfahren *Riegler/Pickrahn/Zenhäusern*
     Rn 1428 ff.
570 Art 1(2) Anhang VI der ICC SchO; Art 30(3)(b) neu ICC SchO.
571 Art 1(3) Anhang VI der ICC SchO.
572 Art 1(4) Anhang VI der ICC SchO.
573 Art 1(4) Anhang VI der ICC SchO.
574 Art 30(1) ICC SchO iVm Art 2(1) Anhang VI der ICC SchO.
575 Art 3(1) Anhang VI der ICC SchO sieht vor, dass Art 23 ICC SchO in einem be-
     schleunigten Verfahren nicht anwendbar ist.

Frist von 15 Tagen ab Übergabe der Verfahrensakten an die Einzelschieds-richterin/den Einzelschiedsrichter stattfinden.[576] Die Frist für den Erlass des Schiedsspruchs beträgt gem Art 4(1) Anhang VI ICC SchO sechs Monate ab dem Tag der Verfahrensmanagementkonferenz. Die Verlängerung dieser Frist durch den ICC Schiedsgerichtshof ist möglich.

547   Bei der Verfahrensführung werden dem Schiedsgericht ausdrücklich weite Kompetenzen eingeräumt. Art 3(4) Anhang VI der ICC SchO hält fest, dass es im Ermessen des Schiedsgerichts steht, solche prozessualen Maßnahmen anzuordnen, die es für angemessen hält, insb kann das Schiedsgericht nach Anhörung der Parteien Anträge auf Urkundenvorlage zurückweisen oder die Länge und den Inhalt von Schriftsätzen begrenzen. Va aber kann das Schieds-gericht gem Art 3(5) Anhang VI der ICC SchO – abweichend von Art 25(6) ICC SchO[577] nach Anhörung der Parteien entscheiden, keine mündliche Ver-handlung durchzuführen.

548   Schließlich gilt für beschleunigte Verfahren eine andere **Gebührentabelle** mit gegenüber den für nicht beschleunigte Verfahren geltenden Gebühren-sätzen reduzierten Beträgen.[578]

---

576 Art 3(3) Anhang VI der ICC SchO iVm Art 24 ICC SchO.
577 Nach dieser Vorschrift ist eine mündliche Verhandlung durchzuführen, sobald eine der Parteien einen entsprechenden Antrag stellt.
578 Siehe die neu in Anhang III der ICC SchO aufgenommene Tabelle.

3. Kapitel

Die Schiedsvereinbarung

I. Abschluss und Form der Schiedsvereinbarung

Gerhard Wegen / Melanie Eckardt

A. Zustandekommen der Schiedsvereinbarung

Grundlage jedes Schiedsverfahrens ist die Vereinbarung zwischen den Par-　**549**
teien, die Entscheidung der Streitigkeit den staatlichen Gerichten zu entziehen
und einem privaten Schiedsgericht zu unterwerfen. Eine Schiedsvereinbarung
kann in Form einer **Schiedsabrede**, also einer selbständigen Vereinbarung oder
als eine in den Vertrag aufgenommene **Schiedsklausel** geschlossen werden.[579]
Eine Schiedsabrede treffen die Parteien idR, wenn sie sich nach Entstehen
einer Streitigkeit einigen, dass diese von einem Schiedsgericht entschieden
werden soll.[580] Demgegenüber bezieht sich eine Schiedsklausel zumeist auf
zukünftig eintretende Streitigkeiten.[581] Die in einem Hauptvertrag enthaltene
Schiedsklausel teilt nicht dessen rechtliches Schicksal, sondern ist von diesem
unabhängig zu beurteilen.[582]

1. Rechtsgeschäftliche Einigung

Für die Schiedsvereinbarung als Vertrag gelten die allgemeinen zivilrecht-　**550**
lichen Regeln für die Beurteilung von Abschluss und materiell-rechtlicher
Wirksamkeit, einschließlich der Grundsätze über Willensmängel und Stellvertretung. Wie jeder Vertragsabschluss setzt ein wirksames Zustandekommen der Schiedsvereinbarung eine **wirksame rechtsgeschäftliche Einigung**

579　Vgl § 1029 Abs 2 dZPO; *Nueber/Zeiler* in Balthasar, International Commercial
　　　Arbitration § 4 Rn 22; *Voit* in Musielak, ZPO[13] § 1029 Rn 7.
580　Ausdrücklich vorgesehen in § 583 öZPO.
581　*Voit* in Musielak, ZPO[13] § 1029 Rn 13.
582　Vgl OGH 7.8.2007, 4 Ob 142/07 x; Art 178 Abs 3 schwIPRG.

durch ein Angebot und dessen Annahme, hier mit einem bestimmten Inhalt, voraus.[583] Denkbar ist auch, dass eine solche wirksame Einigung der Parteien erst im vorprozessualen Schriftwechsel oder im Schiedsverfahren selbst, bspw mit Unterzeichnung der *Terms of Reference*, erfolgt.[584]

551   Den Parteien steht es frei, das auf die Schiedsvereinbarung **anwendbare Recht** – auch in Form einer Teilrechtswahl – zu bestimmen. Die Parteien können also für die Schiedsvereinbarung die Maßgeblichkeit eines anderen Rechts vereinbaren, als sie dies für den Rest des Vertrags tun. In aller Regel sehen die Parteien jedoch hiervon ab. In diesem Fall ist das auf die Schiedsvereinbarung anwendbare Recht durch Auslegung des Parteiwillens zu ermitteln. Mögliche Anknüpfungspunkte sind das Recht am Schiedsort sowie das Recht des Hauptvertrages.

2. Stellvertretung

552   Stellvertretung ist bei der rechtsgeschäftlichen Einigung der Parteien über die Schiedsvereinbarung zulässig. Findet deutsches Recht Anwendung, so beurteilt sich die Wirksamkeit der Stellvertretung und damit auch insb die Frage der Vollmachtserteilung nach §§ 164 ff dBGB. Es ist idR anzunehmen, dass die Verhandlungsvollmacht für einen Vertrag auch den Abschluss einer Schiedsvereinbarung für Streitigkeiten aus und in Zusammenhang mit diesem Vertrag umfasst.[585] Die umfangmäßig standardisierte Prozessvollmacht beinhaltet dagegen nicht das Recht zum Abschluss einer Schiedsvereinbarung, da bei der Vollmacht zum Führen von Prozessen regelmäßig staatliche Prozesse gemeint sind.[586] (Einzigartige) Besonderheiten gelten hier nach österreichischem Recht: im Falle von dessen Anwendbarkeit ist zum Abschluss einer Schiedsvereinbarung weiterhin eine Spezialvollmacht erforderlich.[587]

---

583   In Deutschland gelten für die Wirksamkeit von Angebot und Annahme §§ 145 ff dBGB; zur Abschlusskompetenz finden die §§ 104 ff dBGB Anwendung. In der Schweiz gelten für den Vertragsschluss Art 1 ff schwOR sowie für Abschlussmängel Art 19 ff schwOR. Im Anwendungsbereich des CISG gelten die Vertragsschlussregeln gem Art 14 ff CISG.

584   BGH 2.12.1982, III ZR 85/81, NJW 1983, 1267 (1268).

585   *Zöller*, Zivilprozessordnung[31] § 1029 Rn 20; siehe zur Auslegung der Schiedsvereinbarung insgesamt *Schütze* in Wieczorek/Schütze, ZPO[4] § 1029 Rn 97; OLG Frankfurt 24.10.2006, 26 Sch 6/06, SchiedsVZ 2007, 217; KG Berlin 3.9.2012, 20 SchH 2/12, SchiedsVZ 2012, 337.

586   *Schütze* in Wieczorek/Schütze, ZPO[4] § 1029 Rn 99.

587   § 1008 öABGB; vgl *Zeiler*, Schiedsverfahren[2] Rn 29 f mwN; Ausnahmen bestehen jedoch im Handelsrecht, wo nach ausdrücklicher gesetzlicher Regelung (§§ 49 Abs 1, 54 Abs 1 öUGB) dieses Erfordernis nicht bei Vorliegen einer Prokura oder der von einem Kaufmann erteilten Handlungsvollmacht gilt; siehe zum Abschluss einer Schiedsvereinbarung durch den Beauftragten in der Schweiz Art 396 Abs 3 schwOR.

Nach deutschem Recht muss die Vollmacht zum Abschluss der Schieds- **553** vereinbarung grundsätzlich nicht den Formerfordernissen des § 1031 dZPO genügen.[588] Etwas anderes mag bei einer unwiderruflich erteilten Vollmacht gelten, sofern der Vertretene durch die Erteilung der Vollmacht rechtlich und tatsächlich in gleicher Weise gebunden wird wie durch die Vornahme des formbedürftigen Rechtsgeschäfts selbst. Für Art II Abs 2 NYÜ ist indes bislang ungeklärt, ob sich diese Formvorschrift auch auf die Vollmacht zum Abschluss der Schiedsvereinbarung erstreckt.[589]

B. Form der Schiedsvereinbarung

1. Wirksamkeitsvoraussetzung

Jede Schiedsvereinbarung muss gewisse Formerfordernisse beachten. Die **554** Formvorschriften dienen nicht lediglich Zwecken der Beweiserleichterung, sondern ihre Einhaltung ist Wirksamkeitsvoraussetzung, also zwingend. Liegen (unheilbare) Formmängel vor, ist die Schiedsvereinbarung unwirksam.[590] Die Zuständigkeit staatlicher Gerichte bleibt in diesem Fall unverändert bestehen.

Die Form der Schiedsvereinbarung steht im deutschen Recht nicht zur **555** Disposition der Parteien. § 1059 Abs 2 Nr 1 lit a dZPO nimmt die Formvoraussetzungen von der Wahlfreiheit hinsichtlich des auf die Schiedsvereinbarung anwendbaren Rechts aus, indem er eine wirksam nach §§ 1029, 1031 dZPO geschlossene Schiedsvereinbarung voraussetzt.[591]

Um eine international weitgehende Anerkennung der Schiedsvereinbarung **556** zu erreichen und spätere Probleme bei der Vollstreckung eines Schiedsspruches zu vermeiden, sollten auch die Formvoraussetzungen des Art II Abs 1 und 2 NYÜ[592] beachtet werden, die jedoch regelmäßig nicht über die zu betrachtenden inländischen Formerfordernisse hinausgehen.

---

588 § 167 Abs 2 dBGB; AA in der Schweiz *Volken* in Girsberger, IPRG[2] Art 178 Rn 41 ff; *Richers/Magliana* in Balthasar, International Commercial Arbitration § 18 Rn 47; in Österreich gilt das Schriftformerfordernis auch für die Vollmacht, vgl RIS-Justiz RS0019346.

589 *Raeschke-Kessler/Berger*, Praxis des Schiedsverfahrens[3] Rn 266.

590 Vgl RIS-Justiz RS0113052.

591 Näher hierzu *Münch* in MünchKom, ZPO[4] § 1031 Rn 4 und 9. Nichts anderes gilt auch im schweizerischen Recht: Art 178 Abs 2 schwIPRG bezieht sich nicht auf die Form, sondern auf andere Gültigkeitsvoraussetzungen (*„im übrigen gültig"*); *Richers/Magliana* in Balthasar, International Commercial Arbitration § 18 Rn 43 ff.

592 Art II Abs 1 und 2 NYÜ lautet: *„1. Each Contracting State shall recognize an agreement in writing under which the parties undertake to submit to arbitration. 2. The term ‚agreement in writing' shall include an arbitral clause in a contract or an arbitration agreement, signed by the parties or contained in an exchange of letters or telegrams."*;

557   Eine Schiedsvereinbarung bedarf der **Schriftform**. Dies ist in jedem Fall erfüllt, wenn sie in einem von den Parteien unterzeichneten Dokument enthalten ist.[593] Es ist dagegen nicht erforderlich, dass die Schiedsvereinbarung in einem vom Hauptvertrag getrennten Schriftstück enthalten ist. Soweit an der Schiedsvereinbarung keine VerbraucherInnen beteiligt sind,[594] können in dem gleichen Schriftstück neben der Schiedsvereinbarung auch andere Vereinbarungen der Parteien enthalten sein. Üblicherweise wird daher die Schiedsvereinbarung in den Vertragstext der Haupturkunde mit aufgenommen.

558   Ferner reicht es aus, wenn die Schiedsvereinbarung in zwischen den Parteien **gewechselten Schreiben**, Fernkopien, Telegrammen oder in anderen Formen der Nachrichtenübermittlung enthalten ist, die einen Nachweis der Vereinbarung sicherstellen.[595] Die nur beispielhaft gemeinte Aufzählung trägt dem technischen Fortschritt in der Kommunikationstechnik Rechnung. Entscheidend für die Wirksamkeit ist, dass es sich um eine Form der Übermittlung handelt, die einen schriftlichen Nachweis der Schiedsvereinbarung sicherstellt.[596] Es ist mittlerweile anerkannt, dass eine Schiedsvereinbarung auch durch **Austausch von E-Mails** möglich ist.[597]

559   Der Gedanke, dass auch bei einseitiger Schriftlichkeit der Schiedsvereinbarung deren Nachweis gesichert ist, steht wohl letztlich auch hinter der weitergehenden Formerleichterung gemäß § 1031 Abs 2 dZPO. Danach ist eine Schiedsvereinbarung auch dann formgültig vereinbart, wenn eine der Parteien sich auf ein schriftliches Abschlussangebot hin nicht äußert und das Schweigen bzw ein nicht rechtzeitig erfolgter Widerspruch nach der Verkehrssitte als Zustimmung angesehen wird. Der Gesetzgeber dachte hierbei insb an das Schweigen auf ein kaufmännisches Bestätigungsschreiben, dem rechtsgeschäftliche Bedeutung beigemessen wird.[598]

560   Die Formvorschriften gelten nur für die notwendigen Bestandteile der Schiedsvereinbarung, nicht aber für darüber hinausgehende Vereinbarungen des Schiedsverfahrens.[599] Dies ergibt sich aus dem Zweck der Formvor-

---

vgl ebenbso *Nueber/Zeiler* in Balthasar, International Commercial Arbitration § 4 Rn 36.

593   Vgl § 1031 Abs 1 dZPO; § 583 Abs 1 öZPO; Art 178 Abs 1 schwIPRG; vgl RIS-Justiz RS0130220; RS0017285.

594   Zu Schiedsvereinbarungen mit KonsumentInnen siehe *Zeiler* Rn 600 ff.

595   Vgl 1031 Abs 1 dZPO; gleiches sehen vor § 583 Abs 1 öZPO und § 178 Abs 1 schwIPRG.

596   Vgl Begr RegEntw zum SchiedsVfG, BT-Dr 13/5274, 36; vgl RIS-Justiz RS0119945; RS0130220; RS0017284.

597   *Richers/Magliana* in Balthasar, International Commercial Arbitration § 18 Rn 44; *B. Berger/Kellerhals*, Arbitration[3] Rn 422.

598   Begr RegEntw zum SchiedsVfG, BT-Dr 13/5274, 36.

599   *Schlosser* in Stein/Jonas, ZPO[23] § 1031 Rn 1; *Schwab/Walter*, Schiedsgerichtsbarkeit[7] Kap 44 Rn 7; *Münch* in MünchKom, ZPO[4] § 1031 Rn 13.

schrift.[600] Die Formerfordernisse dienen dem Schutz der Parteien vor einem übereilten Verzicht auf den staatlichen Rechtsschutz, wie er durch die Vereinbarung des Mindestinhalts der Schiedsvereinbarung erklärt wird. Auch das öffentliche Interesse an einer Sicherstellung einer tatsächlichen Parteieinigung bezieht sich auf die eindeutige Abgrenzung der privaten Schiedsgerichtsbarkeit von der staatlichen Gerichtsbarkeit, nicht aber auf etwaige zusätzliche Vereinbarungen der Parteien in Bezug auf die Durchführung des Schiedsverfahrens.

2. Die Formerfordernisse im Einzelnen

a) Schiedsvereinbarung in Allgemeinen Geschäftsbedingungen

Eine Schiedsvereinbarung kann durch vertragliche Bezugnahme auf ein Schriftstück – bspw in Allgemeinen Geschäftsbedingungen – wirksam begründet werden, wenn dieses Schriftstück eine Schiedsklausel enthält.[601] Voraussetzung ist, dass das verweisende Schriftstück den gesetzlichen Formerfordernissen genügt.[602] Zudem muss die Bezugnahme nach dem auf den Vertragsschluss anwendbaren Recht die Schiedsklausel zum Vertragsbestandteil machen. Bei Allgemeinen Geschäftsbedingungen sind dabei insb die Vorschriften über deren wirksame Einbeziehung zu beachten. So ist bei Schiedsvereinbarungen in Allgemeinen Geschäftsbedingungen oft ein strengerer Maßstab anzuwenden als bei entsprechenden Klauseln in sonstigen Verträgen. Die Schiedsvereinbarung darf bspw nicht zu einer unangemessenen Benachteiligung der Vertragspartnerin/des Vertragspartners der Verwenderin/des Verwenders der Allgemeinen Geschäftsbedingungen führen.[603] Für Österreich

561

---

600 Zu den Funktionen der Formvorschriften *Münch* in MünchKom, ZPO⁴ § 1031 Rn 3; *Voit* in Musielak, ZPO¹³ § 1031 Rn 1.

601 Vgl § 1031 Abs 3 dZPO; § 583 Abs 2 öZPO trifft eine entsprechende Regelung. Zu Art 178 schwIPRG wird vertreten, dass über eine analoge Anwendung dieser Norm ein vergleichbares Ergebnis erreicht werden kann. Siehe *Vischer* in Girsberger, IPRG² Art 178 Rn 37 ff; *Richers/Magliana* in Balthasar, International Commercial Arbitration § 18 Rn 46; RIS-Justiz RS0045404; RS0123995.

602 Vgl § 1031 Abs 1, 2 dZPO; siehe *Nueber/Zeiler* in Balthasar, International Commercial Arbitration § 4 Rn 33; *Voit* in Musielak, ZPO¹³ § 1031 Rn 6.

603 Vgl Begr RegEntw zum SchiedsVfG, BT-Dr 13/5274, 37; siehe das Benachteiligungsverbot in § 307 Abs 1, 2 dBGB; § 879 Abs 3 öABGB; näher hierzu *Voit* in Musielak, ZPO¹³ § 1031 Rn 6 mwN; *Münch* in MünchKom, ZPO⁴ § 1029 Rn 22 ff; BGH 1.3.2007, SchiedsVZ 2007, 163 f; *Zeiler*, Schiedsverfahren² § 581 Rn 37 ff; teilweise wird in der Lit zwischen der materiell-rechtlichen Frage, ob bspw ein Verstoß gegen § 307 dBGB besteht, und der Prüfung der Formwirksamkeit der Schiedsvereinbarung unterschieden. So überzeugend *Raeschke-Kessler/Berger*, Praxis des Schiedsverfahrens³ Rn 237; anders in der Schweiz, siehe *Zeiler* Rn 641 ff.

wird die Meinung vertreten, dass ein Verstoß lediglich fakultativer Elemente einer Schiedsvereinbarung gegen § 879 Abs 1 bzw 3 öABGB nicht zwingend die Gesamtunwirksamkeit der Schiedsvereinbarung zur Folge haben muss.[604] An die Stelle der betroffenen fakultativen Elemente treten in diesem Fall die in der öZPO vorgesehenen Regelungen, während die übrigen Elemente der Schiedsvereinbarung ihre Gültigkeit behalten.[605]

b) Besondere Formerfordernisse bei Beteiligung von Verbrauchern

562 Besonderen Formerfordernissen muss eine Schiedsvereinbarung genügen, wenn an ihr eine Verbraucherin/ein Verbraucher beteiligt ist.[606] Dadurch sollen natürliche Personen geschützt werden, die das der Schiedsvereinbarung zugrunde liegende Geschäft zu einem Zweck abschließen, der weder ihrer gewerblichen noch ihrer selbständigen beruflichen Tätigkeit zugerechnet werden kann.[607] Nach deutschem Recht muss in diesem Fall die Schiedsvereinbarung in einer von den Parteien eigenhändig unterzeichneten Urkunde enthalten sein.[608] Diese Urkunde darf keine anderen Vereinbarungen enthalten, als solche, die sich auf das schiedsrichterliche Verfahren beziehen, es sei denn, sie werden notariell beurkundet.[609] Durch diese besondere Formvorschrift soll ein Verbraucher/eine Verbraucherin unmittelbar darauf aufmerksam gemacht werden, dass er durch die Schiedsvereinbarung auf die Entscheidung der Streitigkeit durch die staatlichen

---

604 *Koller* in Liebscher/Oberhammer/Rechberger, Schiedsverfahren I Rn 3/179.

605 *Koller* in Liebscher/Oberhammer/Rechberger, Schiedsverfahren I Rn 3/179; *Zeiler*, Schiedsverfahren² § 581 Rn 41a.

606 Siehe dazu ausführlich den Beitrag von *Zeiler* Rn 606 ff, 620 ff; § 1031 Abs 5 dZPO; noch strengere Schutzvorschriften sehen §§ 617, 618 öZPO vor. Ist neben dem Verbraucher/der Verbraucherin ein Unternehmer/eine Unternehmerin an der Schiedsvereinbarung beteiligt, so kann sie nur für bereits entstandene Schiedsvereinbarungen wirksam abgeschlossen werden. Weiterhin muss die Schiedsvereinbarung den Sitz des Schiedsgerichts enthalten und das Schiedsgericht darf zur mündlichen Verhandlung und Beweisaufnahme nur dann an einem anderen Ort zusammentreten, wenn der Verbraucher dem zugestimmt hat, oder der Beweisaufnahme am Sitz des Schiedsgerichts erhebliche Schwierigkeiten entgegenstehen.

607 Vgl zur VerbraucherInneneigenschaft § 13 dBGB; bei einem Sitz des Schiedsgerichts in Österreich muss die VerbraucherInneneigenschaft immer nach österreichischem Recht beurteilt werden, siehe OGH 16.12.2013, 6 Ob 43/13 m.

608 Nach 617 Abs 1 öZPO kann eine Schiedsvereinbarung unter Beteiligung von VerbraucherInnen nur wirksam geschlossen werden, nachdem die Streitigkeit bereits entstanden ist; vgl *Nueber/Zeiler* in Balthasar, International Commercial Arbitration § 4 Rn 34 f.

609 Gemäß § 1031 Abs 5 Satz 2 dZPO kann die schriftliche Form durch die elektronische Form nach § 126a dBGB ersetzt werden.

Gerichte verzichtet.[610] Problematisch ist dies insb bei der Beteiligung von Verbrauchern an Personengesellschaften. Hier müssen bei Vertragsschluss bereits die strengeren Formvorschriften gelten.[611]

3. Heilung von Formmängeln

Ist eine Schiedsvereinbarung mit einem Formmangel behaftet, bedeutet das **563** nicht unbedingt, dass die Schiedsvereinbarung unwirksam ist. Formmängel können vielmehr geheilt werden. Ein Formmangel der Schiedsvereinbarung muss spätestens zugleich mit der Einlassung in die Sache gerügt werden.[612] Lässt sich eine Partei rügelos auf die schiedsgerichtliche Hauptsache ein, kann sie sich zu einem späteren Zeitpunkt nicht mehr auf einen Formmangel der Schiedsvereinbarung berufen.[613] Dadurch sollen Unklarheiten über die Formgültigkeit der Schiedsvereinbarung abschließend geklärt werden, damit das weitere Verfahren hierdurch nicht durch Rechtsunsicherheit über die Legitimation des Schiedsverfahrens behindert wird. Die Präklusion des späteren Vortrags ist der Schiedsbeklagten auch zumutbar, da die Schiedsklägerin in der Klageschrift auf die Schiedsvereinbarung ausdrücklich hinweisen muss.[614]

Allein durch die Benennung einer Schiedsrichterin/eines Schiedsrichters **564** oder die Einzahlung eines Kostenvorschusses, quasi durch die Mitwirkung bei der Bildung des Schiedsgerichts, lässt sich die Schiedsbeklagte noch nicht rügelos zur Hauptsache ein.[615] Auch vorsorgliche Ausführungen zur Hauptsache unter Aufrechterhaltung der Rüge führen nicht zu einer Heilung des Formmangels. Die Rüge muss jedoch spätestens mit Einreichung der Klageerwiderung erfolgen und konkret den Formmangel betreffen.[616] Rügt die Schiedsbeklagte die Formunwirksamkeit zu diesem Zeitpunkt nicht, tritt

---

610 Zur Wirksamkeit von Schiedsvereinbarungen in Allgemeinen Geschäftsbedingungen, die gegenüber VerbraucherInnen verwendet werden, siehe *Raeschke-Kessler/Berger*, Praxis des Schiedsverfahrens[3] Rn 249 ff.

611 *Lachmann*, Handbuch[3] Rn 337 ff; so auch *Nueber/Zeiler* in Balthasar, International Commercial Arbitration § 4 Rn 35.

612 § 583 Abs 3 öZPO; § 1031 Abs 6 dZPO; Art 186 Abs 2 schwIPRG.

613 Siehe § 1031 Abs 6 dZPO. Eine vergleichbare Regelung enthält § 583 öZPO. Auch die allgemeine Präklusionsnorm in Art 186 schwIPRG bestimmt, dass die Einrede der Unzuständigkeit des Schiedsgerichts vor der Einlassung zur Hauptsache zu erheben ist.

614 Vgl § 1044 Satz 2 dZPO.

615 Dies würde sonst im Widerspruch zu § 1040 Abs 2 Satz 2 dZPO stehen; vgl OLG Hamburg 30.7.1998, 6 Sch 3/98, NJW-RR 1999, 1738.

616 Dies ist entgegen des klaren Wortlauts des § 1031 Abs 6 dZPO zur Vermeidung einer Kollision mit § 1040 Abs 2 dZPO anerkannt; Einzelheiten hierzu sind dargestellt von *Münch* in MünchKom, ZPO[4] § 1031 Rn 62 ff.

Heilung des Formmangels unabhängig davon ein, ob sich die Partei dieser Wirkung bewusst war.[617]

4. Exkurs: Ausländische Formvorschriften und Meistbegünstigung

565 Liegt der **Schiedsort im Ausland,** ist die Form im Rahmen der Anerkennung und Vollstreckung nach multi- und bilateralen Verträgen, insb nach den Regelungen des NYÜ zu prüfen.[618] Gemäß Art V Abs 1 lit a NYÜ ist einem Schiedsspruch die Anerkennung zu versagen, wenn die zugrunde liegende Schiedsvereinbarung die Formerfordernisse des Art II Abs 2 NYÜ nicht erfüllt. Danach muss die Schiedsvereinbarung unterzeichnet oder in gewechselten Briefen oder Telegrammen enthalten sein. Wenn die nationalen Vorschriften, wie bspw die im deutschen Recht in § 1031 Abs 1 dZPO vorgesehenen Formvorschriften, weniger streng sind, gestattet die **Meistbegünstigungsklausel** des NYÜ die Berufung auf die liberaleren Formvorschriften des nationalen Rechts.[619] Diese Auffassung ist jedoch nicht unumstritten.[620] Daher ist uE in der Praxis sicherheitshalber zu empfehlen, auf die Einhaltung der Formerfordernisse des Art II NYÜ zu achten.[621]

---

617 BGH 22.5.1967, VII ZR 188/64, BGHZ 48, 35 (45).

618 Vgl § 1061 dZPO; § 614 öZPO; Art 194 schwIPRG; siehe dazu näher *Steindl/Mohs/ Pörnbacher* Rn 1661 ff.

619 Art VII NYÜ; *Münch* in MünchKom, ZPO[4] § 1031 Rn 10 f; *Schwab/Walter,* Schiedsgerichtsbarkeit[7] Kap 44 Rn 12 mwN zum früheren Recht; zur parallelen Diskussion im schweizerischen Recht *Volken* in Girsberger, IPRG[2] Art 178 Rn 33 ff.

620 Vgl etwa *Quinke,* SchiedsVZ 2011, 172; BGH 30.9.2010, NJW-RR 2011, 570; *Voit* in Musielak, ZPO[13] § 1031 Rn 18 unter Verweis darauf, dass das deutsche Recht in § 1061 dZPO für ausländische Schiedssprüche gerade auf das NYÜ verweist.

621 So auch die Empfehlung von *Lionnet/Lionnet,* Schiedsgerichtsbarkeit[3] 173.

II. Inhalt der Schiedsvereinbarung

Gerhard Wegen/Melanie Eckardt

A. Notwendiger Inhalt

Die Schiedsvereinbarung ist eine Vereinbarung der Parteien, alle oder einzelne **566** Streitigkeiten, die zwischen ihnen in Bezug auf ein bestimmtes Rechtsverhältnis vertraglicher oder nicht vertraglicher Art entstanden sind oder künftig entstehen, der Entscheidung durch ein Schiedsgericht zu unterwerfen.[622]

1. Derogation: Zuweisung des Rechtsstreits an das Schiedsgericht

Die Parteien müssen klar und endgültig die Entscheidung über den Rechts- **567** streit einem privaten Schiedsgericht anstatt der staatlichen Gerichte zuweisen. Dem Schiedsgericht muss somit die Entscheidungskompetenz für diese Streitigkeiten übertragen werden. Trotzdem ist es möglich, dem den Parteien ein Wahlrecht zwischen staatlichen Gericht und Schiedsgericht einzuräumen, eine Aufspaltung des Rechtsstreits ist jedoch nicht zulässig.[623] Zwar könnte man annehmen, dass es an der Endgültigkeit fehle, wenn die Parteien bspw gegen den Schiedsspruch eine Art Berufung zum staatlichen Gericht zuließen.[624] Der BGH hat jedoch klargestellt, dass für eine Zuweisung des Rechtsstreits an ein Schiedsgericht kein vollständiger Ausschluss des staatlichen Richters verlangt werden müsse.[625] Mit Rücksicht auf die Vertragsfreiheit der Parteien sei eine solche Regelung nach der Rechtsprechung als zulässig zu erachten.[626]

Ferner hat die Schiedsvereinbarung das zur Entscheidung berufene **568** Schiedsgericht so **eindeutig zu bezeichnen**, dass es zumindest bestimmbar ist.[627] Hinreichende Bestimmbarkeit ist bspw auch bei einem Wahlrecht zwischen zwei Schiedsgerichten zu bejahen.[628] An der Bestimmbarkeit fehlt es indes, falls nach der Schiedsvereinbarung (selbst nach Auslegung) zwei oder mehr verschiedene Schiedsgerichte in Frage kommen.[629] Maßgeblich ist der

---

622 Vgl § 1029 Abs 1 dZPO; *Schlosser* in Stein/Jonas, ZPO[23] § 1029 Rn 14, 33; vgl § 581 Abs 1 öZPO; *Nueber/Zeiler* in Balthasar, International Commercial Arbitration § 4 Rn 21; RIS-Justiz RS0044991; RS0045005.

623 Vgl BGH 18.12.1975, III ZR 103/73, NJW 1976, 852, 853; BGH 23.5.1960, II ZR 75/58, NJW 1960, 1462.

624 *Schlosser* in Stein/Jonas, ZPO[23] § 1029 Rn 15.

625 Zur befristeten Möglichkeit einer Klage vor Gericht nach Erlass des Schiedsspruchs, vgl BGH 1.3.2007, III ZB 7/06, SchiedsVZ 2007, 160 ff.

626 BGH 1.3.2007, III ZB 7/06, SchiedsVZ 2007, 160 ff.

627 *Albers* in Baumbach et al, ZPO[74] § 1029 Rn 14; RIS-Justiz RS0044997; RS0018023.

628 BGH 30.1.2003, III ZB 06/02, IHR 2003, 90; *Zöller*, Zivilprozessordnung[31] § 1029 Rn 37.

629 *Schwab/Walter*, Schiedsgerichtsbarkeit[7] Kap 3 Rn 1a.

Parteiwille. Allgemein sind unklare Formulierungen nach dem Grundsatz der schiedsfreundlichen Auslegung möglichst zugunsten der Durchführung eines schiedsgerichtlichen Verfahrens auszulegen.[630] Selbst wenn die Formulierung unklar ist, sollte grundsätzlich dem Parteiwillen Rechnung getragen werden, die Streitigkeit durch ein Schiedsgericht entscheiden zu lassen.

569   Darüber hinaus muss schon rein begrifflich dem Schiedsgericht die vollständige Entscheidung von Streitigkeiten übertragen werden. Das Schiedsgericht darf also nicht bloß zur Beantwortung rein theoretischer Rechtsfragen oder zur Feststellung von Tatsachen eingesetzt werden.[631] Es kann vielmehr nur in dem Bereich Schiedssprüche erlassen, in dem auch eine Entscheidung durch staatliche Gerichte möglich wäre.

2. Bestimmtheit des Rechtsverhältnisses

570 Die Schiedsvereinbarung muss sich auf ein bestimmtes Rechtsverhältnis beziehen, in Bezug auf welches die Streitigkeiten entstehen können. Eine Bezeichnung nur der Art nach ist für die Bestimmtheit nicht ausreichend. Folgende Klauseln werden daher bspw als zu unbestimmt angesehen: *„alle Streitigkeiten aus künftigen Lieferungen"*[632] oder *„alle Ansprüche aus der Geschäftsverbindung"*[633]. Wirksam ist demgegenüber eine Klausel, wenn sie nur bestimmte Geschäfte aus einer Geschäftsverbindung betrifft, etwa Ansprüche wegen Lieferungen aus einem Sukzessivlieferungsvertrag[634] oder Ansprüche aus Verträgen, die der Schiedsklausel eines Rahmenvertrags unterstehen.[635] Hinreichend bestimmt sind auch Klauseln, die sich auf alle Klagen aus einem näher bestimmten Gesellschaftsverhältnis oder auf alle Streitigkeiten der Mitglieder eines Vereins mit diesem oder untereinander aus der Mitgliedschaft beziehen.[636]

B. Fakultativer Inhalt

1. Ort des Schiedsverfahrens

571 Unbedingt empfehlenswert ist eine bewusste Entscheidung für einen Ort des schiedsrichterlichen Verfahrens, der als Sitz des Schiedsgerichts bezeich-

---

630 *Zeiler*, Schiedsverfahren[2] § 581 Rn 56.
631 *Schwab/Walter*, Schiedsgerichtsbarkeit[7] Kap 3 Rn 4.
632 *Voit* in Musielak, ZPO[13] § 1029 Rn 16; *Münch* in MünchKom, ZPO[4] § 1029 Rn 73 ff.
633 *Schwab/Walter*, Schiedsgerichtsbarkeit[7] Kap 3 Rn 16.
634 *Voit* in Musielak, ZPO[13] § 1029 Rn 16; *Schwab/Walter*, Schiedsgerichtsbarkeit[7] Kap 3 Rn 16.
635 Zu Einzelfällen der Bestimmtheit *Münch* in MünchKom, ZPO[4] § 1029 Rn 74 f.
636 *Voit* in Musielak, ZPO[13] § 1029 Rn 16; *Schwab/Walter*, Schiedsgerichtsbarkeit[7] Kap 3 Rn 16.

net wird. Durch die Entscheidung für einen Schiedsort treffen die Parteien gleichzeitig eine Entscheidung über das auf das schiedsrichterliche Verfahren anwendbare (nationale) Recht (*lex arbitri*). Denn hierbei gilt das **Territorialitätsprinzip**. Daher ist das Recht des Staates, in dem das Schiedsgericht seinen Sitz hat, anwendbar.[637] Ist der Ort des schiedsrichterlichen Verfahrens nicht eindeutig zu ermitteln, kann hieraus ein weiterer Streitpunkt entstehen und die Bestimmung durch Dritte drohen.

Von dem Ort des Schiedsverfahrens hängt ferner die Qualifizierung der Entscheidung als in- oder ausländischer Schiedsspruch ab. Diese Qualifizierung ist für die Anerkennung und Vollstreckung des Schiedsspruchs, vor allem für die darauf anwendbaren Rechtsvorschriften, maßgeblich.[638] Vor einer Festlegung des Orts des schiedsrichterlichen Verfahrens ist daher sorgfältig zu prüfen, in welchen Jurisdiktionen der Schiedsspruch voraussichtlich vollstreckbar sein soll. Es ist erstrebenswert, dass die Vollstreckbarkeit gegen die andere Partei möglichst weitgehend gewährleistet ist. Hierbei sollte bspw berücksichtigt werden, ob in der als Schiedsort ausgewählten Jurisdiktion das NYÜ ratifiziert wurde. Ist man sich in Bezug auf die Vollstreckbarkeit des Schiedsspruchs unsicher oder kann man sich schlicht nicht einigen, kann man den Ort gezwungener Maßen offenlassen und (stattdessen) die Geltung der Schiedsordnung einer Institution (institutionelle Schiedsgerichtsbarkeit) vereinbaren, die – wie etwa die ICC SchO[639], § 21.1 DIS-Regeln oder auch die Swiss Rules[640] – vorsieht, dass bei Fehlen einer Parteibestimmung die Schiedsgerichtsinstitution selbst den Ort des Schiedsverfahrens bestimmt. Von dieser kann erwartet werden, dass sie die Auswahl unter Berücksichtigung der zukünftigen Vollstreckbarkeit im Interesse eines möglichst weitgehenden Rechtsschutzes aller involvierten Parteien vornimmt. Kommen die Wiener Regeln zur Anwendung, gilt bei Fehlen einer Parteivereinbarung subsidiär Wien als Schiedsort vereinbart.[641]

Durch die Wahl des Schiedsortes werden auch die zuständigen staatlichen Gerichte für mögliche Unterstützungsmaßnahmen oder Eilentscheidungen

572

573

---

637 Anwendbar in Deutschland, Österreich und Schweiz: *Zöller*, Zivilprozessordnung[31] § 1043 Rn 1; *Nueber/Zeiler* in Balthasar, International Commercial Arbitration § 4 Rn 11; *Richers/Magliana* in Balthasar, International Commercial Arbitration § 18 Rn 13.

638 *Münch* in MünchKom, ZPO[4] § 1061 Rn 7 f.

639 Vgl Art 18(1) ICC SchO: *„Der Gerichtshof bestimmt den Ort des Schiedsverfahrens, falls die Parteien darüber keine Vereinbarung getroffen haben.".*

640 Art 16(1) Swiss Rules: *„Haben sich die Parteien über den Sitz des Schiedsverfahrens nicht geeinigt oder ist die Bezeichnung des Sitzes unklar oder unvollständig, so bestimmt der Gerichtshof unter Berücksichtigung aller maßgeblichen Umstände den Sitz oder fordert das Schiedsgericht auf, diesen zu bestimmen.".*

641 Art 25 Wiener Regeln.

festgelegt, sofern nicht die Parteien insoweit eine besondere, abweichende Abrede getroffen haben.[642] Die Wahl hat daher bspw Bedeutung für die Frage, wie einfach bzw schwer Parteien vorläufigen Rechtsschutz erlangen können. Denn ein Schiedsgericht verfügt nicht über die gleichen Durchsetzungskompetenzen wie ein staatliches Gericht. Hinsichtlich der Voraussetzungen für vorläufige gerichtliche Maßnahmen können wesentliche Unterschiede zwischen den nationalen Rechtsordnungen bestehen.

574 Der Ort des Verfahrens kann auch Einfluss auf Auswahl und Zusammensetzung des Schiedsgerichts haben. Nicht selten fällt die Wahl zumindest im Hinblick auf die Vorsitzende/den Vorsitzenden auf eine Person (zumeist JuristIn) aus der Jurisdiktion, in der das Schiedsverfahren seinen Sitz hat. Dies soll gewährleisten, dass die Vorsitzende/der Vorsitzende mit den örtlichen Verfahrensvorschriften vertraut ist. Nachrangig für die Wahl des Schiedsorts aus rechtlicher Sicht, möglicherweise aber aus praktischer Sicht zu bedenken, sind Faktoren wie die örtliche Rechtsordnung, gute Erreichbarkeit und Infrastruktur (Hotels, Support, Court Reporter, Übersetzer), Einreisebestimmungen, wenngleich der Tagungsort des Schiedsgerichts nicht zwangsläufig der Schiedsort sein muss.

575 § 1043 Abs 1 Satz 2 dZPO sieht vor, dass der Ort des schiedsrichterlichen Verfahrens mangels anderweitiger Parteivereinbarung vom Schiedsgericht selbst bestimmt wird.[643] Insoweit besteht ein Zirkelschluss, weil diese Vorschrift von der Prämisse ausgeht, dass der Ort des schiedsrichterlichen Verfahrens in Deutschland liegt, da ansonsten die Vorschrift nicht anwendbar wäre. Vor diesem Hintergrund erklärt sich § 1025 Abs 3 dZPO, wonach deutsche staatliche Gerichte für die dem Schiedsgericht in den §§ 1034, 1035, 1037 und 1038 dZPO zugewiesenen Aufgaben zuständig sind, solange der Ort des schiedsgerichtlichen Verfahrens noch nicht bestimmt ist und wenn eine der Parteien ihren Sitz oder gewöhnlichen Aufenthalt in Deutschland hat.

576 Wie bereits angesprochen, ist der Schiedsort nicht automatisch mit dem Tagungsort des Schiedsgerichts gleichzusetzen. Das Schiedsgericht kann – zumeist in Abstimmung mit den Parteien – an jedem ihm geeignet erscheinenden Ort zur mündlichen Verhandlung oder anderen Verfahrenshandlungen zusammentreten.[644]

---

642 Vgl § 1062 dZPO; für die Schweiz: Art 183 Abs 2, 184 Abs 2, 185 schwIPRG.

643 Dazu korrelierend § 21.1 DIS-Regeln; ebenso § 595 Abs 1 Satz 2 öZPO; auch Art 355 Abs 1 schwZPO für Binnenschiedsverfahren.

644 Vgl § 1043 Abs 2 dZPO, § 595 Abs 2 öZPO; siehe auch Art 25 Wiener Regeln; § 21.2 DIS-Regeln; Art 16(2) Swiss Rules; Art 18(2) und (3) ICC SchO.

2. Sprache des Schiedsverfahrens

Vor allem bei internationalen Schiedsverfahren ist zu empfehlen, auch eine **577** Vereinbarung über die Sprache des Schiedsverfahrens zu treffen. Eine solche Vereinbarung hat zumeist erheblichen Einfluss auf die Auswahl geeigneter SchiedsrichterInnen und insb auf die Kosten des späteren Schiedsverfahrens (Simultanübersetzung, mehrsprachige Court Reporter, etc). Aus Praktikabilitätsgründen werden Parteien oft Absprachen treffen, wie bspw dass Originaldokumente ohne Übersetzung in die vereinbarte Verfahrenssprache dem Schiedsgericht vorgelegt werden dürfen. Eine frühzeitige Vereinbarung der Verfahrenssprache ist daher zu empfehlen, da sie die Schiedsrichterwahl wegen der möglicherweise erforderlichen oder wünschenswerten Sprachkenntnisse nicht unerheblich beeinflussen wird. Sollte es an einer Parteivereinbarung der Verfahrenssprache fehlen, bestimmt diese regelmäßig das Schiedsgericht.[645]

3. Besonderheiten bezüglich des Schiedsgerichts

Über den zwingenden Inhalt der Schiedsvereinbarung hinaus ist es empfeh- **578** lenswert, die abstrakte Zusammensetzung des Schiedsgerichts zu vereinbaren. Die Parteien sollten sich in jedem Fall über die **Anzahl der Mitglieder des Schiedsgerichts** und über das **Verfahren ihrer Bestellung** in der Schiedsvereinbarung verständigen, wenn dies nicht anders, zB durch Verweis auf eine Schiedsordnung, bereits vorgegeben ist. Fehlt eine Vereinbarung der Parteien, treffen im deutschen Schiedsverfahrensrecht die §§ 1034, 1035 dZPO eine ersatzweise Regelung. § 1034 Abs 1 Satz 2 dZPO bestimmt, dass das Schiedsgericht aus drei Mitgliedern gebildet wird, falls eine Vereinbarung über die Anzahl der SchiedsrichterInnen fehlt. Gleiches gilt im österreichischen Recht gemäß § 586 Abs 2 öZPO. Soll nur eine Person entscheiden, müssen die Parteien dies also im Rahmen der Schiedsvereinbarung ausdrücklich vereinbaren.

Eine § 1034 Abs 1 Satz 2 dZPO entsprechende Regelung fehlt im schwIPRG. **579** Daher ist hier in jedem Fall eine Parteivereinbarung über die Zusammensetzung des Schiedsgerichts zu empfehlen, um zu vermeiden, dass gemäß Art 179 Abs 2 schwIPRG mangels Parteivereinbarung das staatliche Gericht am Sitz des Schiedsgerichts zur Bestimmung der Anzahl der SchiedsrichterInnen angerufen werden muss.[646]

---

645 Vgl § 22.1 DIS-Regeln; Art 26 Wiener Regeln; Art 17(1) Swiss Rules; Art 20 ICC SchO.
646 Vgl § 1035 Abs 3 Satz 3 dZPO, § 587 Abs 2 Nr 4 öZPO.

4. Anzuwendendes materielles Recht

580 Im Interesse der Rechtssicherheit und Vorhersehbarkeit der schiedsgerichtlichen Entscheidung ist von zentraler Bedeutung, dass die Parteien eine Vereinbarung über das anzuwendende materielle Recht (*lex causae*) treffen, nach dem das Schiedsgericht die Streitigkeit zu entscheiden hat.[647] Eine Rechtswahl ist Standard in Vertragswerken. Diese wird meist als gesonderte Klausel in den dem Rechtsstreit zugrundeliegenden Verträgen und eher selten in der Schiedsvereinbarung selbst enthalten sein.

581 Neben dem Verweis auf eine Rechtsordnung können die Parteien auch **einzelne Rechtsvorschriften** oder **nichtstaatliche Rechtsgrundsätze** wie die *lex mercatoria*, die UNIDROIT Prinzipien für Internationale Handelsverträge oder die *Lando Principles of European Contract Law* vereinbaren.[648] Bei Fehlen einer Rechtswahl wird das Schiedsgericht in der Regel das Recht des Staates anwenden, mit dem der Gegenstand des Verfahrens die engsten Verbindungen aufweist.[649]

582 Ist eine **Billigkeitsentscheidung** von den Parteien gewollt, ist eine weitere Gestaltungsmöglichkeit, das Schiedsgericht hierzu eindeutig und ausdrücklich zu ermächtigen (*amiable composition, ex aequo et bono*).[650] Diese Ermächtigung kann auch noch während des Schiedsverfahrens erteilt werden. Hierzu ist jedoch nur in Ausnahmefällen zu raten, da eine Ermächtigung, nach Billigkeitsgrundsätzen zu entscheiden, zu erheblicher Unsicherheit hinsichtlich des Streitentscheids führt und – bei völliger Loslösung vom materiellen Recht – möglicherweise zu einer etwas oberflächlicheren Vorgehensweise verleitet. Eine Billigkeitsentscheidung mag dann von Vorteil sein, wenn das anwendbare Recht eine starre Lösung vorgibt, die aus Sicht der Parteien der Interessenlage nicht gerecht wird. Wenn dieser Weg beschritten wird, bietet es sich für das Schiedsgericht an, den Rechtsstreit zunächst nach dem eigentlich anwendbaren materiellen Recht zu entscheiden und die gefundene Lösung dann nach Billigkeitsgesichtspunkten zu korrigieren.

---

647 Zur Frage des anwendbaren Rechts im Schiedsverfahren siehe *Voser/Schramm/ Haugeneder* Rn 781 ff, 816 ff.

648 Dazu insb für die EU-Mitgliedsstaaten vgl *Brödermann/Wegen* in Prütting/Wegen/Weinreich, BGB[11], Vertragliche Schuldverhältnisse Art 3 Rn 4 ff; dies geht auch aus dem Wortlaut von § 1051 Abs 1 Satz 1 dZPO hervor, der nicht von „Recht", sondern „Rechtsvorschriften" spricht.

649 § 1051 Abs 2 dZPO, Art 187 Abs 1 schwIPRG; vgl auch § 603 Abs 2 öZPO (Rechtsvorschriften, die das Schiedsgericht „*für angemessen erachtet*"); vgl *Voser/Schramm/ Haugeneder* Rn 826 ff.

650 Vgl § 1051 Abs 3 dZPO; § 603 Abs 3 öZPO; Art 187 Abs 2 schwIPRG; Art 21(3) ICC SchO; Art 27(3) Wiener Regeln; § 23.3 DIS-Regeln; Art 33(2) Swiss Rules.

5. Einbeziehung einer Schiedsordnung

Eine weitere empfehlenswerte und in der Praxis häufig anzutreffende Ge- **583** staltungsvariante ist die Einbeziehung einer von einer Schiedsinstitution erstellten Schiedsordnung. Eine Schiedsinstitution bietet wertvolle Unterstützung bei der Durchführung des Schiedsverfahrens und ist in verschiedener Ausgestaltung bei allen wichtigen Verfahrensschritten, zB der Zustellung der Schiedsklage, eingebunden.[651] Zudem stellen diese institutionellen Schiedsordnungen regelmäßig eine ausgeglichene Kompromisslösung der Rechtstraditionen unterschiedlicher Rechtskreise dar; sie sind meist offen formuliert und werden durch die ständige Praxis inhaltlich konkretisiert.

Ohne die Involvierung einer Schiedsinstitution besteht auch noch die **584** Möglichkeit einer Einbeziehung der UNCITRAL SchO. Auch im Rahmen der UNCITRAL SchO besteht jedoch die Möglichkeit, eine Institution (bspw als sogenannte *Appointing Authority*)[652] zu bezeichnen, die gewisse administrative Aufgaben wahrnimmt, um eine Verzögerung des Schiedsverfahrens zu vermeiden.[653] In jedem Fall ist bei der Bezugnahme auf Schiedsordnungen Sorgfalt geboten, damit diese genau und richtig bezeichnet sind und die Wirksamkeit der Schiedsvereinbarung nicht gefährdet wird. Insofern bietet es sich an, die Musterklauseln der Schiedsordnungen zu verwenden und gegebenenfalls an den konkreten Fall anzupassen.[654]

Die Bezugnahme auf die Schiedsordnung einer Schiedsinstitution ist emp- **585** fehlenswert und in der Praxis wohl der Regelfall. Es stellt einen großen Vorteil dar, dass in einer Schiedsordnung bereits alle grundlegenden Verfahrensregelungen enthalten sind, die sich in der Praxis als hilfreich und sachgerecht erwiesen haben, ohne die Parteien an einer flexiblen Verfahrensgestaltung zu hindern. Den Parteien bleibt so der manchmal mühsame Prozess der gemeinsamen Verfahrensgestaltung und alle damit verbundenen Konfliktpotentiale erspart. Den Parteien des Schiedsverfahrens verbleibt natürlich die Freiheit, nach dem im Schiedsrecht vorherrschenden Grundsatz der Parteiendisposition von einzelnen dispositiven Regeln abweichende, individuelle Vereinbarungen zu treffen. Hierbei muss darauf geachtet werden, dass es in den SchO neben dispositiven, auch zwingende Bestimmungen, wie insb die Kostenregelungen, gibt, von denen die Parteien nicht abweichen können. Zudem fördert es die effiziente und schnelle Durchführung des Schiedsverfahrens, dass die vereinbarte Schiedsinstitution Handlungen vornehmen kann, die von dritter Seite

---

651 Vgl *Schütze* in Schütze, Schiedsgerichtsbarkeit[2] 2 ff.
652 Vgl Art 6 UNCITRAL SchO.
653 Vgl Art 4(4) lit a UNCITRAL SchO; siehe dazu näher *Wong* Rn 215, 262 ff.
654 Für die ICC SchO abrufbar unter www.iccarbitration.org; für die DIS abrufbar unter www.dis-arb.de; für die Wiener Regeln, Anhang I, abrufbar unter www.viac.eu und die Swiss Rules abrufbar unter www.swissarbitration.org.

erforderlich werden können. Gerade bei internationalen Verfahren ist es ein nicht zu unterschätzender Vorteil, dass eine Schiedsgerichtsinstitution mit Sachkunde und Erfahrung das Schiedsverfahren administriert.

6. Fast Track oder Emergency Arbitration

586 Es ist weiter empfehlenswert, bei Abfassung der Schiedsklausel über eine eventuelle *fast track* oder *emergency arbitration* nachzudenken und dafür entsprechende Regelungen vorzusehen.[655] Dabei ist zu beachten, dass hierfür teils eine *Opt in*-Regelung, teils eine *Opt out*-Regelung nach der jeweiligen SchO vorgesehen ist, sodass bereits in der Schiedsvereinbarung entsprechende Vorkehrungen getroffen werden sollten. In einer sogenannten *fast-track arbitration* haben die Parteien die Möglichkeit, (teilweise ähnlich dem deutschen Urkundenprozess) möglichst schnell (zumeist innerhalb von 6 Monaten) und kostengünstig eine Entscheidung zu erhalten.[656] Der/die *emergency arbitrator* kann einer Schiedspartei bereits vor Konstituierung des Schiedsgerichts einstweiligen Rechtsschutz gewähren, ohne dass es für die Schiedspartei notwendig ist, sich an die staatlichen Gerichte zu wenden.[657] Viele der modernen Schiedsordnungen bieten diese Art eines frühzeitigen Rechtsschutzes an.[658] Nach der ICC SchO ist der/die *emergency arbitrator* für junge Schiedsvereinbarungen, die nach der Novelle der ICC SchO deren Musterklausel übernehmen, standardmäßig anwendbar, es sei denn, die Schiedsparteien haben in der Schiedsklausel ausdrücklich dagegen optiert.[659]

7. Verfahren vor dem Schiedsgericht

587 Schließlich haben die Parteien einen weiten Spielraum außerhalb des zwingenden Gesetzesrechts, das Verfahren vor dem Schiedsgericht bereits in der Schiedsklausel oder Schiedsvereinbarung näher zu regeln.[660] Wie bereits beschrieben, verweisen die Parteien hierfür in einem ersten Schritt vielfach auf die Schiedsordnung einer der etablierten Schiedsinstitutionen. Schiedsordnungen

---

655 Für Unternehmenskaufverträge siehe hierzu *Wegen* in FS Elsing 639 ff; siehe näher zum Verfahren mit einem/r *Emergency Arbitrator Riegler/Pickrahn/Zenhäusern* Rn 1428 ff.

656 *Borris*, BB 2008, 294 ff; siehe auch Art 45(9) Wiener Regeln; § 1.2 DIS-ERBV; Art 42(1) Swiss Rules.

657 Dazu Art 29(1) ICC SchO; *Fry/Greenberg/Mazza*, ICC Arbitration Rn 3–1051 ff.

658 Vgl Art 45 Wiener Regeln; Art 29 ICC SchO; Art 43 Swiss Rules; es ist davon auszugehen, dass die DIS-Regeln nach ihrer momentanen Überarbeitung auch eine ähnliche Regelung enthalten werden.

659 Vgl Art 29(5) ICC SchO.

660 Vgl § 1042 dZPO; § 182 schwIPRG; § 594 öZPO.

regeln freilich nur die ganz grundlegenden Fragen, ohne das Verfahren vor dem Schiedsgericht im Einzelnen festzulegen. Oft ist es nicht praktikabel, im Rahmen der sich oft ohnehin schwierig gestaltenden Vertragsverhandlungen zusätzlich über die Aufnahme umfangreicher Einzelregelungen über das Schiedsverfahren in den Hauptvertrag zu verhandeln.

Die Schiedsordnungen erklären für das Verfahren zumeist die zwingenden **588** gesetzlichen Vorschriften der *lex arbitri* neben der Schiedsordnung selbst für anwendbar und stellen die Regelung des weiteren Verfahrens in das Ermessen des Schiedsgerichts, soweit sich die Parteien nicht auf weitere Einzelheiten geeinigt haben. § 24.1 der DIS-Regeln ordnet zum Beispiel an: *„Auf das schiedsrichterliche Verfahren sind die zwingenden Vorschriften des Schiedsverfahrensrechts des Ortes des schiedsrichterlichen Verfahrens, diese Schiedsgerichtsordnung und gegebenenfalls weitere Parteivereinbarungen anzuwenden. Im Übrigen bestimmt das Schiedsgericht das Verfahren nach freiem Ermessen.“*[661] In der Praxis werden das Schiedsverfahren weiter konkretisierende Detailregelungen zumeist zusammen mit dem konstituierten Schiedsgericht in sogenannten verfahrensleitenden Verfügungen festgelegt.

C. Umfang der Zuweisung an das Schiedsgericht

1. Sachliche Reichweite

Der sachliche Umfang der Schiedsvereinbarung ist durch **Auslegung** zu er- **589** mitteln.[662] Es steht den Parteien frei, ob sie alle oder nur einzelne Streitigkeiten aus dem Rechtsverhältnis dem Schiedsgericht zur Entscheidung übertragen. Der Umfang einer Schiedsvereinbarung ist in der Regel weit auszulegen, weil die Parteien Streitigkeiten aus einem bestimmten Rechtsverhältnis idR bewusst den staatlichen Gerichten entziehen und durch ein privates Schiedsgericht entscheiden lassen. Im Falle einer Schiedsklausel, nach der das Schiedsgericht für alle Streitigkeiten *„aus einem Vertrag"* (*„all disputes arising out of the present agreement"*) zuständig ist, fällt auch die Entscheidung über deliktische Ansprüche in die Kompetenz des Schiedsgerichts, sofern die deliktische Handlung mit einer Vertragsverletzung zusammenfällt.[663]

---

661 Siehe auch die dazu korrespondierenden Bestimmungen Art 1(5) Swiss Rules, Art 19 ICC SchO und Art 28(1) Wiener Regeln.

662 Vgl RIS-Justiz RS0045045.

663 BGH 24.11.1964, VI ZR 187/63, NJW 1965, 300; OLG München 7.7.2014, 34 SchH 18/13, SchiedsVZ 2014, 262 ff; *Richers/Magliana* in Balthasar, International Commercial Arbitration § 18 Rn 59 ff; *Voit* in Musielak ZPO[13] § 1029 Rn 23; Die Grenze liegt jedoch bei Ansprüchen, die mit dem Vertrag nur noch in illustrativem Zusammenhang stehen und daher nicht mehr als einheitlicher Lebensvorgang zu beurteilen sind, vgl OGH 26.8.2008, 4 Ob 80/08 f.

590   Entscheidend ist der behauptete Sachverhalt, nicht die rechtliche Grundlage des geltend gemachten Anspruchs. Im internationalen Bereich ist nicht auszuschließen, dass strengere Maßstäbe angelegt werden. Deliktische Ansprüche werden jedoch idR auch hier erfasst sein, sofern die Parteien eine weit formulierte Schiedsklausel gewählt und die Entscheidung über *„alle Streitigkeiten aus und in Zusammenhang mit einem Vertrag"* in die Kompetenz des Schiedsgerichts gestellt haben (*„all disputes arising out of and in connection with the present agreement"*).[664]

591   Haben die Parteien dem Schiedsgericht sämtliche Streitigkeiten aus einem Vertragsverhältnis zur Entscheidung zugewiesen, umfasst die Zuständigkeit des Schiedsgerichts auch die Frage der Wirksamkeit des Hauptvertrags und die möglichen Folgen seiner Unwirksamkeit, auch falls sich diese nach Bereicherungsrecht richten. Schwieriger gestaltet sich die Frage, ob bei Abschluss eines Vergleichs über Ansprüche aus einem Vertrag auch in der Folge aus diesem Vergleich entstehende Streitigkeiten von einer im Ausgangsvertrag enthaltenen Schiedsklausel erfasst sind. Bei der Klärung dieser Frage sind sämtliche Umstände des Einzelfalls zu berücksichtigen, um den maßgeblichen Parteiwillen zu ermitteln. Notfalls ist im Wege der ergänzenden Vertragsauslegung zu bestimmen, ob auch der Vergleich von der Schiedsvereinbarung erfasst ist.[665]

2. Persönliche Reichweite

a) Erstreckung der Schiedsvereinbarung auf Dritte

592   Die Schiedsvereinbarung bindet grundsätzlich allein die an ihrem Abschluss beteiligten Parteien. Von diesem Grundsatz gibt es jedoch eine Reihe von Ausnahmen.

593   Ist die Schiedsvereinbarung in einem Vertrag zugunsten Dritter enthalten,[666] so kann die/der begünstigte Dritte ihre/seine Ansprüche aus dem Vertrag vor einem Schiedsgericht einklagen, ohne zuvor der Schiedsvereinbarung gesondert in der Form des § 1031 dZPO beigetreten sein zu müssen.[667] Der Dritte ist vielmehr aus der Schiedsvereinbarung berechtigt, ohne an ihr unmittelbar beteiligt zu sein und unterliegt aus diesem Grunde auch nicht dem für Schiedsvereinbarungen geltenden Formzwang.[668]

---

664   Siehe auch *Craig/Park/Paulsson*, ICC Arbitration[3] 65 f, 86 f; siehe Musterklauseln ICC, abrufbar unter http://www.iccgermany.de/ sowie die Musterklausel der DIS, abrufbar unter www.dis-arb.de.

665   BGH 28.11.1963, VII ZR 112/62, NJW 1964, 591; siehe zum schweizerischen Recht *Patocchi/Geisinger*, IPRG Art 178 Rn 16.

666   Zum Bespiel § 328 dBGB.

667   Vgl BGHZ 48, 35; OLG Düsseldorf 19.5.2006, I-17 U 162/05, SchiedsVZ 2006, 331.

668   So auch die öRspr: RIS-Justiz RS0053103; RS0053109; *Zeiler*, Schiedsverfahren[2] § 581 Rn 112 mwN aus Rsp und Lit.

b) Rechtsnachfolge

Eine Schiedsvereinbarung kann sich grundsätzlich auch durch Rechtsnach- **594**
folge auf Dritte erstrecken. **Gesamtrechtsnachfolger** treten in alle Rechte
und Pflichten ihres Vorgängers ein.[669] Als Folge sind sie auch an die Schiedsvereinbarung gebunden, sofern sich aus ihr nicht etwas anderes ergibt. Dies
betrifft va ErbenInnen, gilt jedoch in gleichem Maße auch für andere Fälle der
Gesamtrechtsnachfolge, bspw gesellschaftsrechtliche Umwandlungsvorgänge.

Die Bindung an die Schiedsvereinbarung geht grundsätzlich auch durch **595**
Einzelrechtsnachfolge über.[670] Im Rahmen der Abtretung geht die Gläubi-
gerstellung unter Einschluss der Rechte und Pflichten aus der Schiedsvereinbarung auf den Zessionar über.[671] Dies geschieht unabhängig davon, ob es
sich bloß um die Übertragung eines einzelnen Anspruchs, einer Gesellschaf-
terstellung oder um eine umfassende Vertragsübernahme handelt.[672] Für die
Abtretung bedarf es nicht der für die Schiedsvereinbarung geltenden Form.

c) Akzessorische Gesellschafterhaftung

Die Erstreckung einer Schiedsvereinbarung auf Dritte kommt darüber hi- **596**
naus in Bezug auf die akzessorische Haftung der GesellschafterInnen einer
Personengesellschaft für die Gesellschaftsschulden in Betracht, da sich die
Gesellschafterhaftung von den Gesellschaftsverbindlichkeiten unmittelbar
ableitet und es sich um einen einheitlichen Anspruch handelt.[673]

Im Gegensatz dazu genügt ein bloßer Haftungsverband nicht. So kann ein **597**
Gläubiger nicht gegen einen Bürgen aus einer Schiedsvereinbarung vorgehen,
die der Gläubiger mit dem Hauptschuldner getroffen hat.[674] Denn hierbei
handelt sich um nebeneinander stehende Vertragsverhältnisse mit jeweils ei-

---

669 *Schlosser* in Stein/Jonas, ZPO[23] § 1029 Rn 35. Gleiches gilt im österreichischen Recht:
siehe *Zeiler*, Schiedsverfahren[2] § 581 Rn 107; *Richers/Magliana* in Balthasar, International Commercial Arbitration § 18 Rn 52.

670 *Schlosser* in Stein/Jonas, ZPO[22] § 1029 Rn 36 mit umfangreichen Nachweisen. So
auch die österreichische Rechtsprechung: siehe zu Nachweisen aus Rechtsprechung
und Literatur *Zeiler*, Schiedsverfahren[2] § 581 Rn 108 ff; siehe zu den einzelnen An-
wendungsfällen *Lachmann*, Handbuch[3] Rn 521 ff.

671 Vgl dazu rechtsvergleichend *Mohs*, Drittwirkung von Schieds- und Gerichtsstands-
vereinbarungen, et passim.

672 Dies folgt für das deutsche Recht aus dem Rechtsgedanken von § 401 dBGB; vgl
Lachmann, Handbuch[3] Rn 521; *Richers/Magliana* in Balthasar, International Commercial Arbitration § 18 Rn 53.

673 Vgl § 128 Satz 1, 161 Abs 2 dHGB; aA *Zeiler*, Schiedsverfahren[2] § 581 Rn 115 ff mwN
zum österreichischen Recht; krit auch für die Schweiz *Richers/Magliana* in Balthasar,
International Commercial Arbitration § 18 Rn 55 ff.

674 *Schlosser* in Stein/Jonas, ZPO[23] § 1029 Rn 33; OLG Hamburg 8.11.2001, 6 Sch 04/01.

genem rechtlichen Schicksal. Befriedigt der Bürge den Gläubiger, kann der Bürge umgekehrt jedoch seinen Rückgriffsanspruch vor einem Schiedsgericht geltend machen, da die Forderung des Gläubigers im Wege der gesetzlichen Rechtsnachfolge auf ihn übergegangen ist.[675]

---

675 Vgl § 774 dBGB.

III. Modellschiedsklauseln

Gerhard Wegen/Melanie Eckardt

Die jeweiligen Institutionen veröffentlichen regelmäßig auf ihrer Homepage **598** empfohlene Musterschiedsklauseln, die sich in der Praxis der jeweiligen Institution bereits bewährt haben. UE bietet sich folgende Formulierung für eine weitgefasste Schiedsklausel an:[676]

Alle aus oder im Zusammenhang mit dem gegenwärtigen Vertrag sich ergebenden Streitigkeiten und Ansprüche werden ausschließlich nach der [genaue Bezeichnung der Schiedsgerichtsordnung] der [genaue Bezeichnung der Schiedsgerichtsinstitution] von [einem/drei][677] gemäß dieser Ordnung ernannten Schiedsrichter(n) endgültig entschieden.

Der Ort des Schiedsverfahrens ist [Ortsangabe].

Das anwendbare materielle Recht ist ausschließlich [Angaben der nationalen Jurisdiktion, zB „deutsches Recht"].

Die Sprache des Schiedsverfahrens ist [Englisch]. Dokumente, die in [dritter] Sprache verfasst wurden, dürfen ohne [englische] Übersetzung in Originalsprache vorgelegt werden.[678]

Auf Englisch lautet diese Schiedsklausel wie folgt: **599**

All disputes or claims arising out of or in connection with the present contract shall be finally settled exclusively under [exact description of rules] of [exact description of arbitral institution] by [one/three] arbitrator(s) appointed in accordance with the said Rules.

The place of arbitration is [place].

The substantive law of [national jurisdiction, i. e. „Germany"] is exclusively applicable to the dispute.

The language of the arbitral proceedings is [English]. Documents originating in the [third] language may be submitted without an [English] translation in the original language.

---

676   Für ein *ad hoc* Schiedsverfahren ist eine detailliertere Regelung zu empfehlen.

677   Aus Kostengründen ist bei niedrigen Streitwerten eine Einzelschiedsrichterin/ein Einzelschiedsrichter vorzugswürdig. Zu beachten ist jedoch, dass ein Schiedsgericht mit drei SchiedsrichterInnen regelmäßig eine größere Gewähr dafür gibt, dass alle Argumente der Parteien verstanden und hinreichend gewürdigt werden.

678   Dieser Zusatz bietet sich nicht zuletzt zur Reduzierung der Verfahrenskosten an, weil Deutsch bei internationalen Verfahren als Verfahrenssprache idR nicht durchsetzbar ist.

IV. Schiedsvereinbarungen und KonsumentInnen-/ ArbeitnehmerInnenschutz

Gerold Zeiler

A. Einleitung

600 Schiedsverfahren in Verbrauchersachen und arbeitsrechtlichen Auseinander-setzungen werden von den Rechtsordnungen Österreichs, Deutschlands und der Schweiz jeweils stark reglementiert. Die drei Länder sind dabei aber sehr unterschiedliche Wege gegangen.

B. Länderübersicht

1. Österreich

a) VerbraucherInnenschutz im Schiedsverfahren

(1) Der Verbraucherbegriff

601 Legaldefinitionen der Begriffe „Verbraucher" und „Unternehmer" finden sich in § 1 öKSchG und §§ 1–3 öUGB. Unternehmer nach öKSchG ist immer derjenige, für den ein Geschäft zum Betrieb seines Unternehmens gehört. Trifft das für jemanden nicht zu, ist sie/er Verbraucher.[679]

602 Gem § 2 öUGB sind die AG, GmbH, Genossenschaften, Versicherungs-vereine auf Gegenseitigkeit, Sparkassen, EWIV, SE und SCE Unternehmer kraft Rechtsform und können nicht als Verbraucher tätig werden.[680] Im Unter-schied zu Deutschland gehören „Vorbereitungsgeschäfte", die eine natürliche Person vor Aufnahme des Betriebs ihres Unternehmens zur Schaffung der Voraussetzungen dafür tätigt, nicht zum Betrieb des Unternehmens und sind deshalb als VerbraucherInnengeschäfte zu qualifizieren.[681] Ebenso anders als in Deutschland beschränkt sich in Österreich der Verbraucherbegriff nicht nur auf natürliche Personen.[682]

603 Insb in **gesellschaftsrechtlichen Streitigkeiten** kommt der Prüfung der Verbrauchereigenschaft aller Beteiligten große Bedeutung zu. Nach stRsp des OGH ist die Verbraucher- bzw Unternehmereigenschaft einer Gesell-schafterin/eines Gesellschafters nach einer wirtschaftlichen Betrachtungsweise

---

679 OGH 16.12.2013, 6 Ob43/13m, ÖJZ 2014, 381 = ecolex 2014, 425 = SZ 2013/122 uva.

680 *Stippl* in Liebscher/Oberhammer/Rechberger, Schiedsverfahrensrecht I Rn 4/32.

681 *Stippl* in Liebscher/Oberhammer/Rechberger, Schiedsverfahrensrecht I Rn 4/32.

682 OGH 16.12.2013, 6 Ob43/13m, SZ 2013/122.

zu beurteilen.[683] Die unternehmerische Tätigkeit der Gesellschafterin/des Gesellschafters im Rahmen der Gesellschaft ist das entscheidende Kriterium für die Unternehmereigenschaft. Dazu ist keine formelle Geschäftsführerstellung erforderlich.[684]

So gelten nach der Rsp des OGH etwa ein/eine Alleingesellschafter-GmbH-GeschäftsführerIn oder ein/eine alleinvertretungsbefugte/r 50%-GesellschafterIn einer GmbH als Unternehmer. Andererseits wurde die Verbrauchereigenschaft von MinderheitsgesellschafterInnen und -geschäftsführerInnen in der GmbH bejaht.[685] Diese Überlegungen können mE auch unmittelbar auf die AG übertragen werden.

604

Da **Personengesellschaften** gem § 2 öUGB nicht als Unternehmer kraft Rechtsform gelten, ist die Unternehmereigenschaft von Personengesellschaften wie auch die Unternehmereigenschaft der GesellschafterInnen von Personengesellschaften einzelfallbezogen zu prüfen und davon abhängig, ob diese tatsächlich unternehmerisch tätig sind.[686] Dies gilt ebenso für die Prüfung der Unternehmereigenschaft von **Privatstiftungen**.

605

(2) Besondere Schutzbestimmungen

Im öKSchG findet sich iZm Schiedsverfahren die Schutzbestimmung § 6 Abs 2 Z 7. Diese regelt, dass Schiedsvereinbarungen zwischen einem Unternehmer und einem Verbraucher bei sonstiger Unverbindlichkeit (iSv Nichtigkeit gem § 879 öABGB) im Einzelnen ausgehandelt werden müssen.[687] Die Beweislast dafür trifft den Unternehmer. Der zur alten Rechtslage im Schiedsverfahren analog angewandte § 14 Abs 1 öKSchG hat aufgrund der

606

---

683 OGH 11.2.2002, 7 Ob 315/01a, JBl 2002, 526 = ÖBA 2003, 77, 320; OGH 26.6.2003, 3 Ob 141/03m, ÖBA 2004, 1175 = ecolex 2004, 4 = RdW 2003, 605; OGH 11.5.2005, 9 Ob 27/05v; OGH 20.2.2003, 6 Ob 12/03p, ÖBA 2003, 1151; OGH 20.1.2010, 8 Ob 91/09d, RdW 2010, 433 = ÖBA 2010, 1638; OGH 24.6.2010, 6 Ob 105/10z, ecolex 2011, 22; OGH 6.7.2010, 1 Ob 99/10f, ecolex 2011, 10; OGH 24.4.2012, 2 Ob 169/11h, EvBl 2012, 138 = AnwBl 2012, 517; bedeutsam sind idZ das Vorliegen eines maßgeblichen wirtschaftlichen Eigeninteresses und eine maßgebliche Einflussmöglichkeit auf die Entscheidungen und Handlungen der Gesellschaft, die die Verbrauchereigenschaft ausschließen.

684 OGH 19.6.2012, 3 Ob 34/13s, AnwBl 2014, 353; OGH 29.1.2015, 6 Ob 170/14i, ecolex 2015, 196 = wbl 2015, 93.

685 OGH 9.8.2006, 4 Ob 108/06w, JBl 2007, 237; OGH 24.4.2012, 2 Ob 169/11h, EvBl 2012, 138.

686 OGH 19.3.2013, 4 Ob 232/12i, Zak 2013, 436 = AnwBl 2013, 473; *Stippl* in Liebscher/Oberhammer/Rechberger, Schiedsverfahrensrecht I Rn 4/34.

687 § 6 Abs 2 Z 7 öKSchG: „*Sofern der Unternehmer nicht beweist, daß sie im einzelnen ausgehandelt worden sind, gilt das gleiche auch für Vertragsbestimmungen, nach denen [...] 7. ein Rechtsstreit zwischen dem Unternehmer und dem Verbraucher durch einen oder mehrere Schiedsrichter entschieden werden soll.*"

Nachfolgerbestimmung des § 617 Abs 5 öZPO (siehe dazu weiter unten) im Schiedsverfahren keinen Anwendungsbereich mehr und kann daher allenfalls bei der Prorogation der Aufhebungsgerichte nach § 617 Abs 8 öZPO zur Anwendung kommen.[688]

607 Für Schiedsvereinbarungen, die nach dem 30.6.2006 abgeschlossen wurden, gilt ergänzend zum öKSchG die Sondernorm des § 617 öZPO.[689] Dabei handelt es sich um **zwingendes Recht**.[690] Diese Bestimmung findet jedoch nur in Verfahren Anwendung, in denen der Schiedsort in Österreich liegt.[691]

608 § 617 öZPO sieht eine Reihe von **Schutzvorschriften** für VerbraucherInnen vor: So regelt Abs 1 *leg cit*, dass Schiedsvereinbarungen zwischen UnternehmerInnen und VerbraucherInnen wirksam nur für **bereits entstandene Streitigkeiten** abgeschlossen werden können. Zur **Form von Schiedsvereinbarungen** mit VerbraucherInnenbeteiligung bestimmt Abs 2, dass diese in einem separaten, eigenhändig unterzeichneten Dokument enthalten sein müssen. Abs 3 normiert zusätzlich eine besondere **schriftliche Rechtsbelehrungspflicht** der Unternehmerin/des Unternehmers, die Verbraucherin/den Verbraucher vor Abschluss der Schiedsvereinbarung über die wesentlichen Unterschiede zwischen dem Verfahren vor ordentlichen Gerichten und Schiedsgerichten aufzuklären.

609 Im Anwendungsbereich des NYÜ (dh im Anerkennungs- und Vollstreckungsverfahren eines „österreichischen" Schiedsspruchs im Ausland) wird die Ansicht vertreten, dass sich eine Verbraucherin/ein Verbraucher zur Versagung der Vollstreckung nicht auf die Schutzbestimmungen des § 617 Abs 1–3 öZPO stützen kann.[692] Dies ändert jedoch nichts daran, dass Gerichte in Anerkennungs- und Vollstreckungsverfahren innerhalb der Euro-

---

688 Siehe *Nueber* in Höllwerth/Ziehensack, ZPO/JN § 617 Rn 12 (im Erscheinen); § 14 Abs 1 öKSchG: „*Hat der Verbraucher im Inland seinen Wohnsitz oder seinen gewöhnlichen Aufenthalt oder ist er im Inland beschäftigt, so kann für eine Klage gegen ihn nach den §§ 88, 89, 93 Abs. 2 und 104 Abs. 1 JN nur die Zuständigkeit des Gerichtes begründet werden, in dessen Sprengel der Wohnsitz, der gewöhnliche Aufenthalt oder der Ort der Beschäftigung liegt; dies gilt nicht für Rechtsstreitigkeiten, die bereits entstanden sind.*"; vgl zur Rechtslage vor dem öSchiedsRÄG 2006: OGH, 25.10.1994, 5 Ob 538/94, EvBl 1995, 124.

689 Siehe *Zeiler*, Schiedsverfahren² § 617 Rn 6a mwN.

690 *Stippl* in Liebscher/Oberhammer/Rechberger, Schiedsverfahrensrecht I Rn 4/13; *Zeiler*, Schiedsverfahren² Rn 1.

691 Siehe § 577 Abs 2 öZPO; OGH 22.7.2009, 3 Ob 144/09m, JusGuide 2009/40/6938.

692 Vgl *Öhlberger*, ÖJZ 2010, 189f mwN und dem Hinweis darauf, dass diese Bestimmungen gegen Art II Abs 1 NYÜ verstoßen würden und diese auch nicht als auf der Grundlage des NYÜ anderweitig gerechtfertigten Einschränkungen entweder der objektiven Schiedsfähigkeit (Art V Abs 2 lit a NYÜ) oder des *ordre public* (Art V Abs 2 lit b NYÜ) gesehen werden können.

päischen Union missbräuchliche Schiedsklauseln in AGB grundsätzlich als *ordre public*-Widrigkeiten amtswegig aufzugreifen haben.[693]

Darüber hinaus werden in § 617 Abs 4 und 5 öZPO strenge Bestimmun- **610**
gen zu **Schieds- und Verhandlungsort** des Schiedsgerichts bei Streitigkeiten zwischen UnternehmerInnen und VerbraucherInnen getroffen. Nach Abs 4 muss eine Schiedsvereinbarung bereits den Sitz des Schiedsgerichts enthalten. Das Schiedsgericht darf nur an einem anderen als dem Schiedsort zusammentreten, wenn die Verbraucherin/der Verbraucher dem zugestimmt hat oder der Beweisaufnahme am Sitz des Schiedsgerichts erhebliche Schwierigkeiten entgegenstehen. Abs 5 bestimmt – in Anlehnung an § 14 Abs 1 öKSchG –, dass der Sitz des Schiedsgerichts bei sonstiger Unbeachtlichkeit der Schiedsvereinbarung in jenem Staat liegen muss, in dem die Verbraucherin/der Verbraucher den gewöhnlichen Aufenthalt oder Beschäftigungsort hat. Die Schiedsvereinbarung kann jedoch dennoch beachtlich sein, wenn sich die Verbraucherin/der Verbraucher selbst darauf beruft.

(3) Heilung von Formmängeln

Die Nichteinhaltung der besonderen Schutzbestimmungen des § 617 öZPO **611**
sind zT als Formmängel zu qualifizieren. Daher können diese gem § 583 Abs 3 öZPO bei **rügeloser Einlassung** der Verbraucherin/des Verbrauchers in die Hauptsache (spätestens Schiedsklagebeantwortung) heilen. Das trifft auf die Vorschriften des § 617 Abs 1, 2, 3, 4 und 5 öZPO zu.[694]

---

693 Siehe zur Rsp des EuGH zu Schiedsvereinbarungen und AGB, unten 3.IV.B.2.a)(4).

694 **Zu Abs 1:** bejahend *Stippl* in Liebscher/Oberhammer/Rechberger, Schiedsverfahrensrecht I Rn 4/59; ihm folgend *Zeiler*, Schiedsverfahren[2] § 617 Rn 4; *Öhlberger*, ÖJZ 2010, 189f mwN; unklar OGH 16.12.2013, 6 Ob 43/13m, SZ 2013, 122 (mit Verweis auf 3 Ob 144/09m, *Öhlberger*, ÖJZ 2010, 189f und *Stippl* in Liebscher/Oberhammer/Rechberger, Schiedsverfahrensrecht I Rn 4/59) der festhält, dass es sich um eine *„sonstige Wirksamkeitsvoraussetzung"* handelt, aber nichts zu deren Ähnlichkeit zum Formmangel aussagt; ist eine Verbraucherin/ein Verbraucher jedoch bereits schriftlich und vorab über die wesentlichen Unterschiede zum Verfahren vor den ordentlichen Gerichten aufgeklärt worden (siehe Abs 3), so ist die Heilung eines Verstoßes gegen diese Schutzvorschrift wohl gerechtfertigt und dem VerbraucherInnenschutz Genüge getan – andernfalls ist der Schiedsspruch ohnehin gem Abs 7 aufzuheben;
zu **Abs 2:** siehe zB *Stippl* in Liebscher/Oberhammer/Rechberger, Schiedsverfahrensrecht I 4/65, 4/68 mwN;
zu **Abs 3:** siehe den ausdrücklichen Aufhebungsgrund des § 617 Abs 7 öZPO;
zu **Abs 4:** siehe *Hausmaninger* in Fasching/Konecny, ZPO[3] § 617 Rn 42ff; offen *Petsche* in Riegler et al, Arbitration Law § 617 Rn 16; aA *Power*, Austrian Arbitration Act Rn 11;
zu **Abs 5: siehe** ausdrücklich bejahend OGH 22.7.2009, 3 Ob 144/09m, ÖJZ 2010, 188.

(4) Besondere Aufhebungsgründe

612 § 617 Abs 6 und 7 öZPO normieren zusätzliche, über § 611 öZPO hinausgehende Aufhebungsgründe.[695] § 617 Abs 6 öZPO normiert die Aufhebung von Schiedssprüchen, wenn (i) gegen zwingendes Recht verstoßen wurde, über das auch bei Fällen mit Auslandsberührung von den Parteien nicht disponiert werden darf (Z 1) oder (ii) die Voraussetzungen vorhanden sind, unter denen ein gerichtliches Urteil mittels Wiederaufnahmeklage angefochten werden kann (Z 2). Nach § 617 Abs 7 öZPO ist der Schiedsspruch auch aufzuheben, wenn die nach § 617 Abs 3 öZPO verlangte schriftliche Rechtsbelehrung nicht erteilt wurde.

(5) Besondere Verfahrensregeln

613 § 617 Abs 8–11 öZPO bestimmen besondere Verfahrensregeln für das Aufhebungsverfahren für Schiedssprüche, die in Verfahren ergangen sind, in denen eine Verbraucherin/ein Verbraucher Partei ist. Dazu gehört, dass in Verfahren mit VerbraucherInnenbeteiligung in den Fällen des Abs 8 *leg cit* der vor dem SchRÄG 2013 bestehende dreistufige Instanzenzug beibehalten wurde und dabei in erster Instanz das zuständige LG (HG) entscheiden soll.[696] Des Weiteren kann auch – wie im Verfahren ohne VerbraucherInnenbeteiligung – auf Antrag einer Partei die Öffentlichkeit ausgeschlossen werden, wenn ein berechtigtes Interesse daran besteht.[697]

b) ArbeitnehmerInnenschutz im Schiedsverfahren

614 Nach öRecht sind **betriebsverfassungsrechtliche Streitigkeiten** und Streitigkeiten in **Sozialrechtssachen** nicht schiedsfähig.[698] Im Übrigen können in arbeitsrechtlichen Streitigkeiten nach § 50 Abs 1 öASGG außer für Geschäftsführer und Vorstandsmitglieder einer Kapitalgesellschaft Schiedsvereinbarungen nur für bereits entstandene Streitigkeiten wirksam vereinbart werden.[699]

615 § 618 öZPO ordnet für alle Schiedsvereinbarungen die ab dem 1.7.2006 abgeschlossen wurden qua Verweis auf die oben beschriebenen Bestimmungen zum KonsumentInnenschutz eine sinngemäße Anwendung des § 617 Abs 2–8

---

695 Näher zu diesen Sonderregelungen *Zeiler*, Schiedsverfahren[2] § 582 Rn 24 f und § 617 Rn 1 ff.

696 In gerichtlichen Verfahren über die Ablehnung, Bestellung oder Ersatzbestellung einer Schiedsrichterin/eines Schiedsrichters entscheidet das zuständige HG in erster und letzter Instanz (§§ 587 Abs 9, 589 Abs 3, 590 Abs 2 Z 3 und 591 Abs 1 öZPO), siehe *Zeiler* in FS Gerhard Wegen 847.

697 § 617 Abs 11 öZPO.

698 So schon *Wegen/Barth* in Torggler, Schiedsgerichtsbarkeit Rn 65 f FN 32 mit Verweis auf (nunmehr) *Zeiler*, Schiedsverfahren[2] § 582 Rn 20.

699 § 9 Abs 2 öASGG.

und Abs 10–11 öZPO an. Der Gesetzgeber wollte dadurch VerbraucherInnen und ArbeitnehmerInnen im Schiedsverfahren in Hinblick auf die Höhe des Schutzstandards **gleichstellen**. Es gilt daher zu den einzelnen Sondernormen in Schiedsverfahren mit Beteiligung von ArbeitnehmerInnen das bereits zu VerbraucherInnen Gesagte.

Das bedeutet folgerichtig, dass auch ein Formmangel einer Schiedsverein-barung in Individualarbeitsrechtssachen, ein Verstoß gegen § 9 Abs 2 öASGG durch **rügelose Einlassung** in den Rechtsstreit durch die Arbeitnehmerin/den Arbeitnehmer geheilt werden kann.[700] **616**

Durch die Ausnahme in § 9 Abs 2 öASGG sind folglich Schiedsverein-barungen mit Geschäftsführern und Vorstandsmitgliedern einer Kapitalgesell-schaft zwar auch schon als Schiedsklausel in deren Dienstverträgen zulässig, sie müssen jedoch den zusätzlichen Schutzvorschriften des § 617 Abs 2–8 öZPO genügen.[701] **617**

2. Deutschland

a) VerbraucherInnenschutz im Schiedsverfahren

(1) Der Verbraucherbegriff

In Deutschland regelt Art 13 dBGB den Verbraucherbegriff. Darunter werden **natürliche Personen** verstanden, die das der Schiedsvereinbarung zugrunde liegende Geschäft zu einem Zweck abschließen, der weder ihrer gewerblichen noch ihrer selbständigen beruflichen Tätigkeit zugerechnet werden kann.[702] **618**

Darunter fallen jedenfalls keine **Existenzgründer**, die Rechtsgeschäfte zur Vorbereitung einer künftigen selbständigen beruflichen Tätigkeit abschlie-ßen.[703] Auch von dieser Definition ausgenommen sind meist Gesellschafter, weil ein Abschluss eines **Gesellschaftsvertrags** im Allgemeinen nicht der **619**

---

700 Diese Bestimmung entspricht weitestgehend nämlich dem bereits besprochenen § 617 Abs 1 öZPO zur Zulässigkeit von Schiedsverfahren mit VerbraucherInnenbeteiligung (*Zeiler*, Schiedsverfahren² § 618 Rn 2 mwN).

701 Siehe *Zeiler*, Schiedsverfahren² § 618 Rn 2 mwN; gilt gleichermaßen für Arbeitneh-mer-GeschäftsführerInnen/arbeitnehmerähnliche Vorstände wie für Verbraucher-GeschäftsführerInnen/Vorstände, die keine ArbeitnehmerInnen sind. Das ergibt sich aus einer teleologischen Reduktion des § 617 Abs 1 öZPO nach den Wertungen des § 9 Abs 2 öKSchG; siehe *Schima/Eichmeyer*, RdW 2008, 728 f.

702 Diese Definition beruht auf Art 2 lit b der Vertragsklausel-RL 93/13/EWG, ABl L 1993/95, 29; daher ist die Rsp des EuGH zu Art 13 EuGVÜ/Art 17 Abs 1 EuGVVO bei der Auslegung dieser Norm zu beachten; siehe *Schwab/Walter*, Schiedsgerichts-barkeit⁷ Kap 5 Rn 16.

703 Siehe *Schwab/Walter*, Schiedsgerichtsbarkeit⁷ Kap 5 Rn 16.

„privaten Sphäre"[704] eines Verbrauchers zugerechnet werden kann. Davon sind aber Gesellschafter von Publikumsgesellschaften ausgenommen;[705] auch dBGB-Gesellschaftsverträge und Kommanditbeteiligungen können Verbrauchergeschäfte sein.[706]

(2) Besondere Schutzbestimmungen

620 Besonderen Formerfordernissen muss eine Schiedsvereinbarung nach deutschem Recht genügen, wenn zumindest eine der Parteien ein Verbraucher ist und seinen gewöhnlichen Aufenthalt in Deutschland hat.[707] § 1031 Abs 5 dZPO[708] bestimmt, dass die Schiedsvereinbarung in einer von den Parteien **eigenhändig unterzeichneten Urkunde** enthalten sein muss. Dieses besondere Schriftformgebot kann nach § 1031 Abs 5 dZPO durch eine elektronische Unterschrift nach § 126a dBGB ersetzt werden.

621 Außerdem darf diese Urkunde **keine anderen Vereinbarungen** als solche enthalten, die sich auf das Schiedsverfahren beziehen.[709] Auf diese Weise wird eine Verbraucherin/ein Verbraucher unmittelbar darauf gestoßen, dass er durch die Vereinbarung eines Schiedsgerichts auf die Entscheidung eventueller Streitigkeiten durch die staatlichen Gerichte verzichtet.[710]

622 Bei **notarieller Beurkundung** eines Vertrags, in dem eine Schiedsvereinbarung enthalten ist, gilt wegen der Belehrungspflicht des Notars weder das Schriftformgebot noch das Gebot einer gesonderten Urkunde.[711] Daraus folgt, dass die Formvorschriften des § 1031 Abs 5 dZPO bei Gründungen von Kapitalgesellschaften (siehe § 2 dGmbHG und § 23 dAktG) ohnehin keine besondere Rolle spielen, weil hier die Mitwirkung des Notars ebenfalls vorgeschrieben ist. Im Hinblick auf die Belehrungspflicht des (deutschen) Notars entfällt hier somit das Erfordernis der besonderen Urkunde.[712] Daher ist den Formvorschriften dieser Bestimmung bei Schiedsklauseln in zB Aktiengesell-

---

704 Zur Entscheidung über die Unternehmereigenschaft aufgrund der Zugehörigkeit eines Geschäftes zur „privaten oder gewerblichen Sphäre" siehe BGH 24.2.2005, BHZ 162, 253 = NJW 2005, 1273.

705 Siehe *Schwab/Walter*, Schiedsgerichtsbarkeit⁷ Kap 5 Rn 20 mwN.

706 Siehe *Schlosser* in Stein/Jonas, Zivilprozessordnung²² § 1031 Rn 14.

707 *Zöller*, Zivilprozessordnung³¹ § 1031 Rn 34 f.

708 § 1031 Abs 5 dZPO: „*Schiedsvereinbarungen, an denen ein Verbraucher beteiligt ist, müssen in einer von den Parteien eigenhändig unterzeichneten Urkunde enthalten sein. Die schriftliche Form nach Satz 1 kann durch die elektronische Form nach § 126a des Bürgerlichen Gesetzbuchs ersetzt werden. Andere Vereinbarungen als solche, die sich auf das schiedsrichterliche Verfahren beziehen, darf die Urkunde oder das elektronische Dokument nicht enthalten; dies gilt nicht bei notarieller Beurkundung.*"

709 § 1031 Abs 5 Satz 3 dZPO.

710 Siehe schon *Wegen/Barth* in Torggler, Schiedsgerichtsbarkeit Rn 43.

711 BGH 1.3.2007, SchiedsVZ 2007, 163, Rn 11.

712 *Zöller*, Zivilprozessordnung³¹ § 1031 Rn 38 mwN.

schaftsverträgen gegenüber Gesellschaftern mit geringer Beteiligung (keine Unternehmer) auch ausreichend Sorge getragen.

Da das NYÜ kein strengeres nationales Rechts zulässt, sind, wie auch für   **623** Österreich vertreten wird, im Geltungsbereich des NYÜ diese strengeren Anforderungen an die Schiedsvereinbarung nicht anwendbar, dh eine Nichteinhaltung wäre kein Vollstreckungshindernis.[713]

(3) Heilung von Formmängeln

§ 1031 Abs 6 dZPO sieht eine Heilungsmöglichkeit für alle Formmängel   **624** von Schiedsvereinbarungen vor.[714] Das bedeutet, dass ein Verstoß gegen die Formbestimmung des § 1031 Abs 5 dZPO als Schutzvorschrift zu Gunsten von VerbraucherInnen dann geheilt wird, wenn sich die Verbraucherin/ der Verbraucher in den Streit einlässt und sich nicht ausdrücklich auf diese Formmängel beruft. Der maßgebliche Zeitpunkt ist hier die Einreichung der Klagebeantwortung.[715] Es ist nicht erforderlich, dass sich die Parteien des Formmangels bewusst sind.[716] Sowohl die Verbraucherin/der Verbraucher als auch die Unternehmerin/der Unternehmer kann sich auf den vorliegenden Formmangel berufen.[717]

(4) Schiedsvereinbarungen in AGB

Wenn eine Schiedsvereinbarung in AGB iS der §§ 305 ff dBGB enthalten ist,   **625** so gelten die allgemeinen Bestimmungen zu deren wirksamer Vereinbarung (§ 305c dBGB – Geltungskontrolle; § 307 dBGB – Inhaltskontrolle). Zwar verstoßen Schiedsvereinbarungen in AGB nach der Rsp des BGH nicht *per se* gegen diese Bestimmungen.[718] Wenn jedoch einer Verbraucherin/ein Verbraucher einer solchen Schiedsvereinbarung unterworfen werden soll, können uU strengere Maßstäbe an die Inhaltskontrolle (§§ 308, 309 dBGB) angelegt werden. Auch wird das Gericht genau prüfen, ob die Schiedsvereinbarung überraschend ist, oder eine unangemessene Benachteiligung der Verbraucherin/des Verbrauchers zum Ergebnis hat.[719]

---

713   Siehe *Schlosser* in Stein/Jonas, Zivilprozessordnung[22] Anhang § 1061 Rn 76.

714   § 1031 Abs 6 dZPO: *„Der Mangel der Form wird durch die Einlassung auf die schiedsgerichtliche Verhandlung zur Hauptsache geheilt.“*.

715   Siehe *Zöller*, Zivilprozessordnung[31] § 1031 Rn 43.

716   BGH 22.5.1967, BGHZ 48, 35, 46 = NJW 1967, 2057.

717   Siehe BGH 19.5.2011, BB 2011, 1538 = SchiedsVZ 2011, 227; OLG Hamm 28.3.2006, 21 U 134/04, NZBau 2007, 311.

718   Siehe zur Schiedsvereinbarung zwischen UnternehmerInnen und VerbraucherInnen in AGB: BGH 13.1.2005, BGHZ 162, 9 = SchiedsVZ 2005, 97.

719   Siehe *Trittmann/Hanefeld* in Böckstiegel et al, Arbitration in Germany § 1029 Rn 16 und § 1031 Rn 26; zur Wirksamkeit von Schiedsvereinbarungen in AGB, die gegen-

626   Des Weiteren ist nach der Rsp des EuGH[720] auch noch in Anerkennungs- und Vollstreckungsverfahren gegen VerbraucherInnen innerhalb der Europäischen Union durch das jeweilige Gericht **amtswegig zu überprüfen**, ob eine in AGB enthaltene Schiedsklausel gegenüber der Verbraucherin/dem Verbraucher als missbräuchlich iS der Klauselrichtlinie[721] zu qualifizieren ist. Der EuGH ordnet Art 6 Abs 1 der Richtlinie – wonach die Mitgliedstaaten vorzusehen haben, dass missbräuchliche Klauseln für VerbraucherInnen unverbindlich sind – dem *ordre public* zu.[722] Daher kann eine missbräuchliche Schiedsvereinbarung als Verstoß gegen den *ordre public* unabhängig von der Beteiligung der Verbraucherin/des Verbrauchers am Schiedsverfahren – und daher auch nach Ablauf der Aufhebungsfristen – noch aufgegriffen und dem Schiedsspruch die Anerkennung oder Vollstreckbarkeitserklärung versagt werden.[723]

b) ArbeitnehmerInnenschutz im Schiedsverfahren

627   Die §§ 101 ff dArbGG schränken die objektive Schiedsfähigkeit von arbeitsrechtlichen Streitigkeiten ausdrücklich ein.[724] In Streitigkeiten über Ansprüche nach § 2 Abs 1 und Abs 2 dArbGG kann die Arbeitsgerichtsbarkeit nur nach den Bestimmungen der §§ 101–110 dArbGG ausgeschlossen werden.

628   Diese treffen ein eigenes Reglement für Schiedsverfahren in Arbeitsstreitigkeiten zwischen **Tarifvertragsparteien** unter Ausschluss der §§ 1025 ff dZPO.[725] In allen anderen arbeitsrechtlichen Streitigkeiten sind Schiedsvereinbarungen unzulässig. Das arbeitsrechtliche Schiedsverfahren kennt ua Besonderheiten im Hinblick auf die Zusammensetzung des Schiedsgerichts sowie die grds verpflichtende mündliche Anhörung der Parteien.[726]

        über Verbrauchern verwendet werden, siehe *Raeschke-Kessler/Berger*, Praxis des Schiedsverfahrens³ Rn 249 ff.

720 Vgl EuGH 26.10.2006, C-168/05, *Mostaza Claro*; EuGH 6.10.2009, C-40/08, *Asturcom*; EuGH 16.10.2010, C-76/10, *Pohotovost*.

721 RL 93/13/EWG, ABl 1993 L 95, 29.

722 Siehe im Deutschen unklar EuGH 6.10.2009, C-40/08, *Asturcom*, Rz 52: *„als eine Norm zu betrachten ist, die den nationalen Bestimmungen, die im nationalen Recht zwingend sind, gleichwertig ist"* aber deutlicher im spanischen Original *„disposiciones nacionales que, en el ordenamiento jurídico interno, tienen rango de normas de* **orden público***".*

723 Erschwerend kommt hinzu, dass die Missbräuchlichkeit einer Schiedsvereinbarung aufgrund der uneinheitliche Umsetzung der Klauselrichtlinie in den Mitgliedstaaten schwer vorherzusagen ist.

724 Siehe *Zöller*, Zivilprozessordnung³¹ § 1030 Rn 1a.

725 § 101 Abs 3 dArbGG; siehe schon *Wegen/Barth* in Torggler, Schiedsgerichtsbarkeit Rn 16.

726 Siehe § 103 und 104 dArbGG.

Von diesen Spezialnormen zum Schiedsverfahren mit ArbeitnehmerIn- **629**
nenbeteiligung sind GeschäftsführerInnen nicht umfasst.[727]

3. Schweiz

a) *KonsumentInnenschutz im Schiedsverfahren*[728]

(1) *Der KonsumentInnenbegriff*

Das Schweizer Recht kennt keinen einheitlichen VerbraucherInnen-/Kon- **630**
sumentInnenbegriff.[729] Trotz der von Gesetz zu Gesetz unterschiedlichen
Definitionen herrscht jedoch grundsätzlich Einigkeit darüber, dass nur natürliche und nicht juristische Personen KonsumentInnen sein können.[730] Die
ähnlichen Definitionen stellen außerdem meist darauf ab, ob ein bestimmtes
Geschäft mit dem *„üblichen Verbrauch"* einer Konsumentin / eines Konsumenten im Zusammenhang steht.[731]

(2) *Besondere Schutzbestimmungen*

Im Schweizer Schiedsverfahrensrecht gibt es zum Schutz der KonsumentInnen **631**
keine besonderen Regelungen, sodass die Zulässigkeit eines Schiedsverfahrens mit KonsumentInnenbeteiligung grundsätzlich nur von der Schiedsfähigkeit des betroffenen Anspruchs abhängt.[732]

(3) *Schiedsfähigkeit*

Dazu ist zwischen nationalen und internationalen Schiedsverfahren mit Sitz **632**
in der Schweiz zu unterscheiden und insb auf deren unterschiedliche De-

---

727 § 5 Abs 1 dArbGG: *„[...] Als Arbeitnehmer gelten nicht in Betrieben einer juristi-*
schen Person oder einer Personengesamtheit Personen, die kraft Gesetzes, Satzung
oder Gesellschaftsvertrags allein oder als Mitglieder des Vertretungsorgans zur Ver-
tretung der juristischen Person oder der Personengesamtheit berufen sind.".

728 Einen instruktiven Überblick über die Schweizer Rechtslage zu VerbraucherInnen im
Schiedsverfahren geben *Hofmann/Koester* in Klausegger et al, Austrian Arbitration
Yearbook 2016, 3 ff und umfassend *Möhler*, Konsumentenverträge.

729 Zur Klarstellung: in der deutschsprachigen Schweiz ist – anders als in Deutschland
und Österreich – von **KonsumentInnen** und nicht von **VerbraucherInnen** die Rede.

730 Siehe ua *Möcklin-Doss/Schnyder* in Furrer et al, Handkommentar zum Schweizer
Privatrecht[3] Art 120 IPRG Rn 5; *Keller/Kren Kostkiewicz* in Girsberger, IPRG[2]
Art 120 Rn 27.

731 Vgl zB Art 120 schwIRPG: *„Verträge über Leistungen des üblichen Verbrauchs, die*
für den persönlichen oder familiären Gebrauch des Konsumenten bestimmt sind und
nicht im Zusammenhang mit der beruflichen oder gewerblichen Tätigkeit des Kon-
sumenten stehen [...]"; vgl auch Art 32 Abs 2 schwZPO.

732 *B. Berger/Kellerhals*, Arbitration[3] Rn 389.

finitionen der Schiedsfähigkeit abzustellen (in der Schweiz herrscht ein sog **duales System** vor, dh es bestehen unterschiedliche Verfahrensregelungen für Binnenschiedsverfahren und internationale Schiedsverfahren).[733]

633   Für **internationale Schweizer Schiedsverfahren** ist es beinahe unbestritten, dass KonsumentInnenverträge und Streitigkeiten aus diesen **schieds-fähig** sind.[734] IdZ regelt die zwingende und direkt anwendbare Bestimmung des Art 177 Abs 1 schwIPRG, dass jeder **vermögensrechtliche Anspruch** Gegenstand eines Schiedsverfahrens sein kann.[735]

634   Da Ansprüche aus „klassischen" KonsumentInnenverträgen meistens geldwerten Charakter haben, wird die Anforderung des Art 177 schwIPRG auch in vielen Fällen erfüllt. Strengere Anforderungen an das Schiedsverfahren, die sich aus einer ausländischen *lex causae*, aus dem zwingenden Schweizer Konsumentenrecht oder aus zwingenden Konsumentengerichtsständen ergeben können,[736] sind für internationale Schiedsverfahren und die Schiedsfähigkeit der Ansprüche unbeachtlich.[737]

635   Zur Schiedsfähigkeit in **Binnenschiedsverfahren** verweist Art 354 schwZPO hingegen auf die *„freie Verfügbarkeit"* der Parteien über den streitverfangenen Anspruch.[738] Darunter wird verstanden, dass eine Partei auf den umstrittenen Anspruch verzichten, sich über ihn vergleichen oder ihn anerkennen kann.[739] Die freie Verfügbarkeit ergibt sich aus dem materiellen Recht. Hierbei ist ausschlaggebend, dass die Partei über den **bereits bestehenden Anspruch** frei verfügen kann. Finden sich gesetzliche Regelugen, die die Verfügbarkeit eines zukünftig entstehenden Anspruchs einschränken, so hat das keine Auswirkung auf die grundsätzliche Schiedsfähigkeit des Anspruchs.[740]

636   Daher ist, soweit die freie Verfügbarkeit des Anspruchs durch keine ausdrückliche Regelung eingeschränkt ist, **jeder vermögensrechtliche Anspruch** von KonsumentInnen in internationalen wie Binnensachverhalten grundsätzlich **schiedsfähig**. Wie im internationalen Schiedsverfahren stehen zwingende Konsumentengerichtsstände[741] der Schiedsfähigkeit eines Anspruches nicht

---

733 *B. Berger/Kellerhals*, Arbitration[3] Rn 70; das Schweizer Schiedsverfahren ist jeweils in Kapitel 12 schwIPRG (§§ 176 ff – internationale Schiedsverfahren) und im 3. Teil der schwZPO (§§ 353 ff – Binnenschiedsverfahren) geregelt.

734 *B. Berger/Kellerhals*, Arbitration[3] Rn 247.

735 Siehe dazu näher *Aschauer/Gantenberg/Gabriel* Rn 688; Art 177 Abs 1 schwIPRG: *„Gegenstand eines Schiedsverfahrens kann jeder vermögensrechtliche Anspruch sein."*.

736 Siehe zB Art 32 Abs 1 schwZPO.

737 Siehe BGer 28.4.1992, BGE 118 II 193, 196; *B.Berger/Kellerhals*, Arbitration[3] Rn 208.

738 Art 354 schwZPO: *„Gegenstand eines Schiedsverfahrens kann jeder Anspruch sein, über den die Parteien frei verfügen können."*.

739 BGer 11.7.1945, BGE 71 II 180.

740 BGer 28.6.2010, BGE 136 III 467, 473.

741 Siehe zB Art 114 Abs 1 schwIPRG.

entgegen.[742] Ist jedoch aufgrund kollisionsrechtlicher Anknüpfung die freie Verfügbarkeit nach ausländischem Recht zu ermitteln, müssen dort geltende Beschränkungen der Schiedsfähigkeit durchaus beachtet werden.[743]

Obwohl die beiden bestehenden Definitionen der Schiedsfähigkeit einan- **637** der gleichen, sind durchaus Fälle denkbar, in denen ein Anspruch jeweils nur entweder in einem internationalen oder nur in einem nationalen Schweizer Schiedsverfahren durchsetzbar – weil schiedsfähig – ist.[744]

(4) Heilung der mangelnden Schiedsfähigkeit

Die mangelnde Schiedsfähigkeit heilt im Schweizer Recht nach der allgemeine **638** Präklusionsnorm des Art 186 Abs 2 schwIPRG (internationale Schiedsver- fahren) bzw des Art 359 Abs 2 schwZPO (nationale Binnenschiedsverfahren) mit **rügeloser Einlassung** der betroffenen Partei in das Verfahren.[745]

(5) Weitere Beschränkungen von Verbraucher-Schiedsverfahren

Bisweilen wird in der Lit erwogen, ob der Schweizer *ordre public* die Schieds- **639** fähigkeit bestimmter Ansprüche aus KonsumentInnengeschäften beschränken könnte.[746] Auch der Gutglaubensgrundsatz sowie das Verbot des Rechtsmiss- brauchs könnte die Schiedsfähigkeit bestimmter Ansprüche beschränken, wenn das Schiedsverfahren im Ergebnis eine wirksame Rechtsdurchsetzung der wirtschaftlich schwächeren Partei verhindern würde.[747]

Sowohl für internationale als auch für Binnenschiedsverfahren sieht das **640** Gesetz vor, dass eine Schiedsvereinbarung **schriftlich** abgeschlossen werden muss.[748] Die Unterschrift der Parteien ist hingegen nicht notwendig. Daher ist dem **Formgebot** grundsätzlich Genüge getan, wenn zB im Internet einer Schiedsvereinbarung per Mausklick zugestimmt wird.[749]

---

742 *B. Berger/Kellerhals,* Arbitration³ Rn 254; siehe auch *Möhler,* Konsumentenverträge Rn 355 ff mit krit Anm zur *lex lata.*

743 *Möhler,* Konsumentenverträge Rn 371 ff, 393 und 836.

744 ZB Beitritt zu einem Verein (nur national schiedsfähig) und Gehaltsansprüche aus Ge- samtarbeitsvertrag (nur international schiedsfähig); siehe dazu auch *Göksu,* Schieds- gerichtsbarkeit Rn 381.

745 Art 186 Abs 2 schwIPRG: „Die Einrede der Unzuständigkeit ist vor der Einlassung auf die Hauptsache zu erheben."; Art 359 Abs 2 schwZPO: „Die Einrede der Un- zuständigkeit des Schiedsgerichts muss vor der Einlassung auf die Hauptsache erhoben werden.".

746 *Göksu,* Schiedsgerichtsbarkeit Rn 382; *Möhler,* Konsumentenverträge Rn 369 und 379 f jeweils mwN.

747 *Göksu,* Schiedsgerichtsbarkeit Rn 374.

748 Siehe § 178 Abs 1 schwIPRG und § 358 schwZPO.

749 Siehe *Hofmann/Koester* in Klausegger et al, Austrian Arbitration Yearbook 2016, 13 mwN.

(6) Schiedsvereinbarungen in AGB

641 Eine verdeckte Inhaltskontrolle von AGB ergibt sich daraus, dass die Schweizer Gerichte die sog **Ungewöhnlichkeitsregel** extensiv anwenden: Wurden die AGB mit enthaltener Schiedsklausel somit nach allgemeinen Regeln wirksam vereinbart, diese aber mit den KonsumentInnen jedoch nicht im Einzelnen ausgehandelt, so kann die Schiedsvereinbarung dennoch ungültig sein, wenn die Schiedsvereinbarung aus der Sicht der wirtschaftlich schwächeren und unerfahrenen Partei „überraschend" ist.[750]

642 Es ist freilich unklar, wann eine Konsumentin/ein Konsument eine Schiedsvereinbarung erwarten muss und welche Vorkehrungen in der Praxis daher zur wirksamen Vereinbarung getroffen werden können. Bei **Vertragsabschlüssen über das Internet** wird ein Konsument selten mit einer Schiedsklausel rechnen müssen und auch eine schriftliche Aufklärung in den AGB wird den Überraschungseffekt nicht beseitigen können.

643 Auch die im Vollstreckungsverfahren amtswegig vorzunehmende Prüfung der Missbräuchlichkeit einer AGB-Schiedsklausel kann die Durchsetzung eines Schiedsspruchs, der iZm einem Verbrauchervertrag ergangen ist, verhindern.[751]

644 Des Weiteren können wegen Art 8 schwUWG, der ausschließlich auf KonsumentInnen anwendbar ist, Schiedsvereinbarungen in AGB ungültig sein. Das zB dann, wenn der Streitwert besonders niedrig ist, eine Partei keine Geschäftserfahrung hat und der Sitz des Schiedsgerichts für die Konsumentin/den Konsument schwer zu erreichen ist.[752]

b) ArbeitnehmerInnenschutz im Schiedsverfahren

645 Für ArbeitnehmerInnen und Schiedsverfahren gilt im Wesentlichen *mutatis mutandis* das eben zu VerbraucherInnen Gesagte. Es bestehen im Rahmen des Schiedsverfahrensrechts keine besonderen Regeln zu ArbeitnehmerInnen, sodass auch hier zwischen nationalen und internationalen Schweizer Schiedsverfahren unterschieden werden muss und bei der Beurteilung der Zulässigkeit des Schiedsverfahrens vornehmlich auf die jeweilige Definition der Schiedsfähigkeit abgestellt wird.

---

750 *B. Berger/Kellerhals,* Arbitration³ Rn 460; BGer 4.5.2006, 4C.427/2005; BGer 5.8.1993, BGE 119 II 443.

751 Betrifft nur die Vollstreckung gegen KonsumentInnen innerhalb der EU; *Möhler,* Konsumentenverträge Rn 828f und genauer zu Schiedsvereinbarungen und AGB, siehe *Zeiler* Rn 625f.

752 Siehe *Hofmann/Koester* in Klausegger et al, Austrian Arbitration Yearbook 2016, 16f; Art 8 schwUWG: „*Unlauter handelt insbesondere, wer allgemeine Geschäftsbedingungen verwendet, die in Treu und Glauben verletzender Weise zum Nachteil der Konsumentinnen und Konsumenten ein erhebliches und ungerechtfertigtes Missverhältnis zwischen den vertraglichen Rechten und den vertraglichen Pflichten vorsehen.*"

Vor allem für **nationale (Binnen-)Schiedsverfahren** relevant, normiert **646** Art 341 Abs 1 schwOR eine Verfügungsbeschränkung der Arbeitnehmer-Innen über ihre aus zwingenden Bestimmungen des Arbeitsrechts entstehenden Ansprüche.[753] Das BGer hat zu dieser Bestimmung festgehalten, dass ArbeitnehmerInnen über die in dieser Bestimmung bestimmten Ansprüche nicht frei verfügen können, weswegen sie auch nicht schiedsfähig sind.[754]

Für **internationale Schweizer Schiedsverfahren** ist jedoch für die Zu- **647** lässigkeit des Schiedsverfahrens ausschließlich relevant, ob der bestreffende Anspruch vermögensrechtlicher Natur ist. Trifft das zu, sind zwingende Regelungen – wie der eben zitierte Art 341 Abs 1 schwOR – unbeachtlich und die Streitsache grundsätzlich schiedsfähig.

C. Gemeinsame Erwägungen

1. Zum VerbraucherInnenschutz

Schiedsverfahren mit VerbraucherInnen im gewöhnlichen Sinn werden wohl **648** von keiner Seite gewünscht. Es scheint breite Einigkeit darüber zu bestehen, dass die **Schiedsgerichtsbarkeit** für diese Art der Streitigkeiten **kein geeignetes Forum** bietet. Sie bietet sich vielmehr für jene Parteien an, die auf etwa derselben (finanziellen) Ebene flexibel und autonom ihre Differenzen von vergleichsweise großem Streitwert und höherer Komplexität bereinigen wollen.

Bei VerbraucherInnen treffen diese Voraussetzungen meist nicht zu. Die **649** „Vorteile" des Schiedsverfahrens können in Streitigkeiten mit Verbraucher-Innen oft gar nicht genützt werden und sind für VerbraucherInnen nicht notwendig oder zT sogar nachteilig (siehe zB Verschwiegenheit). Insb die mit dem Schiedsverfahren verbundenen Kosten und die höhere Verantwortung, an dem Prozess aktiv zu partizipieren, können für VerbraucherInnen eine unverhältnismäßig hohe Belastung bilden.

Dazu kommt, dass es für das Schiedsverfahren keine Verfahrens-/Prozess- **650** kostenhilfe/unentgeltliche Rechtspflege gibt. Im Hinblick auf Art 6 EMRK wird den VerbraucherInnen daher manchmal ein **außerordentliches Kündigungsrecht** zugestanden, wenn das Schiedsverfahren für sie nicht finanzierbar und die Schiedsklausel somit ohnehin inoperabel ist.[755]

---

753 Art 341 Abs 1 schwOR: „*Während der Dauer des Arbeitsverhältnisses und eines Monats nach dessen Beendigung kann der Arbeitnehmer auf Forderungen, die sich aus unabdingbaren Vorschriften des Gesetzes oder aus unabdingbaren Bestimmungen eines Gesamtarbeitsvertrages ergeben, nicht verzichten.*"

754 Siehe BGer 28.6.2010, BGE 136 III 467, 473.

755 Für Österreich: *Vogel*, RdW 2009, 266; *Reiner*, ÖJZ 2009, 302; für Deutschland: *Zoller*, Zivilprozessordnung[31] § 114 Rn 1 mwN; für die Schweiz: für Binnenschieds-

651   Für typische VerbraucherInnenstreitigkeiten sind zumeist die **ordentlichen Gerichte** die weitaus geeignetere Option. Es ist daher nur verständlich, dass es Überlegungen gibt, VerbraucherInnen davor schützen zu wollen, auf den ordentlichen Rechtsweg unüberlegt zu verzichten.

652   In Deutschland und Österreich wurden spezielle gesetzliche Regelungen geschaffen, die in unterschiedlicher Strenge den VerbraucherInnen aufgrund spezieller (Form-)Vorschriften den Zugang zum Schiedsverfahren erschweren.

653   In der Schweiz hingegen hat der Gesetzgeber sich mit der Anwendung der bereits bestehenden allgemeinen Vorschriften zur Zulässigkeit von Vertragsbestimmungen begnügt.

654   Die Ausformung des VerbraucherInnenschutzes in Schiedsverfahren ist in Österreich in zwei Bereichen deutlich missglückt und der Gesetzgeber hat dabei über das Ziel „hinausgeschossen":

655   Einerseits sind – anders als in Deutschland und der Schweiz – in Österreich auch **juristische Personen** grundsätzlich vom VerbraucherInnenschutz mit umfasst. Das führt dazu, dass ua auch stiftungsrechtliche Sachverhalte regelmäßig von der Unwirksamkeit der in der Stiftungsurkunde enthaltenen Schiedsanordnung bedroht sind.

656   Andererseits folgt aus den hohen formellen Anforderungen an Schiedsvereinbarungen in Österreich (insb § 617 Abs 1 öZPO), dass Schiedsverfahren mit VerbraucherInnenbeteiligung in der Praxis nicht geführt werden.[756] Das ergibt sich schon daraus, dass die im Standardfall geforderte Einigung auf die Schiedsvereinbarung über den bereits entstandenen Streitfall deswegen nicht zustande kommt, weil es dann immer im (zumindest taktischen) Interesse einer Partei ist, dem Abschluss einer Schiedsvereinbarung nicht zuzustimmen. Va in gesellschaftsrechtlichen Sachverhalten spielen die streng formelle Auslegung des Verbraucherbegriffs durch den OGH[757] und die eben beschriebenen Schutzbestimmungen so zusammen, dass Schiedsverfahren auch dort, wo sie traditionell besser geeignet und mehrheitlich erwünscht wären, ebenfalls nicht vorkommen.[758]

---

verfahren ausdrücklich Art 380 schwZPO sowie allgemein *Stacher* in Berner Kommentar Art 380 ZPO Rn 1 ff.

756   Mit *Oberhammer* ist die Botschaft des österreichischen Gesetzgebers iZm Verbraucherschiedsverfahren als *„Lasst es bleiben!"* kurz zu beschreiben; siehe *Oberhammer* in Kloiber et al, Schiedsrecht 101; siehe auch *Reiner*, öSchiedsRÄG 2006 § 617 Rn 232.

757   Anders als der BGH geht der OGH nicht von einer Zuweisung eines Geschäfts zu der gewerblichen oder privaten „Sphäre" aus, sondern prüft den maßgeblichen Einfluss einer Person auf das betreffende Unternehmen. In der Schweiz wird zB auf die „Üblichkeit" eines Geschäfts oder den privaten Verwendungszweck abgestellt.

758   Welchen Einfluss diese weitgreifenden Regelungen auf die Praxis haben, zeigt sich auch jüngst iZm der Debatte zur Schiedsfähigkeit gesellschaftsrechtlicher Informationsansprüche; siehe dazu zB *Harrer/Neumayr*, wbl 2016, 537 ff.

Auch in Deutschland und der Schweiz werden ebenfalls kaum Schieds- **657**
verfahren mit VerbraucherInnenbeteiligung geführt. Das ist angesichts der
grundsätzlichen Sinnhaftigkeit des „echten" VerbraucherInnenschutzes auch
zu begrüßen. Aus besprochenen Gründen werden diese dort auch mehrheitlich prinzipiell abgelehnt.

2. Zum ArbeitnehmerInnenschutz

Auch wenn es in den drei interessierenden Staaten unterschiedlich erreicht **658**
wird, werden in Österreich, Deutschland und der Schweiz grundsätzlich **keine
Schiedsverfahren über arbeitsrechtliche Streitigkeiten geführt.**

In Österreich ergibt sich das daraus, dass – abgesehen von den ohnehin **659**
nicht schiedsfähigen betriebsverfassungsrechtlichen Streitigkeiten und Streitigkeiten in Sozialrechtssachen – wie in Verbraucherstreitigkeiten Schiedsvereinbarungen nur für bereits entstandene Streitigkeiten wirksam vereinbart
werden können.

In **Deutschland** sind arbeitsrechtliche Streitsachen generell von den ge- **660**
wöhnlichen Regeln über die Schiedsgerichtsbarkeit **ausgenommen** und nur
Streitigkeiten zwischen Tarifvertragsparteien im Rahmen von Spezialnormen
zum Schiedsverfahren mit ArbeitnehmerInnen zulässig.

In der **Schweiz** wird – wie in allen Bereichen – auch idZ zwischen na- **661**
tionalen und internationalen Schiedsverfahren differenziert: nach der Rsp
des BGer sind die meisten arbeitsrechtlichen Streitigkeiten in nationalen
Verfahren nicht schiedsfähig, weil die Parteien nicht frei über ihre Ansprüche verfügen können. Arbeitsrechtliche Ansprüche, die geldwert sind und
aus internationalen Sachverhalten stammen, sind grundsätzlich jedoch sehr
wohl schiedsfähig.

Auch idZ gilt jedoch was bereits zu „echten" VerbraucherInnenverfahren **662**
gesagt wurde: Die Schiedsgerichtsbarkeit ist für Verfahren mit Arbeitnehmer-
Innen bereits strukturell eher ungeeignet. Daher besteht auch von Seiten der
Praxis geringes Interesse an derartigen Verfahren.

4. Kapitel

Schiedsfähigkeit

Christian Aschauer/Ulrike Gantenberg/Simon Gabriel

I. Objektive Schiedsfähigkeit

A. Begriff

Bei der objektiven Schiedsfähigkeit geht es nach kontinental-europäischem **663** Verständnis[759] um die Frage, welche Angelegenheiten von Schiedsgerichten entschieden werden dürfen oder, anders ausgedrückt, bei welchen Streitigkeiten ein Staat sein Rechtsprechungsmonopol in Anspruch nimmt und sich die Entscheidung der Streitigkeit durch die eigenen Gerichte oder Behörden vorbehält.

Das Recht, Streitigkeiten bei Schiedsgerichten auszutragen, ist ein wesent- **664** licher Bestandteil privatautonomer Rechtsgestaltung.[760] Einschränkungen dieses Rechts erfolgen im öffentlichen Interesse[761] aus verschiedenen (mehr oder weniger legitim scheinenden) Gründen. Mitunter geht es darum, eine schwächere Partei vor potentieller Benachteiligung zu schützen.[762] In anderen Fällen geht es um sozialpolitisch wichtige Materien, wie Ehe und Familie, in denen die staatliche Rechtsprechung staatliches Recht durchzusetzen hat, oft

---

759 In den Vereinigten Staaten wird *arbitrability* auch im Sinn der Zuständigkeit des Schiedsgerichts an sich verstanden: siehe *Mistelis* in Mistelis/Brekoulakis, Arbitrability 4.

760 Zur Frage, ob die Schiedsgerichtsbarkeit als Ausprägung privatautonomer Rechtsgestaltung verfassungsgesetzlich geschützt ist, siehe *Kodek* in Liebscher/Oberhammer/Rechberger, Schiedsverfahrensrecht I Rn 1/6.

761 *Born*, Commercial Arbitration[2] 945.

762 Es entstehen freilich auch im Bereich der Schiedsgerichtsbarkeit Instrumente zum Schutz schwächerer Parteien; die DIS Sportschiedsgerichtsordnung 2016 (abrufbar unter www.dis-arb.de) enthält Vorschriften zur Verfahrenskostenhilfe für finanziell schwache Parteien; siehe hierzu *Hofmann*, SchiedsVZ 2016, 90.

ebenfalls zum Schutze schwächerer Parteien. Wieder andere Beschränkungen haben den Zweck, dass der Staat durch seine Gerichte das Funktionieren des freien Markts oder Dispositionen mit Bodenschätzen auf seinem Territorium möglichst effektiv kontrollieren will.

665   Die Schiedsfähigkeit ist nach wie vor ein stark fragmentiertes Rechtsgebiet. Das UNCITRAL ModG enthält keine Definition der objektiven Schiedsfähigkeit. Art 1(5) des UNCITRAL ModG bestimmt vielmehr, dass das ModG Beschränkungen der objektiven Schiedsfähigkeit des nationalen Rechts unberührt lässt.

666   Vor diesem Hintergrund erweist sich die Rechtslage in Deutschland[763], Österreich[764] und der Schweiz[765], die grundsätzlich jeden *„vermögensrechtlichen Anspruch"* für schiedsfähig erklären, als vergleichsweise einheitlich und „schiedsfreundlich". In Österreich hat der OGH und in der Schweiz das BGer ausdrücklich ausgesprochen, dass die öZPO bzw das schwIPRG der Schiedsgerichtsbarkeit „positiv" gegenüber steht bzw „schiedsfreundlich" ist.[766] Der weite Begriff der objektiven Schiedsfähigkeit ist dafür ein wichtiger Nachweis.

B. Anwendbares Recht

1. Deutschland

667   Bei einem Schiedsort in Deutschland ist die Frage der objektiven Schiedsfähigkeit in allen Verfahrensstadien einheitlich nach § 1030 dZPO als anwendbare Sachnorm zu beurteilen.[767] Die objektive Schiedsfähigkeit richtet sich auch im Aufhebungs- und Vollstreckungsverfahren gem § 1059 Abs 2 Nr 2a dZPO nach deutschem Sachrecht, da diese Vorschrift insoweit eine abschließende Sonderreglung enthält.[768] Auf die Schiedsfähigkeit nach der *lex causae* kommt es nicht an. Auch bei ausländischem Schiedsort ist die Schiedsfähigkeit nicht nach dem Schiedsvereinbarungsstatut, sondern stets nach § 1030 dZPO zu beurteilen.[769]

---

763 § 1030 dZPO.
764 § 582 öZPO.
765 Art 177 schwIPRG.
766 So bereits zum alten Recht OGH 25.6.1992, 7 Ob 545/92.
767 *Schmidt-Ahrendts/Höttler*, SchiedsVZ 2011, 267 ff.
768 *Geimer* in Zöller, Zivilprozessordnung[31] § 1030 Rn 24; *Schlosser* in Stein/Jonas, Zivilprozessordnung[23] § 1030 Rn 30; *Kröll* in Böckstiegel et al, Arbitration in Germany[2] § 1061 Rn 134.
769 *Geimer* in Zöller, Zivilprozessordnung[31] § 1030 Rn 24; *Schmidt-Ahrendts/Höttler*, SchiedsVZ 2011, 277.

2. Österreich

Die objektive Schiedsfähigkeit ist in Österreich je nach dem Verfahren, in **668** dem die Frage der objektiven Schiedsfähigkeit relevant wird, unterschiedlich zu beurteilen:

Im Schiedsverfahren ist grundsätzlich das **Recht des Sitzstaats** maßgeb- **669** lich, weil der Schiedsspruch bei Fehlen der objektiven Schiedsfähigkeit im Sitzstaat der Aufhebung anheimfällt.[770] Bei Beschränkungen der objektiven Schiedsfähigkeit, die aus dem Recht am Sitzstaat hervorgehen, ist jedoch zu prüfen, ob diese Beschränkungen gem ihrem sachlichen Anwendungsbereich tatsächlich auch „internationale" Fälle betreffen, die keine Beziehung zum Sitzstaat aufweisen. Die Beschränkungen der objektiven Schiedsfähigkeit bei Streitigkeiten, die dem öMRG unterfallen (§ 582 Abs 2 öZPO), gelten zB nur für in Österreich gelegene Liegenschaften, weil der räumliche Anwendungsbereich des öMRG auf Österreich beschränkt ist. Ein Schiedsgericht mit Sitz in Österreich kann daher für Streitsachen betreffend Mietverträge über nicht-österreichische Liegenschaften zuständig gemacht werden.

Nach Art II Abs 1 NYÜ haben staatliche Gerichte die Pflicht, Schiedsver- **670** einbarungen anzuerkennen. Gem Art II Abs 3 NYÜ müssen die staatlichen Gerichte die Parteien auf das schiedsgerichtliche Verfahren verweisen, wenn ein Gericht wegen eines Gegenstands angerufen wird, das unter eine Schieds-vereinbarung fällt, sofern es nicht feststellt, dass die Vereinbarung *„hinfäl-lig, unwirksam oder nicht erfüllbar"* ist. In diesen Fällen hat das staatliche Gericht bei der Beurteilung der objektiven Schiedsfähigkeit grundsätzlich ebenfalls das „eigene" Recht anzuwenden. Beschränkungen der objektiven Schiedsfähigkeit, die aus dem „eigenen Recht" hervorgehen, sind aber nur insoweit relevant, als nach diesen Beschränkungen den „eigenen" Gerichten oder Behörden die Regelung der Streitsache vorbehalten ist, was regelmäßig ein Näheverhältnis zwischen der Streitsache und dem Territorium des be-treffenden Staates voraussetzt.[771]

Im Schiedsspruch-Aufhebungsverfahren ist österreichisches Recht maß- **671** geblich, da § 611 Abs 2 Z 7 öZPO ausdrücklich auf „inländisches Recht" verweist. In diesen Fällen ist allerdings (wie beim Einwand der mangelnden Schiedsfähigkeit im Schiedsverfahren) zu prüfen, ob die die Schiedsfähigkeit beschränkende Vorschrift des österreichischen Rechts bei internationalen Sachverhalten tatsächlich Anwendung findet.[772]

---

770 Schiedsspruch SCH-5093, veröffentlicht in VIAC, Selected Awards 197; Schiedsspruch SCH-5301, veröffentlicht in VIAC, Selected Awards 370; *Haugeneder* in VIAC, Selected Awards 397; vgl dazu *Mistelis* in Mistelis/Brekoulakis, Arbitrability 11.

771 *Mistelis* in Mistelis/Brekoulakis, Arbitrability 103.

772 Vgl hierzu wiederum § 582 Abs 2 öZPO, wonach Streitigkeiten, die dem öMRG

672   Im Verfahren betreffend die Anerkennung und Vollstreckung des Schiedsspruchs ist das Recht des Staates maßgeblich, in dem die Anerkennung und
Vollstreckung beantragt wurde.[773]

673   § 582 Abs 1 öZPO ist gem Art VII Abs 3 öSchiedsRÄG 2006 nur auf
Schiedsvereinbarungen anzuwenden, die am 1.7.2006 oder später geschlossen wurden.[774] Die Wirksamkeit von Schiedsvereinbarungen, die vor dem
1.7.2006 geschlossen wurden, richtet sich nach wie vor nach dem strengeren
§ 577 Abs 1 öZPO idF vor dem 1.7.2006. Danach ist die Schiedsvereinbarung
nur wirksam, wenn sie über einen vergleichsfähigen Gegenstand geschlossen
wurde. Daraus ergibt sich nach früherem Recht etwa, dass Streitigkeiten über
die Nichtigkeits- und Wiederaufnahmeklage oder Streitigkeiten über Ersatzansprüche gegen Geschäftsführer einer GmbH sowie Streitigkeiten über
die Einzahlung von Stammeinlagen in eine GmbH gem § 10 öGmbHG (im
Unterschied zum neuen Recht) nicht schiedsfähig sind.[775]

674   Bei Einschränkungen der Schiedsfähigkeit kommt wegen der unterschiedlichen Anknüpfung[776] der objektiven und der subjektiven Schiedsfähigkeit
deren Unterscheidung besondere Bedeutung zu.[777] So bestimmt(e) etwa § 360
der ungarischen ZPO im Wesentlichen, dass ein Schiedsverfahren nur bei
Rechtsstreitigkeiten aus Rechtsbeziehungen zwischen ungarischen Wirt-
schaftsorganisationen und einer ausländischen Partei zulässig ist. In einem
Schiedsverfahren mit Sitz in Österreich hat die Mehrheit des Schiedsgerichts
diese Bestimmung als eine Beschränkung der objektiven Schiedsfähigkeit
beurteilt, die in Österreich irrelevant ist, und seine Zuständigkeit bejaht; die
Minderheit des Schiedsgerichts hat dagegen die Bestimmung (zutreffend) als
Beschränkung der subjektiven Schiedsfähigkeit angesehen.[778]

3. Schweiz

675   Die objektive Schiedsfähigkeit wird in der Schweiz in Art 177 Abs 1 schwIPRG
geregelt. Nach Art 177 Abs 1 schwIPRG kann jeder vermögensrechtliche Anspruch Gegenstand eines Schiedsverfahrens sein. Diese Bestimmung repräsen-

---

unterfallen, nicht schiedsfähig sind; diese Beschränkung gilt nur für in Österreich
gelegene Liegenschaften.

773 Art V Abs 2 lit a NYÜ.
774 OGH 22.10.2010, 7 Ob 103/10p.
775 Siehe noch die Erstauflage *Rechberger* in Rechberger, ZPO § 577 Rn 5.
776 Die subjektive Schiedsfähigkeit ist stets nach dem Personalstatut zu beurteilen.
777 *Quinke* in Wolff, New York Convention Art V Rn 451.
778 Schiedsspruch SCH-5243, veröffentlicht in VIAC, Selected Awards 316f; der Mindermeinung ist deshalb beizupflichten, weil die fragliche Bestimmung auf besondere
Eigenschaften der Parteien der Schiedsvereinbarung („inländische" Partei/„ausländische" Partei) abstellte.

tiert eine materielle Regelung der objektiven Schiedsfähigkeit. Auf die Aufnahme einer Kollisionsnorm hat der Gesetzgeber bewusst verzichtet, um die mit einer solchen Lösung verbundenen Schwierigkeiten bei der Bestimmung des anwendbaren Rechts zu vermeiden.[779] Die objektive Schiedsfähigkeit wird aufgrund von Art 177 Abs 1 schwIPRG in allen internationalen Schiedsverfahren mit Sitz in der Schweiz ausschließlich nach der Schweizer *lex arbitri* beurteilt, unabhängig von einschränkenden Regelungen des anwendbaren materiellen Rechts, des Heimatrechts der Parteien oder des Rechts an einem potentiellen Vollstreckungsort.[780]

C. Objektive Schiedsfähigkeit gemäß deutschem, österreichischem und Schweizer Recht im Allgemeinen

1. Deutschland

Die Wirksamkeit der Schiedsvereinbarung setzt die Schiedsfähigkeit des Streitgegenstandes voraus.[781]   **676**

Gem § 1030 Abs 1 S 1 dZPO kann *„jeder vermögensrechtliche Anspruch"*   **677** Gegenstand einer Schiedsvereinbarung sein. Auch vergleichsfähige, nicht vermögensrechtliche Ansprüche sind gem § 1030 Abs 1 S 2 dZPO objektiv schiedsfähig.[782]

Früher (dh idF vor dem 1.1.1998) forderte § 1025 Abs 1, 2. Halbsatz   **678** dZPO generell, dass die Parteien der Schiedsvereinbarung die Befugnis haben müssen, über den Streitgegenstand einen Vergleich zu schließen. Hinter dieser Voraussetzung stand das Interesse zu verhindern, dass die Parteien die Grenzen der Dispositionsbefugnis in Fällen umgehen, in denen das Entscheidungsmonopol im Interesse besonders schützenswerter Rechtsgüter den staatlichen Gerichten vorbehalten war.[783] Heute ist die Dispositionsbefugnis nur noch für die Schiedsfähigkeit von nichtvermögensrechtlichen Streitigkeiten maßgeblich und fungiert als Notanker, sofern in Einzelfällen Zweifel an der objektiven Schiedsfähigkeit bestehen bleiben. Als *ultima ratio* für die Beschränkung der Schiedsfähigkeit dient zudem der *ordre public* als Aufhebungsgrund gem § 1059 Abs 2 Nr 2 lit b dZPO.

---

779 BGer 18.3.2013, 4A_388/2012, E. 3.2–3.3; BGE 118 II 353, E. 3a.

780 *Girsberger/Voser*, International Arbitration[3] Rn 425 mwN, insb auf BGer 18.3.2013, 4A_388/2012, E. 3.2–3.3 und BGE 118 II 353 in Bezug auf das Recht am potentiellen Vollstreckungsort unter dem Blickwinkel des *ordre public*.

781 *Lachmann*, Handbuch[3] Rn 273.

782 ZB der Ausschluss aus einem Idealverein oder ein presserechtlicher Gegendarstellungsanspruch; siehe *Voit* in Musielak ZPO[13] § 1030 Rn 6.

783 *Münch* in MünchKom, ZPO[4] § 1030 Rn 5.

a) Vermögensrechtliche Streitigkeiten

679 Als *„vermögensrechtlich"* im Sinne von § 1030 Abs 1 dZPO gelten Streitigkeiten, denen vermögenswerte Ansprüche oder Rechte zugrunde liegen, die auf einem wirtschaftlichen Interesse beruhen.[784]

680 Die **Grenzen der objektiven Schiedsfähigkeit** sind gem § 1030 Abs 3 dZPO gesetzlich ausgestaltet, entweder durch ausdrückliche Schiedsunfähigkeit oder durch die Festlegung besonderer Voraussetzungen für die Schiedsfähigkeit.[785]

681 Schiedsfähig sind auch **öffentlich-rechtliche Streitigkeiten**, solange ein öffentlich-rechtlicher Vertrag für den Streitgegenstand zulässig wäre oder die Schiedsfähigkeit ausdrücklich geregelt ist.[786]

b) Nicht-vermögensrechtliche Streitigkeiten

682 Gem § 1030 Abs 1 Satz 2 dZPO hat eine Schiedsvereinbarung über einen nicht vermögensrechtlichen Anspruch insoweit rechtliche Wirkung, *„als die Parteien berechtigt sind, über den Gegenstand einen Vergleich zu schließen."* In Bezug auf die **Dispositionsbefugnis** ist stets zu fragen, ob der Streitgegenstand ein besonders schützenswertes Rechtsgut ist, das der Verfügungsmacht der Parteien entzogen und dem staatlichen Richter vorbehalten werden soll.[787] Nicht objektiv schiedsfähig sind zB nicht-vermögensrechtliche Streitgegenstände wie Ehesachen, soweit es um Statusverfahren geht (insb Scheidungen), Kindschafts- und Betreuungsangelegenheiten.[788]

2. Österreich

683 Das österreichische Recht knüpft bei der Schiedsfähigkeit so wie das deutsche Recht grundsätzlich am vermögensrechtlichen Charakter des Anspruchs an. Der österreichische Gesetzgeber hat sich hierbei (ebenso wie der deutsche Gesetzgeber) an Art 177 Abs 1 schwIPRG orientiert, um eine klare und auch für ausländische Rechtsanwender eindeutige Reglung zu schaffen.[789]

---

784 *Geimer* in Zöller, Zivilprozessordnung[31] § 1030 Rn 1; *Münch* in MünchKom, ZPO[4] § 1030 Rn 13.

785 *Voit* in Musielak, ZPO[13] § 1030 Rn 2.

786 *Geimer* in Zöller, Zivilprozessordnung[31] § 1030 Rn 23; *Stumpf*, Alternative Streitbeilegung im Verwaltungsrecht 72; *Voit* in Musielak, ZPO[13] § 1030 Rn 9.

787 *Schwab/Walter*, Schiedsgerichtsbarkeit[7] Kap 4 Rn 1; *Geimer* in Zöller, Zivilprozessordnung[31] § 1030 Rn 1 f.

788 *Münch* in MünchKom, ZPO[4] § 1030 Rn 17 f.

789 Siehe die Erläuternden Bemerkungen aus der Regierungsvorlage zum öSchiedsRÄG 2006, abgedruckt in *Zeiler*, Schiedsverfahren[2] 100.

Nach österreichischem Recht sind gem § 582 Abs 1 öZPO alle **vermögens-** **684** **rechtlichen Ansprüche** objektiv schiedsfähig. Nicht vermögensrechtliche Ansprüche sind objektiv schiedsfähig, wenn die Parteien einen **Vergleich** über sie schließen können. Vermögensrechtliche und nicht vermögensrechtliche Ansprüche sind aber immer nur dann objektiv schiedsfähig, wenn bei Fehlen einer Schiedsvereinbarung die ordentlichen Gerichte[790] über den Streit zu entscheiden hätten.

Der Begriff des vermögensrechtlichen Anspruchs ist weit zu verstehen **685** und erfasst alle Ansprüche, die auf einem vermögensrechtlichen Rechtsverhältnis beruhen und/oder auf eine vermögensrechtliche Leistung gerichtet sind.[791] Da die Verletzung von Persönlichkeitsrechten oft (auch) wirtschaftliche Folgen hat, handelt es sich dabei ebenfalls um objektiv schiedsfähige vermögensrechtliche Ansprüche.[792]

Nicht schiedsfähig sind alle (vermögensrechtlichen und/oder vergleichs- **686** fähigen) Ansprüche, über die Verwaltungsbehörden zu entscheiden haben. Historisch haben Schiedsgerichte die Entscheidung von strafrechtlich relevanten (Korruptions-)Sachverhalten abgelehnt, weil die Strafverfolgung den staatlichen Behörden vorbehalten ist.[793] Der Einwand, dass ein Vertrag über vermögensrechtliche Gegenstände wegen Sittenwidrigkeit, Wuchers oder Korruption nichtig ist, ändert aber nichts an der objektiven Schiedsfähigkeit des Vertragsgegenstands. Der Schiedsspruch, mit dem ein solcher Vertrag für gültig befunden wird, kann allenfalls wegen Verletzung des materiell-rechtlichen *ordre public* (§ 611 Abs 2 Z 8 öZPO) aufzuheben sein.[794]

Nicht schiedsfähig sind gem der ausdrücklichen Anordnung des § 582 **687** Abs 2 öZPO ferner familienrechtliche Ansprüche sowie alle Ansprüche aus Verträgen, die (auch nur zum Teil) dem öMRG oder dem öWGG unterliegen.

3. Schweiz

Art 177 Abs 1 schwIPRG bestimmt, dass jeder **vermögensrechtliche An-** **688** **spruch** Gegenstand einer Schiedsvereinbarung sein kann. Die Bestimmung ist gem BGer weit zu interpretieren und umfasst jeden vermögensrechtlichen Anspruch[795] im Sinn sämtlicher Streitigkeiten, die wirtschaftliche Interessen

---

790 Angelegenheiten der außerstreitigen („freiwilligen") Gerichtsbarkeit gehören in Österreich (so wie in Deutschland) zur ordentlichen Gerichtsbarkeit.
791 *Reiner*, GesRZ 2007, 151.
792 Siehe etwa *Koller* in Liebscher/Oberhammer/Rechberger, Schiedsverfahrensrecht I Rn 4/104; *Zeiler*, Schiedsverfahren[2] § 582 Rn 16.
793 Siehe hierzu *Mistelis* in Mistelis/Brekoulakis, Arbitrability 3.
794 *Haugeneder* in VIAC, Selected Awards 398; siehe auch *Kilches*, SchiedsVZ 2016, 154.
795 *Girsberger/Voser*, International Arbitration[3] Rn 423 ff mwN auf BGE 118 II 353, E. 3a.

involvieren (dh alle Ansprüche, die einen finanziellen Wert für die Parteien haben). Dabei kann es sich um Vermögenswerte oder um Verbindlichkeiten handeln. Es kommt nur darauf an, dass die Interessen ihrer Natur nach in Geld geschätzt werden können oder sich direkt als geldwerte Aktiv- oder Passivposten erweisen, unabhängig davon, ob die Parteien über das entsprechende Recht oder den Streit frei verfügen dürfen.[796]

D. Sonderfragen der objektiven Schiedsfähigkeit

689   Die objektive Schiedsfähigkeit ist wie soeben gezeigt in Deutschland, Österreich und der Schweiz ausgehend vom Begriff des vermögensrechtlichen Anspruchs weitgehend einheitlich geregelt. Alle drei Rechtsordnungen sind aber auch insoweit vergleichbar, als die Bereiche Ehe und Familie, Erbrecht, Wohnraum und Immobilien, Arbeitsrecht, Verbraucherschutz, Insolvenzrecht, Kartellrecht und Gesellschaftsrecht als kritisch angesehen und der Schiedsgerichtsbarkeit nicht vorbehaltlos überlassen werden; signifikante Unterschiede zeigen sich allerdings bei der Intensität des staatlichen Eingriffs. Dem wird im folgenden Abschnitt im Detail nachgegangen.

1. Ehe und Familie

a) Deutschland

690   In Deutschland sind familienrechtliche Streitigkeiten objektiv schiedsfähig, wenn und soweit sie wie Unterhaltszahlungen einen vermögensrechtlichen Anspruch betreffen.[797] Scheidungssachen sind nicht objektiv schiedsfähig, Scheidungsfolgesachen hingegen schon.[798] Streitigkeiten über die Aufhebung von Güterständen und Unterhaltsansprüche unter Verwandten sind objektiv schiedsfähig.[799] Soweit Statussachen betroffen sind, was bei Ehesachen gem § 122 dFamFG und bei Kindschaftssachen wie elterlicher Sorge, Umgangsrecht und anderen Eltern-Kind Streitigkeiten gem § 151 dFamFG immer der Fall ist, sind diese Streitigkeiten nicht objektiv schiedsfähig.[800] Abstammungsfeststellungen (§ 169 dFamFG) und Lebenspartnerschaftssachen (§ 269 Abs 1 Nr 1–4 dFamFG) sind nicht schiedsfähig.[801]

---

796   *Girsberger/Voser*, International Arbitration[3] Rn 428.
797   *Hanefeld/Trittmann* in Böckstiegel et al, Arbitration in Germany[2] § 1030 Rn 21 b.
798   *Geimer* in Zöller, Zivilprozessordnung[31] § 1030 Rn 6; *Huber*, SchiedsVZ 2004, 280 ff.
799   *Schlosser* in Stein/Jonas, Zivilprozessordnung[23] § 1030 Rn 3 f.
800   *Hanefeld/Trittmann* in Böckstiegel et al, Arbitration in Germany[2] § 1030 Rn 21 b.
801   *Geimer* in Zöller, Zivilprozessordnung[31] § 1030 Rn 6.

b) Österreich

Gem § 582 Abs 2 öZPO sind (vermögensrechtliche und nicht vermögens-   **691**
rechtliche) familienrechtliche Ansprüche nicht schiedsfähig. Dazu gehören
gesetzliche Unterhaltsansprüche minderjähriger Kinder oder Ansprüche auf
Aufteilung des ehelichen Gebrauchsvermögens und der ehelichen Ersparnisse
im Scheidungsfall, ferner Statusklagen und Scheidungsklagen.[802]

c) Schweiz

In der Schweiz sind Statusklagen (zB Klagen betreffend Ehe, Vaterschaft,   **692**
Adoption, Scheidung oder Trennung) ebenfalls nicht objektiv schiedsfähig.
Hingegen werden die güterrechtliche Auseinandersetzung[803] und Alimente-
Streitigkeiten[804] in der Lehre teilweise als schiedsfähig erachtet. Hinsichtlich
der Vollstreckbarkeit von Schiedssprüchen über die güterrechtliche Aus-
einandersetzung in der Schweiz sind gewisse zwingende Bestimmungen des
Schweizer Zivilrechts zusätzlich zu beachten.[805] Insb zu erwähnen ist dies-
bezüglich die Bestätigung der vereinbarten Scheidungsfolgen durch die staatlichen Gerichte, die gem (älterer) Rsp des BGer eine Regel mit *ordre public* Rang
(Schweizer Begriff für öffentliche Ordnung oder *public policy*) darstellt.[806]

2. Erbrecht

a) Deutschland

In Deutschland sind Streitigkeiten über Erbeinsetzung und Nachlasssachen   **693**
objektiv schiedsfähig.[807] Die objektive Schiedsfähigkeit richtet sich wie bei
familienrechtlichen Streitigkeiten nach § 1030 dZPO. Für sich aus letztwilligen Verfügungen ergebende Streitigkeiten zwischen Erben untereinander
oder mit Vermächtnisnehmern kann gestützt auf § 1066 dZPO zulässigerweise
ein Schiedsgericht eingesetzt werden.[808] Auch Pflichtteilsberechtigte können
der schiedsgerichtlichen Entscheidung unterworfen werden.[809]

---

802 *Zeiler*, Schiedsverfahren[2] § 582 Rn 17.
803 *Girsberger/Voser*, International Arbitration[3] Rn 436.
804 *B. Berger/Kellerhals*, Arbitration[3] Rn 223.
805 *B. Berger/Kellerhals*, Arbitration[3] Rn 223.
806 Art 279 schwZPO; BGE 87 I 291, E.2.
807 *Schlosser* in Stein/Jonas, Zivilprozessordnung[23] § 1030 Rn 4.
808 *Schlosser* in Stein/Jonas, Zivilprozessordnung[23] § 1066 Rn 1.
809 *Schlosser* in Stein/Jonas, Zivilprozessordnung[23] § 1066 Rn 3.

b) Österreich

694 Das österreichische Recht enthält in § 581 Abs 2 öZPO eine mit § 1066 dZPO übereinstimmende Sondervorschrift, wonach ein Erblasser in der letztwilligen Verfügung „einseitig" die Beilegung von Streitigkeiten durch ein Schiedsgericht anordnen kann.[810] Nach österreichischem Recht ist hierzu die Einhaltung der Testamentsform erforderlich, nicht aber die Zustimmung der Erben oder Pflichtteilsberechtigten.[811] Da der OGH erbrechtliche Ansprüche als vermögensrechtlich (und nicht etwa familienrechtlich) einstuft,[812] ist die objektive Schiedsfähigkeit erbrechtlicher Ansprüche nach österreichischem Recht anerkannt.[813]

695 Das Gesagte gilt für die Beilegung von erbrechtlichen Streitigkeiten (zB Streitigkeiten zwischen Erben betreffend die Gültigkeit oder die Auslegung einer letztwilligen Verfügung). Nicht schiedsfähig ist dagegen die Durchführung des Verlassenschaftsverfahrens durch das Verlassenschaftsgericht oder den Gerichtskommissär, weil diese Verfahren im öffentlichen Interesse liegen und der Staat hierbei „wie eine Behörde" Ordnungs- und Kontrollfunktionen wahrnimmt.[814]

696 Auch die Ansprüche von Pflichtteilsberechtigten sind objektiv schiedsfähig.[815] Fraglich ist, ob in der Anordnung der Zuständigkeit eines Schiedsgerichts eine „Belastung" des Pflichtteilsberechtigten liegt, die nach § 774 öABGB (in der bis zum 1.1.2017 geltenden Fassung) unzulässig ist. Die Zuständigkeit eines Schiedsgerichts ist für sich allein nach österreichischem Verständnis aber keine „Belastung", weil die staatliche Justiz und die Schiedsgerichtsbarkeit gleichwertige Rechtsschutzformen sind.[816] Wenn das Schiedsverfahren mit hohen Kosten verbunden ist, könnte die Rechtsdurchsetzung unangemessen erschwert sein. Stiftungs- oder Truststatuten enthalten daher regelmäßig Bestimmungen, wonach die Stiftung oder der Trust die Kosten des Schiedsverfahrens vorzuschießen hat, wenn der Pflichtteilsberechtigte vermögenslos ist. Die testamentarische Schiedsklausel ist dann umso weniger eine „Belastung".

---

810 Beide Bestimmungen gehen auf die gleiche Quelle zurück, nämlich § 813 der bayrischen Zivilprozessordnung 1869.

811 *Zöchling-Jud/Kogler*, GesRZ 2012, 80.

812 OGH 22.3.1994, 5 Ob 506/94.

813 Siehe *Jahnel/Sykora/Glatthard*, b-Arbitra 2015, 42; *Nueber*, JEV 2013, 120.

814 *Zöchling-Jud/Kogler*, GesRZ 2012, 82; *Nueber*, JEV 2013, 121.

815 *Nueber*, JEV 2013, 120.

816 *Zöchling-Jud/Kogler*, GesRZ 2012, 84 f. Mit 1.1.2017 ist überhaupt § 762 öABGB idF des öErbRÄG 2015 anzuwenden, wonach Bedingungen und Belastungen des Pflichtteils die Eignung des hinterlassenen Gegenstands zur Pflichtteilsdeckung nicht ausschließen. Es kann dann von einer unzulässigen „Belastung", die durch die Anordnung eines Schiedsgerichts gegeben sein soll, noch weniger die Rede sein.

Aus der EU-ErbrechtsVO lassen sich keine Beschränkungen der objektiven (oder subjektiven) Schiedsfähigkeit ableiten. Insb die Legaldefinition des Art 3(2) der EU-ErbrechtsVO („*Gericht*") schränkt die Schiedsfähigkeit in erbrechtlicher Angelegenheiten nicht ein.[817]   **697**

c) Schweiz

In der Schweiz ist nach wie vor strittig, ob der Erblasser einseitig die Zuständigkeit eines Schiedsgerichts anordnen kann; einschlägige Entscheidungen des BGer sind noch nicht vorhanden.[818]   **698**

Aufgrund der weiten Auslegung des Begriffs des vermögensrechtlichen Anspruchs in Art 177 Abs 1 schwIPRG ist aber auch in der Schweiz anerkannt, dass erbrechtliche Ansprüche objektiv schiedsfähig sind.[819] Ohne Einschränkungen gilt das allerdings nur für die internationale Schiedsgerichtsbarkeit, die in der Schweiz im 12. Kapitel des schwIPRG getrennt von der Binnenschiedsgerichtsbarkeit geregelt wird. Bei erbrechtlichen Binnensachverhalten gilt in der Schweiz Art 354 schwZPO, wonach Gegenstand einer Schiedsvereinbarung nur das sein kann, worüber die Parteien frei verfügen können. Aus dieser Bestimmung wird zum Teil abgeleitet, dass Ansprüche von Pflichtteilsberechtigten mangels freier Verfügbarkeit durch den Testator nicht objektiv schiedsfähig sind.[820] Nach einer aktuelleren Ansicht kommt es dagegen auf die freie Verfügungsfähigkeit durch die Pflichtteilsberechtigten an, die sich mit anderen gesetzlichen oder testamentarischen Erben über den Bestand und die Höhe von Pflichtteilsansprüchen vergleichen können.[821]   **699**

3. Wohnraum und Immobilien

a) Deutschland

Nach deutschem Recht ist gem § 1030 Abs 2 dZPO eine Schiedsvereinbarung über Rechtsstreitigkeiten, die den Bestand eines Mietverhältnisses über Wohnraum im Inland betreffen, unwirksam. Streitigkeiten in Bezug auf das Bestehen oder Nichtbestehen eines Mietvertrages oder Untermietvertrages über Wohnraum sind nicht objektiv schiedsfähig.[822] Dadurch soll verhindert wer-   **700**

---

817 *Jahnel/Sykora/Glatthard*, b-Arbitra 2015, 49 ff.
818 *Jahnel/Sykora/Glatthard*, b-Arbitra 2015, 36.
819 *Jahnel/Sykora/Glatthard*, b-Arbitra 2015, 37.
820 *Perrin*, ASA Bulletin 2006, 425.
821 *Jahnel/Sykora/Glatthard*, b-Arbitra 2015, 37.
822 *Hanefeld/Trittmann* in Böckstiegel et al, Arbitration in Germany[2] § 1030 Rn 26; *Zöller*, Zivilprozessordnung[31] § 1030 Rn 21; *Münch* in MünchKom, ZPO[4] § 1030 Rn 15.

den, dass der dem Mieterschutz dienende ausschließliche Gerichtsstand gem § 29b dZPO umgangen wird.[823]

701   § 1030 Abs 2 dZPO ist ausweislich seines Satzes 2 nicht anwendbar in den Fällen des § 549 Abs 2 Nr 1 bis 3 dBGB, soweit es sich um Wohnraum, der nur zum vorübergehenden Gebrauch oder möbliert vermietet wird, handelt. Die objektive Schiedsfähigkeit von gewerblichen Mietverhältnissen ist durch diese Bestimmung ebenfalls nicht eingeschränkt.[824] Bei Mischmietverhältnissen kommt es auf die überwiegende Nutzung an.[825]

b) Österreich

702   Gem österreichischem Recht sind Ansprüche, die (auch nur teilweise) dem öMRG, dem öWGG oder öWEG unterliegen, nicht schiedsfähig. Zu beachten ist hierbei, dass das öMRG gem § 1 Abs 1 öMRG auch die Geschäftsraummiete erfasst. Nicht objektiv schiedsfähig sind ferner Streitigkeiten über Landpachtverträge gem § 2 Abs 2 öLandpachtG insoweit, als den staatlichen Gerichten eine Befugnis zur richterlichen Rechtsgestaltung zukommt.[826]

c) Schweiz

703   Für die Schweiz gilt, dass die Parteien in Verfahren der nationalen Schiedsgerichtsbarkeit die Parteien bei Streitigkeiten aus Miete und Pacht von Wohnräumen zwingend nur die Schlichtungsbehörde als Schiedsgericht einsetzen können.[827] Die analoge Anwendung dieser Bestimmung für die internationale Schiedsgerichtsbarkeit wird in der Lehre teilweise vertreten.[828] Nach vorliegend vertretener Ansicht ist in internationalen Schiedssachen nur das zwölfte Kapitel des schwIPRG anzuwenden und nicht die schwZPO.[829] Damit können vermögensrechtliche Streitigkeiten aus Mietangelegenheiten im internationalen Verhältnis der Schiedsgerichtsbarkeit unterstellt werden, ohne dass die Zuständigkeit der Schlichtungsbehörde entgegenstehen würde.[830]

---

823 *Schlosser* in Stein/Jonas, Zivilprozessordnung[23] § 1030 Rn 19.

824 *Hanefeld/Trittmann* in Böckstiegel et al, Arbitration in Germany[2] § 1030 Rn 26.

825 *Schlosser* in Stein/Jonas, Zivilprozessordnung[23] § 1030 Rn 25.

826 OGH 26.5.1986, 8 Ob 572/86, SZ 59/88.

827 Vgl Art 361 Abs 4 schwZPO.

828 *B. Berger/Kellerhals*, Arbitration[3] Rn 243 f.

829 Außer wenn die schwZPO eine Frage vom Rang der Schweizer *ordre public* reflektiert. Diese Frage ist in der Lehre für den vorliegenden Fall umstritten. Für eine Zusammenfassung der Lehrmeinungen siehe *Boog/Stark-Traber* in Berner Kommentar Art 361 ZPO Rn 67 f.

830 So auch *B. Berger/Kellerhals*, Arbitration[3] Rn 243 f.

4. Arbeitsrecht[831]

a) Deutschland

Nach deutschem Recht gilt gem § 101 dArbGG der Grundsatz, dass Streitig-   **704**
keiten aus Tarifverträgen oder über Tarifverträge (sog Gesamtschiedsverein-
barung) objektiv schiedsfähig sind. Ausnahmsweise sind individualrecht-
liche Streitigkeiten aus konkreten Arbeitsverhältnissen für die in § 101 Abs 2
dArbGG genannten Berufsgruppen (Bühnenkünstler, Filmschaffende oder
Artisten) objektiv schiedsfähig (sog Einzelschiedsvereinbarung).[832] Auch
Streitigkeiten aus einem Geschäftsführervertrag sind objektiv schiedsfähig,
da diese keine arbeitsrechtlichen Streitigkeiten darstellen.[833] Andere arbeitsrechtliche Streitigkeiten sind nicht objektiv schiedsfähig.

Nach § 101 Abs 3 dZPO finden in Arbeitsrechtssachen die Vorschriften   **705**
der dZPO über das schiedsgerichtliche Verfahren keine Anwendung. Dies
gilt insb auch für die Bestimmung des § 1030 dZPO betreffend die objektive Schiedsfähigkeit.[834] Es gelten vielmehr die §§ 101–110 dArbGG. § 110
dArbGG sieht vor, dass auch dann auf Aufhebung eines Schiedsspruchs geklagt werden kann, wenn der Schiedsspruch auf der Verletzung einer Rechtsnorm beruht und eröffnet den staatlichen Gerichten sohin eine umfassende
Kontrolle.[835] Diese besonderen Verfahrensvorschriften gelten allerdings nur
bei Streitigkeiten, die der ausschließlichen Zuständigkeit der Arbeitsgerichte
gem § 2 Abs 1 und 2 dArbGG unterliegen.[836]

b) Österreich

Nach österreichischem Recht sind kollektivvertragsrechtliche Streitigkeiten   **706**
nicht objektiv schiedsfähig.[837] Individualarbeitsrechtliche Streitigkeiten zwischen einer Gesellschaft und ihren Vorständen oder Geschäftsführern sind
(schon vor Entstehen der Streitigkeit) schiedsfähig. Schiedsvereinbarungen für
individualarbeitsrechtliche Streitigkeiten mit sonstigen Arbeitnehmern können
„nur für bereits entstandene Streitigkeiten" wirksam geschlossen werden.[838]

---

831 Siehe zum Thema Schiedsverfahren mit ArbeitnehmerInnenbeteiligung näher *Zeiler*
     Rn 614, 627, 645 und 658.
832 *Kalb* in Henssler/Willemsen/Kalb, Arbeitsrecht[5] § 101 dArbGG Rn 7 ff.
833 *Hanefeld/Trittmann* in Böckstiegel et al, Arbitration in Germany[2] § 1030 Rn 20.
834 *Hanefeld/Trittmann* in Böckstiegel et al, Arbitration in Germany[2] § 1030 Rn 20.
835 *Germelmann* in Germelmann/Matthes/Prütting, Arbeitsgerichtsgesetz[8] § 101 Rn 3,
     § 110 Rn 5 und 10.
836 *Schlosser* in Stein/Jonas, Zivilprozessordnung[23] Vor § 1025 Rn 36.
837 § 9 Abs 2 öASGG.
838 § 9 Abs 2 öASGG; das gleiche Erfordernis enthält § 617 öZPO für Schiedsverein-
     barungen zwischen UnternehmerInnen und VerbraucherInnen.

707   Auch in Österreich bestehen für arbeitsrechtliche Schiedsvereinbarungen und Schiedsverfahren Sondervorschriften.[839] Es kann insb der Schiedsspruch auch wegen Verletzung von zwingenden Rechtsvorschriften, die auch bei Sachverhalten mit Auslandsberührung nicht abdingbar sind, aufgehoben werden (§ 618 öZPO iVm § 617 Abs 6 öZPO).

708   Gem § 50 öSchauspielerG ist die in § 9 Abs 2 öASGG enthaltene Einschränkung der Wirksamkeit einer Schiedsvereinbarung auf Bühnendienstverträge nicht anwendbar. In Kollektivverträgen für das künstlerische Personal von Theaterunternehmen ist in Österreich häufig die Zuständigkeit eines aus fünf Personen bestehenden Schiedsgerichts vorgesehen. Mitunter sehen diese Kollektivverträge auch einen Rechtszug vom Schiedsgericht zum staatlichen Gericht oder zu einer weiteren schiedsgerichtlichen Instanz (dem Bühnen-Oberschiedsgericht) vor.

c) Schweiz

709   Nach Schweizer Recht gilt, dass arbeitsrechtliche Streitigkeiten typischerweise wirtschaftliche Interessen repräsentieren und in diesem Sinne grundsätzlich im internationalen und nationalen Verhältnis schiedsfähig sind.[840]

710   Zwingende Bestimmungen des materiellen Schweizer Rechts (wie zB betreffend die Unverzichtbarkeit von Ansprüchen) haben die Schiedsfähigkeit im nationalen Verhältnis in der Vergangenheit fallweise beeinträchtigt.[841] Seit der Einführung der nationalen Zivilprozessordnung am 1.1.2011 scheint diese Rsp allerdings überholt, weil der Gesetzgeber im gesetzlichen Vernehmlassungsverfahren geäußerte Bedenken zur Schiedsfähigkeit von arbeitsrechtlichen Streitigkeiten wohl bewusst nicht zum Gesetz erhoben hat.[842] Inwieweit das BGer seine Rsp im nationalen Verhältnis weiterführt oder vor dem Hintergrund der geänderten Gesetzgebung anpasst, bleibt allerdings abzuwarten.

---

839   § 618 öZPO iVm § 617 Abs 2 bis 7 öZPO.
840   *B. Berger/Kellerhals*, Arbitration³ Rn 246 mwN; *Wildhaber/Johnson Wilcke*, ARV 2010, 168; *Wildhaber/Johnson Wilcke*, J. Int. Arb. 2010, 653 f.
841   *Girsberger/Voser*, International Arbitration³ Rn 444 f mit Hinweis auf BGE 136 III 467, E. 4; *B. Berger/Kellerhals*, Arbitration³ Rn 246 mwN.
842   *Wildhaber/Johnson Wilcke*, ARV 2010, 168.

5. Verbraucherschutz[843]

a) Deutschland

Schiedsvereinbarungen sind in Deutschland in Verbrauchergeschäften nicht **711** grundsätzlich ausgeschlossen.[844] § 1031 Abs 5 dZPO verlangt für Schiedsvereinbarungen mit Verbraucherbeteiligung lediglich eine besondere Form. Demnach muss die Schiedsvereinbarung in einer eigenhändig unterzeichneten Urkunde enthalten sein, deren Inhalt sich ausschließlich auf das schiedsgerichtliche Verfahren beziehen darf. Der deutsche Gesetzgeber verfolgt damit den Zweck, rechtlich unerfahrene Personen davor zu schützen, dass bei der Unterzeichnung umfangreicher Klauselwerke unbewusst auch eine Schiedsvereinbarung mitvereinbart wird.[845]

b) Österreich

Gem § 617 Abs 1 öZPO dürfen Schiedsvereinbarungen zwischen Unterneh- **712** merInnen und VerbraucherInnen nur *„für bereits entstandene Streitigkeiten"* abgeschlossen werden. Nach den Gesetzesmaterialien zum öSchiedsRÄG handelt es sich hierbei um eine Beschränkung der objektiven Schiedsfähigkeit.[846] Dies wird vom OGH abgelehnt, der darin eine *„besondere Wirksamkeitsvoraussetzung der Schiedsvereinbarung"* erblickt.[847] Nach aA handelt es sich um eine Formvorschrift.[848] Bei der Frage, ob es sich bei einer Vorschrift um eine Formvorschrift oder eine andere Bedingung handelt, ist nämlich auf den Zweck der Vorschrift abzustellen.[849] Wenn eine Vorschrift Schutz vor Übereilung und Schutz der freien Willensbildung bezweckt, handelt es sich um typische Zwecke von Formvorschriften.[850] Im Zweifel ist der Qualifikation als Formvorschrift der Vorzug zu geben.[851] Die Schutzvorschrift des § 617

---

843 Siehe zum Thema Schiedsverfahren mit VerbraucherInnenbeteiligung näher *Zeiler* Rn 600–657.

844 *Schlosser* in Stein/Jonas, Zivilprozessordnung[23] § 1030 Rn 8; BGH 13.1.2005, NJW 2005, 1125.

845 *Schwab/Walter*, Schiedsgerichtsbarkeit[7] Kap 5 Rn 16 ff; *Geimer* in Zöller, Zivilprozessordnung[31] § 1031 Rn 34; zur Einschränkung der subjektiven Schiedsfähigkeit von VerbraucherInnen im Zusammenhang mit Wertpapierdienstleistungen oder Finanztermingeschäften gem § 37h dWpHG siehe den folgenden Abschnitt III.

846 Abgedruckt in Kloiber et al, Schiedsrecht 354.

847 OGH 16.12.2013, 6 Ob 43/13m; siehe ferner *Stippl* in Liebscher/Oberhammer/Rechberger, Schiedsverfahrensrecht I Rn 4/104; *Öhlberger*, ÖJZ 2010, 189.

848 *Aschauer*, Slovenian Arbitration Practice 2014, 10.

849 *Schwimann*, ÖJZ 1980, 9; *Verschraegen* in Rummel, ABGB[3] § 8 IPRG Rn 3.

850 *Kropholler*, Internationales Privatrecht[6] 311.

851 *Keller* in Honsell et al, Internationales Privatrecht[2] Art 124 Rn 5.

Abs 1 öZPO ist demnach ebenfalls eine Formvorschrift, so wie die darauf folgenden Schutzvorschriften des § 617 Abs 2 und 3 öZPO.

713 Der OGH wendet § 617 Abs 1 öZPO in allen Fällen an, in denen der Schiedsort in Österreich liegt, und beurteilt hierbei die Verbrauchereigenschaft nach dem (sehr weiten) Konsumentenbegriff des österreichischen Rechts,[852] ohne nach der Staatsangehörigkeit zu differenzieren. Bei der Beurteilung der Verbrauchereigenschaft gem österreichischem Recht darf jedoch eine rechtsvergleichende Betrachtung Platz greifen, wonach einem ausländischen Rechtsträger im Hinblick auf dessen Ausgestaltung und dessen Ähnlichkeit zu juristischen Personen, denen nach österreichischem Recht Unternehmereigenschaft zukommt, in Analogie zu § 2 öUGB ebenfalls Unternehmereigenschaft zugebilligt werden kann.[853] Wenn man § 617 Abs 1 öZPO dagegen als Formvorschrift ansieht, wird sie in Österreich in internationalen Fällen von Art II Abs 1 des NYÜ verdrängt, da Österreich keinen Vorbehalt erklärt hat, das Übereinkommen nur auf Streitigkeiten aus Rechtsverhältnissen anzuwenden, die nach österreichischem Recht als Handelssachen angesehen werden.[854]

c) Schweiz

714 Im internationalen Verhältnis steht dem Konsumenten nach Art 114 Abs 1 schwIPRG ein Wahlrecht zwischen dem Gerichtsstand am eigenen Wohnsitz oder jenem am Wohnsitz des Anbieters zu. Der Konsument kann jedoch nicht zum Voraus auf den Gerichtsstand an seinem Wohnsitz verzichten.[855] Somit besteht eine teilweise zwingende Zuständigkeit zugunsten der Gerichte am Wohnsitz des Konsumenten. Es ist in der Lehre umstritten, ob diese teilzwingende Vorschrift einen Ausschluss der Zuständigkeit von Schiedsgerichten mitbeinhaltet. Nach der wohl hL sind zwingende Bestimmungen außerhalb des Kapitels 12 des schwIPRG für die Frage der Schiedsfähigkeit unbeachtlich, solange die Voraussetzungen von Art 177 schwIPRG erfüllt sind.[856] Vom Schweizer BGer wurde diese Frage bisher noch nicht abschließend geklärt.

---

852 Siehe hierzu etwa *Pitkowitz* in FS Torggler 975 f; OGH 16.12.2013, 6 Ob 43/13m.
853 OGH 16.12.2013, 6 Ob 43/13m. Den zahlreichen Versuchen, den sachlichen Anwendungsbereich des § 617 Abs 1 öZPO teleologisch zu reduzieren (*Trenker*, wbl 2013, 5; *Nueber*, Aufsichtsrat aktuell 2012, 20; *Nueber*, GesRZ, 343 ff) hat der OGH in der E 16.12.2013, 6 Ob 43/13m eine Absage erteilt.
854 *Aschauer*, Slovenian Arbitration Practice 2014, 11.
855 Art 114 Abs 2 schwIPRG.
856 *Girsberger/Voser*, International Arbitration³ Rn 442 f mwN; *B. Berger/Kellerhals*, Arbitration³ Rn 247 ff; *Möhler*, Konsumentenverträge im schweizerischen Schiedsverfahren Rn 353.

Im nationalen Verhältnis ergeben sich aus dem Konsumentenschutzrecht **715** höchstens in seltenen Einzelfällen Einschränkungen der Schiedsfähigkeit.

Zusammengefasst darf daher heute gesagt werden, dass der Schiedsfähig- **716** keit von Konsumentenstreitigkeiten nach Schweizer Recht praktisch keine Schranken gesetzt sind.[857]

6. Insolvenzrecht

a) Deutschland

Insolvenzrechtliche Streitigkeiten wie Aussonderungs-, Absonderungs- und **717** Masseschuldprozesse sind in Deutschland grundsätzlich objektiv schieds-fähig.[858] Dies gilt auch für Anfechtungsklagen nach §§ 129 ff dInsO. Der Gemeinschuldner verliert lediglich gem §§ 22 Abs 1, 80 Abs 1 dInsO mit der Eröffnung des Insolvenzverfahrens die Befugnis, über das zur Insolvenzmasse gehörende Vermögen zu verfügen.

Es gibt im deutschen Recht keine ausdrückliche Regelung, wonach die Er- **718** öffnung des Insolvenzverfahrens über eine der Parteien ein Schiedsverfahren unterbricht.[859] Würde das Schiedsverfahren ohne Gewährung rechtlichen Ge-hörs weiterbetrieben werden, könnte dies gegen den *ordre public* verstoßen und so einen Aufhebungsgrund gem § 1059 Abs 2 Nr 2 lit b dZPO bilden. Betrifft das Schiedsverfahren eine Insolvenzforderung, sollte daher die Aus-setzung oder das Ruhen des Schiedsverfahrens angeordnet werden.[860] Auch im Rahmen eines anhängigen Schiedsverfahrens ist die Umstellung einer Leis-tungs- in eine Feststellungsklage nach Widerspruch des Insolvenzverwalters oder des Insolvenzschuldners gegen die Forderung möglich.[861]

b) Österreich

Die Durchführung des (öffentlichen Zwecken dienenden) Insolvenzver- **719** fahrens, insb die Ernennung des Insolvenzverwalters, die Einleitung des Insolvenzverfahrens, die Unternehmens-Reorganisation, sind nicht objektiv schiedsfähig.[862] Es stellt sich allerdings die Frage, ob Forderungen, die un-

---

857 *Möhler*, Konsumentenverträge im schweizerischen Schiedsverfahren Rn 390 ff.

858 *Hanefeld/Trittmann* in Böckstiegel et al, Arbitration in Germany[2] § 1030 Rn 25; *Geimer* in Zöller, Zivilprozessordnung[31] § 1030 Rn 11.

859 *Longrée/Gantenbrink*, SchiedsVZ 2014, 21.

860 *Mock* in Uhlenbruck[14] § 85 InsO Rn 72.

861 *Longrée/Gantenbrink*, SchiedsVZ 2014, 21; *Wagner*, GWR 2010, 129.

862 *Schneider* in Konecny/Schubert, Insolvenzgesetze § 63 IO Rn 8; *Liebscher* in Mis-telis/Brekoulakis, Arbitrability 166; dies ist auch in praktisch allen Vertragsstaaten des NYÜ nicht anders: *Quinke* in Wolff, New York Convention Art V Rn 468.

ter den Anwendungsbereich einer Schiedsvereinbarung fallen, schiedsfähig bleiben, wenn über eine Partei ein Insolvenzverfahren eröffnet wird. Dies gilt etwa für die insolvenzrechtlichen Prüfungsverfahren, bei denen das Bestehen einer Forderung auch für die Zwecke des Insolvenzverfahrens festgestellt werden soll.

720   In Österreich war bis zum öSchiedsRÄG 2006 umstritten, ob Insolvenzforderungen, die in den Anwendungsbereich einer Schiedsvereinbarung fallen, nach Eröffnung des Insolvenzverfahrens objektiv schiedsfähig sind. Das frühere Schiedsverfahrensrecht stellte bei der objektiven Schiedsfähigkeit in § 577 Abs 1 öZPO idF vor dem 1.7.2006 noch auf die Vergleichsfähigkeit ab. Die Insolvenzverwalterin/Der Insolvenzverwalter unterliegt jedoch beim Vergleich über Insolvenzforderungen Beschränkungen, die an der Vergleichsfähigkeit im Sinn des § 577 Abs 1 öZPO aF zweifeln ließen.[863] Das neue Schiedsverfahrensrecht stellt dagegen bei der objektiven Schiedsfähigkeit in § 582 Abs 1 öZPO primär auf den vermögensrechtlichen Charakter der Forderung ab. Dieser ist bei Insolvenzforderungen zweifellos gegeben. In der neueren Lehre wird daher die objektive Schiedsfähigkeit insolvenzrechtlicher Ansprüche, einschließlich der objektiven Schiedsfähigkeit von Insolvenzforderungen, einhellig anerkannt.[864] Das Schiedsverfahren wird allerdings durch die Insolvenzeröffnung gemäß § 7 Abs 1 öIO unterbrochen, um der Insolvenzverwaltung den Eintritt in das Verfahren zu ermöglichen. Die Unterbrechungswirkung erfasst auch ein beim OGH allenfalls anhängiges Verfahren auf Ersatzbestellung einer Schiedsrichterin/eines Schiedsrichters für eine säumige Partei.[865]

c) Schweiz

721   In der Schweiz ist die Schiedsfähigkeit insolvenzrechtlicher (nach Schweizer Terminologie „betreibungs- und konkursrechtlicher") Ansprüche weitgehend anerkannt, wobei zwischen den materiell-rechtlichen Klagen und den rein betreibungsrechtlichen Klagen vollstreckungsrechtlicher Natur unterschieden werden muss.[866] Erstere sind grundsätzlich schiedsfähig (bspw die sog „Anerkennungs- oder Aberkennungsklagen" nach einem „provisorischen Rechts-

---

863   *Fremuth*, ÖJZ 1998, 850.

864   *Aschauer*, Jahrbuch Insolvenz- und Sanierungsrecht 2016, 181 mwN; siehe auch *Liebscher* in Mistelis/Brekoulakis, Arbitrability 167, der klarstellt, dass die Eröffnung des Insolvenzverfahrens an sich die objektive Schiedsfähigkeit einer Streitigkeit nicht beseitigt.

865   Siehe hierzu OGH 17.3.2015, 18 ONc 6/14y, 18 ONc 7/14w und 18 ONc 1/15i sowie *Fremuth-Wolf*, ecolex 2015, 564.

866   *Girsberger/Voser*, International Arbitration³ Rn 440; *B. Berger/Kellerhals*, Arbitration³ Rn 238 ff.

öffnungsverfahren"[867]). Letztere sind nicht schiedsfähig und ausschließlich der staatlichen Gerichtsbarkeit vorbehalten (so bspw die sog „provisorische Rechtsöffnung", die einen vereinfachten Vollstreckungsweg eröffnet, falls ein unterzeichnetes Schuldeingeständnis des Schuldners vorliegt).[868]

Paulianische Anfechtungsklagen dienen im Schweizer Insolvenzrecht **722** (konkret: im Konkursrecht) dem Zweck, der Insolvenzmasse unstatthaft entzogene Vermögenswerte zurückzuerstatten.[869] Solche Anfechtungsansprüche gegen unstatthafte Transaktionen sind vermögensrechtlicher Natur und stellen keine rein betreibungsrechtlichen Klagen vollstreckungsrechtlicher Natur dar, womit die Schiedsfähigkeit nach wohl hL im Grundsatz besteht.[870]

Da die Rechtsfähigkeit und damit auch die Partei- und Prozessfähigkeit **723** der Insolvenzschuldnerin von Schweizer Insolvenzverfahren nicht beeinträchtigt wird, besteht die subjektive Schiedsfähigkeit auch nach Insolvenzeröffnung weiterhin.[871]

7. Kartellrecht

a) Deutschland

In Deutschland sind wettbewerbsrechtliche Ansprüche objektiv schieds- **724** fähig.[872] Der frühere § 91 dGWB, der Schiedsverfahren für unzulässig erklärte, wurde ersatzlos gestrichen.[873] Verletzungen tragender Grundsätze des Kartellrechts können jedoch gem § 1059 Abs 2 dZPO als *ordre public* Verstoß im Aufhebungsverfahren gerügt werden.[874]

---

867 Es handelt sich dabei um ordentliche Klagen zur Beurteilung eines streitigen materiell-rechtlichen Anspruchs, die allerdings im Rahmen und innerhalb der Fristen des sog „Betreibungsverfahrens" (vereinfacht: Insolvenzverfahren gegen Privatpersonen) angehoben werden.

868 BGE 136 III 583, E. 2.1.

869 Art 285 ff schwSchKG.

870 Vgl *M. Bernet* in FS Kellerhals 11, FN 45. Vergleichbares gilt für Verantwortlichkeitsklagen im Konkurs. Diese richten sich gegen Organe einer Gesellschaft, beurteilen sich nach Art 754 schwOR und sind damit rein materiell-rechtlich. Es besteht grds Schiedsfähigkeit, da es sich um vermögensrechtliche Ansprüche handelt.

871 Vgl hiezu auch Rn 756.

872 *Schlosser* in Stein/Jonas, Zivilprozessordnung[23] § 1030 Rn 4.

873 *Hanefeld/Trittmann* in Böckstiegel et al, Arbitration in Germany[2] § 1030 Rn 19; *Geimer* in Zöller, Zivilprozessordnung[31] § 1030 Rn 12.

874 *Geimer* in Zöller, Zivilprozessordnung[31] § 1059 Rn 59; *Bumiller* in Wiedemann, Kartellrecht[2] § 61 Rn 30; *Meinhardt/Ahrens*, SchiedsVZ 2006, 182 ff.

b) Österreich

725 Schiedsfähig sind nach österreichischem Recht seit dem öKartG alle Kartell-streitigkeiten sowie die zivilrechtlichen Folgen von Verletzungen des Kartell-rechts, etwa die Frage, ob eine bestimmte Vertragsbestimmung gem Art 101 AEUV oder Art 102 AEUV nichtig ist.[875] Schiedsfähig sind im Hinblick auf ihre vermögensrechtliche Natur auch die kartellrechtlichen *follow-on* Klagen, mit denen Käufer Schadenersatz wegen überhöhter Preise verlangen.[876] Wenn es im Schiedsverfahren zu einer Verletzung zwingender Bestimmungen des EU-Kartellrechts kommt, kann dies allerdings als Verletzung des österrei-chischen *ordre public* zur Aufhebung des Schiedsspruchs führen.[877] Voraus-zusetzen ist hierbei allerdings, dass es sich um eine konkrete, effektive und schwerwiegende Verletzung handelt.[878]

c) Schweiz

726 Ansprüche betreffend unlauteren Wettbewerb sowie privatrechtliche An-sprüche gestützt auf wettbewerbs- und kartellrechtliche Bestimmungen sind nach Schweizer Recht grundsätzlich objektiv schiedsfähig.[879] Mit dieser Frage hängt zusammen, ob Schiedsgerichte im Rahmen ihrer Zuständigkeit auch ausländische wettbewerbsrechtliche Bestimmungen, die im Verfahren vor-gebracht werden, berücksichtigen müssen. Das BGer bejaht diese Frage in Bezug auf das Wettbewerbsrecht der Europäischen Union.[880] Zudem entschied das BGer, dass wettbewerbsrechtliche Bestimmungen keinen Bestandteil des Schweizer *ordre public* (also der öffentlichen Ordnung oder *public policy*) bilden. Daher können Schiedsentscheide wegen Verletzung wettbewerbsrecht-licher Vorschriften grundsätzlich nicht nach Art 190 Abs 2 lit e schwIPRG angefochten werden.[881]

---

875 *Koller* in Liebscher/Oberhammer/Rechberger, Schiedsverfahren I Rn 3/102, Rn 3/102; *Zeiler*, Schiedsverfahren[2] § 583 Rn 31; zur Rechtslage bis zum Inkrafttreten des öKartG 2005 siehe *Zeiler*, Schiedsverfahren[2] § 582 Rn 26.

876 Vgl *Kimla/Steinhofer* in Klausegger et al, Austrian Arbitration Yearbook 2015, 19; sie legen dar, dass für kartellrechtliche Schadenersatzklagen und die Klage auf Fest-stellung der Nichtigkeit eines Vertrags wegen Verletzung des Kartellrechts die or-dentlichen Gerichte zuständig sind; für das deutsche Recht siehe *Balthasar* in Nueber/Przeszlowska/Zwirchmayr, Privatautonomie 122.

877 OGH 1.7.1998, 3 Ob 115/95; zur Bedeutung der Grundwertungen des europäischen Rechts für den österreichischen *ordre public* siehe *Gamauf*, ZfRV 2000, 41.

878 Vgl hierzu eingehend *Radicati di Brozolo* in Blanke/Landolt, EU and US Antitrust Arbitration 771 ff.

879 *Girsberger/Voser*, International Arbitration[3] Rn 431.

880 BGE 118 II 193, E. 5; *Girsberger/Voser*, International Arbitration[3] Rn 432; *B. Ber-ger/Kellerhals*, Arbitration[3] Rn 227 ff mwN.

881 BGE 132 III 389, E. 3; *Girsberger/Voser*, International Arbitration[3] Rn 433 ff mwN.

8. Gesellschaftsrecht

In gesellschaftsrechtlichen Angelegenheiten wäre ein weiter und einheitlicher **727** Begriff der objektiven Schiedsfähigkeit besonders vorteilhaft, weil Gesellschafter oder Gesellschaftsorganwalter oft aus unterschiedlichen Nationen kommen und Schiedssprüche gegen sie in sehr viel mehr Staaten vollstreckbar sind als gerichtliche Urteile. Es kann zudem vorkommen, dass Gesellschaftsorgane ihr Vermögen, in das Ersatzansprüche zu vollstrecken wären, absichtlich ins Ausland verlagern.[882] Gerade in diesem wirtschaftlich wichtigen Bereich sind in Deutschland, Österreich und der Schweiz aber noch gewisse Auffassungsunterschiede vorhanden.

a) Deutschland

In Deutschland sind gesellschaftsrechtliche Streitigkeiten zwischen einem **728** Unternehmen und seinen AnteilseignerInnen objektiv schiedsfähig, da sie idR vermögensrechtliche Ansprüche iSv § 1030 Abs 1 dZPO betreffen.[883] So sind zB Streitigkeiten aus Gesellschaftsverträgen oder Streitigkeiten in Bezug auf das Stammkapital einer GmbH objektiv schiedsfähig.[884] Gleiches gilt für Streitigkeiten einer GmbH-Gesellschafterversammlung. Diese besonders umstrittene Frage wurde durch zwei Entscheidungen des BGH vom 29.3.1996 und 6.4.2009 weitestgehend geklärt.[885] Die Schiedsfähigkeit von Beschlussmängelstreitigkeiten in einer GmbH wird nun vom BGH ausdrücklich anerkannt. Zuvor wurden Zweifel an der Schiedsfähigkeit geäußert und insoweit va auf die *inter partes* Wirkung von Schiedsvereinbarungen bzw Schiedssprüchen, die im Widerspruch zur *inter omnes* Wirkung eines Urteils im Beschlussanfechtungsverfahren gem §§ 248, 249 dAktG zu stehen schien, abgestellt. Durch die BGH-Entscheidung aus dem Jahre 2009 („Schiedsfähigkeit II") wurde festgelegt, dass eine Schiedsvereinbarung bestimmte Voraussetzungen erfüllen muss, um bei Beschlussmängelstreitigkeiten zulässig zu sein. Es muss insb sichergestellt sein, dass das Schiedsverfahren einem dem staatlichen Gerichtsverfahren gleichwertigen Rechtsschutz bietet. Zudem ist erforderlich, dass die Wirkungen des Schiedsspruchs sich auf alle Anteils-

---

882 *Reiner*, GesRZ 2007, 154.

883 *Hanefeld/Trittmann* in Böckstiegel et al, Arbitration in Germany[2] § 1030 Rn 16; *Raeschke-Kessler*, SchiedsVZ 2003, 152.

884 *Geimer* in Zöller, Zivilprozessordnung[31] § 1030 Rn 8 ff. Weitere Beispiele sind Ersatzansprüche nach §§ 9a und b sowie 43 GmbHG, Auskunfts- und Einsichtsrechte nach §§ 51a und b GmbHG und der Anspruch der GmbH gegen ihren Gesellschafter auf Erbringung der Stammeinlage, vgl *Voit* in Musielak/Voit, ZPO[13] § 1030 Rn 2.

885 BGH 29.3.1996, BGHZ 132, 278 („Schiedsfähigkeit I") und BGH 6.4.2009, BGHZ 180, 221 („Schiedsfähigkeit II").

eigner und das Unternehmen erstrecken, was durch eine maßgeschneiderte Schiedsvereinbarung sichergestellt werden kann.[886] Die Vorgaben des BGH zur „Schiedsfähigkeit II" hat die DIS mit der Einführung der DIS-ERGeS und einer spezifischen Musterschiedsvereinbarung für solche Streitigkeiten umgesetzt.[887]

b) Österreich

729 In Österreich ist im gesellschaftsrechtlichen Bereich durch das Kriterium der „vermögensrechtlichen" Ansprüche (§ 582 Abs 1 öZPO) sehr weitgehend Schiedsfähigkeit gegeben.[888] Objektiv schiedsfähig sind zB: Klagen auf Feststellung, dass die Partei eines Syndikatsvertrags gegen die Pflichten aus dem Syndikatsvertrag verstoßen hat;[889] Ansprüche der Gesellschaft gegen die Gesellschafter auf Zahlung aushaftender Stammeinlagen;[890] Streitigkeiten betreffend die Abberufung von Gesellschaftsorganen;[891] Schadenersatzansprüche der GmbH gegen Organe der GmbH; Streitigkeiten, ob eine Darlehensforderung von GesellschafterInnen als Sacheinlage zu qualifizieren ist;[892] Streitigkeiten betreffend die Mitwirkungspflicht von GesellschafterInnen bei der Anmeldung zum Firmenbuch;[893] Streitigkeiten über die Informationsrechte von PersonengesellschafterInnen.[894]

730 Dass ein gesellschaftsrechtlicher Anspruch im außerstreitigen Verfahren geltend gemacht werden muss, ist bei der Beurteilung der Schiedsfähigkeit nach neuem Recht an sich irrelevant.[895] Es ist trotzdem eine differenzierende Betrachtung geboten. Nicht schiedsfähig sind Anträge auf die Bestellung von Notgeschäftsführern oder Notvorstandsmitgliedern durch das Firmenbuchgericht,[896] weil in diesen Fällen das öffentliche Interesse überwiegt und das Firmenbuchgericht mit einer öffentliche Ordnungsaufgaben wahrnehmenden

---

886 *Hanefeld/Trittmann* in Böckstiegel et al, Arbitration in Germany² § 1030 Rn 16 und 17.

887 *Borris*, SchiedsVZ 2009, 299; diese können auf der Homepage der DIS unter www.dis-arb.de abgerufen werden.

888 Grundlegend siehe *Reiner*, GesRZ 2007, 151; zur Einschränkung betreffend Schiedsvereinbarungen zwischen UnternehmerInnen und VerbraucherInnen siehe *Zeiler* Rn 603.

889 Schiedsspruch SCH-5020, veröffentlicht in VIAC, Selected Awards 152.

890 § 63 Abs 1 öGmbHG; vergleiche zur Rechtslage für Schiedsvereinbarungen, die vor Inkrafttreten des öSchiedsRÄG abgeschlossen wurden, noch SZ 66/90.

891 § 16 Abs 2 und § 30b öGmbHG; §§ 85 und 87 öAktG.

892 OGH 27.5.1993, 6 Ob 1545/93, AnwBl 1995, 467 = ecolex 1994, 819.

893 OGH 29.4.2003, 1 Ob 22/03x, GesRZ 2003, 298 = wbl 2003, 540 = ecolex 2003, 844.

894 OGH 15.5.2014, 6 Ob 5/14z, GesRZ 2014, 385 = ecolex 2015, 189.

895 *Kodek* in FS Jud 369; *Reich-Rohrwig* in FS Torggler 1020.

896 § 15a öGmbHG und § 76 öAktG.

„Behörde" gleichzusetzen ist, deren Zuständigkeit die Schiedsfähigkeit ausschließt.[897] Aus den gleichen Gründen ist auch die gerichtliche Abberufung von Organen einer österreichischen Privatstiftung nicht schiedsfähig, weil die staatlichen Gerichte wegen der besonderen eigentümerlosen Struktur der Privatstiftung hier eine im öffentlichen Interesse liegende Kontrollfunktion wahrnehmen.[898]

Klagen auf Nichtigerklärung von Gesellschafterbeschlüssen gem § 41 öGmbHG (Beschlussmängelstreitigkeiten) sind objektiv schiedsfähig, ohne dass dem die ausschließliche Zuständigkeit gem § 42 Abs 2 öGmbHG entgegensteht.[899] Objektiv schiedsfähig sind ferner Beschlussanfechtungen nach Aktienrecht gem §§ 196 ff öAktG. Seit dem öSchiedsRÄG 2006 kommt es wie erwähnt nicht mehr auf die Frage der Vergleichsfähigkeit an, weil nunmehr alle vermögensrechtlichen Ansprüche objektiv schiedsfähig sind.[900]   **731**

Von der Frage der objektiven Schiedsfähigkeit von Beschlussmängelstreitigkeiten ist die Frage zu unterscheiden, ob und unter welchen Voraussetzungen zwischen mehreren Parteien ein Schiedsverfahren stattfinden kann und unter welchen Voraussetzungen im Schiedsverfahren eine Rechtskrafterstreckung, wie sie gem § 42 Abs 6 öGmbHG oder § 198 öAktG vorgesehen ist, Platz greift.[901] Die Rechtskrafterstreckung setzt nämlich voraus, dass alle Parteien, gegen die der Schiedsspruch wirksam sein soll, Gelegenheit erhalten, am Schiedsverfahren (einschließlich der Bildung des Schiedsgerichts) mitzuwirken.[902]   **732**

c) Schweiz

Die Schiedsfähigkeit gesellschaftsrechtlicher Streitigkeiten wird in der Schweiz generell anerkannt.[903]   **733**

Jede Streitigkeit, bei der eine AG Partei ist und auch den Streitgegenstand bildet, gilt grundsätzlich als vermögensrechtlich in ihrer Natur und daher als objektiv schiedsfähig iSv Art 177 Abs 1 schwIPRG.[904] Erfasst werden damit   **734**

---

897 *Reich-Rohrwig* in FS Torggler 1021.

898 *Kodek* in FS Jud 372; aA *Nueber*, GesRZ 2012, 341.

899 Der OGH hat bereits aufgrund des § 577 Abs 1 öZPO idF vor dem 1.7.2006, der bei der objektiven Schiedsfähigkeit noch auf die Vergleichsfähigkeit abstellt, die objektive Schiedsfähigkeit von Beschlussmängelstreitigkeiten gem § 41 öGmbHG bejaht: OGH 10.12.1998, 7 Ob 221/98w; RIS-Justiz RS0045318; zum Meinungsstand in Österreich siehe *Pitkowitz* in FS Torggler 963 ff.

900 OGH 26.6.2014, 6 Ob 84/14t, ecolex 2014, 1056; zur objektiven Schiedsfähigkeit bei Beschlussmängelstreitigkeiten nach altem Recht siehe *Reiner*, GesRZ 2007, 152.

901 *Reiner*, GesRZ 2007, 155; *Kodek* in FS Jud 369.

902 Vgl hierzu *Zeiler* in FS Delle Karth 1068; *Pitkowitz* in FS Torggler 967.

903 *Girsberger/Voser*, International Arbitration³ Rn 446.

904 *Girsberger/Voser*, International Arbitration³ Rn 446.

Streitigkeiten aus Aktionärsverbindungsverträgen, Streitigkeiten im Zusammenhang mit der Gesellschaftsgründung wie die Gründungshaftung nach Art 753 schwOR iVm Art 629 ff schwOR, Streitigkeiten im Zusammenhang mit dem Betrieb der Gesellschaft (zB Anfechtung von Generalversammlungsbeschlüssen bzw die Feststellung deren Nichtigkeit, Verantwortlichkeitsklagen gegen den Verwaltungsrat oder die Revisionsstelle), Streitigkeiten betreffend die Stellung und Rechte von Aktionären (zB Recht auf Gewinn- und Liquidationsanteil, Informationsansprüche), sowie Streitigkeiten betreffend Restrukturierung, Liquidierung oder Auflösung einer Gesellschaft (zB Anfechtungsklagen gestützt auf Art 106 schwFusG).[905] In diesen Bereichen besteht allerdings noch keine einschlägige höchstrichterliche Rsp des BGer.

735 Lediglich in zwei Bereichen ist die Schiedsfähigkeit aktiengesellschaftsrechtlicher Streitigkeiten nach Schweizer *lex arbitri* zu verneinen: Einerseits in Fällen der freiwilligen Gerichtsbarkeit, zB bei der Einsetzung einer Revisionsstelle oder eines Sonderprüfers,[906] andererseits in konkursrechtlichen Konstellationen. So sind für die Konkurseröffnung einer AG die staatlichen Gerichte zuständig.[907]

---

905 *Bersheda*, ASA Bulletin 4/2009, 712 ff.
906 *Bersheda*, ASA Bulletin 4/2009, 714.
907 Weiterführend: *Bersheda*, ASA Bulletin 4/2009, 714.

II. Subjektive Schiedsfähigkeit

A. Begriff

Subjektive Schiedsfähigkeit ist die Fähigkeit einer natürlichen oder juristischen **736** Person, eine Schiedsvereinbarung abzuschließen.[908] Bei Fehlen der subjektiven Schiedsfähigkeit ist eine Partei an eine von ihr geschlossene Schiedsvereinbarung nicht gebunden. Nach Schweizer Auffassung bezieht sich der Begriff der subjektiven Schiedsfähigkeit auch auf die Fähigkeit, im Schiedsverfahren als Partei aufzutreten.[909]

B. Anwendbares Recht

In **Deutschland** ist bei Auslandsbezügen für die subjektive Schiedsfähig- **737** keit das Personalstatut maßgeblich.[910] Dies ergibt sich aus einem Rückgriff auf § 1059 Abs 2 Nr 1a (Alt 1) dZPO, wonach ein in Deutschland erlassener Schiedsspruch aufgehoben werden kann, *„wenn der Antragsteller begründet geltend macht, dass eine der Parteien, die eine Schiedsvereinbarung nach den §§ 1029, 1031 geschlossen haben, nach dem Recht, das für sie persönlich maßgebend ist, hierzu nicht fähig war".*[911] Diese Vorschrift enthält keine eigenständige Kollisionsnorm, sondern überlässt es dem jeweils maßgeblichen IPR, das anwendbare Sachrecht zu bestimmen.[912]

Im Rahmen eines Schiedsverfahrens mit Sitz in Deutschland ist das *„per-* **738** *sönlich maßgebliche"* Recht nach Art 7 Abs 1 dEGBGB zu bestimmen. Demnach unterliegt die *„Rechtsfähigkeit und die Geschäftsfähigkeit einer Person [...] dem Recht des Staates, dem die Person angehört".* Bei natürlichen Personen ist die **Staatsangehörigkeit** entscheidend. Im Fall einer juristischen Person bestimmt sich die subjektive Schiedsfähigkeit nach der **Sitztheorie des BGH**, die das Recht am effektiven Verwaltungssitz für anwendbar erklärt,[913] und bei Gesellschaften, die in einem anderen EU-Mitgliedsstaat gegründet

---

908 Vgl die Definition bei *Koller* in Liebscher/Oberhammer/Rechberger, Schiedsverfahrensrecht I Rn 3/132.

909 *Girsberger/Voser*, International Arbitration[3] Rn 447; *B. Berger/Kellerhals*, Arbitration[3] Rn 344.

910 *Schlosser* in Stein/Jonas, Zivilprozessordnung[23] § 1030 Rn 11; Anhang zu § 1061 Rn 77; BGH 23.4.1998, NJW 1998, 2452.

911 § 1059 ZPO entspricht inhaltlich Art V Abs 1 lit a Alt 1 NYÜ.

912 BGH 23.4.1998, NJW 1998, 2452; *Kröll* in Böckstiegel et al, Arbitration in Germany[2] § 1059 Rn 56; *Lachmann*, Handbuch[3] Rn 286; *Schmidt-Ahrendts/Höttler*, SchiedsVZ 2011, 276.

913 *Palandt/Thorn*, BGB[74] Art 12 EGBGB Anhang Rn 2; BGH 29.1.2003, NJW 2003, 1607; BGHZ 151, 204.

wurden, nach dem Recht des Gründungsstaates.[914] Maßgeblich ist der Zeitpunkt des Abschlusses der Schiedsvereinbarung.[915]

739   In **Österreich** ist für die subjektive Schiedsfähigkeit ebenfalls das **Personalstatut** maßgeblich. Dies folgt indirekt aus § 611 Abs 2 Z 1 öZPO, wonach ein Schiedsspruch aufzuheben ist, wenn eine Partei *„nach dem Recht, das für sie persönlich maßgebend ist"*, keine Schiedsvereinbarung abschließen konnte.[916] Das Personalstatut einer natürlichen Person ist gem § 9 Abs 1 öIPRG das Recht des Staates, dem die Person angehört; das Recht der juristischen Person das Recht des Staates, in dem der Rechtsträger den tatsächlichen Sitz seiner Hauptverwaltung hat.[917] Für Gesellschaften aus der EU gilt jedoch, wie in Deutschland, die Gründungstheorie.[918] Maßgeblich ist das Recht zum Zeitpunkt des Abschlusses der Schiedsvereinbarung.[919] Wenn eine Person erst nach Abschluss der Schiedsvereinbarung subjektiv schiedsfähig wird, tritt nach österreichischem Recht keine Heilung der Schiedsvereinbarung ein.[920]

740   Nach **Schweizer Verständnis** ist die subjektive Schiedsfähigkeit Ausfluss der allgemeinen Rechts- und Handlungsfähigkeit einer Person. In Anwendung der allgemeinen Kollisionsnormen des schwIPRG beurteilt sie sich namentlich nach Art 35 f schwIPRG bei natürlichen Personen (**Personalstatut**) und nach Art 154 f schwIPRG bei juristischen Personen (**Gesellschaftsstatut**).[921]

---

914 EuGH 5.11.2002, C-208/00, *Überseering*, NJW 2002, 3614; EuGH 30.9.2003, C-167/01, *Inspire Art*, RIW 2003, 957; *Kröll* in Böckstiegel et al, Arbitration in Germany[2] § 1059 Rn 56; *Schmidt-Ahrendts/Höttler*, SchiedsVZ 2011, 276.

915 *Kröll* in Böckstiegel et al, Arbitration in Germany[2] § 1061 Rn 62; *Lachmann*, Handbuch[3] Rn 2554, *Schlosser* in Stein/Jonas, Zivilprozessordnung[23] Anhang zu § 1061 Rn 162.

916 Vgl etwa Schiedsspruch SCH-5301, veröffentlicht in VIAC, Selected Awards 373 mit zust Besprechung von *Haugeneder* in VIAC, Selected Awards 400.

917 § 10 öIPRG.

918 *Koller* in Liebscher/Oberhammer/Rechberger, Schiedsverfahrensrecht I Rn 3/132.

919 Vgl Art VII Abs 3 des öSchiedsRÄG 2006 und den Wortlaut des § 611 Abs 1 Z 2 öZPO: *„wonach eine Partei, nach dem Recht, das für sie persönlich maßgeblich ist, zum Abschluss einer gültigen Schiedsvereinbarung nicht fähig war"*.

920 Die erst nach Abschluss der Schiedsvereinbarung schiedsfähig gewordene Person kann sich allerdings rügelos in das Verfahren eingelassen haben und damit die Zuständigkeit des Schiedsverfahrens begründen (§ 592 Abs 2 öZPO).

921 BGer 23.7.2014, 4A_118/2014, E. 3.1; BGE 138 III 714, E. 3.3.2; *Girsberger/Voser*, International Arbitration[3] Rn 448.

C. Subjektive Schiedsfähigkeit gemäß deutschem, österreichischem und schweizerischem Recht im Allgemeinen

1. Deutschland

In Deutschland ist die Fähigkeit einer Partei, eine Schiedsvereinbarung wirksam abzuschließen, nicht von § 1030 dZPO umfasst. Diese Vorschrift regelt ausschließlich die objektive Schiedsfähigkeit. Die §§ 1025 ff dZPO enthalten keine eigenständige Regelung zur subjektiven Schiedsfähigkeit.[922] Jede natürliche oder juristische Person, die nach §§ 50 ff dZPO partei- und prozessfähig ist, kann eine Schiedsvereinbarung abschließen.[923] Nach deutschem Recht ist die subjektive Schiedsfähigkeit demnach grundsätzlich unbeschränkt gegeben.[924] Nach der Rechtsprechung des BGH ist auch die GesbR rechts- und parteifähig und kann in Schiedsverfahren eigenständige Partei sein.[925] Ein Vormund benötigt zum Abschluss einer Schiedsvereinbarung die Genehmigung des Familiengerichts, es sei denn, dass der Gegenstand des Streits den Wert von EUR 3000 nicht übersteigt.[926]

741

2. Österreich

Nach österreichischem Recht sind alle partei- und prozessfähigen Personen subjektiv schiedsfähig.[927] Die subjektive Schiedsfähigkeit ist die Regel. Es sind alle eigenberechtigten natürlichen Personen (für die kein Sachwalter bestellt ist) und alle juristischen Personen und rechtsfähigen Gesamthandgesellschaften (OG, KG) subjektiv schiedsfähig. Die GesbR ist dagegen mangels Rechts- und Prozessfähigkeit nicht subjektiv schiedsfähig.[928] Wenn gesetzliche Vertreter für Minderjährige eine Schiedsvereinbarung abschließen, ist eine pflegschaftsbehördliche Genehmigung erforderlich.[929]

742

---

922 Das gleiche gilt für die DIS-Regeln, vgl *Bredow/Mulder* in Böckstiegel et al, Arbitration in Germany² Section 1 DIS Rules Rn 17; *Klich* in Nedden/Herzberg, ICC-SchO/DIS-SchO § 1 DIS-SchO Rn 11.

923 *Schlosser* in Stein/Jonas, Zivilprozessordnung²³ § 1030 Rn 15; erforderlich ist insoweit die Rechtsfähigkeit bzw die Fähigkeit, im eigenen Namen Rechte und Pflichten begründen zu können, sowie die Geschäftsfähigkeit; vgl *Voit* in Musielak, ZPO¹³ § 1029 Rn 5.

924 *Schwab/Walter*, Schiedsgerichtsbarkeit⁷ Kap 24 Rn 4.

925 BGH 29.1.2001, NJW 2001, 1056 ff; *Wiegand*, SchiedsVZ 2003, 58.

926 § 1822 Nr 12 dBGB.

927 §§ 2 und 3 öZPO.

928 § 1175 Abs 2 öABGB; die Reform des österreichischen GesbR-Rechts durch das GesbR-Reformgesetz 2014 hat an der fehlenden Rechtsfähigkeit der GesbR nichts geändert.

929 OGH 7.3.1951, 3 Ob 102/51, SZ 24/72.

3. Schweiz

743   Nach Schweizer Recht sind die Voraussetzungen der subjektiven Schiedsfähigkeit weitgehend mit den Voraussetzungen der Partei- und Prozessfähigkeit in staatlichen Verfahren gleichzusetzen.[930] Die Parteifähigkeit muss im Zeitpunkt des Schiedsspruches vorliegen. Dabei genügt, dass eine während des Schiedsverfahrens verlorene Parteifähigkeit *pendente lite* geheilt wird, bspw durch Wiedereintragung einer zuvor aufgelösten juristischen Person im entsprechenden Handelsregister.[931]

744   Parteifähig (prozessuale Konsequenz der Rechtsfähigkeit) sind nach materiellem Schweizer Recht natürliche Personen, juristische Personen, Kollektiv- und Kommanditgesellschaften, die Gemeinschaft der Stockwerkeigentümer, Gläubigergemeinschaften bei Anleihensobligationen, der Verwaltungsrat einer AG, die Geschäftsführung einer GmbH, die Verwaltung einer Genossenschaft, manchmal auch Vermögensmassen (wie bspw die Konkursmasse oder die Liquidationsmasse im Falle des Nachlassvertrages mit Vermögensabtretung).[932]

745   Prozessfähig (prozessuale Konsequenz der Handlungsfähigkeit) sind nach materiellem Schweizer Recht handlungsfähige (dh volljährige und urteilsfähige) natürliche Personen, juristische Personen (welche ihre notwendigen Organe bestellt haben), Kollektiv- und Kommanditgesellschaften (handelnd durch einen ihrer Gesellschafter), die Gemeinschaft der Stockwerkeigentümer (handelnd durch ihren Verwalter), Gläubigergemeinschaften bei Anleihensobligationen, der Verwaltungsrat einer AG, die Geschäftsführung einer GmbH, die Verwaltung einer Genossenschaft, sowie bestimmte verselbständigte Vermögensmassen (zB die Konkursmasse).[933]

D. Sonderfälle der subjektiven Schiedsfähigkeit

1. Subjektive Schiedsfähigkeit von (inländischen und ausländischen) Körperschaften des öffentlichen Rechts

a) Deutschland

746   In Deutschland sind alle rechtsfähigen Körperschaften des öffentlichen Rechts subjektiv schiedsfähig.[934] An die subjektive Schiedsfähigkeit von Hoheitsträgern sind keine höheren Anforderungen zu stellen, soweit die

---

930   *B. Berger/Kellerhals*, Arbitration³ Rn 344.
931   BGer 11.12.2012, 4A_414/2012, E. 2.3.1.1; *B. Berger/Kellerhals*, Arbitration³ Rn 351.
932   *B. Berger/Kellerhals*, Arbitration³ Rn 350 mwN.
933   *B. Berger/Kellerhals*, Arbitration³ Rn 366 mwN.
934   *Geimer* in Zöller, Zivilprozessordnung³¹ § 50 Rn 14; *Schlosser*, Schiedsgerichtsbarkeit² 246.

Geschäftsfähigkeit für den Abschluss von öffentlich-rechtlichen Verträgen hinreichend ist.[935]

In Deutschland ist die Befugnis ausländischer öffentlich-rechtlicher Kör- **747** perschaften und ihrer Organe zum Abschluss von Schiedsvereinbarungen nach deren Heimatrecht zu beurteilen.[936] Im Geltungsbereich des Europäischen Übereinkommens über die internationale Handelsschiedsgerichtsbarkeit ist in Art II Abs 1 die subjektive Schiedsfähigkeit für *juristische Personen des öffentlichen Rechts"* normiert, wobei der Begriff juristische Person weit auszulegen ist.[937] Die Schweizer Regelung in Art 177 Abs 2 schwIPRG ist in Deutschland als Ausdruck eines allgemeinen Rechtsgedankens anerkannt.[938] Demnach stellt es einen Verstoß gegen das Verbot widersprüchlichen Verhaltens dar, wenn eine öffentlich-rechtliche Körperschaft zunächst eine Schiedsvereinbarung abschließt und anschließend unter Berufung auf das eigene Recht ihre subjektive Schiedsfähigkeit leugnet.[939]

Schiedsvereinbarungen über künftige Rechtsstreitigkeiten aus Wertpapier- **748** dienstleistungen oder Finanztermingeschäfte sind in Deutschland gem § 37h dWpHG nur verbindlich, wenn beide Vertragsteile Kaufleute oder juristische Personen öffentlichen Rechts sind. Diese Vorschrift bezweckt, Nichtkaufleute vor den Folgen einer für künftige Rechtsstreitigkeiten geschlossenen Schiedsvereinbarung zu schützen.[940] Verbrauchern fehlt insoweit die subjektive Schiedsfähigkeit.[941]

b) Österreich

Österreichische Körperschaften des öffentlichen Rechts sind stets subjektiv **749** schiedsfähig.[942] Die subjektive Schiedsfähigkeit zB ausländischer Gliedstaaten, Ministerien mit selbständiger Rechtspersönlichkeit, Gemeinden und Privatisierungsagenturen ist nach deren Personalstatut zu beurteilen. Österreich ist ebenfalls Mitgliedsstaat des Europäischen Übereinkommens über die internationale Handelsschiedsgerichtsbarkeit. Nach Art II Abs 1 des Europäischen Übereinkommens über die internationale Handelsschiedsgerichtsbarkeit kommt in seinem Geltungsbereich allen *juristischen Personen des öffentlichen Rechts"* subjektive Schiedsfähigkeit zu.

---

935 *Stumpf,* Alternative Streitbeilegung im Verwaltungsrecht 72; *Geimer* in Zöller, Zivilprozessordnung[31] § 1030 Rn 23.

936 *Schlosser,* Schiedsgerichtsbarkeit[2] 248.

937 *Adolphsen* in MünchKom, ZPO[4] EuÜ § 2 Rn 1.

938 *Schlosser* in Stein/Jonas, Zivilprozessordnung[23] Anhang zu § 1061 Rn 161.

939 *Schwab/Walter,* Schiedsgerichtsbarkeit[7] Kap 24 Rn 5.

940 *Niedermeier,* SchiedsVZ 2012, 180.

941 BGH 8.6.2010, SchiedsVZ 2011, 48; *Schlosser* in Stein/Jonas, Zivilprozessordnung[23] § 1030 Rn 17; *Niedermeier,* SchiedsVZ 2012, 180.

942 *Fremuth-Wolf* in Riegler et al, Arbitration Law § 581 Rn 26.

c) Schweiz

750 In der Schweiz sind Staaten, staatlich beherrschte Unternehmen und staatlich kontrollierte Organisationen subjektiv schiedsfähig.[943] Hierbei genügt nach einem Teil der Lehre eine faktisch überwiegende staatliche Beteiligung oder Kontrolle.[944] Gemeint sind damit einerseits die rechtsfähigen Anstalten, Körperschaften und Stiftungen des öffentlichen Rechts, die vom Gemeinwesen errichtet wurden oder als Träger der dezentralen Verwaltung herangezogen werden. Andererseits aber auch öffentliche Unternehmen und vorbestehende Privatrechtssubjekte, soweit sie mit der unmittelbaren Erfüllung von Verwaltungsaufgaben betraut sind.[945] Umstritten ist die Frage, ob ein Beauftragter sich auf die fehlende Schiedsfähigkeit berufen kann, weil es an einer wirksamen Bevollmächtigung durch den Staat mangelte.[946]

751 Für die Schweiz gilt nach Art 177 Abs 2 schwIPRG, dass ein ausländischer Staat, ein staatlich beherrschtes Unternehmen oder eine staatlich kontrollierte Organisation nicht unter Berufung auf sein oder ihr eigenes Recht die eigene Parteifähigkeit im Schiedsverfahren in Frage stellen kann.[947] In der Schweiz sind daher auch ausländische Staaten, staatlich beherrschte Unternehmen und staatlich kontrollierte Organisationen grundsätzlich subjektiv schiedsfähig.[948]

2. Subjektive Schiedsfähigkeit in der Insolvenz

a) Deutschland

752 Die subjektive Schiedsfähigkeit des Schuldners wird durch die Eröffnung eines Insolvenzverfahrens nicht beeinträchtigt.[949] § 160 Abs 2 Nr 3 dInsO setzt implizit voraus, dass der insolvente Schuldner grundsätzlich weiterhin subjektiv schiedsfähig ist. Die Insolvenz einer Vertragspartei führt auch nicht zum Wegfall der Bindung an die Schiedsvereinbarung.[950]

753 Die Insolvenzverwalterin/Der Insolvenzverwalter kann im eröffneten Insolvenzverfahren Schiedsvereinbarungen abschließen.[951] Eine fehlende Genehmigung des Gläubigerausschusses gem § 160 Abs 1 dInsO wirkt sich

---

943 *B. Berger/Kellerhals*, Arbitration[3] Rn 369 und 379.

944 *B. Berger/Kellerhals*, Arbitration[3] Rn 373 mwN.

945 *Tschannen/Zimmerli/Müller*, Allgemeines Verwaltungsrecht[4] § 5 Rn 5.

946 *Girsberger/Voser*, International Arbitration[3] Rn 452.

947 *Girsberger/Voser*, International Arbitration[3] Rn 451; *B. Berger/Kellerhals*, Arbitration[3] Rn 369 f.

948 *B. Berger/Kellerhals*, Arbitration[3] Rn 369 und 379.

949 *Kröll* in Böckstiegel et al, Arbitration in Germany[2] Rn 23; *Wagner*, GWR 2010, 129.

950 *Schlosser* in Stein/Jonas, Zivilprozessordnung[23] § 1029 Rn 86.

951 *Mock* in Uhlenbruck, InsO[14] § 87 Rn 27; *Voit* in Musielak, ZPO[13] § 1030 Rn 2.

auf die Gültigkeit des Vertrags nicht aus, da diese gem § 164 dInsO keine
Außenwirkung entfaltet.[952]

Das Schiedsverfahren wird durch die Eröffnung eines Insolvenzverfahrens **754**
nicht gem § 240 Satz 1 dZPO unterbrochen.[953] Wenn das Schiedsverfahren
eine Insolvenzforderung zum Gegenstand hat, wird das Schiedsgericht das
Schiedsverfahren jedoch bis zur Aufnahme durch den Insolvenzverwalter
aussetzen oder diesem eine Frist zur Beteiligung am Schiedsverfahren setzen.[954] Die Insolvenzverwalterin/Der Insolvenzverwalter muss hinreichend
Zeit erhalten, um sich mit dem Schiedsverfahren vertraut zu machen und die
streitgegenständlichen Forderungen zu prüfen.[955] Sie/Er bleibt jedoch unabhängig von ihrer/seiner Aufnahme an die getroffene Schiedsvereinbarung
gebunden.[956]

b) Österreich

In Österreich wird die Insolvenzmasse als subjektiv schiedsfähig ange- **755**
sehen. Die Insolvenzverwalterin/Der Insolvenzverwalter[957] kann (auch
ohne Genehmigung des Gläubigerausschusses) wirksam eine Schiedsvereinbarung abschließen.[958] Schiedsverfahren wegen Aus- und Absonde-
rungsforderungen werden gem § 7 öIO unterbrochen. Die Insolvenzver-
walterin/Der Insolvenzverwalter kann das Verfahren jedoch nach Prüfung
der Forderung beim vereinbarten Schiedsgericht weiter führen, wobei sie/
er als Organ der Insolvenzmasse auftritt.[959] Die Insolvenzverwalterin/
Der Insolvenzverwalter ist ferner bei nicht vollständig erfüllten Verträgen
im Fall ihres/seines Eintritts an die im Vertrag enthaltene Schiedsvereinbarung gebunden, wobei bereits anhängige Verfahren ebenfalls gemäß § 7
öIO unterbrochen werden.[960]

---

952 *Schlosser* in Stein/Jonas, Zivilprozessordnung[23] § 1030 Rn 17; *Voit* in Musielak, ZPO[13]
     § 1029 Rn 5.
953 *Flecke-Giammarco/Keller*, NZI 2012, 531.
954 *Schwab/Walter*, Schiedsgerichtsbarkeit[7] Kap 16 Rn 50; *Lachmann*, Handbuch[3]
     Rn 1278.
955 *Flecke-Giammarco/Keller*, NZI 2012, 532.
956 *Schlosser* in Stein/Jonas, Zivilprozessordnung[23] § 1029 Rn 35.
957 Im Folgenden wird von umfassender Fremdverwaltung des schuldnerischen Ver-
     mögens durch die Insolvenzverwalterin/den Insolvenzverwalter ausgegangen.
958 Das Genehmigungserfordernis gem § 116 Z 2 öKO aF, wonach für den Abschluss
     von Schiedsverträgen bei einem Wert von mehr als ATS 500.000 die Genehmigung
     des Gläubigerausschusses erforderlich war, wurde durch die öInsNov 2002, BGBl I
     Nr 75/2002 abgeschafft.
959 Vgl *Aschauer*, Insolvenz- und Sanierungsrecht 180 mwN.
960 *Fremuth*, ÖJZ 1998, 848 f mwN.

c) Schweiz

756 Die Konkursmasse gilt in der Schweiz als partei- und prozessfähig.[961] Die Geltendmachung von Ansprüchen der Konkursmasse steht nach der bundes- gerichtlichen Rsp der Gläubigergesamtheit zu, welche durch die Konkursver- waltung vertreten wird.[962] Wie bereits oben erwähnt, hindert ein Schweizer Konkursverfahren gegen eine Verfahrenspartei ein laufendes Schiedsverfahren nicht. Die Konkursverwaltung kann namens der Konkursmasse auch neue Schiedsvereinbarungen abschließen oder Schiedsverfahren unter bestehenden Schiedsvereinbarungen neu beginnen, um ausstehende Aktiven einzutreiben.

757 Das Schweizer BGer hatte bisher in zwei Urteilen zu prüfen, ob eine in Konkurs geratene ausländische Partei schiedsfähig ist.[963] In beiden Fällen ging das BGer wie folgt vor: In einem ersten Schritt hielt es fest, die Fähigkeit, in einem Schiedsverfahren als Partei aufzutreten, sei eine Zuständigkeitsfrage und gem den allgemeinen Kollisionsregeln nach dem anwendbaren Domizilrecht der entsprechenden Partei zu entscheiden. In einem zweiten Schritt prüfte es, ob die einschlägige Bestimmung des ausländischen Insolvenzrechts die Frage der Rechtsfähigkeit (und damit der Parteifähigkeit in einem Schieds- verfahren) oder die Gültigkeit der Schiedsvereinbarung gem Art 178 Abs 2 schwIPRG regelt.[964]

758 Im ersten Urteil (*Vivendi*) sah die einschlägige ausländische Bestimmung (Art 142 des polnischen Konkurs- und Sanierungsgesetztes) vor, dass die in Konkurs geratene Partei die Rechtsfähigkeit (und damit die Parteifähig- keit) verliert. In der Folge verneinte das BGer die Schiedsfähigkeit der ent- sprechenden Partei, da diese nicht rechts- und damit nicht parteifähig war. Im zweiten Urteil betraf die einschlägige ausländische Bestimmung (Art 87 des portugiesischen Insolvenzgesetzes) lediglich die materielle Gültigkeit der Schiedsvereinbarung, weshalb die ausländische Bestimmung vom BGer im Rahmen der Zuständigkeitsprüfung nicht angewendet wurde. Da die betroffene Partei die Rechtsfähigkeit nach dem anwendbaren Domizilrecht nicht verlor, wurde ihre Parteifähigkeit und damit die subjektive Schieds- fähigkeit bejaht.[965]

---

961 *B. Berger/Kellerhals*, Arbitration[3] Rn 350.

962 BGE 132 III 342, E. 2.1; *Vock/Nater* in Spühler/Tenchio/Infanger, Schweizerische Zivilprozessordnung[2] Art 40 Rn 6 mwN.

963 BGer 16.10.2012, 4A_50/2012; BGer 31.3.2008, 4A_428/2008 (*Vivendi*). Im ersten Entscheid (bekannt als der Fall *Vivendi*) ging eine Partei während des Schiedsprozesses in Konkurs, im zweiten Entscheid war die Partei bereits im Zeitpunkt der Einleitung des Schiedsverfahrens in Konkurs. Dieser Umstand war jedoch für das BGer nicht relevant und beide Situationen wurden gleich behandelt.

964 BGer 16.10.2012, 4A_50/2012, E. 3.2–3.3 und 3.6; BGer 31.3.2008, 4A_428/2008 (*Vivendi*); vgl hierzu *Stacher*, AJP 2013, 102 ff.

965 *Stacher*, AJP 2013, 103; *Girsberger/Voser*, International Arbitration[3] Rn 1335 ff.

III. Geltendmachung des Mangels der (objektiven oder subjektiven) Schiedsfähigkeit im Schiedsverfahren

Im Schiedsverfahren stellt sich die Frage eines Mangels der (objektiven oder subjektiven) Schiedsfähigkeit regelmäßig auf Einrede der schiedsbeklagten Partei. Fraglich ist, bis zu welchem Zeitpunkt die Einrede erhoben werden kann. **759**

a) Deutschland

Ein in Deutschland ansässiges Schiedsgericht prüft gem § 1040 Abs 1 dZPO seine eigene Zuständigkeit. Diese Prüfung umfasst die Wirksamkeit der Schiedsvereinbarung und die Frage, ob der Streitgegenstand von der Schiedsvereinbarung umfasst ist. Die subjektive und objektive Schiedsfähigkeit wird vom Schiedsgericht von Amts wegen geprüft, wenn es einen Zwischenentscheid über seine Zuständigkeit nach § 1040 Abs 3 dZPO erlässt.[966] **760**

Nach § 1040 Abs 2 dZPO ist die **Rüge der Unzuständigkeit** des Schiedsgerichts spätestens mit der Klagebeantwortung vorzubringen. Diese Vorschrift beschränkt sich auf Fragen der Zuständigkeit und der Überschreitung der Befugnisse des Schiedsgerichts.[967] Hält sich das Schiedsgericht wegen Schiedsunfähigkeit des Streitgegenstandes für unzuständig, hat es die Schiedsklage aber auch ohne Rüge als unzulässig abzuweisen.[968] Die Berufung auf einen Mangel der Schiedsvereinbarung wegen fehlender objektiver Schiedsfähigkeit ist gem § 242 dBGB treuwidrig, wenn die Partei sich vorprozessual auf die Schiedsvereinbarung berufen hat oder das Verfahren vor dem Schiedsgericht selbst eingeleitet hat.[969] **761**

b) Österreich

Nach österreichischem Recht sind die objektive und subjektive Schiedsfähigkeit der Parteidisposition entzogen.[970] Es kann aus diesem Grund eine Schiedsvereinbarung, die wegen Fehlens der objektiven oder subjektiven Schiedsfähigkeit unwirksam ist, nicht rückwirkend geheilt werden. Dies würde dafür sprechen, die Einrede des Fehlens der objektiven oder subjektiven Schieds- **762**

---

966 *Hanefeld/Trittmann* in Böckstiegel et al, Arbitration in Germany[2] § 1030 Rn 2; *Huber/Bach* in Böckstiegel et al, Arbitration in Germany[2] § 1040 Rn 10; *Voit* in Musielak, ZPO[13] § 1040 Rn 5.
967 *Huber/Bach* in Böckstiegel et al, Arbitration in Germany[2] § 1040 Rn 23.
968 *Schlosser* in Stein/Jonas, Zivilprozessordnung[23] § 1040 Rn 17.
969 *Saenger*, ZPO[6] § 1029 Rn 14.
970 *Koller* in Liebscher/Oberhammer/Rechberger, Schiedsverfahrensrecht I Rn 3/68.

fähigkeit ohne jedwede zeitliche Beschränkung zuzulassen. Es ist allerdings ohne weiteres möglich, dass die Parteien zu Beginn des Verfahrens eine neue Schiedsvereinbarung abschließen, etwa im ICC Verfahren durch das vorbehaltlose Unterfertigen der *Terms of Reference*,[971] oder dass sich Parteien vorbehaltlos der Zuständigkeit des Schiedsgerichts unterwerfen.[972] Wenn zu diesem Zeitpunkt (bei Abschluss der neuen Schiedsvereinbarung oder bei Unterwerfung unter die Zuständigkeit des Schiedsgerichts) die objektive und subjektive Schiedsfähigkeit gegeben sind, geht die nachträgliche Einwendung, dass die frühere Schiedsvereinbarung mangelhaft war, ins Leere. Wenn dagegen bei Unterfertigung der *Terms of Reference* oder zum Zeitpunkt der Unterwerfung unter die Zuständigkeit des Schiedsgerichts die objektive oder subjektive Schiedsfähigkeit nach wie vor fehlt, kann die Zuständigkeit des Schiedsgerichts nicht von neuem begründet werden. In diesen Fällen muss die **Einrede der fehlenden (objektiven oder subjektiven) Schiedsfähigkeit** noch nach dem Vorbringen zur Sache selbst zugelassen werden. Dies ist auch deshalb geboten, weil die österreichischen Gerichte sogar noch im Vollstreckungsverfahren einen Mangel der objektiven oder subjektiven Schiedsfähigkeit wahrnehmen können.

763   Die Frage, ob das Schiedsgericht einen Mangel der (objektiven oder subjektiven) Schiedsfähigkeit von sich aus aufgreifen soll, liegt im verfahrensrechtlichen Ermessen des Schiedsgerichts. Nach vorherrschender Ansicht hat das Schiedsgericht einen allfälligen Mangel der (objektiven oder subjektiven) Schiedsfähigkeit mit den Parteien zu erörtern[973] und aus eigener Initiative aufzugreifen. Dabei kommt es aber nicht auf die objektive Schiedsfähigkeit des Streitgegenstands im Vollstreckungsstaat an, zumal während des Schiedsverfahrens idR nicht vorhersehbar ist, in welchem Staat der Schiedsspruch zu vollstrecken sein wird.

c) Schweiz

764   Nach Schweizer Recht ist die Geltendmachung der fehlenden objektiven Schiedsfähigkeit wie jede andere **Zuständigkeitseinrede** vor der Einlassung auf die Hauptsache zu erheben.[974] Diese Regelung gilt allgemein für Zustän-

---

971   Siehe Art 23(2) ICC SchO.

972   § 592 Abs 2 öZPO bestimmt, dass die Einrede der Unzuständigkeit des Schiedsgerichts spätestens mit dem ersten Vorbringen zur Sache zu erheben ist und eine spätere Einrede ausgeschlossen ist, es sei denn, dass die Versäumung vom Schiedsgericht entschuldigt wird.

973   *Mistelis* in Mistelis/Brekoulakis, Arbitrability 6.

974   Art 186 Abs 2 schwIPRG; *Girsberger/Voser*, International Arbitration[3] Rn 430; *B. Berger/Kellerhals*, Arbitration[3] Rn 266.

digkeitseinreden,[975] und daher auch für die Einrede der fehlenden subjektiven Schiedsfähigkeit. Die fehlende objektive Schiedsfähigkeit kann ausnahmsweise zum ersten Mal im Vollstreckungsstadium erhoben werden, wenn der Schiedsspruch in einem anderen Staat als dem Vollstreckungsstaat ergangen ist.[976] Wird die fehlende objektive Schiedsfähigkeit verspätet erhoben, gilt sie als unwiderruflich verwirkt.[977]

---

975 *Girsberger/Voser*, International Arbitration[3] Rn 564.

976 Art V Abs 2 lit a NYÜ; *B. Berger/Kellerhals*, Arbitration[3] Rn 267.

977 BGer 21.2.2008, 4A_370/2007, E. 5.2.2; BGer 15.3.1993, 4P.217/1992, E. 5 = ASA Bulletin 1993, 409; *Girsberger/Voser*, International Arbitration[3] Rn 1202; *B. Berger/Kellerhals*, Arbitration[3] Rn 263 ff; eine aM vertritt das BGer hingegen in BGer 21.6.1995, 4P.267/1994, E. 3a.

IV. Rechtswidrige Bestreitung der (objektiven oder subjektiven) Schiedsfähigkeit durch Staaten

765   Nach dem bereits erwähnten Art 177 Abs 2 schwIPRG gilt im Schweizer Recht, dass ein ausländischer Staat, ein ausländisches staatlich beherrschtes Unternehmen oder eine staatlich kontrollierte Organisation nicht unter Berufung auf sein oder ihr eigenes Recht die eigene Parteifähigkeit im Schiedsverfahren in Frage stellen können. Dabei handelt es sich um eine Sachnorm der Schweizer *lex arbitri*,[978] die das Verbot des *venire contra factum proprium* konkretisiert. Auch nach deutschem Recht kann sich ein Staat nach Abschluss einer Schiedsvereinbarung nicht nachträglich auf eine mangelnde Schiedsfähigkeit nach einer nationalen Vorschrift berufen, da dies als *venire contra factum proprium* unzulässig wäre.[979] In Übereinstimmung mit diesem Rechtsgrundsatz haben auch ICC Schiedsgerichte die Berufung eines Staates, der eine Schiedsvereinbarung abgeschlossen hat, auf Bestimmungen seines nationalen Rechts, wonach ihm die subjektive Schiedsfähigkeit fehlt, als rechtsmissbräuchlich angesehen.[980] Dies wird auch für das österreichische Recht bejaht.[981]

---

978   *Girsberger/Voser*, International Arbitration[3] Rn 451; *B. Berger/Kellerhals*, Arbitration[3] Rn 369 f.

979   *Schwab/Walter*, Schiedsgerichtsbarkeit[7] Kap 24 Rn 5 und 7.

980   ICC Schiedsspruch Nr 3896, Journal du droit international 1984, 17 und 23 – *Framatome*; ICC Schiedsspruch Nr 4381 in *Jarvin/Derains/Arnaldez*, Collection of ICC Arbitral Awards 267 mit zust Besprechung von *Derains*.

981   *Reiner* in Torggler, Schiedsgerichtsbarkeit 329.

V. Rechtsfolgen der Verletzung der (objektiven oder subjektiven) Schiedsfähigkeit

1. Schiedsspruch-Aufhebungsverfahren[982]

a) Deutschland

In Deutschland ist der **Aufhebungsantrag** der einzige Rechtsbehelf gegen einen Schiedsspruch.[983] Die §§ 1059 ff dZPO eröffnen exklusiv die Möglichkeit, einen Schiedsspruch auf Antrag einer Partei durch staatliche Gerichte überprüfen zu lassen. Die insoweit in § 1059 Abs 3 dZPO vorgesehene Frist für einen Aufhebungsantrag hindert das staatliche Gericht aber nicht daran, einem Schiedsspruch mangels Schiedsfähigkeit die Anerkennung oder Vollstreckbarkeit zu verweigern.[984]

766

Die im Aufhebungsstadium von Amts wegen zu prüfenden Aufhebungsgründe sind in § 1059 Abs 2 dZPO abschließend aufgezählt. Die fehlende objektive Schiedsfähigkeit ist ein Aufhebungsgrund gem § 1059 Abs 2 Nr 2 lit a dZPO, die fehlende subjektive Schiedsfähigkeit ein Aufhebungsgrund gem § 1059 Abs 1 Nr 1 lit a dZPO.[985]

767

Die mit der Aufhebung von Schiedssprüchen befassten deutschen staatlichen Gerichte prüfen die Schiedsfähigkeit des Streitgegenstands *ex officio* und müssen den Schiedsspruch aufheben, selbst wenn diese Frage nicht ausdrücklich während des Schiedsverfahrens gerügt wurde.[986]

768

b) Österreich

Das Fehlen der objektiven Schiedsfähigkeit bildet einen Schiedsspruch-Aufhebungsgrund gem § 611 Abs 2 Z 7 öZPO, der nach § 611 Abs 3 öZPO von Amts wegen wahrzunehmen ist. Der Begriff der objektiven Schiedsfähigkeit ist dabei vom Begriff der *ordre public*-Widrigkeit zu unterscheiden. Dass in einer bestimmten Materie ein Verstoß gegen zwingendes Recht zugleich als

769

---

982 Allgemein zum Aufhebungsverfahren siehe *Wiebecke/Ruckteschler/Schifferl* Rn 1534–1565.

983 *Münch* in MünchKom, ZPO⁴ § 1059 Rn 1.

984 *Hanefeld/Trittmann* in Böckstiegel et al, Arbitration in Germany² § 1030 Rn 1.

985 *Münch* in MünchKom, ZPO⁴ § 1059 Rn 10 f. Siehe näher zur fehlenden objektiven und subjektiven Schiedsfähigkeit im Aufhebungs- und Vollstreckungsverfahren in Österreich, Deutschland und der Schweiz *Wiebecke/Ruckteschler/Schifferl* Rn 1492–1500.

986 *Hanefeld/Trittmann* in Böckstiegel et al, Arbitration in Germany² § 1030 Rn 1; *Voit* in Musielak, ZPO¹³ § 1060 Rn 11.

Verstoß gegen den *ordre public* gilt, bedeutet nicht, dass diese Materie überhaupt nicht objektiv schiedsfähig ist.[987]

770   Der Mangel der subjektiven Schiedsfähigkeit ist ein Schiedsspruch-Aufhebungsgrund gem § 611 Abs 2 Z 1 öZPO (der nicht von Amts wegen aufgegriffen werden kann).

771   Durch die ausdrückliche Regelung der Aufhebungsgründe in § 611 Abs 2 Z 1 und Z 7 öZPO ist klargestellt, dass ein Schiedsspruch über einen nicht schiedsfähigen Gegenstand oder betreffend eine nicht schiedsfähige Person kein wirkungsloser Nichtschiedsspruch ist.[988] Dies darf allerdings nicht zur Annahme verleiten, ein solcher Schiedsspruch könnte in Österreich ohne weiteres vollstreckt werden, wenn nur die Schiedsspruch-Aufhebung unterbleibt.

c) Schweiz

772   Der Schiedsspruch ist bei fehlender subjektiver Schiedsfähigkeit anfechtbar. Die Frage der Fähigkeit, in einem Schiedsverfahren als Partei aufzutreten, kann durch das Schweizer BGer im Rahmen der **Zuständigkeitsbeschwerde** nach Art 190 Abs 2 lit b schwIPRG überprüft werden.[989]

773   Bei fehlender objektiver Schiedsfähigkeit ist der Schiedsspruch ebenfalls anfechtbar und kann nach Art 190 Abs 2 lit b schwIPRG vor dem BGer angefochten werden.[990] Dies gilt jedoch nur für den Fall, dass die fehlende objektive Schiedsfähigkeit überhaupt rechtzeitig geltend gemacht wurde. Wird namentlich die Rüge der fehlenden objektiven Schiedsfähigkeit verspätet erhoben, gilt sie als unwiderruflich verwirkt.[991] In einem solchen Fall liegt ein nicht aufhebbarer Schiedsspruch vor. Ein Teil der Lehre vertritt die Ansicht, ein Schiedsentscheid sei im Falle von fehlender objektiver Schiedsfähigkeit stets nichtig. Nach dieser Ansicht müsste die Nichtigkeit jederzeit eingewendet werden können, und wäre von den Behörden *ex officio* zu berücksichtigen.[992]

---

987   *Mistelis* in Mistelis/Brekoulakis, Arbitrability 7.
988   Siehe noch zum alten österreichischen Recht für den Fall des in einer außerstreitigen Mietsache ergangenen Schiedsspruchs: OGH 13.1.2004, 5 Ob 123/03d.
989   BGer 31.3.2008, 4A_428/2008, E. 3.1.
990   *Girsberger/Voser*, International Arbitration[3] Rn 1202.
991   BGer 21.2.2008, 4A_370/2007, E. 5.2.2; BGer 15.3.1993, 4P.217/1992, E. 5 = ASA Bulletin 1993, 409; *Girsberger/Voser*, International Arbitration[3] Rn 1202; *B. Berger/Kellerhals*, Arbitration[3] Rn 263 ff; eine aM vertritt das BGer hingegen in BGer 21.6.1995, 4P.267/1994, E. 3a.
992   *Girsberger/Voser*, International Arbitration[3] FN 1232 zu Rn 1202; *B. Berger/Kellerhals*, Arbitration[3] FN 129 zu Rn 1584 ff.

2. Schiedsspruch-Vollstreckungsverfahren[993]

Für die Vollstreckung ausländischer Schiedssprüche ist in Deutschland, Ös- **774**
terreich und der Schweiz in erster Linie das NYÜ maßgeblich. Darin wird
die Frage der objektiven oder subjektiven Schiedsfähigkeit inhaltlich nicht
geregelt. Das NYÜ enthält nur Kollisionsnormen zur Frage, nach welchem
Recht die subjektive und objektive Schiedsfähigkeit im Vollstreckungsverfahren zu beurteilen ist; maßgeblich ist demnach bei der subjektiven Schiedsfähigkeit das Personalstatut, bei der objektiven Schiedsfähigkeit dagegen das
Recht des Vollstreckungsstaats.[994]

In **Deutschland** ist bei der Vollstreckung zwischen ausländischen und **775**
inländischen Schiedssprüchen zu unterscheiden. Bei ersteren ist ein Mangel
der Schiedsfähigkeit ein Grund für die Nichtanerkennung oder die Versagung
der Vollstreckbarerklärung gem § 1061 Abs 1 dZPO iVm Art V Abs 1 lit a
und Abs 2 lit a des NYÜ. Die Versagungsgründe im NYÜ decken sich inhaltlich weitestgehend mit den Aufhebungsgründen des § 1059 dZPO. Bei
inländischen Schiedssprüchen ist ein Mangel der objektiven Schiedsfähigkeit
ein Grund für die Ablehnung des Antrags auf Erklärung der Vollstreckbarkeit gem § 1060 Abs 2 dZPO iVm § 1059 Abs 2 Nr 2 dZPO.

Wenn in einem Schiedsspruch mehrere Ansprüche entschieden wurden, **776**
von denen nur einzelne nicht objektiv schiedsfähig sind, liegt nur ein partieller
Anerkennungs-Versagungsgrund vor; die objektiv schiedsfähigen Ansprüche
können vollstreckt werden, wenn sie von den nicht objektiv schiedsfähigen
Ansprüchen trennbar sind.[995]

Gem **österreichischem Recht** kann der Mangel der objektiven Schieds- **777**
fähigkeit eines in Österreich ergangenen Schiedsspruchs gem § 577 Abs 1
öZPO iVm 613 öZPO noch im österreichischen Exekutionsverfahren berücksichtigt werden, indem der Schiedsspruch nach dieser Bestimmung *„nicht
zu beachten"* ist. Ausländischen Schiedssprüchen ist bei einem Mangel der
objektiven Schiedsfähigkeit gemäß Art V Abs 2 lit a NYÜ die Anerkennung
und Vollstreckung zu versagen, wobei hierzu ausschließlich das österreichische Recht herangezogen werden darf. In Österreich ist daher grundsätzlich
auch die Vollstreckung eines ausländischen Schiedsspruchs möglich, der im
Herkunftsstaat wegen eines Fehlens der objektiven Schiedsfähigkeit aufzuheben (gewesen) wäre.

Wenn die subjektive Schiedsfähigkeit fehlt, wird dies oft auf einen Mangel **778**
der Parteifähigkeit zurückzuführen sein. Die Parteifähigkeit der betreibenden
und der verpflichteten Partei ist in Österreich gem § 7 öEO Exekutionsvoraus-

---

993 Siehe hierzu eingehend *Steindl/Mohs/Pörnbacher* Rn 1584 ff.
994 Art V Abs 2 lit a NYÜ.
995 *Quinke* in Wolff, New York Convention Art V Rn 449.

setzung.[996] Ein Schiedsspruch, mit dem ein gem österreichischem Recht nicht parteifähiges Gebilde berechtigt oder verpflichtet wurde (zB eine österreichische GesbR), kann daher in Österreich nicht vollstreckt werden. Bei der subjektiven Schiedsfähigkeit ist allerdings, wie oben gezeigt, das Personalstatut maßgeblich. Wenn demnach eine deutsche GesbR aus einem Schiedsspruch berechtigt sein sollte, kann sie, weil sie in Deutschland subjektiv schiedsfähig ist, auch in Österreich Exekution führen.

779 Das NYÜ unterscheidet zwischen der materiell-rechtlichen Wirksamkeit der Schiedsvereinbarung einerseits und der objektiven Schiedsfähigkeit andererseits. Die materielle Ungültigkeit der Schiedsvereinbarung ist ein Aufhebungsgrund gem Art V Abs 1 lit a des NYÜ. Die fehlende objektive Schiedsfähigkeit fällt dagegen unter Art V Abs 2 lit a des NYÜ. Ferner bezieht sich Art II Abs 1 NYÜ[997] auf die objektive Schiedsfähigkeit, Art II Abs 3 NYÜ[998] dagegen auf die materielle Gültigkeit der Schiedsvereinbarung. Wenn die objektive Schiedsfähigkeit fehlt, bleibt demnach gem dem NYÜ die Schiedsvereinbarung an sich materiell gültig. Es wird ihr lediglich in einem bestimmten Vertragsstaat die Durchsetzbarkeit versagt.[999]

---

996 Vgl *Jakusch* in Angst/Oberhammer, EO³ § 7 Rn 24.

997 *„[...] sofern der Gegenstand des Streites auf schiedsrichterlichem Weg geregelt werden kann. ".*

998 *„[...] dass die Vereinbarung hinfällig, unwirksam oder nicht erfüllbar ist. ".*

999 *Quinke* in Wolff, New York Convention Art V Rn 425 f; *Kroell* in Mistelis/Brekoulakis, Arbitrability Rn 16 ff.

VI. Schlusswort

Die Statistiken der Schiedsinstitutionen zeigen, dass die überwiegende Mehr- **780**
heit von Schiedsverfahren rein vermögensrechtliche Streitigkeiten betrifft, die
aus kommerziellen Verträgen zwischen Unternehmern hervorgehen.[1000] Bei
diesen Streitigkeiten ist infolge des – vom Schweizer Recht beeinflussten –
weiten Begriffs der objektiven Schiedsfähigkeit, der auf den vermögensrechtlichen Charakter der Streitigkeit abstellt, mit keinerlei Friktionen betreffend
die objektive Schiedsfähigkeit zu rechnen. Das ist eine wichtige Voraussetzung
für die Tauglichkeit der Schiedsgerichtsbarkeit als alternativen Streiterledi-
gungsmechanismus. Im Gegenzug für die Überlassung dieses grundsätzlich
sehr weiten Tätigkeitsbereiches müssen Schiedsgerichte allerdings ihre Aufgabe als Rechtsprechungsinstanzen verantwortungsvoll ausüben.

1000 Siehe etwa die auf der Webseite der VIAC (*www.viac.eu*) abrufbare Statistik für
2015: 22 % der 2015 anhängig gemachten Verfahren betreffen Finance: 20 % Con-
struction and Engineering; 17 % General Trade; 11 % Machinery; 6 % Distribution;
6% Share Purchase Agreements; 6 % Business Services; 3 % Mediation/Conciliation.

5. Kapitel

Schiedsverfahren und anwendbares Recht

Nathalie Voser/Dorothee Schramm/Florian Haugeneder

I. Einleitung

Die internationale Schiedsgerichtsbarkeit zeichnet sich durch eine Vielzahl **781** internationaler, nationaler und nicht-staatlicher Rechtsquellen aus, die in ein und demselben Verfahren auf verschiedene Fragen zur Anwendung kommen können. Dies gilt auch für die in diesem Kapitel zu behandelnde Frage des anwendbaren Rechts. Dabei sind drei verschiedene Fragestellungen zu unterscheiden: (i) das für das Schiedsverfahren relevante Verfahrensrecht, (ii) das auf die Schiedsvereinbarung anzuwendende Recht und schließlich (iii) das vom Schiedsgericht auf die Streitsache anzuwendende materielle Recht. Dieses Kapitel dient als „Landkarte" für diese Problemkreise und weist dabei insb auf die jeweiligen Gestaltungsspielräume und Fallstricke hin.

II. Ausgangspunkt: Die *lex arbitri*

Den Ausgangspunkt bei der Bestimmung der anwendbaren Rechtsquellen und **782** ihres Zusammenspiels bildet die *lex arbitri*, also das auf das Schiedsverfahren anwendbare nationale Recht jenes Staates, in dem der Sitz des Schiedsgerichts (Schiedsort) liegt. Die *lex arbitri* weist in aller Regel eine deutlich geringere Regelungsdichte auf als das auf staatliche Gerichtsverfahren anwendbare Verfahrensrecht der nationalen Zivilprozessordnungen und lässt aufgrund des privaten Charakters der Schiedsgerichtsbarkeit gewollt viel Raum für privatautonome Vereinbarungen der Parteien.

Haben sich die Parteien auf eine institutionelle Schiedsordnung oder *ad hoc* **783** Schiedsregeln (zB die UNCITRAL SchO) geeinigt, so sind in ihrem Schiedsverfahren neben den zwingenden Bestimmungen der *lex arbitri* die vereinbarten Schiedsregeln anzuwenden.

A. Die Bedeutung der *lex arbitri*

784   Wie die Zivilprozessordnung für die staatlichen Gerichte stellt die *lex arbitri* den verfahrensrechtlichen Rahmen für ein Schiedsgericht zur Verfügung. Ihre Bedeutung zeigt sich va in den folgenden Punkten:

–   Die *lex arbitri* regelt den Umfang der Gestaltungsfreiheit der Parteien einerseits (Parteiautonomie) und die zwingenden staatlichen Vorgaben andererseits;

–   Je nach Rechtsordnung enthält sie subsidiär anzuwendende Verfahrensregeln, soweit die Parteien nichts vereinbart haben;

–   Soweit sie selbst keine direkte Verfahrensregelung enthält, legt sie fest, wie diese zu bestimmen ist; in der Regel überträgt sie dem Schiedsgericht die Entscheidungsbefugnis zur Bestimmung der Verfahrensregeln, soweit die Parteien nichts vereinbart haben;

–   Für die Frage des auf die Streitsache anwendbaren materiellen Rechts enthält die *lex arbitri* üblicherweise die für die Bestimmung heranzuziehenden kollisionsrechtlichen Vorschriften;

–   Sie regelt das unterstützende Tätigwerden staatlicher Gerichte und Behörden (zB die Bestellung sowie die Ersatzbestellung und die Ablehnung von SchiedsrichterInnen und die Zurverfügungstellung von Rechtshilfe bei der Beweisaufnahme oder von Zwangsmitteln für vorsorgliche Maßnahmen);

–   Sie regelt das intervenierende Eingreifen staatlicher Gerichte und Behörden (insb die Überprüfung des Schiedsspruchs aufgrund einer Anfechtung).

785   Obwohl die *lex arbitri* eine große Bedeutung für das Schiedsverfahren hat, wird in der Praxis die Festlegung des Sitzes des Schiedsgerichts und damit die Bestimmung der *lex arbitri* durch die Parteien zuweilen vernachlässigt.

B. Die Bestimmung der *lex arbitri*

786   Die *lex arbitri* bestimmt sich durch den **Sitz des Schiedsgerichts**.[1001] Der Sitz des Schiedsgerichts hat damit in erster Linie eine juristische Bedeutung, indem dieser den gesetzlichen Rahmen für das Schiedsverfahren festlegt. Dieser wird in der internationalen Schiedsgerichtsbarkeit meist als *seat of arbitration* oder als *place of arbitration* bezeichnet und ist mit anderen Worten der Ort des Schiedsverfahrens.[1002] Dies bedeutet nicht, dass am Sitz des Schiedsgerichts notwendigerweise auch Schiedsverhandlungen oder Beratungen des Schiedsgerichts stattfinden müssen. Vielmehr können diese an anderen Orten, selbst

---

1001   Vgl § 1025 Abs 1 dZPO; § 577 Abs 1 öZPO; Art 176 Abs 1 schwIPRG.
1002   *Girsberger/Voser*, International Arbitration[3] Rn 596; *Redfern/Hunter*, International Arbitration[6] Rn 3.53–3.56.

in einem anderen Land, durchgeführt werden, was verschiedene Schiedsordnungen sogar ausdrücklich vorsehen.[1003]

In Deutschland stellen die auf dem UNCITRAL ModG basierenden **787**
§§ 1025–1066 dZPO die *lex arbitri* für nationale und internationale Schiedsverfahren mit Sitz in Deutschland dar. In Österreich sind seit dem 1. 7. 2006
die ebenfalls auf dem UNCITRAL ModG basierenden §§ 577–618 öZPO
für sämtliche Schiedsverfahren mit Sitz in Österreich in Kraft. Die Schweiz
verfolgt dagegen einen dualen Weg und stellt mit den Art 176–194 schwIPRG
eine *lex arbitri* nur für internationale Schiedsverfahren mit Sitz in der Schweiz
zur Verfügung. Die internen Schiedsverfahren werden seit Inkrafttreten der
eidgenössischen ZPO im Jahr 2011 in den Art 353–399 schwZPO geregelt. Die
Internationalität bzw Nationalität des Verfahrens bestimmt sich dabei nach
dem Sitz der Parteien bei Abschluss der Schiedsvereinbarung.[1004] Die Parteien können durch ausdrückliche Erklärung die Geltung der Bestimmungen
über die internationale Schiedsgerichtsbarkeit ausschließen und stattdessen
die Anwendung der Bestimmungen für die nationale Schiedsgerichtsbarkeit
vereinbaren.[1005]

C. Die Bestimmung der *lex arbitri* bei unzureichender Sitzbestimmung

Die Parteien sollten den Schiedsort in der **Schiedsvereinbarung** selbst be- **788**
stimmen; die meisten Modellschiedsklauseln sehen einen entsprechenden
Zusatz vor. Wenn die Parteien den Sitz des Schiedsgerichts nicht oder nicht
ausreichend bestimmt haben, kann die Bestimmung der *lex arbitri* Probleme
bereiten. Haben die Parteien die Anwendbarkeit einer institutionellen Schiedsordnung vereinbart, bestimmt diese für einen solchen Fall manchmal selbst
den Sitz des Schiedsgerichts[1006] oder sieht vor, dass der Sitz durch die Schieds-

---

1003 Art 16(3) LCIA Regeln; Art 18(2) und 18(3) ICC SchO; Art 16(2) Swiss Rules;
       Art 25 Wiener Regeln; Art 18 UNCITRAL SchO; Art 7 CIETAC Regeln.
1004 Art 176 Abs 1 schwIPRG. Nach der – allerdings kritisierten – Praxis des BGer
       kommt es jedoch im Streitfall darauf an, ob eine der am Schiedsverfahren konkret
       beteiligten Parteien ihren Sitz im Ausland hatte. Unerheblich ist, ob andere Parteien
       der Schiedsvereinbarung, die jedoch an dem Schiedsverfahren nicht beteiligt sind,
       ihren Sitz im Ausland hatten; BGer 24.6.2002, 4P.54/2002, E. 3.
1005 Art 176 Abs 2 schwIPRG; auch der „umgekehrte" Weg ist möglich: In einem na-
       tionalen Schiedsverfahren ist es den Parteien freigestellt, durch ausdrückliche Erklä-
       rung die Bestimmungen über die internationale Schiedsgerichtsbarkeit anzuwenden
       (Art 353 Abs 2 schwZPO).
1006 Art 7 CIETAC Regeln; Art 16(1) LCIA Regeln; Art 25 Wiener Regeln; Art 18
       UNCITRAL SchO.

institution[1007] oder durch das Schiedsgericht[1008] zu bestimmen ist. Mit der Einigung auf eine institutionelle Schiedsordnung haben die Parteien in Abwesenheit einer eigenen Vereinbarung somit die Wahl des Sitzes des Schiedsgerichts und damit der *lex arbitri* in die Hände der Schiedsinstitution oder des Schiedsgerichts gelegt.

789   Problematischer ist es, wenn die Parteien ein *ad hoc* Schiedsverfahren gewählt haben und zur Bestellung des Schiedsgerichts **gerichtliche Hilfe** in Anspruch nehmen müssen.[1009] Es stellt sich hier insb die Frage, welches Gericht zuständig ist, wenn der Sitz des Schiedsgerichts und damit die *lex arbitri* nicht feststehen.

790   Deutschland und Österreich stellen für solche Fälle eine **gerichtliche Zuständigkeit für die Ernennung des Schiedsgerichts** zur Verfügung, wenn eine Partei ihren Sitz, Wohnsitz oder gewöhnlichen Aufenthalt in diesem Staat hat.[1010] Kann so das Schiedsgericht bestellt werden, bestimmt dieses anschließend den Sitz des Schiedsgerichts[1011] und legt damit auch die *lex arbitri* fest.

791   Die Schweiz hat keine sitzunabhängige Zuständigkeit zur Ernennung des Schiedsgerichts im schwIPRG vorgesehen. Falls die Parteien keinen Sitz gewählt haben, sieht Art 176 Abs 3 schwIPRG vor, dass der Sitz des Schiedsgerichts von der von den Parteien benannten Schiedsgerichtsinstitution oder vom Schiedsgericht bestimmt wird. Wenn die Parteien keine Schiedsinstitution gewählt haben, die bei der Bestellung des Schiedsgerichts unterstützen kann, kommt eine Anwendung von Art 355 Abs 2 schwZPO in Betracht. Danach besteht ein vorübergehender „gesetzlicher Sitz" an jenem Ort, an dem ohne Schiedsvereinbarung eine gerichtliche Zuständigkeit bestehen würde. Dort könnte also ein Gericht zur Mitwirkung bei der Konstituierung des Schiedsgerichts angerufen werden.

792   Die direkte Anwendung von Art 355 Abs 2 schwZPO ist nur in jenen Fällen möglich, in denen die Parteien überhaupt keinen Sitz bestimmt haben, weil dann das schwIPRG nicht anwendbar ist.[1012] Haben sie dagegen einen „Sitz Schweiz", aber keinen Sitzkanton vereinbart, so ist trotz Anwendbar-

---

1007   Vgl Art 18(1) ICC SchO; Art 16(1) LCIA Regeln (Ausnahme); Art 25(1) SCC Regeln; Art 16(1) Swiss Rules (es sei denn, der Gerichtshof fordert das Schiedsgericht auf, den Sitz zu bestimmen); Art 38(a) WIPO Arbitration Rules; s auch Art 17(1) ICDR Arbitration Rules (temporär).

1008   Vgl § 21.1 DIS-Regeln; Art 17(1) ICDR Arbitration Rules; Art 16(1) Swiss Rules (nur nach Aufforderung des Gerichtshofs).

1009   Siehe *Wong* Rn 227 ff.

1010   § 1025 Abs 3 dZPO (OLG des Wohnsitzbezirks, § 1062 Abs 3 dZPO); § 577 Abs 3 öZPO iVm § 587 öZPO (OGH, § 615 öZPO).

1011   § 1043 Abs 1 Satz 2 dZPO; § 595 Abs 1 Satz 3 öZPO.

1012   Vgl *B. Berger/Kellerhals,* International Arbitration[3] Rn 819 f mwN, die eine Anwendung von Art 355 Abs 2 schwZPO jedoch ablehnen.

keit des schwIPRG nach einer Ansicht ein analoges Heranziehen von Art 355 Abs 2 schwZPO möglich.[1013] Dies führt jedoch in denjenigen Fällen zu keiner Lösung bzw zu keiner Konstituierung eines Schiedsgerichts in der Schweiz, in denen ohne Schiedsvereinbarung kein staatliches Gericht zuständig wäre, insb wenn keine der Parteien ihren Sitz in der Schweiz hat und die Streitigkeit keinen ausreichenden Bezug zur Schweiz aufweist. Gem einer anderen, überwiegend älteren Ansicht erfüllt eine solche Schiedsvereinbarung nicht die minimalen Anforderungen des schwIPRG, sodass die Konstituierung des Schiedsgerichts und damit ein Schiedsverfahren in der Schweiz ausgeschlossen ist, außer die Parteien einigen sich nach Entstehung der Streitigkeit auf einen Sitz bzw eine Schiedsinstitution.[1014] Eine liberale Drittmeinung vertritt dagegen die Ansicht, dass jedes beliebige Schweizer Gericht zuständig wäre, SchiedsrichterInnen zu bestellen.[1015] Diese Ansicht ist sachgerecht, weil jedes Schweizer Gericht bei der SchiedsrichterInnenbestellung dieselbe *lex arbitri* anwendet und daher kein Grund besteht, Parteien, die mit dem föderalen Schweizer System nicht vertraut sind, formalistische Hürden in den Weg zu stellen. Zudem hat dieses Vorgehen den Vorteil, dass das Schiedsgericht, sobald es bestellt ist, gem Art 176 Abs 3 schwIPRG sogleich selber den Sitz des Schiedsverfahrens bestimmt und das Verfahren damit seinen Fortgang nehmen kann.

D. Gestaltungsspielräume und Fallstricke

Aufgrund der Bedeutung der *lex arbitri* stellt ihre Bestimmung durch die **793** Festlegung des Sitzes des Schiedsverfahrens die grundlegendste Gestaltungsfreiheit der Parteien dar. Die Parteien sollten die anwendbare *lex arbitri* sorgfältig abwägen und die **Bestimmung des Sitzes** nach ihren Bedürfnissen in der Schiedsvereinbarung **explizit vereinbaren**, anstatt dies einer Schiedsinstitution oder dem Schiedsgericht zu überlassen. Wesentliche Gesichtspunkte für die Wahl des Sitzes des Schiedsgerichts – und damit der *lex arbitri* – sind die in der *lex arbitri* vorgesehenen Gründe für die Anfechtung eines Schiedsspruches und, was in der Praxis vielleicht noch wichtiger ist, die Erfahrung der Gerichte bei deren Anwendung. Die Vorteile eines Schiedsverfahrens könnten zB dadurch zunichte gemacht werden, dass die *lex arbitri* im Rahmen

---

1013 Siehe die Nachweise bei *B. Berger/Kellerhals*, Arbitration[3] Rn 755 sowie *Girsberger/Voser*, International Arbitration[3] Rn 621, die alle eine analoge Anwendung von Art 355 Abs 2 schwZPO auch in diesen Fällen ablehnen.

1014 Siehe die Nachweise bei *B. Berger/Kellerhals,* Arbitration[3] Rn 754.

1015 *B. Berger/Kellerhals*, Arbitration[3] Rn 756; *Girsberger/Voser*, International Arbitration[3] Rn 621; *Kaufmann-Kohler/Rigozzi*, International Arbitration in Switzerland[3] Rn 4.63; *Stacher*, Einführung Rn 141; s auch *Peter/Legler* in Honsell et al, Internationales Privatrecht[3] Art 179 Rn 2 f.

eines Aufhebungsverfahrens eine *révision au fond*, also eine Überprüfung des Schiedsspruches in rechtlicher sowie tatsächlicher Hinsicht, vorsieht. Weiter relevant ist, ob es sich um ein schon veraltetes oder um ein modernes Schiedsverfahrensrecht handelt, das wenig zwingende Bestimmungen enthält und dadurch der Parteiautonomie viel Raum lässt, um ein flexibles Schiedsverfahren zu ermöglichen.

794   In jedem Fall sollten die Parteien bei Vereinbarung eines *ad hoc* Schiedsgerichts darauf achten, dass sie bereits in der Schiedsvereinbarung den Sitz des Schiedsgerichts und damit den Sitzstaat (sowie in der Schweiz den Sitzkanton) bestimmen. Andernfalls sind staatliche Gerichte nur unter bestimmten Voraussetzungen zur Mitwirkung bei der Konstituierung des Schiedsgerichts zuständig, wodurch uU sogar die Durchführung eines Schiedsverfahrens in Gefahr gerät.

III. Auf die Schiedsvereinbarung anwendbares Recht

A. Die *Doctrine of separability*

In Deutschland, der Schweiz und Österreich ist, wie in wohl allen moder- **795**
nen Rechtsordnungen und vielen Schiedsordnungen, die sog *doctrine of
separability* verankert.[1016] Dies bedeutet, dass es sich bei der Schiedsvereinbarung um einen vom Hauptvertrag zu unterscheidenden, eigenständigen
Vertrag handelt und die Wirksamkeit dieser beiden Verträge daher separat
zu untersuchen ist. Dies gilt sowohl bei einer selbständigen Vereinbarung
(Schiedsabrede/Schiedsvertrag oder *compromis*) als auch dann, wenn die
Schiedsvereinbarung rein äußerlich nur eine Klausel des Hauptvertrags
ist (Schiedsklausel oder *clause compromissoire*). Zwischen den beiden Er-
scheinungsformen der Schiedsvereinbarung bestehen daher keine relevanten
Unterschiede.[1017] Die Hauptkonsequenz der **Unterscheidung zwischen
Schiedsvereinbarung und Hauptvertrag** ist, dass die Unwirksamkeit des
Hauptvertrags nicht automatisch zur Unwirksamkeit der Schiedsvereinbarung führt. Dies kann die wichtige praktische Folge haben, dass über
die Frage der Gültigkeit des Hauptvertrages ein Schiedsverfahren durchgeführt wird und das Schiedsgericht in seinem Schiedsspruch feststellt,
dass der Hauptvertrag unwirksam ist.[1018] Zu beachten ist, dass die Schiedsvereinbarung und der Hauptvertrag zwar rechtlich selbständig sind, ihre
selbständige Beurteilung aber nicht automatisch zu einer unterschiedlichen
rechtlichen Beurteilung führt: bspw können (müssen aber nicht zwangsweise) Willensmängel wie List, Täuschung oder Irrtum beim Hauptvertrag

---

1016　Vgl Art 178 Abs 3 schwIPRG; Art 357 Abs 2 schwZPO; § 1040 Abs 1 Satz 2 dZPO;
　　　Art 6(9) ICC SchO; Art 19(1) ICDR Arbitration Rules; Art 21(2) Swiss Rules;
　　　Art 16(1) UNCITRAL ModG; vgl auch *Redfern/Hunter*, International Arbitration[6]
　　　Rn 2.104 ff; *Gaillard/Savage*, International Arbitration Rn 388 ff; für Österreich
　　　s *Zeiler*, Schiedsverfahren[2] § 581 Rn 93 ff; *Hausmaninger* in Fasching/Konecny,
　　　ZPO[3] § 581 Rn 98 ff. Die Rechtspraxis macht teilweise gewisse Einschränkun-
　　　gen; zB judiziert der OGH in stRsp, dass bei einer einvernehmlichen Aufhebung
　　　des Hauptvertrages regelmäßig auch die darin enthaltene Schiedsvereinbarung er-
　　　lischt (OGH 16.6.1982, 1 Ob 628/82, SZ 55/89; OGH 21.4.2004, 9 Ob 39/04g;
　　　OGH 5.2.2008, 10 Ob 120/07 f; OGH 23.6.2015, 18 OCg 1/15v). Tatsächlich wird
　　　es jedoch bei einer einvernehmlichen Vertragsaufhebung idR der ausdrückliche oder
　　　konkludente Wille der Parteien sein, dass die Schiedsvereinbarung für Streitigkeiten
　　　aus dem Hauptvertrag aufrecht erhalten bleibt, insb iZm der Frage, ob das Rechts-
　　　verhältnis tatsächlich beendet ist oder nicht (*Koller* in Liebscher/Oberhammer/
　　　Rechberger, Schiedsverfahrensrecht I Rn 3/189).
1017　Vgl § 1029 Abs 2 dZPO; § 581 Abs 1 Satz 2 öZPO.
1018　*Redfern/Hunter*, International Arbitration[6] Rn 2.110; *Girsberger/Voser*, Interna-
　　　tional Arbitration[3] Rn 543.

auf die Schiedsvereinbarung durchschlagen, wenn diese Teil des Hauptvertrages ist.[1019]

796   Da es sich bei der Schiedsvereinbarung um eine separate Vereinbarung handelt, ist auch das auf sie **anwendbare Recht** unabhängig von dem des Hauptvertrags zu ermitteln. Die kollisionsrechtliche Anknüpfung der Schiedsvereinbarung ist nicht einheitlich. Im Wesentlichen sind die materielle Wirksamkeit und die Form der Schiedsvereinbarung sowie die objektive und subjektive Schiedsfähigkeit zu unterscheiden.[1020]

797   Anforderungen an eine Schiedsvereinbarung sind zum einen in dem NYÜ[1021] und in der *lex arbitri* enthalten, wobei beide Rechtsquellen teilweise mittels Kollisionsnormen auf das anwendbare Recht weiter verweisen. Dagegen behandeln die Schiedsordnungen die Wirksamkeit einer Schiedsvereinbarung idR nicht.[1022]

B. Zwingende Anforderungen an eine Schiedsvereinbarung

798   Sowohl das NYÜ als auch die jeweilige nationale *lex arbitri* enthalten zwingende Anforderungen an eine Schiedsvereinbarung. Die Anforderungen des NYÜ einerseits und des schweizerischen, deutschen und österreichischen Rechts andererseits sind dabei weitgehend deckungsgleich.

1019 *Schwarz/Konrad*, Vienna Rules[2] Rn 19–044 ff; *Born*, Commercial Arbitration[2] 349 ff.

1020 *Zeiler*, Schiedsverfahren[2] § 581 Rn 124 ff; *Koller* in Liebscher/Oberhammer/Rechberger, Schiedsverfahrensrecht I Rn 3/50; *Schmidt-Ahrendts/Höttler*, SchiedsVZ 2011, 272–276; Art 177 Abs 1 und 2, 178 Abs 1 und 2 schwIPRG.

1021 Das NYÜ ist primär an die staatlichen Gerichte der Vertragsstaaten gerichtet und enthält die Voraussetzungen, unter denen eine Schiedsvereinbarung von den staatlichen Gerichten anerkannt und die Parteien an ein Schiedsgericht verwiesen werden müssen, sowie die Bedingungen, unter denen ein ausländischer Schiedsspruch anerkannt und vollstreckt werden muss. Dadurch richten sich die Bestimmungen des NYÜ indirekt auch an Schiedsgerichte, die grundsätzlich gehalten sind, den Parteien effizienten Rechtsschutz zukommen zu lassen und einen vollstreckbaren Schiedsspruch zu erlassen. Allerdings belässt Art VII Abs 1 NYÜ auch günstigere völkerrechtliche und nationale Bestimmungen über die Anerkennung und Vollstreckung von Schiedssprüchen anwendbar. Diese Meistbegünstigungsbestimmung wird nach überwiegender Auffassung auch auf die Anerkennung von Schiedsvereinbarungen angewendet (*Quinke* in Wolff, New York Convention Art VII Rn 45 ff). Es steht einer Klägerin daher frei, sich bewusst auf eine günstigere *lex arbitri* zu berufen. Die Klägerin kann in so einem Fall die mangelnde Vollstreckbarkeit des NYÜ in Kauf nehmen und allenfalls die Vollstreckung des Schiedsspruchs nach einem günstigeren nationalen Vollstreckungsregime anstreben. In so einem Fall besteht für das Schiedsgericht kein Anlass, die strengeren Anforderungen des NYÜ an die Gültigkeit von Schiedsvereinbarungen anzuwenden; vgl *M. Paulson*, New York Convention 233, 237.

1022 Siehe aber Art 61(c) WIPO Arbitration Rules, der das auf die Schiedsvereinbarung anwendbare Recht behandelt.

Das NYÜ und die hier behandelten nationalen Rechte enthalten (kumulativ) **799** drei zwingende Anforderungen an die Wirksamkeit einer Schiedsvereinbarung:

- Eine wirksame Einigung über die *essentialia negotii* der Schiedsverein- **800** barung, dh die Bezeichnung der Parteien und der Streitigkeit bzw des Rechtsverhältnisses, aus dem Streitigkeiten einem Schiedsgericht unterworfen werden sollen.[1023]
- Die vorgeschriebene **Form** muss eingehalten sein.[1024]
- Der Streitgegenstand muss **schiedsfähig** sein (objektive Schiedsfähigkeit)[1025] und die Fähigkeit der Parteien gegeben sein, Partei einer Schiedsvereinbarung zu sein (subjektive Schiedsfähigkeit).[1026]

C. Das für die Bestimmung der materiellen Wirksamkeit anwendbare Recht

1. Anwendbare Kollisionsregeln

Zu bestimmen ist zunächst das auf die materielle Gültigkeit einer Schiedsver- **801** einbarung anwendbare Recht (**Schiedsvertragsstatut**). Unter das Schiedsvertragsstatut fallen insb das Zustandekommen und Wirksambleiben der Vereinbarung, Willensmängel und Anfechtbarkeit, die Geltung von Schiedsvereinbarungen, die in AGBs enthalten sind, die Frage der Inhaltskontrolle und der geltungserhaltenden Reduktion der AGB, die Interpretation der Schiedsvereinbarung und in bestimmten Fällen der personale Geltungsbereich der Schiedsvereinbarung, zB die Frage, ob sie auch Dritte umfasst, die sie nicht unterzeichnet haben (zB Muttergesellschaft, Geschäftsführer, Zessionarin, Vertrag zugunsten Dritter).[1027]

Nach Art V Abs 1 lit a NYÜ wird die materiell-rechtliche Wirksamkeit **802** einer Schiedsvereinbarung primär nach dem von den Parteien gewählten Recht beurteilt. Haben die Parteien kein auf die Gültigkeit der Schiedsver-

---

1023 Siehe *Wegen/Eckardt* Rn 566 ff; für Österreich § 581 öZPO.

1024 Siehe *Wegen/Eckardt* Rn 554 ff; Art 178 Abs 1 schwIPRG; § 1031 dZPO; § 583 öZPO.

1025 Art 177 schwIPRG; § 1030 dZPO; § 582 öZPO.

1026 Siehe *Aschauer/Gantenberg/Gabriel* Rn 736 ff.

1027 Das BGer entschied in einem Leiturteil, dass dies keine Frage der Form ist, sofern diese für die Schiedsvereinbarung selbst eingehalten wurde, sondern des persönlichen, also des materiellen, Geltungsbereichs (BGE 129 III 727, E. 5.3); s auch BGH 8.5.2014, SchiedsVZ 2014, 151, 154. Dies ist jedoch international umstritten, s *Schramm/Geisinger/Pinsolle* in Kronke et al, Recognition and Enforcement 93 f. Zum auf die Bindung des Dritten anwendbaren Rechts s für Deutschland ausführlich zB *Schütze*, SchiedsVZ 2014, 274 ff; BGH, 8.5.2014, SchiedsVZ 2014, 151 ff. Für Österreich s insb *Koller* in Liebscher/Oberhammer/Rechberger, Schiedsverfahrensrecht I Rn 3/51 und Rn 3/292 ff; *Hausmaninger* in Fasching/Konecny, ZPO³ § 581 Rn 205 ff.

einbarung anwendbares Recht gewählt, so kommt das Recht des Landes, in dem der Schiedsspruch ergehen soll (die *lex arbitri*), zur Anwendung. Die Kollisionsregeln des NYÜ gelten streng genommen nur für staatliche Gerichte im Aufhebungsverfahren. Es ist umstritten, ob vor Erlass eines Schiedsspruchs Art V Abs 1 lit a NYÜ analog angewendet werden kann (und zumindest in Verfahren vor staatlichen Gerichten die Kollisionsregeln der *lex arbitri* verdrängt) oder ob nur die Regeln der *lex arbitri* anwendbar sind.[1028] Nach Schweizer Recht macht dies dann einen Unterschied, wenn die Parteien keine Rechtswahl getroffen haben, da das Schweizer Recht für diesen Fall eine alternative Anknüpfung zur Verfügung stellt.

803 Anders als das Schweizer Recht[1029] enthält das österreichische Schiedsverfahrensrecht keine Kollisionsregeln betreffend das auf die materielle Gültigkeit der Schiedsvereinbarung anwendbare Recht. In der österreichischen Lehre und Rsp ist anerkannt, dass die Kollisionsregeln des Art V Abs 1 lit a NYÜ von den staatlichen Gerichten auch außerhalb von Verfahren zur Anerkennung und Vollstreckung von Schiedssprüchen anzuwenden sind, nämlich insb in Verfahren über die Aufhebung von Schiedssprüchen.[1030] Daher sind Schiedsgerichte mit Sitz in Österreich indirekt gehalten, ebenfalls die Kollisionsregeln des NYÜ anzuwenden, da ihre Schiedssprüche andernfalls einer möglichen Aufhebung ausgesetzt sind, wenn der OGH auf Grundlage des NYÜ zur Anwendung eines anderen Rechts gelangt als das Schiedsgericht und dieses Recht die Gültigkeit anders beurteilt als das vom Schiedsgericht angewendete Recht.[1031]

804 Ähnliches gilt für das deutsche Recht, das Kollisionsregeln betreffend das auf die materielle Wirksamkeit der Schiedsvereinbarung anwendbare Recht für den Fall enthält, in dem die staatlichen Gerichte über die Anfechtung des Schiedsspruchs entscheiden.[1032] Eine gewichtige Meinung in der Literatur wendet diese Kollisionsregeln, die denen des Art V Abs 1 lit a NYÜ entsprechen, auch in früheren Verfahrensstadien an, also bei der schiedsgerichtlichen Entscheidung über die Wirksamkeit der Schiedsvereinbarung und in

---

1028 Nachweise bei *Schramm/Geisinger/Pinsolle* in Kronke et al, Recognition and Enforcement 55 f. Für die analoge Anwendung von Art V Abs 1 lit a NYÜ s zB *van den Berg*, Arbitration Convention 126 f. Für die Anwendung des nationalen Kollisionsrechts s zB BGH 25.1.2011, SchiedsVZ 2011, 159 mwN.

1029 Art 178 Abs 2 schwIPRG.

1030 *Zeiler*, Schiedsverfahren² § 581 Rn 125; *Koller* in Liebscher/Oberhammer/Rechberger, Schiedsverfahrensrecht I Rn 3/54; *Fremuth-Wolf* in Riegler et al, Arbitration Law § 581 Rn 68; OGH 17.11.1971, 8 Ob 233/71, JBl 1974, 629; aA *Czernich*, SchiedsVZ 2015, 181.

1031 *Koller* in Liebscher/Oberhammer/Rechberger, Schiedsverfahrensrecht I Rn 3/57.

1032 § 1059 Abs 2 lit a dZPO.

staatlichen Verfahren bei Erhebung der Schiedseinrede.[1033] Der BGH hatte hingegen traditionell die auf Schuldverträge anwendbaren Kollisionsregeln des dEGBGB angewendet, was auch der herrschenden Meinung entsprach.[1034] Nach Ersetzung dieser Kollisionsregeln durch Art 3 und 4 der Rom I-VO würde diese Rechtsprechung logischerweise zur Anwendung der Rom I-VO führen, die aber gem Art 1 Abs 2 lit e ROM I-VO nicht auf Schiedsvereinbarungen anwendbar ist. Der BGH hat sich zu dieser neuen Situation bislang noch nicht geäußert.

Die praktisch wichtige Frage der (formellen und materiellen) Wirksamkeit **805** einer **Vollmacht für den Abschluss einer Schiedsvereinbarung** unterliegt nicht dem Schiedsvereinbarungsstatut, sondern ist gesondert anzuknüpfen (**Vollmachtsstatut**). Vor der Reform des Schiedsrechts im Jahre 2006 war die Problematik des Vollmachtsstatuts besonders in Österreich relevant, weil nach der Rechtsprechung des OGH der Abschluss einer Schiedsvereinbarung eine schriftliche Spezialvollmacht erforderte.[1035] § 54 öUGB stellt nunmehr im Bereich des Unternehmensrechts klar, dass für im Rahmen einer Handlungsvollmacht erteilte Rechtsgeschäfte keine Spezialvollmacht erforderlich ist.[1036] Damit ist auch in Österreich das Erfordernis einer schriftlichen Spezialvollmacht zum Abschluss einer Schiedsvereinbarung zwischen UnternehmerInnen weggefallen.[1037]

2. Bei Rechtswahl der Parteien

Das NYÜ und auch die nationalen *leges arbitri* stellen hinsichtlich der **ma- 806 teriellen Gültigkeit** in erster Linie auf das von den Parteien gewählte Recht ab.[1038] Dabei wird aufgrund der Trennung Hauptvertrag/Schiedsvereinbarung zumeist angenommen, dass eine Rechtswahlklausel der Parteien in ihrem Vertrag nicht automatisch auch die Schiedsvereinbarung erfasst, wobei in

---

1033 *Schmidt-Ahrendts/Höttler*, SchiedsVZ 2011, 273 mit zahlreichen weiteren Nachweisen.

1034 Siehe zB BGH 3.5.2011, openJur 2011, 94708 Rn 44; s auch die Nachweise bei *Schmidt-Ahrendts/Höttler*, SchiedsVZ 2011, 272.

1035 Siehe dazu OGH 26.1.2000, 7 Ob 368/98p; OGH 27.2.2001, 1 Ob 273/00d.

1036 Vgl *Koller* in Liebscher/Oberhammer/Rechberger, Schiedsverfahrensrecht I Rn 3/157 ff.

1037 Vgl *Koller* in Liebscher/Oberhammer/Rechberger, Schiedsverfahrensrecht I Rn 3/169 mwN.

1038 Art V Abs 1 lit a NYÜ; Art 178 Abs 2 schwIPRG; für das deutsche Recht s *Heiss* in Oberhammer, Schiedsgerichtsbarkeit in Zentraleuropa 96; *Kröll* in Böckstiegel et al, Arbitration in Germany² § 1061 Rn 72; *Schütze*, SchiedsVZ 2014, 275; *Schmidt-Ahrendts/Höttler*, SchiedsVZ 2011, 273; vgl zudem § 1059 Abs 2 lit a dZPO. Für das österreichische Recht *Zeiler*, Schiedsverfahren² § 581 Rn 125 mwN; *Hausmaninger* in Fasching/Konecny, ZPO³ § 581 Rn 275.

Deutschland und Österreich eine solche allerdings dann oft auf die Schiedsvereinbarung erstreckt wird, wenn die Parteien für ihren Vertrag das materielle Recht des Sitzes des Schiedsgerichts gewählt haben.[1039] In der Schweiz kommt es auf diese Frage nicht an, da gemäß Art 178 Abs 2 schwIPRG eine Schiedsvereinbarung dann gültig ist, wenn sie entweder nach dem von den Parteien gewählten Recht, oder nach dem auf die Hauptsache anwendbaren Recht, oder nach Schweizer Recht wirksam ist.

3. Ohne Rechtswahl der Parteien

807 Haben die Parteien keine Rechtswahl für die Schiedsvereinbarung getroffen, so bestimmt sich die Wirksamkeit der Schiedsvereinbarung gem Art V Abs 1 lit a NYÜ analog nach dem materiellen Recht des Staates, in dem der Schiedsspruch ergehen wird, in dem sich also der Sitz des Schiedsgerichts befindet. Dieselbe Lösung gilt im deutschen und österreichischen Recht.[1040] Einige deutsche Gerichte haben Schiedsvereinbarungen, welche einen ausländischen Sitz des Schiedsgerichts vorsehen, für unwirksam erklärt, wenn zu befürchten war, dass das ausländische Schiedsgericht international zwingende Normen des deutschen Rechts missachtet.[1041] Das Schweizer Recht sieht in Art 178 Abs 2 schwIPRG eine alternative Anknüpfung vor, wonach eine Schiedsvereinbarung dann gültig ist, wenn sie entweder nach dem von den Parteien gewählten Recht, oder nach dem auf die Hauptsache anwendbaren Recht, oder nach Schweizer Recht wirksam ist.

1039 Siehe zum Ganzen für Deutschland *Schlosser* in Stein/Jonas, Zivilprozessordnung[23] §1029 Rn 108; *Schmidt-Ahrendts/Höttler*, SchiedsVZ 2011, 273 f; s für die Rsp *Kröll* in Böckstiegel et al, Arbitration in Germany[2] § 1061 Rn 72; *Kröll*, SchiedsVZ 2010, 145; *Schulz/Niedermaier*, SchiedsVZ 2009, 198. Für Österreich vgl *Koller* in Liebscher/Oberhammer/Rechberger, Schiedsverfahrensrecht I Rn 3/61; OGH 30.3.2009, 7 Ob 266/08f, RdW 2009, 528; OGH 23.6.2015, 18 OCg 1/15v. Vgl zum NYÜ *Schramm/Geisinger/Pinsolle* in Kronke et al, Recognition and Enforcement 54 f; *van den Berg*, Arbitration Convention 293.

1040 Vgl *Heiss* in Oberhammer, Schiedsgerichtsbarkeit in Zentraleuropa 96; *Schlosser* in Stein/Jonas, Zivilprozessordnung[23] § 1029 Rn 108; *Schmidt-Ahrendts/Höttler*, SchiedsVZ 2011, 273; vgl auch § 1059 Abs 2 lit a dZPO. Für Österrreich *Hausmaninger* in Fasching/Konecny, ZPO[3] § 581 Rn 284.

1041 Siehe zB OLG Düsseldorf 27.10.2006, I-16 U 186/05, Erwägung II.1.b, mit Hinweisen auf BGH-Rechtsprechung; OLG München 17.5.2006, 7 U 1781/06, Erwägung II.2; krit *Quinke*, SchiedsVZ 2007, 246 ff; *Niedermaier*, SchiedsVZ 2012, 182 f.

D. Das für die Bestimmung der formellen Gültigkeit anwendbare Recht

Die Form der Schiedsvereinbarung ist in der Regel nach der *lex arbitri* zu **808** beurteilen.[1042] Aufgrund der in Art VII Abs 1 NYÜ enthaltenen **Meistbegünstigungsklausel** ist die Frage, ob Art II NYÜ eine international vereinheitlichte Sachnorm enthält, weitgehend entschärft: Wo die Bestimmungen über die Form von Schiedsvereinbarungen liberaler sind als Art II NYÜ, wenden die Schiedsgerichte mit Sitz in diesen Staaten und die staatlichen Gerichte diese liberaleren Formerfordernisse an.[1043] Ein Beispiel einer Formerleichterung des nationalen Rechts ist die in der dZPO vorgesehene Möglichkeit einer Schiedsvereinbarung durch Schweigen auf ein Bestätigungsschreiben.[1044] Die Formerfordernisse des Art II NYÜ können insb dann relevant sein, wenn der Schiedsspruch in einem Land vollstreckt werden soll, das keine liberaleren Formerfordernisse vorsieht als das NYÜ.

Zu beachten ist, dass die Zivilprozessordnungen von Deutschland und **809** Österreich für Schiedsvereinbarungen mit VerbraucherInnen weitgehende Einschränkungen vorsehen.[1045] So ist ua erforderlich, dass die Schiedsvereinbarung in einem separaten und von beiden Parteien[1046] bzw der Verbraucherin/ dem Verbraucher[1047] eigenhändig unterschriebenen Dokument enthalten sein

---

1042 § 1029 Abs 2 dZPO; § 583 öZPO; Art 178 Abs 1 schwIPRG (dazu *Wegen/Barth*, Arbitration Rn 36 ff). Für Österreich *Koller* in Liebscher/Oberhammer/Rechberger, Schiedsverfahrensrecht I Rn 3/200; *Fremuth-Wolf* in Riegler et al, Arbitration Law § 581 Rn 70 und § 583 Rn 7.

1043 In Bezug auf eine durch Schweigen auf ein Bestätigungsschreiben geschlossene Schiedsvereinbarung zB BGH 30.9.2010, SchiedsVZ 2010, 332 ff; *Kröll* in Böckstiegel et al, Arbitration in Germany² § 1061 Rn 68 ff; s auch *Niedermaier*, SchiedsVZ 2012, 181 f; *Kröll*, SchiedsVZ 2013, 186 f; *Schlosser* in Stein/Jonas, Zivilprozessrecht²³ Anhang § 1061 Rn 109, 378; *Schramm/Geisinger/Pinsolle* in Kronke et al, Recognition and Enforcement 47 ff. Im Hinblick auf die Meistbegünstigungsklausel sind allerdings einige Fragen noch nicht abschließend geklärt. So ist unklar, ob beim Rückgriff auf die Meistbegünstigungsklausel im Rahmen der Anerkennung und Vollstreckung das NYÜ *in toto* unanwendbar ist, dh dass sich die Anerkennung und Vollstreckung dann ausschließlich nach dem nationalen Recht am Vollstreckungsort richtet (so zB *van den Berg*, Arbitration Convention 85 f, 180), oder ob nur einzelne günstigere Normen des nationalen Rechts die entsprechenden Normen des NYÜ ersetzen (so zB BGH 30.9.2010, SchiedsVZ 2010, 332 ff; *Schlosser* in Stein/Jonas, Zivilprozessrecht²³ Anhang § 1061 Rn 109, 378; *Schramm/Geisinger/Pinsolle* in Kronke et al, Recognition and Enforcement 48 f; *M. Paulson*, New York Convention 287; offenbar auch *Kröll* in Böckstiegel et al, Arbitration in Germany² § 1061 Rn 69).

1044 § 1031 Abs 2 dZPO; s dazu zB *Kröll*, SchiedsVZ 2009, 45 ff.

1045 Siehe dazu näher *Zeiler* Rn 606 ff und 620 ff.

1046 § 1031 Abs 5 dZPO mit der Möglichkeit einer qualifizierten digitalen Signatur.

1047 § 617 Abs 2 öZPO. Dasselbe gilt bei ArbeitnehmerInnen, § 618 öZPO.

muss. Da das NYÜ kein strengeres nationales Recht zulässt,[1048] wird argumentiert, dass diese strengeren Anforderungen im Anwendungsbereich des NYÜ nicht anwendbar sind.[1049]

E. Schiedsfähigkeit

810 Die Schiedsfähigkeit des Streitgegenstands (**objektive Schiedsfähigkeit**) ist im NYÜ nicht inhaltlich geregelt. Erhebt eine Partei Klage vor einem staatlichen Gericht und hat das Gericht im Rahmen der Schiedseinrede die Schiedsvereinbarung zu beurteilen, so ist umstritten, auf welches Recht das NYÜ für die Frage der Schiedsfähigkeit verweist: Auf das Recht, das auf die Schiedsvereinbarung anwendbar ist (Art V Abs 1 lit a NYÜ analog), auf die *lex fori* (Art V Abs 2 lit a NYÜ analog) oder auf beide kumulativ?[1050]

811 In Österreich hat sich die Auffassung durchgesetzt, dass die objektive Schiedsfähigkeit ausschließlich nach österreichischem Recht zu beurteilen ist. § 582 öZPO (Schiedsfähigkeit) ist daher anzuwenden, wenn der Sitz des Schiedsgerichts in Österreich ist oder wenn ein österreichisches Gericht im Fall der Einrede des Bestehens einer Schiedsvereinbarung über die Gültigkeit der Schiedsvereinbarung zu entscheiden hat.[1051] Dasselbe gilt für Deutschland und die Schweiz, wo sich nach hA die objektive Schiedsfähigkeit eines Verfahrens mit Sitz in Deutschland bzw der Schweiz ausschließlich nach deutschem bzw schweizerischem Recht (also insb nach § 1030 dZPO/Art 177 Abs 1 schwIPRG) beurteilt, selbst wenn die Parteien ein anderes auf die Schiedsvereinbarung anwendbares Recht gewählt haben.[1052]

1048 *Schlosser* in Stein/Jonas, Zivilprozessrecht[23] Anhang § 1061 Rn 108; *Schramm/Geisinger/Pinsolle* in Kronke et al, Recognition and Enforcement 47; *van den Berg*, Arbitration Convention 178.

1049 Für das deutsche Recht ausdrücklich *Schlosser* in Stein/Jonas, Zivilprozessrecht[23] Anhang § 1061 Rn 108; für Österreich *Stippl* in Liebscher/Oberhammer/Rechberger, Schiedsverfahren I Rn 4/61.

1050 Vgl *Kröll*, SchiedsVZ 2009, 44 f; *Schlosser* in Stein/Jonas, Zivilprozessordnung[23] Anhang § 1061 Rn 75; *Schramm/Geisinger/Pinsolle* in Kronke et al, Recognition and Enforcement 69 f. Im Rahmen der Vollstreckung eines Schiedsspruchs ist umstritten, ob nur das Recht am Vollstreckungsort auf diese Frage anwendbar ist (Art V Abs 2 lit a NYÜ) oder kumulativ auch das Schiedsvertragsstatut (Art V Abs 1 lit a NYÜ). Für die ausschließliche Berücksichtigung der *lex arbitri M. Paulson*, New York Convention 89.

1051 *Koller* in Liebscher/Oberhammer/Rechberger, Schiedsverfahrensrecht I Rn 3/69 ff; *Fremuth-Wolf* in Riegler et al, Arbitration Law § 582 Rn 4 f; *Zeiler*, Schiedsverfahren[2] § 582 Rn 5; *Hausmaninger* in Fasching/Konecny, ZPO[3] § 582 Rn 62.

1052 *B. Berger/Kellerhals*, Arbitration[3] Rn 190 f; *Schmidt-Ahrendts/Höttler*, SchiedsVZ 2011, 275 f mwN. Siehe dazu näher *Aschauer/Gantenberg/Gabriel* Rn 667 und 675.

Nach Art V Abs 1 lit a NYÜ unterliegt die **subjektive Schiedsfähigkeit**, **812** also die Fähigkeit einer Partei, sich durch eine Schiedsvereinbarung zu binden, ihrem **Personalstatut**.[1053] Dieses bestimmt sich nach überwiegender Ansicht nach dem nationalen Kollisionsrecht.[1054]

F. Gestaltungsspielräume und Fallstricke

In den Bereichen, in denen das NYÜ und die jeweilige *lex arbitri* **zwingende** **813** **Anforderungen an die Schiedsvereinbarung** aufstellen, haben die Parteien wenig Gestaltungsspielraum und müssen sich den zwingenden Bestimmungen fügen. Im Übrigen ist es den Parteien unbenommen, eine **Rechtswahl für die Schiedsvereinbarung** zu treffen und so jenes Recht auf die Schiedsvereinbarung für anwendbar zu erklären, das den Bedürfnissen des Einzelfalls am dienlichsten ist. Der Klarheit halber sollte sich die Rechtswahl ausdrücklich auf die Schiedsvereinbarung beziehen. In der Praxis machen die Parteien jedoch selten von der Möglichkeit einer expliziten Rechtswahl für die Schiedsvereinbarung Gebrauch.

Sollte die *lex arbitri* weniger strenge Anforderungen an die Schiedsver- **814** einbarung stellen als das NYÜ, so muss man selbst im Fall der Zulässigkeit im Auge behalten, dass die Vollstreckung eines darauf beruhenden Schiedsspruchs unter dem NYÜ grundsätzlich nur im Sitzland des Schiedsgerichts oder in einem Land möglich ist, dessen Recht ebenfalls günstiger ist und eine Vollstreckung des Schiedsspruchs daher zulässt. Um eine möglichst weitgehende „Freizügigkeit" des Schiedsspruchs zu erreichen, sind die Parteien daher gut beraten, sich hinsichtlich der Gültigkeit der Schiedsklausel an die Anforderungen des NYÜ zu halten.

Eine eingeschränkte Vollstreckbarkeit des Schiedsspruchs riskieren die **815** Parteien auch dann, wenn sie Rechtsstreitigkeiten einer Schiedsvereinbarung unterwerfen, die nicht überall schiedsfähig sind, wie dies zB bei KonsumentInnenstreitigkeiten der Fall ist. Selbst wenn das Schiedsgericht gestützt auf eine liberale *lex arbitri* die Schiedsfähigkeit annimmt und einen Schiedsspruch fällt, kann dessen Vollstreckung in Ländern mit strengeren Anforderungen gestützt auf Art V Abs 2 lit a NYÜ abgelehnt werden.

1053 Vgl aber zum Problem der Berufung eines Staates als Partei des Verfahrens auf das eigene Recht *Kröll* in Böckstiegel et al, Arbitration in Germany[2] § 1061 Rn 63; *Nacimiento* in Kronke et al, Recognition and Enforcement 220 f; *Redfern/Hunter*, International Arbitration[6] Rn 2.39. Das schwIPRG enthält für dieses Problem eine eigene Bestimmung in Art 177 Abs 2 schwIPRG.

1054 *Nacimiento* in Kronke et al, Recognition and Enforcement 219; *van den Berg*, Arbitration Convention 276; *Niedermaier*, SchiedsVZ 2012, 179; *Schmidt-Ahrendts/Höttler*, SchiedsVZ 2011, 275. Siehe dazu näher *Aschauer/Gantenberg/Gabriel* Rn 737 ff.

IV. Auf die Streitsache anwendbares Recht (*lex causae*)

816 In internationalen Fällen hat ein Schiedsgericht das materielle Recht zu bestimmen, das auf die Streitsache anwendbar ist. In der Schweiz, Deutschland und Österreich bestehen spezielle Regeln zur Bestimmung des anwendbaren Rechts für Schiedsgerichte.[1055] Diese haben gem hM in Deutschland und Österreich Vorrang vor dem EU-Kollisionsrecht der Rom I-VO und Rom II-VO,[1056] während eine Mindermeinung der Rom I-VO und Rom II-VO auch im Schiedsverfahren Anwendungsvorrang zumisst.[1057] Da eine allenfalls fehlerhafte Bestimmung des anwendbaren Rechts keinen Aufhebungsgrund und kein Vollstreckungshindernis darstellt, ist es unwahrscheinlich, dass diese Frage in naher Zukunft gerichtlich geklärt wird.

817 Die speziellen Kollisionsregeln für Schiedsgerichte weisen gegenüber Kollisionsnormen für staatliche Gerichte Besonderheiten auf. Staatliche Gerichte bestimmen das anwendbare Recht auf der Basis des internationalen Privatrechts der *lex fori*, das detaillierte Bestimmungen für verschiedene Rechtsbereiche enthält,[1058] während die in den *lex arbitri* sowie in den Schiedsordnungen enthaltenen Bestimmungen über das anwendbare Recht für Schiedsgerichte üblicherweise weniger detailliert sind und einen größeren Beurteilungsspielraum gewähren. Kollisionsnormen für staatliche Gerichte enthalten insb regelmäßig Einschränkungen in Bezug auf die freie Wählbarkeit eines bestimmten Rechts, die für Schiedsgerichte nicht gelten. Beispiele sind Einschränkungen in Bezug auf die Wählbarkeit eines nicht-staatlichen Rechts (zB Art 3 Abs 1 Rom I-VO), sowie die Unabdingbarkeit der zwingenden Bestimmungen eines „abgewählten" Rechts, wenn alle Elemente des Sachverhalts zum Zeitpunkt der Rechtswahl in dem Staat des „abgewählten" Rechts belegen sind (Art 3 Abs 3 Rom I-VO). Die Kollisionsnormen bzw die Bestimmungen über das anwendbare Recht für Schiedsgerichte enthalten diese Einschränkungen idR nicht explizit.[1059]

1055 Art 187 schwIPRG; § 1051 dZPO; § 603 öZPO.

1056 ZB *Busse* in Klausegger et al, Austrian Arbitration Yearbook 2013 23 ff; *Grimm*, SchiedsVZ 2012, 189 ff; *Ostendorf*, SchiedsVZ 2010, 237; *Schlosser* in Stein/Jonas, Zivilprozessordnung²³ § 1051 Rn 6; *Schmidt-Ahrendts/Höttler*, SchiedsVZ 2011, 269 f; weitere Nachweise bei *Schmalz* in Böckstiegel et al, Arbitration in Germany² § 1051 Rn 7 f; *Nueber*, SchiedsVZ 2014, 186 ff; *Hausmaninger* in Fasching/Konecny, ZPO³ § 603 Rn 36/2; *Reiner*, öSchiedsRÄG 2006 § 603 Rn 145; *Riegler* in Riegler et al, Arbitration Law § 603 Rn 25; *Heiss/Loacker* in Liebscher/Oberhammer/Rechberger, Schiedsverfahrensrecht II Rn 9/46 und 9/52 ff.

1057 ZB *McGuire*, SchiedsVZ 2011, 257 ff; *Czernich*, wbl 2013, 554.

1058 Siehe Art 4 ff Rom I-VO; Art 117 ff schwIPRG.

1059 Art 187 schwIPRG; § 1051 dZPO; § 603 öZPO; Art 21(1) ICC Rules; Art 33(1) Swiss Rules; Art 35(1) UNCITRAL SchO; Art 16(4) LCIA Rules; Art 31(1) ICDR Arbitration Rules; Art 27 SCC Regeln; Art 61(a) WIPO Arbitration Rules; Art 27(1) Wiener Regeln.

Der **Grundsatz der Parteiautonomie** bezüglich des auf die Streitsache **818** anwendbaren Rechts ist im internationalen Schiedsrecht weitestgehend anerkannt. Folglich ist auch in der Schweiz, Deutschland und Österreich primär das von den Parteien gewählte Recht auf die Streitsache anwendbar.[1060] Nur subsidiär bestimmt das Schiedsgericht das auf die Streitsache anwendbare Recht (sog **objektive Anknüpfung**).

A. Das von den Parteien gewählte Recht

1. Grundsätze der Rechtswahl

Die Parteien können das anwendbare Recht frei wählen.[1061] In der Praxis **819** wählen sie bei Vertragsschluss oft ein nationales Recht, das auf den Vertrag Anwendung finden soll. Dies bringt den Parteien ua folgende Vorteile: Es wird ein zusammenhängendes und in sich abgeschlossenes System von Normen bestimmt, welches alle Rechtsfragen beantwortet, die sich im Zusammenhang mit dem Vertrag stellen können. Des Weiteren kann ein bestehendes nationales Recht normalerweise präzise interpretiert werden, und ist zudem gut strukturiert und leicht zugänglich.[1062] Die Wahl eines nationalen Rechts braucht keinen Zusammenhang zum Vertragsgegenstand oder zur Nationalität oder zum Sitz der Parteien zu haben; die Parteien können daher ein völlig „neutrales" Recht vereinbaren.

Grundsätzlich führt eine Rechtswahl zu einer direkten Anwendung des **820** gewählten materiellen Rechts, ohne dass allfällige kollisionsrechtliche Rück- oder Weiterverweisungen (*Renvoi*) beachtet werden,[1063] es sei denn, die Parteien haben etwas anderes vereinbart.

Die Anforderungen an eine Rechtswahl sind der jeweils anwendbaren **821** Bestimmung der *lex arbitri*, die die Rechtswahlmöglichkeit vorsieht, zu entnehmen.[1064] In Österreich, Deutschland und der Schweiz bestehen keine besonderen Formanforderungen für die Rechtswahl. Eine stillschweigende Rechtswahl ist möglich,[1065] allerdings müssen sich der Rechtswahlwille und

---

1060 Art 187 Abs 1 schwIPRG; § 1051 Abs 1 dZPO; § 603 Abs 1 öZPO.

1061 Art 187 Abs 1 schwIPRG; § 1051 Abs 1 dZPO; § 603 Abs 1 öZPO.

1062 *Girsberger/Voser*, International Arbitration[3] Rn 1354; *Redfern/Hunter*, International Arbitration[6] Rn 3.111 f.

1063 § 1051 Abs 1 Satz 2 dZPO; § 603 Abs 1 Satz 2 öZPO; Art 28(1) UNCITRAL ModG; § 23.1 DIS-Regeln; Art 27(2) SCC Regeln; vgl für die Schweiz *Kaufmann-Kohler/Rigozzi*, International Arbitration in Switzerland[3] Rn 7.14; *B. Berger/Kellerhals*, Arbitration[3] Rn 1392. Für Österreich *Hausmaninger* in Fasching/Konecny, ZPO[3] § 603 Rn 14; *Zeiler*, Schiedsverfahren[2] § 603 Rn 2.

1064 Art 187 Abs 1 schwIPRG; § 1051 Abs 1 dZPO; § 603 Abs 1 öZPO.

1065 Vgl für die Schweiz *Kaufmann-Kohler/Rigozzi*, International Arbitration in Switzerland[3] Rn 7.25; *Girsberger/Voser*, International Arbitration[3] Rn 1386. Vgl für

das gewählte Recht hinreichend deutlich aus den Umständen ergeben. Eine hypothetische Einigung reicht nicht. Eine implizite Rechtswahl wird im Allgemeinen angenommen, wenn die Parteien im Bewusstsein der kollisionsrechtlichen Frage ihren Rechtsstreit auf der gleichen materiell-rechtlichen Grundlage argumentieren, ohne sich jedoch explizit darauf geeinigt zu haben.[1066] Die Festlegung des Sitzes eines Schiedsgerichts bedeutet für sich alleine noch nicht, dass die Parteien auch eine implizite Rechtswahl des materiellen Rechts des Schiedsortes vereinbart haben.[1067]

2. Inhalt der Rechtswahl und wählbare Rechtsquellen

822 Es ist allgemein anerkannt, dass Parteien in einem Schiedsverfahren hinsichtlich des anwendbaren Rechts weitgehende Gestaltungsspielräume haben,[1068] die über die Wahl eines nationalen materiellen Rechts oder eines Staatsvertrags[1069] hinausgehen. So haben sie insb folgende Möglichkeiten:

– *Freezing Clause/Stabilization Clause*: Es ist allgemein anerkannt, dass die Parteien ein nationales materielles Recht wählen und dieses auf einem bestimmten Stand „einfrieren" können.[1070] Dies hat zur Wirkung, dass zukünftige Rechtsänderungen nicht berücksichtigt werden, sondern es wird das Recht so angewendet, wie es an dem zu bestimmenden Datum in Kraft war. Eine solche Vertragsklausel wird zuweilen dann vereinbart, wenn ein Staat als Vertragspartei auftritt und darauf besteht, sein eigenes Recht auf die Streitsache anzuwenden. Im Sinne eines Kompromisses kann man sich darauf einigen, dass das nationale Recht des am Vertrag beteiligten Staates zum Zeitpunkt des Vertragsschlusses gilt, um zu vermeiden, dass der Staat einseitig durch Rechtsänderungen die Rechtslage verändern kann.[1071]

Deutschland *Berger*, DZWir 1998, 45 (52); *Schmalz* in Böckstiegel et al, Arbitration in Germany² § 1051 Rn 17 ff. Vgl für Österreich *Zeiler*, Schiedsverfahren² § 603 Rn 1.

1066 *Hausmaninger* in Fasching/Konecny, ZPO³ § 603 Rn 40.

1067 *Girsberger/Voser*, International Arbitration³ Rn 1351; *Schmalz* in Böckstiegel et al, Arbitration in Germany² § 1051 Rn 19; *Heiss/Loacker* in Liebscher/Oberhammer/Rechberger, Schiedsverfahrensrecht II Rn 9/87; *Riegler* in Riegler et al, Arbitration Law § 603 Rn 15.

1068 Siehe zB zur Möglichkeit der Umgehung zwingender nationaler Vorschriften (zB des deutschen AGB-Rechts) in einem Binnensachverhalt *Ostendorf*, SchiedsVZ 2010, 234 ff; *Schlosser* in Stein/Jonas, Zivilprozessrecht²³ § 1051 Rn 12.

1069 Wie zB das UN-Kaufrecht.

1070 *Gaillard/Savage*, International Arbitration Rn 1438; *Karrer* in Honsell et al, Internationales Privatrecht³ Art 187 Rn 90; *Kaufmann-Kohler/Rigozzi*, International Arbitration in Switzerland³ Rn 7.20; *Redfern/Hunter*, International Arbitration⁶ Rn 3.120–3.125; *Zeiler*, Schiedsverfahren² § 603 Rn 15; *Hausmaninger* in Fasching/Konecny, ZPO³ § 603 Rn 42.

1071 Vgl *Girsberger/Voser*, International Arbitration³ Rn 1361.

– **Nicht-nationales Recht/*lex mercatoria*:** Die Parteien können auch nicht-nationale Rechtsquellen wählen.[1072] So können sie die Anwendbarkeit des UN-Kaufrechts oder bestimmter Rechtssätze vorsehen, wie zB die *UNI-DROIT Principles of International Commercial Contracts* oder (noch) nicht in Kraft getretene Entwürfe von Gesetzen oder Staatsverträgen. Darüber hinaus können die Parteien allgemeine Rechtsgrundsätze und/oder die *lex mercatoria* für anwendbar erklären.[1073] Die genaue Definition der *lex mercatoria* ist jedoch unklar und schwierig.[1074] Allgemein werden darunter Regeln des transnationalen Rechts verstanden, die durch die internationale Wirtschaftsgemeinschaft zur Regelung von Wirtschaftsaktivitäten entwickelt wurden. Quellen der *lex mercatoria* finden sich, neben Staatsverträgen wie dem UN-Kaufrecht, bspw in den bereits genannten *UNIDROIT Principles of International Commercial Contracts* oder den *INCOTERMS*. Schließlich zählt man auch allgemeine, international anerkannte Rechtsgrundsätze des Vertragsrechts zur *lex mercatoria*, ua die Prinzipien *pacta sunt servanda* und *clausula rebus sic stantibus*.[1075] Eine Wahl der *lex mercatoria* hat zumindest theoretisch den Vorteil, dass dadurch die Anwendung flexibler Prinzipien erreicht wird, die vom Schiedsgericht sehr frei auf den streitgegenständlichen Sachverhalt angewendet werden können und die den wirtschaftlichen Gegebenheiten näher kommen sollen. Allerdings überwiegen idR die Nachteile, weil dadurch der Ausgang eines Streites für die Parteien weniger vorhersehbar ist und höhere Streitkosten anfallen können, weil der genaue Inhalt der *lex mercatoria* nicht klar und im Detail umstritten sein kann und sie große Regelungslücken ausweist.

1072 Für die Schweiz vgl *Girsberger/Voser*, International Arbitration³ Rn 1388; *Kaufmann-Kohler/Rigozzi*, International Arbitration in Switzerland³ Rn 7.52. Für Deutschland vgl *Schlosser* in Stein/Jonas, Zivilprozessordnung²³ § 1051 Rn 2, 13; *Schmalz* in Böckstiegel et al, Arbitration in Germany² § 1051 Rn 21 ff. Für Österreich vgl ErläutRV öSchiedsRÄG 2006, 22; *Zeiler*, Schiedsverfahren² § 603 Rn 15; *Riegler* in Riegler et al, Arbitration Law § 603 Rn 22; *Hausmaninger* in Fasching/Konecny, ZPO³ § 603 Rn 48.

1073 Für die Schweiz vgl *Kaufmann-Kohler/Rigozzi*, International Arbitration in Switzerland³ Rn 7.54; *B. Berger/Kellerhals*, Arbitration³ Rn 1396. Für Deutschland vgl *Berger*, DZWir 1998, 52; *Schlosser* in Stein/Jonas, Zivilprozessordnung²³ § 1051 Rn 2, 13; *Schmalz* in Böckstiegel et al, Arbitration in Germany² § 1051 Rn 21 ff. Für das österreichische Recht *Oberhammer*, Entwurf 109; *Reiner*, öSchiedsRÄG 2006 § 603 Rn 144; *Riegler* in Riegler et al, Arbitration Law § 603 Rn 22; *Zeiler*, Schiedsverfahren² § 603 Rn 15 (zweifelnd); *Kollik*, SchiedsVZ 2009, 209 ff.

1074 Vgl dazu *Gaillard/Savage*, Arbitration Rn 1449–1499; *Lew/Mistelis/Kröll*, Comparative Arbitration Rn 18–50 ff; *Poudret/Besson*, International Arbitration² Rn 695–704; *Redfern/Hunter*, International Arbitration⁶ Rn 3.161–3.176.

1075 Siehe *Girsberger/Voser*, International Arbitration³ Rn 1368; *Kaufmann-Kohler/Rigozzi*, International Arbitration in Switzerland³ Rn 7.54.

- **Handelsbräuche:** Die Parteien können auch die Anwendung von Handelsbräuchen wie bspw der *INCOTERMS* vereinbaren. Teilweise werden diese auch ohnehin aufgrund der anwendbaren *lex arbitri* bzw Schiedsregeln berücksichtigt werden müssen.[1076] *INCOTERMS* sind Standard-Vertragsklauseln, welche die Rechte und Pflichten der Parteien in internationalen Kaufverträgen hauptsächlich über die Art und Weise der Lieferung von Handelsgütern regeln. Sie bestimmen beispielsweise, wo die Güter abgeliefert werden müssen, wer die Transportkosten und allfällige Versicherungsprämien trägt und wann die Gefahr an den Käufer übergeht.[1077]

- *Dépeçage*: Die Parteien können die oben genannten Möglichkeiten einheitlich für das gesamte Rechtsverhältnis wahrnehmen. Sie können aber auch für verschiedene Einzelfragen (zB Wirksamkeit eines Vertrags, Bestehen einer Schuld, Höhe der Schuld) die Geltung einer jeweils verschiedenen Rechtsquelle vereinbaren.[1078] IdR ist dies nicht zu empfehlen, denn es können daraus neue Streitigkeiten entstehen, so bspw über den Geltungsbereich der verschiedenen vereinbarten Rechtsquellen.

- **Indirekte Rechtswahl:** Die Parteien können auch staatliche oder nichtstaatliche Kollisionsregeln wählen,[1079] die dann entsprechend der Parteivereinbarung anzuwenden sind. In der Praxis häufig ist die Wahl einer

---

1076 Siehe zB § 1051 Abs 4 dZPO; § 23.4 DIS-Regeln; Art 21(2) ICC SchO; Art 33(3) Swiss Rules; Art 35(3) UNCITRAL SchO; Art 61(a) WIPO Arbitration Rules. In Österreich ist die Berücksichtigung von Handelsbräuchen in der öZPO nicht explizit erwähnt, ihre Anwendung ist aber anerkannt, vgl *Hausmaninger* in Fasching/Konecny, ZPO³ § 603 Rn 52.

1077 Die *INCOTERMS* wurden von der ICC entwickelt und erstmals 1936 aufgestellt; die neuste Fassung trat am 1.1.2011 in Kraft (*INCOTERMS* 2010). Die Verwendung der *INCOTERMS* ist weitverbreitet und aus dem internationalen Handel nicht mehr wegzudenken. Für eine Übersicht der *INCOTERMS*-Rules: ICC Website, abrufbar unter: http://www.iccwbo.org/products-and-services/trade-facilitation/incoterms-2010/the-incoterms-rules/ (zuletzt abgerufen am 3.5.2016); *Grüske*, *INCOTERMS* 2010.

1078 Vgl für die Schweiz *Girsberger/Voser*, International Arbitration³ Rn 1356; *Kaufmann-Kohler/Rigozzi*, International Arbitration in Switzerland³ Rn 7.18. Für Deutschland vgl *Berger*, DZWir 1998, 52; *Schmalz* in Böckstiegel et al, Arbitration in Germany² § 1051 Rn 11. Für Österreich vgl *Hausmaninger* in Fasching/Konecny, ZPO³ § 603 Rn 47; *Riegler* in Riegler et al, Arbitration Law § 603 Rn 23; *Zeiler*, Schiedsverfahren² § 603 Rn 15.

1079 Für die Schweiz vgl *B. Berger/Kellerhals*, Arbitration³ Rn 1393. Für Deutschland vgl *Schmalz* in Böckstiegel et al, Arbitration in Germany² § 1051 Rn 25. Für Österreich vgl *Hausmaninger* in Fasching/Konecny, ZPO³ § 603 Rn 51; *Zeiler*, Schiedsverfahren² § 603 Rn 2, wonach die Parteien die Verweisung auf Kollisionsnormen ausdrücklich vereinbaren können. Siehe auch Art 28(1) UNCITRAL ModG *„unless otherwise expressed"*; Art 8 Hague Principles on Choice of Law in International Commercial Contracts.

Schiedsordnung, die eigene Kollisionsnormen enthält. Haben die Parteien keine konkrete Rechtswahl getroffen, haben die Kollisionsregeln der Schiedsordnung Vorrang vor der objektiven Anknüpfung nach der *lex arbitri*.[1080] Anzumerken ist jedoch, dass Kollisionsnormen der Schiedsordnungen normalerweise nicht bestimmter sind als jene der *lex arbitri*.[1081]

3. Umfang und Grenzen der Rechtswahl

Grundsätzlich gilt die Rechtswahl umfassend für das gesamte materielle Zivilrecht. Ausgeschlossen sind demnach die kollisionsrechtlichen Bestimmungen einer Rechtsordnung. Ebenfalls nicht von der Rechtswahl erfasst sind Fragen, die einer Sonderanknüpfung unterliegen, wie zB die Rechts- und Handlungsfähigkeit oder die gesellschaftsrechtliche Vertretungsbefugnis.[1082] Es handelt sich dabei um Vorfragen, von denen auch die Gültigkeit der Rechtswahl abhängt und die daher nach dem Recht zu beurteilen sind, welches unabhängig von einer Rechtswahl zur Anwendung kommt.[1083]   **823**

Die Anwendung des von den Parteien gewählten Rechts findet ihre Grenze am *ordre public*. In Deutschland und der Schweiz wird hier der internationale *ordre public* als Grenze definiert.[1084] In Österreich ist der Begriff des internationalen *ordre public* nicht gebräuchlich. Die Grenze der Rechtswahl bildet hier der (nationale) *ordre public*.[1085] Ein praktisch wichtiges Problem betrifft die Frage, ob das Schiedsgericht sog Eingriffsnormen anwenden kann oder sogar muss. Eingriffsnormen sind Normen, für die der Erlassstaat aus Gründen des öffentlichen Interesses unbedingte Anwendung beansprucht,   **824**

1080 AA ist *Schmalz* in Böckstiegel et al, Arbitration in Germany[2] § 1051 Rn 44, die den Kollisionsregeln in § 1051 Abs 2 dZPO Vorrang vor den Kollisionsregeln der Schiedsordnung einräumen will.

1081 *Girsberger/Voser*, International Arbitration[3] Rn 1353.

1082 *Kaufmann-Kohler/Rigozzi*, International Arbitration in Switzerland[3] Rn 7.17; *Schlosser* in Stein/Jonas, Zivilprozessordnung[23] § 1051 Rn 11; vgl auch Art V Abs 1 lit a NYÜ.

1083 *Girsberger/Voser*, International Arbitration[3] Rn 1360; *Koller* in Liebscher/Oberhammer/Rechberger, Schiedsverfahrensrecht I Rn 3/131 ff.

1084 Vgl *B. Berger/Kellerhals*, Arbitration[3] Rn 1404; *Schmalz* in Böckstiegel et al, Arbitration in Germany[2] § 1051 Rn 38; vgl ausführlich *Lew/Mistelis/Kröll*, Comparative Arbitration Rn 17–32 ff.

1085 *Hausmaninger* in Fasching/Konecny, ZPO[3] § 603 Rn 54; *Riegler* in Riegler et al, Arbitration Law § 603 Rn 13. Die Unterscheidung zwischen internationalem und nationalem *ordre public* darf nicht darüber hinwegtäuschen, dass auch der internationale *ordre public* ein nationales Konzept ist, welches auf internationale Sachverhalte angewendet wird. Es gibt daher nicht einen vereinheitlichten internationalen *ordre public*, sondern jede Rechtsordnung definiert selbständig, was unter ihren internationalen *ordre public* fällt.

auch wenn die Rechtsbeziehung eigentlich einem anderen Recht untersteht. Beispiele für Eingriffsnormen finden sich bspw im Kartellrecht (zB Art 101 AEUV [ex-Art 81 EGV]), Devisenrecht, Kapitalmarktrecht, Arbeits- und Verbraucherschutzrecht,[1086] Kulturgüterschutzrecht, Enteignungsrecht und in der Korruptions- und Geldwäschereibekämpfung.

825   Aufgrund der Komplexität des Problems der **Eingriffsnormen** sei hier auf ausführliche Auseinandersetzungen anderswo verwiesen.[1087] Im Folgenden wird – grob vereinfacht – nur auf einige wenige Grundgedanken hingewiesen: Stellt sich die Frage der Berücksichtigung einer Eingriffsnorm, so ist zunächst genau zu prüfen, ob diese für den zu entscheidenden Fall wirklich Anwendung beansprucht. Ist dies der Fall, so werden Eingriffsnormen des von den Parteien gewählten Rechts idR angewendet oder jedenfalls berücksichtigt.[1088] Dasselbe gilt für Eingriffsnormen des Sitzstaates des Schiedsgerichts, die Anwendung beanspruchen, aber nur für den Fall, dass deren Nichtberücksichtigung zur Aufhebung des Schiedsspruchs im Sitzstaat führen kann.[1089] Problematischer ist die Frage der Berücksichtigung von Eingriffsnormen eines Drittstaates. Hier kommt eine Berücksichtigung in der Regel nur dann in Betracht, wenn der Sachverhalt eine enge Beziehung zu diesem Staat hat und wenn eine inhaltliche Bewertung der Norm und des durch die Berücksichtigung erzielten Ergebnisses die Norm als anwendungswürdig erscheinen lassen.[1090] Für diese Bewertung ist insbesondere der transnationale *ordre public* als Maßstab heranzuziehen.

1086 §§ 617 Abs 6 Z 1, 618 öZPO sehen in Verfahren mit VerbraucherInnen und ArbeitnehmerInnen einen Vorbehalt zugunsten zwingender Normen des objektiven Vertragsstatuts vor, die die Parteien nicht mittels Rechtswahl abbedingen können.

1087 *Barraclough/Waincymer*, Melbourne Journal of International Arbitration 2005, 205 ff; *Gaillard/Savage*, International Arbitration Rn 1515 ff; *Hochstrasser*, Journal of International Arbitration 1994, 57 ff; *Horn*, SchiedsVZ 2008, 209 ff; *Voser*, American Review of International Arbitration 1996, 319 ff.

1088 *Poudret/Besson*, International Arbitration² Rn 706; *Kaufmann-Kohler/Rigozzi*, International Arbitration in Switzerland³ Rn 7.94; *Born*, Commercial Arbitration² 2707. Krit allerdings *Voser*, American Review of International Arbitration 1996, 339 f.

1089 *Vgl Poudret/Besson*, International Arbitration² Rn 706; vgl auch *Schmalz* in Böckstiegel et al, Arbitration in Germany² § 1051 Rn 27–29.

1090 ZB *Kaufmann-Kohler/Rigozzi*, International Arbitration in Switzerland³ Rn 7.95 ff; *B. Berger/Kellerhals*, Arbitration³ Rn 1425 ff; *Schlosser* in Stein/Jonas, Zivilprozessordnung²³ § 1051 Rn 8; *Voser*, American Review of International Arbitration 1996, 345 ff; *Nueber/Zeiler* in Balthasar, International Commercial Arbitration Rn 97.

B. Das mangels Rechtswahl anwendbare Recht

Haben die Parteien das anwendbare materielle Recht nicht selbst bestimmt, **826** dann muss das Schiedsgericht das anwendbare Recht selbst ermitteln. Dies erfolgt üblicherweise anhand objektiver Anknüpfungskriterien, und vorrangig auf Grundlage der Bestimmungen zum anwendbaren materiellen Recht der gewählten Schiedsordnung, subsidiär auf Grundlage der Kollisionsnormen der *lex arbitri*.[1091] Beides wird im Folgenden behandelt.

1. Anknüpfungskriterien

Die Anknüpfungskriterien in der Schiedsgerichtsbarkeit unterscheiden **827** sich von denen in der staatlichen Gerichtsbarkeit. Während die Anknüpfungen des für staatliche Gerichte geltenden Kollisionsrechts immer weiter verfeinert wurden, beschränken sich die Regeln der *lex arbitri* oder der Schiedsordnungen auf **grundlegende Prinzipien**, die dem Schiedsgericht einen größeren Beurteilungsspielraum bei der Bestimmung des anwendbaren Rechts geben.

In der Schiedsgerichtsbarkeit sind im Wesentlichen drei verschiedene **828** Regeln zur **objektiven Ermittlung** des anwendbaren Rechts gebräuchlich:
- Der Verweis auf das Recht mit der **engsten Verbindung zur Streitsache**. Zur Bestimmung der engsten Verbindung hat das Schiedsgericht eine Gesamtbetrachtung vorzunehmen. Es ist nicht an die Vermutungen und Konkretisierungen des für staatliche Gerichte geltenden Kollisionsrechts gebunden, wird sich aber oft daran orientieren.[1092] Dieser Methode folgen das schweizerische und das deutsche Recht sowie einige Schiedsordnungen.[1093] Beim sogenannten *closest connection test* sind besonders der Sitz der Parteien, insb jener Partei, welche die charakteristische Leistung erbringt, sowie der Ort, wo die charakteristische Leistung zu erbringen ist, als relevante Faktoren zu berücksichtigen. Andere Faktoren wie bspw der Ort, wo der Vertrag unterzeichnet wurde oder der Sitz des Schiedsgerichts werden generell nicht als enge Verbindung zur Streitsache erachtet.[1094]

1091 AA ist *Schmalz* in Böckstiegel et al, Arbitration in Germany[2] § 1051 Rn 44, die den Kollisionsregeln in § 1051 Abs 2 dZPO Vorrang vor den Kollisionsregeln der Schiedsordnung einräumen will.

1092 *Berger*, DZWir 1998, 52; *Schlosser* in Stein/Jonas, Zivilprozessordnung[23] § 1051 Rn 15; *Schmidt-Ahrendts/Höttler*, SchiedsVZ 2011, 271 mwN; vgl auch *Schmalz* in Böckstiegel et al, Arbitration in Germany[2] § 1051 Rn 42, 45.

1093 Art 187 Abs 1 schwIPRG; § 1051 Abs 2 dZPO; § 23.2 DIS-Regeln; Art 33(1) Swiss Rules.

1094 ZB *Girsberger/Voser*, International Arbitration[3] Rn 1418; *Schmalz* in Böckstiegel et al, Arbitration in Germany[2] § 1051 Rn 46.

- Der Verweis auf jenes Recht, welches das Schiedsgericht für **angemessen** erachtet. Dieser Regel folgen Österreich und viele Schiedsordnungen.[1095] Sie impliziert ein großes Ermessen des Schiedsgerichts. Dieses wird meist – und muss nach verbreiteter Ansicht[1096] – auch hier ein objektiv mit dem Sachverhalt verbundenes Recht anwenden, womit im Ergebnis meist keine großen Unterschiede zum ersten Ansatz bestehen.[1097] Allerdings darf das Schiedsgericht bei seiner Entscheidung hinsichtlich der Angemessenheit eines Rechts auch andere Aspekte einbeziehen, so zB ob das in Frage stehende Recht in Bezug auf den streitbefangenen Vertragstyp entwickelt und inhaltlich angemessen ist.[1098]

- Die Anwendung der **Kollisionsregeln**, die das Schiedsgericht für anwendbar hält. Diese Lösung ist insbesondere im UNCITRAL ModG und in der UNCITRAL SchO vorgesehen.[1099] Hier muss das Schiedsgericht in zwei Schritten vorgehen: Zuerst muss es die anwendbaren Kollisionsregeln ermitteln. Hierfür gibt es verschiedene Ansätze, zB die Anwendung der Kollisionsnormen des Schiedsortes, die Anwendung der den betroffenen Rechtsordnungen gemeinsamen Kollisionsregeln oder die Anwendung genereller Prinzipien (insb das der engsten Verbindung).[1100] In einem zweiten Schritt muss das Schiedsgericht in Anwendung dieser Kollisionsregeln das anwendbare Recht bestimmen. Generell wird es heute jedoch nicht mehr als gerechtfertigt erachtet, die für staatliche Gerichte geltenden nationalen Kollisionsregeln des Schiedsortes anzuwenden, da nur selten eine bedeutende Verbindung der Streitsache mit dem Schiedsort besteht.[1101] Zudem ist ein internationales Schiedsgericht keine staatliche Institution, die verpflichtet ist, die nationalen Kollisionsregeln

---

1095 § 603 Abs 2 öZPO; Art 21(1) ICC SchO; Art 31(1) ICDR Arbitration Rules; Art 22(3) LCIA Regeln; Art 27(1) SCC Regeln; Art 27(2) Wiener Regeln; Art 61(a) WIPO Arbitration Rules; Art 35(1) UNCITRAL SchO.

1096 *Berger*, Wirtschaftsschiedsgerichtsbarkeit Rn 355 f; *Poudret/Besson*, International Arbitration² Rn 687; *Koller*, Aufrechnung und Widerklage 84; *Riegler* in Riegler et al, Arbitration Law § 603 Rn 24 ff; *Zeiler*, Schiedsverfahren² § 603 Rn 3; *Schwarz/Konrad*, Vienna Rules² Rn 24–043; aA *Nesbitt/Darowski* in Mistelis, Concise Arbitration² Art 22 LCIA Rules Rn 13; offenbar auch *Lew/Mistelis/Kröll*, Comparative Arbitration Rn 17–73.

1097 Vgl *Gaillard/Savage*, International Arbitration Rn 1552 f; *Oberhammer*, Entwurf 110.

1098 So *Gaillard/Savage*, International Arbitration Rn 1552; *Lew/Mistelis/Kröll*, Comparative Arbitration Rn 17–73.

1099 Art 33(1) UNCITRAL SchO; auch Art 28(2) UNCITRAL ModG.

1100 Siehe die detaillierte Darstellung bei *Lew/Mistelis/Kröll*, Comparative Arbitration Rn 17–49 ff; *Poudret/Besson*, International Arbitration² Rn 687.

1101 *Girsberger/Voser*, International Arbitration³ Rn 1404.

anzuwenden.[1102] Gleichwohl findet man dieses Vorgehen nach wie vor oft in England und anderen *common law* Staaten.[1103]

2. Anwendbare Rechtsquellen

Es stellt sich die Frage, ob ein Schiedsgericht kraft objektiver Anknüpfung **829** nur ein staatliches Recht bzw Staatsvertragsrecht oder auch **nicht-nationales Recht** (zB *UNIDROIT-Principles*, *lex mercatoria*) anwenden kann. Hier besteht international keine Einigkeit. Die Schweizer Kollisionsregeln sowie einige Schiedsregeln lassen die Anwendung nicht-nationalen Rechts zu.[1104] Deutschland und Österreich sowie andere Schiedsregeln hingegen beschränken das Schiedsgericht (anders als die Parteien) darauf, staatliches Recht oder Staatsvertragsrecht zur Anwendung zu berufen.[1105]

Einige *leges arbitri* und Schiedsordnungen verpflichten das Schiedsgericht **830** dazu, neben dem anwendbaren Recht auch bestehende **Handelsbräuche** (wie zB die *INCOTERMS*) zu berücksichtigen,[1106] selbst wenn der Vertrag oder das anwendbare materielle Recht keinen Bezug auf sie nehmen.[1107] Die Rolle und das Gewicht der Handelsbräuche sind allerdings umstritten, wobei die Meinungen von einer Auslegungshilfe bis hin zu einer teilweisen Ersetzung des anwendbaren Rechts reichen.[1108]

Schließlich stellt sich das Problem der Anwendbarkeit von Eingriffs- **831** normen auch dann, wenn das Schiedsgericht das anwendbare Recht mangels Rechtswahl selbst bestimmt. Dies ist insb dann der Fall, wenn der betreffende Vertrag relevante Verbindungen zu mehreren Rechtsordnungen aufweist.

1102 *Lew/Mistelis/Kröll*, Comparative Arbitration Rn 17–53; *Oberhammer* in Kloiber et al, Schiedsrecht 135.

1103 *Born*, Commercial Arbitration² 2628 ff.

1104 Art 187 Abs 1 schwIPRG (vgl *Girsberger/Voser*, International Arbitration³ Rn 1410); Art 21(1) ICC SchO; Art 31(1) ICDR Arbitration Rules; Art 22(3) LCIA Regeln; Art 27(1) SCC Regeln; Art 33(1) Swiss Rules; Art 27(1) Wiener Regeln; Art 49(2) CIETAC Regeln; Art 35(1) UNCITRAL SchO 2013 (vgl *Weigand*, Handbook² Rn 16.344 und 16.348); Art 61(a) WIPO Arbitration Rules.

1105 § 1051 Abs 2 dZPO (s *Schlosser* in Stein/Jonas, Zivilprozessordnung²³ § 1051 Rn 2, 15; *Schmidt-Ahrendts/Höttler*, SchiedsVZ 2011, 271); § 603 Abs 2 öZPO (s ErläutRV des öSchiedsRÄG 2006, 22; *Zeiler*, Schiedsverfahren² § 603 öZPO Rn 12; *Riegler* in Riegler et al, Arbitration Law § 603 Rn 26; *Reiner*, öSchiedsRÄG 2006 § 603 Rn 145; *Hausmaninger* in Fasching/Konecny, ZPO³ § 603 Rn 67); § 23.2 DIS-Regeln.

1106 § 1051 Abs 4 dZPO; § 23.4 DIS-Regeln; Art 21(2) ICC SchO; Art 33(3) Swiss Rules; Art 35(3) UNCITRAL SchO.

1107 *Kaufmann-Kohler/Rigozzi*, International Arbitration in Switzerland³ Rn 7.62; *Gaillard/Savage*, International Arbitration Rn 1513 f.

1108 Vgl dazu zB *Gaillard/Savage*, International Arbitration Rn 1513 f; *Schmalz* in Böckstiegel et al, Arbitration in Germany² § 1051 Rn 66 ff; *Schwarz/Konrad*, Vienna Rules² Rn 24–020 ff; *Oberhammer*, Entwurf 111.

Wenn das Schiedsgericht eine dieser Rechtsordnungen für generell anwendbar erklärt, muss es dennoch die Anwendbarkeit der Eingriffsnormen der anderen Rechtsordnungen prüfen.

C. Die Ermächtigung zum Billigkeitsentscheid

832 Anders als in der staatlichen Gerichtsbarkeit können die Parteien ein Schiedsgericht dazu ermächtigen, nicht nach einem bestimmten Recht, sondern nach seinem Gerechtigkeitsempfinden zu entscheiden.

1. Inhalt eines Billigkeitsentscheids

833 Das schweizerische, deutsche und österreichische Recht sehen die Möglichkeit eines Billigkeitsentscheids vor.[1109] Dasselbe gilt für die meisten in der internationalen Schiedsrechtspraxis anerkannten Schiedsordnungen.[1110] Dabei wurden ursprünglich zwei verschiedene Arten von Entscheiden nach Billigkeit auseinandergehalten: Der eigentliche Billigkeitsentscheid *ex aequo et bono* und die Entscheidung eines Schiedsgerichts als *amiable compositeur*. Diese Unterscheidung wird häufig durch die englischen Fassungen der Schiedsordnungen klargestellt.[1111]

834 Obwohl die Details umstritten sind[1112] und die Unterscheidung nicht von allen gemacht wird,[1113] lassen sich folgende Grundregeln aufstellen: Bei einer Ermächtigung zu einem Billigkeitsentscheid *ex aequo et bono* kann das Schiedsgericht ohne Anwendung jeglicher Rechtsregeln einen Entscheid allein gestützt auf die **Einzelfallgerechtigkeit** treffen. Umstritten ist, ob das Schiedsgericht dabei an den Vertrag gebunden ist oder davon abweichen kann, soweit dieser als ungerecht empfunden wird.[1114]

1109 Art 187 Abs 2 schwIPRG; § 1051 Abs 3 dZPO; § 603 Abs 3 öZPO.

1110 ZB § 23.3 DIS-Regeln; Art 21(3) ICC SchO; Art 31(3) ICDR Arbitration Rules; Art 27(3) SCC Regeln; Art 33(2) Swiss Rules; Art 35(2) UNCITRAL SchO; Art 61(a) WIPO Arbitration Rules Art; Art 27(3) Wiener Regeln.

1111 Vgl § 23.3 DIS-Regeln; Art 21(3) ICC SchO; Art 31(3) ICDR Arbitration Rules; Art 27(3) SCC Regeln; Art 33(2) Swiss Rules; Art 35(2) UNCITRAL SchO; Art 61(a) WIPO Arbitration Rules.

1112 Siehe ausführlich zB *Poudret/Besson*, International Arbitration[2] Rn 709–720; *Gaillard/Savage*, International Arbitration Rn 1500–1508; *Hausmaninger* in Fasching/Konecny, ZPO[3] § 603 Rn 55 ff.

1113 Ohne Unterscheidung zB *Redfern/Hunter*, International Arbitration[6] Rn 3.193, 3.196; *Verbist/Schafer/Imhoos*, ICC Arbitration 119; die terminologische Unterscheidung als künstlich kritisierend *Gaillard/Savage*, International Arbitration Rn 1502.

1114 Vgl *Kaufmann-Kohler/Rigozzi*, International Arbitration in Switzerland[3] Rn 7.72; *Poudret/Besson*, International Arbitration[2] Rn 718, die zudem zu Recht darauf

Bei einem Entscheid als *amiable compositeur* beginnt das Schiedsgericht **835**
mit einer Analyse des anwendbaren Rechts sowie des Vertrags und korrigiert
bzw „lindert" das Ergebnis gestützt auf Billigkeitserwägungen, falls es dieses
als unbillig empfindet. Das Schiedsgericht weicht somit nur insoweit vom
anwendbaren Recht ab, als es nötig ist, um eine **billigkeitskonforme Entscheidung** zu erzielen.[1115] Nach umstrittener Auffassung ist es an den Vertrag und an die zwingenden Normen des anwendbaren Rechts gebunden.[1116]

In beiden Fällen ist das Schiedsgericht an den (internationalen) *ordre pu-* **836**
blic gebunden.[1117] Selbstredend ist zudem, dass das Schiedsgericht unter allen
Umständen das **Gleichbehandlungsgebot** sowie den Anspruch der Parteien
auf **rechtliches Gehör** gewährleisten muss, auch wenn es seinen Entscheid
nach seinem eigenen Gerechtigkeitsempfinden fällt und dabei nicht an Rechtsregeln gebunden ist.

2. Anforderungen an die Ermächtigung zum Billigkeitsentscheid

In den meisten *leges arbitri* und Schiedsordnungen ist vorgesehen, dass die Par- **837**
teien das Schiedsgericht ausdrücklich zu einem Billigkeitsentscheid ermächtigen müssen.[1118] In der Schweiz wird auch eine stillschweigende Ermächtigung
zugelassen, soweit sich diese unzweideutig aus den Umständen ergibt.[1119]
Zudem ist zu beachten, dass sich möglicherweise in einer von den Parteien

---

hinweisen, dass diese Frage in erster Linie durch Auslegung des Parteiwillens zu
beantworten ist. Gegen eine Bindung *Gaillard/Savage*, International Arbitration
Rn 1507; *Schlosser* in Stein/Jonas, Zivilprozessordnung[23] § 1051 Rn 29; *Schmalz*
in Böckstiegel et al, Arbitration in Germany[2] § 1051 Rn 51, 62; *Zeiler*, Schiedsverfahren[2] § 603 Rn 16.

1115 *Girsberger/Voser*, International Arbitration[3] Rn 1429; weitergehend *Schmalz* in
Böckstiegel et al, Arbitration in Germany[2] § 1051 Rn 52 ff.

1116 *Poudret/Besson*, International Arbitration[2] Rn 714; *B. Berger/Kellerhals,* Arbitration[3] Rn 1440 ff.

1117 *Girsberger/Voser*, International Arbitration[3] Rn 1427, 1429; *Gaillard/Savage*, International Arbitration Rn 1508; *Schmalz* in Böckstiegel et al, Arbitration in Germany[2] § 1051 Rn 62; *Schwarz/Konrad*, Vienna Rules[2] Rn 24–051; *Hausmaninger*
in Fasching/Konecny, ZPO[3] § 603 Rn 65; *Riegler* in Riegler et al, Arbitration Law
§ 611 Rn 91.

1118 § 1051 Abs 3 dZPO; § 603 Abs 3 öZPO; § 23.3 DIS-Regeln; Art 21(3) ICC SchO
(s *Verbist/Schäfer/Imhoos*, ICC Arbitration 119); Art 31(3) ICDR Arbitration Rules; Art 22(4) LCIA Regeln (ausdrücklich und schriftlich), Art 27(3) SCC Regeln;
Art 33(2) Swiss Rules; Art 35(2) UNCITRAL SchO (ausdrücklich und nur dann,
wenn das auf das Verfahren anwendbare Recht dies zulässt); Art 27(3) Wiener Regeln; Art 61(a) WIPO Arbitration Rules; Art 28(3) UNCITRAL ModG.

1119 *Kaufmann-Kohler/Rigozzi*, International Arbitration in Switzerland[3] Rn 7.76;
B. Berger/Kellerhals, Arbitration[3] Rn 1449. Für ein Ausdrücklichkeitserfordernis
jedoch *Heini* in Girsberger, IPRG[2] Art 187 Rn 28.

gewählten Schiedsordnung ein Formerfordernis für eine Ermächtigung des Schiedsgerichts zum Billigkeitsentscheid findet, die zu berücksichtigen ist.[1120]

D. Nachweis des anwendbaren Rechts

838 Im Bereich der staatlichen Gerichtsbarkeit behandeln die meisten kontinentaleuropäischen Länder ausländisches Recht als gleichwertig zum nationalen Recht. Weiter gilt der römischrechtliche Grundsatz *iura novit curia*. Dies bedeutet, dass dem Gericht grundsätzlich bloß die Fakten vorgelegt werden müssen und das Gericht das anwendbare Recht kennt und anwendet. Dies gilt für inländisches wie auch grundsätzlich für ausländisches Recht. Dagegen behandeln die meisten *common law* Länder ausländisches Recht als Faktum. Dies bedeutet, dass die Parteien für den von ihnen geltend gemachten Inhalt des anwendbaren Rechts den Beweis erbringen müssen. Wenn es sich um ausländisches Recht handelt, geschieht dies idR durch sachverständige Zeugen, wie zB Professoren oder Professorinnen aus dem entsprechenden Rechtsraum.

839 In der internationalen Schiedsgerichtsbarkeit ist es üblich, dass die Parteien wie im *common law* dem Gericht nicht nur die Fakten, sondern auch das aus ihrer Sicht anwendbare Recht oder die anwendbaren Rechtsregeln darlegen.[1121] Wie dies zB in Art 16 schwIPRG vorgesehen ist, verlangt das Schiedsgericht bei Bedarf von den Parteien weitere Details über das anwendbare Recht. Gleichzeitig erforscht es die anwendbaren Rechtsquellen aber auch selber.[1122] Am Ende entscheidet das Schiedsgericht, jedenfalls in einem nach kontinentaleuropäischen Tradition geführten Verfahren, immer selbst, welche Rechtsnormen anwendbar sind und stützt sich dabei nicht bloß auf Expertenberichte oder die Eingaben der Parteien ab.[1123]

840 Das BGer hat mehrfach entschieden, dass der Grundsatz *iura novit curia* nicht nur für die staatliche Gerichtsbarkeit, sondern auch für die Schiedsgerichtsbarkeit gilt und dass die Parteien dem Gericht demnach keinen Beweis für den Inhalt des anwendbaren Rechts erbringen müssen.[1124] Ob dieser Grundsatz jedoch auch Teil des prozessualen *ordre public* darstellt, hat das

---

1120 So zB Art 22(4) LCIA Regeln.

1121 *Riegler* in Riegler et al, Arbitration Law § 603 Rn 5.

1122 *Schlosser* in Stein/Jonas, Zivilprozessordnung²³ § 1051 Rn 4; *Schütze*, Das internationale Zivilprozessrecht² § 293 Rn 17, 60; *Riegler* in Riegler et al, Arbitration Law § 603 Rn 5; *Schwarz/Konrad*, Vienna Rules² Rn 20–43.

1123 *Kröll* in Böckstiegel et al, Arbitration in Germany² § 1061 Rn 90; *Schlosser* in Stein/Jonas, Zivilprozessordnung²³ § 1051 Rn 4, 35; *Riegler* in Riegler et al, Arbitration Law § 603 Rn 5; *Öhlberger/Pinkston* in Klausegger et al, Austrian Arbitration Yearbook 2016, 101 ff.

1124 BGer 15.4.2015, 4A_554/2014, E. 2.1; BGer 2.3.2001, 4P.260/2000, E 5b; *Girsberger/Voser*, International Arbitration³ Rn 1421.

BGer ausdrücklich offen gelassen.[1125] Das Schiedsgericht verletzt den *ordre public* jedoch nicht, wenn es die Parteien auffordert, zum Nachweis des anwendbaren Rechts beizutragen oder ExpertInnenmeinungen einzuholen.[1126] Weiter ist das Schiedsgericht nicht durch die rechtliche Beurteilung durch die Parteien eingeschränkt oder gar daran gebunden, sondern ist frei, andere Rechtsnormen oder Prinzipien bei der Sachentscheidung anzuwenden.

Falls das Schiedsgericht beabsichtigt, andere als die von den Parteien vorgebrachten Rechtsregeln anzuwenden, und dies vernünftigerweise von den Parteien so nicht vorhergesehen werden kann, muss das Schiedsgericht den Parteien die Möglichkeit geben, hierzu Stellung zu nehmen.[1127] Ansonsten drohen nach dem sogenannten „Überraschungsprinzip" eine Verletzung des rechtlichen Gehörs der Parteien und die Anfechtung des Schiedsspruchs.[1128] Schließlich könnte die Anerkennung und Vollstreckung des Schiedsspruchs in einem Mitgliedstaat des NYÜ aus demselben Grund verweigert werden. Zu beachten ist auch, dass je nach Rechtsordnung noch strengere Kriterien gelten und insb nach dem französischen *principe du contradictoire* die Parteien sich zu jeder Basis der Rechtsfindung äußern dürfen, selbst wenn diese nicht unbedingt überraschend ist. In Deutschland ist die Frage umstritten, und es wird zum Teil die Ansicht vertreten, dass ein Schiedsgericht die Parteien vorgängig informieren muss, wenn es den Schiedsspruch auf von den Parteien nicht plädierte Rechtsargumente abstützen will.[1129] Der OGH bestätigte dagegen seine restriktive Haltung im Zusammenhang mit einer geltend gemachten Verletzung des rechtlichen Gehörs und lehnte die Aufhebung eines Schiedsspruches aufgrund der überraschenden Anwendung von Rechtsansichten, die im Verfahren nicht erörtert wurden, ab.[1130]

841

E. Gestaltungsspielräume und Fallstricke

Die Parteien haben im Hinblick auf das auf die Streitsache anwendbare Recht einen großen Gestaltungsspielraum, den sie nutzen sollten. Um spä-

842

1125 BGer 5.2.2014, 4A_446/2013, E 6.2.2.3; *Girsberger/Voser*, International Arbitration[3] Rn 1421.

1126 BGer 27.4.2005, 4P.242/2004, E 7.3.

1127 *Haugeneder/Netal* in VIAC, Handbuch Art 28 Rn 17.

1128 Art 190 Abs 2 lit d schwIPRG; *Girsberger/Voser*, International Arbitration[3] Rn 1421 mwN; s auch *Schlosser* in Stein/Jonas, Zivilprozessordnung[23] § 1051 Rn 4; BGer 26.5.2014, 4A_544/2013, E. 3.2.1; BGer 5.8.2013, 4A_214/2013, E. 4.1; der OGH qualifiziert eine „Überraschungsentscheidung" nicht als Verletzung des rechtlichen Gehörs und daher nicht als Anfechtungsgrund (OGH 23.2.2016, 18 OCg 3/15p).

1129 *Kröll* in Böckstiegel et al, Arbitration in Germany[2] § 1061 Rn 90; weniger weitgehend BGH 11.11.1982, BGHZ 85, 288, Erwägung II.3.

1130 OGH 23.2.2016, 18 OCg 3/15p.

tere Schwierigkeiten und Unklarheiten zu vermeiden, ist es im Interesse der Parteien, die zur Lösung der Streitsache anwendbaren Rechtsregeln klar zu bezeichnen. Dies erspart den Parteien einerseits eine mögliche Auseinandersetzung darüber, welche Normen anwendbar sind, und entlastet das Schiedsgericht andererseits von der nicht immer einfachen Aufgabe der Bestimmung des anwendbaren Rechts. Schließlich bringt eine **eindeutige Rechtswahl** den Parteien bis zu einem gewissen Grad Rechtssicherheit und Vorhersehbarkeit.

843   Die Parteien sollten sich auch überlegen, ob sie die Anwendung nicht-staatlichen Rechts wünschen. Dies birgt jedoch Tücken, da der Regelungsbereich nicht-staatlicher Rechtsquellen, wie insb der *lex mercatoria* unklar ist, großes Streitpotential birgt und diese üblicherweise nicht für sämtliche sich stellenden Rechtsfragen eine Lösung bieten. Zudem sollten die Parteien in Betracht ziehen und gegebenenfalls deutlich machen, ob sie eine Rechts- oder eine Billigkeitsentscheidung des Schiedsgerichts wünschen.

844   Parteien sollten sich darüber im Klaren sein, dass das Schiedsgericht nach neueren Auffassungen die Eingriffsnormen des Sitzstaates oder von Drittrechtsordnungen, die von den Parteien nicht gewählt wurden, uU berücksichtigen kann. Außerdem könnte es Probleme mit der Vollstreckung des Schiedsspruchs im Erlassstaat geben, wenn das Schiedsgericht dies nicht tut.

845   Hinsichtlich eines Nachweises des anwendbaren Rechts ist es den Parteien zu empfehlen, die Frage, ob das anzuwendende Recht wie eine Tatsache zu beweisen ist, am Anfang des Verfahrens anzusprechen, insb wenn die Parteien aus verschiedenen Rechtskulturen kommen. Ansonsten könnte eine Seite diesbezüglich Experten nominieren und die andere Seite dagegen nicht. Unabhängig davon sollten die Parteien dem Schiedsgericht das auf die Streitsache anwendbare Recht ausführlich darlegen und die aus ihrer Sicht anwendbaren Normen präsentieren. Dies gilt va dann, wenn nicht alle SchiedsrichterInnen Kenntnisse des anwendbaren Rechts haben. Das Schiedsgericht sollte seinerseits den Parteien die Möglichkeit zur Stellungnahme immer dann geben, wenn es beabsichtigt, Rechtsnormen anzuwenden, welche von den Parteien bislang nicht vorgebracht wurden, insb wenn dies vernünftigerweise von den Parteien nicht vorhergesehen werden konnte.

6. Kapitel

Zuständigkeit

Rolf A. Schütze/Susanne Kratzsch/Hubertus Schumacher/Nadja Jaisli Kull

I. Kompetenz-Kompetenz

Ein tragender Grundsatz der Schiedsgerichtsbarkeit ist die sog „Kompetenz- **846** Kompetenz", die Befugnis des Schiedsgerichts, über seine eigene Zuständigkeit zu entscheiden. Eine weite Auffassung des Begriffs geht davon aus, dass dem Schiedsgericht die Befugnis zur endgültigen Entscheidung über seine Zuständigkeit zukommt, während die enge Auffassung darunter bloß die Befugnis des Schiedsgerichtes versteht, vorläufig über seine eigene Zuständigkeit zu entscheiden.[1131]

In **Österreich** ist die Kompetenz-Kompetenz des Schiedsgerichts lediglich **847** eine **vorläufige Zuständigkeit** des Schiedsgerichts, weil endgültig der OGH über die Zuständigkeitsfrage entscheidet (näher unten). Dagegen kommt dem Schiedsgericht zB nach dem in Frankreich geltenden Prinzip[1132] der negativen Kompetenz-Kompetenz grundsätzlich eine vorrangige Entscheidung über die Wirksamkeit der Schiedsvereinbarung zu: In diesem Fall hat das staatliche Gericht keine umfassende Prüfung der Schiedsvereinbarung vorzunehmen, sondern sich für unzuständig zu erklären, es sei denn, es stellt sich im Rahmen der summarischen *prima facie* Prüfung heraus, dass die Schiedsvereinbarung offensichtlich nichtig ist.[1133]

Das 2006 novellierte österreichische Schiedsverfahrensrecht[1134] übernahm **848** mit § 592 Abs 1 öZPO den Art 16(1) des UNCITRAL ModG und normiert

---

1131 *Rechberger* in Liebscher/Oberhammer/Rechberger, Schiedsverfahrensrecht I Rn 6/105; *Zeiler*, Schiedsverfahren² § 584 Rn 1; *Nueber/Zeiler* in Balthasar, International Commercial Arbitration § 4 Rn 54f.

1132 *Mankowski*, IHR 2015, 191 f.

1133 *Koller*, Jahrbuch Zivilverfahrensrecht 2010 187.

1134 §§ 577 ff öZPO idF des öSchiedsRÄG 2006, zuletzt novelliert durch das öSchiedsRÄG 2013.

an dieser Stelle das schon auf der Basis der alten Rechtslage anerkannte Prinzip[1135] der Kompetenz-Kompetenz, der Befugnis des Schiedsgerichts zur Entscheidung über die eigene Zuständigkeit.[1136] Auch die Wiener Regeln bestimmen in Art 24(2), textlich weitestgehend angelehnt an Art 16 UNCITRAL ModG und an § 592 Abs 1 öZPO, dass das Schiedsgericht selbst über seine Zuständigkeit entscheidet.[1137]

849   Das **deutsche Schiedsverfahrensrecht** hat durch die Übernahme von Art 16 des UNCITRAL ModG den Streit um die Zulässigkeit der Kompetenz-Kompetenz[1138] jedenfalls scheinbar erledigt, indem § 1040 Abs 1 dZPO dem Schiedsgericht die Befugnis überträgt, über seine Zuständigkeit zu entscheiden.

850   Das **Schweizer Recht** anerkennt das Prinzip der Kompetenz-Kompetenz ebenfalls und hat dieses in Art 186 schwIPRG entsprechend verankert.[1139] Gem dieser Bestimmung entscheidet das Schiedsgericht selbst über seine Zuständigkeit (Abs 1) und dies ungeachtet einer bereits vor einem staatlichen Gericht oder einem anderen Schiedsgericht hängigen Klage über denselben Gegenstand zwischen denselben Parteien, es sei denn, dass beachtenswerte Gründe ein Aussetzen des Verfahrens erfordern (Abs 1bis). Es handelt sich dabei bloß um eine **relative Kompetenz-Kompetenz**, dh das Schiedsgericht ist zwar zunächst zum Entscheid über seine Zuständigkeit berechtigt, doch im Falle der Anfechtung des Zuständigkeitsentscheids vor dem BGer oder im Rahmen der Vollstreckung des Schiedsspruchs im jeweiligen Vollstreckungsstaat kommt das endgültige Urteil darüber den staatlichen Gerichten zu (näher unten).[1140]

851   Die am 1. Juni 2012 in Kraft getretenen, überarbeiteten Swiss Rules of International Arbitration (Swiss Rules)[1141] normieren das Prinzip der Kompetenz-Kompetenz in Art 21(1) ebenfalls. Gem dieser Bestimmung ist das Schiedsgericht ausdrücklich dazu befugt, über alle Einreden gegen seine Zu-

---

1135   *Fremuth-Wolf* in Riegler et al, Arbitration Law § 592 Rn 3.

1136   *Hausmaninger* in Fasching/Konecny, ZPO³ § 592 Rn 1 f; *Heider* et al, Dispute Resolution in Austria 31; *Schifferl* in Zeiler, Austrian Arbitration Law § 592 Rn 1 ff; *Nueber/Zeiler* in Balthasar, International Commercial Arbitration § 4 Rn 55.

1137   Vgl dazu *Stippl* in VIAC, Handbuch Art 24 Rn 1.

1138   Vgl dazu *Habscheid* in FS Mann 425 ff; *Habscheid* in FS Schlosser 247 ff; *Hartmann*, Zum Problem der Kompetenz-Kompetenz der Schiedsgerichte (1961); *Kornblum*, Jahrbuch für die Praxis der Schiedsgerichtsbarkeit 38 ff.

1139   In der Schweiz ist die internationale Schiedsgerichtsbarkeit im 12. Kapitel des schwIPRG geregelt, während die Bestimmungen zur Binnenschiedsgerichtsbarkeit im 3. Teil der schwZPO zu finden sind. Auf Letztere wird vorliegend nicht näher eingegangen.

1140   *Schott/Courvoisier* in Honsell et al, Internationales Privatrecht³ Art 186 Rn 3; *Kaufmann-Kohler/Rigozzi*, International Arbitration in Switzerland Rn 5.08.

1141   Vgl https://www.swissarbitration.org/.

ständigkeit (inkl Einwendungen betr das Bestehen oder die Gültigkeit der Schiedsklausel) zu entscheiden. Die Swiss Rules legen jedoch nicht fest, ob bzw inwiefern das Schiedsgericht zum vorrangigen Entscheid über solche Einreden befugt ist. Diesbezüglich sind die Regeln der anwendbaren *lex arbitri*, also des am Schiedsort geltenden Schiedsrechts, maßgebend.[1142]

A. Inhalt der Kompetenz-Kompetenz

Die nunmehr jeweils gesetzlich geregelte Kompetenz-Kompetenz des Schiedsgerichts führt zur Einräumung einer (vorläufigen) Befugnis an das Schiedsgericht, über die eigene Zuständigkeit zu entscheiden, ohne dass die Parteien dies ausdrücklich gesondert vereinbaren müssten. Allerdings ist die Entscheidung des Schiedsgerichts über die eigene Zuständigkeit **nicht bindend für die staatlichen Gerichte** und von diesen überprüfbar. Damit obliegt die endgültige Kontrolle der Zuständigkeitsfrage den staatlichen Gerichten. **852**

So ist auf dem Boden des österreichischen Schiedsverfahrensrechts die „Kompetenz-Kompetenz" des Schiedsgerichts keine Befugnis zur endgültigen, auch staatliche Gerichte bindenden Entscheidung über die eigene Zuständigkeit: Der Zuständigkeits- bzw Unzuständigkeitsschiedsspruch kann vielmehr gem § 611 Abs 2 Z 1 öZPO mit einer **Aufhebungsklage vor dem OGH** bekämpft werden.[1143] Im Ergebnis ist es daher dann, wenn eine Aufhebungsklage gegen einen die Zuständigkeit oder Unzuständigkeit des Schiedsgerichts aussprechenden Schiedsspruch erhoben wird, immer das staatliche Gericht, das darüber entscheidet, ob ein Schiedsgericht zuständig oder unzuständig ist. Richtigerweise müsste man daher sagen, dass Schiedsgerichten nur eine vorläufige oder relative Kompetenz-Kompetenz zukommt,[1144] die sich freilich im Einzelfall dann, wenn der Schiedsspruch unangefochten bleibt, in eine endgültige Kompetenz-Kompetenz verwandeln kann. **853**

Die Kompetenz-Kompetenz des Schiedsgerichts ist deshalb jedoch nicht wertlos. Das Schiedsgericht kann durch sein „Vorrecht", allenfalls auch nach einem umfangreichen Beweisverfahren, auf den für die Beurteilung der Zuständigkeit maßgebenden Sachverhalt näher eingehen. Die Begründung seiner bejahenden Zuständigkeitsentscheidung wird häufig die entscheidungsrelevante Grundlage in einem allfälligen staatlichen Verfahren bilden. In diesen „Vorarbeiten" des Schiedsgerichts liegt daher ein erheblicher verfahrensöko- **854**

1142 *Berger/Pfisterer* in Zuberbühler/Müller/Habegger, Swiss Rules² Art 21 Rn 6.

1143 So schon auf der Basis der Rechtslage vor dem öSchiedsRÄG 2006 OGH 28.11.2000, 1 Ob 126/00m, ecolex 2001, 375; vgl *Fremuth-Wolf* in Riegler et al, Arbitration Law § 592 Rn 3.

1144 *Hausmaninger* in FS Koppensteiner 147; *Schwab/Walter*, Schiedsgerichtsbarkeit⁷ Kap 16 Rn 10.

nomischer Vorteil für das staatliche Gericht. Überdies ist das gerichtliche Aufhebungsverfahren schon grds als schlankes Verfahren konzipiert, sodass auch aus diesem Grund eine detaillierte Auseinandersetzung vor dem staatlichen Gericht gar nicht vorgesehen ist.

855 Ein Schiedsgericht ist dann, wenn die Frage seiner Zuständigkeit bereits rechtskräftig durch eine Entscheidung eines österreichischen Gerichts oder durch eine anzuerkennende Entscheidung eines ausländischen Gerichts oder Schiedsgerichts entschieden wurde, an diese Entscheidung gebunden.[1145] Eine andere Entscheidung würde gegen den verfahrensrechtlichen *ordre public* verstoßen.[1146] Hieraus folgt freilich auch, dass vertragliche Klauseln, die dem Schiedsgericht die endgültige Kompetenz-Kompetenz zuweisen, in Österreich unzulässig sind und ein staatliches Gericht nicht binden.

856 § 592 Abs 3 öZPO bestimmt, dass auch dann, wenn eine Klage auf Aufhebung eines Schiedsspruchs, mit welchem das Schiedsgericht seine Zuständigkeit bejaht, noch beim OGH anhängig ist, das Schiedsgericht „vorerst" das Schiedsverfahren fortsetzen und einen Schiedsspruch fällen kann. Das Schiedsgericht muss also in einem solchen Fall nicht die Entscheidung des OGH über die Aufhebungsklage abwarten. Das ist zwar eine Art **„dynamische" Kompetenz-Kompetenz**, weil das Schiedsgericht die Kompetenzentscheidung des OGH nicht abwarten muss, führt aber ebenso wenig zur endgültigen Befugnis des Schiedsgerichts, über die eigene Zuständigkeit zu entscheiden. Das Schiedsgericht wird das Verfahren in der Praxis wohl nur dann ungeachtet einer vor dem OGH behängenden Aufhebungsklage gegen seinen bejahenden Zuständigkeitsschiedsspruch fortsetzen, wenn es der Aufhebungsklage wenig Chancen einräumt. Mit dieser 2006 in die öZPO eingefügten Möglichkeit der Fortsetzung des Schiedsverfahrens sollten Verzögerungen durch offensichtlich unbegründete Aufhebungsklagen gegen Zuständigkeitsschiedssprüche möglichst gering gehalten werden.

857 Auch in **Deutschland** überträgt das Gesetz dem Schiedsgericht die Zuständigkeit, über Fragen im Zusammenhang mit der Zulässigkeit des Schiedsverfahrens zu entscheiden.[1147] Es handelt sich hierbei aber nicht um eine echte Kompetenz-Kompetenz, deren Wesen darin besteht, dass der Entscheid des

---

1145 ErläutRV zu § 592 Abs 1 ZPO; *Kloiber/Haller* in Kloiber et al, Schiedsrecht 32 f; *Fremuth-Wolf* in Riegler et al, Arbitration Law § 592 Rn 13; *Hausmaninger* in Fasching/Konecny, ZPO³ § 592 Rn 45.

1146 ErläutRV zu § 592 Abs 1 ZPO; *Kloiber/Haller* in Kloiber et al, Schiedsrecht 32 f; *Fremuth-Wolf* in Riegler et al, Arbitration Law § 592 Rn 13; *Hausmaninger* in Fasching/Konecny, ZPO³ § 592 Rn 45; *Nueber/Zeiler* in Balthasar, International Commercial Arbitration § 4 Rn 61.

1147 AA: Die Erteilung der Zuständigkeit im Gesetz ist rein deklaratorischer Natur, *Voit* in Musielak/Voit, ZPO § 1040 Rn 2; *Schwab/Walter*, Schiedsgerichtsbarkeit⁷ Kap 16 Rn 10.

Schiedsgerichts bindend ist. Über dem Entscheid des Schiedsgerichts hängt jedenfalls immer das Damoklesschwert der **Überprüfung durch die staatlichen Gerichte**, gem § 1040 Abs 3 Satz 2 dZPO. Es gibt keinen wirklich endgültig bindenden Entscheid des Schiedsgerichts über die eigene Zuständigkeit.[1148] Wie in Österreich sind Klauseln, die dem Schiedsgericht die endgültige Kompetenz zuweisen sollen, in Deutschland nicht wirksam. Die Überprüfungsbefugnis der staatlichen Gerichte ist nicht abdingbar. Die Einschränkung von § 1040 Abs 1 dZPO durch Abs 3 derselben Norm ist zwingend.[1149]

Nach **Schweizer Recht** kann die Zuständigkeit des Schiedsgerichts grundsätzlich ebenfalls auf dem Wege der staatlichen Gerichtsbarkeit überprüft werden. Gestützt auf Art 190 Abs 2 lit b schwIPRG iVm Art 191 schwIPRG können Entscheide über die Zuständigkeit des Schiedsgerichts mittels Beschwerde in Zivilsachen vor dem BGer als einziger Instanz angefochten werden. **858**

Als **Besonderheit des Schweizer Schiedsrechts** (etwa im Vergleich zum deutschen und österreichischen Recht) gilt es festzuhalten, dass ausländische Parteien dem Schiedsgericht eine Art **absolute Kompetenz-Kompetenz** zuweisen können: Gem Art 192 Abs 1 schwIPRG können Parteien, wenn keine von ihnen Wohnsitz, gewöhnlichen Aufenthalt oder eine Niederlassung in der Schweiz hat, durch ausdrückliche Erklärung in der Schiedsvereinbarung oder durch spätere schriftliche Übereinkunft die Anfechtung der Schiedsentscheide wahlweise vollständig oder für einzelne Anfechtungsgründe ausschließen.[1150] Jedoch bleibt in diesem Fall die Überprüfungsmöglichkeit im Rahmen der Vollstreckung in einem Drittstaat bestehen (idR gem Art V NYÜ).[1151] **859**

B. Die Zuständigkeit im Einzelnen

1. Österreich

Der Begriff „Kompetenz-Kompetenz" beinhaltet nach österreichischem Schiedsverfahrensrecht die Befugnis des Schiedsgerichtes, über seine eigene Zuständigkeit zu entscheiden. Das Schiedsgericht urteilt daher insb über das Vorhandensein einer gültigen Schiedsvereinbarung. Dies gilt sowohl für den Fall, dass eine Schiedsvereinbarung gar nicht existent ist wie auch für jenen, dass eine Schiedsvereinbarung nur scheinbar existent ist:[1152] Das Schiedsgericht entscheidet daher über seine Zuständigkeit sowohl dann, wenn nach **860**

1148 *Borges*, ZZP 1998, 487 ff; *Schütze* in Wieczorek/Schütze, ZPO[4] § 1040 Rn 10; *Zöller*, Zivilprozessordnung[31] § 1040 Rn 1.

1149 BGH 13.1.2005, BGHZ 162, 9.

1150 *Patocchi/Jermini* in Honsell et al, Internationales Privatrecht[3] Art 192 Rn 24 f; vgl auch *Poudret/Besson*, International Arbitration[2] Rn 457.

1151 *Patocchi/Jermini* in Honsell et al, Internationales Privatrecht[3] Art 192 Rn 24.

1152 *Hausmaninger* in Fasching/Konecny, ZPO[3] § 611 Rn 88.

dem äußeren Anschein eine Schiedsvereinbarung vorliegt, diese aber zB wegen eines Formfehlers oder eines Willensmangels ungültig ist, als auch in jenem Fall, in dem jeglicher Hinweis auf das Vorhandensein einer Schiedsvereinbarung völlig fehlt.[1153] Das Schiedsgericht entscheidet aber auch dann, wenn es um die Reichweite einer vorhandenen Schiedsvereinbarung geht, also insb über die Frage, ob zB eine Widerklage oder eine (sachliche oder personelle) Ausdehnung der Schiedsklage von der Schiedsvereinbarung noch gedeckt ist oder nicht.[1154]

861   Die Praxis bezeichnet den Schiedsspruch über die Zuständigkeitsfrage mitunter als **Zwischenschiedsspruch.** In Österreich wird va zur Vermeidung von Begriffsüberschneidungen der Begriff **„Zuständigkeits- bzw Unzuständigkeitsschiedsspruch"** bevorzugt, insb um klarzustellen, dass sich dieser Schiedsspruch ausschließlich mit der Frage der Zuständigkeit bzw Unzuständigkeit des Schiedsgerichts befasst und nicht etwa mit einer anderen verfahrensrechtlichen Frage oder dem Grund des geltend gemachten Anspruchs.[1155]

2. Deutschland

862   Die Kompetenz-Kompetenz besteht nach deutschem Recht in vierfacher Hinsicht:
- Das Schiedsgericht ist zuständig zur Entscheidung über die **Wirksamkeit einer Schiedsvereinbarung;**
- Die Zuständigkeit erstreckt sich auch auf die **wirksame Bestellung des Schiedsgerichts;**
- Das Schiedsgericht kann über die **Bindung der Parteien an die Schiedsvereinbarung,** zB deren Übergang auf einen Zessionar, den Insolvenzverwalter in der Insolvenz des Gemeinschuldners entscheiden;
- Schließlich kann das Schiedsgericht über **Einreden der Parteien**, die die Zulässigkeit des Schiedsverfahrens betreffen, entscheiden, zB das Unterfallen des streitgegenständlichen Anspruchs unter die Schiedsvereinbarung.

3. Schweiz

863   Kompetenz-Kompetenz nach Schweizer Schiedsrecht wird gem Art 186 Abs 1 schwIPRG als das Recht des Schiedsgerichts verstanden, über seine

---

1153 *Hausmaninger* in Fasching/Konecny, ZPO³ § 584 Rn 55 und § 611 Rn 88; *Zeiler* in Zeiler, Austrian Arbitration Law § 584 Rn 6.
1154 *Hausmaninger* in Fasching/Konecny, ZPO³ § 584 Rn 55 und § 611 Rn 92; *Zeiler* in Zeiler, Austrian Arbitration Law § 584 Rn 6.
1155 Hiezu *Schumacher* in Liebscher/Oberhammer/Rechberger, Schiedsverfahrensrecht II Rn 10/27.

eigene Zuständigkeit zu urteilen (positive Kompetenz-Kompetenz). Diese Bestimmung ist nach einhelliger Lehre zwingender Natur.[1156] Zu betonen ist, dass die Norm dabei nicht bloß die Prüfungsbefugnis des Schiedsgerichts im Hinblick auf die Gültigkeit bzw das Vorhandensein der Schiedsabrede umfasst. Vielmehr wird aus Art 186 Abs 1 schwIPRG auch die Befugnis des Schiedsgerichts abgeleitet, sämtliche weiteren Faktoren, welche die Zulässigkeit des Schiedsverfahrens betreffen, zu prüfen und in die Entscheidung über seine Zuständigkeit miteinzubeziehen (wie zB das Vorhandensein der Handlungsfähigkeit beider Parteien oder die Schiedsfähigkeit der Streitsache (sog *arbitrability*)).[1157]

Gem Art 186 Abs 3 schwIPRG entscheidet das Schiedsgericht über seine **864** Zuständigkeit idR durch **Vorentscheid**. Die offene Formulierung dieser Norm verdeutlicht, dass es letztlich im **Ermessen des Schiedsgerichts** liegt, wann es einen Entscheid über seine Zuständigkeit ergehen lässt.[1158] Keinen separaten Entscheid über die Zuständigkeit zu erlassen kann jedenfalls dann Sinn ergeben, wenn eine Partei die Einrede der fehlenden Zuständigkeit nur vorbringt, um das Verfahren zu verzögern, oder wenn die Zuständigkeit des Schiedsgerichts untrennbar mit den materiell-rechtlichen Fragen des Streits verbunden ist (zB wenn die Ungültigkeit sowohl des Hauptvertrags als auch der Schiedsvereinbarung aufgrund der fehlenden Handlungsfähigkeit einer Partei behauptet wird).[1159]

C. Zuständigkeit im Verlauf des Schiedsverfahrens

1. Österreich

Nach § 592 Abs 2 öZPO ist die **Einrede der Unzuständigkeit des Schieds- 865 gerichts** spätestens mit dem ersten Vorbringen zur Sache zu erheben. Im weiteren Verlauf des Schiedsverfahrens ist die Einrede, eine Angelegenheit überschreite die Befugnisse des Schiedsgerichts, zu erheben, sobald diese zum Gegenstand eines Sachantrags erhoben wird.[1160] Als maßgeblicher Sachantrag ist in diesem Zusammenhang zB eine Klagsausdehnung oder ein Zwischenantrag auf Feststellung anzusehen. Unterbleibt diese Einrede, kann die Aufhebungsklage nicht mehr auf diese Unzuständigkeit gestützt

---

1156 *Kaufmann-Kohler/Rigozzi*, International Arbitration in Switzerland Rn 5.09; *Poudret/Besson*, International Arbitration² Rn 462.

1157 *B. Berger/Kellerhals*, Arbitration³ Rn 678.

1158 *Girsberger/Voser*, International Arbitration³ Rn 566.

1159 *Girsberger/Voser*, International Arbitration³ Rn 570; vgl auch *Kaufmann-Kohler/Rigozzi*, International Arbitration in Switzerland Rn 5.17.

1160 OGH 28.11.2012, 4 Ob 185/12b, wbl 2013, 288.

werden.[1161] Es genügt daher nicht, dass eine die Zuständigkeit des Schiedsgerichtes überschreitende Angelegenheit im Verfahren lediglich zur Sprache kommt, diskutiert oder mit dem Schiedsgericht erörtert wird. Vielmehr ist wesentlich, dass eine Partei einen konkreten Sachantrag formuliert, etwa ein erweitertes Klagebegehren, eine Widerklage oder eine entsprechende Aufrechnungseinrede erhebt. Daraufhin muss die Einrede, die Angelegenheit überschreite die Befugnisse des Schiedsgerichts, von der Schiedsgegnerin erhoben werden.

2. Deutschland

866 Grundsätzlich ist die Zuständigkeit der staatlichen Gerichte zur Entscheidung über die Wirksamkeit einer Schiedsvereinbarung und die Zulässigkeit eines Schiedsverfahrens während eines laufenden Schiedsverfahrens auf zwei Fälle beschränkt:

867 Erstens kann ein Feststellungsverfahren vor einem staatlichen Gericht nach der Rsp des BGH auch während des Schwebens des Schiedsverfahrens fortgeführt und entschieden werden, wenn das Feststellungsverfahren nach § 1032 Abs 2 dZPO vor Konstituierung des Schiedsgerichts eingeleitet worden ist.

868 Zweitens kann das staatliche Gericht zur gerichtlichen Entscheidung angerufen werden, wenn das Schiedsgericht durch Zwischenentscheid über die Wirksamkeit der Schiedsvereinbarung und die Zulässigkeit des Schiedsverfahrens entschieden hat.

3. Schweiz

869 Anders als nach deutschem ist nach schweizerischem Recht eine (negative) Feststellungsklage beim staatlichen Gericht zur Beurteilung der (Un-)Zuständigkeit des Schiedsgerichts nicht möglich.[1162] Entsprechend verbleibt den Parteien einzig die Möglichkeit, einen Zuständigkeitsentscheid des Schiedsgerichts nach Art 190 Abs 2 lit b iVm Art 191 schwIPRG rechtzeitig beim BGer anzufechten (zur Problematik der *lis pendens* vgl unten).

1161 OGH 28.11.2012, 4 Ob 185/12b; OGH 10.10.2014, 18 OCg 2/14i, RZ 2015, 41; *Hausmaninger* in Fasching/Konecny, ZPO³ § 592 Rn 55 und § 611 Rn 122; *Rechberger/Melis* in Rechberger, ZPO⁴ § 611 Rn 11.

1162 *Göksu*, Schiedsgerichtsbarkeit Rn 1165; *Kaufmann-Kohler/Rigozzi*, International Arbitration in Switzerland Rn 5.21; *Stacher*, Einführung Schiedsgerichtsbarkeit Rn 113.

D. Die gerichtliche Überprüfung der Zuständigkeitsentscheidung des Schiedsgerichts

1. Schiedsgericht bejaht seine Zuständigkeit

a) Österreich

Ein bejahender Zuständigkeitsschiedsspruch ist (wie ein verneinender) nach **870** österreichischem Schiedsverfahrensrecht binnen drei Monaten nach Zustellung des Schiedsspruchs[1163] vor dem OGH mit **Aufhebungsklage** bekämpfbar.[1164] Die **Unzuständigkeit** des Schiedsgerichts ist allerdings **rügepflichtig**: Der Aufhebungsgrund des § 611 Abs 2 Z 1 öZPO liegt daher nur dann vor, wenn auch die Unzuständigkeit im Schiedsverfahren rechtzeitig geltend gemacht wurde.[1165] Gem § 592 Abs 3 öZPO kann ungeachtet einer behängenden Aufhebungsklage das Schiedsgericht *„vorerst das Schiedsverfahren fortsetzen und auch einen Schiedsspruch fällen"*. Die Entscheidung, ob das Schiedsverfahren fortgesetzt oder beendet wird, liegt im Ermessen des Schiedsgerichts.[1166]

b) Deutschland

Bejaht das Schiedsgericht seine Zuständigkeit, so erlässt es gem § 1040 Abs 3 **871** dZPO einen **Zwischenentscheid**, der kein Zwischenschiedsspruch ist.[1167] Der Zwischenentscheid ergeht nicht zur Sache, sondern ist auf die Vorfrage der Zuständigkeit beschränkt.[1168] Gegen den Zwischenentscheid kann jede Partei eine gerichtliche Entscheidung beantragen.[1169] Der Antrag ist fristgebunden. Die Frist beträgt einen Monat nach schriftlicher Bekanntgabe an die Parteien. Da der Zeitpunkt schriftlicher Bekanntgabe unterschiedlich sein kann, sind Fristbeginn und -ende möglicherweise für die Parteien unterschiedlich.[1170] Hat eine Partei voll obsiegt, so fehlt für den Antrag auf gerichtliche Entscheidung das Rechtsschutzinteresse.

Sachlich zuständig ist das OLG.[1171] Dieses kann ohne mündliche Ver- **872** handlung entscheiden.[1172]

1163 § 611 Abs 4 öZPO.
1164 § 611 Abs 2 Z 1 öZPO.
1165 *Zeiler*, Schiedsverfahren² § 611 Rn 11.
1166 *Rechberger/Melis* in Rechberger, ZPO⁴ § 592 Rn 3; *Schifferl* in Zeiler, Austrian Arbitration Law § 592 Rn 13.
1167 Vgl OLG Hamburg 25.1.2008, SchiedsVZ 2009, 71.
1168 *Münch* in MünchKom, ZPO § 1040 Rn 26; OLG Hamburg 25.1.2008, SchiedsVZ 2009, 71.
1169 § 1040 Abs 3 Satz 2 dZPO.
1170 OLG Dresden 26.7.2012; zitiert nach *Kröll*, SchiedsVZ 2013, 185 ff.
1171 § 1062 Abs 1 dZPO.
1172 OLG Hamburg 25.1.2008, SchiedsVZ 2009, 71.

873 Das **Nachprüfungsverfahren** vor dem staatlichen Gericht hemmt das Schiedsverfahren nicht. Das Schiedsgericht kann ungeachtet des schwebenden Verfahrens vor dem OLG (oder auf Rechtsbeschwerde vor dem BGH) das Schiedsverfahren fortsetzen und einen Schiedsspruch erlassen.[1173] Das Schiedsgericht kann das Verfahren aber analog § 148 dZPO aussetzen und so die Aufhebung des Schiedsspruchs nach § 1059 Abs 2 Nr 1a bzw 1c vermeiden, falls das staatliche Gericht die Zuständigkeit des Schiedsgerichts verneint.[1174]

c) Schweiz

874 Ein Zuständigkeitsentscheid des Schiedsgerichts kann von jeder Partei innert 30 Tagen nach Zustellung mit Beschwerde in Zivilsachen beim BGer angefochten werden.[1175]

875 In diesem Zusammenhang ist es wichtig hervorzuheben, dass die **Frist zur Anfechtung** eines Entscheids über die Zuständigkeit nach Schweizer Schiedsrecht unabhängig von dessen Bezeichnung (zB als verfahrensleitende Verfügung oder Zwischenschiedsspruch) ausgelöst wird. Insb müssen auch implizite Entscheide über die Zuständigkeit des Schiedsgerichts (zB die Ablehnung eines Sistierungsantrags im Hinblick auf ein anderes hängiges Verfahren) rechtzeitig angefochten werden.[1176] Gegebenenfalls sind daher selbst als verfahrensleitende Verfügung bezeichnete Entscheide, in welchen das Schiedsgericht von seiner Zuständigkeit ausgeht, innert 30 Tagen nach Zustellung beim BGer anzufechten. Andernfalls ist die Rüge der mangelnden Zuständigkeit (Art 190 Abs 2 lit b schwIPRG) verwirkt.[1177]

876 Für den Fall, dass eine Partei einen positiven Zuständigkeitsentscheid anficht, liegt es auch nach Schweizer Recht im Ermessen des Schiedsgerichts zu entscheiden, ob das Schiedsverfahren bis zum Urteil des BGer ausgesetzt oder weitergeführt wird.[1178]

2. Schiedsgericht verneint seine Zuständigkeit

a) Österreich

877 Die Unzuständigkeitseinrede ist gem § 592 Abs 2 öZPO spätestens mit dem ersten Vorbringen zur Sache zu erheben. Die Mitwirkung der Partei an der

---

1173 § 1040 Abs 3 S 3 dZPO.
1174 *Münch* in MünchKom, ZPO § 1040 Rn 25.
1175 Art 190 Abs 3 iVm Art 190 Abs 2 lit b und Art 191 schwIPRG.
1176 *Arroyo* in Arroyo, Arbitration in Switzerland Art 190 PILS Rn 239, 242; vgl auch *Pfisterer* in Honsell et al, Internationales Privatrecht³ Art 190 Rn 46.
1177 Vgl *Arroyo* in Arroyo, Arbitration in Switzerland Art 190 PILS Rn 239 und 241.
1178 *Kaufmann-Kohler/Rigozzi*, International Arbitration in Switzerland Rn 5.19.

Konstituierung des Schiedsgerichts hindert die Schiedspartei nicht, wirksam die Zuständigkeit mit dem ersten Vorbringen zur Sache zu bestreiten. Im weiteren Verlauf des Schiedsverfahrens ist die Einrede, eine Angelegenheit überschreite die Befugnisse des Schiedsgerichts, zu erheben, sobald diese zum Gegenstand eines Sachantrags (zB Klagsausdehnung) erhoben wird.[1179] Die versäumte Unzuständigkeitseinrede kann in beiden Fällen nachgeholt werden, wenn die Versäumung nach Überzeugung des Schiedsgerichts genügend entschuldigt wird.[1180]

Das Schiedsgericht kann die Entscheidung über eine Unzuständigkeitseinrede gemeinsam mit dem Schiedsspruch in der Sache oder auch gesondert in einem eigenen Schiedsspruch treffen (**„Zuständigkeits- bzw Unzuständigkeitsschiedsspruch"**).[1181] In welchem Verfahrensstadium das Schiedsgericht diesen Schiedsspruch erlässt, ist eine Ermessensfrage, die das Schiedsgericht insb im Hinblick auf die Verfahrensökonomie zu entscheiden hat.[1182] **878**

Auch der Unzuständigkeitsschiedsspruch eines österreichischen Schiedsgerichts kann binnen 3 Monaten mit Aufhebungsklage vor dem OGH bekämpft werden.[1183] Wenn sich ein Schiedsgericht für unzuständig erklärt, weil eine Schiedsvereinbarung nicht vorhanden ist, dann kann dennoch auf Antrag der Schiedsbeklagten die Verpflichtung der Schiedsklägerin zum **Kostenersatz** in den Schiedsspruch aufgenommen werden.[1184] Dieser Kostenantrag ist schon dann als erhoben anzusehen, wenn die Schiedsbeklagte die „kostenpflichtige" Zurückweisung der Schiedsklage beantragt hat. In diesen Fällen entscheidet daher ein an sich unzuständiges Schiedsgericht dennoch, allerdings nur über die Verfahrenskosten.[1185] Die Bestimmung wird auch als Ausprägung der Kompetenz-Kompetenz des Schiedsgerichts angesehen.[1186] Hat die klagende Partei allerdings beim staatlichen Gericht die Klage erhoben, so erlischt damit ihr Recht, nach § 611 öZPO eine Klage auf Aufhebung der Entscheidung zu erheben, mit welcher das Schiedsgericht seine Zuständigkeit verneint hat (*venire contra factum proprium*).[1187] Die klagende Partei hat damit die Wahl, eine Unzuständigkeitsentscheidung des Schiedsgerichtes entweder **879**

1179 OGH 28.11.2012, 4 Ob 185/12b, wbl 2013, 288.

1180 § 592 Abs 2 letzter Satz öZPO.

1181 *Fremuth-Wolf* in Riegler et al, Arbitration Law § 592 Rn 9 ff; *Schifferl* in Zeiler, Austrian Arbitration Law § 592 Rn 4 f.

1182 Näher *Schifferl*, ÖJZ 2010, 442.

1183 § 611 Abs 2 Z 1 öZPO.

1184 § 609 Abs 2 öZPO; näher hiezu *Schumacher* in Liebscher/Oberhammer/Rechberger, Schiedsverfahrensrecht II Rn 10/267 ff.

1185 Zu den Erwägungen der Arbeitsgruppe des Ludwig Boltzmann Instituts siehe *Oberhammer*, Entwurf 51 f.

1186 *Hausmaninger* in Fasching/Konecny, ZPO³ § 609 Rn 53.

1187 § 584 Abs 2 öZPO.

anzuerkennen und die Klage vor dem staatlichen Gericht einzubringen oder die Entscheidung des Schiedsgerichts mit einer Aufhebungsklage gem § 611 Abs 2 Z 1 öZPO vor dem OGH zu bekämpfen. Eine Kumulierung dieser Möglichkeiten ist nicht vorgesehen.[1188]

b) Deutschland

880   Auch nach deutschem Recht ist die **Rüge der Unzuständigkeit** des Schiedsgerichts früh zu erheben. § 1040 Abs 2 dZPO sieht vor, dass die Unzuständigkeitsrüge spätestens mit der Klagebeantwortung vorzubringen ist. Obwohl die Regelung in § 1040 Abs 2 dZPO dafür spricht, dass die Unzuständigkeit des Schiedsgerichts nur auf Rüge hin geprüft wird, wird allgemein in der Literatur ein rügeunabhängiges Prüfungsrecht des Schiedsgerichts angenommen.[1189]

881   Verneint das Schiedsgericht seine Zuständigkeit wegen Unwirksamkeit der Schiedsvereinbarung oder sonstiger Gründe für eine Unzulässigkeit des Schiedsverfahrens, so weist es die Schiedsklage durch Prozessschiedsspruch ab.[1190] Früher war es in der Praxis üblich, dass das Verfahren bloß eingestellt wurde.[1191] Der (wenn auch nur vorläufigen) Kompetenz-Kompetenz entspricht es aber, dass das Verfahren regulär beendet wird, dh ein Schiedsspruch mit Rechtskraft ergeht.[1192] In diesem Schiedsspruch werden dann auch die Kosten des Verfahrens geregelt.

882   Die Aufhebung des Prozessschiedsspruchs – auch wenn er missverständlich bezeichnet ist[1193] – kann mit der Aufhebungsklage nach § 1059 dZPO betrieben werden. Es ist umstritten, welcher der in § 1059 dZPO normierten speziellen Aufhebungsgründe in dieser Situation greift. Einen Aufhebungsgrund wie § 611 Abs 2 Z 1 Var 2 öZPO kennt § 1059 dZPO nicht. Als Lösung werden eine Gesamtanalogie zu § 1059 Abs 2 Nr 1a („Gültigkeitskontrolle"), Nr 1c („Reichweitenkontrolle") und Nr 2a („Fähigkeitskontrolle") dZPO vorgeschlagen. Der BGH lehnt dies jedoch ab und verweist auf die normierten Aufhebungsgründe. Selbst wenn keiner dieser Gründe greift sei der Antragssteller nicht rechtschutzlos, weil ihm der Weg zu den Gerichten

---

1188 *Oberhammer*, Entwurf 55 f; *Rechberger* in Liebscher/Oberhammer/Rechberger, Schiedsverfahrensrecht I Rn 6/67 ff.

1189 *Schwab/Walter*, Schiedsgerichtsbarkeit⁷ Kap 16 Rn 10; *Voit* in Musielak/Voit, ZPO¹³ § 1040 Rn 5.

1190 Vgl *Lachmann*, Handbuch³ Rn 721; *Schütze* in Wieczorek/Schütze, ZPO⁴ § 1040 Rn 19.

1191 *Münch* in MünchKom, ZPO § 1040 Rn 29.

1192 *Münch* in MünchKom, ZPO § 1040 Rn 29.

1193 Der BGH hat die unsinnige Bezeichnung „*Teil-Prozessschiedsspruch Zwischentscheid*" zu Recht als Prozessschiedsspruch angesehen, vgl BGH 6.6.2002, IHR 2002, 93.

offen stünde. Inwieweit dies dem gewünschten Rechtsschutz der Parteien in einer Situation wie der in § 611 Abs 2 Z 1 Var 2 öZPO, dh das Schiedsgericht seine Zuständigkeit verneint hat, eine gültige Schiedsvereinbarung aber doch vorhanden ist, nachkommt, ist fraglich.

c) Schweiz

Nach Schweizer Schiedsrecht ist es ebenfalls von großer Bedeutung, die Rüge der Unzuständigkeit des Schiedsgerichts rechtzeitig geltend zu machen. Der zwingende[1194] Art 186 Abs 2 schwIPRG sieht diesbezüglich vor, dass die Einrede der Unzuständigkeit vor der Einlassung auf die Hauptsache geltend zu machen ist. Mit anderen Worten muss eine Partei die Unzuständigkeit des Schiedsgerichts vorbringen, bevor (oder gleichzeitig wie) sie sich materiell zur Streitsache äußert.[1195] Dies ist umso wichtiger, da das Schiedsgericht seine Zuständigkeit für ein Schiedsverfahren, an dem beide Parteien teilnehmen, nicht von Amts wegen prüft.[1196]

883

Die Swiss Rules unterstreichen, dass die Unzuständigkeitseinrede so früh wie möglich geltend gemacht werden soll[1197] und konkretisieren in Art 21(3), dass die Einrede der Unzuständigkeit idR mit der Antwort auf die das Schiedsverfahren eröffnende Einleitungsanzeige der Klägerin, spätestens jedoch mit der detaillierten Klageantwort bzw der Antwort auf eine allfällige Widerklage erhoben werden soll.

884

Falls sich das Schiedsgericht auf die Einrede einer Partei hin als unzuständig erklärt, so ist auch dieser Entscheid innert 30 Tagen mit Beschwerde in Zivilsachen vor dem BGer anfechtbar.[1198]

885

1194 *Girsberger/Voser*, International Arbitration³ Rn 564.
1195 *Girsberger/Voser*, International Arbitration³ Rn 564; *Kaufmann-Kohler/Rigozzi*, International Arbitration in Switzerland Rn 5.10; *Poudret/Besson*, International Arbitration² Rn 471.
1196 *Schott/Courvoisier* in Honsell et al, Internationales Privatrecht³ Art 186 Rn 88 und 91; vgl auch *Kaufmann-Kohler/Rigozzi*, International Arbitration in Switzerland Rn 5.10; *Poudret/Besson*, International Arbitration² Rn 471.
1197 *Bergerer/Pfister* in Zuberbühler/Müller/Habegger, Swiss Rules² Art 21 Rn 20.
1198 Art 190 Abs 2 lit b iVm Art 191 schwIPRG.

II. Zuständigkeitsentscheide staatlicher Gerichte

A. Einrede im Verfahren vor dem staatlichen Gericht

1. Österreich

886 Nach österreichischem Schiedsverfahrensrecht kann die Beklagte die **sachliche Unzuständigkeit** des staatlichen Gerichts wegen Vorliegens einer Schiedsvereinbarung vor mündlicher oder schriftlicher Einlassung in die Sache einwenden.[1199] Die Möglichkeit einer gesonderten Feststellung der Zulässigkeit des Schiedsverfahrens existiert nach österreichischem Recht nicht: Die beim Ludwig-Boltzmann-Institut für Rechtsvorsorge und Urkundenwesen eingesetzte Arbeitsgruppe hatte ausführlich die Frage diskutiert, ob und inwiefern eine Bestimmung nach dem Vorbild des § 1032 Abs 2 dZPO aufzunehmen wäre, wonach bis zur Bildung des Schiedsgerichts ein Antrag auf Feststellung der Zulässigkeit oder Unzulässigkeit eines schiedsrichterlichen Verfahrens gestellt werden kann. Die Arbeitsgruppe und in der Folge der österreichische Gesetzgeber haben aber eine Übernahme dieser Bestimmung im Ergebnis für nicht notwendig erachtet.[1200]

887 Ein österreichisches staatliches Gericht hat immer dann Anlass zu einer Zuständigkeitsentscheidung, wenn die Beklagte rechtzeitig die Einrede der sachlichen Unzuständigkeit des staatlichen Gerichts wegen Vorliegens einer Schiedsvereinbarung erhebt.[1201] Die Schiedseinrede ist allerdings dann nicht rechtzeitig erhoben, wenn die Beklagte zur Sache vorbringt oder mündlich verhandelt, ohne die Zuständigkeit zu rügen. Die **rügelose Einlassung** hebt daher die Wirkung der Schiedsvereinbarung im Umfang des konkreten Streitgegenstands auf (**Teilaufhebung**).[1202] Die Diktion *„zur Sache vorbringt oder mündlich verhandelt, ohne dies zu rügen"*, findet sich bereits in § 104 Abs 3 öJN zur rügelosen Einlassung der Beklagten trotz Unzuständigkeit des staatlichen Gerichts.[1203] Die Erläuterungen zur Regierungsvorlage führen aus, dass die Beklagte die Einrede *„noch vor Sacheinlassung erheben muss"*.[1204] Für die Praxis wird man davon ausgehen müssen, dass sowohl schriftliches als auch mündliches Vorbringen zur Sache, ohne die Zuständigkeit des staatlichen

---

1199 § 584 Abs 1 öZPO.
1200 Näher zu den Erwägungen *Oberhammer*, Entwurf 57 f.
1201 § 584 Abs 1 öZPO.
1202 *Hausmaninger* in Fasching/Konecny, ZPO³ § 581 Rn 125; *Koller* in Liebscher/Oberhammer/Rechberger, Schiedsverfahrensrecht I Rn 3/392.
1203 *Oberhammer*, Entwurf 53; *Zeiler*, Schiedsverfahren² § 584 Rn 20.
1204 Abgedruckt bei *Kloiber* et al, Schiedsrecht 204.

Gerichts zu rügen,[1205] den Ausschluss von der Unzuständigkeitseinrede zur Folge hat.

Von diesem Prinzip macht die öZPO in § 584 Abs 1 öZPO dann eine Aus- **888** nahme, wenn das staatliche Gericht feststellt, dass die Schiedsvereinbarung entweder nicht vorhanden oder undurchführbar ist. Undurchführbar ist die Schiedsvereinbarung dann, wenn die objektiven Voraussetzungen für die Einleitung eines vereinbarten Schiedsverfahrens nicht gegeben sind.[1206] Allein der Umstand, dass der klagenden Partei die erforderlichen Mittel fehlen, reicht aber für die Bejahung einer Undurchführbarkeit nicht aus.[1207] Dagegen wird man eine **Undurchführbarkeit des Schiedsverfahrens** dann bejahen, wenn zB das vereinbarte Schiedsgericht nicht mehr existiert oder die Bestellung eines Schiedsgerichtes oder eines gleichartigen Schiedsgerichtes nicht möglich ist oder die/der von den Parteien vereinbarte Schiedsrichterin/Schiedsrichter nicht bereit oder in der Lage ist, die Rechtssache zu übernehmen.[1208]

Umstritten ist, ob das staatliche Gericht seine Unzuständigkeit auch von **889** Amts wegen wahrzunehmen hat oder erst auf Einrede der beklagten Partei.[1209] Mit dem Gesetz in Einklang steht jene Ansicht, dass das staatliche Gericht die Klage von Amts wegen *a limine* zurückweisen kann.[1210] Den Parteien ist damit freilich nicht die Möglichkeit genommen, von der Schiedsvereinbarung übereinstimmend abzugehen, zumal *a limine* Zurückweisungen keinen endgültigen Charakter haben.[1211]

1205 *Zeiler* in Zeiler, Austrian Arbitration Law § 584 Rn 3.

1206 *Rechberger/Melis* in Rechberger, ZPO⁴ § 584 Rn 1; vgl *Zeiler*, Schiedsverfahren² § 581 Rn 68 ff.

1207 *Schumacher* in Klausegger et al, Austrian Arbitration Yearbook 2008, 46; aM *Rechberger* in Liebscher/Oberhammer/Rechberger, Schiedsverfahrensrecht I Rn 6/33; *Rechberger/Melis* in Rechberger, ZPO⁴ § 584 Rn 1.

1208 *Rechberger* in Liebscher/Oberhammer/Rechberger, Schiedsverfahrensrecht I Rn 6/33; *Rechberger/Melis* in Rechberger, ZPO⁴ § 584 Rn 1.

1209 Näher mit Nachweisen *Zeiler* in Zeiler, Austrian Arbitration Law § 584 Rn 4; *Nueber/Zeiler* in Balthasar, International Commercial Arbitration § 4 Rn 55; vgl *Schifferl* in Zeiler, Austrian Arbitration Law § 592 Rn 3, zur Wahrnehmung durch das Schiedsgericht.

1210 Mit Hinweis auf den andernfalls drohenden Wertungswiderspruch gegenüber den Fällen prorogabler Unzuständigkeit (§ 43 Abs 1 öJN): *Rechberger* in Liebscher/Oberhammer/Rechberger, Schiedsverfahrensrecht I Rn 6/17; siehe auch *Schumacher* in Klausegger et al, Austrian Arbitration Yearbook 2008, 47.

1211 *Schumacher* in Klausegger et al, Austrian Arbitration Yearbook 2008, 47; *Rechberger* in Liebscher/Oberhammer/Rechberger, Schiedsverfahrensrecht I Rn 6/17; aM *Reiner*, öSchiedsRÄG 2006 § 584 Rn 50; *Mayr* in Rechberger, ZPO⁴ § 43 JN Rn 6.

2. Deutschland

890 Vor der Bestellung des Schiedsgerichts kann das staatliche Gericht in zwei Fällen über die Wirksamkeit einer Schiedsvereinbarung und die Zulässigkeit eines Schiedsverfahrens entscheiden: bei Erhebung der Rüge der Unzulässigkeit der Klage vor dem staatlichen Gericht und im Wege gesonderter positiver oder negativer Feststellung, dass das schiedsrichterliche Verfahren (un)zulässig ist.

a) Einrede der Schiedsvereinbarung im staatlichen Prozess

891 Ein staatliches Gericht prüft und berücksichtigt die Zuständigkeit eines Schiedsgerichts nicht von Amts wegen. Wird vor einem staatlichen Gericht Klage in einer Angelegenheit erhoben, die Gegenstand einer Schiedsvereinbarung ist, ist die Klage nur dann als unzulässig abzuweisen, sofern die beklagte Partei dies im Verfahren vor dem staatlichen Gericht vor Beginn der mündlichen Verhandlung zur Hauptsache gerügt hat.[1212] Sie muss von der beklagten Partei erhoben werden. Rechtzeitig ist die Rüge, wenn sie vor Beginn der mündlichen Verhandlung zur Hauptsache – nicht zwingend innerhalb der Klageerwiderungsfrist – und im schriftlichen Verfahren vor Einlassung zur Sache erfolgt.[1213] Eine verspätete Rüge ist nicht zu beachten. Es gelten die §§ 282 Abs 2, 296 dZPO.[1214]

892 Die Rüge kann auch erhoben werden, wenn die Beklagte keine materiellen Einwendungen gegen den von der Klägerin geltend gemachten Anspruch erhebt.[1215]

893 Das Gericht prüft die Wirksamkeit der Schiedsvereinbarung und das Unterfallen des streitgegenständlichen Anspruchs unter die Schiedsvereinbarung. Die Prüfungsdichte und -tiefe sind dabei auf eine *prima facie* Prüfung beschränkt, wenn die Entscheidung von einer **„doppelrelevanten" Tatsache oder Rechtsfrage** abhängt.

894 Die Beklagte kann sich auf die Unzulässigkeit der Klage vor dem staatlichen Gericht nicht berufen, wenn hierin ein *venire contra factum proprium* liegt. Das ist bspw der Fall, wenn die beklagte Partei in einem vorangegangenen Schiedsverfahren über denselben Streitgegenstand die Unwirksamkeit der Schiedsvereinbarung geltend gemacht hat.[1216]

1212 § 1032 Abs 1 dZPO.
1213 BGH NJW-RR 11, 1188, 1190.
1214 Vgl *Schütze*, Schiedsgericht und Schiedsverfahren⁶ Rn 255.
1215 Vgl OLG Düsseldorf 21.4.1977, MDR 1977, 762; *Schütze*, Schiedsgericht und Schiedsverfahren⁶ Rn 253 mwN.
1216 Vgl BGH 20.5.1968, BGHZ 50, 191.

b) Selbständiges Feststellungsverfahren (§ 1032 Abs 2 dZPO)

Schon vor der Neukodifizierung des Schiedsverfahrensrechts sah § 1046 aF **895** dZPO eine Möglichkeit zur gesonderten **Feststellung der Zulässigkeit eines Schiedsverfahrens** vor. Die Möglichkeit eines Antrags auf Feststellung der Zulässigkeit oder Unzulässigkeit eines schiedsrichterlichen Verfahrens – die sich im UNCITRAL ModG nicht findet – ist aus prozessökonomischen Gründen bei der Übernahme des UNCITRAL ModG beibehalten worden und ist nunmehr in § 1032 Abs 2 dZPO geregelt.[1217]

Das selbständige Feststellungsverfahren kann nur bis zur Konstituierung **896** des Schiedsgerichts eingeleitet werden. Sachlich zuständig ist das OLG – in Berlin das Kammergericht.[1218]

Das Verfahren setzt ein **Rechtsschutzinteresse** voraus.[1219] Dieses besteht **897** zunächst immer dann, wenn bereits Schiedsklage erhoben wurde, das Schiedsgericht sich aber noch nicht konstituiert hat. Eine stärkere Form des Berühmens des Bestehens einer Schiedsvereinbarung als die Erhebung der Schiedsklage kann es kaum geben. Unproblematisch ist das Feststellungsinteresse auch in den Fällen, in denen eine Partei die Wirksamkeit einer Schiedsvereinbarung außerprozessual bestreitet und ankündigt, bei Erhebung einer Schiedsklage werde man die Unzulässigkeit des Schiedsverfahrens geltend machen.

Ist zulässigerweise ein Antrag auf Feststellung nach § 1032 Abs 2 dZPO **898** vor Konstituierung des Schiedsgerichts gestellt worden, so fällt das Rechtsschutzinteresse nach Konstituierung des Schiedsgerichts weg. Denn nunmehr kann das Schiedsgericht über die Rüge der Unzuständigkeit entscheiden. Der BGH sieht das jedoch anders. Er nimmt – entgegen dem Wortlaut des Gesetzes – eine Perpetuierung der Zuständigkeit der staatlichen Gerichte nach § 1032 Abs 2 dZPO auch nach Konstituierung des Schiedsgerichts an.[1220]

Der Antrag ist wie eine Klageschrift zuzustellen. Es liegt im Ermessen **899** des OLG, ob es eine mündliche Verhandlung anordnet.[1221] Die Entscheidung ergeht durch Beschluss.[1222] Gegen die Entscheidung des OLG ist die Rechtsbeschwerde zum BGH dann zulässig, wenn gegen sie, wäre sie durch Endurteil ergangen, die Revision zulässig wäre.

1217 Vgl dazu amtl Begründung zu § 1032, BT-Drucks. 13/5274.
1218 § 1062 Abs Nr 2 dZPO.
1219 Vgl dazu eingehend *Steinbrück*, Unterstützung durch staatliche Gerichte 357 ff.
1220 BGH 30.6.2011, SchiedsVZ 2011, 281.
1221 § 1063 Abs 1 dZPO.
1222 § 1063 Abs 1 dZPO.

3. Schweiz

900 Klagt eine Partei trotz Schiedsabrede vor einem schweizerischen staatlichen Gericht und erhebt die Gegenpartei die Schiedseinrede, so kann das staatliche Gericht die Zulässigkeit der Schiedseinrede prüfen, wobei für Schiedsgerichte mit Sitz in der Schweiz Art 7 schwIPRG und für Schiedsgerichte mit Sitz im Ausland Art II Abs 3 NYÜ Anwendung findet.[1223]

901 Gem Art 7 schwIPRG heißt das angerufene Schweizer Gericht die Schiedseinrede gut und lehnt seine eigene Zuständigkeit ab, wenn die Parteien eine Schiedsvereinbarung über eine schiedsfähige Streitsache zugunsten eines Schiedsgerichts mit Sitz in der Schweiz geschlossen haben, es sei denn, die Beklagte ließ sich vorbehaltlos auf das staatliche Gerichtsverfahren ein (lit a), das Gericht befindet die Schiedsvereinbarung als *„hinfällig, unwirksam oder nicht erfüllbar"* (lit b) oder das Schiedsgericht kann nicht bestellt werden aus Gründen, für die die Beklagte im Schiedsverfahren offensichtlich einzustehen hat (lit c).

902 Art II Abs 3 NYÜ, der wie bereits erwähnt in Bezug auf Schiedsgerichte mit Sitz im Ausland Anwendung findet,[1224] lautet ähnlich wie Art 7 lit b schwIPRG (*„The court of a Contracting State [...] shall [...] refer the parties to arbitration, unless it finds that the said arbitration agreement is null and void, inoperative or incapable of being performed"*).

903 Eine Einlassung nach Art 7 lit a schwIPRG liegt nach bundesgerichtlicher Rechtsprechung bereits dann vor, wenn sich eine Partei ohne Vorbehalt auf ein staatliches Schlichtungsverfahren einlässt (es sei denn, ein Schlichtungsversuch vor Einleitung des Schiedsverfahrens ist in der Schiedsabrede ausdrücklich vorgesehen).[1225] Da es sich dabei um einen sehr strengen Maßstab handelt, ist jede Partei gut beraten, die Unzuständigkeit des staatlichen Gerichts spätestens zusammen mit der ersten Stellungnahme zum klägerischen Rechtsbegehren einzuwenden.[1226] Andernfalls könnte die Einlassung auf das staatliche Verfahren angenommen werden, was die Zuständigkeit des staatlichen Gerichts begründen würde.

904 Nach Art 7 lit b schwIPRG wird die Schiedsabrede sodann als unwirksam angesehen, wenn sie gar nie gültig zustande gekommen ist (zB bei Formmängeln oder mangels Handlungsfähigkeit einer Partei); als hinfällig, wenn sie nachträglich dahingefallen ist (zB durch Zeitablauf bei befristeten Schiedsvereinbarungen oder mittels Aufhebungsvereinbarung); und als unerfüllbar, wenn sie nicht vollzogen werden kann (zB weil sich die letztinstanzliche

---

1223 *Göksu*, Schiedsgerichtsbarkeit Rn 1170 f.
1224 *Göksu*, Schiedsgerichtsbarkeit Rn 1170.
1225 BGer 10.11.2005, 4C.161/2005, E. 2.5.2.
1226 *Stacher*, Einführung Schiedsgerichtsbarkeit Rn 102.

staatliche Ernennungsinstanz weigert, eine Schiedsrichterin/einen Schiedsrichter zu bestellen).[1227]

Art 7 lit c schwIPRG schließlich dient der *„Wiederherstellung des Zugangs* **905**
zur staatlichen Gerichtsbarkeit für die schiedsgetreue Partei", welche sich der
Obstruktion durch die Gegenpartei im Schiedsverfahren ausgesetzt sieht (zB
indem die Gegenpartei die Konstituierung des Schiedsgerichts verhindert).[1228]

Nicht möglich ist nach Schweizer Recht wie bereits vorstehend aufgezeigt **906**
eine (negative) Feststellungsklage beim staatlichen Gericht zur Beurteilung der
(Un-)Zuständigkeit des Schiedsgerichts.[1229] Ein solches Feststellungsbegehren
würde nicht zuletzt im Widerspruch zum Grundsatz der Kompetenz-Kompetenz des Schiedsgerichts (Art 186 Abs 1 schwIPRG) stehen.[1230] Zudem
wird der klagenden Partei regelmäßig das schutzwürdige Interesse an einer
(negativen) Feststellungsklage fehlen.[1231]

B. Schranken der Nachprüfung und Prüfungstiefe

1. Österreich

Zu **„doppelrelevanten" Tatsachen**, also jenen, aus denen sowohl die (interna- **907**
tionale) Zuständigkeit als auch die Begründetheit des Anspruchs folgt, steht
der OGH im Zuständigkeitsrecht allgemein auf dem Standpunkt, dass die
Schlüssigkeit des Klagevorbringens ausreichen muss, um nicht die Zuständigkeitsprüfung mit einer weitgehenden Sachprüfung zu belasten.[1232] Dies muss
auch für das Schiedsverfahren gelten, weil nicht einzusehen wäre, dass hier der
Zuständigkeitsprüfung eine weitgehende Sachprüfung aufzubürden wäre. Daher ist die schlüssige Behauptung eines von der Schiedsklausel umfassten Sachverhalts für die Bejahung der Zuständigkeit des Schiedsgerichtes ausreichend.
Abzulehnen ist freilich die Meinung des OGH,[1233] der es bei der Klage einer
Vertragspartei auf Feststellung der einvernehmlichen Auflösung des Hauptver-

---

1227 *Berti/Droese* in Honsell et al, Internationales Privatrecht³ Art 7 Rn 14 ff.

1228 *Berti/Droese* in Honsell et al, Internationales Privatrecht³ Art 7 Rn 17.

1229 *Göksu*, Schiedsgerichtsbarkeit Rn 1165; *Kaufmann-Kohler/Rigozzi*, International Ar-
      bitration in Switzerland Rn 5.21; *Stacher*, Einführung Schiedsgerichtsbarkeit Rn 113.

1230 *Berger* in Arroyo, Arbitration in Switzerland Art 186 PILS Rn 15; *B. Berger/Kel-
      lerhals*, Arbitration³ Rn 675; *Göksu*, Schiedsgerichtsbarkeit Rn 1165; *Stacher*, Ein-
      führung Schiedsgerichtsbarkeit Rn 113.

1231 *Berger* in Arroyo, Arbitration in Switzerland Art 186 PILS Rn 15; *B. Berger/Kel-
      lerhals*, Arbitration³ Rn 675; *Göksu*, Schiedsgerichtsbarkeit Rn 1165.

1232 Jüngst OGH 25.5.2016, 9 Ob 73/15y; RIS-Justiz RS0116404; vgl auch *Mayr* in Rech-
      berger, ZPO⁴ § 41 JN Rn 4 und 7.

1233 OGH 16.6.1982, 1 Ob 628/82, SZ 55/89; vgl *Koller* in Liebscher/Oberhammer/
      Rechberger, Schiedsverfahrensrecht I Rn 3/189; anderseits bejaht der OGH, dass
      umfassende Schiedsklauseln auch Streitigkeiten über die Beendigung (Auflösung)

trags für die Begründung der sachlichen Zuständigkeit des staatlichen Gerichts genügen lässt, dass die klagende Partei die Auflösung des Hauptvertrags behauptet. Nach der Rsp des OGH handle es sich hier um eine doppelrelevante Tatsache, weil die anspruchs- und zuständigkeitsbegründenden Tatsachen zusammenfallen. Diese Meinung ist hier aber deshalb abzulehnen, weil gerade im Streit um das Fortbestehen eines Vertrags ein legitimes Interesse der Parteien an der Aufrechterhaltung der Schiedsvereinbarung besteht.[1234] Überdies steht diese Meinung des OGH in Widerspruch zur international anerkannten *doctrine of separability*, nach der die Ungültigkeit des Hauptvertrags nicht automatisch zur Ungültigkeit der Schiedsklausel führt.[1235]

2. Deutschland

908 Bei der Prüfung der schiedsgerichtlichen Zuständigkeit durch staatliche Gerichte ist die Prüfungstiefe in Deutschland ebenfalls begrenzt, soweit es bei der Wirksamkeit und Bindungswirkung einer Schiedsvereinbarung auf die Entscheidung doppelrelevanter Tatsachen und Rechtsfragen ankommt.[1236] Hier findet sich dieselbe Problematik wie bei der Prüfung doppelrelevanter Tatsachen im Zuständigkeitsrecht, deren Wesen darin besteht, dass für die Zuständigkeit des angerufenen Gerichts Kompetenz und Begründetheit des Anspruchs gleichermaßen bedeutsam sind.

909 Bei der Prüfung der schiedsgerichtlichen Zuständigkeit findet sich eine solche Konstellation doppelrelevanter Tatsachen beispielsweise, wenn die Bindungswirkung der Schiedsvereinbarung von der Wirksamkeit der Zession, die die Schiedsvereinbarung enthält, abhängt. Auch im Insolvenzrecht ergibt sich diese Problematik, wenn es darum geht, ob eine Schiedsvereinbarung die Insolvenzverwalterin/den Insolvenzverwalter bindet. Ist der Anspruch, für den eine Bindungswirkung der Insolvenzverwalterin/des Insolvenzverwalters geltend gemacht wird, ein solcher der zur Absonderung oder Aussonderung berechtigt, so ist die Insolvenzverwalterin/der Insolvenzverwalter an die Schiedsvereinbarung gebunden, bei Ansprüchen, die unter § 103 dInsO fallen, dh solchen aus einem noch nicht vollständig erfüllten gegenseitigen Vertrag, hingegen nicht.

910 Ebenso wie im Zuständigkeitsrecht wird man die Prüfungstiefe des staatlichen Gerichts auf eine *prima facie* Prüfung begrenzen müssen. Wenn die

---

des Vertrags erfassen: OGH 29.4.2003, 1 Ob 22/03x, RdW 2003, 507; OGH 5.2.2008, 10 Ob 120/07 f.

1234 Zutr *Koller* in Liebscher/Oberhammer/Rechberger, Schiedsverfahrensrecht I Rn 3/189.

1235 Zur *doctrine of separability* siehe näher *Voser/Schramm/Haugeneder* Rn 795 ff; *Schifferl* in Zeiler, Austrian Arbitration Law § 592 Rn 2.

1236 *Schütze* in FS Stürner 531 ff; *Schütze* in Wieczorek/Schütze, ZPO⁴ § 1032 Rn 46 ff.

Prüfung zur Wirksamkeit sowie Bindungswirkung und so zur Zuständigkeit des Schiedsgerichts führt, muss das staatliche Gericht sich damit begnügen und die Entscheidung der – auch für die Zuständigkeit relevanten – Tatsachen und Rechtsfragen dem Schiedsgericht überlassen.

3. Schweiz

Die Frage, mit welcher **Kognition (Prüfungstiefe)** das staatliche Gericht im   **911**
Rahmen der Anwendung von Art 7 schwIPRG im Falle eines Schiedsgerichts mit Sitz in der Schweiz bzw von Art II Abs 3 NYÜ im Falle eines Schiedsgerichts mit Sitz im Ausland seine Zuständigkeit bzw jene des Schiedsgerichts untersucht, ist kontrovers.[1237] Das BGer unterscheidet in seiner Rsp trotz Kritik aus der Lehre danach, ob die Schiedsabrede ein Schiedsgericht mit Sitz in der Schweiz oder im Ausland vorsieht.[1238] Für den Fall, dass ein Schiedsgericht mit Sitz in der Schweiz vorgesehen ist, untersucht das staatliche Gericht dessen bzw seine eigene Zuständigkeit nach Art 7 schwIPRG nur *prima facie*. Begründet wird dies damit, dass die Zuständigkeit anschließend an den Entscheid des Schiedsgerichts basierend auf Art 190 Abs 2 lit b schwIPRG eingehend durch ein staatliches Gericht (BGer) nachgeprüft werden kann.[1239] Für den Fall, dass die Schiedsabrede ein Schiedsgericht mit Sitz im Ausland vorsieht, kann gem BGer die Zuständigkeit durch das staatliche Gericht gestützt auf Art II Abs 3 NYÜ mit voller Kognition geprüft werden; dies mit der Begründung, dass Art II Abs 3 NYÜ die Prüfbefugnis des staatlichen Gerichts nicht einschränkt.[1240]

1237   Vgl zum Ganzen *Girsberger/Voser*, International Arbitration[3] Rn 504 ff; *Kaufmann-Kohler/Rigozzi*, International Arbitration in Switzerland Rn 5.32 ff.

1238   Eine im März 2008 eingereichte parlamentarische Initiative („Lüscher Initiative") sah vor, Art 7 schwIPRG um folgenden Absatz zu ergänzen: *„Bei internationalen Angelegenheiten fällt das angerufene schweizerische Gericht, unabhängig vom Sitz des Schiedsgerichtes, erst einen Entscheid, wenn das Schiedsgericht über die eigene Zuständigkeit entschieden hat, es sei denn, eine summarische Prüfung ergebe, dass zwischen den Parteien keine Schiedsvereinbarung getroffen wurde."* Diese Initiative wurde im Juni 2016 abgeschrieben, da ihr im Rahmen der geplanten Revision des 12. Kapitels des schwIPRG (Motion 12.3012) ausreichend Rechnung getragen werden soll. Die Vernehmlassung für die vorliegend nicht weiter besprochene schwIPRG-Revision wurde am 11. Januar 2017 mit Dauer bis am 31. Mai 2017 eröffnet.

1239   BGE 138 III 681, 684 E. 3.2; BGE 122 III 139, 142 E. 2b; BGer 9.1.2008, 4A_436/2007, E. 3; *Bärtsch/Petti* in Geisinger/Voser, Arbitration in Switzerland[2] 47; *Berger* in Arroyo, Arbitration in Switzerland Art 186 PILS Rn 11; *Kaufmann-Kohler/Rigozzi*, International Arbitration in Switzerland Rn 5.36.

1240   BGE 121 III 38, 42 E. 2b; BGer 25.10.2010, 4A_279/2010, E. 2; *Bärtsch/Petti* in Geisinger/Voser, Arbitration in Switzerland[2] 47; *Kaufmann-Kohler/Rigozzi*, International Arbitration in Switzerland Rn 5.36.

III. Parallelverfahren und *lis pendens*

912 Das Prozesshindernis der **Litispendenz** (*lis pendens*) nimmt Aufgaben wahr, die den grundlegenden Anliegen eines ökonomischen Zivilverfahrens entsprechen:[1241] Für einen Parallelprozess über denselben Streitgegenstand fehlt der klagenden Partei nicht bloß das Rechtsschutzbedürfnis. Vielmehr können Parallelverfahren zu unterschiedlichen Entscheidungen führen und damit die Rechtssicherheit gefährden.[1242] Gerade für das Schiedsverfahrensrecht hat die **Schiedshängigkeit** als prozessualer Schutzmechanismus besondere Bedeutung: Sie führt als Prozesshindernis zur Unzulässigkeit des staatlichen Verfahrens.

A. Österreich

913 Der österreichische Gesetzgeber hat bewusst von einer gesetzlichen Festlegung des Begriffs der „Schiedshängigkeit" oder des „Beginns des Schiedsverfahrens" abgesehen und diese Fragen der Rsp im Einzelfall überlassen.[1243] Für Österreich ist hierzu von folgender Begriffsbildung auszugehen: „Gerichtshängig" ist das staatliche Verfahren nach Einbringung der Klage bei Gericht. „Streitanhängigkeit" ist ein Begriff der staatlichen Gerichtsbarkeit und bezeichnet den Zeitpunkt der Zustellung der Klage an die Beklagte.[1244] In diesem Zeitpunkt tritt die negative Prozessvoraussetzung der Streitanhängigkeit ein. Als „Rechtshängigkeit" wird die Streitanhängigkeit eines Verfahrens vor einem ausländischen staatlichen Gericht bezeichnet.[1245] „Schiedshängigkeit" ist das Pendant zur Streitanhängigkeit im staatlichen Prozess.[1246] Die öLehre[1247] bejaht die **Schiedshängigkeit** dann, wenn die Schiedsklage oder die sonst das Verfahren einleitende Mitteilung der Schiedsbeklagten zugeht, wobei freilich vorauszusetzen ist, dass der Schiedsgegenstand in dieser Eingabe hinlänglich substantiiert wird.[1248] Im *ad hoc* Verfahren wird regelmäßig die Klägerin der

---

1241 *Schumacher* in FS Jud 645.

1242 *Schumacher* in FS Jud 645.

1243 *Oberhammer*, Entwurf 57; *Hausmaninger* in Fasching/Konecny, ZPO³ § 584 Rn 35.

1244 § 232 öZPO.

1245 Vgl OGH 16.6.2008, 8 Ob 18/08t, JBl 2009, 52.

1246 § 584 Abs 3 öZPO; OGH 17.3.2015, 18 ONc 1/15i, ecolex 2015, 564 = JBl 2015, 601; *Rechberger/Pitkowitz* in VIAC, Handbuch Art 7 Rn 3.

1247 *Fremuth-Wolf* in Riegler et al, Arbitration Law § 584 Rn 8; *Hausmaninger* in Fasching/Konecny, ZPO³ § 584 Rn 8, 35; *Schumacher* in FS Jud 646; *Zeiler*, Schiedsverfahren² § 584 Rn 14; *Rechberger* in Liebscher/Oberhammer/Rechberger, Schiedsverfahrensrecht I Rn 6/7; *Zeiler* in Zeiler, Austrian Arbitration Law § 584 Rn 13; *Koller*, ecolex 2014, 1057; idS auch OGH 18.3.2004, 2 Ob 53/04i, ecolex 2004, 607.

1248 *Zeiler*, Schiedsverfahren § 584 Rn 15; *Zeiler* in Zeiler, Austrian Arbitration Law § 584 Rn 14; *Schumacher* in Klausegger et al, Austrian Arbitration Yearbook 2008, 49 und 56.

Schiedsbeklagten das verfahrenseinleitende Schriftstück direkt zustellen, im institutionellen Schiedsverfahren kommt diese Aufgabe meist der Institution zu.

Der OGH[1249] führt in einer E aus 2015 aus, dass die Schiedshängigkeit **914** der Streitanhängigkeit im Verfahren vor den staatlichen Gerichten entspricht, unterscheidet davon aber den *„ersten (schieds-)verfahrensrechtlichen Schritt zur Anspruchsverfolgung"*: Dieser könne etwa im Einbringen der Schiedsklage bei einer Schiedsinstitution oder einer/einem bereits in der Schiedsklausel bestimmten Schiedsrichterin/Schiedsrichter liegen.[1250] Wenn aber die Bildung des Schiedsgerichts zunächst erforderlich sei und zu diesem Zweck jede Partei eine Schiedsrichterin/einen Schiedsrichter nach der Schiedsklausel zu benennen hat, dann habe gem § 587 Abs 2 Z 4 öZPO die Schiedsklägerin die Schiedsbeklagte zur Benennung einer Schiedsrichterin/eines Schiedsrichters aufzufordern und sei diese Aufforderung bereits der erste (schieds-)verfahrensrechtliche Schritt zur Anspruchsverfolgung, der daher der „Anhängigkeit" iS des – im konkreten Fall relevanten – § 7 öIO gleichzuhalten sei, sodass das Schiedsverfahren infolge Konkurseröffnung über die Beklagte zu unterbrechen war. Für die Frage, was der „erste Schritt" im Schiedsverfahren sei, der (bloß) zu einer „Anhängigkeit" des Schiedsverfahrens (nicht „Schiedshängigkeit") führt, stellt der OGH daher auf die Schiedsklausel ab, allenfalls ergänzt durch Regelungen in anwendbaren SchO und der (soweit dispositiven) zugrundliegenden *lex arbitri*.[1251] Richtigerweise sollte es aufgrund der Parteiautonomie im Schiedsverfahren den Parteien ebenso freistehen, eine Vereinbarung über den Zeitpunkt zu treffen, in dem die „Schiedshängigkeit" iSd § 584 Abs 3 öZPO eintritt.[1252] Mangels einer Parteienvereinbarung ist der Eintritt der „Schiedshängigkeit" dann zu bejahen, wenn die Schiedsklage oder das verfahrenseinleitende Schriftstück der Schiedsbeklagten zugestellt wird, wobei es nicht darauf ankommen kann, ob dies durch ein bereits gebildetes Schiedsgericht oder *inter partes* durch die Klägerin erfolgt.[1253]

Im Fall der Vereinbarung der **Wiener Regeln** des VIAC gilt nach deren **915** Art 7(1) das Verfahren an jenem Tag eingeleitet und daher „anhängig", an dem die Klage beim Sekretariat eingegangen ist.[1254]

Nach **österreichischem Schiedsverfahrensrecht** bewirkt § 584 Abs 3 **916** öZPO den Ausschluss von Parallelverfahren über den vor dem Schiedsgericht geltend gemachten Anspruch, und zwar sowohl vor einem anderen Schieds-

---

1249   OGH 17.3.2015, 18 ONc 1/15i, ecolex 2015, 564 = JBl 2015, 601; RIS-Justiz RS0130016; aus der älteren Rsp OGH 18.3.2004, 2 Ob 53/04i, ecolex 2004, 607.
1250   *Zeiler*, Schiedsverfahren² § 584 Rn 13; *Zeiler* in Zeiler, Austrian Arbitration Law § 584 Rn 13 und 17.
1251   *Fremuth-Wolf*, ecolex 2015, 565.
1252   *Koller*, ecolex 2014, 1057 f.
1253   Zutr *Koller*, ecolex 2014, 1058 ff.
1254   *Fremuth-Wolf*, ecolex 2015, 565.

gericht als auch vor einem staatlichen Gericht: *„Ist ein Schiedsverfahren anhängig, so darf über den geltend gemachten Anspruch kein weiterer Rechtsstreit vor einem Gericht oder einem Schiedsgericht durchgeführt werden; eine wegen desselben Anspruches angebrachte Klage ist zurückzuweisen.*" Es ist laut Gesetz nur dann ein „Parallellauf" von Schiedsverfahren und staatlichem Verfahren möglich, wenn im Schiedsverfahren die Unzuständigkeit rechtzeitig geltend gemacht wurde und *„eine Entscheidung des Schiedsgerichts hierüber in angemessener Dauer nicht zu erlangen ist"*.[1255] Nur in diesem Fall kann das später angerufene staatliche Gericht sein Verfahren ungeachtet bestehender Schiedshängigkeit fortsetzen.[1256] Ansonsten ist die Klage vom staatlichen Gericht wegen Schiedshängigkeit der Rechtssache zurückzuweisen.[1257]

917   Im umgekehrten Fall eines bereits anhängigen staatlichen Verfahrens und damit dem Schiedsverfahren entgegenstehender Streitanhängigkeit verfügt die öZPO in § 584 Abs 1 Satz 3 eine Bevorzugung des Schiedsverfahrens: Hat die Beklagte rechtzeitig die Einrede der Unzuständigkeit des staatlichen Gerichts wegen einer Schiedsvereinbarung erhoben, so kann das Schiedsverfahren dennoch – also ungeachtet bestehender Litispendenz vor dem staatlichen Gericht – eingeleitet oder fortgesetzt werden und sogar ein Schiedsspruch ergehen. Die Bestimmung ist eine Bevorzugung des Schiedsverfahrens, zumal das Gesetz die Parallelität des später eingeleiteten Schiedsverfahrens unabhängig von einem Verzug des staatlichen Gerichts mit der Entscheidung über die Unzuständigkeit erlaubt. Der Hintergrund dieser Regelung ist aus den Fällen der Obstruktion eines Schiedsverfahrens durch die Klage vor dem unzuständigen staatlichen Gericht bekannt: Der Hauptzweck des § 584 Abs 1 Satz 3 öZPO ist es demnach, eine Verhinderung oder Verzögerung des vereinbarten Schiedsverfahrens durch Anrufung des unzuständigen staatlichen Gerichts zu unterbinden (**„Torpedo-Klagen"**).[1258]

918   In der Lehre[1259] wurde jüngst *de lege ferenda* vorgeschlagen, Gerichtsverfahren nach § 584 Abs 1 und 3 öZPO aus prozessökonomischen Gründen

---

1255   Die Regelung dient dem Rechtsschutz der Beklagten vor Obstruktion seiner Rechtsverfolgung (Art 6 EMRK): ErläutRV 1158 BlgNR 22. GP 10; *Zeiler*, Schiedsverfahren² § 584 Rn 16; *Rechberger* in Liebscher/Oberhammer/Rechberger, Schiedsverfahrensrecht I Rn 6/57; *Schumacher* in FS Jud 647; vgl auch *Hausmaninger* in FS Koppensteiner 147 f.

1256   § 584 Abs 3 öZPO.

1257   § 584 Abs 3 öZPO; vgl *Koller*, ecolex 2014, 1059.

1258   Siehe im Einzelnen *Rechberger* in Liebscher/Oberhammer/Rechberger, Schiedsverfahrensrecht I Rn 6/42; *Schumacher* in FS Jud 648; *Zeiler*, Schiedsverfahren² § 584 Rn 18b; *Zeiler* in Zeiler, Austrian Arbitration Law § 584 Rn 20; *Koller*, ecolex 2014, 1059; zu Fragen der prozessualen Überholung durch das Schiedsgericht vgl *Hausmaninger* in FS Koppensteiner 151 f.

1259   *Hausmaninger* in FS Koppensteiner 154, im Hinblick auf den Fall der Entscheidung OGH 18.11.2015, 3 Ob 24/15y, Zak 2016, 79.

in den Katalog der OGH-Zuständigkeiten des § 615 öZPO aufzunehmen und eine prozessuale Überholung des OGH durch eine Zuständigkeitsentscheidung des Schiedsgerichts gesetzlich zu unterbinden.

Große Bedeutung hat § 584 Abs 4 öZPO für die **Unterbrechung von** **919** **Verjährungs- und Ausschlussfristen** im Fall der Unzuständigkeit des angerufenen Gerichts bzw Schiedsgerichts: Wenn eine Klage von dem Gericht wegen Zuständigkeit eine Schiedsgerichtes oder von einem Schiedsgericht wegen Zuständigkeit eines staatlichen Gerichtes oder eines anderen Schiedsgerichtes zurückgewiesen wird oder wenn in einem Aufhebungsverfahren ein Schiedsspruch wegen Unzuständigkeit des erlassenden Schiedsgerichtes aufgehoben wird, *„so gilt das Verfahren als gehörig fortgesetzt, wenn unverzüglich Klage vor dem Gericht oder Schiedsgericht erhoben wird."* Wann noch „Unverzüglichkeit" gegeben ist, hat der Gesetzgeber nicht näher normiert. Die Ansichten in der Lehre gehen diesbezüglich auseinander:[1260] *Reiner*[1261] fordert ein Tätigwerden binnen zwei Monaten, im Einzelfall den Umständen nach innerhalb einer längeren Frist, während *Rechberger*[1262] bei *ad hoc* Schiedsgerichten darauf abstellt, dass die klagende Partei alle notwendigen Schritte im Hinblick auf die Konstituierung des Schiedsgerichts gesetzt hat und idF die Klage unverzüglich einbringt. Was den Zeitpunkt der genannten Rechtshandlungen der klagenden Partei betrifft, so wird man grundsätzlich nicht auf den Zugang der Klage bzw der Aufforderung zur SchiedsrichterInnenbenennung bei der beklagten Partei, sondern auf den Zeitpunkt der Absendung dieser Schriftstücke abstellen müssen,[1263] da deren Zugang nicht mehr im Ingerenzbereich der klagenden Partei steht. Für die Beurteilung des Empfangs der Schriftstücke gilt § 580 öZPO.

§ 584 Abs 4 öZPO geht also davon aus, dass für den Fall der unverzüg- **920** lichen Einbringung der Klage vor dem zuständigen Gericht bzw Schiedsgericht die materielle Frist schon durch Einbringung beim unzuständigen Gericht bzw Schiedsgericht unterbrochen wurde.[1264] Diese Bestimmung hat verjährungsrechtlichen Charakter[1265] und determiniert das in § 1497 öABGB enthaltene Tatbestandsmerkmal der *„gehörigen Fortsetzung der Klage"*.[1266]

1260 Übersicht bei *Zeiler*, Schiedsverfahren[2] § 584 Rn 19b.
1261 *Reiner*, öSchiedsRÄG 2006 § 584 Rn 59.
1262 *Rechberger* in Liebscher/Oberhammer/Rechberger, Schiedsverfahrensrecht I Rn 6/94.
1263 *Schumacher* in Klausegger et al, Austrian Arbitration Yearbook 2008, 55; Heider et al, Dispute Resolution in Austria 20.
1264 *Rechberger/Melis* in Rechberger, ZPO[4] § 584 Rn 5; *Zeiler* in Zeiler, Austrian Arbitration Law § 584 Rn 18.
1265 IdS auch *Reiner*, ecolex 2006, 472; *Reiner*, öSchiedsRÄG 2006 § 584 Rn 61.
1266 Eingehend zu diesem Begriff *Dehn* in Koziol/P. Bydlinski/Bollenberger, ABGB[4] § 1497 ABGB Rn 11.

B. Deutschland

1. Konkurrenzen im Verfahren nach § 1032 Abs 1 dZPO

921 Wird nach Erhebung der Einrede der Schiedsvereinbarung nach § 1032 Abs 1 dZPO ein Verfahren nach § 1032 Abs 2 dZPO auf Feststellung der Wirksamkeit oder Unwirksamkeit der Schiedsvereinbarung bzw Zulässigkeit oder Unzulässigkeit des Schiedsverfahrens eingeleitet, so fehlt für das Verfahren auf Feststellung das Rechtsschutzinteresse.[1267] Denn das staatliche Gericht, vor dem die Einrede erhoben wurde, entscheidet bereits mit bindender Wirkung über die Wirksamkeit der Schiedsvereinbarung und die Zulässigkeit oder Unzulässigkeit des schiedsrichterlichen Verfahrens.

922 Wird die Einrede des Schiedsverfahrens im Verfahren vor einem staatlichen Gericht erst nach Einleitung des Verfahrens nach § 1032 Abs 2 dZPO erhoben, so ist das Ergebnis dasselbe. Das zunächst gegebene Feststellungsinteresse für das Feststellungsverfahren entfällt. Die Antragstellerin muss die Erledigung der Hauptsache im Verfahren nach § 1032 Abs 2 dZPO erklären, will sie nicht die Abweisung ihres Antrags mit der Kostenfolge des § 91 dZPO riskieren.

923 Ergeht im Verfahren nach § 1040 dZPO ein Zwischenentscheid des Schiedsgerichts, so kann das staatliche Gericht im Verfahren nach § 1032 Abs 2 dZPO gem § 148 dZPO die Verhandlung aussetzen, bis der Zwischenentscheid wegen Fristablaufs endgültig geworden ist oder eine gerichtliche Entscheidung eines staatlichen s nach § 1040 Abs 3 dZPO vorliegt.

2. *Lis pendens*

924 Für den Eintritt der Schiedshängigkeit[1268] kommt es in erster Linie auf die Parteivereinbarung an. Treffen die Parteien – was die Regel ist – keine Vereinbarung, so tritt Schiedshängigkeit gem § 1044 Abs 1 dZPO mit Zugang des **Vorlegungsantrags** ein.[1269] Vorlegungsantrag im Sinne des § 1044 Abs 1 dZPO ist eigentlich eine Klageerhebung mit allen Anforderungen an eine Klageschrift. Er muss tatbestandlich den Streitgegenstand individualisieren (S 2 als „§ 253 Abs 2 des Schiedsverfahrens") und ferner die gegnerische Partei informieren.

1267 OLG Bayern 7.10.2002, SchiedsVZ 2003, 187; *Kröll,* NJW 2003,791 ff; *Schroeter,* SchiedsVZ 2004, 288 ff; *Schwab/Walter,* Schiedsgerichtsbarkeit⁷ Kap 31 Rn 12; einschränkend *Spohnheimer* in FS Käfer 357 ff.

1268 Vgl dazu *Baur* in FS Fasching 81 ff; *Bosch,* Rechtskraft und Rechtshängigkeit im Schiedsverfahren (1991); *Mansel* in FS Kühne 809 ff.

1269 *Schütze* in Wieczorek/Schütze, ZPO⁴ § 1044 Rn 21 ff.

a) Materiell-rechtliche Wirkungen

Die materiell-rechtlichen Wirkungen der Schiedshängigkeit entsprechen de-   **925**
nen der Rechtshängigkeit. Das gilt nach deutschem Recht insbesondere für:
- die Hemmung der Verjährung[1270] und die Unterbrechung der Ersitzung;[1271]
- die Verschärfung der Haftung im Eigentümer-Besitzerverhältnis;[1272]
- die Begründung des Anspruchs auf Prozesszinsen.[1273]

b) Prozessuale Wirkungen

Die prozessualen Wirkungen der Schiedshängigkeit entsprechen dagegen nicht   **926**
jenen der Rechtshängigkeit. Sie bleiben weit dahinter zurück. Die Schiedshängigkeit begründet keine Einrede in einem weiteren Verfahren über denselben
Streitgegenstand vor staatlichen Gerichten[1274] oder einem Schiedsgericht. Jedoch fehlt für eine zweite Schiedsklage regelmäßig das Rechtsschutzbedürfnis.

   Eine *perpetuatio fori*, dh eine Fortdauer der Zuständigkeit, bewirkt die   **927**
Schiedshängigkeit weder für Verfahren vor den staatlichen Gerichten noch
für solche vor Schiedsgerichten.[1275]

C. Schweiz

Das Schweizer Recht regelt den **Eintritt der Schiedshängigkeit** in Art 181   **928**
schwIPRG. Gem dieser Bestimmung ist ein Schiedsverfahren hängig, sobald eine Partei die/den in der Schiedsvereinbarung bezeichnete/n Schieds-
richterin/Schiedsrichter mit einem Rechtsbegehren anruft oder, falls keine
Schiedsrichterin/kein Schiedsrichter bezeichnet wurde, sobald eine Partei
das Verfahren zur Bildung des Schiedsgerichts einleitet.

   Art 181 schwIPRG ist zwingender Natur, dh abweichende Regelungen   **929**
der Parteien oder in Schiedsordnungen sind unbeachtlich.[1276] Entsprechend
präzisieren die **Swiss Rules** in Art 3(2) in zulässiger Weise lediglich den maß-

---

1270   § 204 Abs 1 Nr 11 dBGB; vgl dazu *Hauck,* „Schiedshängigkeit" und Verjährungs-
       unterbrechung nach § 220 BGB (1996); *Münch* in FS Schlosser 613 ff; *Oppermann,*
       Internationale Handelsschiedsgerichtsbarkeit und Verjährung (2009); *Schütze* in FS
       Roth 791 ff.
1271   § 941 dBGB.
1272   §§ 987, 989, 991, 994 Abs 2, 996 dBGB.
1273   § 291 dBGB; vgl *Lachmann,* Handbuch³ Rn 763; *Schwab/Walter,* Schiedsgerichts-
       barkeit⁷ Kap 16 Rn 5.
1274   Vgl BGH 11.4.1958, NJW 1958, 950; BGH, BGHZ 421, 107; *Bosch,* Rechtskraft und
       Rechtshängigkeit 182 ff.
1275   *Bosch,* Rechtskraft und Rechtshängigkeit 178 f; aA *Baur* in FS Fasching 81 ff.
1276   *Pfister* in Honsell et al, Internationales Privatrecht³ Art 181 Rn 4.

geblichen Zeitpunkt der Verfahrenseinleitung:[1277] Das Schiedsverfahren gilt demnach an jenem Tag als eingeleitet, an welchem die Einleitungsanzeige beim Sekretariat der Schiedsinstitution eingegangen ist. Im Falle von *ad hoc* Schiedsverfahren tritt die Schiedshängigkeit nach Art 181 schwIPRG regelmäßig mit der klägerischen Mitteilung des Klagebegehrens, unter gleichzeitiger Benennung der Parteivertreterin/des Parteivertreters, an die Beklagte bzw mit der klägerischen Anrufung der staatlichen Richterin/des staatlichen Richters zur Bestellung des Schiedsgerichts ein.[1278]

930   Für die Regelung der Zuständigkeit bei parallelen Verfahren vor einem staatlichen Gericht und einem Schiedsgericht muss grundsätzlich danach unterschieden werden, vor welchem Gericht die Streitsache zeitlich zuerst anhängig gemacht wurde.

931   Wurde das **Schiedsgericht zuerst angerufen** und die Streitsache erst anschließend (parallel) vor das staatliche Schweizer Gericht gebracht, so sistiert das staatliche Gericht in Anwendung des Grundsatzes der Kompetenz-Kompetenz (Art 186 Abs 1 schwIPRG) sowie in analoger Anwendung von Art 9 Abs 1 schwIPRG bzw Art 372 Abs 2 schwZPO (je nachdem ob der Sitz des Schiedsgerichts im Ausland oder in der Schweiz liegt) das staatliche Verfahren zugunsten des Schiedsverfahrens bis dieses über seine eigene Zuständigkeit entschieden hat.[1279]

932   Wird hingegen das **Schiedsgericht** zeitlich nach einem staatlichen Gericht **als zweites Gericht** angerufen, so sieht Art 186 Abs 1bis schwIPRG eine gesetzliche Zuständigkeitsregelung für parallele Verfahren vor: Gem dieser Bestimmung, welche am 1. 3. 2007 als Reaktion auf den in der Lehre stark kritisierten *Fomento*-Entscheid des BGer[1280] in Kraft getreten ist, entscheidet das Schiedsgericht über seine Zuständigkeit ungeachtet einer bereits vor einem staatlichen Gericht oder einem anderen Schiedsgericht hängigen Klage über denselben Gegenstand zwischen denselben Parteien, es sei denn, dass beachtenswerte Gründe ein Aussetzen des Verfahrens erfordern. Es werden mit anderen Worten die allgemeinen Regeln zu *lis pendens* zugunsten des Prinzips der Kompetenz-Kompetenz (Art 186 Abs 1 schwIPRG) verdrängt, sodass das Schiedsgericht selbst dann zum zeitlich prioritären Entscheid über seine eigene Zuständigkeit befugt ist, wenn bereits ein anderes Gericht mit derselben Streitsache befasst ist.[1281] Diese Regelung gilt nur in

---

1277   *Bärtsch/Petti* in Zuberbühler/Müller/Habegger, Swiss Rules[2] Art 3 Rn 6.
1278   *Pfister* in Honsell et al, Internationales Privatrecht[3] Art 181 Rn 10.
1279   *B. Berger/Kellerhals*, Arbitration[3] Rn 717 iVm Rn 1033 ff; *Berger/Pfisterer* in Zuberbühler/Müller/Habegger, Swiss Rules[2] Art 21 Rn 6a; *Kaufmann-Kohler/Rigozzi*, International Arbitration in Switzerland Rn 5.61.
1280   BGE 127 III 279, 283 E. 2b.
1281   *Kaufmann-Kohler/Rigozzi*, International Arbitration in Switzerland Rn 5.63; siehe jedoch *B. Berger/Kellerhals*, Arbitration[3] Rn 1058, welche die Anwendung von

der internationalen, nicht jedoch in der Binnenschiedsgerichtsbarkeit: Gem dem auf **Binnenschiedsverfahren** anwendbaren Art 372 Abs 2 schwZPO ist dasjenige Gericht zum zeitlich vorrangigen Entscheid über seine Zuständigkeit berechtigt, welches zuerst angerufen wurde.[1282]

Beachtenswerte Gründe iSv Art 186 Abs 1bis schwIPRG, die das Aussetzen des Schiedsverfahrens erfordern, können bspw dann vorliegen, wenn ein weiteres Schiedsverfahren bloß deshalb eingeleitet wurde, um eine in der zugrundeliegenden Schiedsklausel gesetzte Frist zu wahren oder wenn ein Entscheid des BGer über die Zuständigkeit eines zuerst angerufenen Schiedsgerichts bereits erwartet wird.[1283]

933

Art 372 Abs 2 schwZPO statt Art 186 Abs 1bis schwIPRG befürworten, sofern ein Schiedsgericht zeitlich nach einem *Schweizer Gericht* angerufen wird.

1282 *Girsberger/Voser*, International Arbitration[3] Rn 1321; siehe jedoch *B. Berger/Kellerhals*, Arbitration[3] Rn 1053, welche die Anwendung von Art 186 Abs 1bis schwIPRG statt Art 372 Abs 2 schwZPO befürworten, sofern ein Schweizer Binnenschiedsgericht zeitlich nach einem *ausländischen Gericht* angerufen wird.

1283 *Kaufmann-Kohler/Rigozzi*, International Arbitration in Switzerland Rn 5.64; vgl auch *Bärtsch/Petti* in Geisinger/Voser, Arbitration in Switzerland[2] 49.

7. Kapitel

Präliminarien des Schiedsverfahrens

I. Einleitung des Schiedsverfahrens

Wolfgang Hahnkamper

Am Anfang des Schiedsverfahrens steht das **verfahrenseinleitende Schrift- 934 stück.** Es entspricht funktionell der Klage bei Gericht und ist im *ad hoc* Verfahren direkt der schiedsbeklagten Partei zuzustellen, im institutionellen Verfahren hingegen bei der Institution einzubringen, die es der Beklagten selbst zustellt. Zur Verfahrenseinleitung kann die Schiedsklägerin vorerst bloß eine Schiedsanzeige übermitteln oder gleich die Schiedsklage.[1284] Diese Übermittlung löst wichtige Rechtsfolgen aus.

Mit Zustellung des verfahrenseinleitenden Schriftstücks an die Beklagte 935 tritt „Schiedshängigkeit", in der Schweiz „Rechtshängigkeit" ein. Eine Klage über denselben Anspruch bei einem ordentlichen Gericht ist wegen Unzulässigkeit des Rechtsweges zurückzuweisen. Daneben treten weitere Rechtswirkungen ein, diese sind abhängig vom anzuwendenden materiellen Recht[1285], von „Schiedshängigkeit" und „Anhängigkeit".

1284 Das zweistufige Vorgehen wählt die Klägerin zB dann, wenn sie für die endgültige Ausgestaltung der Schiedsklage die Zusammensetzung des Schiedsgerichts abwarten möchte; die Wiener Regeln sehen gleich die vollständige Schiedsklage vor, was der VIAC-Generalsekretär in einem Verbesserungsverfahren sicherstellen kann; vgl Art 7(4) Wiener Regeln.
1285 Siehe Näheres *Hahnkamper* Rn 952–955.

A. Das verfahrenseinleitende Schriftstück – Inhalt

1. Inhalt des verfahrenseinleitenden Schriftstücks im *ad hoc* Schiedsverfahren

936 Zu Beginn eines *ad hoc* Schiedsverfahrens steht keine Institution und kein Schiedsgericht, das erst in einem späteren Verfahrensstadium gebildet wird, für eine Zustellung des verfahrenseinleitenden Schriftstücks zur Verfügung.[1286]

937 Es ist daher die Klägerin selbst, die, wenn nicht anders in der Schiedsvereinbarung vorgesehen, das Schriftstück entweder durch persönliche Übergabe, per Post[1287] oder per Kurier[1288] an die Beklagte übermittelt. Die Rechtswirkung der Einleitung des Schiedsverfahrens wird hier durch Übermittlung von Partei zu Partei ausgelöst. Nach der öZPO bestehen keine inhaltlichen Mindesterfordernisse.[1289] Eine einfache Schiedsanzeige, Einleitungsanzeige oder *Notice of Arbitration* genügt.[1290] Allerdings muss das Schriftstück, um die Rechtswirkungen der Verfahrenseinleitung zu erzielen, mindestens die Bezeichnung der Parteien, des geltend gemachten Anspruchs[1291] und die Berufung auf eine näher bezeichnete Schiedsvereinbarung enthalten.

938 Ausdrücklich ist der **Mindestinhalt** des verfahrenseinleitenden Schriftsatzes nur im deutschen Recht geregelt.[1292] Die Benennung eines Mitglieds des Schiedsgerichts bereits im verfahrenseinleitenden Schriftstück, verbunden mit der Aufforderung an die Gegenseite, dies ihrerseits zu tun, ist in Österreich und in Deutschland nicht notwendig, jedoch in der Praxis üblich, weil die Klägerin üblicherweise daran interessiert ist, keine Zeit zu verlieren. Im schwIPRG setzt die rechtswirksame Verfahrenseinleitung hingegen voraus, dass das Verfahren zur Schiedsrichterbestellung eingeleitet wird (wenn nicht schon eine Schiedsrichterin/ein Schiedsrichter, zB in der Schiedsvereinbarung, bestellt wurde).[1293]

1286   Siehe näher zum *ad hoc* Schiedsverfahren *Wong* Rn 214–257.

1287   Eingeschriebene Übersendung mit Rückschein empfiehlt sich.

1288   Va im internationalen Rechtsverkehr, mit Zustellnachweis.

1289   § 600 Abs 2 Satz 1 öZPO; § 1048 dZPO.

1290   Die Wiener Regeln fordern sogleich die Einbringung der Schiedsklage und geben deren Mindestinhalt vor; vgl Art 7 Wiener Regeln.

1291   Die Parteien müssen ein bestimmtes Begehren stellen; vgl *Fasching*, Schiedsgericht 100 unter Hinweis auf das Bestimmtheitserfordernis in § 226 öZPO, welches auch für die Schiedsklage gilt, wenngleich erst der Schiedsspruch dem § 7 öEO entsprechen muss.

1292   § 1044 dZPO: im Ergebnis wie oben, dh Parteienbezeichnung, Angabe des Streitgegenstandes, Hinweis auf die Schiedsvereinbarung; so kann geprüft werden, ob der geltend gemachte Anspruch überhaupt der Schiedsvereinbarung unterliegt (vgl *Zöller*, Zivilprozessordnung[30] § 1044 Rn 2).

1293   Art 181 schwIPRG; dies bedeutet, dass die Klägerin ein bereits vorab vereinbartes Mitglied des Schiedsgerichts anruft (was in der Praxis selten vorkommt) oder an-

Ist die Verfahrenseinleitung lediglich durch Schiedsanzeige erfolgt, ist es die **939** Aufgabe des Schiedsgerichts nach seiner Konstituierung (und idR Einzahlung der Kostenvorschüsse für das schiedsgerichtliche Honorar und Barauslagen), der Klägerin eine Frist für die Einreichung der vollständigen Schiedsklage zu setzen.[1294] Diese hat dann die anspruchsbegründenden Tatsachen anzuführen, jedenfalls den Klagsanspruch bestimmt anzugeben und ggf auch Rechtsausführungen zu enthalten.[1295]

2. Inhalt des verfahrenseinleitenden Schriftstücks im institutionellen Schiedsverfahren

Im institutionellen Schiedsverfahren bestimmt die anzuwendende Schieds- **940** ordnung, ob das Verfahren mit Schiedsanzeige, Antrag auf Verfahrenseinleitung, Einleitungsanzeige[1296], *Notice of Arbitration* oder gleich mit Schiedsklage eingeleitet wird. Die Schiedsregeln legen auch den **Mindestinhalt** des verfahrenseinleitenden Schriftstückes fest.[1297] Nach den meisten Schiedsregeln ist der geltend gemachte Anspruch bereits da schlüssig darzulegen,[1298] Angaben zur Anzahl der Mitglieder des Schiedsgerichts zu machen und ggf deren Bestellung durch das Präsidium zu begehren.[1299]

Aufgabe der Institution ist es – idR nach einer Vorprüfung, ob sich die **941** Schiedsklägerin überhaupt auf eine Schiedsvereinbarung beruft[1300] –, das Dokument der Beklagten samt Aufforderung zur Antwort und Fristsetzung zuzustellen.[1301]

---

sonsten die ersten Schritte zur Schiedsrichterbestellung setzt; Anmerkung: Verweise auf Gesetzesstellen des Schweizer Rechts beschränken sich in diesem Kapitel auf das schwIPRG.

1294 § 597 Abs 1 öZPO; § 1046 dZPO.

1295 Letzteres ist dann zweckmäßig, wenn nicht alle Beteiligten im anwendbaren materiellen Recht praktizieren, vgl *Kaufmann-Kohler*, ArbInt 2005, 637.

1296 So zB Art 3 Swiss Rules, der aber optional ebenfalls die Vorlage der Schiedsklage zusammen mit der Einleitungsanzeige vorsieht.

1297 Art 7 Wiener Regeln; Art 4 ICC SchO; Art 3(3) Swiss Rules; in der Schweizer Praxis wird nach einem kurzen Request/Answer mit full SoC/SoD fortgefahren, woran sich idR ein weiterer Schriftenwechsel anschließt.

1298 *Rechberger/Pitkowitz* in VIAC, Handbuch Art 7 Rn 8 unter Anlehnung an Art 23(1) UNCITRAL ModG; in Art 4 ICC SchO scheint die Wortwahl „*request for arbitration*" ein geringeres Inhaltserfordernis zu indizieren, die Liste der Mindesterfordernisse ist aber weitgehend deckungsgleich; ähnlich auch die DIS-Regeln in § 6.

1299 *Rechberger/Pitkowitz* in VIAC, Handbuch Art 7 Rn 6.

1300 Art 4(3)(e) ICC SchO.

1301 Hiefür verlangt sie (je nach Institution neben einer gesonderten Einschreibegebühr) eine Verwaltungs- oder Bearbeitungsgebühr; s Art 10, 44 Wiener Regeln, § 7 DIS-Regeln, Art 4 Anhang 3 zur ICC SchO, Einschreibegebühr Appendix B.

942   Die Beklagte hat binnen einer von der Institution bei Zustellung der Schiedsanzeige gesetzten Frist[1302] eine Antwort auf die Schiedsanzeige bei der Schiedsinstitution einzureichen.[1303] Wurde der Schiedsanzeige bereits die Schiedsklage angeschlossen, kann die Schiedsbeklagte ihrer Antwort auf die Schiedsanzeige ebenso bereits die Klagebeantwortung anschließen.[1304]

943   Obwohl die einzelnen Schiedsregeln im Detail differieren, zielen sie alle darauf ab, dass der Verfahrensgegenstand möglichst frühzeitig feststeht. Diesem Zweck dienen auch Verbesserungsverfahren.[1305]

B. Zustellung im schiedsgerichtlichen Verfahren

1. Im Allgemeinen

944   Grundsätzlich steht es den Parteien frei, eine Regelung über die Zustellung und den Empfang von schriftlichen Mitteilungen im Schiedsverfahren einvernehmlich zu treffen. Häufig geschieht dies durch die Vereinbarung institutioneller Schiedsregeln. Ist nichts vereinbart, gilt die gesetzliche Regelung.[1306] Das Gesetz geht von der Übermittlung von Schriftstücken in Papierform (*hardcopy*) als Normalfall aus.[1307] Aber auch jegliche andere Methode der Übermittlung, also durch Telefax, E-Mail oder auch durch Posting auf einer gemeinsamen, zB für dieses Schiedsverfahren eingerichteten Website[1308], ist möglich.[1309]

945   Zu den Aufgaben des Schiedsgerichts zu Beginn eines Schiedsverfahrens gehört es, die Übermittlung von Mitteilungen während des Verfahrens

---

1302 Häufig 30 Tage; vgl Art 3(7) Swiss Rules, Art 8 Wiener Regeln, Art 5 ICC SchO.

1303 *„Einleitungsantwort"* im Verfahren nach den Swiss Rules, siehe Art 3(7) Swiss Rules.

1304 Art 3(8) Swiss Rules; siehe Dorda Rn 1105–1107.

1305 Vgl Art 7(4) Wiener Regeln; Art 3(5) Swiss Rules.

1306 § 580 öZPO; § 1028 dZPO.

1307 Privatkunden gleichgestellt sind elektronische Dokumente mit einer (elektronischen) Signatur; in Österreich laut Signaturgesetz; in Deutschland gemäß § 371a dZPO; in der Schweiz laut Bundesgesetz über digitale Signatur (ZertEs).

1308 Auf diesem Gebiet sind bedeutende Neuerungen im Gange, um Internet-basiert Systeme für die Online-Administration von Streitigkeiten zu ermöglichen. Ziel ist, den Parteien die Durchführung ihres Schiedsverfahrens durch standardisierte Kommunikation, zB im Wege des Ausfüllens von elektronischen Formularen, zu bieten, wobei die Parteien, die Mitglieder des Schiedsgerichts und die Institution ausschließlich elektronisch über sichere Kanäle verkehren; zB bei WIPO World Intelectual Property Organization (www.wipo.int/amc/en/arbitration/online) oder bei UNCITRAL, Dokument A/CN.9/706 – Possible Future Work on Online Dispute Resolution in Cross-Border Electronic Commerce Transactions, abrufbar unter http://www.uncitral.org/uncitral/publications/online_resources_ODR.html (zuletzt abgerufen am 10.8.2016).

1309 *Zeiler*, Schiedsverfahren[2] § 580 ZPO Rn 2.

im Detail zu regeln. Da dies in der Praxis regelmäßig geschieht, besteht die Bedeutung der Regelungen in § 580 öZPO über Zustellung und Empfang schriftlicher Mitteilungen einschließlich der wichtigen „Zustellfiktion" vorwiegend im Zusammenhang mit dem verfahrenseinleitenden Schriftstück.[1310]

Aufgrund des § 577 Abs 2 öZPO finden die Regeln des § 580 öZPO über den Empfang schriftlicher Mitteilungen auch dann Anwendung, wenn der Sitz des Schiedsgerichts außerhalb Österreichs liegt oder noch nicht bestimmt ist.[1311] Dies ist in der Praxis aber wenig bedeutsam.[1312]   **946**

2. Zustellung des verfahrenseinleitenden Schriftstücks im Besonderen

Grundlegende Voraussetzung für ein gesetzmäßiges Schiedsverfahren ist, dass jede Partei rechtliches Gehör erhält und ihre Rechtsposition ausreichend darlegen kann. Dazu muss sie von dessen Einleitung Kenntnis erhalten. Ob sie dann am Verfahren teilnimmt oder nicht, ist nicht entscheidend, weil das Schiedsgericht das Verfahren auch ohne anschließende Mitwirkung einer Schiedspartei durchführen und einen abschließenden Schiedsspruch erlassen kann.[1313]   **947**

Kenntnis vom Verfahren erhält die Gegenpartei durch **Empfang des verfahrenseinleitenden Schriftstücks**. Dessen wirksame Zustellung ist von Bedeutung für die Anfechtungsfestigkeit des im Verfahren ergehenden Schiedsspruchs,[1314] und für dessen Vollstreckbarkeit.[1315] Denn es stellt einen Grund für die Anfechtung und – im Exekutionsverfahren – für die Versagung der Vollstreckbarkeit dar, wenn die anfechtende oder verpflichtete Partei von der Bestellung der Mitglieder des Schiedsgerichts oder vom schiedsgerichtlichen Verfahren nicht gehörig in Kenntnis gesetzt wurde oder sie aus einem anderen Grunde ihre Angriffs- und Verteidigungsmittel nicht geltend machen konnte. Dies ist ua dann der Fall, wenn das verfahrenseinleitende Schriftstück nicht wirksam zugestellt wurde.[1316]   **948**

1310 Siehe ansonsten *Konrad* in Liebscher/Oberhammer/Rechberger, Schiedsverfahrensrecht I Rn 2/99 ff.

1311 *Zeiler,* Schiedsverfahren² § 580 Rn 4b.

1312 Zur möglichen Ablehnung der Vollstreckung (Art V(1)(b) NYÜ) siehe *Konrad* in Liebscher/Oberhammer/Rechberger, Schiedsverfahrensrecht I Rn 2/19 (Ende).

1313 § 600 Abs 2 öZPO; § 1048 dZPO.

1314 § 611 Abs 2 Z 2 öZPO; § 1059 Abs 2 Z 1 lit b dZPO; Art 190 Abs 2 lit d schwIPRG.

1315 § 1 Z 16 öEO, Art V Abs 1 lit b NYÜ, vgl aber mögliche Diskrepanz bei der Beurteilung der Zustellung des verfahrenseinleitenden Schriftstückes in einem Schiedsverfahren mit Sitz in einem Land mit „Zustellfiktion".

1316 Die Frage des rechtlichen Gehörs ist im Exekutionsverfahren nicht nach dem Recht des Sitzstaates zu beurteilen, sondern nach dem Recht des Anerkennungsstaates (ÖGH 17.2.2016, 3 Ob 208/15g).

949   Das verfahrenseinleitende Schriftstück ist, wenn nicht die Parteien Abweichendes vereinbart haben, wie andere schriftliche Mitteilungen zu übermitteln.[1317] Es gilt an jenem Tag als empfangen, an dem sie dem Empfänger oder einer zum Empfang berechtigten Person persönlich ausgehändigt wurde (wo auch immer).[1318] Dies kann per Post oder per Kurier geschehen. Ortsabwesenheit eines Empfängers hindert die Zustellung nicht, solange am (aktuellen) Sitz, Wohnsitz oder gewöhnlichen Aufenthalt des Adressaten zugestellt wird. Der „gewollt großzügige" § 580 öZPO[1319] fordert, wenn persönliche Übergabe an den Adressaten oder einen für ihn Empfangsberechtigten an einer Adresse nicht möglich ist, nur den Zugang in die Sphäre des Empfängers.[1320]

950   Sind weder Sitz, Wohnsitz noch gewöhnlicher Aufenthalt trotz angemessener Nachforschungen bekannt (dh ist die Person unbekannten Aufenthalts), kann während des laufenden Verfahrens wirksam an die letzte bekannte Adresse[1321] zugestellt werden. Diese **gesetzliche Zustellfiktion** setzt nach österreichischem Recht allerdings voraus, dass der Adressat Kenntnis vom Schiedsverfahren hat.[1322]

951   Kenntnis vom Schiedsverfahren erlangt die Gegenpartei meist erst durch die Zustellung des verfahrenseinleitenden Schriftstücks.[1323] Für das verfahrenseinleitende Schriftstück gilt die Zustellfiktion nach österreichischem Recht daher nicht.[1324] Weiter geht hier das deutsche Recht. Dieses gewährt die Zustellfiktion auch für das verfahrenseinleitende Schriftstück. Bereits dieses kann, ebenso wie die nachfolgenden Schriftstücke im Verfahren, an die letztbekannte Postadresse, Niederlassung oder den gewöhnlichen Aufenthalt der Gegenpartei wirksam zugestellt werden, wenn ihr aktueller Aufenthalt trotz Nachforschung nicht bekannt ist.[1325]

1317   Wohl in Form eines unterschriebenen Schriftstücks (*hardcopy*); zur Einbringung bei der Institution per E-Mail, deren Rechtsfolgen aber nach dem anwendbaren materiellen Recht zu beurteilen sind, vgl *Rechberger/Pitkowitz* in VIAC, Handbuch Art 7 Rn 2.

1318   § 580 öZPO; § 1028 dZPO.

1319   So der OGH (17.2.2016, 3 Ob 208/15g) unter Verweis auf die Gesetzesmaterialien.

1320   Dies war im entschiedenen Fall (OGH 17.2.2016, 3 Ob 208/15g) die Ankunft des an die Gesellschaft gerichteten Schriftstücks am Sitz der Gesellschaft, dessen Übergabe dann aber von einer Familienangehörigen des Gesellschafters verweigert wurde.

1321   § 580 Abs 2 öZPO; § 1028 dZPO.

1322   *Konrad* in Liebscher/Oberhammer/Rechberger, Schiedsverfahrensrecht I Rn 2/119 ff.

1323   *Hausmaninger* in Fasching/Konecny, ZPO³ § 580 Rn 40.

1324   *Zeiler*, Schiedsverfahren² § 580 ZPO Rn 15; *Konrad* in Liebscher/Oberhammer/Rechberger, Schiedsverfahrensrecht I Rn 2/117 ff.

1325   § 1028 dZPO: Zugang „*an dem Tag, an dem sie bei ordnungsgemäßer [Zustellung an die letztbekannte Postanschrift etc] dort hätten empfangen werden können*", mit besonderer Brisanz dadurch, dass sie auch auf das verfahrenseinleitende Schriftstück

C. Rechtswirkungen der Verfahrenseinleitung

1. Schiedshängigkeit

Mit Übergabe bzw Einbringung des verfahrenseinleitenden Schriftstücks ist **952** das Schiedsverfahren eingeleitet, dh es hat begonnen. Die Schiedsbeklagte wird ebenso wie vor dem staatlichen Gericht aber erst *„ins Prozessrechtsverhältnis miteinbezogen, sobald die Klage ordnungsgemäß zugestellt ist".*[1326] Für deutsches Recht gilt dies mit Erhalt des „Vorlegungsantrages" durch die Beklagte.[1327] Mit der oben beschriebenen wirksamen Zustellung einer Schiedsanzeige mit dem erforderlichen (ggf den Schiedsregeln entsprechenden) Mindestinhalt[1328] an die Beklagte[1329] tritt nach österreichischem und nach deutschem Recht **Schiedshängigkeit** ein. Dies ist das Pendant zur Streitanhängigkeit (bzw Rechtshängigkeit) im staatlichen Prozess, mit denselben rechtlichen Folgen.[1330] Hievon ist terminologisch die in Art 7(1) Wiener Regeln genannte **Anhängigkeit des Schiedsverfahrens** zu unterscheiden, die den Zeitpunkt des Beginns des Schiedsverfahrens festsetzt und als Pendent zur Gerichtsanhängigkeit (bzw Anhängigkeit) im staatlichen Prozess betrachtet werden kann. Die Anhängigkeit tritt mit dem Einlangen der Schiedsklage beim Sekretariat der VIAC ein. Ebenso gilt in einem Schiedsverfahren nach den DIS-Regeln das Schiedsverfahren mit Zugang der Klage bei der DIS-Geschäftsstelle als begonnen (iSv anhängig). Für die Schweiz knüpft das schwIPRG Zeitpunkt und Wirkungen der Schiedshängigkeit an die Schiedsrichterbestellung. Dh sobald eine Partei ein bereits vorab vereinbartes Mitglied des Schiedsgerichts anruft oder das Verfahren für die Schiedsrichterbestellung einleitet, ist *„Rechtshängigkeit"* (Schiedshängigkeit) eingetreten.[1331] Für deren materiell-rechtliche Rechtswirkungen wird auch für Schweizer Schiedsverfahren auf das anwendbare materielle Recht verwiesen.[1332]

Anwendung findet; vgl *Wolf/Eslami* in Beck'scher Online-Kommentar[19] § 1028 ZPO Rn 1.

1326 *Fasching*, Lehrbuch ZPO[2] Rn 1181.

1327 § 1044 dZPO, dh der Antrag, die Streitigkeit einem Schiedsgericht vorzulegen mit dem Mindestinhalt Bezeichnung der Parteien, Angabe des Streitgegenstandes und Hinweis auf die Schiedvereinbarung.

1328 Ungeachtet des geänderten Wortlauts von Art 3(3)(h) in den Swiss Rules ist (wie oben ausgeführt) in deren Geltungsbereich weiterhin die SchiedsrichterInnenbenennung essentieller Teil der Einleitungsanzeige; vgl *Reiter* in Arroyo, Arbitration in Switzerland Art 3 Swiss Rules Rn 22.

1329 § 584 Abs 3 öZPO; vgl dazu auch § 232 Abs 1 öZPO; § 1044 dZPO.

1330 § 584 Abs 3 öZPO; *Rechberger/Pitkowitz* in VIAC, Handbuch Art 7 Rn 3.

1331 Art 181 schwIPRG.

1332 Vgl *Reiter* in Arroyo, Arbitration in Switzerland Art 3 Swiss Rules Rn 14.

953   Mit der Schiedshängigkeit erhält das Schiedsgericht auch die exklusive Zuständigkeit zur Entscheidung über seine eigene Zuständigkeit (Kompetenz-Kompetenz). Diese kann vom Gericht erst im Anfechtungsverfahren nach Ergehen eines Schiedsspruchs (auch Zwischenschiedsspruch, beschränkt auf die Zuständigkeit) überprüft werden.

954   Bis zur Erlassung eines Schiedsspruchs oder einem sonstigen Verfahrensende[1333] begründet das schiedshängige Schiedsverfahren **Litispendenz**.[1334] Über „denselben" Anspruch darf weder ein weiteres Schieds- noch ein Gerichtsverfahren geführt werden,[1335] während freilich ein Schiedsverfahren unter Umständen auch geführt werden kann, wenn ein Verfahren vor Gericht streitanhängig ist. Dies dient der Verhinderung von *torpedo claims*.[1336] Wie weit die Schiedshängigkeit reicht, dh welcher Anspruch „derselbe" ist, ist nach den allgemeinen Regeln über den Streitgegenstand im anwendbaren Zivilverfahrensrecht zu beurteilen.[1337] Die Schiedshängigkeit kann weiters die Wahrung oder Hemmung gesetzlicher oder vertraglicher Fristen bewirken. Sie kann darüber hinaus – je nach anzuwendendem materiellem Recht – für den Zinsenlauf[1338] oder für erweiterte Schadenersatzansprüche[1339] maßgeblich sein.

955   Die **Hemmung der Verjährung** durch die Einleitung des Schiedsverfahrens ist im deutschen und schweizerischen Recht ausdrücklich geregelt.[1340] In Österreich[1341] ergibt sie sich aus Judikatur und Lehre. Hiebei ist nach österreichischer Rechtsmeinung die Unterbrechung der Verjährung und Ersitzung keine Rechtsfolge der Schiedshängigkeit, weil es auf den Zugang der verfahrenseinleitenden Mitteilung nicht ankommt, solange die Klägerin ihrerseits alle erforderlichen Schritte zur Durchsetzung des Anspruchs unternommen

---

1333   Vgl § 608 öZPO; § 1056 dZPO; Art 34 Swiss Rules; Art 34 Wiener Regeln; § 39 DIS-Regeln.

1334   *Rechberger* in Liebscher/Oberhammer/Rechberger, Schiedsverfahrensrecht I Rn 6/9.

1335   § 584 Abs 3 öZPO; § 1032 dZPO.

1336   *Zeiler*, Schiedsverfahren[2] § 584 Rn 18b mwN; für die Schweiz vgl *Reiter* in Arroyo, Arbitration in Switzerland Art 3 Swiss Rules Rn 11.

1337   § 226 öZPO für das gerichtliche Verfahren; zu den verschiedenen Streitgegenstandstheorien vgl *Rechberger/Klicka* in Rechberger, ZPO[4] Vor § 226 Rn 14 ff.

1338   Vgl etwa die Wirkung der Rechtshängigkeit auf die Prozesszinsen nach § 291 dBGB.

1339   Und zwar nach deutschem Recht: § 989 dBGB zum Schadenersatz nach Rechtshängigkeit.

1340   § 204 Abs 1 Z 11 dBGB; Art 135 Z 2 schwOR.

1341   Vgl etwa OGH 31.3.1966, 5 Ob 30/66, SZ 39/63; OGH 23.6.1995, 1 Ob 25/95; den Fall, dass die Klägerin zunächst das unzuständige und nach Zurückweisung das zuständige Gericht bzw Schiedsgericht anruft, regelt das österreichische Recht explizit (vgl § 584 Abs 4 öZPO): Die Klage gilt bei unverzüglicher Anrufung des zuständigen Forums als gehörig fortgesetzt, und der Verjährungslauf bleibt unterbrochen.

hat.[1342] Somit führt in institutionellen Verfahren auch nach österreichischem Recht schon die Einbringung der Schiedsklage bei der Institution lt Schiedsvereinbarung, dh schon die *„Anhängigkeit"* der Schiedsklage, zur Unterbrechung der Verjährung.[1343]

1342 Zu den Rechtsfolgen der Einleitung des Verfahrens vor dem unzuständigen Gericht bzw Schiedsgericht, Fortsetzung nach Zurückweisung ua vgl *Zeiler*, Schiedsverfahren[2] § 584 Rn 19 ff.

1343 Also nicht erst die „Schiedshängigkeit"; vgl § 1497 öABGB; *Rechberger/Pitkowitz* in VIAC, Handbuch Art 7 Rn 3; *Rechberger* in Liebscher/Oberhammer/Rechberger, Schiedsverfahrensrecht I Rn 6/6 differenziert zwischen den Zeitpunkten von *lis pendens* und Unterbrechung der Verjährung; § 204 Abs 1 Z 11 dBGB; *Lionnet/Lionnet*, Schiedsgerichtsbarkeit[3] 319.

II. Bildung des Schiedsgerichts

Wolfgang Hahnkamper

A. Anzahl der Mitglieder des Schiedsgerichts

956 Die Anzahl der Mitglieder des Schiedsgerichts legen die Parteien idR schon in der Schiedsvereinbarung fest. Am häufigsten wird ein Schiedsgericht mit drei Mitgliedern[1344] vereinbart.[1345] In kleineren Angelegenheiten wird aus Kostengründen oft eine Einzelschiedsrichterin/ein Einzelschiedsrichter vorgesehen. Haben die Parteien dies offengelassen, bestimmt im institutionellen Verfahren die Institution, abhängig vom Streitwert, mit Präferenz für die Einzelschiedsrichterin/den Einzelschiedsrichter.[1346] Sollten die anwendbaren Schiedsregeln oder die anwendbare *lex arbitri* auch eine gerade Anzahl der Mitglieder des Schiedsgerichts zulassen (so zB § 1034 Abs 1 dZPO), so empfiehlt sich doch immer die Vereinbarung einer ungeraden Anzahl, um einem Unentschieden bei der Abstimmung zwischen den Mitgliedern des Schiedsgerichts zu entgehen. Manchmal vermeidet die anzuwendende *lex arbitri* diese Situation damit, dass bei gerader Anzahl der Mitglieder des Schiedsgerichts eine weitere Person als Vorsitzende/r bestellt werden muss.[1347] Die Schiedsvereinbarung kann auch Näheres über das Bestellungsverfahren und auch ein Erfordernis persönlicher Qualifikation der Schiedsgerichtsmitglieder vorsehen.

B. Auswahlkriterien und Anforderungsprofil

957 Die Wahl der richtigen Schiedsrichterin/des richtigen Schiedsrichters ist eine der wichtigsten Entscheidungen, die eine Partei im Laufe eines Schiedsverfahrens trifft. Nicht nur Kriterien wie rechtliche Expertise und Vertrautheit mit einem bestimmten Fachgebiet, sondern auch zeitliche Verfügbarkeit und Teamfähigkeit (im Dreier-Schiedsgericht) sind von Bedeutung. Bei der/m Vor-

---

1344 Dies ist auch die Regel im Gesetz, von der die Parteien aber abweichen können; vgl § 586 Abs 2 öZPO; § 1034 Abs 1 dZPO; Art 179 Abs 2 schwIPRG iVm Art 360 schwZPO.

1345 Vorteil: Jede Partei weiß ein von ihr ausgewähltes Mitglied im Senat, Nachteil: höhere Kosten; vgl *Lionnet/Lionnet*, *Schiedsgerichtsbarkeit*[3] 236 f.

1346 Art 12(2) ICC SchO; nach Art 6(2) Swiss Rules kann die Institution den Parteien sogar nahelegen, sich statt eines vereinbarten, aber „unangemessenen" Dreier-Schiedsgerichtes auf eine Einzelschiedsrichterin/einen Einzelschiedsrichter zu einigen; aus der Praxis von Institutionen ist bekannt, dass diese mangels Parteieneinigung über die SchiedsrichterInnenanzahl etwa bei Streitwerten bis EUR 1 Mio eine Einzelschiedsrichterin/einen Einzelschiedsrichter bestellen.

1347 § 586 Abs 1 öZPO; das ist zwingend, wird aber wegen des Eingriffs in den Parteiwillen kritisch gesehen, vgl *Riegler/Petsche* in Liebscher/Oberhammer/Rechberger, Schiedsverfahrensrecht I Rn 5/12; Art 179 Abs 2 schwIPRG iVm Art 360 schwZPO.

sitzenden treten *soft skills*, Fähigkeit der Koordination und Organisationsgabe, diplomatisches Auftreten bei gleichzeitiger Standfestigkeit sowie Kreativität im Bewältigen von Konfliktsituationen dazu. Die Rolle der/s Vorsitzenden kann je nach Art des Streitfalls, der Zusammensetzung des Schiedsgerichts und der Persönlichkeitsstruktur der involvierten Mitglieder des Schiedsgerichts stark variieren. In der Praxis sind von einer/m *„dritten Schiedsrichterin/Schiedsrichter mit administrativen Nebenaufgaben"* über *„Zünglein an der Waage"* bis zu *„de facto Allein-Entscheider zwischen ständig divergierenden MitschiedsrichterInnen"* alle möglichen Varianten anzutreffen.[1348]

Erfahrungsgemäß ist die genaue Prüfung und Sorgfalt bei der Auswahl der Schiedsrichterin/des Schiedsrichters nach Streitentstehung zweckmäßiger als die abstrakte, notwendigerweise spekulative *a priori* Festlegung schon in der Schiedsvereinbarung. Genaue fachspezifische Qualifikationen schon im Voraus festzulegen mag in besonderen Fällen sinnvoll sein, kann sich aber später als nachteilig oder unzweckmäßig erweisen, ja sogar den Beginn eines Schiedsverfahrens unnötig lange hinauszögern, wenn geeignete Mitglieder des Schiedsgerichts aufgrund der vereinbarten, zu hohen Qualifikationsanforderungen nicht gefunden werden können.[1349] Technisch bewährt hat sich bei der Abstimmung der Parteien in der Auswahl der/des Vorsitzenden oder einer Einzelschiedsrichterin/eines Einzelschiedsrichters die Festlegung eines Anforderungsprofils sowie die Eingrenzung mittels Austausch von Namenslisten.

958

a) *Erfordernisse nach Gesetz und Parteienvereinbarung*

Schiedsrichterin/Schiedsrichter kann nach den nationalen Prozessgesetzen[1350] jede natürliche, voll geschäftsfähige Person sein.[1351] Deren Geschäftsfähigkeit ist nach dem Personalstatut zu beurteilen.[1352] Eine juristische Person kann nicht Schiedsrichterin/Schiedsrichter sein. Haben die Parteien eine solche vereinbart, so kann ein Vertretungsberechtigter dieser juristischen Person Mitglied des Schiedsgerichts werden, wenn dies dem aus der Schiedsvereinbarung ersichtlichen Vertragswillen entspricht. Lässt die Schiedsvereinbarung

959

1348 *Peters* in Klausegger et al, Austrian Arbitration Yearbook 2011, 139 ff.

1349 Vgl OLG Frankfurt am Main 12.7.2007, 26 Sch 9/07: Die Parteien vereinbarten in der Schiedsklausel, dass die Parteien gemeinsam einen im Steuer- und Wirtschaftsrecht erfahrenen Juristen zum Vorsitzenden des Schiedsgerichts wählen. Im Laufe des Verfahrens stellte sich heraus, dass die erwarteten Anforderungen der Parteien an einen im Steuer- und Wirtschaftsrecht erfahrenen Juristen durch die dann erfolgte Besetzung des Amtes nicht erfüllt wurden.

1350 In Österreich, in Deutschland wie in der Schweiz; Gründe dafür, SchiedsrichterInnen nur aus der juristischen Berufsgruppe und nicht aus dem Kreis der technischen Sachverständigen auszuwählen vgl *Lionnet/Lionnet*, Schiedsgerichtsbarkeit[3] 240 f.

1351 Näheres s *Zeiler*, Schiedsverfahren[2] § 586 Rn 4.

1352 *Riegler/Petsche* in VIAC, Handbuch Art 16 Rn 4.

eine solche Interpretation nicht zu, hat auf Parteiantrag Ersatzbestellung zu erfolgen, ansonsten ist die Schiedsklausel unwirksam.[1353]

960 Hingegen können die Parteien (zB schon in der Schiedsvereinbarung) konkrete persönliche Voraussetzungen oder Qualifikationserfordernisse für die Mitglieder des Schiedsgerichts einvernehmlich festlegen (zB Rechtsanwältin/Rechtsanwalt[1354], WirtschaftstreuhänderIn, UniversitätsprofessorIn, Immobilienexpertin/Immobilienexperte, ZivilingenieurIn).[1355] Eine solche Einschränkung ist bei der Bestellung zu beachten. In Deutschland wird nicht selten die Befähigung zum Richteramt[1356] gefordert. Nach österreichischem Dienstrecht dürfen aktive Richter nicht Mitglieder eines Schiedsgerichts sein.[1357] Das Erfordernis bestimmter Sprachkenntnisse bereits in der Schiedsvereinbarung festzulegen kann sinnvoll sein. In DIS-Schiedsverfahren muss das vorsitzende Mitglied des Schiedsgerichts oder die Einzelschiedsrichterin/der Einzelschiedsrichter JuristIn sein, soweit die Parteien nichts anderes vereinbart haben.[1358]

961 Jedenfalls muss das benannte Mitglied des Schiedsgerichts **unabhängig** und **unparteilich** sein.[1359]

962 Zusätzlich zur Unabhängigkeit und Unparteilichkeit verlangen die meisten Institutionen auch, dass die von der Partei als Schiedsrichterin/Schiedsrichter benannte Person verfügbar ist, und sie verlangen von der Kandidatin/dem Kandidaten vor der Bestätigung eine dahingehende Erklärung.[1360]

C. Bestellung der Mitglieder des Schiedsgerichts und vorangehende Kontakte

1. Der Vorgang bei der Auswahl und Bestellung der SchiedsrichterInnen

963 Das Verfahren zur Auswahl der Mitglieder des Schiedsgerichts basiert zumeist grundlegend auf dem **Willen der Parteien**. Nur in Ausnahmefällen werden die Mitglieder von Dritten benannt. Der Auswahl durch die Parteien ist jeden-

---

1353 *Zeiler*, Schiedsverfahren[2] § 586 Rn 5.
1354 Vgl § 31 öRL-BA 2015.
1355 Selbst die Zugehörigkeit zu einer Religionsgemeinschaft oder einer ethnischen Minderheit, für ein Beispiel s UK Supreme Court 27.7.2011, *Jivraj vs Hashwani* [2011] UKSC 40.
1356 Befähigung zum Richteramt bedeutet in Deutschland Volljurist; dh jede Person, die das zweite Staatsexamen abgelegt hat (idR alle deutschen Rechtsanwältinnen/Rechtsanwälte), erfüllt diese Voraussetzung.
1357 § 63 Abs 5 letzter Satz öRStDG; *Zeiler*, Schiedsverfahren[2] § 586 Rn 11.
1358 § 2.2 DIS-Regeln.
1359 Näheres siehe unten Punkt D.
1360 Art 16(3)(ii) Wiener Regeln; Art 11(2) ICC SchO.

falls der Vorzug zu geben. Unter bestimmten Umständen kann es aber nötig werden, dass die Aktion einer Partei oder das Einvernehmen zwischen den Parteien durch die Entscheidung einer neutralen Stelle substituiert wird, weil sonst das Schiedsverfahren blockiert wäre. Man spricht von der *„benennenden Stelle"* (benennende Institution, *appointing authority*). Diese Funktion hat im *ad hoc* Verfahren, wenn in der Schiedsklausel oder den referenzierten Schiedsverfahrensregeln, wie der UNCITRAL SchO, nicht eine andere Stelle vorgesehen ist, das Gericht am Sitz des zukünftigen Schiedsgerichts. In Österreich[1361] ist dies der OGH, für Deutschland[1362] das jeweilige OLG, in der Schweiz[1363] können die Kantone unterschiedliche Gerichte vorsehen. Im institutionellen Verfahren obliegt der Institution im Rahmen der Verfahrens-Administration idR auch die Ersatzbestellung.[1364]

Prozessgesetze und Schiedsregeln sehen im Wesentlichen übereinstimmend **964** folgendes Vorgehen bei der Schiedsrichterbestellung vor:[1365]
– Ist eine Einzelschiedsrichterin/ein Einzelschiedsrichter zu bestellen, obliegt es den Parteien, sich nach Möglichkeit auf eine Person zu einigen;
– bei einem Dreier-Schiedsgericht bestellt jede Partei ein Mitglied. Die zwei bestellten Mitglieder wählen ein drittes Mitglied, das den Vorsitz des Schiedsgerichts innehaben soll.
– Unterbleibt eine fristgerechte Bestellung oder Einigung, so nimmt auf Antrag einer Partei die benennende Stelle die Ersatzbestellung vor.

Nicht in jedem Fall ist die Kandidatin/der Kandidat mit der Benennung **965** durch die Partei und der Annahme des Mandats schon formgültig bestellt. Vielmehr bedarf es nach den meisten Schiedsregeln dazu noch der **formellen Bestätigung durch die Institution**. Erst wenn diese vorliegt, ist die Bestellung des Mitglieds des Schiedsgerichts bewirkt.[1366] Die Bestätigung der Bestellung erteilt die Institution üblicherweise erst nach Prüfung der Fähigkeit und Verfügbarkeit der/des benannten Kandidatin/Kandidaten.[1367] Bei einer Ersatzbestellung durch die Institution entfällt eine solche Bestätigung.

1361 § 615 öZPO.
1362 § 1062 dZPO.
1363 Art 179 Abs 2 schwIPRG; Art 362 iVm 356 Abs 2 schwZPO.
1364 Art 17 f Wiener Regeln; §§ 12–14 DIS-Regeln; Art 7 f Swiss Rules; ist die UNCITRAL SchO vereinbart, legen die Vertragsparteien zumeist eine benennende Stelle fest; wenn nicht, bestimmt sie der Permanent Court of Arbitration (Den Haag) auf Antrag einer Partei, zB eine Schiedsinstitution.
1365 § 587 Abs 2 öZPO; § 1035 dZPO; Art 179 schwIPRG.
1366 Die Bestätigung erteilt zB beim VIAC der Generalsekretär oder das Präsidium; vgl Art 19 Wiener Regeln; *Riegler/Petsche* in *VIAC*, Handbuch Art 19 Rn 1 ff.
1367 Art 13(1) ICC SchO.

966   Im *ad hoc* Verfahren ist die benennende Partei an ihre Schiedsrichterbenennung gebunden, sobald die Gegenpartei die schriftliche Mitteilung empfangen hat.[1368] Im institutionellen Verfahren sind die Parteien erst mit der Bestätigung der Schiedsrichterin/des Schiedsrichters durch die Schiedsinstitution (wenn in der anzuwendenden SchO vorgesehen) an ihre Benennung gebunden.[1369]

967   Eine zentrale Rolle spielt die Schiedsrichterbestellung in **Mehrparteienverfahren**:[1370] Treten auf einer Seite (dh auf der Seite der Schiedsklägerin oder der Schiedsbeklagten) mehrere Parteien gleichzeitig auf, hätte an sich jede von ihnen Anspruch auf Benennung eines Mitglieds des Schiedsgerichts, was aber der festgelegten SchiedsrichterInnenanzahl idR widerspricht.[1371] Das österreichische Gesetz sieht für so einen Fall mangels Einigung der betreffenden Parteien derselben Seite auf ein gemeinsames Mitglied des Schiedsgerichts binnen einer Frist die Ersatzbestellung (nur) dieses Mitglieds durch das Gericht vor.[1372] Die Wiener Regeln und die Swiss Rules gehen hier weiter und geben dem Präsidium des VIAC bzw dem Gerichtshof der Swiss Chambers' Arbitration Institution die Kompetenz, ggf die (Enthebung und) Ersatzbestellung des gesamten Schiedsgerichts vorzunehmen.[1373] Auch die DIS-Regeln sehen für den Fall des Scheiterns einer Bestellung einer/eines gemeinsamen Schiedsrichterin/Schiedsrichters für mehrere Beklagte vor, dass der DIS-Ernennungsausschuss die Mitglieder des Schiedsgerichts für beide Seiten selbst ernennt, falls die Parteien nichts anderes vorsehen.[1374] In diesem Fall wird die von der Klägerin vorgenommene Bestellung der Schiedsrichterin/des Schiedsrichters gegenstandslos und durch den vom DIS-Ernennungsausschuss Benannten ersetzt.

2. Kontakte mit SchiedsrichterkandidatInnen während des Bestellungsverfahrens

968   Grundsätzlich ist im Schiedsverfahren jeder Kontakt zwischen wirksam bestellten Mitgliedern des Schiedsgerichts und einer Partei ohne volle Einbeziehung der anderen Partei(en) unzulässig. Solche *ex parte* Kommunikation ist

---

1368 § 587 Abs 2 Z 5 öZPO; § 1035 Abs 2 dZPO.

1369 Art 17(6) Wiener Regeln; dieser Auffassung zur einseitigen Zurückziehung bzw Abänderung einer Nominierung vor Bestätigung durch den Generalsekretär vertreten *Riegler/Petsche* in VIAC, Handbuch Art 17 Rn 23 f; § 12.1 DIS-Regeln; Art 5 Swiss Rules.

1370 Ausführlich zu dieser Thematik: *Welser/Stoffl in* Klausegger et al, Austrian Arbitration Yearbook 2015, 277 ff.

1371 Cour de cassation 7.1.1992, *Sociétés BKMI & Siemens v Société Dutco.*

1372 § 587 Abs 5 öZPO; vgl auch *Zeiler*, Schiedsverfahren² § 587 Rn 33 ff.

1373 Art 8(5) Swiss Rules; Art 18(4) Wiener Regeln; *Riegler/Petsche* in VIAC, Handbuch Art 18 Rn 12.

1374 § 13.2 DIS-Regeln.

nicht nur verpönt, sondern stellt in jedem Verfahrensstadium einen Grund für die Ablehnung des betreffenden Mitglieds des Schiedsgerichts dar.[1375] Von diesem Grundsatz besteht eine zeitlich und inhaltlich beschränkte Ausnahme. *Ex parte* Kommunikation ist nämlich während des Auswahlverfahrens, dh bis zur Schiedsrichterbenennung, mit Einschränkungen akzeptiert. Diese Ausnahme soll sicherstellen, dass die Auswahl der SchiedsrichterInnen vom Willen der Verfahrensparteien getragen ist. In diesem Stadium ist es den Parteien grundsätzlich gestattet, mit KandidatInnen für das Amt einer Schiedsrichterin/eines Schiedsrichters Kontakt aufzunehmen, um Konfliktfälle auszuschließen und um abstrakt die Eignung der Kandidatin/des Kandidaten zu prüfen. Auch Kontakte mit (zukünftigen) Mitgliedern des Schiedsgerichts vor deren Bestellung haben sich freilich auf das für die Auswahl-Entscheidung der Partei Nötige zu beschränken und dürfen keinesfalls eine Diskussion des Falls bzw einzelner Aspekte hievon enthalten. Auch sollte die Schiedsrichterin/der Schiedsrichter solche Kontakte zwecks später notwendig werdender Offenlegung oder für den Fall der Ablehnung dokumentieren.

Aus dem Bestreben, für die Praxis international akzeptierte Standards hiefür festzuschreiben, sind in jüngerer Zeit Kataloge zulässiger und unzulässiger Kontakte als *Soft Law* entstanden: Das *Chartered Institute of Arbitrators* (CIArb) hat im Rahmen von *Practice Guidelines* eine *Practice Guideline 16: The Interviewing of Prospective Arbitrators* publiziert[1376], und die IBA hat das Thema in den *IBA Guidelines on Party Representation 2013* behandelt.[1377] **969**

Nach beiden Regelwerken soll weitgehend übereinstimmend im Bestellungsverfahren Folgendes erlaubt sein: **970**

– direkte Kommunikation mit den KandidatInnen bei Auswahl des parteibenannten Mitglieds des Schiedsgerichts zwecks Feststellung der Fachkenntnis, Erfahrung, Fähigkeit, Verfügbarkeit, Bereitschaft und allfälliger Interessenkonflikte;

– direkte Kommunikation auch nach ihrer Benennung ausschließlich zum Zweck der Auswahl des vorsitzenden Mitglieds;

– direkte Kommunikation mit KandidatInnen für das Amt des vorsitzenden Mitglieds, beschränkt auf dieselben Themen, wobei der Rechtsstreit selbst nur allgemein umschrieben werden darf und keinerlei Ansicht oder Beurteilung der Kandidatin/des Kandidaten abgefragt oder gegeben werden darf.[1378]

1375 § 611 *Abs 2 Z 4 öZPO; in Deutschland nur wenn Auswirkung auf Schiedsspruch § 1059 Abs 2 Z 1 lit c dZPO; in der Schweiz auch wenn keine Auswirkung, s Art 190 Abs 2 lit d schwIPRG.*

1376 www.ciarb.org, International Arbitration Guidelines 2011, Practice Guideline 16.

1377 Vgl Guideline 8 IBA Guidelines (Party Representation), Pkt III unten.

1378 In der Practice Guideline 16 des CIArb heißt es: „*Certainly, the potential arbitrator should not express his or her beliefs or opinions on the merits of the dispute. As a*

971 Es ist davon auszugehen, dass in denselben inhaltlichen und zeitlichen Einschränkungen direkte Kommunikation auch mit einer Kandidatin/einem Kandidaten für das Amt der Einzelschiedsrichterin/des Einzelschiedsrichters zulässig ist.

972 Mit der Konstituierung des Schiedsgerichts enden diese Ausnahmen. Ab diesem Zeitpunkt ist ausnahmslos jede *ex parte* Kommunikation zwischen SchiedsrichterInnen und Parteien untersagt.

D. Unabhängigkeit und Unparteilichkeit

973 Dass jede Schiedsrichterin/jeder Schiedsrichter unabhängig und unparteilich sein muss, ist ein fundamentaler Grundsatz des schiedsgerichtlichen Verfahrens.[1379] Er ist in Österreich, in Deutschland und in der Schweiz gesetzlich verankert.[1380]

974 Ist ein Mitglied des Schiedsgerichts nicht unabhängig und unparteilich, hat es also zum Streitfall, zu einer Partei oder einem Parteienvertreter einen **Interessenkonflikt,** darf es das Mandat nicht annehmen. Wird ihm ein solcher Umstand erst später bewusst, darf es die Tätigkeit nicht fortsetzen. Andernfalls kann es mit Erfolg abgelehnt werden.

1. Kriterien für Interessenkonflikt und die IBA-Guidelines (Conflict of Interest)

975 Eine Definition der beiden Begriffe Unparteilichkeit und Unabhängigkeit findet sich sich weder in den Prozessgesetzen noch in Schiedsordnungen. Hingegen finden sich Präzisierungsansätze in der Literatur.[1381] Gemeinhin versteht man darunter Folgendes:

976 **Unparteiliche** SchiedsrichterInnen nehmen eine neutrale Position ein und favorisieren keine der Parteien aus unsachlichen Gründen. ZB kann das Fehlen

---

matter of common sense, the more extended the interview, the more reasonable the assumption that the bounds of propriety were exceeded.".

1379 *Redfern/Hunter,* International Arbitration[6] Rn 4.75.

1380 Vgl *Zeiler,* Schiedsverfahren[2] § 588 Rn 2; dies gilt zwingend, dh die Parteien können nicht wirksam vereinbaren, dass SchiedsrichterInnen als „parteiische Vertreter" agieren sollen; die Praxis, dass parteiernannte SchiedsrichterInnen nicht unparteiisch sein müssen, fand sich früher in innerstaatlichen Schiedsverfahren in den USA, sodass man dort noch heute fallweise vom Vorsitzenden als *„the neutral"* spricht; diese Praxis wurde aber 2004 beendet; vgl *Redfern/Hunter,* Arbitration[6] Rn 4.75 unter Verweis auf den *AAA/ABA Code of Ethics for Arbitrators in Commercial Disputes*; vgl § 1036 dZPO; Art 180 Abs 1 lit c schwIPRG.

1381 *Riegler/Petsche* in Liebscher/Oberhammer/Rechberger, Schiedsverfahrensrecht I Rn 5/143, 5/185.

der Bereitschaft, das Prozessvorbringen einer Partei zur Kenntnis zu nehmen, einen Ablehnungsgrund darstellen.[1382] Demgegenüber begründet es für sich allein nicht die Besorgnis der Befangenheit, dass eine Schiedsrichterin/ein Schiedsrichter im Rahmen von Vergleichsgesprächen einen Vorschlag macht oder unterstützt, der von den Erwartungen der ablehnenden Partei weit entfernt ist.[1383] **Unabhängige** SchiedsrichterInnen stehen in keiner Abhängigkeit, dh in keinerlei nennenswerten persönlichen, finanziellen oder sozialen Verbindung zu einer Partei, die ihre Verhandlungsführung oder Entscheidungsfindung sachlich beeinflussen könnte.[1384]

Eine erfolgreiche Ablehnung setzt nicht voraus, dass die Abhängigkeit **977** oder Parteilichkeit feststeht. Es reicht, dass berechtigte Zweifel an der Unabhängigkeit oder Unparteilichkeit bestehen. Maßgeblich sind die Umstände des Einzelfalls, beurteilt vom Standpunkt eines informierten objektiven Dritten aus.[1385]

Gerichtliche Rechtsprechung zu beiden Gruppen von Ablehnungsgründen **978** ist nur in einzelnen Jurisdiktionen öffentlich zugänglich[1386] und naturgemäß uneinheitlich. Das **Fehlen weltweit gemeinsamer Standards** wurde für internationale Schiedsverfahren als unbefriedigend empfunden. Dies hat zum Bemühen um eine Kodifizierung durch *soft law* geführt. Die IBA publizierte *IBA Guidelines on Conflicts of Interest in International Arbitration 2004* und 10 Jahre danach eine überarbeitete Fassung davon, die *IBA Guidelines on Conflicts of Interest in International Arbitration 2014*.[1387] Obwohl dieses Regelwerk keine unmittelbare normative Kraft hat (außer es wäre zwischen den Parteien vereinbart, was selten geschieht), erscheint der Versuch gelungen. Die GL haben als Kodifikation von *best practices* in der Praxis große

---

1382 OLG Köln 30.1.1998, 1 W 4/98, SchiedsVZ 2008, 104.

1383 *Zöller/Vollkommer* § 42 Rn 14 zitiert in SchiedsVZ 2008, 104; „*aus der Sicht einer besonnen und vernünftig wertenden Partei*"; OLG München 3.1.2008, 34 SchH 3/07; zumal Vergleichsbemühungen wertvoll sein können (nach dem PWC/Queen Mary 2008 Survey enden 34 % der Schiedsverfahren durch Vergleich, vgl *Harris*, Arbitrators and Settlement – A Common Law Perspective" in: ASA Special Series No. 45); dennoch sollten Schiedsrichter gerade im internationalen Rechtsverkehr bei Vergleichsvorschlägen besondere Zurückhaltung üben.

1384 *Riegler/Petsche* in Liebscher/Oberhammer/Rechberger, Schiedsverfahrensrecht I Rn 5/189.

1385 Art 12 UNCITRAL ModG; § 588 Abs 2 öZPO; § 1036 dZPO; IBA Guidelines (Conflict of Interest), Explanation to General Standard 2 (b) („*appearance test, based on justifiable doubts [...] to be applied objectively*", „*reasonable third person test*").

1386 In Österreich ist dies erst seit dem öSchiedsRÄG 2013 infolge der Zuständigkeit des OGH der Fall, dessen Entscheidungen ausnahmslos (anonymisiert) veröffentlicht werden; vorher war die Zuständigkeit (inappellabel) beim Gerichtshof 1. Instanz gelegen.

1387 www.ibanet.org.

Bedeutung erlangt.[1388] Schiedsgerichte, Institutionen[1389] und auch staatliche Gerichte[1390] zitieren sie, wenn es um Fragen von Unabhängigkeit und Unparteilichkeit, Ablehnung und Offenlegung geht.

979   Die GL bestehen aus 7 *General Standards* samt Erläuterungen und einem Beispiels-Teil *Practical Application*. In Listenform, abgestuft nach der Bedeutung für Unabhängigkeit und Unparteilichkeit, werden folgende Umstände genannt: Beziehung zwischen Partei und Schiedsrichterin/Schiedsrichter; laufende oder frühere Beratung der Partei durch die Schiedsrichterin/den Schiedsrichter; vorangegangene Involvierung des Schiedsgerichtsmitglieds in den Streitfall; finanzielles Interesse der Schiedsrichterin/des Schiedsrichters, eines Familienmitglieds oder einer verbundenen dritten Partei am Ausgang des Streitfalls; Verbindungen zwischen einem Mitglied des Schiedsgerichts und dem Rechtsvertreter der Partei oder seiner Kanzlei; vorangegangene Tätigkeit der Schiedsrichterin/des Schiedsrichters für eine der Parteien; gegenwärtige oder vergangene Schiedsrichtertätigkeit in einem im Zusammenhang stehenden Rechtsstreit; Verbindung zwischen einem Mitglied des Schiedsgerichts und einem Parteivertreter einschließlich solcher geschäftlicher, familiärer oder freundschaftlicher Art; wiederholte Benennungen des Schiedsgerichtsmitglieds durch einen Parteivertreter oder eine Partei;[1391] vorangegangene Äußerung von Rechtsmeinungen; vorangegangene Vertretung durch eine Schiedsrichterin/einen Schiedsrichter gegen eine Partei und andere Kontakte.

1388   *Zeiler*, Schiedsverfahren[2] § 588 Rn 5.

1389   Überdies haben einzelne Institutionen zuletzt auch selbst begonnen, ihre Entscheidungen in Ablehnungssachen samt Begründung zu veröffentlichen, mit dem Ziel höherer Transparenz und Vorhersehbarkeit.

1390   Vgl zB OGH 17.6.2013, 2 Ob 112/12b; inzwischen durchgehend, vgl OGH 5.8.2014, 18 ONc 2/14k; gleichermaßen das BGer: *„[...] Die Guidelines haben sicherlich nicht den gleichen Stellenwert wie geschriebenes Gesetzesrecht; sie sind aber dennoch ein wertvolles Instrument [...] zur Harmonisierung und Vereinheitlichung solcher Standards [...] bei einem Interessenkonflikt im internationalen Schiedsverfahren [...]"*; BGE, 4A_506/2007 E. 3.3.2.2. sowie BGE 4A_258/2009 E. 3.2.1 und BGE 4A_458/2009 E. 3.3.1; ebenso nehmen sie deutsche Gerichte als Maßstab, uzw *„[...] ungeachtet der Frage der Verbindlichkeit dieser Verhaltensmaßregeln für das vorliegende Schiedsverfahren [...]"* OLG Frankfurt a. M. 13.2.2012, 26 SchH 15/11, BeckRS 2014, 12967.

1391   *„apparent bias"* infolge *„repeat appointments"* in einem Fall vor dem Commercial Court: ein Schiedsrichter in der Baubranche musste auf Anordnung des englischen Gerichts das Mandat zurücklegen, nachdem er in drei Jahren 25 mal in Streitigkeiten agiert hatte, in welche derselbe *„claims handler"* involviert war und er aus diesen Mandaten in dieser Zeit ein Viertel seines Einkommens bezog; vgl Cofely v Bingham et al, in: *Beale/Lancaster/Geesink*, Removing an Arbitrator: Recent Decisions of the English Court on Apparent Bias in International Arbitration, ASA Bulletin 2/2016, 322 ff.

Die GL teilen die genannten und noch zahlreiche weitere Fallkonstella- **980**
tionen nach der Schwere des Konflikts ein. Die Skala reicht von gänzlicher
Unzulässigkeit der Mandatsannahme und -ausübung über Fälle bloßer Offenlegungspflicht bis zu unbedenklichen Konstellationen, wo nicht einmal
offengelegt werden muss. Symbolisiert werden die drei Listen durch die
Farben der Verkehrsampel (rote, orange und grüne Liste):

„Rot" teilt sich in Fälle, wo eine Schiedsrichterin/ein Schiedsrichter kei- **981**
nesfalls tätig werden kann, selbst wenn die Parteien dem zustimmen (*Non-
Waivable Red List*: zB Richter in eigener Sache oder ganz enge persönliche oder finanzielle Verknüpfungen zwischen Partei und Schiedsrichterin/
Schiedsrichter); oder wo ein Agieren an sich unzulässig, mit Zustimmung
der Parteien jedoch möglich ist (*Waivable Red List*: weniger enge persönliche oder finanzielle Verknüpfung zwischen Schiedsrichterin/Schiedsrich-
ter, Partei oder Parteivertreter); „Orange", wenn solche Umstände zwar
offenzulegen sind, das Mitglied des Schiedsgerichts aber tätig werden darf,
falls keine Partei widerspricht (*Orange List*: noch weniger enge Kontakte,
auch frühere Kontakte). „Grün" gekennzeichnet sind zeitlich noch weiter
zurückliegende oder aktuelle, aber ganz entfernte Kontakte (*Green List*).
Hier kann die Schiedsrichterin/der Schiedsrichter tätig werden und muss
auch nicht offenlegen.

Mit der Revision der GL im Jahre 2014 wurde die *Red List* erweitert. Mit **982**
den Managern, Direktoren oder anderen Personen, mit direkt kontrollieren-
dem Einfluss auf eine Partei werden nun Prozessfinanzierer und Versicherer
mit direktem finanziellem Interesse am Ausgang des Streitfalles gleichgesetzt.
Explizit einbezogen wurde nun auch der Sekretär des Schiedsgerichts.

2. Offenlegungspflicht

Um den Parteien die Sicherheit zu geben, dass bei keinem Mitglied des **983**
Schiedsgerichts ein Interessenkonflikt vorliegt und die einmal bestellten
und bestätigten SchiedsrichterInnen ihr Amt auch während des Verfahrens
unabhängig, unparteilich und weisungsfrei ausüben werden sowie dass sie
einer allfälligen Parteienvereinbarung entsprechen, steht ihnen zu, hierüber
selbst eine informierte Entscheidung zu treffen. Zu diesem Zweck trifft die
Mitglieder des Schiedsgerichts (bzw zuvor KandidatInnen für dieses Amt)
eine Offenlegungspflicht.[1392] Dem dient ferner deren Pflicht zur Konflikt-
prüfung vor Übernahme des Schiedsmandats, samt diesbezüglicher Recher-
chepflicht. Da nach der Philosophie der GL dem einzelnen Rechtsanwalt

---

1392 Vgl Art 16(4) Wiener Regeln; § 16.1 DIS-Regeln; Art 9(2) Swiss Rules; s auch
Riegler/Petsche in Liebscher/Oberhammer/Rechberger, Schiedsverfahrensrecht I
Rn 5/135.

Konflikte seiner Sozietät zugerechnet werden, resultiert va für Anwälte in Großkanzleien eine hohe Konflikthäufigkeit und auch das Risiko, Konflikte zu übersehen. In neuerer Zeit werden daher manchmal Vorweg-Verzichts-erklärungen verlangt.[1393] Auf diese gehen die revidierten IBA Guidelines (*Conflict of Interest*) mit dem Bemerken ein, dass die Wirksamkeit eines solchen Vorweg-Verzichts nach den Umständen des Einzelfalls zu beurteilen sein wird. Jedenfalls trifft das betreffende Mitglied des Schiedsgerichts, selbst bei Wirksamkeit des Verzichts auf zukünftige Ablehnung, eine fortdauernde Offenlegungspflicht.[1394]

984   Die Pflicht zur Offenlegung ist weiter gefasst, dh bestimmt sich nach einem strengeren Maßstab als derjenige für den Erfolg von Ablehnungs-anträgen: Während die Schiedsrichterin/der Schiedsrichter nach dem Gesetz (nur) abgelehnt werden kann, wenn Umstände vorliegen, die **berechtigte Zweifel** an seiner Unparteilichkeit oder Unabhängigkeit **wecken**, besteht die Verpflichtung, solche Umstände offenzulegen, schon wenn sie **Zweifel** an der Unparteilichkeit oder Unabhängigkeit **wecken können**. Das heißt, dass die Entscheidung, ob der Ablehnungsgrund vorliegt oder nicht, nicht beim Mit-glied des Schiedsgerichts liegen soll, sondern bei der/n Partei/en.[1395]

985   Eine danach geschuldete Offenlegung unterlassen zu haben, stellt *per se* keinen Ablehnungsgrund dar. Allerdings kann eine solche Unterlassung im Einzelfall ggf doch eine Ablehnung begründen. Ob dies der Fall ist, hängt von Qualität und Gewicht des nicht offengelegten Umstandes ab. Je stärker der Vorwurf der Nicht-Offenlegung wiegt, umso eher sind Zweifel an der Unparteilichkeit oder Unabhängigkeit der Schiedsrichterin/des Schieds-richters angebracht.[1396]

3. Ablehnung von SchiedsrichterInnen

986   Für die Geltendmachung der Befangenheit einer Schiedsrichterin/eines Schiedsrichters sehen die meisten Schiedsregeln sowie die anwendbare *lex arbitri* Regeln und Fristen vor. Die Parteien können auch davon Abweichen-des vereinbaren.

1393   Advance Waivers of Arbitrator Conflicts of Interest in International Commercial Arbitrations seated in New York, New York City Bar Association (www.nyiac.org).

1394   IBA Guidelines (Conflict of Interest), General Standards 3 (a) und 3 (b).

1395   *Zeiler*, Schiedsverfahren[2] § 588 Rn 20; *Riegler/Petsche* in Liebscher/Oberhammer/ Rechberger, Schiedsverfahrensrecht I Rn 5/140.

1396   OGH 5.8.2014, 8 ONc 2/14k; solange die Nicht-Offenlegung vertretbar ist, führt sie nicht zur berechtigten Annahme, die Schiedsrichterin/der Schiedsrichter werde ihr/sein Amt nicht unparteilich oder unabhängig ausüben; anders freilich, wenn sich im Einzelfall der Verdacht ergäbe, dass sie/er den Umstand bewusst verschwieg, um eine allfällige Ablehnung zu vermeiden.

Findet eine Partei, dass bei einem Mitglied des Schiedsgerichts ein Kon- **987**
flikt vorliegt, so kann sie dies durch „Ablehnung" geltend machen. Ist nichts
anderes vereinbart, muss sie dies unverzüglich tun,[1397] ansonsten verliert sie
das Ablehnungsrecht.[1398] Die Ablehnung ist zu begründen.

Tritt die/der abgelehnte Schiedsrichterin/Schiedsrichter daraufhin zurück **988**
oder stimmt die andere Partei der Ablehnung zu,[1399] ist das Schiedsrichter-
mandat beendet und es muss ein Ersatzmitglied bestellt werden. Andernfalls
muss über die Ablehnung entschieden werden. Zuständig dafür ist im *ad hoc*
Verfahren sowie im Verfahren nach den DIS-Regeln das Schiedsgericht selbst
(wobei die/der abgelehnte Schiedsrichterin/Schiedsrichter mitstimmt[1400]),
ansonsten die Institution.[1401] In der Schweiz geht die Ablehnung (außer bei
abweichender Parteienvereinbarung, zB im institutionellen Verfahren) gleich
an das Gericht erster Instanz am Sitz des Schiedsgerichts. Dieses entscheidet
inappelabel.[1402]

War das Ablehnungsverfahren (beim Schiedsgericht oder bei der Institu- **989**
tion, in der Schweiz nur bei dieser) erfolglos, kann die ablehnende Partei bei
Gericht binnen vier Wochen ab Erhalt der Entscheidung, mit der die Ablehnung verweigert wurde, die Entscheidung über die Ablehnung beantragen.[1403]
Zuständig ist bei Schiedsverfahren mit Sitz in Österreich der OGH als erste
und letzte Instanz,[1404] bei Schiedsverfahren mit Sitz in Deutschland das OLG,
dessen Entscheidung unanfechtbar ist.[1405]

Während des gerichtlichen Ablehnungsverfahrens kann das Schiedsgericht **990**
das Verfahren fortsetzen und auch einen Schiedsspruch erlassen. Tut es das
und ist der gerichtliche Ablehnungsantrag erfolgreich, kann der Schieds-

---

1397 § 589 Abs 2 öZPO: binnen vier Wochen ab Kenntnis von der Zusammensetzung des
      Schiedsgerichtes oder Bekanntwerden des Ablehnungsgrundes; § 1037 Abs 2 dZPO:
      2 Wochen; Art 180 Abs 2 schwIPRG: *„unverzüglich"*, dh *vermutlich 30 Tage, vgl
      dazu Orelli* in Arroyo, Arbitration in Switzerland Art 180 PILS Rn 22; Art 20(2)
      Wiener Regeln: 15 Tage; § 18.2 DIS-Regeln: 2 Wochen; Art 11(1) Swiss Rules: 15 Tage.
1398 Den Aufhebungsgrund „aufzusparen", um ihn bei ungünstigem Verfahrensverlauf
      geltend zu machen, ist also nicht möglich.
1399 Beides bedeutet nicht die Anerkennung des Vorliegens eines Ablehnungsgrundes,
      § 590 Abs 3 öZPO; § 1038 Abs 2 dZPO.
1400 *Rechberger/Melis* in Rechberger, ZPO⁴ § 589 Rn 3.
1401 Art 20(3) Wiener Regeln; Artikel 11(2) Swiss Rules; davon abweichend § 18.2 DIS-
      Regeln; sind die UNCITRAL Arbitration Rules vereinbart (in der Praxis häufig)
      entscheidet die vereinbarte oder vom Ständigen Schiedshof/Permanent Court of
      Arbitration (https://pca-cpa.org/) auf Antrag bestimmte appointing authority; In-
      stitutionen geben dem abgelehnten Mitglied des Schiedsgerichts zumeist die Mög-
      lichkeit, zum Ablehnungsgrund Stellung zu nehmen, bevor sie entscheiden.
1402 Art 180(3) schwIPRG.
1403 § 589 Abs 3 öZPO: 4 Wochen; § 1037 Abs 3 dZPO: 1 Monat.
1404 § 615 öZPO idF öSchiedsRÄG 2013.
1405 §§ 1037, 1065 dZPO.

spruch wegen nicht rechtmäßiger Zusammensetzung des Schiedsgerichts[1406] angefochten werden.[1407]

991   In zeitlicher Hinsicht ist die Ablehnung einer Schiedsrichterin/eines Schiedsrichters grundsätzlich nur möglich, bis der Schiedsspruch gefällt ist. Kommt ein Ablehnungsgrund später hervor, kann er nicht geltend gemacht werden. Nur bei besonders gravierenden und eindeutigen Fällen von Befangenheit steht die Anfechtung des Schiedsspruchs, uzw idR wegen Verstoß gegen den *ordre public*, offen.[1408] Ficht eine Partei den Schiedsspruch wegen fehlerhafter Bildung des Schiedsgerichtes an, muss sie zuvor alle ihr zustehenden Rechtsbehelfe ausgeschöpft haben, ansonsten ist dieser Anfechtungsgrund präkludiert.

E. Schiedsrichtervertrag

992   Von der Schiedsvereinbarung sowie von der Bestellung der Schiedsrichterin/ des Schiedsrichters, die ihr/ihm die Befugnis zur Ausübung des Schiedsrichteramtes einräumt, ist der Schiedsrichtervertrag zu unterscheiden. Er regelt die Rechte und Pflichten der Schiedsrichterin/des Schiedsrichters gegenüber den Parteien.[1409]

993   Der Schiedsrichtervertrag ist **privatrechtlicher Natur**. Alle Parteien schließen ihn mit allen bestellten SchiedsrichterInnen. Er bestimmt die Rechte und Pflichten der SchiedsrichterInnen und ist nach österreichischem Verständnis ein **Werkvertrag** mit Geschäftsbesorgungselementen, nach Schweizer Recht ein **Auftrag** (*mandate or agency*).[1410] Der Abschluss des Schiedsrichtervertrages ist nicht an eine Form gebunden. Seine Wirksamkeit ist auch unabhängig vom Bestand einer wirksamen Schiedsvereinbarung.[1411]

1406 § 611 Abs 2 Z 4 öZPO; § 1059 Abs 2 Z 1 lit d dZPO; Art 190 Abs 2 lit a schwIPRG.

1407 *Zeiler*, Schiedsverfahren² § 589 ZPO Rn 13; für D: §§ 1034 II, 1037 III, 1038 I dZPO; *Zöller*, ZPO § 1059 Rn 42.

1408 In Ö: des verfahrensrechtlichen *ordre public*, § 611 Abs 2 Z 5 öZPO; OGH 17.6.2013, 20b 112/12b: wenn der Ablehnungsgrund einem Aisschließungsgrund vor Gericht iSd § 20 JN nahekommt. *Zeiler*, Schiedsverfahren² § 589 Rn 14 mit Zitaten auch zur (anderen) Rechtslage in Deutschland und der Schweiz; vgl auch § 1059 Abs 2 Z 2 lit b dZPO; Art 190 Abs 2 lit e schwIPRG.

1409 Vgl *Riegler/Petsche* in Liebscher/Oberhammer/Rechberger, Schiedsverfahrensrecht I Rn 5/35; *Zeiler*, Schiedsverfahren² § 587 Rn 18; *Fasching*, Lehrbuch² Rn 2191; *Lionnet/Lionnet*, Schiedsgerichtsbarkeit³ 254 ff.

1410 RIS-Justiz RS0021668; OGH 7.7.1981, 5 Ob 633/81; OGH 7.3.1977, 1 Ob 764/76, JBl 1978, 155; OGH 17.2.2014, 4 Ob 197/13v; zur deutschen Rechtslage (Kombination Dienstvertrag und Prozessvertrag) vgl *Zöller*, Zivilprozessordnung³⁰ § 1035 Rn 23; zur Schweiz vgl *Wolff* in Arroyo, Arbitration in Switzerland 1422 f.

1411 RIS-Justiz RS0110026; OGH 28.4.1998, 1 Ob 253/97 f.

Im Gegensatz zu dieser kann er auch konkludent abgeschlossen werden,[1412] etwa durch Tätigwerden der Schiedsrichterin/des Schiedsrichters nach einvernehmlicher Bestellung und Einbringung der Schiedsklage. Da Vertragspartner des Schiedsrichtervertrages alle SchiedsrichterInnen und Schiedsparteien zusammen sind, schuldet jedes Mitglied des Schiedsgerichts seine Leistung allen Parteien und wäre ein einseitiges „Zurücknehmen" einer/s einmal bestellten Schiedsrichterin/Schiedsrichters durch eine Partei undenkbar, gleich wer sie/ihn benannt hat.[1413] Das auf den Schiedsrichtervertrag **anwendbare Recht** bestimmt sich mangels Rechtswahl nach Art 4 Abs 2 lit b Rom I-VO (Dienstleistungsverträge), dh das Recht des gewöhnlichen Aufenthalts des Dienstleisters. Sind allerdings mehrere SchiedsrichterInnen bestellt und wäre sonst das Statut der Schiedsrichterverträge im Schiedsgericht unterschiedlich, ist mangels Rechtswahl für alle Schiedsrichterverträge einheitlich das **Schiedsverfahrensstatut** (*lex arbitri*) maßgeblich.[1414]

Wesentlicher Inhalt des Schiedsrichtervertrages ist die Übernahme der Verpflichtung zur Ausübung des Schiedsrichteramtes[1415] entweder durch eine/n Einzelschiedsrichterin/Einzelschiedsrichter oder, im Dreierschiedsgericht, in Zusammenarbeit mit den anderen SchiedsrichterInnen. Kann eine derartige Verpflichtung der Schiedsrichterin/des Schiedsrichters aus der Vereinbarung nicht abgeleitet werden, liegt kein Schiedsrichtervertrag vor. Der Schiedsrichtervertrag ist im Zweifel entgeltlich. Fehlen im Schiedsrichtervertrag Angaben über die Gegenleistung der Parteien (insb über die Entgeltlichkeit), wird der Vertrag dadurch nicht unwirksam. Diese werden impliziert.[1416] Der Schiedsrichtervertrag endet, wenn die Parteien dies vereinbaren, weiters wenn der Schiedsrichter zurücktritt oder mit Erfolg abgelehnt wird.[1417]

994

1412 OGH 28.4.1998, 1 Ob 253/97 f; RIS-Justiz RS0045403.

1413 Vgl OGH 28.4.1998, 1 Ob 253/97 f; RIS-Justiz RS0110026.

1414 OGH 28.4.1998, 1 Ob 253/97 f, der im konkreten Fall zur Anwendung deutschen Rechts gelangt, mit ausführlicher Begründung, insb warum in diesem Fall § 1 Abs 1 öIPRG – das Recht, zu dem die stärkste Beziehung besteht und nicht § 36 öIPRG, das Recht der „charakteristischen Leistung" – zum Zug kommt; gleichlautend die deutsche Lehre; vgl noch zur Rom I Konvention, *Wagner* in Weigand, Handbook, 727; für die Schweiz im Ergebnis gleich, vgl *Wolff* in Arroyo, Arbitration in Switzerland 1422.

1415 Dies beinhaltet idR die rasche und effiziente Durchführung des Schiedsverfahrens gem der Schiedsvereinbarung und des Schiedsrichtervertrages sowie die Fällung eines Schiedsspruches auf Grundlage eines festgestellten Sachverhaltes. Der genaue Leistungsumfang kann je nach Vertragsinhalt und anwendbarem Recht variieren.

1416 Vgl *Hausmaninger* in Fasching/Konecny, ZPO³ § 587 Rn 214; bei Geltung österreichischen Rechts ist Rechtsgrundlage für die Entgeltlichkeit § 1152 öABGB; anders ist die Entgeltlichkeit ggf nach deutschem Recht zu beurteilen.

1417 Unbeschadet weiterbestehender Ansprüche auf (Teil-)Entgelt oder, umgekehrt, auf Haftung des Schiedsrichters; für Österreich § 590 Abs 1 und Abs 3 öZPO, für D:

995   Wesentliches Arbeitsergebnis aus der Ausübung des Schiedsrichteramtes ist der Erlass eines Schiedsspruchs, der anfechtungsfest ist.[1418] Wie weit ein vollstreckbarer Schiedsspruch geschuldet ist, ist Gegenstand von Diskussion.[1419] In der Praxis fehlt es hiefür schon an der mangelnden Vorhersehbarkeit für die SchiedsrichterInnen, wo ihr zukünftiger Schiedsspruch vollstreckt werden wird. Will man von einer Verpflichtung ausgehen, einen vollstreckbaren Schiedsspruch zu fällen, so kann es sich bloß um eine Bemühungs- bzw Sorgfaltsverpflichtung handeln.[1420] Dem entspricht auch Art 42 ICC SchO, der dahingehende Anstrengungen der SchiedsrichterInnen explizit vorsieht.[1421]

1. Schiedsrichtervertrag im *ad hoc* Verfahren

996   Nur im *ad hoc* Schiedsverfahren ist der Abschluss eines gesonderten schriftlichen Schiedsrichtervertrages die Regel.[1422] Mangels vorgegebener Schiedsordnung ist dieser idR detailliert und umfangreich. Über die Regelung des Entgelts hinaus ist es üblich, die Verpflichtung der Parteien zur Leistung eines Kostenvorschusses aufzunehmen und die Unabhängigkeits- und Unparteilichkeitserklärung der SchiedsrichterInnen zu wiederholen. Dazu kommen meist eine Haftungsbeschränkung sowie eine Rechtswahl- und Gerichtsstandsklausel. Ist kein Entgelt vereinbart und nicht Unentgeltlichkeit vereinbart, kommen ggf berufsspezifische Entgeltregelungen zur Anwendung.[1423]

Lionnet / Lionnet, Schiedsgerichtsbarkeit[3] 290; wie bei jedem Dauerschuldverhältnis wird die Schiedsrichterin / der Schiedsrichter aus wichtigem Grund kündigen können; sie/er wird aber bei unberechtigter Rücklegung des Mandats schadenersatzpflichtig, vgl § 594 Abs 4 öZPO; nach Art 15(1) ICC SchO bedarf der Rücktritt der Annahme durch den Gerichtshof, was nach den Wiener Regeln nicht erforderlich ist; vgl *Horvath-Trittmann* in VIAC, Handbuch Art 21 Rn 12.

1418   *Lew / Mistelis / Kröll*, Comparative Arbitration Rn 12–12 f; *Hausmaninger* in Fasching/Konecny, ZPO[3] § 587 Rn 205; BGH 5.5.1986, III ZR 233/84 = NJW 1986, 3077, 3078.

1419   *Hausmaninger* in Fasching/Konecny, ZPO[3] § 587 Rn 205; *Lew / Mistelis / Kröll*, Comparative Arbitration Rn 12–14; *Platte*, J. Int. Arb. 2003, 307 ff.

1420   „*best efforts commitment*", vgl *Platte*, J. Int. Arb. 2003, 309; *Redfern / Hunter*, International Arbitration[6] Rn 9.14–9.17.

1421   Art 42 ICC SchO „*[Das Schiedsgericht ist] gehalten, alle Anstrengungen zu unternehmen, um die Vollstreckbarkeit des Schiedsspruchs sicherzustellen.*".

1422   *Kreindler / Schäfer / Wolff*, Schiedsgerichtsbarkeit Rn 558 f.

1423   Ist die Schiedsrichterin / der Schiedsrichter Vertreter eines beratenden Berufs, werden deren / dessen Gebührenregeln als vereinbart gelten; in Österreich sind dies für Rechtsanwälte die Allgemeinen Honorarkriterien, § 8 Abs 6 öAHK: „*Wird ein Rechtsanwalt als Schiedsrichter tätig, so können auf seine Leistungen die Bestimmungen des RATG sinngemäß angewendet werden, sofern nicht eine andere Vereinbarung getroffen wird.*"; für Deutschland vgl § 36 dRVG; in der Schweiz sind die Anwaltstarife durch die Kantone unterschiedlich geregelt.

2. Schiedsrichtervertrag im institutionellen Schiedsverfahren

Im institutionellen Schiedsverfahren enthalten die Schiedsregeln bereits ei- **997** nen Großteil der vorerwähnten Inhalte und die Anfertigung eines schriftlichen Schiedsrichtervertrages unterbleibt idR. Schlüssig kommt auch hier ein Schiedsrichtervertrag zustande, und zwar durch Namhaftmachung durch die Partei bzw Wahl der/s Vorsitzenden mit Annahme durch die Betreffenden, ferner, wenn die Regeln eine Bestätigung vorsehen, mit dieser.[1424] Die Institution wird, wenn nicht anders vereinbart, nicht Partei des Schiedsrichtervertrages.[1425]

Schiedsrichteramt und Schiedsrichtervertrag beginnen zeitgleich mit der **998** Bestätigung des benannten Mitglieds des Schiedsgerichts oder mit Ersatzbestellung durch die Institution. Bei Ersatzbestellung schließt die Institution den Schiedsrichtervertrag kraft Ermächtigung durch Schiedsklausel und Schiedsordnung im Namen der Parteien ab.[1426]

3. Ende des Schiedsrichtervertrages

Das Schiedsrichteramt endet mit Erlassung des End-Schiedsspruches,[1427] also **999** mit Erfüllung der Hauptpflicht des Schiedsrichtervertrages, wobei dessen allfällige Berichtigung oder Interpretation nur als Nachwirkung des Schiedsrichtervertrages anzusehen ist;[1428] ferner mit der anderweitigen Beendigung des Verfahrens, bspw dem Abschluss eines Vergleichs oder wenn dies das Schiedsgericht unter bestimmten Umständen beschließt.[1429] Ebenso endet er bezüglich eines Mitglieds des Schiedsgerichts mit dessen erfolgreicher Ablehnung.[1430] Durch die Aufhebung des Schiedsspruchs, woraufhin das Schiedsverfahren neu durchgeführt werden muss, lebt er nach österreichischem Recht nicht auf, nach deutschem Recht uU schon.[1431]

1424   OGH 28.4.1998, 1 Ob 253/97 f, dort unter Zugrundelegung von deutschem Recht.
1425   Für Österreich: OGH 18.9.2012, 4 Ob 30/12h; vgl auch *Zeiler* Schiedsverfahren[2], § 587 Rz 58; für die Schweiz: *Wolff* in Arroyo, Arbitration in Switzerland, 1420.
1426   Vgl *Riegler/Petsche* in VIAC Handbuch Art 16 Rn 25.
1427   § 608 Abs 1 öZPO; § 1056 Abs 1 dZPO; Art 34(1) Wiener Regeln.
1428   § 610 öZPO; § 1058 dZPO.
1429   „*closing order*"; Beispiele für solche Umstände s Art 34(3) Wiener Regeln; § 39.2 DIS-Regeln; Art 34 Swiss Rules.
1430   *Hausmaninger* in Fasching/Konecny, ZPO[3] § 587 Rn 189, 241.
1431   *Hausmaninger* in Fasching/Konecny, ZPO[3] § 611 Rn 211 ff zur Rechtslage nach der öZPO; anders in Deutschland, vgl insb § 1059(4) dZPO; Art 40 Wiener Regeln und Art 36(4) ICC SchO sind also nur anwendbar, wenn der Schiedsort nicht in Österreich liegt und ein ausländisches Gericht im Aufhebungsverfahren die Rückverweisung an das Schiedsgericht ausspricht; vgl solche Fälle nach deutschem Recht in *Klötzel/Pörnbacher* in VIAC, Handbuch Art 40 Rn 8–14.

4. (Administrativer) Sekretär des Schiedsgerichts

1000 Das Führen eines Schiedsverfahrens erfordert nicht nur die richtige Lösung der relevanten Sach- und Rechtsfragen. Neben der juristischen Leistung fällt ein nicht unbedeutender administrativer und organisatorischer Aufwand an: Verfügungen des Schiedsgerichts sind zu erlassen und die gesetzten Fristen in Evidenz zu halten, die einzelnen Verfahrensschritte müssen vorbereitet und durchgeführt werden und die Schiedsverhandlung einschließlich der Protokollführung ist zu besorgen. Dies alles obliegt der/m Vorsitzenden bzw Einzelschiedsrichterin/Einzelschiedsrichter. Damit diese/dieser für die eigentliche juristische Leistung freigespielt wird, bedienen sich Schiedsgerichte, vorwiegend in großen Streitfällen, einer Sekretärin/eines Sekretärs (*Administrative Secretary*). Deren/Dessen Funktion ist weder in der öZPO noch in den Wiener Regeln erwähnt, hingegen erwähnen ihn die Swiss Rules.[1432] Der ICC-Court hat Richtlinien hiefür veröffentlicht.[1433]

1001 Wenngleich wie ausgeführt der Einsatz eines Sekretärs zulässig und sinnvoll sein kann, hat sich seine Tätigkeit ausnahmslos auf Assistenz und Administration zu beschränken. Niemals darf der Sekretär am Entscheidungsprozess des Schiedsgerichts beteiligt sein oder auf diesen Einfluss nehmen.[1434] Dessen ungeachtet muss auch die Sekretärin/der Sekretär, ebenso wie die Mitglieder des Schiedsgerichts, unabhängig und unparteilich sein. Sie/Er unterliegt wie die SchiedsrichterInnen – sofern eine solche vorliegt[1435] – der vollen Verschwiegenheitsverpflichtung.[1436]

F. Haftung

1002 Die Schiedsrichterhaftung unterliegt dem auf den Schiedsrichtervertrag anwendbaren Recht. Den Parteien steht es idR frei, mit den SchiedsrichterInnen zu vereinbaren, in welchem Ausmaß diese für Schäden aus fehlerhafter Amtsführung haften sollen. Solche Regelungen sind üblich. Sie bestehen in der Praxis in einem Haftungsausschluss oder einer Haftungsbeschränkung. Beim *ad hoc* Verfahren finden sie sich im Schiedsrichtervertrag, beim institutionellen Schiedsverfahren regelmäßig in den anwendbaren Schiedsregeln.[1437] Die öZPO regelt ausdrücklich nur zwei Fälle der Haftung der

---

1432 Art 15(5) iVm Art 9 ff sowie Art 44(1) Swiss Rules.

1433 www.iccwbo.org, *Note to Parties and Arbitral Tribunals on the Conduct of the Arbitration under the ICC Rules of Arbitration.*

1434 *Redfern/Hunter*, International Arbitration[6] Rn 4.195; *Schwarz/Konrad*, Vienna Rules[2] Rn 7–152–758.

1435 ZB Art 16(2) Wiener Regeln; § 43 DIS-Regeln; Art 44(1) Swiss Rules.

1436 Vgl *Lazopoulos* in Arroyo, Arbitration in Switzerland Art 15 Swiss Rules Rn 35.

1437 Art 46 Wiener Regeln; Art 41 ICC SchO; § 44 DIS-Regeln; Art 45 Swiss Rules.

Schiedsrichterin/des Schiedsrichters, nämlich, wenn sie/er ihr/sein Amt gar nicht ausübt oder sie/er damit säumig ist, also Fälle der Nicht- oder verspäteten Erfüllung.[1438]

Auch Schlechterfüllung, insb inhaltlich unrichtiges Verhalten des Schiedsgerichts, kann dessen Haftung begründen. Um eine unzulässige nachträgliche Aufrollung der Tat- und Rechtsfragen (*révision au fond*) zu vermeiden, finden sich in Lehre und Judikatur unterschiedliche Ansätze.[1439] Für Österreich geht die nunmehr einhellige OGH-Judikatur dahin, dass SchiedsrichterInnen für Fehler im Schiedsspruch nicht haftbar sind, wenn diese nicht zu dessen erfolgreicher Anfechtung führen.[1440] Abgesehen von den beiden Fällen des § 594 Abs 4 öZPO setzt damit die Haftung der SchiedsrichterInnen die **erfolgreiche Anfechtung des Schiedsspruchs** voraus.[1441] Für Deutschland gilt eine von Lehre und Rechtsprechung angenommene konkludente Vereinbarung des **„Spruchrichterprivilegs".**[1442] Nach diesem wird für Amtspflichtverletzung bei einem Urteil nur gehaftet, wenn die Verletzung in einer Straftat besteht.[1443] Der häufig zu findende vertragliche Ausschluss jeglicher Haftung[1444] wirkt, auch wenn dies nicht (wie zumeist) ausdrücklich vorgesehen ist, jeweils nur soweit nach anwendbarem materiellem Recht zulässig.[1445] Für vorsätzliches (auch bedingt vorsätzliches) oder krass grob fahrlässiges Fehlverhalten wird nach österreichischem Recht stets gehaftet.[1446]

1003

1438 § 594 Abs 4 öZPO; „*Aktuelle Fragen der Schiedsrichterhaftung im österreichischen Recht [...]*", *Klicka/Rechberger*, ÖJZ 2015, 437.

1439 Für eine aktuelle Übersicht über die österreichische Rechtsprechung und Lehre sowie einen Rechtsvergleich mit Deutschland s *Leitner*, Die Haftung des Schiedsrichters 52–81; für einen räumlich noch weiteren rechtsvergleichenden Überblick siehe *Riegler/Platte* in Klausegger et al, Austrian Arbitration Yearbook 2007, 105–124 sowie, va zum deutschen Recht, *Gal*, Die Haftung des Schiedsrichters in der internationalen Handelsschiedsgerichtsbarkeit (2009); *Zeiler*, Schiedsverfahren[2] § 587 Rn 78; *Hausmaninger* in Fasching/Konecny, ZPO[3] § 594 Rn 111 ff.

1440 OGH 17.2.2014, 4 Ob 197/13v mit ausführlicher Besprechung „*Aktuelle Fragen der Schiedsrichterhaftung im österreichischen Recht [...]*", *Klicka/Rechberger*, ÖJZ 2015, 437; OGH 22.3.2016, 5 Ob 30/16x; OGH 6.6.2005, 9 Ob 126/04a, SZ 2005/85 = JBl 2005, 800.

1441 *Hausmaninger* in Fasching/Konecny, ZPO[3] § 594 Rn 124.

1442 § 839 Abs 2 dBGB.

1443 *Leitner* aaO 68 mwN.

1444 Art 46 Wiener Regeln; Art 41 ICC SchO; Art 45 Swiss Rules; § 44 DIS-Regeln.

1445 In Österreich § 879 ABGB: Die Haftung für rechtswidriges, insb sorgfaltswidriges Verhalten (Maßstab: ein durchschnittlicher Schiedsrichter!) kann bei Vorsatz oder krass grober Fahrlässigkeit nicht wirksam ausgeschlossen werden.

1446 *Riedler* in Schwimann, ABGB[4] § 879 Rn 11.

III. Parteienvertretung

Wolfgang Hahnkamper

1004 Ein unbestreitbarer Vorteil der Schiedsgerichtsbarkeit in grenzüberschreitenden Streitigkeiten ist es, dass sich die Parteien unabhängig vom Sitz des Schiedsgerichts und dem Ort, wo die Verhandlungen stattfinden, von Parteivertretern
ihrer Wahl, aus einer Jurisdiktion ihrer Wahl, vertreten lassen können. Freilich
treffen dann Parteivertreter aufeinander, welche unterschiedlichen Berufs- und
Standesrechten, nämlich denen ihrer jeweiligen Heimatjurisdiktion, unterliegen. Diese Regeln der Berufsausübung differieren, und zwar erheblich.[1447]

1005 Für die Anwälte in der EU, dem EWR sowie der Schweiz gelten für grenz-
überschreitende Tätigkeiten innerhalb dieses Raums „Berufsregeln der Europäischen Rechtsanwälte", welche die Vereinigung der Europäischen Rechts-
anwaltskammern CCBE[1448] beschlossen hat.[1449] Die Regeln der CCBE sind
aber recht allgemein. Und weltweit verbindliche gemeinsame Regeln gibt es
nicht, und schon gar nicht existiert eine supranationale gemeinsame Berufs-
oder Standesorganisation zur Einhaltung ethischer Regeln.

1006 Diese Situation wurde weithin als unbefriedigend empfunden. Das so
entstehende Ungleichgewicht (*lack of level playing field, lack of equality of
arms*) weckte va in Fällen obstruktiver Verfahrensführung (*guerrilla tactics*)
den Ruf nach einheitlichen Verhaltensregeln für Parteivertreter.[1450]

1007 Auch hier war es die IBA, welche die gefühlte Wettbewerbsverzerrung mithilfe von *soft law* zu beseitigen versuchte. Mit dem Ziel, einen Zustand von *level
playing field* und *equality of arms* herzustellen, wurden 2013 *IBA Guidelines
on Party Representation in International Arbitration* beschlossen. Ob dieser
Versuch gelungen ist, ist freilich bis dato heftig umstritten. Anders als die IBA
Guidelines (Conflict of Interest) oder die IBA Rules (Evidence) haben die IBA
Guidelines (Party Representation) bis dato keine allgemeine Akzeptanz erlangt,
auch nicht als „Orientierungshilfe". Sie gelten also nur, wenn die Parteien dies

---

1447 Dies folgt schon daraus, dass Regeln für die Berufsausübung von Rechtsanwälten
stets auf das lokale Prozessrecht abgestimmt sind.

1448 *Commission de Conseil de Barreau Europeennes* hat neben den Berufsregeln der
europäischen Rechtsanwälte auch eine Charta der Grundprinzipien der europäischen
Rechtsanwälte veröffentlicht, abrufbar unter http://www.ccbe.eu/index.php?id=-
32&L=3 (zuletzt abgerufen am 16.9.2016).

1449 Der grenzüberschreitend tätige Rechtsanwalt unterliegt dem Berufsrecht im Heimat- wie
im Einsatzland bzw dem strengeren der beiden; sog *double deontology*; vgl für Österreich Art 14 Abs 2 öRL-BA 1977; *Engelhart* in Engelhart et al, RAO[9] III A Art XIV
Rn 4; § 58 Abs 2 öRL-BA 2015; *Engelhart* in Engelhart et al, RAO[9] III B § 58 Rn 2.

1450 Vgl *Horvath* in Klausegger et al, Austrian Arbitration Yearbook 2011, 297 ff; *Wilske*
in Klausegger et al, Austrian Arbitration Yearbook 2011, 315 ff, s zuletzt *Schima/
Sesser*, SchiedsVZ 2016, 61 ff.

vereinbart haben, was aber derzeit kaum vorkommt. Der bisher spürbare Widerstand resultiert wohl daraus, dass auch über den Inhalt Dissens besteht.[1451] Während Parteivertreter aus dem *common law* Raum die Implementierung der GL als notwendige Überbindung ihrer Berufspflichten auf ihre Kollegen aus dem *civil law* Bereich begrüßten, lehnten diese sie nicht selten als systemfremd und Zwangsbeglückung ab. Dazu kommt als weiteres Ärgernis, dass einige der GL eine Ermächtigung des Schiedsgerichtes enthalten, Verstöße gegen Verhaltensregeln durch Sanktionen gegen die Parteivertreter zu ahnden, welche im Extremfall bis zum Ausschluss des Parteivertreters vom Verfahren gehen können.[1452]

Kritisiert wird an den GL, dass mit der Implementierung spezifischer Berufspflichten die Geltung bzw Existenz angloamerikanischer Rechtsinstitute außerhalb dieses Rechtsraums unterstellt werde,[1453] so etwa wenn in den GL undifferenziert die Pflicht einer Partei zur Herausgabe von (auch belastenden) Urkunden im Zuge einer *document production* unterstellt oder von einer anwaltlichen Pflicht zur „Zeugenvorbereitung" ausgegangen wird.[1454] **1008**

Dennoch seien hier einige der Regeln (GL) kurz dargestellt:[1455] **1009**

Die GL 9–11 verbieten den Parteivertretern wahrheitswidriges Vorbringen und die Mitwirkung an unrichtigem Personalbeweis.[1456] Dagegen besteht an sich kein Einwand. Solches Vorbringen ist freilich auch jetzt schon nach nationalem Recht in Österreich, der Schweiz und in Deutschland sowie in anderen Ländern des *civil law* Raums verpönt.[1457] Erreicht die Unwahrheit das Ausmaß des (Prozess-)Betrugs, steht solches Vorbringen bzw solche Aussage auch in diesen Jurisdiktionen unter Strafe, wobei durchaus auch der Rechtsvertreter, der wissentlich mitwirkt, als Bestimmungs- oder Beitragstäter beim Betrug strafbar werden kann.[1458] **1010**

1451 Kaum strittig sind etwa die GL 4–6 (Parteivertretung und Interessenkonflikt gegenüber den SchiedsrichterInnen), GL 7, 8 (*ex parte* Kommunikation mit dem Schiedsgericht), während GL 12–17 (Informationsaustausch und Document Production) sowie GL 20, 21, 24 (Umgang mit Zeugen und Zeugenvorbereitung) von kontinental-europäischen Juristen als fremd abgelehnt werden; *Petsche/Förstel*, ecolex 2014, 783 ff.

1452 Vgl Abschnitt *Remedies for Misconduct* GL 26–27.

1453 *Michael E. Schneider*, ASA Bulletin 2013, 497 ff; IBA Guidelines on Party Representation in International Arbitration, Comments and Recommendations by the Board of the Swiss Arbitration Association (ASA), ASA Kommunikation 4.4.2014; *Stephens-Chu/Spinelli*, DRI Vol 8 No 1 2014, 48.

1454 *Schima/Sesser*, SchiedsVZ 2016, 63 ff.

1455 Die Besprechung in diesem Beitrag bedeutet nicht, dass von ihrer Geltung zum jetzigen Zeitpunkt (2016) ausgegangen wird.

1456 IBA Guidelines on Party Representation in International Arbitration, Comments to Guidelines 9–11 (S 9).

1457 Vgl *Schumacher*, AnwBl 2009, 431 f; RIS-Justiz RS0036733;

1458 *Schumacher*, AnwBl 2009, 431 f; *Schima/Sesser*, SchiedsVZ 2016, 66 für die Schweiz unter Hinweis auf Art 307, 309 schwStGB.

1011   Auch nach österreichischem Recht trifft also die Wahrheitspflicht des § 178 öZPO zunächst die Partei und davon abgeleitet ggf auch den Parteivertreter. Bei erst nachträglicher Gewissheit der Unrichtigkeit bereits erstatteten Vorbringens[1459] kann die Wahrheits- und Vollständigkeitspflicht ein Spannungsverhältnis zur Parteitreue erzeugen.[1460]

1012   In GL 7 findet sich das Verbot der *ex parte* Kommunikation zwischen Parteivertretern und Mitgliedern des Schiedsgerichtes. Auch diese Regel (deren Ausnahmen, streng beschränkt auf die Phase der Schiedsrichternominierung, die GL 8 enthält) gilt unstrittig und seit jeher für Parteivertreter in den hier behandelten Rechtsordnungen.

1013   Hingegen fehlt in den Rechtsordnungen des kontinentaleuropäischen Rechtsraums die im angloamerikanischen Recht bestehende Verpflichtung der Parteien zur *document production*, ebenso das Rechtsinstitut der *pre-trial discovery*. Demzufolge kann hier die Parteivertreter keine Rechtspflicht treffen, ihre Partei über eine Herausgabepflicht für von der Gegenseite angeforderte Urkunden, über eine Aufbewahrungspflicht ab Beginn eines Gerichts- oder Schiedsverfahrens zwecks späterer Urkundenherausgabe und über Konsequenzen bei deren Verletzung zu belehren.[1461]

1014   Besonders kontrovers wurden wie schon ausgeführt die IBA Guidelines (Party Representation) aufgenommen, wo sie dem Schiedsgericht die Autorität verleihen wollen (auch wenn nur als *ultima ratio*), Sanktionen gegen Parteivertreter zu erlassen. Dies liefe auf eine – wenn auch beschränkte – Disziplinargewalt hinaus und erscheint, etwa aus der Sicht des österreichischen Standesrechts, schon deshalb fraglich, weil gem § 1 Abs 2 öDSt die ausschließliche Zuständigkeit für die Ahndung von Disziplinarvergehen von österreichischen Rechtsanwälten beim Disziplinarrat der zuständigen Rechtsanwaltskammer liegt und die standesrechtliche Aufsicht deren Ausschuss obliegt.[1462]

1459   GL 10 verpflichtet den Parteivertreter explizit zur unverzüglichen Richtigstellung.

1460   *Lehner* in Engelhart et al, RAO[9] I § 9 Rn *8; Schumacher*, AnwBl 2009, 430; Punkt 4.4 der CCBE-Regeln lautet: *„Der Rechtsanwalt darf dem Gericht niemals vorsätzlich unwahre oder irreführende Angaben machen.“*; vgl Art 12 lit a schwBGFA.

1461   So aber, ohne Differenzierung, GL 12–17, 20, 21 und 24, Regeln für den Umgang mit Beweisen, dh Dokumenten und Zeugen, insb die Pflicht des Rechtsvertreters, die Partei bei der Suche und Herausgabe von Urkunden zu beraten und zu unterstützen, über das Verbot der Verheimlichung von Dokumenten zu belehren und entsprechend zu beraten, sowie bei nachträglichem Gewahrwerden eines früher zu unrecht nicht produzierten Dokuments auf die Partei auf Erfüllung der Verpflichtung einzuwirken. Ein „Verheimlichen einer Urkunde“ kennt das österreichische Recht nicht; lediglich die Beweismittelunterdrückung ist nach § 295 öStGB strafbar, dieser Tatbestand beschränkt sich aber auf ein *„zur Vorlage bei Gericht oder bei Behörde bestimmtes Dokument“*; vgl auch § 274 Abs 1 Z 1, 2 dStGB; Art 254 schwStGB.

1462   Zudem erscheint diese „Zuständigkeit“ im Vergleich vor dem staatlichen Gericht sonderbar, wurde hierzulande doch die Disziplinargewalt des (staatlichen) Richters

Immerhin beschränken die IBA Guidelines (Party Representation) die **1015** Befugnis des Schiedsgerichtes, Parteivertreter vom Verfahren auszuschließen, auf Extremfälle.[1463]

Rechtliche Geltung werden die IBA Guidelines (Party Representation), **1016** wenn die Parteien sie nicht ausdrücklich vereinbart haben, vorerst nicht beanspruchen können. Wie soll nun ein Schiedsgericht und wie sollen Parteivertreter mit diesem Zustand der Ungewissheit umgehen? Der von der *Swiss Arbitration Association* vorgeschlagene *International Ethic Court* wird in absehbarer Zeit nicht entstehen, und auch andere in Diskussion stehende Modelle wie zB Novellierung von UNCITRAL Dokumenten (NYÜ, UNCITRAL ModG) sind weit von einer Realisierung entfernt. Somit bleibt Schiedsgerichten nur, sicheren Grund für die im Schiedsverfahren anzuwendenden Verhaltensregeln der involvierten Parteivertreter zu schaffen, die (i) Vereinbarung aller oder einzelner Regeln für dieses Verfahren, zB in einem Annex zur Prozessleitenden Verfügung Nr 1, (ii) Ermittlung der Regeln der Parteivertreter in ihrer Heimatjurisdiktion und ihre Anwendbarkeit oder (iii) Aufforderung an die Parteivertreter, „Checklists" über ihr Verständnis der eigenen anwaltlichen Pflichten einzureichen. Oder (iv) gar nichts zu tun und mit dem derzeitigen Zustand einer begrenzten Ungewissheit zu leben – eine Variante, die in der Vergangenheit in der überwiegenden Anzahl der Schiedsverfahren, zugegeben angesichts überwiegend konstruktiv agierender Parteivertreter, im Wesentlichen funktionierte. Dies zumal das Schiedsgericht angesichts seiner Ermächtigung, das Schiedsverfahren zu gestalten und Ethikverstöße mit Kostensanktionen zu ahnden, auch ohne das Instrumentarium der IBA Guidelines (Party Representation) nicht hilflos ist.[1464]

über die Parteivertreter erst mit der ZPO-Novelle 1983 aus dem österreichischen Zivilprozess entfernt.

1463 Absicht ist es, in den – sehr speziellen und seltenen – Anlassfällen die Integrität des Schiedsgerichts gegen eine Bedrohung seiner Objektivität durch Rekrutierung von Parteivertretern zu verteidigen, die einem Mitglied des Schiedsgerichts nahe standen (im Fall Hrvatska Elektroprivreda, d. d. v. Republic of Slovenia, ICSID Case No ARB/05/24, 6.5.2008, untersagte das Schiedsgericht einem Parteivertreter unter besonders krassen Umständen die weitere Vertretung; s dagegen Rompetrol Group N. V. v. Romania, ICSID Case No ARB/06/3, 14.1.2010, hier sah das Schiedsgericht die Umstände nicht so krass und lehnte eine Entfernung des Parteivertreters ab). Die GL richten sich als Verhaltensnormen an den Parteienvertreter. GL 5 verbietet demzufolge den Parteienvertretern, unter den näher beschriebenen konfliktbegründenden Umständen die Vollmacht anzunehmen. Im Ergebnis trifft die Sanktion des Ausschlusses freilich seine Partei.

1464 Ethikverstöße durch Parteivertreter (im Wege der *adverse inference*) in die Beweiswürdigung einfließen zu lassen, wie es die IBA Guidelines (Party Representation) GL 26 (b) und, diesen offenbar folgend, *Schima/Sesser*, SchiedsVZ 2016, 70 f, vorschlagen, ist mE hingegen prinzipiell abzulehnen: naturgemäß wird das Schieds-

IV. Mehrzahl von Parteien und/oder Ansprüchen

Laurent Killias

A. Aufrechnung und Widerklage

1017   Die beklagte Partei hat in einem Schiedsverfahren grundsätzlich zwei Möglichkeiten, wie sie ihre Gegenforderung der Hauptforderung der Klägerin gegenüberstellen kann. Sie kann entweder **Aufrechnung** erklären oder **Widerklage** erheben. Die Voraussetzungen für die Geltendmachung dieser beiden Institute sind komplex und in Teilbereichen unterschiedlich.

1. Aufrechnung (*set-off*)

1018   Unter Aufrechnung (Kompensation; in der Schweiz: „Verrechnung"; im internationalen Kontext: *set-off*) wird allgemein die wechselseitige Tilgung zweier sich gegenüberstehender (Geld-)Forderungen ohne effektiven Leistungsaustausch verstanden.[1465]

1019   Nach den Rechtsordnungen von Deutschland, Österreich und der Schweiz setzt die wirksame Aufrechnung eine **(Aufrechnungs-)Erklärung** voraus, die entweder außerhalb oder innerhalb eines Prozesses oder Schiedsverfahrens vorgetragen werden kann.[1466] Die Aufrechnung kann nur für einen Betrag bis maximal zur Höhe der Hauptklageforderung erklärt werden. Will in einem Verfahren die beklagte Partei einen die Klagsforderung übersteigenden Betrag gegen die Klägerin geltend machen, muss sie für den die Hauptforderung überschießenden Betrag separat Widerklage erheben. Obwohl das Institut der Aufrechnung im internationalen Handel von großer praktischer Bedeutung ist, besteht im internationalen Rechtsverkehr eine erhebliche Unsicherheit, wie solche Aufrechnungen zu behandeln sind. Dies gilt insb für jene Fälle, in denen die Aufrechnungsforderung auf einer anderen rechtlichen Grundlage als die Hauptforderung beruht und für die etwa ein anderes Schiedsgericht oder kein schiedsgerichtliches Verfahren vereinbart und die Zuständigkeit der staatlichen Gerichte vorgesehen ist. In diesen Fällen besteht ein Konflikt zwischen dem Prinzip, dass das Schiedsgericht nur Streitigkeiten zu beurteilen

---

gericht auch Verhalten von Parteien, Zeugen oder auch Parteivertretern in seine rationale Würdigung „sämtlicher Umstände" bei Feststellung der für seine Entscheidung erheblichen Tatsachen einfließen lassen. Es tut dies aber im Zuge der freien Beweiswürdigung, die zu seinen Rechten und vornehmsten Pflichten gehört. Keineswegs eignet sich die Beweiswürdigung hingegen als Disziplinarmaßnahme.

1465   Umfassend zur Aufrechnung *Pichonnaz/Gullifer*, Set-Off in Arbitration and Commercial Transactions (2014).

1466   *Scherer* in Klausegger et al, Austrian Arbitration Yearbook 2015, 454.

hat, die von der Schiedsvereinbarung gedeckt sind, und dem Bedürfnis, dass gegenseitige Forderungen effizient beurteilt werden.[1467]

Die Aufrechnung mit (Gegen-)Forderungen in einem Schiedsverfahren **1020** hängt nach kontinentaleuropäischem Verständnis von prozessualen und materiell-rechtlichen Voraussetzungen ab. So hat das Schiedsgericht in einem ersten Schritt zu prüfen, ob es überhaupt zuständig ist, über die Aufrechnungsforderung zu entscheiden.[1468] Die Zulässigkeit und die Wirkungen einer Aufrechnung in einem (Schieds-)Verfahren werden in den materiellen Rechtsordnungen unterschiedlich geregelt. Das Schiedsgericht hat deshalb, nachdem es seine Zuständigkeit über die Aufrechnungsforderung bejaht hat, als weitere Vorfrage das anwendbare Recht für die Aufrechnungsforderung zu bestimmen.[1469] Da die materiell-rechtlichen Voraussetzungen einer Aufrechnung in den nationalen Rechtsordnungen unterschiedlich geregelt sind, ist die Bestimmung der anwendbaren *lex causae* von großer praktischer Bedeutung.

Die Frage, ob und allenfalls unter welchen Voraussetzungen ein Schieds- **1021** gericht für die Beurteilung einer internationalen Aufrechnungsforderung zuständig ist, wird in den *leges arbitrii* von Deutschland, Österreich und der Schweiz nicht ausdrücklich geregelt. Die Schweiz kennt immerhin für Binnenschiedsverfahren eine ausdrückliche Regelung.[1470] Nach der Rechtsprechung des BGH ist ein Schiedsgericht für die Aufrechnung dann nicht zuständig, wenn diese nicht auf der gleichen Schiedsvereinbarung wie die Hauptforderung beruht.[1471] Für den OGH ist ein staatliches Gericht für eine Aufrechnungsforderung auch dann zuständig, wenn für diesen Anspruch eine Schiedsvereinbarung geschlossen wurde.[1472]

Nur wenige **institutionelle Schiedsordnungen** enthalten eine ausdrück- **1022** liche Vorschrift über die (prozessuale) Zulässigkeit von Aufrechnungsforderungen. Weder die ICC SchO, die DIS-Regeln noch die Wiener Regeln enthalten eine ausdrückliche Bestimmung. Im Anwendungsbereich der **Wiener Regeln** wird die Meinung vertreten, dass das Schiedsgericht für die Aufrech-

---

1467 *Scherer* in Klausegger et al, Austrian Arbitration Yearbook 2015, 455.

1468 *Poudret/Besson*, International Arbitration[2] Rn 320.

1469 Vgl hierzu etwa die Übersicht über mögliche Lösungen bei *Scherer* in Klausegger et al, Austrian Arbitration Yearbook 2015, 465 ff.

1470 Art 377 Abs 1 der schwZPO bestimmt: *„Erhebt eine Partei die Verrechnungseinrede, so kann das Schiedsgericht die Einrede beurteilen, unabhängig davon, ob die zur Verrechnung gestellte Forderung unter die Schiedsvereinbarung fällt oder ob für sie eine andere Schiedsvereinbarung oder Gerichtsstandsvereinbarung besteht."*.

1471 Vgl BGHZ 38, 254 ff = NJW 1963, 243.

1472 OGH 1 Ob 711/89 = SZ 63/201 = EvBl 1991/44 = ecolex 1991, 312; RIS-Justiz RS0033744. Daraus wird in der Lehre vereinzelt abgeleitet, dass umgekehrt ein Schiedsgericht für die Aufrechnungseinrede auch dann zuständig ist, wenn für die Aufrechnungsforderung eine Gerichtsstandsvereinbarung oder eine andere Schiedsvereinbarung geschlossen wurde, so etwa *Reiner* in FS Hempel 110 ff.

nungsforderung auch dann zuständig ist, wenn diese zwar nicht auf der gleichen Schiedsvereinbarung wie die Hauptforderung, aber zumindest auf einer Schiedsvereinbarung beruht, die auf die Wiener Regeln verweist.[1473] Eine sehr weitgehende Regelung ist hingegen in Art 21(5) der **Swiss Rules** enthalten. Nach dieser Vorschrift ist ein Schiedsgericht *„zur Beurteilung von Verrechnungseinreden auch dann zuständig, wenn die zur Verrechnung gestellten Forderungen nicht unter die Schiedsvereinbarung fallen oder Gegenstand einer anderen Schiedsvereinbarung oder einer Gerichtsstandsvereinbarung sind.“*[1474]

1023 Die Swiss Rules setzen auch nicht voraus, dass zwischen der Haupt- und der Aufrechnungsforderung **Konnexität** besteht. Die liberale Regelung in Art 21(5) Swiss Rules entspricht der seit einigen Jahren in der Schweiz zunehmend hA, Aufrechnungseinreden vor einem internationalen Schiedsgericht mit Sitz in der Schweiz uneingeschränkt zuzulassen.[1475] So wird die Ansicht vertreten, die Aufrechnung selbst dann zuzulassen, wenn ein Schiedsverfahren mit Sitz in der Schweiz *ad hoc* durchgeführt wird oder dieses einer Schiedsordnung unterliegt, die im Gegensatz zu den Swiss Rules keine entsprechenden Bestimmungen enthält.[1476] Begründet wird dies damit, dass es sich bei der Aufrechnungsreinrede um ein reines Verteidigungsmittel handelt, welches darauf ausgerichtet ist, die ihr gegenüberstehende Hauptforderung materiell zu vernichten.[1477]

1024 Selbst wenn weder die *lex arbitri* noch die maßgebliche Schiedsordnung eine Regelung mit Bezug auf die Aufrechnung enthält, sind Schiedsgerichte unter bestimmten Voraussetzungen dennoch zuständig, über eine Aufrechnungsforderung zu entscheiden. Es dürfte unbestritten sein, dass ein Schiedsgericht mit Sitz in Deutschland, Österreich[1478] oder der Schweiz zumindest immer dann für Aufrechnungseinreden zuständig ist, wenn sich die Klägerin auf die Aufrechnungsforderung vorbehaltlos einlässt. Zudem gilt im Schiedsverfahrensrecht der allgemeine Grundsatz, dass ein Schiedsgericht auch dann über den Aufrechnungseinwand entscheiden kann, wenn die Aufrechnungsforderung ebenso wie die Hauptforderung von der Schiedsvereinbarung umfasst wird. Ob das der Fall ist, muss oftmals durch Auslegung ermittelt werden. Die Parteien können in der Schiedsvereinbarung entweder alle oder

---

1473 *Schwarz/Konrad*, Vienna Rules[2] Rn 11–046.

1474 Krit zu dieser Bestimmung etwa *Scherer* in Klausegger et al, Austrian Arbitration Yearbook 2015, 460.

1475 *B. Berger/Kellerhals*, Arbitration[3] Rn 524; *Kaufmann-Kohler/Rigozzi*, International Arbitration in Switzerland Rn 3.149; *Poudret/Besson*, International Arbitration[2] Rn 324.

1476 *Kaufmann-Kohler/Rigozzi*, International Arbitration in Switzerland Rn 3.149.

1477 *Jenny* in Arroyo, Arbitration in Switzerland Art 21 Swiss Rules Rn 20; *Poudret/Besson*, International Arbitration[2] Rn 324.

1478 *Schwarz/Konrad*, Vienna Rules[2] Rn 11–045 ff.

nur bestimmte Rechtsstreitigkeiten aus einem bestimmten Rechtsverhältnis der Schiedsvereinbarung unterwerfen. Die Haupt- und Aufrechnungsforderung müssen jedoch nicht zwangsläufig von der gleichen Schiedsvereinbarung umfasst sein, damit die Aufrechnung mit der Gegenforderung vor dem gleichen Schiedsgericht zulässig ist. Es reicht aus, dass für die Aufrechnungsforderung ebenfalls eine Schiedsvereinbarung (zB in einem anderen Vertrag) getroffen wurde und der Aufrechnende die Gegenforderung eigenständig mit einer Schiedsklage vor dem gleichen Schiedsgericht hätte geltend machen können.[1479]

Die **materielle Rechtskraft eines Schiedsurteils bzw -spruchs** ist auf das Urteilsdispositiv (Urteilsformel) beschränkt. Eine Ausnahme gilt für Aufrechnungsforderungen. Die Frage, ob das Schiedsgericht die Aufrechnungsforderung gutheißt oder abweist, ergibt sich idR nur aus der Urteilsbegründung. In diesen Fällen muss also die Frage der Rechtskraftwirkung der Aufrechnungsforderung durch eine Auslegung der Urteilsbegründungen beantwortet werden.[1480]   **1025**

2. Widerklage (*counterclaim*)

Die Beklagte kann ihren Anspruch gegen die Klägerin auch durch Widerklage geltend machen. Im Gegensatz zur Aufrechnungseinrede ist die Widerklage eine **eigenständige Klage**. Die Widerklage hat ein eigenes Ziel und bezweckt mehr einen Gegenangriff statt sich als Verteidigungsmittel auf das Ziel der bloßen Klagsabweisung zu beschränken. Sie ist nicht von der Hauptklage abhängig. Über die Widerklage ist deshalb auch dann zu entscheiden, wenn die Hauptklage etwa abgewiesen, zurückgenommen oder gegenstandslos wird. Sofern die Voraussetzungen für die Erhebung einer Widerklage erfüllt sind, ist die Widerklage auch dann vom Schiedsgericht zu beurteilen, wenn über die Hauptklage mangels Zuständigkeit nicht entschieden wird. Wenn in der Praxis auch nicht sehr häufig, so kann die Beklagte auch eine negative Feststellungswiderklage erheben.[1481] Dasselbe sollte auch mit Bezug auf eine Eventualwiderklage gelten; in einem solchen Fall wird die Widerklage nur für den Fall erhoben, dass die Hauptklage gutgeheißen wird.[1482]   **1026**

1479 Ausführlicher *Stolzke*, Aufrechnung und Widerklage in der Schiedsgerichtsbarkeit, 50 f mwN.

1480 Vgl nur *B. Berger/Kellerhals*, Arbitration[3] Rn 1654.

1481 Beispiel: Falls mit der Hauptklage lediglich ein Teilbetrag eingeklagt wird, kann die beklagte Partei widerklageweise die Feststellung des Nichtbestehens der gesamten Schuld fordern.

1482 Die eventuelle Widerklage kann dann zweckmäßig sein, wenn Haupt- und Widerklage in einem solchen Zusammenhang stehen, dass die Gutheißung der (bestritte-

1027   Die Widerklage in einem (internationalen) Schiedsverfahren ist weder in der österreichischen noch der schweizerischen *lex arbitri*[1483] explizit geregelt. Die dZPO bestimmt in § 1046 Abs 3 lediglich, dass die Abs 1 und 2 *leg cit* entsprechend für die Widerklage gelten. Danach kann die Beklagte innerhalb der von den Parteien oder vom Schiedsgericht bestimmten Frist eine Widerklage einreichen; weitergehende Voraussetzungen werden von der dZPO nicht stipuliert.

1028   Vereinzelt regeln **Schiedsordnungen** zumindest Teilaspekte der Widerklage. Im Geltungsbereich der **Wiener Regeln** ist die Widerklage in Art 9 geregelt. Danach hat die Beklagte eine allfällige Widerklage beim Sekretariat einzubringen, das anschließend einen Kostenvorschuss erhebt. Ist dieser geleistet worden und erfüllt die Widerklage die inhaltlichen Voraussetzungen des auch auf eine Widerklage anzuwendenden Art 7 Wiener Regeln, wird die Widerklage an das Schiedsgericht weitergeleitet. Das Schiedsgericht kann nach eigenem Ermessen die Widerklage auf ein gesondertes Verfahren verweisen, wenn keine Parteiidentität besteht oder eine erst nach Klagebeantwortung eingebrachte Widerklage zu einer erheblichen Verzögerung des Hauptverfahrens führen würde.[1484] Nach dem Wortlaut der Bestimmung kann das Schiedsgericht auch über die Widerklage entscheiden, wenn Haupt- und Widerklage nicht konnex sind. Wird die Widerklage vom Schiedsgericht an das Sekretariat zurückgestellt, so ist dies keine Entscheidung des Schiedsgerichts über die eigene Zuständigkeit und präjudiziert eine Zuständigkeitsentscheidung eines anderen Schiedsgerichts in keiner Weise.[1485] Der in der Widerklage geltend gemachte Anspruch kann daher erneut in einem gesonderten Verfahren geltend gemacht werden.

1029   Nach der **ICC SchO** ist die Widerklage mit der Klageantwort zu erheben.[1486] Dabei muss die Widerklägerin ua darlegen, auf welche Schiedsvereinbarung ihre Ansprüche gestützt werden.[1487] Das Schiedsgericht entscheidet,

---

nen) Hauptklage erst die Grundlage für die Erhebung der Widerklage bildet. Die Widerklage ist aber in einem solchen Fall nicht selbständig.

1483 *Hausmaniger* in Fasching/Konecny, ZPO³ § 597 Rn 56; für Binnenschiedsverfahren in der Schweiz bestimmt die schwZPO in Art 377 Abs 2: „*Eine Widerklage ist zulässig, wenn sie eine Streitsache betrifft, die unter eine übereinstimmende Schiedsvereinbarung der Parteien fällt.*".

1484 Vgl zu diesem Aspekt *Schwarz/Konrad*, Vienna Rules² Rn 11–023 ff; *Rechberger/Pitkowitz* in VIAC, Handbuch Art 9 Rn 5.

1485 *Rechberger/Pitkowitz* in VIAC, Handbuch Art 9 Rn 8.

1486 Diese Vorschrift enthält keine Ausschlussfrist; grundsätzlich steht es den Parteien frei, neue Ansprüche bis zur Fertigstellung des Schiedsauftrags geltend zu machen: *Fry/Greenberg/Mazza*, ICC Arbitration Rn 3–175.

1487 Art 5(5) ICC SchO.

ob es auch für die Widerklage zuständig ist.[1488] Eine ähnliche Regelung sehen die DIS-Regeln in § 10 vor.

Im Anwendungsbereich der **Swiss Rules** ist eine Widerklage spätestens mit der Klageantwort geltend zu machen.[1489] Die Widerbeklagte hat die Unzuständigkeitseinrede spätestens mit ihrer Widerklageantwort zu erheben.[1490] Im Unterschied zur Verrechnungseinrede enthalten die Swiss Rules keine weitergehenden Regelungen über die Zulässigkeit der Widerklage. Es ist unbestritten, dass das Schiedsgericht auch für die Widerklage zuständig ist, falls diese auf derselben Schiedsvereinbarung wie die Hauptklage beruht. Beruht die Widerklage zwar nicht auf derselben aber auf einer Schiedsvereinbarung, die ebenfalls auf die Swiss Rules verweist, besteht für die Beklagte immerhin die Möglichkeit, eine separate Schiedsklage einzuleiten und anschließend zu beantragen, die beiden Schiedsverfahren zu vereinigen.[1491]

1030

Selbst wenn weder die *lex arbitri* noch die maßgebliche Schiedsordnung eine ausdrückliche Vorschrift enthält, ist weitgehend unbestritten, dass ein Schiedsgericht unter bestimmten Voraussetzungen auch für die Beurteilung einer Widerklage zuständig ist. Eine solche Zuständigkeit wird dann bejaht, wenn die Widerklage – vorbehaltlich abweichender Parteivereinbarungen – auf derselben Schiedsvereinbarung wie die Hauptklage beruht.[1492] In einem solchen Fall wird nicht gefordert, dass die Haupt- und Widerklage auch konnex sind.[1493] Das Schiedsgericht ist idR aber dann nicht zuständig, wenn die Widerklage auf einer anderen Schiedsvereinbarung als die Hauptklage beruht (oder für den widerklageweise geltend gemachten Anspruch gar die Zuständigkeit der ordentlichen Gerichte vereinbart wurde), es sei denn, die Parteien treffen nachträglich eine abweichende Vereinbarung oder die Widerbeklagte ließe sich vorbehaltlos auf die Widerklage ein.[1494]

1031

1488 Gegebenenfalls hat der ICC Schiedsgerichtshof gem Art 9, 6(3) und (4) ICC SchO eine *prima facie* Entscheidung zu treffen.

1489 Art 19(3) iVm Art 18(2) Swiss Rules.

1490 Art 21(3) Swiss Rules.

1491 *Berger/Pfisterer* in Zuberbühler/Müller/Habegger, Swiss Rules² Art 21 Rn 37.

1492 Vgl etwa *Hausmaninger* in Fasching/Konecny, ZPO³ § 597 Rn 56, wonach es den Parteien überlassen ist, die Zulässigkeit einer Widerklage zu vereinbaren; ist die Zulässigkeit einer Widerklage vereinbart, muss ihr Gegenstand von der Schiedsvereinbarung, welche die Grundlage bildet, umfasst sein. Aus der dt Lehre etwa *Schwab/Walter*, Schiedsgerichtsbarkeit⁷ Kap 16 Rn 31.

1493 *Poudret/Besson*, International Arbitration² Rn 574.

1494 *Berger/Pfisterer* in Zuberbühler/Müller/Habegger, Swiss Rules² Art 21 Rn 37.

3. Kostenfolgen von Aufrechnung und Widerklage

1032 Sowohl die Widerklage als auch die Aufrechnung erweitern den Leistungs-umfang der SchiedsrichterInnen, weil diese zusätzlich zum ursprünglichen Klageanspruch den möglichen Gegenanspruch[1495] beurteilen müssen. In den Fällen, in denen sich ihr Honorar auch nach dem Streitwert bemisst, wer-den für die Berechnung häufig die **Streitwerte** von Klage und Widerklage **addiert.**[1496] Einzelne Schiedsordnungen sehen dies auch im Falle einer Auf-rechnung vor.[1497] In einzelnen Schiedsordnungen ist zudem vorgesehen, dass für die Haupt- und die Widerklage **getrennte Kostenvorschüsse** erhoben werden können.[1498]

B. Vereinigung von Schiedsverfahren (*consolidation*)

1033 Unter Vereinigung (Konsolidierung, Verbindung, *consolidation*) versteht man die **Zusammenführung mehrerer paralleler Schiedsverfahren** in ei-nem Schiedsverfahren. Je nach anwendbarer *lex arbitri* oder Schiedsordnung können nicht nur mehrere Verfahren zwischen denselben Parteien, sondern uU auch verwandte Verfahren mit unterschiedlichen Parteien verbunden werden.[1499] Die Vereinigung von Schiedsverfahren kann immer dann sinnvoll sein, wenn zwei oder mehrere Verfahren Ansprüche betreffen, die in einem Zusammenhang stehen.[1500] Dadurch können Kosten reduziert und ganz all-

---

1495 *Oberhammer/Koller* in VIAC, Handbuch Art 44 Rn 23.

1496 Art 37(3) ICC SchO; Appendix B Z 2.4 Swiss Rules; die DIS-Regeln sehen vor, dass bei Einreichung einer Widerklage auf Antrag des Schiedsgerichts und nach Anhö-rung der Parteien die Honorare nach den Streitwerten von Klage und Widerklage jeweils gesondert berechnet werden, Anlage zu § 40.5 Nr 12 DIS-Regeln. Ähnlich Art 44(5) Wiener Regeln, demnach für Widerklagen die Verwaltungskosten und SchiedsrichterInnenhonorare vom Generalsekretär gesondert zu berechnen sind. Diese Möglichkeit besteht ebenfalls gem Art 37(3) ICC SchO.

1497 Art 37(7) ICC SchO; Appendix B Z 2.4 Swiss Rules; keine Addition erfolgt in den Fällen, in welchen die Beurteilung der Aufrechnungsansprüche keinen bedeutenden Mehraufwand erfordert.

1498 Vgl etwa Art 37(3) ICC SchO; Art 41(2) Swiss Rules.

1499 Von der Vereinigung von Schiedsverfahren sind die Fälle der Streitgenossenschaft und der Klagehäufung zu unterscheiden; in diesen Fällen geht es um die Frage, ob es *ab initio* möglich ist, mehrere Ansprüche oder mehrere Parteien in einem Ver-fahren zusammenzufassen; zu den Vor- und Nachteilen vgl etwa *Born*, Commercial Arbitration² 2566 ff.

1500 Mögliche Fälle sind etwa: Die Beklagte macht im Erstverfahren ihre Ansprüche nicht als Widerklage geltend, sondern leitet für diese Ansprüche ein separates Ver-fahren ein. Oder das zweite Verfahren zwischen den gleichen Parteien beruht auf einer anderen Schiedsvereinbarung, die auf die gleichen Regeln der Schiedsinstitution verweisen. Oder aus derselben Schiedsvereinbarung werden gleichzeitig oder nach-

gemein die Effizienz gesteigert werden; zudem wird dadurch das Risiko sich widersprechender Entscheidungen in gleichgelagerten Fällen vermindert. Da Schiedsverfahren auf einer vertraglichen Vereinbarung beruhen, ist die (explizite oder implizite) Zustimmung der Parteien eine fundamentale Voraussetzung für die Vereinigung von Verfahren; zudem müssen auch bei einer Vereinigung die Parteirechte bei der Ernennung der SchiedsrichterInnen gewahrt werden.

Die *leges arbitrii* von Deutschland, Österreich und der Schweiz enthalten **1034** keine Regelungen über die Vereinigung von Schiedsverfahren. Hingegen sehen verschiedene Schiedsordnungen die Möglichkeit der Vereinigung von Schiedsverfahren vor. Trotz gewichtiger Unterschiede gehen diese Schiedsordnungen vom Grundsatz aus, dass die Konsolidierung die **Zustimmung der Parteien** voraussetzt.[1501] Diese Zustimmung kann explizit oder – wie meist – implizit erfolgen; eine implizite Zustimmung liegt vor, wenn aufgrund der gesamten Umstände ohne Zweifel angenommen werden muss, dass die Parteien mit einer Konsolidierung der Behandlung der in unterschiedlichen Klagen geltend gemachten Ansprüche in einem Schiedsverfahren einverstanden sind.

Eine umfassende Regelung enthält bspw Art 10 ICC SchO. Diese Vorschrift lässt die Konsolidierung von Schiedsverfahren, die den Regeln der ICC SchO unterliegen, auf Antrag einer Partei zu. Der ICC Schiedsgerichtshof (nicht das jeweilige Schiedsgericht) kann die Vereinigung anordnen, wenn die Parteien eine solche Konsolidierung vereinbart haben oder alle Ansprüche in den Verfahren auf derselben Schiedsvereinbarung beruhen, selbst wenn es sich nicht um dieselben Parteien handelt.[1502] Basieren die Ansprüche auf mehr als einer Schiedsvereinbarung, müssen für eine Konsolidierung die Schiedsverfahren zwischen denselben Parteien anhängig sein; zudem müssen sich die Streitigkeiten in den Schiedsverfahren im Zusammenhang mit derselben Rechtsbeziehung ergeben und der ICC Schiedsgerichtshof muss die Schiedsvereinbarungen für miteinander vereinbar halten.[1503] Bei allen drei Konstellationen hat der ICC Schiedsgerichtshof alle für ihn relevanten Umstände zu berücksichtigen, wie etwa den Umstand, ob ein oder mehrere SchiedsrichterInnen in mehr als einem der Schiedsverfahren bestätigt oder ernannt worden sind.[1504] Die Vereinigung von Schiedsverfahren wird deshalb immer dann verweigert, wenn die Ansprüche nicht auf derselben Schiedsvereinbarung beruhen und zusätzlich nicht dieselben Parteien involviert sind. Falls

1035

---

einander mehrere Verfahren zwischen verschiedenen (nicht identischen) Parteien eingeleitet; vgl *B. Berger/Kellerhals*, Arbitration[3] Rn 535 ff.

1501 Vgl nur *Born*, Commercial Arbitration[2] 2572 und 2579 ff; *B. Berger/Kellerhals*, Arbitration[3] Rn 534.

1502 Art 10 lit a und b ICC SchO; *Fry/Greenberg/Mazza*, ICC Arbitration Rn 3–354.

1503 Art 10 lit c ICC SchO.

1504 *Meier* in Arroyo, Arbitration in Switzerland Art 10 ICC SchO 713.

die Voraussetzungen für eine Konsolidierung erfüllt sind, werden sämtliche Ansprüche im Erstverfahren vereinigt, es sei denn, die Parteien haben etwas anderes vereinbart.[1505]

1036 Die Verbindung von zwei oder mehreren Schiedsverfahren im Anwendungsbereich der **Wiener Regeln** ist in deren Art 15 geregelt. Danach können zwei oder mehrere Verfahren auf Antrag einer Partei verbunden werden, falls die Parteien der Verbindung zustimmen oder wenn der oder dieselben SchiedsrichterInnen benannt oder bestellt wurden und in beiden Fällen der Schiedsort in den Schiedsvereinbarungen, auf die die geltend gemachten Ansprüche gestützt werden, übereinstimmt. Anträge auf Verbindung von Verfahren werden vom Präsidium des VIAC nach Anhörung der Parteien und der bereits bestellten SchiedsrichterInnen entschieden.[1506] Dabei hat es alle maßgeblichen Umstände zu berücksichtigen, wie etwa die Vereinbarkeit der Schiedsvereinbarungen und das Stadium, in dem sich die Verfahren jeweils befinden. Auch wenn die Zustimmung des Schiedsgerichts für eine Verbindung nach den Wiener Regeln nicht erforderlich ist, wird eine allfällige Stellungnahme des Schiedsgerichts eine wichtige Entscheidungsgrundlage für das Präsidium sein.[1507]

1037 Art 4(1) Swiss Rules enthält eine weitergehende Regelung.[1508] Im Unterschied zur Regelung in den Wiener Regeln können nach den **Swiss Rules** nicht nur Schiedsverfahren zwischen denselben Parteien, sondern auch zwischen unterschiedlichen Parteien konsolidiert werden. Die Entscheidung fällt in die Zuständigkeit des Gerichtshofes, der eine Vereinigung selbst ohne entsprechenden Parteiantrag anordnen kann. Der Gerichtshof hat bei seiner Entscheidung sämtliche Umstände des Einzelfalls zu prüfen. Dabei hat er ua den Zusammenhang zwischen den Streitsachen und das Stadium des jeweils hängigen Schiedsverfahrens zu berücksichtigen.[1509] Zudem sind die Parteien und allfällig bestätigte SchiedsrichterInnen zu konsultieren. Allerdings kann der Gerichtshof eine Konsolidierung auch ohne Zustimmung der SchiedsrichterInnen anordnen, selbst wenn dies zu deren Ersetzung führt. Falls der Gerichtshof entscheidet, das neue Verfahren mit dem bereits hängigen Verfahren zu vereinen, so bedeutet dies den Verzicht der Parteien aller Verfahren auf ihr Recht, ein Mitglied des Schiedsgerichts zu bezeichnen. Der Gerichtshof kann bereits erfolgte Ernennungen und Bestätigungen widerrufen und das

---

1505 Art 10 ICC SchO.

1506 Art 15(2) Wiener Regeln; siehe näher dazu *Oberhammer/Koller* in VIAC, Handbuch Art 15 Rn 9 ff.

1507 *Oberhammer/Koller* in VIAC, Handbuch Art 15 Rn 2.

1508 Ausführlich hierzu etwa *Schramm* in Arroyo, Arbitration in Switzerland Art 4 Swiss Rules Rn 5.

1509 Vgl hierzu etwa *Schramm* in Arroyo, Arbitration in Switzerland Art 4 Swiss Rules Rn 15 ff.

Schiedsgericht selbst neu konstituieren. Gem Art 4(1) Swiss Rules könnte der Gerichtshof somit theoretisch gegen den Willen der Parteien zwei Schiedsverfahren zusammenführen. Diese Folge wird aus der Zustimmung der Parteien zu den Swiss Rules abgeleitet. In der Praxis ist dies jedoch selten der Fall, und es kommt grundsätzlich nur dann zur Konsolidierung, wenn auch die Parteien einer solchen zugestimmt haben.[1510]

Grundsätzlich können Schiedsverfahren mit Zustimmung aller Parteien **1038** somit stets konsolidiert werden.[1511] Auch in *ad hoc* Schiedsverfahren wird auf den Willen der Parteien abgestellt. Mangels expliziter Vereinbarung der Parteien ist deren mutmaßlicher Wille hinsichtlich einer allfälligen Zusammenführung der Verfahren zu eruieren. Zur Beurteilung sind jeweils die gesamten Umstände des Einzelfalls zu berücksichtigen. Ob von einer impliziten Zustimmung der Parteien zur Konsolidierung auszugehen ist, hängt maßgebend von der Struktur der vertraglichen Beziehung der Parteien und vom Inhalt der zwischen ihnen bestehenden Schiedsvereinbarung ab.[1512]

C. Mehrparteienverfahren (*multi party arbitration*)

Unter dem Begriff des Mehrparteienverfahrens (*multi party arbitration*) wer- **1039** den idR Verfahren vor einem Schiedsgericht verstanden, an welchem **mehr als zwei Parteien beteiligt** sind. Darunter fallen Verfahren, in denen etwa die Klägerin (oder mehrere klagende Parteien) Ansprüche gegen (eine oder) mehrere Beklagte geltend macht oder Verfahren, in denen eine dritte Partei aufgrund einer Streitverkündung oder einer Nebenintervention am Verfahren teilnimmt. Bedingt durch immer komplexere Vertragsverhältnisse haben Mehrparteienverfahren in den letzten Jahren stark zugenommen. So umfassen rund 40 % aller ICC Schiedsverfahren mehrere Verträge oder mehr als zwei Parteien.[1513] Im Unterschied zu staatlichen Gerichtsverfahren ergeben sich bei Schiedsverfahren mit mehreren Parteien besondere Schwierigkeiten, die in den *leges arbitrii* oder den institutionellen Schiedsordnungen entweder nicht oder nur kursorisch geregelt sind. Die Hauptschwierigkeit bei der Regelung von Mehrparteienverfahren besteht darin, dass solche Schiedsverfahren mit den Grundprinzipien der Schiedsgerichtsbarkeit in Einklang zu bringen sind; nämlich, dass Schiedsverfahren auf einer vertraglichen Vereinbarung der Par-

---

1510 *Bärtsch/Petti* in Kaufmann-Kohler/Rigozzi International Arbitration in Switzerland Art 4 Rn 26.

1511 Vgl auch Art 28(1) HKIAC Rules; Art 22(1) lit ix LCIA Rules.

1512 *Born*, Commercial Arbitration² 2580. In *ad hoc* Verfahren ist eine Konsolidierung praktisch nur dann möglich, wenn die Parteien für die verschiedenen Verfahren die gleichen Mitglieder des Schiedsgerichts ernannt haben.

1513 *Voser* in van den Berg, Arbitration Convention 342.

teien beruhen und jede Partei das Recht hat, bei der Ernennung der Mitglieder des Schiedsgerichts beteiligt zu sein.[1514]

1040   In den Fällen, in welchen von Anfang an auf einer oder beiden Seiten mehrere Parteien gemeinsam auftreten (zB mehrere Beklagte), muss sich diese Gruppe in einem Schiedsgericht mit drei Mitgliedern auf eine Schiedsrichterin/einen Schiedsrichter einigen. Fehlt es an einer solchen Einigung, erfolgt die Ernennung entweder durch die Schiedsinstitution,[1515] oder, falls keine Schiedsordnung vereinbart wurde, durch die zuständige Gerichtsbehörde (*juge d'appui*).

1. Teilnahme Dritter mittels Nebenintervention und Streitverkündung (*intervention/joinder*)

1041   Die meisten Prozessrechte für staatliche Gerichtsverfahren sehen Möglichkeiten vor, wie ein Dritter sich an einem bereits anhängigen Verfahren beteiligen oder in ein solches Verfahren einbezogen werden kann. Bei der **Nebenintervention** (*intervention*) beantragt eine Drittperson, an einem anhängigen Verfahren teilnehmen zu können; bei der **Streitverkündung** (*joinder*)[1516] erfolgt die Teilnahme der Drittperson auf Antrag einer Verfahrenspartei (Klägerin oder – häufiger – Beklagte). In der Praxis ist die Nebenintervention selten.

1042   Die *leges arbitrii* von Deutschland, Österreich und der Schweiz enthalten keine ausdrückliche Vorschrift über die Nebenintervention bzw Streitverkündung in Schiedsverfahren. Anders als in staatlichen Gerichtsverfahren kann die Teilnahme einer Drittperson, sei es gestützt auf eine Nebenintervention oder eine Streitverkündung, grundsätzlich nicht ohne den (impliziten)

1514 Ausführlich *Voser* in van den Berg, Arbitration Convention 349 ff .

1515 Im Anwendungsbereich der ICC SchO erfolgt die Ernennung durch den Schiedsgerichtshof; siehe Art 12(6) und (8) ICC SchO. Die gleiche Regelung ist in den Swiss Rules vorgesehen: Art 8(4) und (5) Swiss Rules. Bei Maßgeblichkeit der Wiener Regeln erfolgt die Benennung für die säumige(n) Partei(en) durch das Präsidium. Im Ausnahmefall kann das Präsidium, nachdem es den Parteien Gelegenheit zur Stellungnahme gegeben hat, bereits erfolgte Bestellungen widerrufen und die Co-SchiedsrichterInnen oder auch alle SchiedsrichterInnen neu bestellen: Art 18(4) Wiener Regeln. Falls sich die Beklagten nicht auf eine Schiedsrichterin/einen Schiedsrichter einigen, erfolgt die Benennung im Anwendungsbereich der DIS-Regeln nach Anhörung der Parteien durch den DIS-Ernennungsausschuss. Dieser ernennt zwei SchiedsrichterInnen, soweit die Parteien nichts anderes vereinbart haben; eine von der Klägerseite vorgenommene Benennung wird durch die Benennung durch den DIS-Ernennungsausschuss gegenstandslos: § 13.2 DIS-Regeln.

1516 Der Begriff *Joinder* wird teilweise auch als Oberbegriff für beide Konstellationen (Teilnahme des Dritten auf seine Initiative oder auf Initiative einer Verfahrenspartei) verwendet.

übereinstimmenden Willen aller Parteien und der Drittperson erfolgen.[1517] Eine ausdrückliche Vereinbarung aller Parteien und der Drittperson ist in der Praxis jedoch selten. Die (implizite) Zustimmung zur Teilnahme ist etwa dann anzunehmen, wenn die Drittperson ebenfalls Partei der Schiedsvereinbarung ist, auf der das Schiedsverfahren beruht. In den Fällen, in denen mehrere Schiedsvereinbarungen geschlossen wurden, wird die (implizite) Zustimmung der Parteien und der Drittperson idR dann zu bejahen sein, wenn auf Grund der gesamten Umstände angenommen werden muss, dass die Parteien bei Vertragsschluss einer Erledigung in einem Schiedsverfahren zugestimmt haben.

Die Drittperson kann somit ohne entsprechende Vereinbarung nicht ge- **1043**
zwungen werden, am Schiedsverfahren teilzunehmen. Falls sich die Drittperson gegen eine Teilnahme entscheidet, entfaltet der Schiedsspruch idR auch keine Wirkung gegenüber der Drittperson.

In einzelnen (neueren) Schiedsordnungen werden immer öfter Möglich- **1044**
keiten zur Abwicklung von Mehrparteienverfahren geschaffen und dabei explizit die Streitverkündung und – seltener – die Nebenintervention geregelt. Die ICC SchO regelt in Art 7 iVm Art 6(3)–(7) den Fall, dass eine Partei (idR die beklagte Partei) nach Einreichung der Schiedsklage eine Drittperson in das Verfahren einbeziehen möchte (**Streitverkündung**). Die streitverkündende Partei hat einen entsprechenden Antrag an das Sekretariat zu richten, der den anderen Parteien und der Drittperson zur Stellungnahme zugestellt wird.[1518] Auf entsprechende Einrede einer Partei oder der Drittperson hat der ICC Schiedsgerichtshof aufgrund des ersten Anscheins (*prima facie*) zu prüfen, ob die Drittperson einer Schiedsvereinbarung zugestimmt hat, die alle Parteien des Verfahrens bindet. Falls der Anspruch auf einer anderen Schiedsvereinbarung beruht, hat der ICC Schiedsgerichtshof zu prüfen, ob (i) die Schiedsvereinbarungen, auf welche die Ansprüche gestützt werden, miteinander vereinbar sein können und ob (ii) alle Parteien des Schiedsverfahrens vereinbart haben könnten, dass die Ansprüche gemeinsam in einem Schiedsverfahren beurteilt werden. Nach erfolgter Bestätigung oder Ernennung einer Schiedsrichterin/eines Schiedsrichters ist eine Streitverkündung nur noch mit der Zustimmung sämtlicher Parteien, einschließlich der Drittperson zulässig.[1519] Damit soll sichergestellt werden, dass alle Beteiligten des Schiedsverfahrens bei der Ernennung der SchiedsrichterInnen die gleichen Rechte hatten. Die Drittperson hat das Recht, bei der Ernennung der Schiedsrichterin/des Schiedsrichters entweder zusammen mit der Klägerin oder

---

1517 Vgl *Born*, Commercial Arbitration² 2572 ff mwN; *Elsing*, SchiedsVZ 2004, 93 f; *Meier* in Arroyo, Arbitration in Switzerland Rn 31.
1518 *Fry/Greenberg/Mazza*, ICC Arbitration Rn 3–290.
1519 Art 7(1) ICC SchO.

der Beklagten mitzuwirken.[1520] Falls keine gemeinsame Benennung erfolgt und sich die Parteien nicht über das Verfahren zur Benennung der SchiedsrichterInnen einigen, kann der ICC Schiedsgerichtshof alle Mitglieder des Schiedsgerichts ernennen.[1521]

1045 Die ICC SchO enthält keine Regelung zur Nebenintervention.[1522] Es steht den Parteien jedoch frei, eine solche Möglichkeit in ihrer Schiedsvereinbarung vorzusehen.[1523]

1046 Im Geltungsbereich der Swiss Rules kann jede Partei die *„Teilnahme"* einer oder mehrerer Drittpersonen am Verfahren verlangen, und zwar unabhängig davon, ob diese Drittperson auch einer Schiedsvereinbarung zugestimmt hat oder nicht. Über einen solchen Antrag entscheidet das Schiedsgericht (und nicht etwa das Sekretariat oder der Gerichtshof). Der Antrag kann auch gestellt werden, nachdem das Schiedsgericht konstituiert worden ist. Das Schiedsgericht hat alle Parteien und die Drittperson zu konsultieren. Es entscheidet über die Zulässigkeit der Streitverkündung *„in Berücksichtigung aller maßgebenden Umstände"*.[1524]

1047 Nach dem Wortlaut von Art 4 Swiss Rules hat das Schiedsgericht ein weites Ermessen. Im Rahmen der Streitverkündung stellt sich die Frage, ob die Drittperson auch ohne deren Zustimmung einbezogen werden kann. Das ist umstritten. In jedem Fall ist ein Einbezug der Drittperson gegen ihren Willen nur dann möglich, wenn sie die Schiedsvereinbarung, auf der das Verfahren beruht, ebenfalls unterzeichnet oder sie eine praktisch identische Schiedsvereinbarung (wie die Schiedsvereinbarung zwischen den Hauptparteien) unterzeichnet hatte oder sich die Schiedsvereinbarung auch auf die Drittpartei als Nichtunterzeichner auswirkt.[1525] Ist eine dieser Voraussetzungen erfüllt, wird von einem Teil der Lehre angenommen, dass die Drittperson einer möglichen Streitverkündung implizit zugestimmt hat.[1526] In einem solchen Fall kann das Problem bestehen, dass die Drittperson bei der Ernennung der SchiedsrichterInnen nicht mitwirken konnte. Trotz des großen Ermessens sollte ein Schiedsgericht die Streitverkündung gegen den Willen der Drittpartei nur in absoluten Ausnahmefällen zulassen.[1527]

1520 Art 12(7) ICC SchO.

1521 Art 12(8) ICC SchO.

1522 *Fry/Greenberg/Mazza*, ICC Arbitration Rn 3–294.

1523 *Meier* in Arroyo, Arbitration in Switzerland Art 4 ICC Rules Rn 8 und 10.

1524 Art 4(2) Swiss Rules; zu den möglichen Umständen, die eine Rolle spielen können siehe *Schramm* in Arroyo, Arbitration in Switzerland Art 4 Swiss Rules Rn 15 ff.

1525 *Schramm* in Arroyo, Arbitration in Switzerland Art 4 Swiss Rules Rn 49.

1526 *Schramm* in Arroyo, Arbitration in Switzerland Art 4 Swiss Rules Rn 50; *De Ly*, ASA Special Series No. 26, 69 f; aM *Meier*, Einbezug Dritter vor internationalen Schiedsgerichten 107.

1527 *Schramm* in Arroyo, Arbitration in Switzerland Art 4 Swiss Rules Rn 50.

Nach wohl herrschender[1528], aber nicht unbestrittener Lehre[1529] ist davon **1048**
auszugehen, dass sich die Parteien den Regeln der Swiss Rules uneingeschränkt
unterworfen haben, womit eine Drittperson auch ohne Zustimmung der Parteien an einem hängigen Verfahren teilnehmen kann.[1530] Dies gilt insb dann,
wenn der Partei, die sich gegen die Streitverkündung wehrt, bei Abschluss
der Schiedsvereinbarung bewusst sein musste, dass die Drittperson ein Interesse an einer Teilnahme am möglichen Schiedsverfahren haben könnte.

Die Swiss Rules erfassen in Art 4(2) nicht nur die Streitverkündung, son- **1049**
dern auch die sog Drittwiderklage (*cross-claim*; bei einer Drittwiderklage
verklagt die Beklagte die Drittpartei, die evtl Klage gegen die ursprüngliche
Beklagte oder ursprüngliche Klägerin erhebt).[1531] Im Falle einer Nebenintervention wird gegen die Drittperson keine Klage erhoben und erhebt die
Drittperson auch keine eigenständige Klage. Die Ausführungen zur Streitverkündung gelten *mutatis mutandis* auch für die Nebenintervention.

Die Wiener Regeln sehen in Art 14 die Einbeziehung Dritter auf eine **1050**
Weise vor, die im Kern den Swiss Rules entspricht. Über die Einbeziehung
einer Drittperson in ein Schiedsverfahren entscheidet das Schiedsgericht auf
Antrag einer Partei oder einer Drittperson und nach Anhörung aller Parteien
und der einzubeziehenden Drittperson sowie unter Berücksichtigung aller
maßgeblichen Umstände. Die DIS-Regeln enthalten keine ausdrücklichen
Vorschriften, welche die Einbeziehung Dritter regelt. Sowohl die Streitverkündung wie auch die Nebenintervention sind zulässig, falls sämtliche Beteiligten
(Parteien, Drittperson und alle Mitglieder des Schiedsgerichts) zustimmen.[1532]

1528 Vgl etwa *Dickenmann* in Arroyo, Arbitration in Switzerland Art 8 Swiss Rules
Rn 71; *Schramm* in Arroyo, Arbitration in Switzerland Art 4 Swiss Rules Rn 4;
vgl auch *Poudret/Besson*, International Arbitration² Rn 241. Nach Ansicht dieser
Autoren muss in der Schiedsvereinbarung, die auf die Swiss Rules verweist, klar
geregelt sein, wenn die Nebenintervention ausgeschlossen sein soll.

1529 Differenzierter *Bärtsch/Petti* in Zuberbühler/Müller/Habegger, Swiss Rules² Art 4
Rn 44 ff.

1530 *Born*, Commercial Arbitration² 2599; *Dickenmann* in Arroyo, Arbitration in Switzerland Art 8 Swiss Rules Rn 71; *Schramm* in Arroyo, Arbitration in Switzerland
Art 4 Swiss Rules Rn 4.

1531 *Bärtsch/Petti* in Zuberbühler/Müller/Habegger, Swiss Rules² Art 4 Rn 41 ff und
Rn 55; allgemein zu den Drittwiderklagen in Schiedsverfahren vgl *Kleinschmidt*,
SchiedsVZ 2006, 142 ff. Für diesen Autor, 146, ist die Drittwiderklage (auch außer-
halb des Anwendungsbereichs der Swiss Rules) immer dann zulässig, wenn die
Klägerin, Beklagte und Drittperson durch eine *„einheitliche, von allen gemeinsam
geschlossene Schiedsvereinbarung, etwa in einem Konsortial- oder Joint venture-
Vertrag"* verbunden sind.

1532 Vgl *Theune* in Schütze, Institutionelle Schiedsgerichtsbarkeit² § 13 DIS-Schiedsordnung Rn 3; *Lachmann*, Handbuch³ Rn 2826 ff.

1051   Die Zulässigkeit der Teilnahme von Drittpersonen wird in *ad hoc* Schiedsverfahren regelmäßig dann zu bejahen sein, wenn zwischen der intervenierenden Partei und den Streitparteien eine Schiedsvereinbarung existiert und sie gesamthaft der Teilnahme zugestimmt haben.[1533] Mangels expliziter Parteivereinbarung diesbezüglich, was regelmäßig der Fall sein dürfte, wird wie bei der Konsolidierung von Verfahren auf den mutmaßlichen Willen der Parteien abgestellt. Das Vorliegen einer impliziten Zustimmung darf insbesondere dann angenommen werden, wenn sich drei oder mehrere Parteien derselben Schiedsvereinbarung im selben zugrundeliegenden Vertrag unterworfen haben. Bestehen zwischen den Parteien hingegen unterschiedliche Verträge, muss differenziert werden: Enthalten diese Verträge (weitgehend) identische Schiedsklauseln, kann auch hier von einem impliziten Parteiwillen zur Konsolidierung bzw Einbeziehung von Dritten ausgegangen werden. Unterscheiden sich die Schiedsklauseln jedoch voneinander, zeugt dies vom Willen der Parteien, voneinander getrennte Verfahren durchzuführen.[1534]

1533 Vgl *Hanotiau*, Complex Arbitrations, Rn 363; *Voser* in van den Berg, Arbitration Convention 358.

1534 *Born*, Commercial Arbitration² 2580 ff mwN.

8. Kapitel

Verfahrensablauf

I. Gestaltung des Verfahrens

Christian Dorda

A. Normen und Regeln

Art 182 schwIPRG und – ausgehend von Art 19 UNCITRAL ModG – § 1042 **1052**
Abs 3 dZPO und § 594 Abs 1 öZPO sehen das Recht der Parteien vor, das
Verfahren frei zu gestalten, sei dies durch selbst aufgestellte Regeln oder Ver-
weis auf eine schiedsgerichtliche Verfahrensordnung.

§ 24 DIS-Regeln, Art 28(1) Wiener Regeln, Art 15(1) Swiss Rules und **1053**
Art 22(2) ICC SchO übernehmen diesen Grundsatz und verankern das Recht
zur Gestaltung des Verfahrens – so die Parteien im Einzelnen nicht Gegen-
teiliges vereinbaren – beim Schiedsgericht.

B. Verfahrensdurchführung

1. Grundsätze

Es steht im **freien Ermessen** der Parteien und wenn sie keine Vereinbarung **1054**
getroffen haben, des Schiedsgerichts, das Verfahren zu gestalten. Oft werden die Parteivertreter konkrete Vorstellungen zur Gestaltung des Verfahrens haben. In der Praxis wird das Schiedsgericht den Parteien einen ersten
Entwurf (idR in Gestalt einer sog *Procedural Order Nr 1*) vorlegen und
dann den Entwurf in einer Verfahrensmanagementkonferenz, wie sie bspw
Art 24 ICC SchO ausdrücklich vorschreibt, mit den Parteien erörtern und
über offene Punkte selbst entscheiden. In den meisten Fällen wird sich das
Schiedsgericht bei Verfahrensanordnungen ausdrücklich das Recht zu Änderungen vorbehalten (und bei ICC-Schiedsverfahren daher die Regelung
eher in der *Procedural Order Nr 1* als in den *Terms of Reference* vornehmen). Denn im Einvernehmen mit den Parteien getroffene Festlegungen

können anderenfalls ohne deren Zustimmung unveränderbar werden und eine spätere Abweichung seitens des Schiedsgerichtes könnte *in extremis* sogar zur Aufhebung des Schiedsspruches wegen Verletzung der Parteienvereinbarung führen.[1535]

1055 Dank der **Flexibilität des Schiedsverfahrens** kann im Unterschied zu Verfahren vor staatlichen Gerichten das Verfahren auf den einzelnen Fall – „maßgeschneidert" – zugeschnitten werden. Die Parteien haben aber laut Gesetz stets Anspruch auf rechtliches Gehör und sind fair und gleich zu behandeln.[1536] Die Verletzung dieser beiden international anerkannten (vgl Art 6 Abs 1 EMRK) und elementaren, zwingenden Verfahrensgrundsätze[1537] kann einen Grund zur Aufhebung des Schiedsspruchs bilden bzw zur Verweigerung der Anerkennung und Vollstreckung führen.[1538] Im Vergleich zu staatlichen Gerichtsverfahren sollten die Anforderungen strenger sein, zumal es keine volle Überprüfung durch eine zweite Instanz gibt.[1539] Allgemein gesagt müssen demnach die Parteien Gelegenheit erhalten, zur Sache Behauptungen und Beweisanträge vorzubringen, Sach- und Rechtsfragen zu erörtern und sie müssen „gehört" werden, was heißt, dass sie nicht nur „sprechen" dürfen, sondern auch richtig „verstanden" werden müssen.

1056 Zum **Mindeststandard** gehören ausreichende Vorbereitungszeit, ausreichende Fristen bzw deren Verlängerung, wenn eine Partei schuldlos verhindert ist, die Vertagung einer Verhandlung, wenn eine Partei nicht sogleich auf Unerwartetes reagieren kann, die Möglichkeit zur Akteneinsicht wie auch ausreichendes Verständnis der Prozesssprache und die Zulassung der Parteien (bzw ihrer Vertreter) nicht nur zu förmlichen Verhandlungen, sondern auch zu Lokalaugenschein und Befundaufnahme. Andererseits soll das Schiedsgericht idR die Beweise unmittelbar aufnehmen und für eine Partei Überraschungen vermeiden, sei dies im Beweisverfahren oder bei rechtlichen Schlussfolgerungen, oder wenigstens der betroffenen Partei auf faire Art eine Reaktion auf solche Wendungen ermöglichen.

1535 OLG Frankfurt 17.2.2011, 26 Sch 13/10; siehe *Wiebecke/Ruckteschler/Schifferl* Rn 1524.

1536 § 1042 Abs 1 dZPO; § 594 Abs 2 öZPO; Art 182 Abs 3 schwIPRG.

1537 *Lachmann*, Handbuch³ Rn 662.

1538 § 611 Abs 2 öZPO unterscheidet ausdrücklich zwischen dem verfahrensrechtlichen (Z 5) und dem materiellen *ordre public* (Z 8). In beiden Fällen liegt zwar ein Aufhebungsgrund vor, aber es folgt nur aus dem Verstoß gegen den materiellen *ordre public* die amtswegige Nichtbeachtung des Schiedsspruchs (§ 613 öZPO); *Kodek* in Liebscher/Oberhammer/Rechberger, Schiedsverfahrensrecht I Rn 1/63; zur deutschen Rechtslage siehe *Voit* in Musielak/Voit, ZPO¹³ § 1059 Rn 25 ff; für die Schweiz s Art 190 Abs 2 lit d schwIPRG; siehe *Wiebecke/Ruckteschler/Schifferl* Rn 1508 ff.

1539 Dies berücksichtigt die österreichische Judikatur zur Aufhebung von Schiedssprüchen – im Gegensatz zur deutschen – in nur geringem Maße; vgl *Reiner*, ZfRV 2003, 59; siehe allerdings jüngst die E KZR 6/15 des BGH (*Pechstein*).

Umgekehrt trifft die Parteien, wenn dies vom Ablauf her möglich ist, **1057** die Pflicht, zur Verletzung von rechtlichem Gehör oder Fairness führende Verfahrenshandlungen unverzüglich zu rügen (widrigenfalls das Recht, den Schiedsspruch anzufechten, verloren ginge).[1540] So wäre etwa ein Verstoß gegen die dispositive Regelung des § 601 Abs 2 öZPO bzw des § 1049 Abs 2 dZPO rügepflichtig, wenn das Schiedsgericht – entgegen dem Antrag einer der Parteien – die Teilnahme des Sachverständigen an einer mündlichen Verhandlung nach der Erstattung eines Gutachtens ablehnt.[1541] Die Rügepflicht soll vor allem prozesstaktische Manöver einer Partei verhindern, die zunächst schweigt und, so sie unterliegt, den Verfahrensverstoß erst zu einem späteren Zeitpunkt (insb im Aufhebungs- oder Vollstreckungsverfahren) geltend macht.

Weder die nationalen Gesetze noch die Verfahrensordnungen (DIS-Regeln, **1058** Wiener Regeln, Swiss Rules) engen das Schiedsgericht auf eine mit staatlichen Gerichten vergleichbare Art ein. Das Ermessen des Schiedsgerichts ist allerdings insofern beschränkt, als bei der Verfahrensgestaltung (auch nur stillschweigend) von den Parteien Gewolltes zu berücksichtigen ist. So werden Parteien, die zB österreichisches Schiedsverfahrensrecht wählen, im Zweifel Zeugen nicht nach *common law* Grundsätzen einvernehmen lassen wollen.[1542] Laut § 24.2 DIS-Regeln hat das Schiedsgericht *„darauf hinzuwirken, dass die Parteien sich über alle erheblichen Tatsachen vollständig erklären und sachdienliche Anträge stellen"* – ein Hinweis auf die dem *civil law* entsprechende Mitwirkung des Schiedsgerichtes an der materiellen Verarbeitung des Prozessstoffes.

Der Vorteil der relativ freien Verfahrensgestaltung liegt in der Flexibilität, **1059** der Nachteil in der fehlenden Vorhersehbarkeit (besonders beim Zusammenstoß der anglo-amerikanischen mit der kontinental-europäischen Prozesskultur). Den Brückenschlag sollen Empfehlungen für eine optimale Verfahrensgestaltung (*best practice*) bilden.[1543] Sie beziehen sich auf die Verfahrensgestaltung schlechthin,[1544] den Interessenkonflikt[1545], die Wahl zwischen

---

1540   § 1027 dZPO; § 579 öZPO; für die Schweiz s *Schneider/Scherer* in Honsell et al, Internationales Privatrecht³ Art 182 Rn 70 f; ausdrücklich nur für Schweizer Binnenschiedsverfahren Art 373 Abs 6 schwZPO sowie in Art 30 Swiss Rules.

1541   *Konrad* in Liebscher/Oberhammer/Rechberger, Schiedsverfahrensrecht I Rn 2/85.

1542   *Schütze*, SchiedsVZ 2006, 1 ff.

1543   Siehe die Übersicht zu *best practice* unter http://www.americanbar.org/content/dam/ aba/events/dispute_resolution/committees/arbitration/international_arb_best_prac- tices_guide.authcheckdam.pdf (zuletzt abgerufen am 10.6.2016).

1544   UNCITRAL Notes on Organizing Arbitral Proceedings (1996).

1545   IBA Guidelines on Conflicts of Interest in International Arbitration (2014) und jüngst die ICC Guidance Note on Conflict Disclosures by Arbitrators (2016); siehe dazu näher *Riegler/Petsche* in Liebscher/Oberhammer/Rechberger, Schiedsverfahrensrecht I Rn 5/195–5/169.

einem (ausschließlich) schriftlichen und einem mündlichen Verfahren[1546], die Beweisaufnahme[1547] und damit auch auf die Vorlage von Urkunden (*document production*),[1548] die Art der Zeugeneinvernehmung (Vorrang der Parteienvertreter oder des Schiedsgerichts?) sowie das Sachverständigengutachten (vom Schiedsgericht oder von den Parteien zu beschaffen?). Des Weiteren gibt es *best practice* dazu, ob und wie das Schiedsgericht Vergleichsverhandlungen versuchen soll, wie der Inhalt anzuwendenden materiellen Rechts eruiert werden soll (*iura novit curia* oder Beweisthema?)[1549] bzw wie Vorentscheidungen berücksichtigt werden sollen (*res judicata*): welche Beweismittel wegen Geheimhaltungs- und Verschwiegenheitspflichten ausgeschlossen seien (*privilege*) und ob und in welchem Maße Pflicht zum Kostenersatz bestehe.[1550]

1060   Der Verweis auf nationale staatliche Prozessordnungen ist möglich, aber für internationale Schiedsverfahren kaum ratsam, weil ausländische Beteiligte die Feinheiten nicht kennen werden; auch weil in vieler Hinsicht nur eine analoge Anwendung möglich wäre. Die Parteien können überdies vereinbaren, dass ihr Schiedsverfahren (mit Sitz in Österreich, Deutschland oder in der Schweiz) nach einem anderen (ausländischen) Verfahrensrecht durchzuführen ist;[1551] dies freilich immer unter Beachtung des zwingenden, am Schiedsort geltenden Schiedsverfahrensrechts.

1061   Strukturell gravierende Regeln, wie etwa eine geänderte Verteilung der Beweislast oder den Ausschluss bestimmter Beweismittel (bis hin zur Beschränkung auf den Urkundenbeweis), müssten die Parteien selbst vereinbaren. Auch hier findet aber die Parteienvereinbarung ihre Grenze in der Sittenwidrigkeit oder einem Verstoß gegen die öffentliche Ordnung.[1552] Solcherart unzulässige Abreden müsste das Schiedsgericht – nach den Regeln der Teilungültigkeit – außer Acht lassen.

1062   Schiedsverfahren sind – im Unterschied zu staatlichen Verfahren – der allgemeinen Vorstellung nach nicht öffentlich. Ob dies die Parteien tatsächlich zur Geheimhaltung verpflichtet, ist umstritten. Nach wohl richtiger Ansicht

---

1546   Practice Guideline 5 der CIArb: Guidelines for Arbitrators regarding Documents-Only Arbitrations.

1547   IBA Rules on the Taking of Evidence in International Arbitration; siehe *Liebscher/Mosimann/Schmidt-Ahrendts* Rn 1135 ff

1548   ICC Report Techniques for Managing Electronic Document Production When it is Permitted or Required in International Arbitration (2012), abrufbar unter http://www.iccwbo.org/Advocacy-Codes-and-Rules/Document-centre/2012/ICC-Arbitration-Commission-Report-on-Managing-E-Document-Production/ (zuletzt abgerufen am 22.8.2016).

1549   Siehe *Voser/Schramm/Haugeneder* Rn 838 ff.

1550   Siehe *Horvath/Fischer/Prantl* Rn 1352 ff

1551   Für die Schweiz s Art 182 Abs 1 schwIPRG; für Deutschland § 1042 Abs 3 dZPO; für Österreich § 594 Abs 1 öZPO.

1552   *Schwab/Walter*, Schiedsgerichtsbarkeit⁷ 129.

kommt es auf die Formulierung (und erforderlichenfalls die Auslegung) der Schiedsvereinbarung an.[1553] Auch sehen manche Schiedsordnungen explizit eine Verpflichtung zur Vertraulichkeit seitens der Parteien vor.[1554]

2. Vertretung der Parteien

Die Parteien können sich von Personen ihrer Wahl vertreten oder beraten lassen.[1555] Dieses Recht kann in Österreich nicht ausgeschlossen,[1556] in Deutschland[1557] aber auf Rechtsanwälte beschränkt werden. Die Prozessbevollmächtigten müssen ihre Vollmacht nachweisen, wenn die Gegenpartei Zweifel anmeldet oder das Schiedsgericht Bedenken hat. Die Wiener Regeln[1558] und die ICC SchO[1559] behalten sich selbst oder dem Schiedsgericht solche Überprüfungen ausdrücklich vor.

1063

3. Mündliche Verhandlung vs schriftliches Verfahren

Haben die Parteien nichts anderes vereinbart, entscheidet nach deutschem, österreichischem und schweizerischem Recht[1560] das Schiedsgericht, ob mündlich verhandelt oder das Verfahren schriftlich durchgeführt wird. Auf Antrag einer Partei hat aber das Schiedsgericht eine mündliche Verhandlung in einem geeigneten Abschnitt des Verfahrens durchzuführen, es sei denn die Parteien hätten dies ausnahmsweise vorweg ausgeschlossen.[1561] Die Wiener

1064

1553 *Koller* in Liebscher/Oberhammer/Rechberger, Schiedsverfahrensrecht I Rn 3/374; zur Rechtsgrundlage des Vertraulichkeitsgebots und dessen Reichweite vgl *Lionnet/Lionnet*, Schiedsgerichtsbarkeit[3] 453 ff.

1554 *Koller* in Liebscher/Oberhammer/Rechberger, Schiedsverfahrensrecht I Rn 3/374; zur Rechtsgrundlage des Vertraulichkeitsgebots und dessen Reichweite vgl *Lionnet/Lionnet*, Schiedsgerichtsbarkeit[3] 453 ff; § 24.1 DIS-Regeln, Art 44(1) Swiss Rules.

1555 Siehe *Hahnkamper* Rn 1004.

1556 § 594 Abs 3 öZPO; für die Schweiz ist dies unsicher: s *Schneider/Scherer* in Honsell et al, Internationales Privatrecht[3] Art 182 Rn 77 sowie Art 373 Abs 5 schwZPO.

1557 § 1042 Abs 2 dZPO.

1558 Art 13 Wiener Regeln.

1559 Art 17 ICC SchO.

1560 *Lazopoulos* in Arroyo, Arbitration in Switzerland Art 15 Swiss Rules Rn 23.

1561 Bei Verstößen des Schiedsgerichts gegen dieses Prinzip ist deutsches Recht strenger: Gemäß § 1059 Abs 2 Z 1 lit d dZPO kann der Schiedsspruch schon allein mit der Begründung angefochten werden, dass *„das schiedsrichterliche Verfahren [...] einer zulässigen Vereinbarung der Parteien nicht entsprochen hat und anzunehmen ist, dass sich dies auf den Schiedsspruch ausgewirkt hat."* Siehe dazu ausführlicher *Schwab/Walter*, Schiedsgerichtsbarkeit[7] 145 f; § 611 Abs 2 Z 5 öZPO hingegen zieht nur die allgemeinere Grenze des *ordre public* ein; für die Schweiz s *Schneider/Scherer* in Honsell et al, Internationales Privatrecht[3] Art 182 Rn 89 f.

Regeln[1562] übernehmen die gesetzliche Regelung der öZPO[1563]. Die Swiss Rules schreiben für diesen Fall eine vorherige Beratung des Schiedsgerichtes mit den Parteien vor.[1564] Die ICC SchO schweigt zu diesem speziellen Punkt.

1065   Dass das Verfahren nur schriftlich durchgeführt wird, begründet für sich genommen keine Verletzung des rechtlichen Gehörs.[1565] Kann aber ohne mündliche Verhandlung dem Gebot eines fairen Verfahrens (Art 6 EMRK) nicht entsprochen werden, etwa weil es auf Zeugenaussagen oder die Beurteilung des persönlichen Verhaltens einer Partei ankommt, wäre der *ordre public* verletzt.[1566] Empfehlungen zu reinen Urkundenverfahren enthält die *Practice Guideline 5 (Guidelines for Arbitrators regarding Documents Only Arbitrations)* des CIArb.[1567]

4. Instrumente zur Verfahrensgestaltung

a) *Verfahrensmanagementkonferenz (Case Management Conference)*

1066   Jedes Schiedsgericht wird gut beraten sein, zu Beginn mit den Parteien eine Verfahrensmanagementkonferenz zur Erörterung prozessualer Fragen mit dem Ziel abzuhalten, das Verfahren möglichst effizient ablaufen zu lassen. Explizit (und recht ausführlich) sieht dies Art 24 ICC SchO vor.

1067   Insb bei komplexen Schiedsverfahren wird das Schiedsgericht im Rahmen einer solchen Verfahrensmanagementkonferenz (auch: *pre hearing conferences* oder *preliminary meetings*) vorab mit den Parteien den Inhalt von Verfahrensanordnungen erörtern, mit denen das Verfahren strukturiert und streitentscheidende Punkte herausgefiltert werden sollen.[1568] All dies lässt sich noch vor Beginn des kontradiktorischen Verfahrens in einem von den Parteien und dem Schiedsgericht gemeinsam verfassten **„Schiedsauftrag"** festhalten. Die ICC SchO schreibt sogar einen solchen – besser bekannt unter seinem englischen Begriff ***Terms of Reference*** – vor.[1569] Wesentlicher Punkt ist die Zusammenfassung des Parteienvorbringens und die daraus resultierende Liste

---

1562 Art 30(1) Wiener Regeln.

1563 § 598 öZPO.

1564 Art 15(2) Swiss Rules.

1565 Dies auch dann, wenn die Parteien mündliche Verhandlung vereinbarten; vgl BGer BGE 117 II 346 (348).

1566 EKMR 24.6.1993 Appl 14518/89.

1567 https://www.ciarb.org/docs/default-source/practice-guidelines-protocols-and-rules/international-arbitration-guidelines-2011/2011documentsonlyarbitration.pdf?sfvrsn=10 (zuletzt abgerufen am 22.8.2016).

1568 *Redfern/Hunter*, International Arbitration[6] Rn 6.41 ff; *Martens*, SchiedsVZ 2009, 99, 101; *Gerstenmaier*, SchiedsVZ 2010, 21, 23 f; *Lionnnet/Lionnet*, Schiedsgerichtsbarkeit[3] 297; Meier, SchiedsVZ 2009, 152.

1569 Art 23 ICC SchO.

der zu entscheidenden Streitfragen. Der Schiedsauftrag soll aber nicht, etwa prozessual bindend und parallel zum eigentlichen Parteienvorbringen, als formelle Abgrenzung des Streitgegenstandes verstanden werden. Vielmehr soll er nur ein organisatorischer Behelf sein, wenngleich ein übersichtlicher Anhaltspunkt für Parteien und Schiedsgericht, wenn es um die Frage geht, ob eine Partei „neue Ansprüche" stellt (Klagsausdehnung), über deren Zulassung das Schiedsgerichtes gesondert zu entscheiden hätte (Reichweite der Schiedsklausel; Zweckmäßigkeit der Einbeziehung).[1570]

So die Beteiligten nicht Routiniers oder gar persönlich bekannt sind, ist **1068** einem Treffen in Person (also nicht nur per Videokonferenz oder Telefon) der Vorzug zu geben. Eingeladen sind stets die ParteienvertreterInnen, aber die Beiziehung auch der parteiinternen Juristen (*in-house counsel*) kann sich empfehlen. Themen sind regelmäßig die erste Verfahrensanordnung (*Procedural Order Nr 1*) und der Verfahrenskalender. Letzteren schreiben auch die Swiss Rules in Art 15(3) vor. Je nach praktischer Vorerfahrung der Parteienvertreter wird das Schiedsgericht – zwecks Verfahrensbeschleunigung – die Parteien einladen, gemeinsam die erste Verfahrensanordnung (oder bestimmte Teile derselben) zu entwerfen oder schon vor dem Termin von sich aus den Parteien einen Entwurf vorlegen.

Zwecks Effizienzsteigerung verweist Appendix IV der ICC SchO auf **1069** (durchaus lesenswerte) Verfahrensmanagementtechniken. Weitere Empfehlungen enthalten die Publikationen der *ICC Commission on Arbitration and ADR* mit dem Titel „*Effective Management of Arbitration: A Guide for In-House Counsel and Other Party Representatives*" sowie „*Techniques for Controlling Time and Costs in Arbitration*".

b) Schiedsgerichtliche Verfahrensanordnung (Procedural Orders)

Rechtsquellen des Verfahrensrechts sind, hierarchisch absteigend, das zwin- **1070** gende Recht (des Schiedsortes), die Parteienvereinbarung (die auch in einem Verweis auf eine institutionelle Schiedsordnung bestehen kann), das dispositive Recht (des Schiedsortes) und schließlich die Anordnungen des Schiedsgerichts.

Verfahrensentscheidungen des Schiedsgerichts sind – im Unterschied zu **1071** der (eine eigene Kategorie bildenden) Anordnung vorläufiger oder sichernder Maßnahmen – ausnahmslos einer Vollstreckung oder Vollstreckbarerklärung nicht zugänglich und auch nicht isoliert anfechtbar.

Mehrgliedrige Schiedsgerichte haben über Verfahrensentscheidungen nach **1072** den für den Schiedsspruch geltenden Regeln zu beraten und abzustimmen.

Eine eigene Kategorie von Verfahrensanordnungen, bilden Beschlüsse des **1073** Schiedsgerichts, beim staatlichen Gericht die Einvernahme von Zeugen, die

---

1570 *Fry/Greenberg/Mazza*, ICC Arbitration Rn 3–909.

Rechtshilfe bei ausländischen Gerichten oder Behörden oder andere richterliche Handlungen, die Zwangsgewalt erfordern zu beantragen, weil sie zur staatlichen Gerichtshilfe führen.[1571]

1074 Aus praktischer Sicht sollten Verfahrensentscheidungen möglichst früh, schriftlich (oder wenigstens in protokollierter Form) und für die Parteien nicht überraschend ergehen.

1075 Einen Sonderfall bildet die Entscheidung des Schiedsgerichts über einen Antrag auf Ablehnung einer Schiedsrichterin/eines Schiedsrichters: Wird ihm nicht stattgegeben, kann die beschwerte Partei das staatliche Gericht um Entscheidung anrufen.[1572]

(1) Procedural Order Nr 1

1076 Die häufig erlassene **Verfahrensleitende Verfügung Nr 1** (*Procedural Order Nr 1*) des Schiedsgerichts bestimmt ganz wesentlich den Ablauf und Stil des Verfahrens. Sie ist eine übersichtliche Anleitung für Partei und Schiedsgericht und ergänzt jene Verfahrensbestimmungen, die bei einem staatlichen Gerichtsverfahren im Gesetzbuch zu finden wären. Sie enthält typischerweise Regelungen über:

1077
- die Zustellung von Schriftstücken (Post, Kurierdienst, E-Mail, Internet-Plattform, Verteiler, Übersetzung von Urkunden bzw zugelassene Zweitsprache);
- Bezeichnung, Struktur und Anzahl der Eingaben (Schriftsatz-Runden);
- Fristen;
- Gerüst der vorgelegten Urkunden (Bezeichnung, Bezug zu Tatsachen oder Rechtsquellen) und den Sonderaspekt der Urkundenvorlage (*document production*);
- die Einvernahme von Zeugen (Art und Reihenfolge der Befragung, schriftliche Zeugenerklärungen, Kreuzverhör – *cross examination*; Gegenüberstellung von Zeugen – sogenanntes *hot-tubbing*);
- Sachverständige (bestellt von den Parteien und/oder vom Schiedsgericht);
- mündliche Verhandlung (Reihenfolge, Zeitplan);
- abschließende (*post hearing*) Schriftsätze.

1078 Ganz allgemein wird sich das Schiedsgericht spätere Änderungen oder Ergänzungen ausdrücklich vorbehalten, um nicht Gefangener seiner eigenen Verfahrensregeln zu werden.

1571 § 1050 dZPO; § 602 öZPO; Art 183 Abs 2, Art 184 Abs 2, Art 185 schwIPRG.
1572 § 1037 dZPO; § 589 Abs 3 öZPO; vgl im Unterschied dazu nur dispositiv Art 180 Abs 3 schwIPRG.

c) Verfahrenskalender (Procedural Timetable)

Der Verfahrenskalender soll dem Schiedsgericht, den Parteien, ihren Ver- **1079**
tretern, den Zeugen und allfälligen Sachverständigen die Zeitplanung erleichtern. Zugleich ist er – bei institutionellen Verfahren – für die Schiedsinstitution Gradmesser für die Effizienz der Verfahrensleitung (was auf die
Höhe des von dieser dann festgesetzten schiedsgerichtlichen Honorars Einfluss haben kann). Oft sind es aber die Parteienvertreter beider Seiten, die
sich für die Schriftsatzrunden, eine allfällige *document production* und *post
hearing briefs* ziemlich lange Fristen ausbedingen (einschließlich der Berücksichtigung saisonaler Feiertags- und Urlaubszeiten). Nicht zuletzt um dem
entgegenzuwirken, stellt die ICC SchO hier die persönliche Teilnahme der
Parteien oder ihrer internen Vertreter zur Diskussion.[1573]

Wesentlich ist es, den Termin einer mündlichen Verhandlung vorweg **1080**
zu „blockieren". Andererseits muss das Gefüge beweglich bleiben, denn
die vorangehenden Verfahrensschritte lassen sich nicht präzise vorhersehen.
Auch empfiehlt es sich im Interesse der Verfahrenseffizienz, nicht von vornherein Zeitabschnitte für ein – vielleicht gar nicht nötiges oder gewünsch-
tes – Verfahren zur Vorlage von Urkunden (*document production*) und eine
zu große Anzahl von Schriftsatzrunden vorzusehen. Besser blockiert man
für die mündliche Verhandlung gleich eine Serie von Verhandlungstagen, bei
deren Anzahl man nicht sparen sollte, weil eine Verkürzung terminlich später
leichter möglich ist als eine Verlängerung.

d) Disziplin durch Präklusion und Kostenfolgen

(1) Säumnisfolgen gestaltbar

Ausgehend von Art 25 UNCITRAL ModG regelt das Schiedsverfahrens- **1081**
recht zwei Säumnisfälle. Versäumt es der Kläger, innerhalb der von den Parteien vereinbarten oder vom Schiedsgericht bestimmten Frist die Klage[1574]
einzubringen, beendet das Schiedsgericht das Verfahren.[1575] Ist in der Folge –
so der zweite Fall – eine Partei (insb die Schiedsbeklagte) säumig, kann das
Schiedsgericht das Verfahren fortsetzen und eine Entscheidung auf Grund
der aufgenommenen Beweise fällen.[1576] Die Fiktion, das Vorbringen einer

---

1573 Art 24(4) ICC SchO.

1574 Gemäß Art 21 UNCITRAL ModG ist zur Einleitung des Verfahrens keine Klage
notwendig. Diese muss gemäß Art 23 UNCITRAL ModG innerhalb der von den
Parteien vereinbarten oder vom Schiedsgericht gesetzten Frist eingereicht werden.

1575 Siehe *Zeiler*, Schiedsverfahren[2] § 600 Rn 1 und 2 und Ländervergleiche bei *Hausmaninger* in Fasching/Konecny, ZPO[3] § 600 Rn 10 ff; s auch Art 28(1) Satz 1 Swiss
Rules.

1576 Art 28(1) Satz 2 Swiss Rules.

Partei sei für wahr zu halten (echtes Versäumungsurteil), gibt es bei Schiedsverfahren nicht.[1577] Die Parteien können aber in der Schiedsklausel vereinbaren, dass in einem solchen Fall das Urteil nur in Kurzfassung (summarisch)
verfasst werde. Auch kann das Gericht die Säumnis bei der Beweiswürdigung
nachteilig ausschlagen lassen. Ansonsten können die Parteien die Säumnisfolgen frei vereinbaren.

1082 Typischerweise können Parteien mit der Vorlage von Schriftsätzen, mit
Einreden, mit Beweisanträgen oder durch Abwesenheit bei mündlichen Verhandlungen säumig werden.[1578]

(2) Präklusion

1083 Auch wenn die Parteien im Laufe des Verfahrens ihre Angriffs- und Verteidigungsmittel ändern oder ergänzen dürfen, kann das Schiedsgericht dergleichen – allerdings mit wesentlichen Einschränkungen, wie vorherige Vereinbarung oder Ankündigung – uU wegen Verspätung ablehnen (Präklusion).
Als weitere typische Folge schuldhafter Säumnis kann das Schiedsgericht den
verursachten Mehraufwand bei der Kostenentscheidung berücksichtigen.

1084 Ergeben sich im Beweisverfahren völlig neue Aspekte, so werden neue
Behauptungen zuzulassen sein, wie überhaupt die Präklusion in einem Spannungsverhältnis zum (zwingenden) Anspruch der Partei auf rechtliches Gehör steht. Ist die Verspätung unverschuldet oder (nach der Überzeugung
des Schiedsgerichts) genügend entschuldigt, das Vorbringen oder der Beweis
relevant und mit keiner übermäßigen Verzögerung zu rechnen, so sollten
Vorbringen bzw Beweis zugelassen werden. Weist das Gericht Parteivorbringen zu Unrecht wegen Verspätung zurück, so kommt die Frage auf,
ob für die andere Partei Rügepflicht[1579] besteht, um das Recht der späteren
Geltendmachung zu wahren. Wird durch die unberechtigte Zurückweisung
das Recht einer Partei auf Wahrung des rechtlichen Gehörs verletzt, besteht
möglicherweise keine Rügepflicht, weil durch die Zurückweisung gegen eine
zwingende Verfahrensvorschrift verstoßen wurde – es sei denn, die Partei
hatte im Laufe des Schiedsverfahrens noch Gelegenheit, sich zu äußern, wodurch der (ursprüngliche) Verstoß gegen zwingende Verfahrensvorschriften
saniert wurde.[1580]

1577 § 1048 Abs 3 dZPO; § 600 Abs 2 öZPO; das schwIPRG schweigt hierzu, eine ent-
sprechende Regelung findet sich in Art 28(3) Swiss Rules; *Hausmaninger* in Fasching/
Konecny, ZPO³ § 600 Rn 10 ff; zur Abgrenzung zwischen Beweiswürdigung und
Säumnisfolge siehe *Oberhammer*, Entwurf 104.

1578 Siehe Art 28(2) und (3) Swiss Rules.

1579 § 1027 Abs 1 dZPO; § 597 Abs 2 öZPO; für die Schweiz s *Schneider/Scherer* in
Honsell et al, Internationales Privatrecht³ Art 182 Rn 70 f, ausdrücklich für Schweizer
Binnenschiedsverfahren Art 373 Abs 6 schwZPO sowie Art 30 Swiss Rules.

1580 *Konrad* in Liebscher/Oberhammer/Rechberger, Schiedsverfahrensrecht I Rn 2/87.

C. Sonderaspekte

1. Abgesondertes Verfahren

Um unnötigen Verfahrensaufwand zu vermeiden, wird das Schiedsgericht **1085** prozessual oder materiell eindeutig abgrenzbare Vorfragen vorweg behandeln. Dies kann informell durch eine vorgezogene Behandlung des betreffenden Prozessstoffes oder (besser) durch eine förmliche Einschränkung des Verfahrens (*bifurcation*) geschehen. Im letzteren Fall wird das Gericht anordnen, nur zum abgesonderten Prozessgegenstand (typischerweise zur Zuständigkeit, zur *res judicata* oder zur Verjährung) Vorbringen zu erstatten. Um sodann den Parteien eine Orientierung zu geben, wird das Schiedsgericht in manchen Fällen schon vorweg ankündigen, dass es entweder – so die Einrede/der Einwand zutrifft – eine meritorische Entscheidung (Schiedsspruch) treffen oder durch den Eintritt in den sonstigen Prozessstoff signalisieren werde, dass es die Einrede/den Einwand nicht für zutreffend hält. Bei der Einrede der Zuständigkeit besteht hier zusätzlich die Möglichkeit, einen gesonderten Schiedsspruch zu erlassen.

a) Zuständigkeit[1581]

Hat eine Partei rechtzeitig die Unzuständigkeit eingewendet, hat das Schieds- **1086** gericht, wenngleich „vorläufig" im Sinne einer eventuellen Aufhebung durch das Gericht, über die eigene Zuständigkeit zu entscheiden (sog **Kompetenz-Kompetenz** des Schiedsgerichtes). Dies kann (so die Zuständigkeit bejaht wird) nach Ermessen des Schiedsgerichtes in einem eigenen, gesonderten Schiedsspruch oder erst in der meritorischen Endentscheidung geschehen. Wird gegen den (die Zuständigkeit bejahenden) gesonderten Schiedsspruch Aufhebungsklage bei Gericht erhoben, kann das Schiedsgericht vorerst das Schiedsverfahren fortsetzen und auch einen Schiedsspruch fällen.[1582] Dies verhindert Zeitverlust, kann aber zu verlorenem (fortgesetzten) Verfahrensaufwand führen. Ein erfahrenes Schiedsgericht wird einen gesonderten Schiedsspruch erlassen, wenn es in seiner Entscheidung unsicher ist, aber davon Abstand nehmen, wenn die von der schiedsbeklagten Partei erhobene Einrede nicht fundiert erscheint oder sich, umgekehrt, nicht nur auf die Schiedsklausel sondern zugleich auf den Hauptvertrag bezieht (zB Einwand der Geschäftsunfähigkeit) und der Fall daher auch gleich meritorisch erledigt werden kann.

Ein Anspruch der Parteien auf Fällung einer gesonderten Zuständigkeits- **1087** entscheidung besteht nicht. Das Schiedsgericht wird die Zuständigkeitsfrage

---

1581 Siehe *Schütze/Kratzsch/Schumacher/Jaisli Kull* Rn 846ff
1582 § 1040 Abs 3 dZPO; § 592 Abs 3 öZPO; Art 186 Abs 1bis schwIPRG.

insb dann von Amts wegen aufgreifen, wenn das Verfahren von unheilbarer Unzuständigkeit bedroht ist und es folglich auch nicht durch Einlassung in die Sache zuständig wird (zB objektiv nicht schiedsfähige Sache oder sonst gegen den *ordre public* verstoßende Umstände). Auch im Fall einer nicht teilnehmenden schiedsbeklagten Partei hat das Schiedsgericht von sich aus die Zuständigkeit zu prüfen.

b) Res Judicata

1088　Eine beklagte Partei kann zudem die Einrede erheben, eine bereits vorliegende Entscheidung eines anderen Rechtssprechungsorgans stehe der Klageforderung entgegen, es liege also *res judicata* vor. *Res judicata* ist in internationalen Schiedsverfahren ein sehr ambivalenter Begriff. Es gibt keine internationalen Rechtsnormen, die die Problematik von *res judicata* regeln, weder im Verhältnis Schiedsgericht – Schiedsgericht, noch im Verhältnis Schiedsgericht – staatliches Gericht. Nach *civil law* Verständnis bezieht sich die Wirkung nur auf die (rechtskräftig entschiedenen) Ansprüche (*claims*), nicht jedoch auf die festgestellten Tatsachen und deren rechtliche Beurteilung (*issues*); die Prozesseinrede der *issue preclusion* ist daher den kontinental-europäischen Rechtsordnungen weitgehend fremd.

1089　Demgegenüber stellt nach *common law* Verständnis die Einrede in der Gestalt des *cause of action estoppel* (USA: der *claim preclusion*) auf den Lebenssachverhalt ab, der Gegenstand des früheren Verfahrens war, und umfasst sämtliche Tatsachen, die einen Rechtsanspruch begründen können, auch wenn unterschiedliche Normen betroffen sind.[1583] Die Einrede kann nicht nur von den Parteien des Vorverfahrens, sondern auch deren *privies*, also Personen, die in einem bestimmten Interessenverhältnis zu einer Partei stehen, erhoben werden – in den USA mit der Einrede der *issue preclusion* überhaupt von Dritten, sodass also der Beklagte in einem Verfahren gegen einen Dritten zur Abwehr dessen (klägerischen) Anspruchs jene Tatsachen nicht vorbringen kann, die bereits in einem früheren Verfahren bindend festgestellt wurden.

1090　Während staatliche Gerichte an die für sie geltende nationale Rechtsordnung gebunden sind, erweist sich für international befasste Schiedsgerichte eine starre Anknüpfung an eine bestimmte Rechtsordnung als unzweckmäßig und bisweilen geradezu unmöglich.[1584] Als Ausweg schlagen die *ILA*

1583　Weiterführend siehe *Dorda* in FS Torggler 171.

1584　Gegen eine Schiedsgerichten zugebilligte „grenzenlose Freiheit" *Busse*, ecolex 2012, 1072 (1075) und *Koller* in Liebscher/Oberhammer/Rechberger, Schiedsverfahrensrecht I Rn 3/57; *Hausmann* in Reithmann/Martiny, Internationales Vertragsrecht Rn 8.431 und 8.432.

Recommendations on Res Judicata and Arbitration[1585] daher „transnationale" Regelungen vor, die va dem *common law* und dem *civil law* gemeinsame Wertungen heranziehen und darüber hinaus dem Schiedsgericht bei der Berücksichtigung von *res judicata* Aspekten auf den Einzelfall abgestimmtes sinnvolles Ermessen einräumen.[1586]

Kommen die Parteien aus verschiedenen Rechtskreisen, so ist es für das Schiedsgericht empfehlenswert, die von ihm vertretene Ansicht sorgfältig mit den Parteien zu erörtern, um Missverständnisse zu vermeiden.   **1091**

c) *Verjährung*

Auch die Verjährungseinrede ist ein häufig verwendetes Instrument der Beklagten. Ihre Einordnung wirft ähnliche Fragen wie die der *res judicata* auf. Während sie im Geltungsbereich vieler *civil law* Rechtsordnungen materiellrechtlich zu qualifizieren ist, wird sie im *common law* grundsätzlich prozessual qualifiziert.[1587] Auch hier wird das Schiedsgericht, so die Parteien aus unterschiedlichen Rechtskreisen stammen, die korrekten Anknüpfungen erörtern müssen.   **1092**

2. Urkundenvorlage (*document production*)

Die Anordnung der Urkundenvorlage auf Antrag der Gegenseite ist im internationalen Schiedsverfahren ein bedeutendes Instrument der Beweisführung, das einen wesentlichen Einfluss auf den Verfahrensausgang haben kann.[1588]   **1093**

Das Verfahren zur Urkundenvorlage bedarf aber besonders strenger Regelung, widrigenfalls es zu einer zeit- und kostenintensiven *fishing expedition* ausufern kann. Vom US-amerikanischen Prozessverständnis her ist es unter dem Begriff der *discovery* dem Austausch der Schriftsätze vorgeschaltet und soll der antragstellenden Partei vorweg eine vollständige Dokumentation des prozessrelevanten Sachverhaltes ermöglichen.[1589] Die *document production* hat sich mittlerweile in der internationalen Handelsschiedsgerichtsbarkeit als – im Vergleich zur *discovery* abgemildertes[1590] – Zwischenverfahren   **1094**

1585 Conference Report Toronto 2006, http://www.ila-hq.org/en/committees/index.cfm/cid/19 (zuletzt abgerufen am 22.8.2016).

1586 Siehe BGE 141 III 229, wonach sich auch bei Schiedsverfahren die Rechtskraftwirkung eines zeitlich vorangehenden Schiedsspruches nach den von der *lex fori* für staatliche Gerichte entwickelten Grundsätzen, also im vorliegenden Fall (Schiedsort in der Schweiz) nach Schweizer Grundsätzen, richtet.

1587 *Von Hoffmann*, IPR[9] § 6 Rn 6 ff mit weiteren Beispielen.

1588 Siehe *Liebscher/Mosimann/Schmidt-Ahrendts* Rn 1211 ff

1589 Vgl Rules 26–37 of the Federal Rules of Civil Procedure.

1590 *Rojas Elgueta*, Harvard Negotiation Law Review Vol 16 2011, 165 ff.

etabliert, wenngleich unter großem Widerstand Angehöriger des *civil law* Rechtskreises. Parteien können nämlich damit verpflichtet werden, Urkunden vorzulegen, auf denen ihr Vorbringen nicht beruht und die somit für sie nachteilig sein können.

1095 Als erste Eingrenzung wird ein kluges Schiedsgericht ein solches Herausgabeverlangen, so mit ihm zu rechnen ist, von vornherein an zeitlich sinnvoller Stelle (zB vor dem zweiten Schriftsatzwechsel) in den *provisional timetable* einbauen, die Abwicklung an sich den Parteien überlassen und nur dann mit einem Verfahrensbeschluss eingreifen, wenn Streit über das Verlangen, dessen Umfang oder die Art der Erledigung entsteht. Für diesen Zweck eignet sich vorzüglich die sogenannte *Redfern Schedule*.[1591] In diese trägt die Antragstellerin die Dokumente (nach deren Art bezeichnet) und die Begründung ein, warum diese relevant für das Prozessthema und wesentlich für dessen Erledigung seien, während die Antragsgegnerin ihre (möglicherweise nur unter Bedingungen erteilte) Zustimmung oder Ablehnung und die dazugehörende Begründung einträgt. In einer weiteren Spalte wird sodann die Entscheidung des Schiedsgerichtes samt Begründung eingetragen.

1096 Nützlich ist es, für den Vorgang als (wenngleich nicht verbindliche) Leitlinie die *IBA Rules on the Taking of Evidence in International Arbitration* vorzusehen, die eine Orientierungshilfe für das Schiedsgericht bieten können.

1097 Die Urkunden gelten nicht automatisch als dem Schiedsgericht vorgelegt (was häufig übersehen wird, aber sinnvoll ist, weil bisweilen der Antragsteller mit Unmengen elektronischer Daten überschüttet wird).[1592]

3. Unterbrechung des Verfahrens

1098 Eine Unterbrechung bzw Aussetzung des Verfahrens ist im Schiedsrecht im Interesse einer zügigen Erledigung der Streitsache zwar nicht gesondert vorgesehen, aber (mit der Wirkung einer Vertagung auf unbestimmte Zeit) zulässig und wohl zu empfehlen, wenn die Parteien zustimmen oder Punkte zu klären sind, von denen die Entscheidung abhängt und deren Behandlung dem Schiedsgericht entzogen ist.[1593] Prozessual erwägen wird sie das Schiedsgericht außerdem, wenn ein staatliches Gericht parallel mit der Zuständigkeitsfrage befasst ist (s aber die gesetzlich vorgesehene Möglichkeit,

---

1591 Ein Muster eines *Redfern Schedule* ist unter https://icsid.worldbank.org/apps/ ICSIDWEB/process/Documents/3.1.7.8.1.%20Redfern%20Schedule%20Template. docx abrufbar (zuletzt abgerufen am 22.8.2016).

1592 Zum Einfluss einer verweigerten Urkundenherausgabe auf die Beweiswürdigung siehe *Liebscher/Mosimann/Schmidt-Ahrendts* Rn 1213.

1593 *Schwab/Walter*, Schiedsgerichtsbarkeit⁷ 151.

das Schiedsverfahren dennoch fortzusetzen)[1594] oder wenn es die Befangenheit eines Mitglieds des Schiedsgerichts prüft (auch hier kann allerdings das Schiedsverfahren fortgesetzt werden).[1595] Daneben kann der Versuch einer gütlichen Einigung, auch im Wege einer zwischengeschalteten Mediation,[1596] zur Unterbrechung des Verfahrens führen.

4. Vergleichsversuch

Wie auch im Zivilprozess haben die Parteien die Möglichkeit, vor dem Schiedsgericht einen Vergleich zu schließen, wenn der Streitgegenstand vergleichstauglich ist.[1597] Dazu stehen den Parteien zwei Möglichkeiten offen: entweder einen Schiedsspruch mit dem von den Parteien vereinbarten Wortlaut zu begehren oder den Vergleich bloß protokollieren zu lassen.[1598] Erstere Variante hat den Vorteil, dass der Vergleich über das NYÜ dann auch in jenen Ländern vollstreckbar ist, in denen protokollierte Vergleiche kein Vollstreckungstitel sind. Häufig findet die Einigung nicht vor dem Schiedsgericht statt. Dann kommt es entweder zu einem Schiedsspruch mit vereinbartem Wortlaut oder zur Beendigung des Schiedsverfahrens (in der Schweiz Abschreibungsbeschluss genannt).

1099

Ein erfahrenes Schiedsgericht wird die Parteien nicht mit Vergleichsvorschlägen bedrängen, sondern – so Chancen hierfür bestehen – Vorschläge auf informierter Basis, also frühestens nach Vorliegen und Studium der rechtserheblichen Tatsachen, erstatten, um nicht den Vorwurf *„to split the baby"* gewärtigen zu müssen. Neuerdings wird auch zunehmend die Möglichkeit genutzt, das Verfahren zwecks Einschubes eines Mediationsverfahrens zu unterbrechen.

1100

Ordre public-widrige Vergleiche sind unzulässig; § 605 Abs 3 öZPO hält das ausdrücklich fest.

1101

1594 § 1032 Abs 3 dZPO; § 584 Abs 1 letzter Satz öZPO; Art 186 Abs 1 schwIPRG; zu Schiedsvereinbarung und Klage vor Gericht siehe *Rechberger* in Liebscher/Oberhammer/Rechberger, Schiedsverfahrensrecht I Rn 6/43.

1595 § 1037 Abs 3 letzter Satz dZPO; § 589 Abs 3 letzter Satz öZPO; vgl *Schwab/Walter*, Schiedsgerichtsbarkeit[7] 151.

1596 Siehe *E. Schäfer* Rn 146 ff

1597 Ausdrücklich geregelt in § 605 öZPO; vgl auch Art 30 UNCITRAL ModG; siehe auch *E. Schäfer* Rn 174 ff.

1598 *Zeiler*, Schiedsverfahren[2] 299 ff; vgl Art 34(1) Swiss Rules.

II. Verfahrensabschnitte

Christian Dorda

A. Schriftsatzwechsel der Parteien

1. Formfragen

a) Aktenordnung

1102 Form und Zustellung vorbereitender Schriftsätze, wie überhaupt den Empfang schriftlicher Mitteilungen, können die Parteien frei vereinbaren.[1599]

1103 Zwecks besserer Übersicht im Beweisverfahren wird das Schiedsgericht anordnen, (i) die Schriftsätze mit vorweg einheitlich festgesetzten Kurzbezeichnungen und deren Text mit Randzahlen zu versehen, (ii) die Anlagen (zB mit K-1, K-2- usw für den Kläger, mit B-1, B-2 usw für den Beklagten und rechtliche Belegstellen etwa mit KL-1 bzw BL-1 usw) zu nummerieren zu den Beweismitteln bestimmte Mindestangaben zu machen, sowie laufend aktualisierte Beweismittel-Verzeichnisse und sonstige Behelfe vorzulegen.

b) Zustellung

1104 Zuzustellen sind die Schriftsätze idR der anderen Partei, dem Schiedsgericht und, so vorhanden, der Schiedsinstitution.[1600] Bisweilen erweist es sich als fair, zu bestimmten Prozessthemen keiner der beiden Parteien ein letztes Wort zu gestatten, sondern simultane Schriftsätze anzuordnen. Dann wird das Schiedsgericht anordnen, dass die Schriftsätze der Parteien vor einheitlichem Fristende ausschließlich dem Schiedsgericht zuzustellen sind und das Schiedsgericht erst nach Verstreichen der Frist die Schriftsätze der jeweils anderen Partei zustellt. Dies ist insbesondere bei abschließenden Schriftsätzen der Parteien (*post-hearing briefs*) üblich.

2. Erster Schriftsatzwechsel der Parteien

1105 Hier muss man zwischen *ad hoc* Schiedsverfahren und institutionellen Schiedsverfahren unterscheiden. Bei ersteren wird regelmäßig zunächst das Schiedsgericht bestellt und der Schiedsrichtervertrag geschlossen, erst in der Folge reichen die Schiedsklägerin die Schiedsklage und die Schiedsbeklagte die Klagebeantwortung ein.[1601] Nach den Wiener Regeln, den DIS-Regeln, den

---

1599 Zur Zustellung siehe *Hahnkamper* Rn 944 ff.
1600 Art 3 ICC SchO; § 5 DIS-Regeln; Art 12(5) Wiener Regeln; Art 2 Swiss Rules.
1601 § 597 öZPO; § 1046 Abs 1 dZPO; offen lassend Art 81 schwIPRG.

Swiss Rules und der ICC SchO haben sich die klagende Partei bereits in der Schiedsklage (bzw Einleitungsanzeige) und die beklagte Partei in der Klagebeantwortung (bzw Einleitungsantwort) zum Anspruch, den sie geltend machen wollen, zur Bestellung des Schiedsgerichts und insb der Person ihrer Kandidatin/ihres Kandidaten zu erklären.

Sobald dann eine vollumfängliche Schiedsklage und Schiedsklagebeant-   **1106** wortung vorliegen, sind die Tatsachen- und Rechtsfragen samt dem Begehren, also der Verfahrensgegenstand, idR beschrieben.[1602] Auch können die Parteien vereinbaren oder das Schiedsgericht anordnen, dass der Parteivortrag komplett im ersten Schriftsatz enthalten sein soll, sodass etwaige weitere Schriftsätze sich nur auf Noven beziehen sollten. Ein erfahrenes Schiedsgericht wird bereits nach dem ersten Schriftenwechsel das Vorbringen der Parteien gründlich aufarbeiten, Unstrittiges von Strittigem trennen, die angebotenen Beweise sichten und anstehende Rechtsfragen identifizieren.

Neben dem Sachverhalt können und sollen die Schriftsätze auch reine   **1107** Rechtsfragen behandeln. Der Grundsatz *iura novit curia (arbiter)* gilt im internationalen Schiedsverfahren nicht unbedingt.[1603] Das Gebot rechtlichen Gehörs erstreckt sich insofern auch auf die rechtliche Beurteilung.[1604]

3. Weitere Schriftsätze

Die weiteren vom Schiedsgericht aufgetragenen Schriftsätze geben den Par-   **1108** teien Gelegenheit, zu den Behauptungen der Gegenseite Stellung zu nehmen und dem Schiedsgericht die Gelegenheit, den Parteien zu anstehenden Fragen oder Themen Äußerungen aufzutragen,[1605] um so Weitläufigkeiten abzufangen und Vertiefungen anzuregen. In der Praxis muss von Fall zu Fall beurteilt werden, welche Schriftsatzrunde überhaupt die erste vollwertige darstellen soll – je nachdem, ob die Klägerin nur einen Antrag auf Einleitung des Schiedsverfahrens gestellt (dann meistens nur Einleitungsanzeige bzw *Request for Arbitration* und die Einleitungsantwort bzw *Answer* genannt) oder, ähnlich dem Verfahren vor staatlichen Gerichten, bereits vollständiges, schlüssiges Vorbringen, oft zugleich mit Beweisanboten, erstattet hat (diesfalls Schiedsklage bzw *Full Statement of Claim* und auf Beklagtenseite Schiedsklagebeantwortung bzw *Full Statement of Defense* genannt).

Oft trägt das Schiedsgericht einer Klägerin, die nur einen schmalen *Re-*   **1109** *quest for Arbitration* einreichte, als erste Schriftsatzrunde die Vorlage eines *Full Statement of Claim* und der Beklagten eines *Full Statement of Defense*

1602 Siehe *Hahnkamper* Rn 940 ff.
1603 Im Bereich des *civil law* dafür eintretend BGE 139 III 126.
1604 Vgl *Reiner*, ZfRV 2003, 55.
1605 *Reiner*, ZfRV 2003, 54.

auf. Je nach Lage und Aufbau des Falles sind nach einer solchen ersten Runde ein zweiter Durchgang von Schriftsätzen (*Reply* der Klägerin und *Rejoinder* der Beklagten) die Regel und ein dritter Durchgang (*Rebuttal* der Klägerin und *Sur-Rebuttal* der Beklagten) keine Seltenheit, dies alles unter Einhaltung der vom Schiedsgericht festgesetzten Fristen.

1110 Erhebt die Beklagte Widerklage, läuft in den genannten Schriftsätzen die spiegelverkehrte Ordnung ab, sodass das *Full Statement of Defense* zugleich zum *(Full) Statement of Counterclaim* der Beklagten und die *Reply* der Klägerin zugleich zum *Full Statement of Defense to Counterclaim* der Klägerin wird. Bei doppeltem Schriftenwechsel erstattet dann die Klägerin mit dem *Rejoinder to Counterclaim* den letzten Schriftsatz.

1111 Die Grenze bilden die Verfahrensanordnungen des Schiedsgerichts und – was den Verfahrensgegenstand betrifft – in jedem Fall die Schiedsvereinbarung.

B. Mündliche Verhandlung

1. Inhalt der Schiedsverhandlung

1112 Hat das Schiedsgericht bereits eine (erste) mündliche Verhandlung fixiert (oder wenigstens mit den Parteien in Aussicht genommen), sollte es auf eine ausreichende Vorlauffrist für vorbereitende Anordnungen (Verhandlungsplan; Aufforderung, die Zeugen einzuladen sowie sonstige „logistische" Anforderungen wie Raummiete, Protokolldienst, Rücksichtnahme auf Flugpläne) achten.

1113 Die nähere Gestaltung der mündlichen Verhandlung wird der Vereinbarung der Parteien bzw bei Fehlen einer solchen dem Schiedsgericht überlassen, sodass viele Gestaltungen möglich sind.[1606]

1114 Die mündliche Verhandlung zur Beweisaufnahme[1607] wird das Schiedsgericht – im Unterschied zu staatlichen Verfahren – oft für zwei oder mehrere Tage, vielleicht auch iVm einem Lokalaugenschein vor Ort, ansetzen, um solcherart eine konzentrierte Befassung aller Beteiligten (Mitglieder des Schiedsgerichts, Parteien und deren Vertreter, Zeugen, Sachverständige) mit dem Verfahrensgegenstand zu ermöglichen. Der guten Absicht stehen allerdings allzu oft Verhinderungen von Zeugen, unerwartete Wendungen des Verfahrens, zu ausführliche und daher Zeit verschwendende Befragungen und Anhörungen von Zeugen oder Erörterungen der Parteien entgegen. Hier sei die Schweizer *Böckstiegel*-Methode[1608] erwähnt, nach der die Parteien vorweg ein Zeitguthaben zugewiesen erhalten, das sie nach Belieben auf ihre eigenen

---

1606 *Lachmann*, Handbuch³ Rn 2126.
1607 Siehe *Liebscher/Mosimann/Schmidt-Ahrendts* Rn 1135 ff.
1608 Siehe *Roney/Müller* in Kaufmann-Kohler/Stucki, Arbitration in Switzerland 67.

Verfahrensaktivitäten – Eröffnungsvortrag, Zeugenbefragungen, Schlussplä-
doyer – aufteilen und solcherart „verbrauchen" können.

Während bei staatlichen Verfahren für die Berücksichtigung von Berufs- **1115**
oder Geschäftsgeheimnissen starre Regeln gelten, kann das Schiedsgericht
flexibler reagieren. Die Spielregeln sollte es aber möglichst früh, jedenfalls
nicht *ex post* fixieren. Ein Kompromiss kann auch darin bestehen, dass ein
zur beruflichen Verschwiegenheit verpflichteter Fachmann die sensible Information direkt analysiert und dann die prozessrelevanten Feststellungen
solcher Art gefiltert an das Schiedsgericht und die Parteien weitergibt. Diese
Methode kann insofern problematisch sein, als sie im Spannungsverhältnis
mit Prozessgrundsätzen steht (direkte Beweisaufnahme, Entscheidung durch
das Schiedsgericht, rechtliches Gehör).

Ist der Streitgegenstand komplex, kann das Schiedsgericht das Verfahren **1116**
auf einzelne Themen (Zuständigkeitsfrage; Anspruch dem Grund und dann
der Höhe nach; einzelne Sachverhaltskomplexe, wie insb bei Abrechnungs-
prozessen) einschränken.

Während Schiedsinstitutionen Verfahrensordnungen für beschleunigte **1117**
Verfahren anbieten,[1609] sehen *ad hoc* Schiedsklauseln selten das hierfür nötige
Instrumentarium (dh beschränkte Anzahl der Schriftsätze, lediglich summarische Begründung des Schiedsspruchs, etc) vor. Mit Zustimmung der Parteien
wäre es zur Beschleunigung der Sache zB zulässig, bestimmte Fragenkomplexe
einem Gutachter, dies auch mit verbindlicher Wirkung seines Gutachtens
(dann Schiedsgutachten genannt),[1610] zu übertragen.

Im Unterschied zum staatlichen Verfahren kann das Schiedsgericht, au- **1118**
ßer im Wege der staatlichen Gerichtshilfe, Personen nicht zum Erscheinen
oder zur Aussage zwingen. Auch sind wahrheitswidrige Aussagen vor dem
Schiedsgericht mit Ausnahme der Schweiz nicht *per se* strafbar, weshalb die
eidliche Vernehmung als unzulässig erachtet wird.[1611] Aus dem gleichen Grund
wird in der Praxis bei der Vernehmung kaum zwischen Zeugen und Parteien
unterschieden.[1612]

Zeugen sind – im Unterschied zum staatlichen Verfahren – gewissermaßen **1119**
Sache der Parteien und schriftliche Zeugenerklärungen (*witness statements*)
oder vorprozessuale Befragungen sind allgemein akzeptiert bzw durchaus erwünscht, um das Beweisthema des jeweiligen Zeugen einzugrenzen. Dennoch
sollte das Schiedsgericht, um Irritationen einer Streitseite zu vermeiden, auch
hier die Regeln des Zeugenbeweises möglichst früh aufstellen.

1609 Siehe auch *F. Schäfer* Rn 543 ff.
1610 Zur Abgrenzung dieser rechtlich unterschiedlichen Begriffe siehe *Dorda*, GesRZ 2012, 8.
1611 Vgl *Schwab/Walter*, Schiedsgerichtsbarkeit[7] 126; für die Schweiz s Art 307, 309
      schwStGB.
1612 Siehe auch Art 4(2) der IBA Rules (Evidence).

2. Plädoyer der Parteienvertreter

1120 Den Parteien wird nach Abschluss des Beweisverfahrens – im Unterschied zu den meisten staatlichen Verfahren – regelmäßig die Möglichkeit gegeben, sich zu dessen Ergebnissen (zu Inhalt und Glaubwürdigkeit der Zeugenaussagen sowie zu sonstigen Beweisen) in einem schriftlichen oder mündlichen Schlussvortrag zu äußern und die daraus zu ziehenden rechtlichen Schlussfolgerungen darzulegen.[1613] Anstelle des mündlichen Plädoyers ordnet das Schiedsgericht oft schriftliche Stellungnahmen (*post hearing briefs*) an, die gleichermaßen kein neues Vorbringen enthalten, sondern nur das Verfahrensergebnis behandeln dürfen.

3. Verhandlungsprotokoll

1121 Üblich sind bei umfangreichen Verfahren das wortwörtliche (*Verbatim*) Protokoll, hergestellt durch Tonbandaufnahme oder – meist verlässlicher aber teurer – von einem *court reporter*. Das von staatlichen Verfahren her bekannte Resümee-Protokoll, das idR mittels Diktiergerät vom vorsitzenden Mitglied des Schiedsgerichts aufgenommen wird, findet sich – wenn überhaupt – nur in ausgesprochen einfachen Verfahren.

1122 Das wortwörtliche Protokoll hat den Vorteil, die Verhandlung „ungeschminkt" wiederzugeben und den Mitgliedern des Schiedsgerichts während der Verhandlung die volle Konzentration auf das Verfahren zu ermöglichen. Es birgt allerdings den Nachteil potentieller Weitläufigkeiten oder Widersprüchlichkeiten. Die Wahl obliegt, so die Parteien nichts anderes vereinbaren, dem Schiedsgericht. *Verbatim*-Protokolle werden bisweilen nicht übertragen, sondern mittels Tonträger (Audio-Datei) den Parteien zur Verfügung gestellt.

C. Abschließende (*post hearing*) Schriftsätze

1. Inhalt

1123 Hier wird regelmäßig die strenge Regel aufgestellt, dass neues Vorbringen, seien dies neue Tatsachen oder auch (bisher nicht vorgetragene) neue rechtliche Argumente, unzulässig sind. Auch sollte diese Regel zu Beginn des Verfahrens vereinbart oder festgesetzt werden. Das Schiedsgericht sollte die Parteien am Ende der mündlichen Verhandlung (oder in einer abschließenden Verfahrensanordnung) auf dieses Verbot nochmals aufmerksam machen und bei Verstoß androhen, den Schriftsatz zurückzuweisen oder wenigstens das unzulässige Vorbringen unbeachtet zu lassen.

1124 Die Parteien sind gut beraten, sich in die Rolle des Schiedsgerichts, das nun den Schiedsspruch zu verfassen hat, hineinzudenken. Sie sollten daher den

---

1613 Vgl *Reiner*, ZfRV 2003, 56.

Erörterungen, die das Schiedsgericht mit den Parteien während des Verfahrens angestellt haben mag, oder dem „Entscheidungsbaum", so er erkennbar wurde, folgen. Redundantes Abschreiben aus früheren Schriftsätzen schadet da eher. Besonderes Augenmerk sollte auf die Beweiswürdigung und die aus ihr abgeleiteten Tatsachenfeststellungen gelegt werden. Gleichen Raum sollten aber auch die aus den Tatsachen zu ziehenden rechtlichen Schlüsse einnehmen.

Um Auswüchse zu vermeiden, sehen Schiedsgerichte bisweilen Begrenzungen des Umfangs solcher Schriftsätze (zB Anzahl von Seiten) vor. Manchmal laden sie die Parteien auch ein, die Arbeit erleichternde Aufstellungen zu verfassen und vorzulegen (zB chronologische Aufstellung von Urkunden, Gegenüberstellungen von Sachverständigengutachten, Übersichten über Beweisergebnisse oder außer Streit Gestelltes und ähnliche Arbeitsbehelfe). **1125**

2. Zustellung/Austausch der eingereichten Schriftsätze

Um keiner Partei das letzte Wort zu ermöglichen, schreibt das Schiedsgericht den Parteien bisweilen vor, diese letzten Schriftsätze nur an das Schiedsgericht zu richten, das sie dann nach Vorliegen der Schriftsätze beider Seiten bzw nach Fristablauf der jeweils anderen Seite zustellt. **1126**

3. Kostenbekanntgabe

Das deutsche und das österreichische Schiedsrecht sehen die Verpflichtung des Schiedsgerichts vor, die Verpflichtung zum Kostenersatz zu regeln und einen zu ersetzenden Betrag festzusetzen.[1614] Um zu erstattende Kosten beziffern zu können, fordert das Schiedsgericht die Parteien idR auf, die Kosten parallel mit (oder kurz nach) den *post hearing* Schriftsätzen zu verzeichnen und mitzuteilen. Der dabei einzuhaltende Standard variiert stark: Manche Schiedsgerichte geben sich mit grob gegliederten Aufstellungen (zB Anwaltshonorar, Auslagen für Reisen, Unterkunft, zureisende Zeugen, Sachverständige, Miete von Verhandlungsräumen, Protokollanten) zufrieden, andere fordern auch Belege für die verrechneten Aufwendungen an. Eine gewisse Tendenz geht zu einem zweistufigen Verfahren, in dem der jeweils anderen Partei die Möglichkeit einer Stellungnahme eingeräumt wird, bisweilen gefolgt von der ergänzenden Aufforderung des Schiedsgerichtes, fragliche Punkte abzuklären oder zu detailieren. **1127**

Zunehmend und mit gutem Grund wird der Kostenersatz auch als ein Mittel gesehen, die Parteien zu redlichem und ökonomischem Verhalten an- **1128**

1614 § 1057 dZPO; § 609 Abs 5 öZPO; das schwIPRG schweigt; eine Kostenregelung findet sich in Art 38 ff Swiss Rules; für die Schweizer Binnenschiedsgerichtsbarkeit sind Teilaspekte in Art 378 ff schwZPO geregelt; siehe *Horvath/Fischer/Prantl* Rn 1352ff.

zuhalten. Das Schiedsgericht kann bereits zu Beginn des Verfahrens oder spätestens bei einem Anlassfall warnend auf eine „Kosten-Sanktion" hinweisen und sich das Recht vorbehalten, beim Kostenzuspruch (für die betreffende Partei nachteilige) Konsequenzen zu ziehen (siehe in diesem Zusammenhang die Anregung in Art 38 ICC SchO und die ICC-Publikation „Controlling Time and Costs in Arbitration").

1129 Die Anwaltshonorare weichen der Höhe nach oft stark voneinander ab; dies va, wenn auf der einen Seite eine breit aufgestellte, international tätige Anwaltsfirma mit vielen MitarbeiterInnen und auf der anderen Seite eine kleinere Kanzlei mit vielleicht nur einer verhandlungsführenden Person auftritt. Hier wird das Schiedsgericht bisweilen geneigt sein zu prüfen, inwieweit die Kosten „zur zweckentsprechenden Rechtsverfolgung oder Rechtsverteidigung angemessen"[1615] sind und – im Rahmen seines Ermessens – bestimmte Abschläge vornehmen.

D. Schluss des Verfahrens

1. Schluss des Verfahrens und Wiedereröffnung

1130 Der „Schluss des Verfahrens" ist von der „Beendigung des Verfahrens" zu unterscheiden. Ersterer beendet die Sammlung des Prozessstoffes,[1616] Zweiterer beendet das schiedsgerichtliche Verfahren schlechthin und beendet das Amt des Schiedsgerichtes (*functus officio*).[1617] Das Gesetz behandelt den Schluss der Verhandlung nicht ausdrücklich; der rechtliche Effekt, nämlich die Unzulässigkeit neuen Vorbringens und neuer Beweise, lässt sich aber aus § 1046 Abs 2 dZPO und § 597 Abs 1 öZPO ablesen, wenn die Prozesshandlungen zeitlich auf die „*innerhalb der von den Parteien vereinbarten oder vom Schiedsgericht bestimmten Frist*" bezogen werden.

1131 Die Schiedsordnungen hingegen schreiben dem Schiedsgericht vor, ausdrücklich das Verfahren „*hinsichtlich der im Schiedsspruch zu entscheidenden Angelegenheiten*", also die Sammlung des Prozessstoffes, für geschlossen zu erklären.[1618] Um Parteien nicht vom rechtlichen Gehör abzuschneiden, sollte das Schiedsgericht diesen Verfahrensabschnitt nicht überraschend schließen, sondern den Schluss des Verfahrens von vornherein regeln (sog *cut-off date*) oder ankündigen und die Parteien fragen, ob sie noch etwas zu ergänzen hätten. Dies hebt freilich nicht Präklusionswirkungen auf, die schon vorher, meistens im Zusammenhang mit den Schriftsätzen und den Repliken, statuiert wurden.

1615 Vgl § 609 Abs 1 öZPO.
1616 Art 29 Swiss Rules.
1617 Art 34(2) Swiss Rules.
1618 Art 27(a) ICC-SchO; § 31 DIS-Regeln; Art 32 Wiener Regeln; Art 29(1) Swiss Rules.

Nach den Schiedsordnungen ist der Schluss des Verfahrens zugleich das für die Parteien erkennbare, an das Schiedsgericht gerichtete Signal, sich nun der – möglichst raschen – Schlussberatung und Ausarbeitung des Schiedsspruches zuzuwenden. Im Sinne erhöhter Transparenz sehen die ICC SchO[1619] und die Wiener Regeln[1620] vor, dass das Schiedsgericht der Institution (dem Generalsekretär) und den Parteien den voraussichtlichen Zeitpunkt der Erlassung des Schiedsspruches mitzuteilen hat. Umgekehrt ist zugleich das Recht der Schiedsgerichte vorgesehen, das Verfahren wieder zu eröffnen – etwa dann, wenn sich bei Beratung bzw Abfassung des Schiedsspruches ungelöste oder nicht ausreichend behandelte Aspekte ergeben.[1621] Bei *ad hoc* Verfahren empfiehlt es sich für das Schiedsgericht, analog vorzugehen. **1132**

2. Zeitliche Beschränkungen zur Erlassung des Schiedsurteils

Österreichisches, deutsches und internationales Schweizer Verfahrensrecht schweigen über die Möglichkeit, das Amt der Schiedsrichterin/des Schiedsrichters bzw die Erlassung von Schiedssprüchen zu befristen.[1622] Die Parteien können aber in ihre Schiedsvereinbarung Befristungen (und auch Bedingungen) des Amtes aufnehmen.[1623] Diesfalls geht es also nicht um Fristen, innerhalb welcher das Schiedsgericht den Schiedsspruch erlassen soll oder zu erlassen ankündigt,[1624] sondern um die Funktionsperiode des Schiedsgerichtes schlechthin. Entscheidet das Schiedsgericht in einem solchen Fall nicht rechtzeitig, kann es den Anspruch auf Schiedsrichterhonorar (ganz oder teilweise) verlieren[1625] und bei Verschulden schadenersatzpflichtig werden.[1626] Entscheidet es nach Fristablauf (*functus officio*), kann der Schiedsspruch wegen Unzuständigkeit angefochten werden.[1627] **1133**

Befristungen sind äußerst selten und bergen die Gefahr einer Aufhebung/Anfechtung des Schiedsspruches in sich, auch wenn sie vor allem bei *ad hoc* Verfahren einen interessanten Ansatzpunkt für beschleunigte Schiedsverfahren bilden könnten. **1134**

1619 Art 27(b) ICC SchO.

1620 Art 32 Wiener Regeln.

1621 Art 29(2) Swiss Rules.

1622 Fristen für den Erlass einer Entscheidung sehen zB Art 820 italienische ZPO und Art 31 ICC SchO vor.

1623 *Schwab/Walter*, Schiedsgerichtsbarkeit[7] 47; in der Schweiz sieht Art 366 schwZPO für nationale Verfahren die Möglichkeit der Befristung vor.

1624 Vgl Art 31 ICC SchO.

1625 *Redfern/Hunter*, International Arbitration[6] Rn 5.65 und 5.66.

1626 In Deutschland nach hA nur bei Vorsatz (wegen analoger Anwendung des „Richterprivilegs bei Spruchtätigkeit"); *Schwab/Walter*, Schiedsgerichtsbarkeit[7] Kap 12 Rn 9.

1627 *Born*, Commercial Arbitration[2] 3063; für die Schweiz vgl BGE 140 III 75.

III. Beweisaufnahme

Christoph Liebscher/Olivier Luc Mosimann/Nils Schmidt-Ahrendts

A. Einleitung

1135 Um die Beweisregeln und die Beweispraxis in internationalen Schiedsverfahren zu verstehen, ist ein Blick auf ihre Entwicklung hilfreich.[1628]

1136 Die wesentlichen Fragen des Beweisverfahrens wurden nicht erst mit der wachsenden internationalen Verflechtung der Wirtschaft und der damit einhergehenden Bedeutung von Schiedsverfahren aufgeworfen. Sie stellen sich in jedem Erkenntnisverfahren. Das Schiedsverfahren, wie wir es heute kennen, ist nicht im luftleeren Raum entstanden. Die wesentlichen Optionen für die Gestaltung der Beweisaufnahme in internationalen Schiedsverfahren stammen aus unterschiedlichen Traditionen staatlicher Verfahren. Die ParteivertreterInnen und SchiedsrichterInnen sind idR in einer bestimmten juristischen Tradition groß geworden, die sie zunächst geprägt hat.[1629]

1137 Gerne wird – in zu grober Vereinfachung – der kontinentaleuropäische *civil law* Rechtskreis dem des angloamerikanischen *common law* gegenübergestellt.[1630] Zum einen sind dies nicht die einzigen Rechtskreise. Zum anderen handelt es sich keineswegs um Rechtskreise, die jeweils durchgängig von denselben Prinzipien getragen sind. Allein innerhalb der kontinentaleuropäischen Rechtsordnungen gibt es etwa Unterschiede beim Zeugenbeweis. Zudem haben nationale Reformen, wie zB die *Woolf Reform*[1631] in England, und transnationale Rechtvergleichungsprojekte, wie zB die *ALI/UNIDROIT Principles of Transnational Civil Procedure* vormals bestehende Unterschiede abgeschwächt.

1138 All dies scheint zunächst für ein Handbuch, das sich nur den Jurisdiktionen Deutschland, Schweiz, Österreich widmet, von wenig Relevanz. Dieser Eindruck täuscht.

1628 Einen umfassenden Überblick über zahlreiche Fragen der Beweiserhebung zeigt *Schumacher* in Oberhammer et al, Jahrbuch Zivilverfahrensrecht 181.

1629 ICC Dossier of the Institute of International Business Law and Practice, Taking of Evidence in international arbitral proceedings (1990); *Böckstiegel*, Beweiserhebung in internationalen Schiedsverfahren (2001); *Eberl*, Beweis im Schiedsverfahren (2015); *Varga*, Beweiserhebung in transatlantischen Schiedsverfahren (2006); *Nagel/Bajons*, Beweis – Preuve – Evidence (2003); *Lebre de Freitas*, Das Beweisrecht in der Europäischen Union (2004); *Waincymer*, Procedure (2012).

1630 Zur Geschichte des europäischen Zivilverfahrens: *van Caenegem* in Cappelletti, International Encyclopedia of Comparative Law, Volume XVI Civil Procedure (1973).

1631 *Bajons* in Nagel/Bajons, Beweis – Preuve – Evidence 727 ff.

Die einzelnen staatlichen Traditionen haben zwar gerade im Beweisrecht **1139** eine prägende Rolle eingenommen. Dennoch gibt es heute eine eigenständige Praxis des internationalen Schiedsverfahrens.[1632] So machen sich Einflüsse, etwa des in zahlreichen Rechtsbereichen zunehmend dominierenden anglo-amerikanischen Rechtskreises, oftmals auch in Schiedsverfahren zwischen kontinentaleuropäischen Parteien bemerkbar. Dies gilt auch für Schiedsver-fahren zwischen deutschen, österreichischen und schweizerischen Parteien bzw Schiedsverfahren mit Schiedsort in einem dieser drei Länder.

B. Rechtliche Grundlagen

1. Gesetzliche Grundlagen

Die Beweisaufnahme ist im deutschen, österreichischen und Schweizer **1140** Schiedsverfahrensrecht nur rudimentär gesetzlich geregelt. Dies ist auch nicht verwunderlich angesichts der **Freiheit des Schiedsgerichts**,[1633] dort wo es an einer Parteienvereinbarung fehlt, das **Verfahren zu regeln**.[1634] Ein erfahrenes Schiedsgericht wird aber schon aus praktischen Gründen durch transparentes Vorgehen sicherstellen, dass die Erwartungen der Parteien ausgesprochen werden und die Parteien durch das Vorgehen des Schiedsgerichts jedenfalls nicht überrascht werden. Gelegenheit dazu bietet sich bei der Verfassung der besonderen Verfahrensregeln, zB Versendung eines Entwurfs mit der Bitte um Stellungnahme, sowie bei der Verfahrensmanagementkonferenz, die *in persona* oder per Telefonkonferenz erfolgen kann.

Konkrete und speziell die Beweisaufnahme betreffende gesetzliche Gren- **1141** zen sind dem Ermessen des Schiedsgerichts nicht gesetzt. Insb ist das Schieds-gericht nicht an Regeln gebunden, die in staatlichen Gerichtsverfahren gel-ten.[1635] Dieser Grundsatz gilt jedenfalls im Beweisrecht ohne Einschrän-

---

1632 Zur Harmonisierung s etwa *Voser*, SchiedsVZ 2005, 113 mit zahlreichen Verweisen in FN 1; zur Praxis s etwa *Knof* in Böckstiegel, Internationales Wirtschaftsrecht (1995).

1633 Mit Schiedsgericht ist sowohl eine Einzelschiedsrichterin/ein Einzelschiedsrichter als auch ein mehrköpfiges Schiedsgericht gemeint.

1634 § 1042 Abs 4 dZPO, Art 182 Abs 2 schwIPRG und § 594 Abs 1 Satz 3 öZPO.

1635 § 587 Abs 1 des alten österreichischen Schiedsrechts; § 594 Abs 1 öZPO regelt die freie Verfahrensgestaltung vor Schiedsgerichten. Demnach wird das Verfahren mangels Parteivereinbarung nach freiem Ermessen des Schiedsgerichts bestimmt. *Hausmaninger* in Fasching/Konecny, ZPO³ § 594 ZPO Rn 8 argumentiert, dass die Vorschriften der öZPO – ausgenommen derer über das Schiedsverfahren – ohne diesbezügliche Parteivereinbarung oder schiedsrichterliche Bestimmung nur inso-weit hilfsweise herangezogen werden, als sie allgemeine Verfahrensinstitutionen betreffen, die ihrem Wesen nach zwingend sind, oder deren analoge Anwendung der zielführenden Verbesserung des Schiedsverfahrens und der Beachtung seiner

kung.[1636] Somit bestimmt sich auch die Regelung der Beweismittel, dh deren Zulässigkeit und Würdigung, primär aufgrund der Parteivereinbarung, insb aus einer gewählten Schiedsordnung und den besonderen Verfahrensregeln, einschließlich der ggf vereinbarten IBA Rules (Evidence), und ist ansonsten vom Schiedsgericht nach freiem Ermessen zu bestimmen.[1637] Das Schiedsgericht sollte dabei die übereinstimmenden konkreten Parteierwartungen soweit wie möglich berücksichtigen[1638] und nicht auf nationales Verfahrensrecht abstellen, auch nicht dasjenige des Sitzstaats.[1639] Das Schiedsgericht sollte aber die Bestimmung so vornehmen, dass der Schiedsspruch nicht aufgehoben werden kann.[1640] Sofern die Parteien eine Regelung vereinbart haben, hat das Schiedsgericht diese zu beachten, auch weil sonst der Schiedsspruch in gewissen Rechtsordnungen nicht vollstreckt bzw aufgehoben werden kann.[1641] Zudem hat ein Schiedsgericht die zwingenden Regelungen des nationalen Schiedsverfahrensrechts am Schiedsort zu beachten.

1142 Allgemeine, auch für das Beweisverfahren geltende zwingende Grundsätze des nationalen Schiedsverfahrensrechts sind in den hier maßgeblichen Ländern

- rechtliches Gehör[1642] und

- Gleichbehandlung[1643] bzw faire Behandlung.[1644]

Eigenständigkeit dienen; *Schneider/Scherer* in Honsell et al, International Arbitration Art 182 Rn 2 und 34; § 1042 Abs 3 und 4 dZPO regeln die freie Verfahrensgestaltung, wonach die Parteien vorbehaltlich der zwingenden Bestimmungen der dZPO die Verfahrensregelung frei vereinbaren können und das Schiedsgericht das Verfahren in der ihm geeigneten Weise durchführen kann, wenn es an einer Parteivereinbarung fehlt: *Geimer* in Zöller, Zivilprozessordnung[23] § 1042 Rn 28 und 30; *Böckstiegel* in Paulsson, International Handbook on Commercial Arbitration II 16; *Lionnet/Lionnet*, Schiedsgerichtsbarkeit[3] 359.

1636 Einschränkungen der Regel werden zB für die Partei- und Prozessfähigkeit vertreten, für die auch im Schiedsverfahren die Regeln staatlicher Verfahren gelten sollen (*Hausmaninger* in Fasching/Konecny, ZPO[3] § 594 öZPO Rn 8; *Schlosser* in Stein/Jonas, Zivilprozessordnung[22] § 1042 Rn 24).

1637 *Schumacher* in Schumacher, Beweiserhebung in Schiedsverfahren Rn 2 ff; Für Deutschland: § 1042 Abs 3 und 4 dZPO; *B. Berger/Kellerhals*, Arbitration[3] Rn 1318 ff.

1638 *Kaufmann-Kohler/Rigozzi*, International Arbitration in Switzerland 274.

1639 *Schneider/Scherer* in Honsell et al, Internationales Privatrecht[3] Art 182 Rn 2 und 34.

1640 *Girsberger/Voser*, International Arbitration[3] 239.

1641 *Poudret/Besson*, International Arbitration[2] Rn 647; *Kaufmann-Kohler/Rigozzi*, International Arbitration in Switzerland 315 f; vgl BGE 117 II 346, 347 f und BGer 10.2.2010, 4A_612/2009, E. 6.3.1, wonach in der Schweiz allein aus diesem Grund keine Aufhebung des Schiedsspruchs gestützt auf Art 190 Abs 2 lit d schwIPRG erfolgt.

1642 § 1042 Abs 1 Satz 2 dZPO; Art 182 Abs 3 schwIPRG und § 594 Abs 2 Satz 2 öZPO.

1643 § 1042 Abs 1 Satz 1 dZPO und Art 182 Abs 3 schwIPRG.

1644 § 594 Abs 2 Satz 1 öZPO.

Darüber hinaus enthalten das deutsche und österreichische Schiedsverfahrens- **1143**
recht keine gesetzliche Auflistung der zwingenden Bestimmungen. Allerdings
verweisen beide Schiedsverfahrensrechte wiederholt ausdrücklich auf den
dispositiven Charakter einer Regelung als Folge der Übernahme der aus dem
UNCITRAL ModG stammenden Formulierung *„haben die Parteien nichts
anderes vereinbart"*. Fehlt diese bei einer Bestimmung, so liegt jedenfalls
die Vermutung nahe, dass sie zwingendes Schiedsrecht ist.[1645] In Österreich
fallen unter die **zwingenden Bestimmungen** etwa die faire Behandlung der
Parteien, das Recht auf Gehör sowie die Regelung von § 599 Abs 1 öZPO,
wonach das Schiedsgericht die Zulässigkeit und Durchführung der Beweisaufnahme entscheidet und deren Ergebnis frei würdigt.[1646] In Deutschland
sind dies zusätzlich zu den oben genannten Grundsätzen das Recht auf einen
Rechtsanwalt gemäß § 1042 Abs 2 dZPO, die Pflicht zur Unabhängig- und
Unparteilichkeit von SchiedsrichterInnen (§ 1036 dZPO) und Sachverständigen (§ 1049 Abs 3 dZPO) sowie bestimmte Ausprägungen des Rechts auf
rechtliches Gehör wie zB § 1047 Abs 2 dZPO (Benachrichtigung von Sit-
zungen des Schiedsgerichts) oder § 1048 Abs 4 Z 1 dZPO (Unbeachtlichkeit
von entschuldigter Säumnis).[1647]

Da das schweizerische internationale Schiedsrecht sich insgesamt durch **1144**
große Knappheit auszeichnet, ist es nicht verwunderlich, dass ein solcher Verweis fehlt. Die einzige Regelung, die das Beweisverfahren vor dem Schiedsgericht ausdrücklich regelt, ist Art 184 Abs 1 schwIPRG, wonach das Schiedsgericht die Beweise selber abnimmt. Ob damit jegliche Delegation oder nur
jene an Dritte unzulässig ist oder gar jegliche Delegation mit Zustimmung
der Parteien zulässig ist, wird kontrovers diskutiert.[1648]

Im Einzelnen finden sich folgende Bestimmungen zu Fragen der Beweis- **1145**
aufnahme:

Allen drei Rechtsordnungen ist gemeinsam, dass sie die Möglichkeit der **Un-** **1146**
terstützung durch staatliche Gerichte bei der Beweisaufnahme vorsehen.[1649]

1645 Österreich: *Liebscher*, The Austrian Arbitration Act 185; *Zeiler*, Schiedsverfahren[2]
§ 594 Rn 8 ff hält im Bereich des Beweisverfahrens jedenfalls § 599 Abs 1 öZPO
(Entscheidung des Schiedsgerichts über die Zulässigkeit und Durchführung der
Beweisaufnahme und freie Beweiswürdigung), § 601 Abs 3 öZPO (Anwendung der
Ablehnungsgründe und des Ablehnungsverfahrens auf vom Schiedsgericht bestellte
Sachverständige) und § 602 öZPO (Rechtshilfe) für zwingendes Recht; Deutschland:
Baumbach et al, Zivilprozessordnung[74] § 1042 Rn 7 f.

1646 *Schumacher* in Schumacher, Beweiserhebung in internationalen Schiedsverfahren
Rn 3 ff.

1647 *Lionnet/Lionnet*, Handbuch[3] 126 und 294

1648 *Schneider/Scherer* in Honsell et al, International Arbitration Art 184 Rn 49; *B. Ber-
ger/Kellerhals*, Arbitration[3] Rn 1311.

1649 § 1050 dZPO; Art 184 Abs 2 schwIPRG; § 602 öZPO.

Wenn auch selten, ist eine solche Hilfe va für die Durchsetzung der Aussage eines Zeugen relevant, der nicht unter der Kontrolle derjenigen Partei steht, welche die Person als Zeugen benannt hat, und der nicht freiwillig aussagen will oder darf, zB weil dies sein Arbeitgeber untersagt.[1650]

1147   In der Schweiz ist unklar, ob eine Partei die Hilfe staatlicher Gerichte auch schon vor Konstituierung des Schiedsgerichts in Anspruch nehmen kann. Möglich erscheint die vorsorgliche Beweisführung durch ein staatliches Gericht in der Schweiz.[1651] In Österreich steht vor Einleitung eines Rechtsstreites das Verfahren der Beweissicherung zur Verfügung.[1652] Ob dieses auch für die Phase zwischen dem Beginn des Schiedsverfahrens und der Konstituierung des Schiedsgerichts verwendet werden kann, wurde soweit ersichtlich noch nicht diskutiert. Es sind aber keine Gründe ersichtlich, warum das Beweissicherungsverfahren in dieser Phase nicht zur Verfügung stehen sollte. In Deutschland ist ein Antrag auf gerichtliche Unterstützung bei der Beweisaufnahme gemäß § 1050 dZPO erst nach Konstituierung des Schiedsgerichts statthaft.[1653] Davor kann die Partei auch in Deutschland eine Beweissicherung mithilfe der Durchführung eines selbständigen Beweisverfahrens nach § 1033 dZPO iVm §§ 485 ff dZPO erreichen.[1654] Denn auch ein selbstständiges Beweisverfahren stellt *„eine sichernde Maßnahme in Bezug auf den Streitgegenstand"* iSv § 1033 dZPO dar.[1655] Dem Wortlaut von § 1033 dZPO zufolge (*„vor oder nach Beginn des schiedsrichterlichen Verfahrens"*) steht der Partei diese Möglichkeit auch im Zeitraum zwischen dem Beginn des Schiedsverfahrens und der Konstituierung des Schiedsgerichts zur Verfügung. Erst danach ist gemäß § 1055 dZPO die Zustimmung des Schiedsgerichts zur Vornahme entsprechender gerichtlicher Handlungen erforderlich.

1148   Das deutsche und das österreichische Schiedsrecht zeigen, beide dem UNCITRAL ModG weitgehend folgend, auch im Bereich des Beweisverfahrens großen Gleichklang. Die einzige Ausnahme ist, dass es Österreich nicht für erforderlich hielt, wie in § 1045 Abs 2 dZPO ausdrücklich zu regeln, dass das Schiedsgericht eine Übersetzung von Urkunden in die Verfahrenssprache(n) verlangen kann. Es bietet sich daher an, im Folgenden auf beide Rechtsordnungen zusammen einzugehen:

1149   Die gesetzlichen Regelungen in Österreich und Deutschland, die für die Beweisaufnahme relevant sind, betreffen Folgendes:

1650 Vgl *Schneider/Scherer* in Honsell et al, Internationales Privatrecht³ Art 184 Rn 56.
1651 Vgl Art 158 schwZPO; bejahend *Brönnimann* in Dolge, Substantiieren und Beweisen 74; *Schneider/Scherer* in Honsell et al, Internationales Privatrecht³ Art 184 Rn 56.
1652 § 384 ff öZPO.
1653 *Münch* in MünchKom, ZPO⁴ § 1050 Rn 22.
1654 BT-Drs. 13/5274, S. 38.
1655 *Münch* in MünchKom, ZPO⁴ § 1033 Rn 7.

- Als Konkretisierung des Anspruchs auf rechtliches Gehör sind die Parteien ua von jedem Beweismittel und jeder Beweisaufnahme in Kenntnis zu setzen;[1656]
- Mangels Parteienvereinbarung bestimmt das Schiedsgericht den Ort der Beweisaufnahme;[1657]
- Das Schiedsgericht ist berechtigt, über die Zulässigkeit der Beweisaufnahme zu entscheiden, diese durchzuführen und ihr Ergebnis frei zu würdigen;[1658]
- Versäumt eine Partei nach Einbringung der Klage eine Verfahrenshandlung, so kann die Säumnis als solche nicht als Zugeständnis dieser Partei behandelt werden. Somit sind die erforderlichen Beweise aufzunehmen;
- Mangels Parteienvereinbarung gelten folgende Regeln für Sachverständige: Das Schiedsgericht kann Sachverständige bestellen und die Parteien zur Mitwirkung bei der Erstellung seines Gutachtens verpflichten.[1659] Die Parteien haben das Recht, solche Sachverständige in einer mündlichen Verhandlung zu befragen, eigene Sachverständige zu bestellen und diese auch aussagen zu lassen;[1660]
- Offen ist, ob die Bestimmung, dass die Regeln für die Ablehnung von SchiedsrichterInnen (die Anrufung des staatlichen Gerichts ausgenommen) auch für die Ablehnung von Sachverständigen gelten, zwingend ist.[1661]

Die österreichische, deutsche und schweizerische Rechtsordnung unterscheiden sich voneinander in dem Umfang, in dem Beweisfragen im Rahmen der Aufhebung des Schiedsspruches nochmals geltend gemacht werden können. **1150**

Österreich:[1662] Das Gebot des rechtlichen Gehörs stellt an das Schiedsgericht die Anforderung, den Parteien Gelegenheit zu geben, alles vorzubringen, was sie für wesentlich halten.[1663] Jede auftretende Änderung des Sachverhalts im Laufe des Verfahrens, zB aufgrund der Beweisaufnahme, ist den Parteien mitzuteilen und ihnen die Gelegenheit zu geben, eine Stellungnahme abzugeben.[1664] Jedoch ist hier anzumerken, dass nicht jeglicher **1151**

1656 § 1047 Abs 2 und 3 dZPO und § 599 Abs 2 und 3 öZPO.
1657 § 1043 Abs 2 dZPO und § 595 Abs 2 öZPO.
1658 § 1042 Abs 4 dZPO und § 599 Abs 1 öZPO.
1659 § 1049 Abs 1 dZPO und § 601 Abs 1 öZPO.
1660 § 1049 Abs 2 dZPO und § 601 Abs 2 und 3 öZPO.
1661 § 1049 Abs 3 dZPO und § 601 Abs 3 öZPO.
1662 Für eine umfassende Übersicht über die Rsp des OGH zum Aufhebungsgrund der Verletzung des rechtlichen Gehörs s *Schwarz/Konrad*, Vienna Rules[2] Rn 20–049 ff.
1663 OGH 6.9.1990, 6 Ob 572/90, RdW 1991, 327; OGH 24.9.1981, 7 Ob 623/81, EvBl 1982/77 22.
1664 OGH 6.9.1990, 6 Ob 572/90, RdW 1991, 327; OGH 24.9.1981, 7 Ob 623/81; OGH 21.5.1961, 2 Ob 199/61.

Gehörentzug einen Aufhebungsgrund nach § 611 Abs 2 Z 2 öZPO bildet. Der OGH judiziert in stRsp, dass es sich um einen gänzlichen Gehörentzug handeln muss.[1665] Der Umstand, dass das Schiedsgericht Beweisanträge ignoriert oder zurückweist oder sonst den Sachverhalt unvollständig ermittelt, bedeutet nicht, dass die Partei nicht ausreichend Gelegenheit hatte, ihr Vorbringen zu erstatten.[1666] Solche Mängel, die im Beweisverfahren auftreten, dürfen nicht mit dem Nichtgewähren des rechtlichen Gehörs gleichgesetzt werden. Eine Verletzung wird dort anzunehmen sein, wo die Partei an der Geltendmachung ihrer Angriffs- oder Verteidigungsrechte und der Vorlage von Beweismitteln vollständig gehindert war.[1667] Die Nichtbeachtung eines Antrags auf Durchführung einer mündlichen Verhandlung durch das Schiedsgericht hat der OGH aber als eine Verletzung des Rechts auf das rechtliche Gehör angesehen, selbst dann, wenn den Parteien die Gelegenheit zur schriftlichen Stellungnahme gegeben wurde.[1668] Die österreichische Rsp zum rechtlichen Gehör erfährt in der Literatur große Kritik, insb wegen der restriktiven Haltung des OGH, welche mit Art 6 EMRK schwer in Einklang zu bringen ist.[1669] Nach der jüngeren Judikatur des OGH ist eher davon auszugehen, dass eine Verletzung der dort verankerten Rechte zu einer Aufhebung des Schiedsspruches führen wird.[1670]

1152   **Deutschland:** Gemäß der ständigen Rsp des BGH erschöpft sich die Pflicht zur Gewährung rechtlichen Gehörs nicht darin, den Parteien Gelegenheit zu geben, alles ihnen erforderlich Erscheinende vorzutragen. Vielmehr muss das Gericht das jeweilige Vorbringen der Parteien zur Kenntnis nehmen und würdigen,[1671] dh sich hiermit inhaltlich auseinandersetzen. Das OLG Frankfurt hat in Bezug auf den Vorwurf, das Schiedsgericht habe die Beweisanträge der Antragstellerin nicht berücksichtigt, festgehalten, dass ein Schiedsgericht grundsätzlich verpflichtet sei, den Beweisanträgen zu entscheidungserheblichen Tatsachen nachzugehen, der Grundsatz vollständiger Beweiserschöpfung im Schiedsverfahren aber nicht gelte: Ein Schiedsgericht könne daher die Beweisaufnahme jederzeit abbrechen, wenn es sich für hinreichend informiert halte.[1672] Das Schiedsgericht ist anders als ein staatliches Gericht nicht an die Beweisvorschriften der dZPO für staatliche Gerichtsverfahren

---

1665   RIS-Justiz RS0045092.
1666   OGH 19.8.2015, 18 OCg 2/15s; OGH 24.4.2013, 9 Ob 27/12d, Zak 2013, 202 = EvBl-LS 2013/130 = RdW 2013, 471; OGH 20.8.2008, 9 Ob 53/08x, RdW 2009, 86 = ecolex 2009, 398; OGH 22.2.2007, 3 Ob 281/06d, bbl 2007, 158/128.
1667   OGH 13.1.1955, 2 Ob 422/54, JBl 1955, 503.
1668   OGH 30.6.2010, 7 Ob 111/10i, Zak 2010, 319 = EvBl 2010, 1017 = JBl 2010, 724.
1669   *Nueber*, wbl 2013, 130; *Reiner*, ZfRV 2003, 11.
1670   OGH 23.2.2016, 18 OCg 3/15p, Zak 2016, 119 = JBl 2016, 463.
1671   BGH 14.5.1992, III ZR 169/90, NJW 1992, 2299.
1672   OLG Frankfurt 17.2.2011, 26 Sch 13/10.

gebunden, insb kann es andere Beweismittel zulassen. Dies ist ua in Fällen relevant, wo das Schiedsgericht nicht über ausreichend Sachkunde verfügt. Hier muss es, anders als ein deutsches staatliches Gericht, keinen neutralen Sachverständigen bestellen, sondern kann sich auf das Gutachten eines parteibenannten Sachverständigen stützen.[1673]

Schweiz: Das BGer kann Beweisfragen im Anfechtungsverfahren insb im Rahmen der Rüge der Verletzung des rechtlichen Gehörs prüfen.[1674] Gem Rsp des BGer beinhaltet der Anspruch auf rechtliches Gehör das Recht jeder Partei, zu den für den Entscheid wesentlichen Tatsachen Stellung zu nehmen, ihre rechtliche Argumentation darzulegen, Beweismittel für erhebliche Tatsachen zu offerieren, an den schiedsgerichtlichen Verhandlungen teilzunehmen und Akteneinsicht zu nehmen.[1675] Der Anspruch auf rechtliches Gehör vermittelt aber nach stRsp keinen Anspruch auf einen begründeten Schiedsspruch.[1676] Trotzdem muss das Schiedsgericht nach konstanter Rsp mindestens die entscheidungserheblichen Probleme untersuchen und behandeln.[1677] Diese Pflicht verletzt das Schiedsgericht, wenn es Behauptungen, Argumente oder Beweise nicht berücksichtigt, die eine Partei gehörig angeboten hat und die für die Entscheidungsfindung bedeutsam sind.[1678] Die anfechtende Partei muss hierzu gestützt auf die Begründung im angefochtenen Entscheid darlegen, dass das Schiedsgericht gewisse Tatsachen oder Beweismittel nicht untersucht hat, die sie ordnungsgemäß zur Unterstützung ihres Standpunkts vorgebracht hat und die den Ausgang des Streits beeinflussen konnten.[1679] Sofern der Schiedsspruch Punkte stillschweigend übergeht, die offensichtlich bedeutsam für die Entscheidung der Streitsache sind, müssen das Schiedsgericht oder die Gegenpartei das Versäumnis rechtfertigen mit dem Nachweis, dass diese Punkte unerheblich waren oder dass das Schiedsgericht sie implizit widerlegt hat.[1680] Der Anspruch auf rechtliches Gehör beinhaltet ferner das Recht jeder Partei, zu den Beweismitteln der Gegenpartei Stellung zu nehmen und diese mit eigenen Beweisen zu widerlegen.[1681] Das Schiedsgericht kann gemäß *obiter dicta* des BGer uU als Ausfluss des rechtlichen Gehörs dazu verpflichtet sein, mit oder gar ohne Parteiantrag einen Sachverständigen beizuziehen, wenn es sich Klarheit über besondere technische Probleme verschaffen muss, deren Kenntnis Voraussetzung zur Streitentscheidung ist, sofern das Schiedsgericht

1153

1673 OLG Köln 21.11.2008, 19 Sch 12/08.
1674 BGer 9.10.2012, 4A_110/2012, E. 3.1.
1675 BGE 127 III 576, 578 f; BGer 9.10.2012, 4A_110/2012, E. 3.1.
1676 BGE 134 III 186, 187.
1677 BGE 133 III 235, 248.
1678 BGE 133 III 235, 248; BGE 121 III 331, 333.
1679 BGE 133 III 235, 248.
1680 BGE 133 III 235, 249.
1681 BGE 130 III 35, 38.

nicht selbst über diese Spezialkenntnisse verfügt.[1682] Das Schiedsgericht ist nicht verpflichtet, Beweisangebote aufzunehmen, die zum Beweis erheblicher streitiger Tatsachen untauglich sind.[1683] Eine Partei kann den Schiedsspruch hinsichtlich Beweisfragen auch gestützt auf das Gleichbehandlungsgebot anfechten.[1684] Keine Verletzung des Gleichbehandlungsgebots ist aber die Beweiswürdigung des Schiedsgerichts, auch wenn diese unhaltbar ist.[1685]

1154   Für die hier betroffenen Rechtsordnungen Deutschland, Österreich und Schweiz kann man das **Ausmaß der gerichtlichen Kontrolle von Beweisfragen** im Rahmen eines Verfahrens über die Aufhebung eines Schiedsspruchs wie folgt zusammenfassen:

1155   Die Nichterhebung entscheidungswesentlicher Beweise bildet idR eine Verletzung des rechtlichen Gehörs. Die Kompetenz, über die Entscheidungswesentlichkeit zu befinden, liegt ausschließlich beim Schiedsgericht selbst. Das staatliche Gericht kann diese Beurteilung im Rahmen eines Aufhebungsverfahrens nicht durch seine eigene Beurteilung ersetzen. Diese soeben dargestellte Auffassung deckt sich nicht mit der sehr restriktiven bisherigen österreichischen Rechtsprechung. Es ist aber zu hoffen, dass der OGH bei einem geeigneten Anlassfall künftig dieser Linie folgen wird.

1156   Nicht weniger interessant ist die Frage, wie das Schiedsgericht vorzugehen hat, wenn ihm zur Lösung eines Falles die nötige Sachkunde fehlt. Der vom Schweizer BGer angedeutete Ansatz könnte zu weit gehen, sofern danach die Überprüfung der Sachkenntnis des Schiedsgerichts durch das BGer erfolgen soll, va in Fällen, in denen kein Parteiantrag auf ein Expertengutachten erfolgt ist. In der Schweizer Lehre wird denn auch vertreten, dass das Schiedsgericht in solchen Fällen ein Recht, nicht aber eine Pflicht zur Expertenbestellung hat.[1686] In der Praxis dürfte anstelle der (fehlenden) Sachkenntnis auch vielmehr anfechtungsrelevant sein, ob sich der Schiedsentscheid auf ein technisches Element gestützt hat, das entscheidungserheblich war und für das das Schiedsgericht einen gehörig angebotenen Parteiantrag auf ein Expertengutachten abgelehnt hat, obwohl keine andere Grundlage für die Ermittlung dieses Elements vorlag.[1687] Jedenfalls vermag auch eine allfällige Pflicht des Schiedsgerichts zur Einholung eines Expertengutachtens nicht die

---

1682   BGer 11.5.1992, ASA Bulletin 1992, 381 ff, 376 (*obiter dictum*) mwN auf die in BGE 102 Ia 492 ff (*recte* 493 ff) unveröffentlichte E. 8; vgl auch BGer 28.3.2007, 4A_2/2007, E. 3 (*obiter dictum*).
1683   BGE 116 II 639, 644.
1684   *Girsberger/Voser*, International Arbitration³ 224 Rn 926.
1685   BGer 31.1.2012, 4A_360/2011, E. 4.1.
1686   *B. Berger/Kellerhals*, Arbitration³ Rn 1347.
1687   Vgl BGer 28.3.2007, 4A_2/2007, E. 3.3 (aufgrund der erhobenen Beweise hinreichende Grundlagen zur Entscheidung, dh keine Gehörsverletzung wegen abgelehnten Antrags auf Expertengutachten).

Substantiierungs- und Beweislast einer Partei zu ersetzen und somit dürfte die Kontroverse praktisch irrelevant sein.[1688] Sofern das Schiedsgericht Parteigutachten zugelassen hat und sich auf Basis der Aussagen der Parteigutachten seine Meinung bildet, hat das Schiedsgericht ohne Parteiantrag keine Pflicht, ein Obergutachten einzuholen.[1689] Selbst bei Vorliegen eines Parteiantrags auf ein Obergutachten dürfte das Schiedsgericht zumindest dann keine Pflicht zur Einholung eines eigenen Expertengutachtens haben, wenn die Parteigutachten hinreichende Grundlage zur Ermittlung des entscheidungsrelevanten technischen Elements sind. Darüber hinaus wird es jedoch Sache des Schiedsgerichtes sein, zu beurteilen, inwieweit es Unterstützung durch einen vom Schiedsgericht bestellten Sachverständigen benötigt.

Kommt es zum **Ersatz eines Mitglieds des Schiedsgerichts**, so enthält § 591 Abs 2 öZPO eine ausdrückliche dispositive Ermächtigung des Schiedsgerichts, das Verfahren ohne Wiederholung bestimmter Verfahrensschritte, wie zB der Beweisaufnahme, fortzusetzen. In Deutschland und der Schweiz fehlt eine gesetzliche Regelung hierzu. In den beiden letztgenannten Rechtsordnungen ist aber anerkannt, dass bei einem Ersatz einer Schiedsrichterin / eines Schiedsrichters keine Verpflichtung zur Wiederholung des gesamten bisherigen Verfahrens besteht.[1690] Eine Beweisaufnahme, wo es auf den persönlichen Eindruck einer Zeugin/eines Zeugen bzw einer Inaugenscheinnahme ankommt, muss hingegen zur Wahrung rechtlichen Gehörs wiederholt werden.[1691] **1157**

2. Schiedsordnungen

An dieser Stelle soll kurz auf die Schiedsordnungen der im Bereich der internationalen Schiedsgerichtsbarkeit im jeweiligen Land ansässigen bedeutendsten Schiedsinstitutionen eingegangen werden: die DIS-Regeln, die Swiss Rules und die Wiener Regeln. Nicht eingegangen wird hier auf die Regeln der ICC mit Sitz in Frankreich. **1158**

1688   *Schneider/Scherer* in Honsell et al, Internationales Privatrecht[3] Art 184 Rn 35.

1689   Vgl BGer 14.6.2011, 4A_617/2010, E. 3.2 und dazu *B. Berger/Kellerhals*, Arbitration[3] Rn 1348.

1690   *Schlosser* in Stein/Jonas, Zivilprozessordnung[22] § 1039 Rn 3: allerdings mit der Einschränkung, dass eine Wiederholung geboten ist, wenn nicht auszuschließen ist, dass der Einfluss des Ausgeschiedenen fortweilt; *Lionnet/Lionnet*, Schiedsgerichtsbarkeit[3] 284: wonach jedoch unabhängig von einer Wiederholung des Verfahrens die Prozesshandlungen der/des ausgeschiedenen Schiedsrichterin/Schiedsrichters wirksam bleiben; *Wirth* in Honsell et al, International Arbitration Art 189 Rn 19.

1691   *Nacimiento/Abt/Stein* in Böckstiegel et al, Arbitration in Germany[2] § 1039 Rn 21 f; *Münch* in MünchKom, ZPO[4] § 1039 Rn 15 f.

1159 Die Swiss Rules enthalten, anders als die beiden anderen Schiedsordnungen, folgende besondere Bestimmungen für das Beweisverfahren:
- Jede Person kann Zeugin/Zeuge oder parteiernannte/r Sachverständige/r sein;[1692] ihre Befragung durch eine Partei oder ihre Vertreter außerhalb des Verfahrens ist nicht unstatthaft.[1693]
- Jede Partei trägt die Beweislast für die Tatsachen, auf die sie sich stützt.[1694]

1160 Diese Prinzipien sind aber auch den Wiener bzw den DIS-Regeln nicht fremd.[1695]

1161 Gemeinsam ist allen drei Schiedsordnungen, dass sie – wenn auch in unterschiedlicher Textierung – das Recht des Schiedsgerichts regeln, den Sachverhalt zu ermitteln (ohne hierbei an die Anträge der Parteien gebunden zu sein)[1696] und dass sie Bestimmungen über den Beweis durch Sachverständige enthalten.[1697]

1162 Nach den Wiener Regeln[1698] hat das Schiedsgericht das Verfahren zu schließen, wenn es die Überzeugung gewonnen hat, dass die Parteien ausreichend Gelegenheit hatten, ihr Vorbringen zu erstatten und Beweise anzubieten.

1163 Nur die Wiener Regeln enthalten die explizite Bestimmung, dass außer dem Vorbringen der Parteien[1699] auch die Vorlage von Beweismitteln[1700] und Anträge auf Aufnahme von Beweisen nach Vorankündigung bis zu einem bestimmten Verfahrensstadium befristet werden können.[1701]

3. *IBA Rules on the Taking of Evidence* und *UNCITRAL Notes on Organizing Arbitral Proceedings*

1164 Die IBA Rules (Evidence)[1702] wurden in ihrer aktuellen Fassung am 29.5.2010 vom *IBA Council* verabschiedet. Sie entstammen einer Zusammenschau ver-

---

1692 Art 25(2) Swiss Rules.
1693 Art 25(2) Swiss Rules.
1694 Art 24(1) Swiss Rules.
1695 *Schumacher* in Schumacher, Beweiserhebung in internationalen Schiedsverfahren Rn 154; BGH NJW 1991, 1052 (1053)
1696 § 27.1 DIS-Regeln, Art 24(2) Swiss Rules und Art 29(1) Wiener Regeln.
1697 § 27 DIS-Regeln, Art 24(2) und (3) sowie Art 27 Swiss Rules; Art 28, Art 29(1) und Art 32 sowie Art 23 Wiener Regeln.
1698 Art 32 Wiener Regeln.
1699 § 31 DIS-Regeln.
1700 Durch die Neutextierung der Wiener Regeln im Jahr 2013 sind nunmehr auch Beweisanträge explizit von Art 28 Wiener Regeln erfasst. Zur alten Rechtslage siehe *Liebscher* in Schütze, Schiedsgerichtsbarkeit Art 14 Rn 3.
1701 Art 28(2) Wiener Regeln.
1702 Text in Englisch: *IBA Rules on the Taking of Evidence in International Commercial Arbitration* (vom 29.5.2010), abrufbar unter http://www.ibanet.org/Document/Default.aspx?DocumentUid=68336C49–4106–46BF–A1C6–A8F0880444DC (zuletzt abgerufen am 30.5.2016).

schiedenster staatlicher Verfahrensordnungen und enthalten etliche Vorschläge zur Beweisaufnahme.[1703] Sie wurden entwickelt, um ergänzend zu den jeweils anzuwendenden institutionellen, *ad hoc* oder sonstigen Regeln einen möglichst effizienten, ökonomischen und fairen (Beweis-)Verfahrensablauf zu gewährleisten. Sie haben nur dann bindende Wirkung, wenn sie von den Parteien vereinbart oder vom Schiedsgericht vorgeschrieben werden.[1704] In internationalen Schiedsverfahren verwenden Schiedsgerichte häufig die Formulierung, dass sie sich an den IBA Rules (Evidence) orientieren werden, ohne hieran jedoch gebunden zu sein. Zu beachten ist aber, dass sich in der internationalen Schiedspraxis diesbezüglich keine einheitliche Terminologie entwickelt hat, und dass Begriffe einer bestimmten, in der Regel anglo-sächsischen, Rechtsordnung eingeflossen sind (zB *cross-examination*). Auf mögliche Missverständnisse ist daher am Beginn von Schiedsverfahren zu achten.

Die IBA Rules (Evidence) behandeln die vier in der Praxis wesentlichen **1165** Beweismittel (Urkunden,[1705] Zeugen,[1706] Sachverständige[1707] und Lokalaugenschein[1708]). Wie allgemein im internationalen Schiedsrecht wird nicht zwischen Partei- und Zeugenaussage unterschieden.[1709] Außerdem enthalten sie Regeln für die Beweisaufnahme selbst, so auch zur Herausgabe von Urkunden.[1710]

Ein weiteres Dokument, das für die Organisation von Schiedsverfahren **1166** und auch für einige Aspekte des Beweisverfahrens nützliche Hinweise enthält, sind die *UNCITRAL Notes on Organizing Arbitral Proceedings*.[1711]

4. Beweisgegenstand

a) Streitiger Vortrag

In staatlichen Verfahren gilt häufig der Grundsatz, dass nur strittige Tatsachen- **1167** behauptungen beweisbedürftig sind.[1712] Gleiches gilt grundsätzlich im interna-

---

1703 *Raeschke-Kessler* in Böckstiegel, Beweisaufnahme in internationalen Schiedsverfahren 41 f; weitere Literaturhinweise etwa in *Lévy/Veeder*, Arbitration and Oral Evidence 158 f.
1704 Art 1 IBA Rules (Evidence).
1705 Art 3 IBA Rules (Evidence).
1706 Art 4 IBA Rules (Evidence).
1707 Art 5 f IBA Rules (Evidence).
1708 Art 7 IBA Rules (Evidence).
1709 Art 4 IBA Rules (Evidence).
1710 Art 3(2)ff IBA Rules (Evidence).
1711 Text in Englisch: UNCITRAL Notes on Organizing Arbitral Proceedings (vom 6.12.2010), abrufbar unter http://www.uncitral.org/pdf/english/texts/arbitration/arb-rules-revised/arb-rules-revised-2010-e.pdf (zuletzt abgerufen am 30.5.2016).
1712 §§ 138 Abs 3 und 288 dZPO; Schweiz: Art 150 Abs 1 schwZPO; Österreich: § 266 öZPO; *Schneider/Scherer* in Honsell et al, International Arbitration Art 184 Rn 6 und 10.

tionalen Schiedsverfahrensrecht.[1713] Allerdings wird vertreten, dass sich das Schiedsgericht ausnahmsweise nicht auf (vermeintlich) Unstreitiges verlassen darf, so bspw beim konkreten Verdacht, dass das Schiedsverfahren zur Geldwäsche missbraucht wird.[1714] In diesen Ausnahmefällen soll ausnahmsweise die Untersuchungsmaxime gelten (und ggf auch die Offizialmaxime, um einen unbestrittenen Anspruch abweisen zu können), andernfalls verbliebe dem Schiedsgericht nur noch die Niederlegung des SchiedsrichterInnenmandats.[1715]

1168   In der Praxis gibt es nicht selten die Situation, dass einzelne Tatsachenbehauptungen einer Partei gar nicht oder nur pauschal bestritten werden, etwa mit folgender Formulierung: *„Das gegnerische Vorbringen wird bestritten, soweit es nicht außer Streit gestellt wird."* Die Frage ist, ob eine fehlende oder nur pauschale Bestreitung es dem Schiedsgericht ermöglicht, einzelne Tatsachenbehauptungen als unstreitig zu behandeln und daher von einer Beweisaufnahme hierüber abzusehen. Welche Anforderungen ein Schiedsgericht an ein wirksames Bestreiten stellt, liegt in dessen Ermessen. Manche Schiedsgerichte regeln dies in den ergänzenden Verfahrensregeln. Jedenfalls hat das Schiedsgericht Überraschungen im Schiedsverfahren zu vermeiden und rechtliches Gehör zu gewähren[1716] und ist gut beraten, dort, wo es unsicher ist, die Frage der Bestreitungsobliegenheit rechtzeitig mit den Parteien zu erörtern.[1717]

b) Rechtsfragen

1169   Anders als die Bestimmung des in der Sache anzuwendenden Rechts, ist nicht gesetzlich geregelt, wie der Inhalt des anzuwendenden Rechts ermittelt wird. Insb stellt sich die Frage, ob der Grundsatz *iura novit curia* im internationalen Schiedsverfahren gilt, dh *iura novit arbiter*.[1718] Ungeachtet dieser rechtlichen Frage empfiehlt es sich, die Art der Ermittlung des Inhalts des anwendbaren

---

1713   *B. Berger/Kellerhals*, Arbitration[3] Rn 1309.

1714   *Stacher*, Einführung Rn 276 (mit eingehender Diskussion und weiteren Beispielen).

1715   *Stacher*, Einführung Rn 276.

1716   *B. Berger/Kellerhals*, Arbitration[3] Rn 1157.

1717   *Schneider/Scherer* in Honsell et al, Internationales Privatrecht[3] Art 182 Rn 61.

1718   Bejaht für die Schweiz, wenn auch mit Einschränkungen: Nach dem BGer gilt mangels abweichender Parteieinbarung in internationalen Schiedsverfahren – wie in staatlichen Verfahren – der mit der Parömie *iura novit curia* zum Ausdruck gebrachte Grundsatz der (schieds-)richterlichen Rechtsanwendung von Amtes wegen (BGer 2.3.2001, 4P.260/2000, E. 5b). Das BGer anerkennt aber als Ausnahme einen Fall, in dem das Schiedsgericht auf eine Rechtsnorm abstellen will, die die Parteien nicht plädiert haben und deren Relevanz sie vernünftigerweise nicht antizipieren konnten; vgl BGE 130 III 35, 39 und BGer 2.3.2001, 4P.260/2000, E. 6a und dazu *B. Berger/Kellerhals*, Arbitration[3] Rn 1433 ff. Auch der BGH hat die Anwendung der *iura novit arbiter* Prämisse nicht beanstandet (BGH BeckRS 1957, 31200727).

Rechts am Beginn des Schiedsverfahrens zu regeln.[1719] Es kann zB vorgesehen werden, dass das Schiedsgericht den Inhalt des anwendbaren Rechts aus eigenem Antrieb ermittelt, es den Parteien aber unbenommen bleibt, dazu vorzubringen und Urkunden oder Gutachten vorzulegen.

5. Beweislast und Beweismaß

Gesetzliche Regeln zur Beweislast im Schiedsverfahren gibt es nicht.[1720] Gewisse institutionelle Schiedsordnungen enthalten eine Bestimmung, der zufolge jede Partei die **Beweislast** für die Tatsachenbehauptungen, auf die sie sich stützt, trägt.[1721] Für die hier behandelten Länder Deutschland[1722], Österreich[1723] und Schweiz[1724] ergibt sich die Verteilung der Beweislast aus dem materiellen Recht. **1170**

Die Beweislastregeln des anwendbaren materiellen Rechts (*lex causae*) sind daher vom Schiedsgericht anzuwenden.[1725] **1171**

Enthält das anzuwendende materielle Recht keine Beweislastregeln (weil gemäß dieser Rechtsordnung die Beweislastregeln zum Verfahrensrecht gehören), so fehlt es, von gewissen Schiedsordnungen (bspw UNCITRAL SchO und Swiss Rules) abgesehen, an einer speziellen Regel. In der Praxis wird auf allgemeine Grundsätze abgestellt.[1726] Das Schiedsgericht sollte in diesem Fall uE bereits vorausschauend eine Beweislastregel selbst verfügen. Mangelt es an einer solchen Klarstellung des Schiedsgerichts und trifft das Schiedsgericht trotzdem eine Entscheidung auf der Grundlage der Beweislast, so kann dies im Einzelfall eine Verletzung des rechtlichen Gehörs darstellen, insb wenn die Parteien vernünftigerweise nicht mit der Anwendung dieser bestimmten Regel rechnen mussten.[1727] **1172**

1719 *Kaufmann-Kohler*, ArbInt 2005, 631.

1720 Allgemein zur Beweislast im (österreichischen) staatlichen Verfahren etwa *Klicka*, Die Beweislastverteilung im Zivilverfahrensrecht; weitere Hinweise s *Nagel* in Nagel/Bajons, Beweis – Preuve – Evidence 109 in FN 44.

1721 Art 27(1) UNCITRAL SchO und Art 24(1) Swiss Rules; vgl *B. Berger/Kellerhals*, Arbitration³ Rn 1317.

1722 *Greger* in Zöller, Zivilprozessordnung³¹ vor § 284 Rn 15, 17a und 19.

1723 *Schumacher* in Schumacher, Beweiserhebung in internationalen Schiedsverfahren Rn 155 mwN; *Rechberger* in Fasching/Konecny, ZPO² Vor § 266 Rn 27; *Mayr* in Lebre de Freitas, The Law of Evidence in the European Union 44.

1724 Vgl Art 8 schwZGB; *Schneider/Scherer* in Honsell et al, Internationales Privatrecht Art 184 Rn 11.

1725 *Poudret/Besson*, International Arbitration² Rn 644 f; *B. Berger/Kellerhals*, Arbitration³ Rn 1316.

1726 *Schneider/Scherer* in Honsell et al, Internationales Privatrecht³ Art 184 Rn 12.

1727 Vgl allgemein BGE 130 III 35, 39 und *B. Berger/Kellerhals*, Arbitration³ Rn 1157.

1173   Von der Beweislast ist das **Beweismaß** zu unterscheiden. In Österreich und Deutschland wird das Beweismaß im Rahmen des Verfahrensrechts behandelt.[1728] In der Schweiz wird es dem materiellen Recht zugeordnet.[1729] Im Wesentlichen können zwei Anforderungen an das Beweismaß unterschieden werden.[1730] Entweder wird eine an Sicherheit grenzende Wahrscheinlichkeit gefordert, dass ein bestimmter Sachverhalt vorliegt, oder es reicht aus, dass die Verwirklichung des angenommenen Sachverhalts wahrscheinlicher ist als die des alternativen Sachverhalts. In der Schiedspraxis dürfte der zweite Maßstab überwiegen.[1731]

1174   Davon ausgehend, dass das Beweismaß eine Angelegenheit des Verfahrensrechts ist, steht es mangels Parteienvereinbarung im Ermessen des Schiedsgerichts, dieses festzulegen.[1732] Klarstellungen zum erforderlichen Beweismaß finden sich in der Schiedspraxis selten. Im Interesse einer Transparenz des Verfahrens wären diese aber wünschenswert.

6. Initiative zur Beweisaufnahme

1175   In der Praxis geht die Initiative zur Beweisaufnahme meist von den Parteien aus. Es ist eher selten, dass eine solche auf Veranlassung des Schiedsgerichts vorgenommen wird; zulässig wäre dies aber schon.[1733] Dass ein Schiedsgericht von sich aus über Tatsachen Beweis erhebt, die keine der beiden Parteien vorgetragen hat, kommt in der Praxis kaum vor und könnte auch einen Anschein der Befangenheit begründen.[1734] Auch der BGH ist insofern skeptisch.[1735]

1728 § 272 öZPO; § 286 dZPO; *Rechberger*, ZPO² Vor § 266 Rn 4; *Rechberger* in Fasching/Konecny, ZPO² Vor § 266 Rn 8 f.

1729 Das BGer leitet die Anforderungen an das Beweismaß aus Art 8 schwZGB oder sonst aus dem Bundesprivatrecht ab (vgl *Nigg*, St. Galler Studien zum internationalen Recht 1999, 118).

1730 Ausführlich *Klicka*, Die Beweislastverteilung im Zivilverfahrensrecht 22 ff.

1731 *Redfern/Hunter*, International Commercial Arbitration⁴ Rn 6.85 ff; *Karrer/Straub* in Weigand, Handbook² Rn 12.89.

1732 Für Deutschland: *Hanefeld* in Weigand, Handbook² Rn 7.100.

1733 Für Deutschland zum alten Schiedsrecht: *Schwab/Walter*, Schiedsgerichtsbarkeit⁵ 133; Zum neuen Schiedsrecht: *Schlosser* in Stein/Jonas, Zivilprozessordnung²² § 1042 Rn 8 f; *Schwab/Walter*, Schiedsgerichtsbarkeit⁷ Kap 15 Rn 8; Für die Schweiz: ausdrücklich nur für die Vorlage von Dokumenten, aber mit dem Hinweis auf das freie Ermessen zur Verfahrensgestaltung: *Schneider/Scherer* in Honsell et al, International Arbitration Art 184 Rn 20; Für Österreich zum alten Schiedsrecht: *Melis* in Paulsson, International Handbook on Commercial Arbitration I 9; die Reform des österreichischen Schiedsrechts hat daran nichts geändert.

1734 vgl *Poudret/Besson*, International Arbitration² Rn 547.

1735 BGH 9.5.1996, III ZR 209/95, NJW-RR 1996, 1009 f.

7. Verweigerungsrechte

Die hier behandelten Schiedsverfahrensgesetze und institutionellen Schieds-   **1176**
ordnungen regeln nicht, unter welchen Voraussetzungen eine Partei oder Zeugen die Herausgabe von Dokumenten oder die Abgabe einer Zeugenaussage
verweigern kann. Da das Schiedsgericht die Herausgabe eines Dokuments
oder die Abgabe einer Zeugenaussage (ohne die Mithilfe staatlicher Gerichte)
nicht erzwingen kann,[1736] besteht dafür an sich auch kein praktischer Bedarf.
Wird die Beweisaufnahme mit Hilfe eines staatlichen Gerichts vorgenommen,
so gelten die nach dessen Recht anzuwendenden Verweigerungsrechte.[1737]

Gleichwohl ist die Frage von Verweigerungsrechten praktisch bedeutsam,   **1177**
weil es einem Schiedsgericht möglich ist, die Verweigerung der Mitwirkung bei
der Beweisaufnahme negativ zu würdigen und Parteien daran gelegen ist, unabhängig von der Frage der Durchsetzbarkeit, die Vernehmung eines Zeugen
bzw der Herausgabe bestimmter Dokumente „legal" verweigern zu können.

Der richtige Umgang mit Verweigerungsrechten in internationalen Schieds-   **1178**
verfahren ist nicht zuletzt aufgrund fehlender Regelungen kompliziert und
umstritten. Strittig ist va, nach welchem Recht sich das behauptete Verweigerungsrecht beurteilt (dem Recht am Schiedsort, dem anwendbaren Sachrecht,
dem Recht der Partei oder der Person, die sich auf das Verweigerungsrecht
beruft).[1738] Sollten aufgrund der genannten Anknüpfungspunkte unterschiedliche Rechte auf die Parteien Anwendung finden, wendet die wohl hM mit
Blick auf das Gleichbehandlungsgebot das sog **Meistbegünstigungsprinzip**
an. Es ist dann für beide Parteien das Recht maßgeblich, welches die geringsten
Anforderungen an die Verweigerung stellt.[1739] Nach einem weiteren Ansatz
werden die potentiell anwendbaren Rechtsordnungen kumulativ angewandt,
was jedoch nur möglich ist, wenn all diese Rechtsordnungen zum gleichen
Ergebnis kommen.[1740]

Auch die IBA Rules (Evidence) regeln diese Frage nicht, sondern stellen   **1179**
in deren Art 9(3) nur allgemeine Grundsätze auf, die es hierbei zu beachten

---

1736 Str; vgl insb zur Durchsetzung mittels Zwangszahlungen (*Astreintes*) *Schneider/Sche-*
rer in Honsell et al, Internationales Privatrecht[3] Art 184 Rn 55.
1737 *Stacher*, Einführung Rn 328 (bzgl Zeugen); vgl *Schneider/Scherer* in Honsell et al,
Internationales Privatrecht[3] Art 184 Rn 61 f.
1738 *Sindler/Wüstemann*, Privilege across borders in arbitration: multi-jurisdictional
nightmare or a storm in a teacup?, 23 ASA Bulletin 2005, 610, 620; *Zuberbühler et*
al, IBA Rules of Evidence Art 9 Rn 28.
1739 *Von Schlabrendorff/Sheppard*, Conflict of Legal Privileges in International Arbitration: An Attempt to Find a Holistic Solution 743 und 771 ff; *Zuberbühler et al*,
IBA Rules of Evidence, Art 9 Rn 30; *O'Malley*, Rules of Evidence in International
Arbitration Rn 9.62.
1740 *Meyer*, J. Int. Arb. 2007, 365 und 374; *Stacher*, Einführung Rn 319 f (bzgl Dokumen-
tenedition).

gilt bzw identifizieren, welche Umstände grundsätzlich geeignet sind, ein Verweigerungsrecht zu begründen.

1180 Fehlt ein valides Verweigerungsrecht, so stellt sich die Frage, ob das Schiedsgericht ein bestimmtes Beweisergebnis unterstellen bzw aus dem fehlenden Beweisantritt eine Schlussfolgerung ziehen kann.[1741] So kann das Schiedsgericht, wenn eine Partei einer Herausgabeverfügung des Schiedsgerichts ohne befriedigende Rechtfertigung nicht nachkommt, diesen Umstand bei der Beweiswürdigung berücksichtigen[1742] und uU sogar davon ausgehen, dass das verweigerte Dokument die behauptete Tatsache beweisen würde.[1743] Dies kommt von vornherein nur dort in Frage, wo die Beweisaufnahme ausschließlich am Verhalten einer Partei scheitert. Ist diese Voraussetzung erfüllt, sind folgende Fälle zu unterscheiden:

1181 Liegen andere Beweisergebnisse vor, so fließt das Unterbleiben der zusätzlichen Beweisaufnahme in die Würdigung der aufgenommenen Beweise ein. Dieser Fall ist also unproblematisch. Im zweiten Fall liegen keine sonstigen Beweisergebnisse vor. Aus dieser Situation ergibt sich die Frage, ob das Schiedsgericht ausschließlich aufgrund der Verweigerung der Vorlage eines Beweismittels von einem bestimmten Sachverhalt ausgehen kann. Man kann durchaus die Meinung vertreten, dass dies von dem in allen drei Rechtsordnungen geltenden Ermessen des Schiedsgerichts in Beweisfragen gedeckt ist. Ist aber keine konkrete Verfahrensregel über derartiges Vorgehen vereinbart oder vom Schiedsgericht erlassen, so sollte das Schiedsgericht im Vorhinein auf diese Konsequenz hinweisen.

8. Fristen für Beweisanträge

1182 Im Rahmen seiner Befugnis – und Pflicht – zur freien Verfahrensleitung kann das Schiedsgericht Fristen für Beweisanträge und für die Vorlage von Beweismitteln vorsehen.[1744] Dabei muss beachtet werden, dass die Parteien ausreichend Gelegenheit bekommen, ihre Beweismittel in das Verfahren einzuführen.[1745] Es ist Sache des Schiedsgerichts zu bestimmen, welche Frist ausreichend ist,[1746] wobei auf die Umstände des Einzelfalles abzustellen ist.

1741 Vgl Art 9(5) IBA Rules (Evidence); s auch *Sachs* in Eberl, Beweis im Schiedsverfahren 129.

1742 Art 9(5) IBA Rules (Evidence); *B. Berger/Kellerhals*, Arbitration³ Rn 1325; *Sachs/Lörcher* in Böckstiegel et al, Arbitration in Germany² § 1042 Rn 45.

1743 *B. Berger/Kellerhals*, Arbitration³ Rn 1325.

1744 § 1048 Abs 4 dZPO; § 600 Abs 2 öZPO; Art 184 schwIPRG; *Schneider/Scherer* in Honsell et al, International Arbitration Art 184 Rn 52; Art 28(2) Wiener Regeln.

1745 *Schwarz* in Liebscher/Oberhammer/Rechberger, Schiedsverfahrensrecht II Rn 8/104 f.

1746 *Paulsson* in FS Böckstiegel 608.

Das rechtliche Gehör wird nicht verletzt, wenn nach Fristablauf gestellte **1183** Anträge oder vorgelegte Beweismittel zurückgewiesen werden.[1747] Jeder Partei muss nur Gelegenheit gegeben werden, zur Sache vorzubringen. Dabei hat sie sich an die geltenden Verfahrensregeln zu halten. Außerdem ist es ihr überlassen, ob sie von ihrem Recht auf rechtliches Gehör auch Gebrauch macht. Es kommt in der Praxis nicht selten vor, dass eine Partei verspätet Anträge stellt oder Beweismittel vorlegt. Der erste Fall ist praktisch unproblematisch. Das Schiedsgericht könnte die Verspätung nachsehen, wenn sie nach dessen Ansicht ausreichend entschuldigt ist.[1748] Bei der verspäteten Vorlage von Beweismitteln stellt sich das praktische Problem, dass das Schiedsgericht die Beweismittel in der Regel bereits gesehen hat, bevor eine Entscheidung über die Zulassung ergangen ist. Das Schiedsgericht wird bei einer Zurückweisung des Beweismittels zwar versuchen, dieses Wissen nicht zu berücksichtigen. Ausblenden oder gar löschen lässt es sich naturgemäß nicht. Eine gewisse Vorkehrung bietet eine Verfügung des Schiedsgerichts, wonach eine verspätete Vorlage von Beweismitteln unzulässig und vom Schiedsgericht nicht zu berücksichtigen ist. Bei einer solchen Verfügung ist es den Parteien nur gestattet, einen Antrag auf Zulassung des Beweismittels zu stellen, über den das Schiedsgericht entscheiden kann, ohne das beantragte Beweismittel zuvor gesehen zu haben. Auch diese Regel kann eine unerbetene verspätete Eingabe aber nicht verhindern.

9. Katalog der Beweismittel

Einen abschließenden Katalog der zur Verfügung stehenden Beweismittel gibt **1184** es im Schiedsverfahren nicht. Auch eine Parteivereinbarung gibt es hierzu nur in Ausnahmefällen. Somit liegt es im **Ermessen des Schiedsgerichts** zu entscheiden, welche Beweismittel es zulässt.[1749] Die Praxis zeigt, dass im Schiedsverfahren dieselben Beweismittel genutzt werden, die den Parteien auch in Verfahren vor staatlichen Gerichten zur Verfügung stehen. Das bedeutet aber nicht, dass für die Beweiserhebung mit diesen Beweismitteln die

---

1747 *Haugeneder/Netal* in VIAC, Handbuch Art 28 Rn 23; § 1048 Abs 3 dZPO; *Schlosser* in Stein/Jonas, Zivilprozessordnung²² § 1048 Rn 4; *Fasching*, Schiedsgericht 103; *Schneider/Scherer* in Honsell et al, International Arbitration Art 184 Rn 50 und 52; *Roney/Müller* in Kaufmann-Kohler, Arbitration in Switzerland 60.

1748 *Fasching*, Schiedsgericht 103; *Roney/Müller* in Kaufmann-Kohler/Stucki, Arbitration in Switzerland 60: für die Schweiz gilt dies unter der Voraussetzung, dass eine diesbezügliche Parteivereinbarung vorliegt.

1749 *Schumacher* in Schumacher, Beweiserhebung in internationalen Schiedsverfahren Rn 65 ff; *Voit* in Musielak/Voit, ZPO¹³ § 1042 Rn 22; *B. Berger/Kellerhals*, Arbitration³ Rn 1318.

Beweisregeln des staatlichen Verfahrens anzuwenden sind. Im Gegenteil: das Schiedsgericht ist an derartige Regeln nicht gebunden.

10. Einzelne Beweismittel

a) Zeugen

(1) Art der Zeugen

1185 Die Klarheit, mit der Art 4(2) IBA Rules (Evidence) formuliert, entspricht der Schiedspraxis: Jedermann kann Zeuge sein.[1750] Die aus staatlichen Verfahren gewisser Rechtsordnungen vertraute Unterscheidung zwischen der Aussage einer Partei und der Aussage einer Zeugin/eines Zeugen findet sich im Schiedsverfahren nicht.[1751] Ein allfälliges Naheverhältnis der/des Aussagenden zu den Parteien und der Sache wird im Rahmen der Beweiswürdigung wesentlich sein, schließt aber die Vernehmung nicht aus und führt auch nicht zur Geltung unterschiedlicher Regeln bei der Beweiserhebung.

1186 Bei der Anwesenheit von Personen in der Verhandlung wird aber in der Praxis oft zwischen VertreterInnen einer Partei und sonstigen Zeugen unterschieden. Während Personen, die als VertreterInnen einer Partei agieren, idR der Schiedsverhandlung zur Gänze beiwohnen dürfen, auch wenn sie im Verfahren als Zeugen aussagen sollten, ist dies bei anderen Zeugen oft nicht gestattet. Dies können die Parteien bzw, mangels Einigung der Parteien, das Schiedsgericht nach freiem Ermessen regeln. Praktisch häufig wird eine solche Regelung erst kurz vor der Beweisverhandlung getroffen. Die Tatsache, dass eine Person vor ihrer Aussage die anderen Zeugen gehört hat, mag sich freilich in der Beweiswürdigung niederschlagen.

(2) Schriftliche Zeugenerklärungen

1187 In der Praxis kommt es va in komplexeren Schiedsverfahren immer häufiger vor, dass die Parteien dem Schiedsgericht zunächst schriftliche Zeugenerklärungen vorlegen.[1752] Solche Erklärungen erleichtern die Vorbereitung des Schiedsgerichts. Sie können auch die Dauer oder den Umfang einer mündlichen Zeugenbefragung begrenzen oder es dem Schiedsgericht ermöglichen, einen Zeugen wegen fehlender Relevanz nicht mündlich aussagen zu lassen.[1753]

1750 Art 4(2) IBA Rules (Evidence).
1751 Auf mögliche strafrechtliche Unterschiede der Konsequenzen einer falschen Aussage wird hier nicht eingegangen.
1752 *Girsberger/Voser*, International Arbitration[3] 245.
1753 *Schneider/Scherer* in Honsell et al, Internationales Privatrecht[3] Art 184 Rn 24; *B. Berger/Kellerhals*, Arbitration[3] Rn 1335; *Girsberger/Voser*, International Arbitration[3] 245.

Die Zeugenerklärung dient auch der Vorbereitung der *cross-examination* durch die Gegenpartei.[1754] Natürlich kann die Vorbereitung der schriftlichen Zeugenerklärung die Erinnerung, ohnedies ein fragiles Gut, zu einem gewissen Grad beeinflussen. Dies ist zumindest bei der späteren Würdigung der Zeugenaussage hinreichend zu berücksichtigen. Ohne schriftliche Zeugenerklärungen wäre aber in komplexen Verfahren eine Beweisaufnahme in einem vernünftigen Zeitrahmen oft kaum möglich.

Die ParteivertreterInnen sollten mit der Erstellung der schriftlichen Zeugenerklärungen möglichst früh im Verfahren beginnen, um so rasch Sicherheit über den Stand der Angelegenheit zu gewinnen. Die Schriftlichkeit zwingt die (potentiellen) Zeugen meist zu einer genaueren Festlegung als ein (von den meisten als unverbindlich empfundenes) Gespräch. Außerdem erlaubt ein frühzeitiger Beginn ausreichende Zeit für die Erstellung.

1188

Teilweise werden Zeugenerklärungen auch weitere Beweisdokumente beigelegt, die nicht bereits zuvor mit den Schriftsätzen eingereicht wurden. Allerdings darf dies keine Hintertür sein, um eine bis zu einem bestimmten Zeitpunkt vorgeschriebene Dokumentenvorlage nachzuholen. Das Vorgehen, eine Urkunde nicht als solche, sondern nur als Teil einer Zeugenerklärung zuzulassen, ist problematisch. Die Wirkung der Urkunde ändert sich dadurch idR nicht.

1189

Schriftliche Zeugenerklärungen können entweder mit den jeweiligen Schriftsätzen vorgelegt werden oder zu einem anderen vereinbarten Zeitpunkt unabhängig von den Schriftsätzen, zB erst nach Abschluss des Austausches des schriftlichen Vorbringens oder zwischen erstem und zweitem Schriftenwechsel. Hierüber entscheiden die Parteien per Vereinbarung oder das Schiedsgericht nach freiem Ermessen. Welches Vorgehen sinnvoller ist, ist eine Frage des Einzelfalls.

1190

Oft ist es sinnvoll festzulegen, dass die schriftliche Zeugenerklärung die direkte Befragung durch die Beweisführerin ersetzt bzw auf eine kurze Vorstellung und einleitende Fragen begrenzt. Wünscht weder die Gegnerin der Beweisführerin noch das Schiedsgericht eine Befragung, so kommt es bei diesem Vorgehen im Ergebnis zu keiner mündlichen Aussage.

1191

Strittig kann die Bedeutung einer schriftlichen Zeugenerklärung dann werden, wenn der Zeuge zu einer mündlichen Befragung unbegründet nicht erscheint. Mangels anderer Regeln wird es im Ermessen des Schiedsgerichts stehen, welche Bedeutung es der schriftlichen Zeugenerklärung dann beimisst, wenn es nicht überhaupt erklärt, diese nicht zu berücksichtigen.[1755] Allein die (vermeintliche) Kontrolle über Zeugen durch eine Partei, bspw wegen eines

1192

1754 *Waincymer*, Procedure 897.
1755 Art 4(7) IBA Rules (Evidence).

Anstellungsverhältnisses, vermag für sich einen negativen Schluss aus einem Nichterscheinen nicht zu begründen.[1756]

(3) Kontakte zwischen Parteienvertretern und Zeugen

1193 Auch hier geben die IBA Rules (Evidence) die Praxis zutreffend wieder, wenn sie in Art 4(3) regeln, dass es einer Partei und ihren VertreterInnen nicht untersagt ist, Zeugen und potenzielle Zeugen zur Vorbereitung einer Aussage zu befragen. In der Praxis sind meist etliche der (potenziellen) Zeugen MitarbeiterInnen oder Mitglieder von Organen der Partei und somit notwendige Informationsquellen für die VertreterInnen der Partei im Schiedsverfahren. Freilich kann es nach lokalen Berufsregeln für Anwälte Einschränkungen geben. Eine Klarstellung durch das Schiedsgericht, welche Kontakte zulässig sind, dient der Rechtssicherheit und sichert die Chancengleichheit.

1194 Selbst wenn die Vorlage schriftlicher Zeugenerklärungen an das Schiedsgericht nicht vorgesehen ist, werden solche oft angefertigt, weil sie die Informationsaufnahme vereinfachen und absichern.

1195 Es gibt keinen ersichtlichen Grund, warum es den ParteivertreterInnen nicht erlaubt sein sollte, Entwürfe von Zeugenerklärungen allein oder im Beisein der Zeugen selbst zu erstellen. Wesentlich ist aber immer, dass sie das tatsächliche Wissen des Zeugen so wiedergeben, wie er es selbst ausdrückt.

1196 Schwieriger zu beurteilen ist die Frage, ob und inwieweit eine **Vorbereitung eines Zeugen** auf seine Aussage zulässig ist. Auch hier ist es hilfreich, wenn das Schiedsgericht diese Frage zu Beginn des Verfahrens mit den Parteien klärt, um so Rechtssicherheit und Waffengleichheit zwischen möglicherweise unterschiedlichen Rechtskulturen herzustellen.[1757] Das deutsche Recht regelt diese Frage weder für Schieds- noch für Gerichtsverfahren.[1758] Das Schweizer Recht sieht hier Beschränkungen für Gerichts-, nicht aber für Schiedsverfahren vor.[1759] In Österreich ist die Zeugenvorbereitung grundsätzlich zulässig. Ein Zeuge darf aber nicht dazu veranlasst werden, die Unwahrheit zu sagen.[1760] Eine solche Veranlassung dürfte nicht nur eine Verletzung des Standesrechts, sondern auch des Strafrechts bilden.

1756 *Schneider/Scherer* in Honsell et al, Internationales Privatrecht[3] Art 184 Rn 26.

1757 *Poudret/Besson*, International Arbitration[2] Rn 660.

1758 *Bertke/Schroeder*, SchiedsVZ 2014, 80, 82, 84 f.

1759 *Poudret/Besson*, International Arbitration[2] Rn 660; so ist in der Schweiz eine Ausnahme für Schiedsverfahren bundesrechtlich anerkannt, resp in den Standesregeln des Schweizerischen Anwaltsverbands ausdrücklich vorgesehen; vgl *Fellmann* in Fellmann/Zindel, Anwaltsgesetz Art 12 Rn 22.

1760 § 18 der Richtlinien für die Ausübung des Rechtsanwaltsberufes (öRL-BA 2015); ebenso für die Schweiz: *Girsberger/Voser*, International Arbitration[3] 246; und für Deutschland: *Bertke/Schroeder*, SchiedsVZ 2014, 80, 82, 84 f.

Die tatsächlichen Möglichkeiten der Vorbereitung sind vielfältig: Die Vor- **1197** bereitung kann sich darauf beschränken, den Zeugen mit dem für seinen Bereich relevanten Prozessstoff zu konfrontieren und seine Meinung einzuholen. Sie kann aber auch in einer Art Befragungstraining bestehen, in dem versucht wird, die Fragen und eine mögliche Verwirrtaktik der Gegenseite vorwegzunehmen. Schließlich geht es oft einfach darum, der Zeugin/dem Zeugen klarzumachen, was von ihr/ihm erwartet wird (zB Wissenserklärungen und keine Plädoyers). Die Glaubwürdigkeit einer solchen Zeugenaussage kann jedoch leiden, wenn sie in eine Anwaltsaussage übergeht.[1761] Die Rolle als Zeuge ist den meisten Menschen nicht vertraut und ist deshalb mit Sicherheit für viele eine Ausnahmesituation. „Berufszeugen", die häufig Zeugenaussagen tätigen müssen, sind selten.

(4) Befragung von Zeugen

Im Bereich der Zeugenbefragung hat in den letzten Jahren der Gebrauch der **1198** angloamerikanischen Terminologie auch außerhalb des angloamerikanischen Sprachraums verstärkt in den Sprachgebrauch der SchiedspraktikerInnen Eingang gefunden, wobei ihr in der Schiedsgerichtsbarkeit kein ganz klar umrissener Begriffsinhalt zuzuordnen ist (*direct examination, cross-examination, re-direct, re-cross*). Sie beruht auf einem von der angloamerikanischen Rechtstradition geprägtem Befragungsmodell, in dem der Richter eine viel passivere Rolle während der Befragung einnimmt, als es dem in einem *civil law* System geschulten Praktiker bekannt ist.[1762]

Die Befragung beginnt dabei üblicherweise durch die Beweisführerin **1199** selbst (*direct examination*). Wurden vor der mündlichen Verhandlung bereits schriftliche Zeugenerklärungen eingereicht, so ersetzen diese idR die direkte Befragung des Zeugen durch den Beweisführer oder tun dies nach der Parteienvereinbarung zumindest weitgehend. Diese Vorgehensweise ist sinnvoll, weil andernfalls ein wesentlicher Vorteil der schriftlichen Zeugenerklärung, nämlich Zeitersparnis, gemindert würde.[1763]

Auf die direkte Befragung durch die Beweisführerin folgt die Befragung **1200** durch die Vertreterin/den Vertreter der gegnerischen Partei (*cross-examination*). Dabei sollte im Vorhinein geregelt sein, ob die Gegenvertreterin/der Gegenvertreter bei ihrer/seiner Befragung an die Themen der Zeugenerklärung (oder der vorhergegangenen Befragung) gebunden ist (*scope limitation*) oder nicht. In der Praxis werden solche Beschränkungen eher selten vorgesehen, weil sie der Wahrheitsfindung oft nicht dienlich sind und nur Zwischenstreite über die Zulässigkeit von Fragen fördern. Wurden vor der mündlichen Ver-

---

1761 *Bühler/Dorgan*, J. Int. Arb. 2000, 14.
1762 Näher siehe auch *Schwarz/Konrad*, Vienna Rules² Rn 20–207 ff.
1763 *Schwarz/Konrad*, Vienna Rules² Rn 20–211.

handlung dem Schiedsgericht schriftliche Zeugenerklärungen vorgelegt, kann die Vernehmung des Zeugen gleich mit der Befragung durch die Gegenvertreterin/den Gegenvertreter beginnen (*cross-examination*). Praktisch wird trotzdem häufig die Möglichkeit eingeräumt, kurze Einführungsfragen im Rahmen der *direct examination* zu stellen sowie zu Punkten, die der Zeuge in seiner schriftlichen Zeugenaussage nicht behandeln konnte (bspw weil die Gegenpartei zum letztmöglichen Zeitpunkt ein neues Beweismittel eingebracht hat).

1201   Gleichgültig wie die Befragung durch die Parteien organisiert wird, das Schiedsgericht ist idR immer berechtigt, selbst Fragen zu stellen.

1202   Ein weiteres Thema im Zusammenhang mit der Befragung ist die Zulässigkeit von **Suggestivfragen** (*leading questions*). Wird wörtlich protokolliert, so nimmt das Schiedsgericht in der Praxis gelegentlich den Standpunkt ein, dass sich die Suggestivnatur einer Frage ohnedies aus dem Protokoll ergibt und in die Beweiswürdigung einfließt. Die aus der *common law* Rechtstradition stammende Regel, wonach nur bei der Befragung durch die Gegnerin der Beweisführerin (*cross-examination*) Suggestivfragen zulässig sind, wird gelegentlich auch in Schiedsverfahren übernommen.[1764]

1203   Ist mit einem sehr kämpferischen Klima zwischen den Parteien zu rechnen, mag es sich empfehlen, bereits im Vorhinein zu regeln, wie mit Einsprüchen gegen Fragen der anderen Partei umgegangen wird. Eine realistische Gefahr ist, dass taktisch agierende ParteienvertreterInnen im Rahmen ihres Einspruchs für den zuhörenden Zeugen schon die richtige Antwort vorformulieren. In der Praxis wird eine erfahrene Parteivertreterin/ein erfahrener Parteivertreter mit solchen Einsprüchen, welche die Befragung eines vom ihr/ihm geführten Zeugen betreffen, sparsam umgehen, um nicht den Eindruck zu erwecken, sie/er wolle „ihren/seinen" Zeugen schützen.

1204   Eine besondere, oft sehr effiziente Art der Befragung durch das Schiedsgericht ist die Abhaltung einer **Zeugenkonferenz** (*witness conferencing*). Dabei werden je ein Zeuge jeder Partei gemeinsam zu einem bestimmten Thema gehört. Ziel dieser sehr speziellen Befragungsform ist, die konkreten Unterschiede in den Aussagen der Zeugen und deren Ursachen herauszuarbeiten. Das im Gegensatz zur direkten Einzelbefragung durch die ParteivertreterInnen idR kooperativere Gesprächsklima erleichtert oft die Erreichung dieses Zieles.

1205   Die technischen Möglichkeiten gestatten heute auch die Durchführung einer Zeugenvernehmung mittels **Audio- oder Videokonferenz**. Dabei ist es va wesentlich, sicherzustellen, dass eine Beeinflussung des Zeugen ausgeschlossen ist. In der Praxis wird davon nur zurückhaltend Gebrauch gemacht, weil die persönliche Befragung vorzuziehen ist. Auch der Internationale Schieds-

---

1764 *Schwarz/Konrad*, Vienna Rules[2] Rn 20–212.

gerichtshof der ICC hat sich bereits mit der Anwendung von Informations-
technologien im Schiedsverfahren und bei der Beweisaufnahme beschäftigt.[1765]

Da das Verhalten einer Zeugin/eines Zeugen bei ihrer/seiner mündlichen **1206**
Befragung aufschlussreich sein kann, kommt es gelegentlich vor, dass das
Schiedsgericht **Videoaufnahmen** der Zeugenaussagen anfertigen lässt.

Manchmal befragt eine Parteienvertreterin/ein Parteivertreter die Zeugin/ **1207**
den Zeugen zu Dokumenten, die im Zeitpunkt der Befragung (noch) nicht
vorgelegt wurden. IdR wird das Schiedsgericht in diesem Fall die Befragung
kurz unterbrechen und abklären, ob die betreffenden Dokumente vorgelegt
werden und bejahendenfalls die Befragung fortsetzen. Wird ein Zeuge zu einer
speziellen Urkunde befragt, so wird diese dem Zeugen üblicherweise vorgelegt. Es kommt in der Praxis aber auch vor, dass die relevanten Urkunden
während der Befragung dem Zeugen nicht physisch, sondern elektronisch
(zB in Form einer Beamer-Projektion) vorgehalten werden. Ob das Schiedsgericht dies zulässt, sollte im Vorfeld geklärt werden.

Eine sich regelmäßig stellende Frage ist, ob Zeugen außerhalb ihrer eigenen **1208**
Einvernahme während der mündlichen Verhandlung anwesend sein und der
Vernehmung anderer Zeugen beiwohnen dürfen. Oft wird vorgesehen, dass
dies nur nach Abschluss der eigenen Befragung des betreffenden Zeugen zulässig ist. Sofern eine spätere Zweitaussage oder eine Zeugenkonferenz vorgesehen oder nicht ausgeschlossen ist, ist es mit Blick auf die Gleichbehandlung ratsam, Zeugen auch nach ihrer (ersten) Aussage von der Anwesenheit
im Verhandlungsraum auszuschließen. Eine Ausnahme wird jedoch meist
für MitarbeiterInnen oder Mitglieder von Organen der Parteien gemacht, die
wesentliche Informationsquellen des Parteivertreters sind. Dabei wird aber
üblicherweise nicht, wie in staatlichen Verfahren, nach ihrer handels- und
gesellschaftsrechtlichen Stellung differenziert.

b) Urkunden

(1) Art der Urkunden

Zunächst ist zwischen **privaten** und **hoheitlichen Urkunden** zu unterschei- **1209**
den. Bei zweiteren stellt sich die Frage ihrer rechtlichen Wirkungen, so zB
im Hinblick auf Streitanhängigkeit und Rechtskraft. Es handelt sich dabei
um Rechtsfragen, die als Vorfragen zu klären sind, nämlich ob über die von
diesen hoheitlichen Urkunden erfassten Sachverhalte überhaupt Beweis zu
erheben ist bzw erhoben werden kann.

Bei den privaten Urkunden verdient eine bestimmte Gruppe hier nähere **1210**
Betrachtung; nämlich jene der Urkunden, die für die Vorlage im Schieds-

---

1765 Using Technology to Resolve Business Disputes, ICC Bull 2004, 63.

verfahren eigens geschaffen wurden. Bei diesen Urkunden ist zu klären, ob es sich um Beweismittel handelt oder um Parteivorbringen. Ein praktisches Beispiel ist etwa eine Übersicht über Mängel oder Zahlungen. IdR werden solche Urkunden nicht als Beweismittel zu werten sein.

(2) Vorlagepflicht

1211 Im Schiedsverfahren besteht **keine gesetzliche Pflicht zur Vorlage von Urkunden**. Eine Grenze wird aber dort erreicht sein, wo eine Nichtvorlage den Tatbestand des Prozessbetrugs erfüllen würde.[1766] Nebst allfälligen standes- und strafrechtlichen Grenzen finden sich Mindeststandards zur Dokumentenvorlage auch und generell in den (nicht unumstrittenen)[1767] IBA Guidelines (Party Representation).[1768]

1212 Als Modell für eine Regelung der Urkundenvorlage bieten sich die IBA Rules (Evidence) an. Die Wichtigkeit der Urkundenvorlage wird in Art 3 IBA Rules (Evidence) betont, der dieses Thema detailliert behandelt. Die Vorlage eines Dokuments kann demnach auf Antrag einer Partei oder auf Grund selbständiger Aufforderung durch das Schiedsgericht geschehen.[1769] Die von der Vorlage betroffene Partei kann Einwendungen gegen die Aufforderung zur Vorlage erheben,[1770] die vom Schiedsgericht bei der Entscheidung, ob die Aufforderung zur Vorlage aufrechterhalten oder verworfen wird, zu berücksichtigen sind.[1771]

1213 Da es dem Schiedsgericht an hoheitlichen Befugnissen mangelt, kann es eine Aufforderung zur Vorlage von bestimmten Dokumenten nicht durchsetzen, wenn die betroffene Partei der Aufforderung nicht nachkommen sollte.[1772] Denkbar, wenn auch praktisch wenig relevant, ist die Unterstützung des staatlichen Richters zur Durchsetzung der Urkundenedition[1773] oder ein (Zwischen-)Entscheid zur Dokumentherausgabe bei Vorliegen eines materiellen Anspruchs,[1774] insb im Rahmen einer Stufenklage.[1775] Im Übrigen ist die einzige praktikable Sanktion, die einem Schiedsgericht bei einer

---

1766 *Liebscher*, Healthy Award 331 ff.
1767 *B. Berger/Kellerhals*, Arbitration[3] Rn 1000.
1768 IBA Guidelines (Party Representation), insb Guideline 16.
1769 Art 3(2) IBA Rules (Evidence); Art 3(10) IBA Rules (Evidence).
1770 Art 3(5) IBA Rules (Evidence).
1771 Art 3(7) IBA Rules (Evidence).
1772 In der Schweiz str; vgl zur Durchsetzung mittels Zwangszahlungen (*Astreintes*) *Schneider/Scherer* in Honsell et al, Internationales Privatrecht[3] Art 184 Rn 55; *Sachs/Lörcher* in Böckstiegel et al, Arbitration in Germany[2] § 1042 Rn 41 sowie *Zöller* in Zöller, ZPO[31] § 1042 ZPO Rn 32.
1773 *Schneider/Scherer* in Honsell et al, Internationales Privatrecht[3] Art 184 Rn 57.
1774 *Schneider/Scherer* in Honsell et al, Internationales Privatrecht[3] Art 184 Rn 21.
1775 *B. Berger/Kellerhals*, Arbitration[3] Rn 1206.

nicht gerechtfertigten Nichtvorlage offensteht, deren Berücksichtigung im Rahmen der Beweiswürdigung. Nicht die Vorlage verfügen und damit auch nicht bei der Beweiswürdigung berücksichtigen darf das Schiedsgericht ein Dokument im Besitze einer Drittpartei, das eine Partei trotz eines Begehrens der Gegenpartei nicht vorlegt.[1776]

c) Sachverständige

(1) Unterscheidung von Sachverständigen

Wesentlich ist hier die Unterscheidung zwischen vom Schiedsgericht ernannten und parteiernannten Sachverständigen. Allgemein gültige Aussagen über Vor- und Nachteile der einen oder anderen Variante sind wenig sinnvoll. Während der erste Typus in staatlichen Verfahren auf dem Kontinent eine erhebliche Tradition hat, gilt dies im angloamerikanischen Raum ebenso für den parteiernannten Sachverständigen. Wird letzterer manchmal abschätzig als *„hired gun"* bezeichnet, fürchtet man bei einem vom Schiedsgericht ernannten Sachverständigen, dass dessen Bestellung *de facto* zu einer teilweisen Delegation der Entscheidung vom Schiedsgericht an den Sachverständigen führt.   **1214**

Ein vom Schiedsgericht zu bestellender Sachverständiger kann oft erst in einem Verfahrensstadium eingeschaltet werden, in dem die Parteien zumindest zu den vom Gutachten erfassten Fragen vollständig vorgebracht haben. Dies kann im Vergleich zu einer Begutachtung durch parteiernannte Sachverständige uU zu einer Verlängerung des Verfahrens führen. Unter dem Aspekt der Kosteneffizienz ist zu bedenken, dass die Parteien oftmals auch eigene Sachverständige beiziehen, um den Ansichten des schiedsgerichtlich bestellten Sachverständigen entgegenzutreten und etwaige Fehler in der Methodik aufzudecken.   **1215**

Bei einem Verfahren mit parteiernannten Sachverständigen bleibt es dem Schiedsgericht mangels abweichender Regelung unbenommen, zu den durch diese nicht geklärten Fragen eine/einen vom Schiedsgericht ernannte/n Sachverständige/n zu bestellen, die/der dann meist ein viel konkreteres und engeres Tätigkeitsfeld hat, als wenn sie/er von Anfang an bestellt worden wäre.   **1216**

Eine Mischform stellt das Sachverständigenverfahren nach dem Sachs-Protokoll dar. Dabei benennt jede Partei eine Anzahl möglicher Sachverständiger. Das Schiedsgericht wählt sodann aus jeder Liste eine Person. Diese beiden bilden dann ein Team.[1777]   **1217**

1776   *B. Berger/Kellerhals*, Arbitration³ Rn 1326.
1777   *Sachs/Schmidt-Ahrendts*, ICCA No 15, 135.

(2) Vom Schiedsgericht ernannte Sachverständige

1218 Da der/dem vom Schiedsgericht ernannten Sachverständigen in der Entscheidung des Schiedsfalles oft eine bedeutende Rolle zukommt, ist es hilfreich, wenn diese/dieser das Vertrauen und den fachlichen Respekt der Parteien genießt. Oft werden aus diesem Grund die Parteien zunächst in einem ersten Schritt aufgefordert, sich auf eine Person zu einigen.

1219 Ist dies nicht möglich, so kann in einem nächsten Schritt jeder Partei zumindest die Möglichkeit gegeben werden, geeignete KandidatInnen vorzuschlagen. Bei dieser Vorgehensweise besteht freilich eine gewisse Gefahr, dass die so vorgeschlagenen KandidatInnen einer Partei von der Gegenpartei schon aus rein taktischen Gründen abgelehnt und mit Misstrauen betrachtet werden. Es kann diesfalls sinnvoll sein, dass der Vorschlag für die Person der/des zu bestellenden Sachverständigen vom Schiedsgericht kommt. Den Parteien sollte auch in diesem Fall Gelegenheit gegeben werden, sich zur Person der/des vom Schiedsgericht vorgeschlagenen Sachverständigen zu äußern. Die Parteien haben jedoch die Möglichkeit, aus Kosten- oder anderen Gründen, auf die Befugnis des Schiedsgerichts, eine Sachverständige/einen Sachverständigen zu ernennen, zu verzichten und das Schiedsverfahren ohne schiedsgerichtlicher Bestellung einer Sachverständigen/eines Sachverständigen durchführen zu lassen.[1778]

1220 Eine Unterstützung bei der Suche von geeigneten Personen zur Bestellung als Sachverständige bietet die ICC im Rahmen der ICC Sachverständigen-Regeln an, die vom *ICC International Centre for ADR* administriert werden.[1779] Jede Person kann beim *ICC International Centre for ADR* kostenpflichtig um Vorschläge für eine/einen oder mehrere Sachverständige anfragen.[1780] Für ICC-Schiedsverfahren sind die Leistungen des *ICC International Centre for ADR* in diesem Zusammenhang kostenlos.[1781]

1221 Prinzipiell ist die/der vom Schiedsgericht eingeschaltete Sachverständige die/der VertragspartnerIn der Parteien. Die Parteien werden beim Abschluss

---

1778 *Schwarz* in Liebscher/Oberhammer/Rechberger, Schiedsverfahrensrecht II Rn 8/407.

1779 Siehe auch *Kopetzki*, ecolex 2015, 963 ff; die englische Version der ICC Sachverständigen-Regeln (*Expert Rules*) bestehend aus den *ICC Rules for the Proposal of Experts and Neutrals*, den *ICC Rules for the Appointment of Experts and Neutrals* und den *ICC Rules for the Administration of Expert Proceedings* sind abrufbar unter http://www.iccwbo.org/Data/Documents/Business-Services/Dispute-Resolution-Services/Experts/Rules/2015-ICC-Expert-Rules-ENGLISH-version/ (zuletzt abgerufen am 8.6.2016).

1780 Art 3 ICC Rules (Proposal of Experts); Art 1 und Art 2 Anhang II der ICC Rules (Proposal of Experts).

1781 Art 3 Anhang II der ICC Rules (Proposal of Experts).

des Vertrags mit der/dem Sachverständigen von den SchiedsrichterInnen vertreten.[1782]

Wird dies aber nicht klargestellt, so kann die/der Sachverständige idR davon ausgehen, dass das Schiedsgericht oder die/der Vorsitzende ihr/sein Vertragspartner ist.[1783] Der Vertrag wird aber dann zu Gunsten der Parteien geschlossen, sodass diese die/den Sachverständige/n auch haftpflichtig machen können.[1784]   **1222**

Die Beauftragung der/des Sachverständigen sollte schriftlich vorgenommen werden und zumindest folgende Punkte enthalten: Vertragspartner, Auftrag, Entgelt, Auslagenersatz, Zeitplan, Zuziehung Dritter, Informationsaufnahme, Gestaltung des Gutachtens, Geheimhaltung, übliche allgemeine Vertragsklauseln, allenfalls eine Haftungsbeschränkung.   **1223**

Die Sachverständigenkosten sind idR nicht von den Vorschüssen für die Honorare und die Barauslagen der SchiedsrichterInnen und der Verwaltungskosten für die Schiedsinstitution erfasst. Sie sind daher gesondert zu bevorschussen. In der Praxis wird oft ungeachtet der Frage, wer die Beweisführerin ist, der Vorschuss den Parteien je zur Hälfte aufgetragen[1785] und verfügt, dass die Klägerin bei Säumnis der Beklagten die Möglichkeit hat, auch deren Anteil zu zahlen. Weiter wird zweckmäßiger Weise vorgesehen, dass die/der Sachverständige erst nach vollständigem Erlag der Vorschüsse mit ihrer/seiner Tätigkeit beginnt.   **1224**

(3) Parteiernannte Sachverständige

Wesentlich ist es, die Stellung der/des parteiernannten Sachverständigen zu definieren, so insb, ob für ihr/ihn Anforderungen an ihre/seine Unabhängigkeit und Unbefangenheit gelten. Die Anforderungen der **Unabhängigkeit** und **Unbefangenheit** wie bei einer Schiedsrichterin/einem Schiedsrichter werden nach österreichischem, deutschem und Schweizer Schiedsrecht an die/den vom Schiedsgericht ernannte/n, nicht aber an die/den parteiernannte/n Sachverständige/n gestellt.[1786] Dies sehen auch diverse Schiedsordnungen vor.[1787]   **1225**

1782 *Lachmann*, Handbuch³ Rn 1538; *Schlosser* in Stein/Jonas, Zivilprozessordnung²²
§ 1049 Rn 2, wonach das Schiedsgericht nur bevollmächtigt ist, zu Lasten jener Partei, die den Sachverständigen beantragt hat, den Vertrag mit dem Sachverständigen zu schließen.

1783 *Schlosser* in Stein/Jonas, Zivilprozessordnung²² § 1049 Rn 2.

1784 *Schlosser* in Stein/Jonas, Zivilprozessordnung²² § 1049 Rn 2.

1785 *Schlosser* in Stein/Jonas, Zivilprozessordnung²² § 1049 Rn 2.

1786 *Hausmaninger* in Fasching/Konecny, ZPO³ § 601 öZPO Rn 65 ff; *Sachs/Lörcher* in Böckstiegel et al, Arbitration in Germany² § 1049 Rn 20; BGer 2.11.2011, 4A_424/2011, E. 3.1.1.

1787 Bspw Art 25(5) iVm Art 9 ff Swiss Rules; Art 23 iVm Art 20(1) und (2) Wiener Regeln.

1226 Ein weiterer praktisch wichtiger Punkt sind die Fragestellung und die Annahmen, von denen die Sachverständigen ausgehen. Nicht selten liegt die Ursache, warum Sachverständige zu unterschiedlichen Ergebnissen kommen, in unterschiedlichen Annahmen, die den Ausgangspunkt ihrer Beurteilung bilden. Idealerweise sollten diese Annahmen daher, wenn in einem Verfahren mehrere Sachverständige tätig werden, zwischen den Sachverständigen abgestimmt werden, bevor diese ihr Gutachten erstatten. Spätestens aber nachdem die Gutachten vorliegen, kann es sinnvoll sein, von den Sachverständigen eine gemeinsame Darstellung über die Ursachen ihrer unterschiedlichen Beurteilung zu erhalten. Die Partei darauf von Beginn an hinzuweisen, ist zweckmäßig.

(4) Befragung von Sachverständigen

1227 Für die Befragung von parteiernannten Sachverständigen gelten die obigen Ausführungen zur Befragung von Zeugen gleichermaßen.

1228 Mangels gegenteiliger Vereinbarung der Parteien steht diesen das Recht zu, eine/einen vom Schiedsgericht bestellte/n Sachverständige/n in einer mündlichen Verhandlung zu befragen.[1788] Weiters dürfen sie bei dieser Verhandlung auch die von ihnen ernannten Sachverständigen aussagen lassen.[1789]

(5) Inhalt von Gutachten

1229 Inhalt von Gutachten können sowohl **Sach- als auch Rechtsfragen** sein. In der Praxis sind Gutachten zu Sachfragen bei weitem häufiger.

1230 Entscheidend für den ordnungsgemäßen Ablauf des Schiedsverfahrens ist, dass die/der Sachverständige keinerlei richterliche Aufgabe wahrnimmt. Eine Delegation der Entscheidungsbefugnis, die allein dem Schiedsgericht zukommt, an die/den Sachverständige/n ist unzulässig, mag die Sachmaterie auch noch so schwierig sein. Das bedeutet, dass die/der Sachverständige nicht den Fall – wenn auch nur teilweise – selbst löst, sondern nur die an sie/ihn gestellten Sach- und/oder Rechtsfragen beantwortet.

1231 In der Praxis ist bei der/dem durch das Schiedsgericht bestellten Sachverständigen die Grenzziehung freilich nicht immer ganz einfach. So mag es etwa bei einer ergänzenden Vertragsauslegung eine Rolle spielen, was vernünftige Vertragspartner in der Lage der Streitparteien vereinbart hätten. Ein Gutachten, das etwa den Wortlaut der im Weg der Ergänzung in den Vertrag einzufügenden Textteile vorschlägt, würde zumindest den Anschein erwecken, dass diese Grenze überschritten wurde.

1232 Entscheidend ist, und zwar unabhängig von der Gestaltung des Sachverständigenverfahrens, dass das Schiedsgericht sich mit allen für den Fall we-

---

1788 § 1049 Abs 2 dZPO und § 601 Abs 2 öZPO.
1789 § 1049 Abs 2 dZPO und § 601 Abs 2 öZPO.

sentlichen Sach- und Rechtsfragen vertraut macht. Nur dann wird es nicht zu einer *de facto* Delegation kommen.

(6) Aufbau von Gutachten

Für den Inhalt von Gutachten parteiernannter und vom Schiedsgericht er- **1233**
nannter Sachverständiger geben die IBA Rules (Evidence) weiteren Auf-
schluss.[1790] Zusätzlich empfiehlt sich vorzusehen, dass Befundaufnahme und
Begutachtung klar getrennt und dass Annahmen und Erfahrungen der/des
Sachverständigen und deren Grundlage konkret dargelegt werden.

d) Augenschein

Im Wesentlichen gelten die Ausführungen zum Urkundenbeweis auch für **1234**
den Augenscheinbeweis. Dieser kann sowohl auf Antrag einer Partei als auch
durch das Schiedsgericht selbst erfolgen.[1791]

Praktisch wesentlich ist die Unterscheidung in **Augenscheingegenstände**, **1235**
die dem Schiedsgericht vorgelegt werden, und dem sog **Lokalaugenschein**.

Es mag manchmal sinnvoll sein, dass sich das Schiedsgericht frühzeitig **1236**
einen Eindruck vor Ort verschafft. Es sollte aber zuerst geklärt werden, ob
dies ein Beweisaufnahmetermin ist oder nicht. Bei einer Beweisaufnahme ist
zu regeln, wie der Inhalt des Augenscheins ausreichend dokumentiert wird.

11. Beweiswürdigung

Ist die Beweisaufnahme abgeschlossen, wird im Rahmen der Erstellung des **1237**
Schiedsspruchs die Würdigung der aufgenommenen Beweise vorgenommen.
Es gilt der **Grundsatz der freien Beweiswürdigung**.[1792] Das bedeutet, dass das
Schiedsgericht an keine vorgegebenen Regeln über die Beweiskraft einzelner
Beweismittel gebunden ist. IdR wird der Schiedsspruch kurze Ausführun-
gen über die Beweiswürdigung enthalten; zwingend ist dies aber nicht.[1793]
Beweise, die im Wege einer staatlichen Rechtshilfe aufgenommen wurden,
werden dem Schiedsgericht in Form eines Protokolls vorgelegt, auf dessen
Grundlage die Ergebnisse des Rechtshilfeersuchens gem § 599 Abs 1 öZPO
gewürdigt werden.[1794] Nach hM ist in Österreich die freie Beweiswürdigung

---

1790 Art 5(2) IBA Rules (Evidence) für Gutachten parteiernannter Sachverständige; Art 6(4)
      IBA Rules (Evidence) für Gutachten schiedsgerichtlich ernannter Sachverständiger.
1791 Art 7 IBA Rules (Evidence).
1792 § 1042 Abs 4 dZPO; § 599 Abs 1 öZPO; *Nigg*, St. Galler Studien zum internatio-
      nalen Recht 1999, 142 f: demnach gilt der Grundsatz der freien Beweiswürdigung
      in internationalen Privatrechtsstreitigkeiten.
1793 *Lloyd et al*, ICC Bull 2005, 32.
1794 *Hausmaninger* in Fasching/Konecny, ZPO³ § 602 öZPO Rn 61.

im Schiedsverfahren ein zwingender Grundsatz.[1795] Das BGer hat festgehalten, dass die Lehre die freie Beweiswürdigung als eine Säule der internationalen Schiedsgerichtsbarkeit bezeichnet.[1796] In der deutschen Literatur wird sie als bare Selbstverständlichkeit angesehen.[1797] Bei der Beweiswürdigung kommt dem Ermessen der Schiedsrichterin/des Schiedsrichters ein besonderer Stellenwert zu, der allerdings eine Einschränkung durch die Gewährung des rechtlichen Gehörs und das Erfordernis, die Parteien gleich und fair zu behandeln, erfährt.[1798]

1795 *Schumacher* in Schumacher, Beweiserhebung im Schiedsverfahren Rn 63 mwN.

1796 BGer 5.8.2013, 4A_214/2013, E. 4.3.1 (*pilier de l'arbitrage*); *B. Berger/Kellerhals*, Arbitration³ Rn 1356.

1797 *Schlosser* in Stein/Jonas, Zivilprozessordnung²² § 1042 Rn 8.

1798 *Schwarz* in Liebscher/Oberhammer/Rechberger, Schiedsverfahrensrecht II Rn 8/331.

9. Kapitel

Verfahrensbeendigung

Günther J. Horvath / Eliane Fischer / Desiree Prantl

Schiedsverfahren werden typischerweise durch einen Schiedsspruch oder **1238** durch einen Vergleich erledigt. Darüber hinaus können Schiedsverfahren gem Art 32 des UNCITRAL ModG als Folge einer Klagerücknahme oder aufgrund der Unmöglichkeit bzw Untunlichkeit der Weiterführung des Verfahrens beendet werden.[1799] Art 32 des UNCITRAL ModG wurde im österreichischen und deutschen Recht[1800] im Wesentlichen übernommen. Zusätzlich zu den im UNCITRAL ModG genannten Beendigungsgründen sehen sowohl das deutsche, als auch das österreichische Recht die Beendigung des Verfahrens infolge Versäumnis der fristgerechten Klageeinbringung vor.[1801] Im Gegensatz dazu kodifiziert das schwIPRG die Beendigungsformen nicht explizit.

Die institutionellen Schiedsordnungen[1802] verweisen neben dem Erlass **1239** eines Endschiedsspruchs in der Sache oder einem Schiedsspruch mit vereinbartem Wortlaut auf weitere Gründe, die zu einer Beendigung des Schiedsverfahrens führen.[1803]

Im folgenden **Abschnitt I** wird zunächst auf die Beendigung des Schieds- **1240** verfahrens durch Schiedsspruch eingegangen. Der anschließende **Abschnitt II** behandelt die Erledigung des Schiedsverfahrens durch Beschluss, insbesondere bei einvernehmlicher Beendigung. Im **Abschnitt III** erfolgt schließlich eine Auseinandersetzung mit den von der Beendigungsform abhängigen Kosten und Gebühren.

1799 *Holtzmann/Neuhaus*, Guide to the UNCITRAL Model Law 866.

1800 Die Autoren bedanken sich bei Frau *Iliana Nikolova* und Herrn *Christian Sturm*, Rechtsanwälte bei Freshfields Bruckhaus Deringer LLP in Frankfurt und München, für ihre Unterstützung bei den Ausführungen zum deutschen Recht.

1801 § 1056 Abs 2 Z 1 lit a dZPO; *Münch* in MünchKom, ZPO⁴ § 1056 Rn 24; § 608 öZPO; *Hausmaninger* in Fasching/Konecny, ZPO³ § 608 Rn 28 f.

1802 Vgl Art 34 Wiener Regeln *„Arten der Verfahrensbeendigung"*; § 39 DIS-Regeln *„Beendigung des schiedsrichterlichen Verfahrens"*; Art 34 Swiss Rules *„Einigung oder andere Gründe für die Einstellung des Verfahrens"*; jedoch keine ausdrückliche Regelung in der ICC SchO.

1803 *Hausmaninger* in Fasching/Konecny, ZPO³ § 608 Rn 16.

I. Schiedsspruch

A. Definition

1241   Der Begriff „Schiedsspruch" wird in der öZPO, der dZPO und im schwIPRG nicht definiert.[1804] Die Rsp des OGH zum alten Schiedsrecht hat unter einem Schiedsspruch als eine dem Urteil der staatlichen Gerichte gleichkommenden Entscheidung nur jene **meritorische Entscheidung** des Schiedsgerichtes über den Streitfall angesehen, die den Sachantrag der Parteien zumindest zum Teil abschließend erledigt.[1805] Diese Rsp lässt sich auf der Basis des in Kraft stehenden Rechts, wonach auch Kosten- und Zuständigkeitsentscheidungen in der Form eines Schiedsspruches ergehen, nicht mehr aufrechterhalten.[1806] Aus dem Gesetzeszusammenhang, va aus § 581 öZPO, geht hervor, dass es sich bei einem Schiedsspruch um die auf Parteiantrag beruhende **schriftliche Entscheidung** über die von der Schiedsvereinbarung umfasste Rechtsstreitigkeit durch ein Schiedsgericht handelt.[1807] Keine Schiedssprüche sind hingegen verfahrensleitende Beschlüsse und vorläufige oder sichernde Maßnahmen des Schiedsgerichts.[1808] Mithin ist ein Schiedsspruch als Willensäußerung eines Schiedsgerichts zu verstehen, welche die Klagebegehren ganz oder teilweise gutheisst, sie abweist oder nicht auf diese eintritt.[1809]

1242   Ein Schiedsspruch ist hinsichtlich der Rechtskraft einem gerichtlichen Urteil gleichgestellt.[1810] Ein österreichischer Schiedsspruch – ein solcher liegt vor, wenn das Schiedsgericht seinen Sitz in Österreich hat – bildet einen **Vollstreckungstitel** gem § 1 Z 16 öEO. Nach deutschem Verständnis hat der Schiedsspruch keine Titelwirkung *ipso iure*; hierzu ist die Vollstreckbarerklärung eines staatlichen Gerichts erforderlich.[1811] In der Schweiz ist ein inländischer Schiedsspruch ein sog **definitiver Rechtsöffnungstitel**. Siehe dazu ausführlich Kapitel XII.[1812]

1804   Vgl dazu weiterführend: *Peters/Koller* in Klausegger et al, Austrian Arbitration Yearbook 2010, 143 ff.

1805   RIS-Justiz RS0045065.

1806   *Peters/Koller* in Klausegger et al, Austrian Arbitration Yearbook 2010, 144.

1807   *Hausmaninger* in Fasching/Konecny, ZPO[3] § 606 Rn 45; ähnlich *Spohnheimer*, Gestaltungsfreiheit bei antezipiertem Legalanerkenntnis des Schiedsspruchs 49.

1808   *Hausmaninger* in Fasching/Konecny, ZPO[3] § 606 Rn 45; *Peters/Koller* in Klausegger et al, Austrian Arbitration Yearbook 2010, 144 ff.

1809   OGH 21.2.1922, 2 Ob 17/22, SZ 4/23; BGE 130 III 79; BGE 136 III 599; *Girsberger/Voser*, International Arbitration[3] Rn 1437.

1810   § 607 öZPO; § 1055 dZPO; Art 387 schwZPO für die Binnenschiedsgerichtsbarkeit.

1811   *Münch* in MünchKom, ZPO[4] § 1055 Rn 32; *Geimer* in Zöller, ZPO[31] § 1055 Rn 18.

1812   Siehe *Steindl/Mohs/Pörnbacher* Rn 1644 f.

Die im Schiedsspruch zu treffende Entscheidung über die Streitigkeit **1243** hängt maßgeblich vom anzuwendenden Recht ab. Dieses wird in Kapitel V gesondert behandelt.[1813]

B. Form und Inhalt

Die in Art 31(1)–(4) UNCITRAL ModG geregelten Form- und Inhaltsvor- **1244** schriften spiegeln sich in weitgehender Übereinstimmung in § 606 öZPO und § 1054 dZPO wider.[1814] In Deutschland und Österreich ist der Schiedsspruch zwingend **schriftlich**, und zwar gem § 596 öZPO und § 1054 Abs 1 dZPO in der gewählten Verfahrenssprache, zu erlassen.[1815] In der Schweiz regelt Art 189 Abs 1 schwIPRG, dass der Entscheid in dem Verfahren und in der Form zu ergehen hat, welche die Parteien vereinbart haben. Fehlt eine entsprechende Parteivereinbarung, so wird der Entscheid mit Stimmenmehrheit bzw durch Stichentscheid des Präsidenten des Schiedsgerichts gefällt und ist schriftlich abzufassen, zu begründen, zu datieren und zu unterzeichnen.[1816] Erfüllt ein Schiedsspruch die Mindesterfordernisse nicht, liegt ein **Nichtschiedsspruch** vor.[1817] Verfahrensleitende Beschlüsse, wie zB Anordnungen zur Leistung eines Kostenvorschusses oder zur Herausgabe von Dokumenten, sowie vorläufige oder sichernde Maßnahmen des Schiedsgerichts, sind keine Schiedssprüche.[1818]

1. Form

a) Arten von Schiedssprüchen

Ein Schiedsspruch kann in unterschiedlichen Formen, wie dies va in institu- **1245** tionellen Schiedsordnungen verankert ist, erlassen werden. Vom eigentlichen Endschiedsspruch in der Sache (*final award*) sind der Zwischenschiedsspruch (*interim award*), der vorläufige Schiedsspruch (*interlocutory award*), der Teilschiedsspruch (*partial award*), der Ergänzungsschiedsspruch (*additional award*), der Abwesenheitsschiedsspruch (*default award*), der Schiedsspruch mit vereinbartem Wortlaut (*award by consent*), der Schiedsspruch über die Zuständigkeit (*award on jurisdiction*) und Kostenentscheidungen (*decisions on cost*) zu unterscheiden.[1819]

1813 Siehe Voser/Schramm/Haugeneder Rn 816 ff.
1814 *Hausmaninger* in Fasching/Konecny, ZPO³ § 603 Rn 12 ff.
1815 *Hausmaninger* in Fasching/Konecny, ZPO³ § 606 Rn 20.
1816 Art 189 Abs 2 schwIPRG; für Binnenschiedsverfahren siehe Art 384, 386 schwZPO.
1817 *Zeiler*, Schiedsverfahren² § 606 Rn 8, 10.
1818 *Zeiler*, Schiedsverfahren² § 606 Rn 9; BGer 15.4.2013, 4A_596/2012, E. 3.3.
1819 *Hausmaninger* in Fasching/Konecny, ZPO³ § 606 Rn 28; *Zeiler*, Schiedsverfahren²
       § 606 Rn 12; *Pfisterer* in Honsell et al, Internationales Privatrecht³ Art 190 Rn 22 ff;
       Girsberger/Voser, International Arbitration³ Rn 1441 ff.

1246   Diese unterschiedlichen Formen schließen sich gegenseitig nicht zwingend aus. So ist ein Schiedsspruch mit vereinbartem Wortlaut ein Endschiedsspruch, wenn er alle rechtsanhängigen Ansprüche umfasst, oder ein Teilschiedsspruch, wenn sich die Parteien nur in Bezug auf einen Teil der Rechtsbegehren auf einen Schiedsspruch mit vereinbartem Wortlaut geeinigt haben. Zudem sind Teile eines Schiedsspruchs unter Umständen unterschiedlich zu qualifizieren. So kann ein Schiedsgericht im selben Schiedsspruch einen Anspruch im Rahmen eines Zwischenentscheids abschließend entscheiden und im Hinblick auf eine andere Rechtsfrage einen Teilschiedsspruch fällen. Mithin ist die rechtliche Qualifikation auch vom Verfahrensausgang abhängig. So führt die Stattgebung einer Zuständigkeitseinrede zur Erledigung des Verfahrens und (sofern alle verfahrensanhängigen Ansprüche davon erfasst sind) zu einem Endschiedsspruch, während die Abweisung einer Zuständigkeitseinrede bei einer Zweiteilung des Verfahrens als Zwischenschiedsspruchs zu qualifizieren ist.

1247   Die rechtliche Qualifikation richtet sich nicht nach der äußerlichen Bezeichnung, sondern ausschließlich nach dem Inhalt der schiedsgerichtlichen Anordnung.[1820] Sie ist insb für die Frage relevant, ob bspw eine verfahrensleitende Verfügung, die fälschlicherweise als *interim award* bezeichnet wird, Gegenstand einer Anfechtung sein kann oder, ob im umgekehrten Fall eine Anfechtung ausgeschlossen ist, wenn das Schiedsgericht in einem als *procedural order* bezeichneten Dokument materielle Rechtsfragen entscheidet.[1821] Siehe dazu ausführlich Kapitel XI.[1822]

1248   Es liegt im Ermessen des Schiedsgerichts, einen Teil-, vorläufigen oder Zwischenschiedsspruch zu erlassen; ein Parteiantrag ist hierfür nicht erforderlich.[1823] Bei Vorliegen eines gemeinsamen Begehrens der Parteien auf Erlass eines Teil-, vorläufigen oder Zwischenschiedsspruchs ist das Schiedsgericht jedoch an ein solches Verlangen gebunden.[1824]

b) Schriftlichkeit und Unterzeichnungspflicht

1249   Ein Schiedsspruch ist schriftlich und in der erforderlichen Anzahl von Originalen zu erlassen.[1825] Es müssen zumindest so viele Originale ausgefertigt werden, wie Parteien am Verfahren beteiligt waren. Die Schiedssprüche sind

---

1820   BGer 15.4.2013, 4A_596/2012, E. 3.1.
1821   *Molina* in Arroyo, Arbitration in Switzerland Art 187 schwIPRG Rn 8.
1822   Siehe *Wiebecke/Ruckteschler/Schifferl* Rn 1472.
1823   *Wirth* in Honsell et al, Internationales Privatrecht³ Art 188 Rn 12.
1824   *Wirth* in Honsell et al, Internationales Privatrecht³ Art 188 Rn 13.
1825   Vgl aber Rn 1251 zur Möglichkeit, bei einem Schiedsverfahren in der Schweiz durch Parteivereinbarung auf die Schriftlichkeit oder die Begründung des Schiedsspruchs zu verzichten.

durch die Einzelschiedsrichterin/den Einzelschiedsrichter bzw die Mitglieder des Schiedsgerichts persönlich und eigenhändig zu unterzeichnen. In der Schweiz genügt die Unterschrift der Präsidentin/des Präsidenten.[1826] In Österreich und Deutschland ist der Schiedsspruch grundsätzlich durch sämtliche SchiedsrichterInnen zu unterzeichnen.[1827] Dies gilt in Österreich sowohl für die Urschrift, als auch für die Ausfertigungen.[1828]

Die für die Wirksamkeit des Schiedsspruchs erforderliche Unterfertigung **1250** des Schiedsspruchs kann mit gerichtlicher Klage erzwungen werden.[1829] Steht jedoch in einem Schiedsverfahren mit einem mehrpersonalen Schiedsgericht der Unterschriftsleistung aller ein Hindernis entgegen, genügt die Unterschrift durch die Mehrheit. Eine Parteienvereinbarung ist mit Ausnahme einer Verringerung des Quorums zulässig. Bei einer fehlenden Unterschrift ist am Schiedsspruch das Hindernis, auf das die fehlende Unterschrift zurückzuführen ist,[1830] zB Verweigerung, Handlungsunfähigkeit oder Tod einer Schiedsrichterin/eines Schiedsrichters,[1831] vom vorsitzenden Schiedsgerichtsmitglied oder einem anderen Mitglied, wohl auch von der Schiedsrichterin/ dem Schiedsrichter, die/der die Unterschrift verweigert (nicht aber im Umfang einer *dissenting opinion*), zu vermerken.[1832]

Eine Besonderheit besteht im Schweizer Recht, wo durch Parteienver- **1251** einbarung in der Schiedsvereinbarung auf Schriftlichkeit und Begründung des Schiedsspruchs verzichtet werden kann.[1833] Mangels einer solchen Parteienvereinbarung hat aber auch nach Schweizer Recht der Schiedsspruch schriftlich zu ergehen.[1834] Hinsichtlich der Vereinbarung eines mündlich zu erlassenden Schiedsspruchs ist zu bedenken, dass dieser weder Anfechtungsobjekt, noch Vollstreckungstitel sein kann.[1835]

1826 Art 189 Abs 2 schwIPRG.
1827 § 606 Abs 1 öZPO, § 1054 Abs 1 dZPO. Nach deutschem Recht kann ein diesem Unterschriftserfordernis nicht genügender Schiedsspruch nicht für vollstreckbar erklärt werden: OLG Köln 15.1.2004, 9 Sch 17/03, Rn 7, SchiedsVZ 2004, 269; OLG München 28.6.2006, 34 Sch 11/05 Rn 44; OLG Düsseldorf 14.8.2007, I-4-Sch-02–06, Rn 103.
1828 OGH 17.6.1953, 2 Ob 378/53.
1829 OGH 10.7.2001, 4 Ob 156/01x; OGH 29.1.1970, 1 Ob 252/69, SZ 43/25; RIS-Justiz RS0045022.
1830 § 606 Abs 1 öZPO; § 1054 Abs 1 dZPO.
1831 *Hausmaninger* in Fasching/Konecny, ZPO³ § 606 Rn 3, 13, 20, 60, 70 ff; *Zeiler*, Schiedsverfahren² § 606 Rn 1, 4, 27.
1832 *Zeiler*, Schiedsverfahren² § 606 Rn 36.
1833 Art 189 Abs 1 schwIPRG; *Wirth* in Honsell et al, Internationales Privatrecht³ Art 189 Rn 6.
1834 Art 189 Abs 2 schwIPRG.
1835 *Wirth* in Honsell et al, Internationales Privatrecht³ Art 189 Rn 31.

1252 Während die dZPO auch ausdrücklich vorsieht, dass die Parteien auf das Begründungserfordernis durch Vereinbarung verzichten können,[1836] ist in Deutschland das Schriftlichkeitserfordernis der Dispositionsbefugnis der Parteien entzogen.[1837]

2. Inhalt

1253 Inhaltlich ist die Erledigung des Sachbegehrens im Schiedsspruch durch das Schiedsbegehren beschränkt (**Dispositionsgrundsatz**): So liegt eine die Aufhebung des Schiedsspruchs begründende Überschreitung der Kompetenz des Schiedsgerichts ua vor, wenn das Schiedsgericht zwar nach der Schiedsvereinbarung für die Streiterledigung zuständig wäre, aber die von den Parteien gestellten Sachanträge (Rechtsschutzbegehren) überschritten werden, das Schiedsgericht also über ein *plus* oder ein *aliud* abspricht.[1838] Auch ein *minus* kann zur Anfechtung führen. Unzureichende Bestimmtheit und die daraus folgende Nicht-Eignung des Schiedsspruchs als Exekutionstitel kann durch einen Ergänzungsschiedsspruch behoben werden.[1839]

a) Begründung

1254 Im Unterschied zum alten österreichischen Schiedsrecht trifft das Schiedsgericht nunmehr gem § 606 Abs 2 öZPO eine (dispositive) **Begründungspflicht** des Schiedsspruchs.[1840] Auch im schweizerischen und deutschen Recht ist die Begründungspflicht einer Parteienvereinbarung zugänglich.[1841] Die Begründung des Schiedsspruchs kann bei der Auslegung herangezogen werden.[1842] Im Unterschied zum deutschen Recht[1843] bildet eine fehlende Begründung nach österreichischer und schweizerischer Praxis nicht zwingend einen Aufhebungsgrund.[1844]

1836 § 1054 Abs 2 HS 1 dZPO.

1837 *Geimer* in Zöller, ZPO[31] § 1054 Rn 2.

1838 *Hausmaninger* in Fasching/Konecny, ZPO[3] § 611 Rn 115; vgl den Aufhebungsgrund nach § 611 Abs 2 Z 3 zweite Variante öZPO.

1839 § 610 Abs 1 Z 3 öZPO; *Hausmaninger* in Fasching/Konecny, ZPO[2] § 606 Rn 94.

1840 *Hausmaninger* in Fasching/Konecny, ZPO[3] § 606 Rn 5.

1841 Art 189 Abs 1 schwIPRG; § 1054 Abs 2 dZPO.

1842 *Zeiler*, Schiedsverfahren[2] § 606 Rn 24 mwN auf OGH 31.3.2005, 3 Ob 259/04s.

1843 § 1059 Abs 2 Nr 1 d) dZPO und § 1054 Abs 2 dZPO; vgl hierzu BT-Drucksache 13/5274, 59 f.

1844 *Hausmaninger* in Fasching/Konecny, ZPO[3] § 606 Rn 86; *Zeiler*, Schiedsverfahren[2] § 606 Rn 5 und 24a mwN; BGer 14.4.2013, 4A_669/2013, 4A, E.3.1; BGer 5.2.2014, 4A_446/2013, E.3; BGer 22.1.2008, 4A_468/2007, E. 6.1.

Ebenso sehen institutionelle Schiedsordnungen die Begründung von **1255** Schiedssprüchen vor,[1845] so bspw Art 32(2) ICC SchO, Art 36(1) Wiener Regeln, § 34.4 DIS-Regeln und Art 32(3) Swiss Rules. Nach den Wiener Regeln kann jedoch die Begründungspflicht entfallen, wenn alle Parteien schriftlich oder in der mündlichen Verhandlung darauf verzichten.[1846] Bei einem Schiedsspruch mit vereinbartem Wortlaut reicht nach österreichischem und deutschem Recht als Begründung ein Hinweis auf den zwischen den Parteien geschlossenen Vergleich.[1847]

b) Sondervoten

Durch die Abgabe von Sondervoten (*concurring* oder *dissenting opinions*) **1256** können SchiedsrichterInnen zum Ausdruck bringen, dass sie der im Schiedsspruch getroffenen Entscheidung nicht zustimmen. Solche Sondervoten bieten neben der schlichten Verweigerung der Unterschrift des Schiedsspruchs durch eine Schiedsrichterin/einen Schiedsrichter eine weitere Möglichkeit, um das Abgehen einer Schiedsrichterin/eines Schiedsrichters von der getroffenen Mehrheitsentscheidung mitzuteilen bzw zu begründen. Während Sondervoten in der anglo-amerikanischen Gerichts- wie auch Schiedsgerichtsspruchpraxis verbreitet sind, spielen *concurring* oder *dissenting opinions* in der kontinental-europäischen Rsp sowie in der internationalen Schiedsgerichtsbarkeit kaum eine Rolle. Grundsätzlich ist eine *concurring* oder *dissenting opinion* nicht als Teil des Schiedsspruchs, sondern als gesonderte Aussage einer Schiedsrichterin/eines Schiedsrichters anzusehen, in der die Missbilligung der von den Schiedsrichterkolleginnen und -kollegen getroffenen Mehrheitsentscheidung zum Ausdruck gebracht wird. Ein Sondervotum vermag die Wirksamkeit des Schiedsspruchs nicht zu beeinflussen.[1848]

Gem dem eben Dargelegten besteht bei einem durch Mehrheitsentschei- **1257** dung gefällten österreichischen Schiedsspruch keine Verpflichtung, ein Sondervotum in den Schiedsspruch aufzunehmen. Strittig ist, ob – und bejahendenfalls unter welchen Voraussetzungen – eine Beifügung zulässig ist. In der Schweiz gelten Sondervoten als zulässig, wobei eine Schiedsrichterin/ein Schiedsrichter kein Recht auf Abgabe einer *dissenting* oder *concurring opinion* hat, es sei denn, die Parteien haben den Mitgliedern des Schiedsgerichts ein entsprechendes Recht eingeräumt oder die Mehrheit des Schieds-

---

1845 *Hausmaninger* in Fasching/Konecny, ZPO³ § 606 Rn 31.
1846 Art 36(1) Wiener Regeln; *Hauser* in VIAC, Handbuch Art 36 Rn 2 ff.
1847 *Hausmaninger* in Fasching/Konecny, ZPO³ § 606 Rn 14, 21, 79, 81; *Zeiler*, Schiedsverfahren² § 606 Rn 5, 24; siehe auch Rn 1309.
1848 *Born*, Commercial Arbitration² 3053 f; *Redfern/Hunter*, International Arbitration⁶ 9.135 ff.

gerichts stimmt der Abgabe einer *dissenting* oder *concurring opinion* zu.[1849] Jedenfalls sind Sondervoten nicht Teil der Schiedsentscheidung und haben entsprechend keinen Einfluss auf deren Gültigkeit und Vollstreckbarkeit.[1850] Im deutschen Recht ist strittig, ob für das grundsätzlich als zulässig erachtete Sondervotum eine Parteienvereinbarung vorliegen muss und ob dieses das Beratungsgeheimnis verletzen könnte.[1851]

1258   Die meisten modernen institutionellen Schiedsordnungen regeln die Zulässigkeit von Sondervoten nicht ausdrücklich. Explizit erlaubt sind sie bspw nach der ICSID SchO: *„Any member of the Tribunal may attach his individual opinion to the award, whether he dissents from the majority or not, or a statement of his dissent."*[1852]

c) Ort und Sitz des Verfahrens

1259   Wie in Art 31 UNCITRAL ModG vorgesehen, sind nach dem österreichischen, deutschen und schweizerischen Recht (dort mangels anderweitiger Parteiabrede) im Schiedsspruch der Tag der Erlassung und – im österreichischen und deutschen Recht – der Ort des Schiedsverfahrens anzugeben.[1853] Auch in institutionellen Schiedssprüchen sind Datum und Ort zu vermerken. Unabhängig davon, wann der Schiedsspruch tatsächlich gefasst wurde, gilt er an dem im Schiedsspruch angeführten Tag als erlassen.[1854] Weiters ist der Ort der Unterzeichnung des Schiedsspruchs vom Sitz des Schiedsgerichts zu unterscheiden. Üblicherweise führen Schiedsgerichte auf der ersten Seite des Schiedspruchs den Sitz des Schiedsgerichts an, unabhängig davon, ob sie den Schiedsspruch auch an diesem Ort unterzeichnet haben.[1855] Die Bedeutung des Sitzes besteht darin, dass der Sitz des Schiedsgerichts das für ein etwaiges Aufhebungsverfahren anzuwendende Recht bestimmt, wobei eine fehlende Angabe des Sitzes nicht die Unwirksamkeit des Schiedsspruchs zur Folge hat.[1856] Im Vollstreckungs- bzw Exekutionsverfahren bestimmt der Sitz des

---

[1849]   BGer 25.5.1992, 4P.23/1991, E.2, abgedruckt in ASA Bulletin 1992, 381 ff.

[1850]   *Girsberger/Voser* International Arbitration³ Rn 1481; *B. Berger/Kellerhals,* Arbitration³ Rn 1500; BGer 18.3.2010, 4A_584/2009, E. 3.3; vgl hierzu auch *Westermann,* SchiedsVZ 2009, 102 ff; *Bartels,* SchiedsVZ 2014, 133 ff.

[1851]   *Hausmaninger* in Fasching/Konecny, ZPO³ § 606 Rn 75 f.

[1852]   Rule 47(3) ICSID SchO; Art 48(4) ICSID Convention; *Redfern/Hunter,* International Arbitration⁶ 9.131 f.

[1853]   § 606 Abs 3 öZPO; § 1054 Abs 3 dZPO; Art 189 Abs 2 schwIPRG; *Hausmaninger* in Fasching/Konecny, ZPO³ § 606 Rn 15, 22.

[1854]   *Zeiler,* Schiedsverfahren² § 606 Rn 6, 23.

[1855]   *Born,* Commercial Arbitration² 3036.

[1856]   *Hausmaninger* in Fasching/Konecny, ZPO³ § 606 Rn 15, 22, 33, 91.

Schiedsgerichts, ob es sich um einen „inländischen" oder „ausländischen" Schiedsspruch handelt.[1857]

d) Kontrolle, Fristsetzung und Veröffentlichung in institutionellen Schiedsverfahren

Eine Besonderheit mancher institutioneller Schiedsregeln besteht in der **Prü-** **1260** **fung von Schiedssprüchen** durch die verfahrensadministrierende Schiedsinstitution (*award scrutiny*).[1858] Die ICC SchO sieht bspw vor, dass ein Schiedsgericht Anmerkungen des ICC-Gerichtshofs zur Form, nicht jedoch zum Inhalt, zwingend umsetzen muss. Anderenfalls wird die für die Vollstreckbarkeit vorausgesetzte Bestätigung des Schiedsspruchs seitens der ICC nicht erteilt. Der ICC-Gerichtshof kann jedoch das Schiedsgericht unverbindlich auf spezielle inhaltliche Punkte im übermittelten Schiedsspruch hinweisen, wobei die inhaltliche Letztentscheidung dem Schiedsgericht obliegt. Im Vergleich zur ICC SchO ist im Rahmen der Swiss Rules die Einflussmöglichkeit der Schweizer Handelskammern auf die Einholung einer unverbindlichen Meinung zur Kostenfrage beschränkt.[1859] Demgegenüber ist in den Wiener Regeln keine ausdrückliche Kontrolle des Schiedsspruchs vorgesehen, sondern lediglich eine bestätigende Unterschrift des Generalsekretärs, dass es sich um einen Schiedsspruch der Wirtschaftskammer Österreich handelt.[1860] Die Regeln der DIS sehen überhaupt nur die Unterschrift der SchiedsrichterInnen vor.[1861] Eine formelle Überprüfung des Schiedsspruchs durch die DIS-Schiedsinstitution ist nicht vorgesehen. Diese könnte aber grundsätzlich auch ohne Antrag auf Fehler des Schiedsspruchs hinweisen.[1862]

Im Unterschied zu nationalen Verfahrensregeln setzen einige institutionelle **1261** Schiedsregeln eine Frist für den Erlass des Schiedsspruchs fest; so bestimmt Art 31 ICC SchO bspw, dass das Schiedsgericht seinen Schiedsspruch binnen sechs Monaten ab Unterzeichnung des Schiedsauftrags erlassen muss. Der Lauf dieser Frist beginnt mit der letzten Unterschrift des Schiedsgerichts oder der Parteien unter den Schiedsauftrag. Der Schiedsspruch ist gem Art 42 der Swiss Rules innerhalb einer Frist von sechs Monaten zu erlassen, wenn ein beschleunigtes Verfahren vereinbart wurde. In einem beschleunigten Verfahren nach den Wiener Regeln hat das Schiedsgericht gem Art 45(8) binnen sechs Monaten ab Fallübergabe einen Schiedsspruch zu erlassen. Die DIS

1857 *Zeiler*, Schiedsverfahren² § 614 Rn 4 f; *Siwy* in Zeiler, Austrian Arbitration Law § 614 Rn 6 ff.
1858 Art 34 ICC SchO.
1859 Art 40(4) Swiss Rules.
1860 *Hausmaninger* in Fasching/Konecny, ZPO³ § 606 Rn 37.
1861 *Elsing* in Böckstiegel et al, Arbitration in Germany 697.
1862 Vgl *Theune* in Schütze, Schiedsgerichtsbarkeit² § 37 DIS-Schiedsordnung Rn 1.

publizierte ergänzende Regeln für beschleunigte Verfahren, die Maximal-verfahrensdauern von sechs Monaten ab Klageerhebung für Einzelschieds-richterInnen und neun Monaten ab Klageerhebung bei einem dreipersonalen Schiedsgericht vorsehen.

1262 Ob Schiedssprüche veröffentlicht werden dürfen, hängt von einer ent-sprechenden Vereinbarung der Parteien ab,[1863] wobei eine Rechtswahl oder die Wahl einer bestimmten Schiedordnung eine solche Vereinbarung ersetzen kann. Ein Schiedsverfahren ist nicht notwendigerweise vertraulich, sodass ein Schiedsspruch – je nach anwendbarem Recht und Schiedordnung – uU auch ohne Parteienvereinbarung ieS veröffentlicht werden kann. Die **Ver-öffentlichung von Schiedssprüchen** wird gemäß den meisten institutionellen Schiedsregeln dann als zulässig erachtet, wenn die Parteien einer solchen nicht widersprechen (*opting out*, wie zB Art 41 Wiener Regeln und Art 32(5) iVm Art 44(3) Swiss Rules) bzw der Veröffentlichung ausdrücklich zustimmen (*opting in*, zB § 42 DIS-Regeln).[1864] Schiedssprüche werden zwar immer öf-ter publiziert, jedoch gelangt nur ein kleiner Bruchteil aller Schiedssprüche an die Öffentlichkeit. Anonymisierte Auszüge, Zusammenfassungen und Über-setzungen von ICC-Schiedssprüchen werden regelmäßig in der Zeitschrift des ICC Gerichtshofes, dem *ICC Dispute Resolution Bulletin*, jedoch erst frühestens drei Jahre nach Erlass des Schiedsspruchs, veröffentlicht. Die Par-teien können solche Veröffentlichungen durch den Abschluss einer strengen Vertraulichkeitsklausel verhindern.[1865]

e) Nichtschiedsspruch

1263 Ein Schiedsspruch, der die Mindestvoraussetzungen nicht erfüllt und nicht als andere Entscheidungsform, zB eine prozessleitende Verfügung, zu qua-lifizieren ist, ist wirkungslos und daher auch nicht anfechtbar.[1866] Ein Nicht-schiedsspruch liegt bspw vor, wenn das Schiedsgericht eine Entscheidung ohne das Vorliegen jeglicher Rechtsschutzanträge fällt. Im alten österreichischen Schiedsrecht führte auch der Mangel der objektiven Schiedsfähigkeit einer „entschiedenen" Streitigkeit zu einem *ipso facto* wirkungslosen Nichtschieds-spruch,[1867] dies gilt für das in Kraft stehende österreichische Recht aber gerade nicht mehr. Vielmehr sind derartige Mängel „nur" mehr bloßer Aufhebungs-grund gem § 611 öZPO,[1868] wie auch das Überschreiten der Parteianträge

---

1863 *Weigand*, Handbook² Rn 2.232; *Schwarz/Konrad*, Vienna Rules² Rn 30–003.
1864 *Hausmaninger* in Fasching/Konecny, ZPO³ § 606 Rn 40.
1865 *Fry/Greenberg/Mazza*, ICC Arbitration Art 34(1) Rn 3–1236.
1866 OGH 18.11.2015, 3 Ob 24/15y; OGH 13.1.2004, 5 Ob 123/03d.
1867 *Chiwitt-Oberhammer/Oberhammer*, wobl 2005, 181.
1868 *Hausmaninger* in Fasching/Konecny, ZPO³ § 611 Rn 76.

(*ultra petita*) einen Aufhebungsgrund gem § 611 öZPO, § 1059 Abs 2 Z 1 lit d dZPO[1869] und Art 190 Abs 2 lit c schwIPRG darstellt.[1870]

C. Zustandekommen und Wirkung

1. Entscheidung durch ein mehrpersonales Schiedsgericht

Die Entscheidungsfindung in Schiedsverfahren erfolgt durch Beratung und Abstimmung über einen von einem Mitglied oder über einen gemeinsam vom gesamten Schiedsgericht erarbeiteten schriftlichen Entscheidungsentwurf.[1871] Die bloße Abstimmung über die Richtung, in welche der Spruch gehen soll, begründet noch keinen Schiedsspruch. Mangels gesetzlicher Regelung gilt ein Schiedsspruch dann als gefällt, wenn über einen schriftlichen Entwurf abgestimmt worden ist und die erforderliche Mehrheit der Schiedsgerichtsmitglieder durch Unterfertigung dem Schiedsspruch zugestimmt hat.[1872] Die Zustellung ist nicht erforderlich.[1873]   **1264**

Bei einem Schiedsrichterkollegium, das sich aus einer ungeraden Anzahl   **1265** von mindestens drei SchiedsrichterInnen zusammensetzt, erfolgt die Abstimmung durch **Stimmenmehrheit aller Mitglieder**, wobei für die Stimmenmehrheit die Gesamtzahl der Mitglieder des Schiedsgerichts relevant ist.[1874] Grundsätzlich wird allen Stimmen gleiches Gewicht beigemessen. Kommt keine Stimmenmehrheit zustande, sieht Art 189 Abs 2 schwIPRG eine Entscheidung durch die Vorsitzende/den Vorsitzenden vor. Auch in den Wiener Regeln[1875], den Swiss Rules[1876] und der ICC SchO[1877], nicht aber in den DIS-Regeln, wird der Durchführung und Zügigkeit des Verfahrens durch die Entscheidungsbefugnis des vorsitzenden Mitglieds des Schiedsgerichts in Patt-Situationen Rechnung getragen. Verweigert ein Schiedsgerichtsmitglied die Teilnahme an der Abstimmung, regelt § 1052 Abs 2 dZPO (über das UNCITRAL ModG hinausgehend), dass ein sogenanntes Rumpfschiedsgericht (*truncated tribunal*) alleine entscheidet, wobei die

---

1869   OLG München 5.10.2009, 34 Sch 12/09 [II 3a (2) aa]; OLG Koblenz 6.10.2005, 2 Sch 1/05, Rn 18; das OLG Köln hat einen Verstoß gegen das Verbot des Überschreitens der Parteianträge sogar als *ordre public* Verstoß bewertet: OLG Köln 28.6.2011, 19 Sch 11/10, SchiedsVZ 2012, 161, 165.

1870   *Zeiler*, Schiedsverfahren² § 606 Rn 17, 19.

1871   *Hausmaninger* in Fasching/Konecny, ZPO³ § 604 Rn 35, 42.

1872   *Zeiler*, Schiedsverfahren² § 606 Rn 11.

1873   Nach Erlass des Schiedsspruchs ist dieser den Parteien zuzustellen; zur Zustellung siehe Rn 1267.

1874   § 604 öZPO und § 1052 Abs 1 dZPO entsprechen Art 29 UNCITRAL ModG.

1875   *Schäfer/Schifferl/Wong* in VIAC, Handbuch Art 35 Rn 1 ff.

1876   Art 31(1) Swiss Rules.

1877   Art 32(1) ICC SchO.

abgegebenen Stimmen eine absolute Mehrheit erreichen müssen. Auch nach den Swiss Rules[1878] kann ein Rumpfschiedsgericht unter der Voraussetzung, dass sich die säumige Schiedsrichterin/der säumige Schiedsrichter an den bisherigen Verfahrenshandlungen beteiligt hat und ausreichend Gelegenheit zur Teilnahme an den Beratungen hatte, eine Entscheidung fällen.[1879] Im Unterschied zu den Swiss Rules wie auch zur ICC SchO[1880] ist die Fortführung des Schiedsverfahrens mit einem Rumpfschiedsgericht in den Wiener Regeln nicht vorgesehen.[1881]

2. Zeitpunkt des Zustandekommens

1266 Nach dem Abschluss der mündlichen Verhandlung und – sofern vorgesehen – dem Austausch von abschließenden Schriftsätzen tritt in den meisten Verfahren üblicherweise Entscheidungsreife ein. Nach einer Beratung der Schiedsgerichtsmitglieder wird über den vom vorsitzenden Mitglied oder den MitschiedsrichterInnen zusammengestellten und schiedsgerichtsintern zirkulierten Entscheidungsentwurf abgestimmt. Der erlassene Schiedsspruch wird mit der Unterzeichnung gegenüber den Schiedsgerichtsmitgliedern wirksam, eine inhaltliche Änderung der Entscheidung ist nur noch einstimmig möglich. Mit Übersendung des Schiedsspruchs an die Parteien wird dieser auch gegenüber diesen wirksam.[1882]

3. Zustellung und Verwahrung des Schiedsspruchs

1267 Das Datum des Empfangs des Schiedsspruchs durch die jeweilige Partei[1883] ist ua für die Berechnung der Frist zur Stellung eines Antrags auf Berichtigung, Erläuterung und Ergänzung des Schiedsspruchs[1884] oder die Erhebung eines Antrag auf Aufhebung[1885] relevant.[1886] Bei fehlender Parteivereinbarung und mangels gesetzlicher Regelung bestimmt das Schiedsgericht die Art der Über-

---

1878 Art 13(2) lit b Swiss Rules.
1879 *Hausmaninger* in Fasching/Konecny, ZPO³ § 604 Rn 12, 30.
1880 Art 15(5) ICC SchO; *Fry/Greenberg/Mazza*, ICC Arbitration Art 15(5) Rn 3–649 ff: Die Entscheidung durch ein Rumpfschiedsgericht setzt voraus, dass das Schiedsverfahren bereits geschlossen wurde; vor Schluss des Schiedsverfahren ist eine Schiedsrichterin/ein Schiedsrichter zu ersetzen.
1881 *Horvath/Trittmann* in VIAC, Handbuch Art 22 Rn 2.
1882 *Hausmaninger* in Fasching/Konecny, ZPO³ § 606 Rn 52–56.
1883 In der Schweiz „*Eröffnung*" (siehe Art 190 Abs 1 schwIPRG).
1884 § 610 öZPO; § 1058 Abs 2 dZPO; BGE 126 III 527.
1885 § 611 öZPO und § 1059 dZPO; in der Schweiz „*Anfechtung*" (siehe Art 190 Abs 2 schwIPRG und Art 44 schwBGG).
1886 *Hausmaninger* in Fasching/Konecny, ZPO³ § 606 Rn 99.

sendung des Schiedsspruchs an die Parteien.[1887] In der Praxis erfolgt die Übersendung per eingeschriebenem Brief bzw per Einschreiben gegen Rückschein und in internationalen Verfahren per Kurier.[1888] Diese Art der Versendung ermöglicht einen Zustellnachweis. Die bei alter österreichischer Rechtslage vorgesehene Möglichkeit einer Übermittlung des Schiedsspruchs im Wege der elektronischen Post wurde in Hinblick auf die internationale Vollstreckbarkeit des Schiedsspruchs wieder rückgängig gemacht. Bei Vorliegen einer qualifizierten elektronischen Signatur der SchiedsrichterInnen steht in Österreich aber dennoch der elektronische Übermittlungsweg offen.[1889]

1268

Die Urkunden über die Zustellung des Schiedsspruchs sowie der Schiedsspruch selbst sind, wie aus § 606 Abs 5 öZPO ausdrücklich hervorgeht, gemeinschaftliche Urkunden der Parteien der und SchiedsrichterInnen. Dies ist für die Vorlagepflicht gem § 303 öZPO von Bedeutung. Zudem wird in § 606 Abs 5 öZPO vorgesehen, dass das Schiedsgericht mit den Parteien die Verwahrung des Schiedsspruchs und der Urkunden über dessen Zustellung erörtert. Da üblicherweise die Verwahrung ohnehin durch die Schiedsinstitution[1890] oder die SchiedsrichterInnen erfolgt, wird dieser Bestimmung in der Praxis kaum Relevanz beigemessen. Eine von der Arbeitsgruppe des Ludwig-Bolzmann-Instituts[1891] vorgeschlagene Hinterlegung des Schiedsspruchs wurde jedenfalls nicht in das öSchiedsRÄG 2006 aufgenommen. Eine solche Bestimmung könnte dahingehend missverstanden werden, dass die Gültigkeit eines Schiedsspruchs der Hinterlegung bei einer bestimmten Stelle bedürfe, was nach österreichischem Recht gerade nicht der Fall ist.[1892] Auch nach schweizerischem Recht bedarf es keiner Hinterlegung, damit der

---

1887 *Wirth* in Honsell et al, Internationales Privatrecht³ Art 189 Rn 73 mit Verweis auf BGer 20.6.2000, 4P.273/1999 E. 5a sowie BGer 12.1.2011, 4A_392/2010, E. 2.3.1.

1888 *Wirth* in Honsell et al, Internationales Privatrecht³ Art 189 Rn 74.

1889 § 4 öSigG; *Hausmaninger* in Fasching/Konecny, ZPO³ § 606 Rn 102 f; *Zeiler*, Schiedsverfahren² § 606 Rn 2.

1890 Art 36(5) Wiener Regeln; Art 35(4) ICC SchO; Art 32(6) Swiss Rules; § 36.1 DIS-Regeln; *Hauser* in VIAC, Handbuch Art 36 Rn 23.

1891 Im Jahr 2000 wurde von Herrn *Prof. Walter Rechberger* am Ludwig-Bolzmann-Institut, einer Forschungsstelle des österreichischen Notariats, die *„Arbeitsgruppe Schiedsreform"* unter dem Vorsitz von Herrn *Prof. Paul Oberhammer* eingerichtet und beauftragt, den bis dahin – mit Ausnahme der bedeutenden Novellierung von 1983 – noch weitestgehend in der Stammfassung aus 1898 geltenden Abschnitt der öZPO über das Schiedsverfahren neu zu konzipieren. Ziel war es, *„die Stellung Österreichs als Schiedsort noch attraktiver zu machen"*, was durch die Anpassung an das NYÜ und das UNCITRAL ModG erfolgt ist. Das SchRÄG 2006 ist am 1. Juli 2006 in Kraft getreten; siehe dazu *Rechberger*, Ritsumeikan Law Review (R.L.R) 2008/25, 111 ff, abrufbar unter http://www.ritsumei.ac.jp/acd/cg/law/lex/rlr25/rlr25idx.htm (zuletzt abgerufen am 1.1.2017).

1892 *Zeiler*, Schiedsverfahren² § 606 Rn 1, 3, 31.

Schiedsspruch in Gültigkeit erwächst. Die Hinterlegung einer Ausfertigung des Entscheids beim schweizerischen Gericht am Sitz des Schiedsgerichts ist jedoch auf Kosten der hinterlegenden Partei möglich.[1893]

1269 In anderen Ländern wie Indien und Indonesien sowie nach alter Rechtslage in Deutschland,[1894] ist demgegenüber eine gebührenpflichtige Registrierung und Verwahrung des Schiedsspruchs beim nationalen Gericht ein Wirksamkeitserfordernis. Sofern es in dem am Sitz des Schiedsgerichts geltenden Recht zwingende Bestimmungen hinsichtlich der Verwahrung und Registrierung von Schiedssprüchen gibt, sind diese unbedingt einzuhalten, um die Wirksamkeit des Schiedsspruchs nicht zu gefährden.[1895]

4. Wirkung des Schiedsspruchs

1270 Der Schiedsspruch hat zwischen den Parteien die **Wirkung eines rechtskräftigen gerichtlichen Urteils**. Diese Klarstellung ist – ungeachtet einer solchen Bestimmung im UNCITRAL ModG – im österreichischen[1896] sowie im deutschen[1897] Schiedsrecht ausdrücklich erfolgt. Zwar begründet Art 190 Abs 1 schwIPRG die *res iudicata*-Wirkung eines Schiedsspruchs, eine mit § 607 öZPO vergleichbare ausdrückliche Bestimmung über die Wirkung von Schiedssprüchen kennt das schweizerische Recht jedoch nur in den Bestimmungen zur Binnenschiedsgerichtsbarkeit.[1898] Auch die meisten institutionellen Schiedsregeln enthalten keine Bestimmung über die Wirkung von Schiedssprüchen.[1899] Eine Ausnahme stellen die DIS-Regeln dar, die in § 38 ausdrücklich bestimmen, dass der Schiedsspruch *„die Wirkung eines rechtskräftigen gerichtlichen Urteils"* hat.

a) Schiedsvereinbarung tritt nicht außer Kraft

1271 Durch die Erlassung eines Schiedsspruchs tritt die Schiedsvereinbarung nicht außer Kraft. Sie rechtfertigt den Schiedsspruch und bleibt weiter bestehen. Wenn die Schiedsvereinbarung weiter ist als der Gegenstand des Schiedsspruchs, ist sie unter Umständen auch für künftige Streitigkeiten relevant.[1900]

1893 Art 193 Abs 1 schwIPRG.
1894 *Münch* in MünchKom, ZPO[4] § 1054 Rn 44; *Geimer* in Zöller, ZPO[31] § 1054 Rn 11.
1895 *Redfern/Hunter*, International Arbitration[6] 9.171.
1896 § 607 öZPO.
1897 § 1055 dZPO.
1898 Art 387 schwZPO.
1899 *Hausmaninger* in Fasching/Konecny, ZPO[3] § 607 Rn 17.
1900 *Zeiler*, Schiedsverfahren[2] § 606 Rn 3a.

b) Amtsbeendigung des Schiedsgerichts

Die mit dem Schiedsspruch einhergehende Verfahrensbeendigung führt zur **1272** Amtsbeendigung der SchiedsrichterInnen. Jedoch besteht seitens der SchiedsrichterInnen eine Pflicht zur Vornahme von den Schiedsspruch betreffenden Nachbereitungshandlungen, wie ua die Übersendung, die nachträgliche Bestätigung der Rechtskraft und Vollstreckbarkeit (soweit nach dem anwendbaren Recht in der Kompetenz des Schiedsgerichts), die Berichtigung, Ergänzung oder Erläuterung des Schiedsspruchs sowie die Fällung einer nachträglichen Kostenentscheidung.[1901]

Im Fall einer Aufhebung des Schiedsspruchs ist nach österreichischem **1273** Recht zu unterscheiden, ob die Streitigkeit erneut auf dem Schiedsrechtsweg auszutragen ist oder für das weitere Verfahren die Zuständigkeit des ordentlichen Gerichts vorliegt. Letzteres ist der Fall, wenn ein Schiedsspruch für unwirksam erklärt wurde, weil eine gültige Schiedsvereinbarung nicht vorliegt,[1902] die subjektive Schiedsfähigkeit nicht gegeben ist,[1903] die Streitigkeit nicht von der Schiedsvereinbarung gedeckt ist[1904] oder der Streitgegenstand nicht objektiv schiedsfähig ist.[1905] In allen anderen Aufhebungsfällen ist die Streitigkeit wieder auf dem Schiedsrechtsweg auszutragen,[1906] wobei ein neues Schiedsgericht zu bilden ist.[1907]

Ein erneutes Tätigwerden des ursprünglichen Schiedsgerichts ist nur im **1274** Fall der im österreichischen Recht gesetzlich nicht geregelten aber durch Parteienvereinbarung vorsehbaren Wiederaufnahme eines Schiedsverfahrens – unter der Voraussetzung des Abschlusses eines neuen SchiedsrichterInnenvertrages – möglich.[1908]

Im Unterschied dazu bleiben im Falle einer Aufhebung des Schiedsspruchs **1275** durch eine Rechtsmittelinstanz die SchiedsrichterInnen nach Schweizer Recht weiterhin zur Erfüllung ihres Auftrags durch Fällung einer neuen Entscheidung verpflichtet.[1909]

1901 *Hausamninger* in Fasching/Konecny, ZPO³ § 608 Rn 21, 44. In der Schweiz obliegt die Ausstellung einer Vollstreckbarkeitsbescheinigung dem staatlichen Gericht am Sitz des Schiedsgerichts (Art 193 Abs 2 schwIPRG).
1902 § 611 Abs 2 Z 1 Fall 1 öZPO.
1903 § 611 Abs 2 Z 1 Fall 3 öZPO.
1904 § 611 Abs 2 Z 3 Fall 1 öZPO.
1905 § 611 Abs 2 Z 7 öZPO.
1906 § 611 Abs 5 S 1 öZPO.
1907 § 608 Abs 3 öZPO; *Hausmaninger* in Fasching/Konecny, ZPO³ § 608 Rn 41 sowie § 611 Rn 274.
1908 *Hausmaninger* in Fasching/Konecny, ZPO³ § 608 Rn 46.
1909 *Pfisterer* in Honsell et al, Internationales Privatrecht³ Art 190 Rn 13.

1276   Dagegen kann das mit der Aufhebung eines Schiedsspruchs befasste deutsche Gericht *„in geeigneten Fällen"* und auf Antrag einer Partei, die Sache an das Schiedsgericht unter Aufhebung des Schiedsspruchs zurückverweisen.[1910] „Geeignet" sind Fälle, bei denen prozessökonomische Gründe dafür sprechen, dass durch die Zurückverweisung an das Schiedsgericht die Streitigkeit effizienter und schneller erledigt werden könnte,[1911] bspw wenn der Schiedsspruch wegen eines behebbaren Verfahrensfehlers aufgehoben worden ist oder im Falle sonstiger verwertbarer Verfahrensergebnisse. Darüber hinaus hat gem § 1059 Abs 5 dZPO die Aufhebung des Schiedsspruchs das Wiederaufleben der Schiedsvereinbarung zur Folge, wenn die Parteien nichts anderes vereinbart haben.[1912]

5. Rechtskraft

a) Rechtskraftwirkung

1277   Ein Schiedsspruch wird mit Empfang durch die Parteien formell rechtskräftig. Eine erfolgreiche Aufhebungsklage beseitigt die formelle Rechtskraft rückwirkend.[1913] Ein Schiedsspruch begründet auch das Prozesshindernis der *res iudicata*.[1914] Die materielle Rechtskraft eines Schiedsspruchs umfasst die **Einmaligkeitswirkung** (Verbot *ne bis in idem*) und die **Bindungswirkung** (Beachtung der Präjudizwirkung).[1915]

1278   Die exakte Abgrenzung, welche Ansprüche bereits Gegenstand eines mit Schiedsspruch abgeschlossenen Schiedsverfahrens waren, bereitet in der Praxis häufig Probleme und hängt insb vom anwendbaren Recht und dem maßgeblichen Streitgegenstandsbegriff ab.[1916] Das BGer hat sich in einem kürzlich ergangenen Urteil für die Anwendbarkeit der *lex fori* ausgesprochen.[1917] Diese Entscheidung mag in Hinblick auf die Rechtskraftwirkung von ausländischen Urteilen sachgerecht sein, sie wird jedoch von einem Teil der Lehre in Bezug auf die Rechtskraftwirkung von internationalen Schiedssprüchen kritisiert,

---

1910 § 1059 Abs 4 dZPO.
1911 *Voit* in Musielak/Voit, ZPO[13] § 1059 Rn 41; *Wilske/Markert* in Beck'scher Online Kommentar, ZPO[20] § 1059 Rn 77.
1912 *Voit* in Musielak/Voit, ZPO[13] § 1059 Rn 43; *Geimer* in Zöller, ZPO[31] § 1059 Rn 87.
1913 *Hausmaninger* in Fasching/Konecny, ZPO[3] § 607 Rn 32 f.
1914 *Hausmaninger* in Fasching/Konecny, ZPO[3] § 607 Rn 58; *Münch* in MünchKom, ZPO[4] § 1055 Rn 9, 12.
1915 *Hausmaninger* in Fasching/Konecny, ZPO[3] § 607 Rn 34; *Schwab/Walter*, Schiedsgerichtsbarkeit[7] Kap 21 Rn 5.
1916 *Girsberger/Voser*, International Arbitration[3] Rn 1258; OLG Karlsruhe: Rechtskraftwirkung eines Schiedsspruchs, SchiedsVZ 2008, 311.
1917 BGE 141 III 281.

da der *lex fori* im Schiedsverfahren keine Bedeutung zukommt, nachdem Schiedsgerichte ausschliesslich an die *lex arbitri* gebunden sind.[1918]

Typischerweise erstreckt sich die Rechtskraftwirkung eines Schiedsspruchs **1279** auf identische Rechtsbegehren, identische Parteien und die Identität des zugrundeliegenden Sachverhalts.[1919] Darüber hinaus entsteht auch innerhalb eines Schiedsverfahrens eine gewisse Bindungswirkung des Schiedsgerichts an die von ihm (bspw im Rahmen eines Zwischenschiedsspruchs) getätigten Feststellungen, weil das Schiedsgericht bei unveränderter Sach- und Rechtslage nicht ohne Not von einer solchen Feststellung abweichen kann.[1920]

Auch **Teil- und Ergänzungsschiedssprüche** erwachsen in Rechtskraft.[1921] **1280** Neben den Parteien ist auch das Schiedsgericht an den Schiedsspruch gebunden. Es kann diesen nicht abändern, es sei denn die Parteien beantragen eine Ergänzung des Schiedsspruchs oder die Rechtsmittelinstanz gibt einer Aufhebungsklage statt.[1922]

b) Reichweite der Rechtskraft

Die **Rechtskrafterstreckung von Schiedssprüchen auf Dritte** ist nach ös- **1281** terreichischem Recht umstritten, eine Erweiterung auf Dritte soll lediglich unter bestimmten Voraussetzungen möglich sein.[1923] Mindestvoraussetzungen sind jedenfalls die Beiladung des Dritten und dessen Beitritt, sowie die Information des Dritten über die Bestellung einer Schiedsrichterin / eines Schiedsrichters.[1924] Im Unterschied dazu ist anerkannt, dass ein Schiedsspruch nach österreichischem Zivilprozessrecht auch gegenüber einem Rechtsnachfolger verbindliche Wirkung entfaltet.[1925]

In Deutschland ist die Lage weniger übersichtlich. Einigkeit besteht da- **1282** rüber, dass ein Schiedsspruch auch gegenüber dem Gesamtrechtsnachfolger einer Partei Wirkung entfaltet, falls die Gesamtrechtsnachfolge nach Erlass des Schiedsspruchs eingetreten ist.[1926] Das soll nach der Rsp des BGH auch

---

1918 *Girsberger/Voser*, International Arbitration[3] Rn 1258; siehe dazu ausführlich: *Voser/ Raneda*, ASA Bulletin 2015, 742 ff.

1919 *Girsberger/Voser*, International Arbitration[3] Rn 1267 ff; siehe auch die zu dieser Thematik ergangenen Urteile des BGer: BGE 127 III 279, BGE 136 III 345, BGE 140 III 278, BGE 141 III 229, BGE 141 III 382.

1920 BGer 2.9.2014, 4A_606/2013, E. 6.3.1.

1921 *Hausmaninger* in Fasching/Konecny, ZPO[3] § 607 Rn 36; *Münch* in MünchKom, ZPO[4] § 1055 Rn 6.

1922 *Pfisterer* in Honsell et al, Internationales Privatrecht[3] Art 190 Rn 14.

1923 *Hausmaninger* in Fasching/Konecny, ZPO[3] § 607 5, 41 ff.

1924 *Hausmaninger* in Fasching/Konecny, ZPO[3] § 607 Rn 39, 45.

1925 *Hausmaninger* in Fasching/Konecny, ZPO[3] § 607 Rn 26.

1926 BGH 5.5.1977, NJW 1977, 1397 f; BGH 31.1.1980, NJW 1980, 1797; *Münch* in MünchKom, ZPO[4] § 1055 Rn 22; *Voit* in Musielak/Voit, ZPO[12] § 1055 Rn 7.

für die Bindung gegenüber einem Einzelrechtsnachfolger auf Gläubigerseite (zB Zessionar) gelten.[1927] Rechtsnachfolger auf der Seite der Schuldnerin sowie Bürgen und Garanten sollen demgegenüber grundsätzlich nicht an den Schiedsspruch gebunden sein.[1928]

1283   Auch in der Schweiz entfaltet ein Schiedsurteil grundsätzlich nur Wirkung gegenüber den Parteien des Verfarens bzw deren Rechtsnachfolgern.[1929] Dies gilt jedoch nicht bei Gestaltungsschiedssprüchen, welche durchaus auch gegenüber Dritten Rechtskraftwirkung entfalten können.[1930]

6. Berichtigung, Erläuterung und Ergänzung des Schiedsspruchs

1284   Die Verfahrensbeendigung führt zur Beendigung des SchiedsrichterInnenamtes, jedoch gibt es Ausnahmebestimmungen, die das Schiedsgericht zur Vornahme von Nachbereitungshandlungen verpflichten. Eine solche besteht in § 610 öZPO, wo – in Übereinstimmung mit Art 33 UNCITRAL ModG sowie mit § 1058 dZPO und § 37 DIS-Regeln – die Kompetenz des Schiedsgerichts zur Berichtigung, Erläuterung und Ergänzung des Schiedsspruchs begründet wird.[1931] In der Schweiz gibt es eine ausdrückliche Regelung nur für Binnenschiedsverfahren,[1932] die gleichen Rechtsbehelfe stehen laut Rsp aber auch in internationalen Verfahren unter dem schwIPRG zur Verfügung.[1933]

a) Berichtigung

1285   Die Befugnis des Schiedsgerichts, Rechen-, Schreib- und sonstige Fehler zu berichtigen, ist zwingend, dh eine Beschränkung durch Parteienvereinbarung ist nicht möglich. Berichtigungsfähig sind nur Fehler des Schiedsgerichts, nicht Fehler der Parteien. Die Berichtigung erfolgt auf Parteiantrag oder von Amts wegen. Im Unterschied zur amtswegigen Berichtigung ist bei einem Antrag auf Berichtung zu berücksichtigen, dass zur Gewährung des rechtlichen Gehörs gem § 610 Abs 2 öZPO der Antrag an die andere Partei zu übersenden und diese dazu zu hören ist. Eine ähnliche Regelung sieht die dZPO nicht vor; trotzdem müsste zur Wahrung des rechtlichen Gehörs der von einer Partei gestellte Berichtigungsantrag auch an die Gegenpartei weitergeleitet

---

1927 BGH 5.5.1977, NJW 1977, 1397 f; BGH 28.5.1979, NJW 1979, 2567 f; *Voit* in Musielak/Voit, ZPO[13] § 1055 ZPO Rn 7, FN 22.
1928 BGH 5.5.1977, NJW 1977, 1397 f; BGH 25.4.1983, VersR 1983, 776.
1929 BGE 140 III 284.
1930 BGE 140 III 284; *B. Berger/Kellerhals*, Arbitration[3] Rn 1652.
1931 *Hausmaninger* in Fasching/Konecny, ZPO[3] § 610 Rn 1, 3.
1932 Art 388 schwZPO.
1933 BGE 126 III 527.

werden.[1934] Das Schiedsgericht entscheidet in einem Berichtigungsschiedsspruch, der jedoch keinen selbständigen Schiedsspruch darstellt. Als Bestandteil des ursprünglichen Schiedsspruchs löst der berichtigte Schiedsspruch in Österreich keine neue Rechtsmittelfrist aus.[1935] In der Schweiz kann der berichtigte Schiedsspruch im Umfang der Berichtigung angefochten werden. Rügen, die bereits gegen den ursprünglichen Schiedsspruch hätten vorgebracht werden können (bzw vorgebracht wurden) sind im Anfechtungsverfahren gegen die Berichtigungsentscheidung nicht zulässig.[1936] Die Frist zur Geltendmachung dieser Rügen im Rahmen einer Anfechtung steht während des Berichtigungsverfahrens entsprechend auch nicht still.[1937] Im Gegenzug ist eine Partei nicht verpflichtet, vor der Anfechtung eines Schiedsspruchs eine Berichtigung desselben zu verlangen.[1938]

b) Erläuterung

Erläuterungen gem § 610 Abs 1 Z 2 öZPO in Übereinstimmung mit Art 33(1) lit b UNCITRAL ModG sind auf bestimmte Teile des Schiedsspruchs beschränkt und setzen eine Parteienermächtigung voraus. Durch das Wort „erläutern" anstatt des weiteren Begriffes „auslegen" (wie in der korrespondierenden Bestimmung des § 1058 Abs 1 Z 2 dZPO) sollte verdeutlicht werden, dass das Ergebnis des Schiedsspruchs durch eine Erläuterung nicht verändert werden kann.[1939] Der Zweck der Erläuterung besteht darin, Aufhebungsanträge und neue Klagen aus dem Schiedsspruch zu vermeiden, soweit es „nur" um seine Interpretation geht.[1940] Insb in internationalen Schiedsverfahren sind Erläuterungen bei nicht in der Muttersprache verfassten Schiedssprüchen hilfreich. Wie der Berichtigungsschiedsspruch bildet auch der Erläuterungsschiedsspruch einen Bestandteil des ursprünglichen Schiedsspruchs.[1941] **1286**

Demgegenüber bestimmt § 1058 Abs 1 Z 2 dZPO, dass jede Partei beim Schiedsgericht beantragen kann, „*bestimmte Teile des Schiedsspruchs auszulegen*". Ein solcher Antrag kann nur im Falle einer konkreten Unklarheit im **1287**

1934 § 1042 Abs 1 S 2 dZPO; *Wilske/Markert* in Beck'scher Online Kommentar, ZPO[20] § 1058 Rn 14; *Schütze* in Wieczorek/Schütze, ZPO[2] § 1058 Rn 22.
1935 *Hausmaninger* in Fasching/Konecny, ZPO[3] § 610 Rn 19, 30 f.
1936 BGE 131 III 168.
1937 *Girsberger/Voser*, International Arbitration[3] Rn 1542 mit Verweis auf BGE 131 III 164.
1938 *Girsberger/Voser*, International Arbitration[3] Rn 1542; BGE 131 III 169.
1939 ErläutRV 1158 BlgNR 22. GP 25; *Zeiler*, Schiedsverfahren[2] § 610 Rn 1d; *Siwy* in Zeiler, Austrian Arbitration Law § 610 Rn 5.
1940 ErläutRV 1158 BlgNR 22. GP 25.
1941 *Hausmaninger* in Fasching/Konecny, ZPO[3] § 610 Rn 21, 47 ft.

Schiedsspruch gestellt werden, deren Klärung aufgrund eines darzulegenden Rechtsschutzbedürfnisses des Antragsstellers geboten ist.[1942]

c) Ergänzung

1288 Die Befugnis zur Ergänzung eines Schiedsspruchs durch das Schiedsgericht kann nicht durch Parteienvereinbarung abbedungen werden, lediglich die Fristen sind der Parteiendisposition zugänglich.[1943] Diese Befugnis dient der vollständigen Erledigung der Streitsache. Ergänzungen setzen ungeachtet dessen einen Parteiantrag voraus. Eine amtswegige Ergänzung ist somit nur dann möglich, wenn die Parteien dies vereinbaren. Das Schiedsgericht entscheidet in einem selbstständigen Ergänzungsschiedsspruch, was zur Folge hat, dass der ursprüngliche Schiedsspruch zum Teilschiedsspruch wird und der ursprüngliche Schiedsspruch und der Ergänzungsschiedsspruch selbstständig anfechtbar und vollstreckbar sind. Hinsichtlich der Ergänzung von Schiedssprüchen in institutionellen Schiedsverfahren stellt die ICC SchO verglichen mit anderen institutionellen Schiedsregeln durch das Fehlen einer diesbezüglichen Bestimmung eine Ausnahme dar.[1944]

d) Antrags- und Entscheidungsfrist sowie rechtliches Gehör

1289 Die drei eben genannten Instrumente sind – zwecks Rechtssicherheit – gem § 610 Abs 1 öZPO innerhalb einer Frist von vier Wochen nach Empfang des Schiedsspruchs geltend zu machen (vgl ein Monat gem § 1058 dZPO und 30 Tage gem institutionellen Schiedsregeln;[1945] in der Schweiz in analoger Anwendung des Art 388 Abs 2 schwZPO nach wohl hL 30 Tage seit Entdecken der berichtigungs-, erläuterungs- und ergänzungsbedürftigen Teile, spätestens aber innert eines Jahres seit Zustellung des Schiedsspruchs[1946]). Nach § 610 Abs 3 öZPO hat das Schiedsgericht innerhalb einer (Mindest-Soll-) Frist von vier Wochen über beantragte Berichtigungen oder Erläuterungen und innerhalb von acht Wochen über Ergänzungsanträge zu entscheiden, wobei Sanktionen für die Nichteinhaltung fehlen. Eine Fristverkürzung ohne Zustimmung des Schiedsgerichts ist ausgeschlossen, eine Verlängerung ist jedoch möglich.[1947]

1942 *Münch* in MünchKom, ZPO⁴ § 1058 Rn 8 mwN; *Wilske/Markert* in Beck'scher Online Kommentar, ZPO²⁰ § 1058 Rn 7.

1943 *Hausmaninger* in Fasching/Konecny, ZPO³ § 610 Rn 61.

1944 *Hausmaninger* in Fasching/Konecny, ZPO³ § 610 Rn 20, 60 f, 65 f.

1945 Art 39 Wiener Regeln; § 37 DIS-Regeln; Art 35 ff Swiss Rules; Art 36 ICC SchO.

1946 *Wirth* in Honsell et al, Internationales Privatrecht³ Art 189 Rn 75a; *B. Berger/ Kellerhals*, Arbitration³ Rn 1525.

1947 *Hausmaninger* in Fasching/Konecny, ZPO³ § 610 Rn 37, 40 ff, 57 f, 68 f.

II. Beendigung des Verfahrens durch Beschluss

Durch Beschluss wird das Schiedsverfahren beendet, wenn die Klägerin es **1290** versäumt, die Klage einzubringen, wenn die Klägerin ihre Klage zurückzieht, wenn die Parteien sich einvernehmlich einigen oder wenn die Fortsetzung des Schiedsverfahrens unmöglich geworden ist, etwa weil die Parteien trotz Aufforderung des Schiedsgerichts das Verfahren nicht weiter betreiben.

A. Säumnis der Klägerin

Die Säumnis der Klägerin bei der Einbringung der Klageschrift[1948] oder der **1291** nicht rechtzeitige Erlag des Kostenvorschusses, der gemäß institutionellen Schiedsregeln vorgesehen ist und in *ad hoc* Schiedsverfahren vom Schiedsgericht aufgetragen werden kann, stellen Gründe für die beschlussmäßige Verfahrensbeendigung dar. Diese kann in institutionellen Schiedsverfahren durch das Schiedsgericht[1949] oder die Schiedsinstitution erfolgen.[1950] In *ad hoc* Verfahren bestimmen sich die Konsequenzen des Nichterlags des Kostenvorschusses nach der Parteivereinbarung, oder, sofern keine solche vorliegt, nach der anwendbaren Schiedsordnung. Die diesbezüglichen österreichischen und deutschen schiedsrechtlichen Bestimmungen räumen dem Schiedsgericht die Befugnis ein, das Schiedsverfahren bei nicht rechtzeitigem Erlag des Kostenvorschusses mit Beschluss zu beenden.[1951] Das schwIPRG sieht eine solche Befugnis zwar nicht ausdrücklich vor, es ist in der Lehre jedoch unbestritten, dass ein Schiedsgericht nicht verpflichtet ist, das Verfahren weiterzuführen, wenn die Parteien den Kostenvorschuss nicht bezahlt haben.[1952]

Die Beendigung des Schiedsverfahrens infolge von Säumnis bei der Kla- **1292** geeinbringung setzt voraus, dass die säumige Partei ausreichend Gelegenheit zur Geltendmachung ihrer Ansprüche hatte. Wie viele Aufforderungen vor dem Hintergrund der Wahrung des rechtlichen Gehörs notwendig sind, ist strittig. Eine Präzisierung der Säumnisfolgen im Vorhinein, bspw im Schiedsauftrag eines Schiedsverfahrens nach der ICC SchO, ist in der Praxis empfehlenswert. Bei der Beendigung des Verfahrens infolge von Säumnis der

---

1948 § 608 Abs 2 Z 1 öZPO und § 1056 Abs 2 Z 1 lit a dZPO; *B. Berger/Kellerhals*, Arbitration³ Rn 1561.

1949 § 609 öZPO; § 25 DIS-Regeln; Art 41(4) Swiss Rules.

1950 Art 34(4) Wiener Regeln; Art 37(6) ICC SchO.

1951 § 608 Abs 2 Z 1 öZPO iVm § 609 öZPO; dazu *Hausmaninger* in Fasching/Konecny, ZPO³ § 608 Rn 20 mit Verweis auf § 609 Rn 37 ff (43); § 1056 Abs 2 Z 1 lit a dZPO iVm § 1057 dZPO; *Wirth* in Honsell et al, Internationales Privatrecht³ Art 189 Rn 57; *B. Berger/Kellerhals*, Arbitration³ Rn 1569 ff.

1952 *Wirth* in Honsell et al, Internationales Privatrecht³ Art 189 Rn 57; *B. Berger/Kellerhals*, Arbitration³ Rn 1569 ff; siehe auch BGer 12.3.2003, 4P.2/2003, E. 3.

Klägerin bei der Klageeinbringung bleibt die Klägerin berechtigt, denselben Anspruch erneut einzuklagen.[1953] Der Abschreibungsbeschluss des Schiedsgerichts hat mithin keine Präklusionswirkung. Um einen Vollstreckungstitel für angefallene Kosten zu schaffen, muss jedoch ein Schiedsspruch ergehen.[1954]

B. Klagerücknahme

1293 Das österreichische und das deutsche Recht sowie die meisten institutionellen Schiedsordnungen sehen vor, dass das Verfahren endet, wenn die Klage zurückgenommen wird.[1955] Bei der Klagerücknahme ist zu differenzieren, ob diese mit oder ohne Anspruchsverzicht erfolgt. Eine Klagerücknahme unter Anspruchsverzicht steht einer neuerlichen Geltendmachung desselben Anspruchs entgegen. Im Gegensatz dazu kann der materielle Anspruch bei einem einfachen Klagerückzug erneut eingeklagt werden.[1956]

1294 Eine Klagerückziehung durch die Klägerin, insb ohne Anspruchsverzicht, führt gem § 608 Abs 2 Z 2 öZPO und § 1056 Abs 2 Z 1 lit b dZPO dann nicht zur Beendigung des Schiedsverfahrens, wenn die Beklagte der Klagerücknahme widerspricht und das Schiedsgericht ihr berechtigtes Interesse an der endgültigen Streitbeilegung anerkennt. Der Klägerin soll es verwehrt sein, die Klage gegen den Willen der Beklagten nach Belieben zurückzuziehen (und womöglich vor einem neu konstituierten Schiedsgericht erneut einzubringen), wenn sich ein negativer Ausgang des Verfahrens abzeichnet. Auch die (berechtigten) Interessen Dritter können der Beendigung eines Verfahrens durch Klagerücknahme entgegenstehen.[1957] Solche am Schiedsverfahren beteiligte Dritte können ein Interesse daran haben, dass eine endgültige Entscheidung ergeht oder sie nicht in einem neuen Verfahren wieder mit demselben Anspruch konfrontiert werden. Auch eine ungeklärte Kostenfrage kann gegen die Beendigung des Verfahrens sprechen.[1958]

1295 Das schwIPRG regelt den Klagerückzug nicht explizit. Inwiefern eine Klagerücknahme ohne Anspruchsverzicht zulässig ist, entscheidet ein schweizerisches Schiedsgericht selbst, sofern die auf das Verfahren anwendbaren Verfahrensbestimmungen keine Regelungen enthalten und keine diesbezügliche Parteivereinbarung vorliegt.[1959] Der Fixationszeitpunkt, dh der Zeit-

---

1953 *Gerstenmaier*, SchiedsVZ 2010, 282; *Wirth* in Honsell et al, Internationales Privatrecht[3] Art 189 Rn 55.
1954 *Berger*, Internationale Wirtschaftsschiedsgerichtsbarkeit 331 ff.
1955 § 1056 Abs 2 Nr 1 b) dZPO; § 39.2 Z 1 DIS-Regeln; Art 34(3) Z 3.1 Wiener Regeln; Art 34(2) Fall 1 Swiss Rules.
1956 *Deixler-Hübner/Klicka*, Zivilverfahren[8] Rn 212.
1957 *Schäfer/Schifferl/Wong* in VIAC, Handbuch Art 34 Rn 11.
1958 *Hausmaninger* in Fasching/Konecny, ZPO[3] § 608 Rn 18.
1959 *Wirth* in Honsell et al, Internationales Privatrecht[3] Art 189 Rn 55.

punkt, ab dem die Klägerin die Klage nicht mehr ohne die Einwilligung der Gegenseite ohne Anspruchsverzicht zurückziehen kann, tritt nach Ansicht der schweizerischen Lehre mit der Einreichung der detaillierten Klageschrift ein.[1960] Nach diesem Zeitpunkt bedarf die Klagerücknahme unter Anspruchsverzicht der Zustimmung der Gegenseite.

C. Vergleich

Im Folgenden wird die Bedeutung der einvernehmlichen Beendigung eines Schiedsverfahrens durch Abschluss eines Vergleichs während des Schiedsverfahrens behandelt. Diese Art der Verfahrensbeendigung kann in Form eines Beschlusses des Schiedsgerichts über die Einstellung des Verfahrens oder auf Antrag der Parteien in Form eines Schiedsspruchs mit vereinbartem Wortlaut, oder in Österreich auch in Form eines protokollierten Vergleichs, erfolgen. Die unterschiedlichen Formen des Schiedsvergleichs werden nachstehend in Punkt 3 erläutert. **1296**

1. Allgemeines

Vergleiche spielen in der Schiedspraxis eine bedeutende Rolle. Ein Vergleich führt zur Klärung und Bereinigung einer zweifelhaften Rechtssituation und ermöglicht den Schiedsparteien, das Verfahren kostensparend und gesichtswahrend zu beenden. Zudem erleichtert ein Vergleich die einvernehmliche Fortsetzung der Geschäftsbeziehungen zwischen den Parteien.[1961] **1297**

Trotz der hohen praktischen Bedeutung von Vergleichen regeln nationale schiedsrechtliche Bestimmungen den Vergleich häufig nur rudimentär.[1962] Demgegenüber sehen die institutionellen Schiedsordnungen den Abschluss eines Schiedsvergleichs regelmässig als alternative Verfahrensbeendigung zum Schiedsspruch vor.[1963] **1298**

Der Abschluss eines Vergleichs kann mit oder ohne Mitwirkung des Schiedsgerichts erfolgen. Ein außer(schieds)gerichtlicher Vergleich, der nicht im Rahmen des Schiedsverfahrens abgeschlossen wird, begründet nur materiell-rechtliche Verpflichtungen und hat keine prozessualen Wirkungen.[1964] **1299**

1960 *Wirth* in Honsell et al, Internationales Privatrecht[3] Art 189 Rn 55; *B. Berger/Kellerhals*, Arbitration[3] Rn 1558 ff.

1961 *Nater-Bass*, ASA Bulletin 2002, 426; *Hausmaninger* in Fasching/Konecny, ZPO[3] § 605 Rn 2.

1962 *B. Berger/Kellerhals*, Arbitration[3] Rn 1540.

1963 Art 38 Wiener Regeln; § 32 DIS-Regeln; Art 34(1) Swiss Rules; Art 33 ICC SchO.

1964 *Nater-Bass*, ASA Bulletin 2002, 426 f; *Hausmaninger* in Fasching/Konecny, ZPO[3] § 605 Rn 4; OLG München 21.2.2007, 34 Sch 1/07, OLGR 2007, 413 f; *Münch* in MünchKom, ZPO[4] § 1056 Rn 58; *Busse*, SchiedsVZ 2010, 57 f.

1300   Großes Potential für den Abschluss eines Vergleichs besteht va dann, wenn durch die bevorstehenden Verfahrensschritte hohe Kosten anfallen würden; das ist bspw vor Beginn jeder neuen Schriftsatzrunde sowie in der Zeit vor einer Schiedsverhandlung der Fall. Vergleiche (soweit sie keine Kostenregelung beinhalten) bzw Vergleichsangebote (soweit sie nicht der Vertraulichkeit unterstehen) können im Rahmen des Ermessens des Schiedsgerichts bei der Kostenentscheidung berücksichtigt werden.

1301   Die inhaltliche Ausgestaltung eines Vergleichs ist den Parteien überlassen. Zur Vermeidung späterer Streitigkeiten sollten die Parteien neben den zu erbringenden Leistungen auch Bestimmungen zum anwendbaren Recht sowie eine Schieds- bzw Gerichtsstandklausel vereinbaren. Ebenso ratsam ist es, Hinweise zu der vereinbarten Art und Weise, wie das Schiedsverfahren beendet werden soll (Schiedsspruch mit vereinbartem Wortlaut oder protokollierter Schiedsspruch, Erledigungsbeschluss), sowie zu den Rechtsfolgen bei Nicht-Einhaltung der Verpflichtungen aus dem Vergleich – etwa die Fortführung des Schiedsverfahrens oder die Novation der Ansprüche durch im Vergleich anerkannte Ansprüche – in den Vergleichsinhalt aufzunehmen.

2. Die Rolle des Schiedsgerichts in Vergleichsverhandlungen

1302   Vergleichsgespräche laufen oft parallel zum Schiedsverfahren. Eine Mitwirkung des Schiedsgerichts kann – muss aber nicht – erfolgen. Eine Verpflichtung des Schiedsgerichts zur Unterstützung der Vergleichsbemühungen besteht dahingehend, dass nach der österreichischen Lehre ein Schiedsgericht grundsätzlich verpflichtet ist, den Vergleich in der von den Parteien beantragten Form zu erlassen.[1965] Auch nach deutschem Recht muss das Schiedsgericht einen von den Parteien beantragten Schiedsspruch mit vereinbartem Wortlaut (außer bei einem *ordre public* Verstoß) erlassen.[1966] Auch ein Schiedsgericht mit Sitz in der Schweiz ist mangels gegenteiliger Parteiabrede verpflichtet, einen Schiedsspruch mit vereinbartem Wortlaut zu erlassen.[1967]

1303   Während im *civil law* Rechtskreis eine aktive Involvierung des Schiedsgerichts in Vergleichsgespräche durchaus üblich ist, ist im *common law* Zurückhaltung geboten.[1968] Im kontinentaleuropäischen und dem anglo-sächsischen Verfahren gilt jedoch gleichermaßen, dass das Schiedsgericht nur auf gemeinsamen Antrag der Parteien auf den Abschluss eines Vergleichs hin-

---

1965 *Hausmaninger* in Fasching/Konecny, ZPO³ § 605 Rn 38.
1966 *Münch* in MünchKom, ZPO⁴ § 1053 Rn 19.
1967 *B. Berger/Kellerhals*, Arbitration³ Rn 1540.
1968 *Born*, Commercial Arbitration² 2006 f; *Sachs/Lörcher* in Böckstiegel/Kröll/Nacimiento, Arbitration in Germany § 1042 Rn 34; *Kaufmann-Kohler/Rigozzi*, International Arbitration in Switzerland Rn 1.28.

wirken darf und dass das Schiedsgericht seine Unabhängigkeit und Unparteilichkeit auch im Rahmen des Vergleichsprozesses jederzeit wahren muss.[1969]

Um eine nachträgliche Ablehnung des bei den Vergleichsverhandlungen **1304** mitwirkenden Mitglieds des Schiedsgerichts wegen fehlender Unabhängigkeit oder Unparteilichkeit zu vermeiden, sollte dieses von den Parteien das schriftliche Einverständnis, am besten in Form einer ausdrücklichen Verzichtserklärung (*waiver*) der (späteren) Ablehnung, hinsichtlich der Vereinbarkeit des Schiedsrichtermandats und der Involvierung in die Vergleichsverhandlungen verlangen.[1970] Im Fall der Fortführung des Schiedsverfahrens kann eine Partei folglich den Interessenkonflikt des in die Vergleichsverhandlungen eingebundenen Mitglieds des Schiedsgerichts nicht *per se* als Ablehnungsgrund geltend machen.[1971] Zudem sollte ein an der Findung und Erörterung von Vergleichsvorschlägen beteiligtes Schiedsgericht darauf achten, dass Besprechungen über die Vergleichsbedingungen stets unter Anwesenheit beider Parteien, oder unter ausdrücklicher Zustimmung aller involvierter Parteien zu *in camera* Gesprächen, stattfinden.[1972] Besondere Sorgfalt und Fingerspitzengefühl können von SchiedsrichterInnen in Vergleichssituationen verlangt werden. Dies gilt insbesondere für Verfahren mit Parteien aus dem *common law* Rechtskreis.[1973]

3. Form der Verfahrensbeendigung bei Vorliegen eines Vergleichs

Im Falle eines Vergleichs kann das Schiedsverfahren entweder in Form eines **1305** von den Schiedsparteien beantragten Schiedsspruchs mit vereinbartem Wortlaut, durch einen Beschluss des Schiedsgerichts über die Einstellung des Verfahrens und in Österreich auch durch Antrag auf Protokollierung eines Vergleichs beendet werden.

Das UNCITRAL ModG regelt in Art 30, dass nach Abschluss eines Ver- **1306** gleichs auf Antrag der Parteien das Schiedsverfahren vom Schiedsgericht durch Erlassung eines Schiedsspruchs mit vereinbartem Wortlaut zu beenden ist, sofern das Schiedsgericht keine Einwände dagegen erhebt. Ein diesbezüglicher Antrag kann formal von nur einer Partei gestellt werden, setzt aber das

---

1969 *Sachs/Lörcher* in Böckstiegel/Kröll/Nacimiento, Arbitration in Germany § 1042, Rn 34; *Kaufmann-Kohler/Rigozzi*, International Arbitration in Switzerland Rn 1.28.

1970 *Hausmaninger* in Fasching/Konecny, ZPO³ § 605 Rn 29, 69.

1971 IBA Guidelines (Conflict of Interest) Part I (4) (d), abrufbar unter http://www. ibanet.org/Publications/publications_IBA_guides_and_free_materials.aspx (zuletzt abgerufen am 1.1.2017).

1972 § 8 IBA Rules (Ethics), abrufbar unter http://www.trans-lex.org/701100 (zuletzt abgerufen am 1.1.2017).

1973 *Sachs/Lörcher* in Böckstiegel/Kröll/Nacimiento, Arbitration in Germany § 1042 Rn 34.

Einverständnis der anderen Partei(en) voraus. Sofern wichtige Gründe vorliegen, kann nach hM das Schiedsgericht sein restriktives Ablehnungsrecht ausüben und den Antrag ablehnen.

1307 Die Bestimmung des UNCITRAL ModG wurde in Österreich[1974] und in Deutschland[1975] – mit Ausnahme des Ablehnungsrechts[1976] – im nationalen Schiedsverfahrensrecht übernommen, wobei in Österreich neben dem Schiedsspruch mit vereinbartem Wortlaut[1977] das Institut des protokollierten Schiedsvergleichs[1978] als Alternative bewusst beibehalten wurde. In der Schweiz wird der Vergleich im 12. Kapitel des schwIPRG nicht explizit erwähnt. Die Lehre leitet jedoch aus der generellen Kompetenz des Schiedsgerichts, das Verfahren festzulegen, auch die Befugnis des Schiedsgerichts ab, das Verfahren durch einen *consent award* oder einen Abschreibungsbeschluss zu beenden.[1979]

a) Schiedsspruch mit vereinbartem Wortlaut

1308 Auf Antrag der Parteien erlässt das Schiedsgericht einen Schiedsspruch mit vereinbartem Wortlaut.[1980] Dabei handelt es sich um einen formellen Schiedsspruch, der den von den Parteien vereinbarten Wortlaut wiedergibt.[1981]

1309 Ein Schiedsspruch mit vereinbartem Wortlaut muss die für Schiedssprüche geltenden Form- und Inhaltserfordernisse erfüllen. In Österreich sind die darin enthaltenen Verpflichtungen als Verurteilung zu formulieren.[1982] Deutschland und die Schweiz fordern, dass die Verpflichtungen eine „tenorierungsübliche Bestimmtheit"[1983] aufweisen bzw „bestimmt und eindeutig"[1984] formuliert sind.

1310 Hinsichtlich der Begründungspflicht[1985] reicht ein Hinweis auf die Vereinbarung der Parteien aus. Eine inhaltliche Begründung des Vergleichs durch das Schiedsgericht, das in die zwischen den Parteien erfolgte Abstimmung

---

1974 § 605 öZPO.
1975 § 1053 dZPO.
1976 Vgl Rn 1316.
1977 § 605 Z 2 öZPO.
1978 § 605 Z 1 öZPO.
1979 *B. Berger/Kellerhals*, Arbitration[3] Rn 1540.
1980 § 605 Z 2 öZPO; § 1053 Abs 1 dZPO; Art 38 Wiener Regeln; Art 34(1) Swiss Rules; Art 33 ICC SchO; § 32.2 DIS-Regeln: Durchschnittlich werden ca 30% der DIS-Schiedsverfahren jährlich durch einen Schiedsspruch mit vereinbartem Wortlaut beendet, siehe dazu *Bredow*, SchiedsVZ 2010, 295.
1981 *Wirth* in Honsell et al, Internationales Privatrecht[3] Art 189 Rn 48.
1982 *Hausmaninger* in Fasching/Konecny, ZPO[3] § 605 Rn 27.
1983 *Münch* in MünchKom, ZPO[4] § 1053 Rn 30.
1984 *Wirth* in Honsell et al, Internationales Privatrecht[3] Art 189 Rn 48.
1985 § 606 Abs 2 öZPO.

des Wortlauts uU gar nicht involviert war, wäre nicht sinnvoll.[1986] Für ein reduziertes Begründungserfordernis eines Schiedsspruchs mit vereinbartem Wortlaut seitens des Schiedsgerichts spricht weiters, dass die Vereinbarung des Wortlauts zwischen den Parteien im Zweifelsfall wohl als Zustimmung der Parteien zu werten ist.[1987]

1311 Auch § 1054 dZPO sieht kein explizites Begründungserfordernis vor.[1988] Aus praktischen Erwägungen sollten Schiedsgerichte im Schiedsspruch aber auf die Parteienvereinbarung hinweisen.[1989]

b) Beendigung des Verfahrens durch Beschluss

1312 Bei der Beendigung des Verfahrens durch Vergleich beantragen die Parteien in der Praxis in der wohl überwiegenden Anzahl der Fälle eine Beendigung des Verfahrens durch einen prozessualen Beschluss des Schiedsgerichts. Ein solcher Beendigungs- bzw Erledigungsbeschluss stellt kein Schiedsurteil dar und ist entsprechend nicht nach dem NYÜ vollstreckbar.[1990] Ein Beendigungsbeschluss ist dann bedeutend, wenn die Parteien die unter dem Vergleich geschuldeten Leistungen bereits erbracht haben und nicht auf eine mögliche Vollstreckung angewiesen sind.[1991]

c) Protokollierter Schiedsvergleich

1313 Gem § 605 Z 1 öZPO können die Parteien einen auf „Protokollierung des Vergleichs" lautenden Antrag stellen. Der niedergeschriebene Vergleichsinhalt ist von den Parteien und – bei einem Schiedsrichterkollegium – zumindest vom vorsitzenden Mitglied zu unterfertigen. Wenn der Schiedsvergleich im

---

1986 *Hausmaninger* in Fasching/Konecny, ZPO³ § 605 Rn 57.
1987 *Kodek* in Liebscher/Oberhammer/Rechberger, Schiedsverfahrensrecht I Rn 1/53.
1988 Vgl OLG München 12.6.2012, 34 Sch 7/10, NJOZ 2012, 2015: *„Einer Begründung bedarf es nicht, weil es sich um einen Schiedsspruch mit vereinbartem Wortlaut handelt (§ 1054 II ZPO). [...] Insoweit steht die Wirksamkeit eines Schiedsspruchs als solche nicht in Frage, selbst wenn dieser keine oder nur ‚verstümmelte' Parteienbezeichnungen ausweist."*; siehe dazu auch SchiedsVZ 2012, 217: *„Zu den Wirksamkeitsvoraussetzungen eines Schiedsspruchs mit vereinbartem Wortlaut gehört nicht die Bezeichnung der Parteien entsprechend dem Rubrum des Urteils eines staatlichen Gerichts. Für eine Vollstreckbarkeitserklärung muss die Parteistellung jedoch zweifelsfrei nachgewiesen werden."*
1989 *Lörcher*, BB 2000, 2, 6; *Bredow*, SchiedsVZ 2010, 298 mwN: *„Da aber in nicht wenigen Rechtsordnungen der Schiedsspruch grundsätzlich eine Begründung zu enthalten hat, ist ein Hinweis auf den dem Schiedsspruch zu Grunde liegenden Vergleich zwischen den Parteien zumindest nicht schädlich und in der DIS Praxis auch üblich."*
1990 Siehe Rn 1330.
1991 *Wirth* in Honsell et al, Internationales Privatrecht³ Art 189 Rn 49.

Ausland vollstreckt werden soll, ist der Abschluss des Vergleichs in Form eines Schiedsspruchs mit vereinbartem Wortlaut vorzuziehen.[1992]

1314 Im deutschen Recht wurde aufgrund der ausdrücklichen, im Zuge der Reform geregelten Möglichkeit, einen Schiedsspruch mit vereinbartem Wortlaut zu erlassen, das Institut des protokollierten Schiedsvergleichs als überflüssig erachtet und aufgehoben.[1993]

4. Voraussetzungen

1315 Der Erlass eines Schiedsspruchs mit vereinbartem Wortlaut (siehe II.C.3.a)) bedarf eines Schiedsgerichts mit Sitz im Inland, eines Antrags der Parteien, eines vergleichsfähigen und vom Umfang der Schiedsvereinbarung gedeckten Streitgegenstands und eines Vergleichsgeschäfts, dessen Inhalt, soweit er dem Schiedsgericht bekannt gegeben wird, nicht gegen die Grundwertungen der Rechtsordnung (*ordre public*) verstößt.[1994]

1316 Bei Vorliegen sämtlicher Voraussetzungen ist das Schiedsgericht grundsätzlich verpflichtet, den Vergleich als Schiedsspruch mit vereinbartem Wortlaut zu erlassen.[1995] Damit haben der österreichische und der deutsche Gesetzgeber das in Art 30(1) iVm Art 34 UNCITRAL ModG enthaltene Ablehnungsrecht des Schiedsgerichts[1996] teilweise – nämlich durch den *ordre public* Vorbehalt – umgesetzt.[1997]

a) Antrag

1317 Zunächst setzt die Pflicht des Schiedsgerichts, einen Schiedsspruch mit vereinbartem Inhalt zu erlassen, das Vorliegen eines Parteiantrags voraus.[1998] Während eine gemeinsame Antragsstellung nicht erforderlich ist, ist das Einverständnis aller Parteien sehr wohl Voraussetzung. Ein Antrag bedarf keiner besonderen Form; ist ein solcher einmal gestellt, kann er nicht ohne die Zustimmung der anderen Partei(en) zurückgenommen werden.[1999] Um Über-

---

1992 *Hausmaninger* in Fasching/Konecny, ZPO³ § 605 Rn 61; siehe dazu auch *Oberhammer*, Entwurf 114.

1993 *Oberhammer*, Entwurf 114 f.

1994 *Hausmaninger* in Fasching/Konecny, ZPO³ § 605 Rn 38, 40 f, 44 ff, 51 ff; *Rechberger/Melis* in Rechberger, ZPO⁴ § 605 ZPO Rn 2; § 1053 Abs 1 S 2 Hs 2 dZPO, hierzu: *Münch* in MünchKom, ZPO⁴ § 1053 Rn 24; *Schwab/Walter*, Schiedsgerichtsbarkeit⁷ Kap 23 Rn 10; *Nater-Bass*, ASA Bulletin 2002, 436 ff.

1995 § 605 öZPO und § 1053 Abs 1 dZPO; *B. Berger/Kellerhals*, Arbitration³ Rn 1541.

1996 *Holtzmann/Neuhaus*, Guide to the UNCITRAL Model Law, 822 ff.

1997 *Hausmaninger* in Fasching/Konecny, ZPO³ § 605 Rn 38, 52.

1998 § 605 öZPO und § 1053 dZPO.

1999 *Hausmaninger* in Fasching/Konecny, ZPO³ § 605 Rn 53; *Münch* in MünchKom, ZPO⁴ § 1053 Rn 21.

raschungen dahingehend zu vermeiden, dass eine Partei einen Vergleich in der Erwartung schließt, die andere Partei werde dem Antrag auf Erlassung eines Schiedsspruchs mit vereinbartem Wortlaut zustimmen, sollten die Parteien den Abschluss eines solchen Schiedsspruchs im genauen Wortlaut zum Gegenstand des Vergleichs machen oder sich gegenseitig zur Antragsstellung bevollmächtigen.[2000]

b) Vergleichsfähigkeit

Darüber hinaus wird für die Anwendung des § 605 öZPO die Vergleichs-   **1318**
fähigkeit des Streitgegenstandes vorausgesetzt. Noch im § 577 Abs 1 öZPO aF war die Vergleichsfähigkeit maßgeblich für den wirksamen Abschluss einer Schiedsvereinbarung. Das geltende österreichische Schiedsrecht bejaht die Schiedsfähigkeit aller vermögensrechtlichen (auch nicht vergleichsfähigen) Ansprüche und ebenso die von nicht vermögensrechtlichen Ansprüchen, die vergleichsfähig sind.[2001] Vor diesem Hintergrund haben Schiedsgerichte mit Sitz in Österreich zu berücksichtigen, dass sie möglicherweise über einen schiedsfähigen Anspruch zu entscheiden haben, aber uU darüber keinen Schiedsvergleich erlassen dürfen.[2002] Über schiedsfähige Ansprüche, welche einem Verfügungs-, Verzichts-, oder Vergleichsverbot unterliegen, dürfen Schiedsgerichte mit Sitz in Österreich keinen Schiedsvergleich erlassen. Dazu zählen bestimmte gesellschaftsrechtliche Ansprüche, wie zB Ersatzansprüche gegen Geschäftsführer und Aufsichtsratsmitglieder sowie Streitigkeiten über die Aufbringung des Stammkapitals im GmbH-Recht oder Ansprüche gegen Gründer, deren Hintermänner, Gründergenossen sowie Vorstands- und Aufsichtsratmitglieder im Aktienrecht.[2003]

Die Rechtslage in Deutschland ist ähnlich. Während wie in Österreich   **1319**
nach altem Recht bereits für den Abschluss einer Schiedsvereinbarung die Vergleichsfähigkeit des Streitgegenstands gefordert wurde, können nunmehr gem § 1030 Abs 1 S 1 und S 2 dZPO vermögensrechtliche Ansprüche unabhängig von ihrer Vergleichsfähigkeit sowie nicht vermögensrechtliche, aber vergleichsfähige Ansprüche Gegenstand einer Schiedsvereinbarung sein. Da § 1053 dZPO, der die Beendigung des Schiedsverfahrens durch Vergleich regelt, keinen Bezug auf die Vergleichsfähigkeit des Streitgegenstandes nimmt, ist umstritten, ob das Schiedsverfahren auch durch einen Vergleich mit nicht

---

2000 *Bredow*, SchiedsVZ 2010, 296.
2001 § 582 Abs 1 öZPO.
2002 *Hausmaninger* in Fasching/Konecny, ZPO³ § 605 Rn 51; dazu auch *Koller* in Liebscher/Oberhammer/Rechberger, Schiedsverfahrensrecht I Rn 3/76 f.
2003 *Koller* in Liebscher/Oberhammer/Rechberger, Schiedsverfahrensrecht I Rn 3/90, FN 259; *Rechberger* in Rechberger, ZPO⁴ § 606 Rn 1.

vergleichs- aber schiedsfähigem Streitgegenstand beendet werden kann.[2004] Die Frage ist – soweit ersichtlich – bis dato nicht höchstrichterlich entschieden worden.[2005]

1320 In der Schweiz ist eine schiedsfähige Streitigkeit grundsätzlich auch vergleichsfähig. Die Definition der Schiedsfähigkeit stellt widerum auf die vermögensrechtliche Natur der Ansprüche ab.[2006]

c) Erweiterung und Geltung der Schiedsvereinbarung

1321 Die Einigung der Parteien über einen Rechtsstreit, der nicht von der Schiedsklausel erfasst ist, ist unter der Voraussetzung zulässig, dass eine ausdrückliche schriftliche Erweiterung der Schiedsvereinbarung auf den gesamten Gegenstand des Schiedsvergleichs vorliegt.[2007] Nach deutschem Recht ist der Abschluss eines Schiedsvergleichs nach vorherrschender Meinung auch ohne ausdrückliche schriftliche Erweiterung der Schiedsvereinbarung möglich. Wird dies nicht schon ohne weitere dogmatische Diskussion anerkannt,[2008] so folgt dies zumindest daraus, dass *ad hoc* Erweiterungen der Schiedsvereinbarung in Anwendung von § 1031 Abs 6 dZPO formlos möglich sind.[2009]

1322 Schließen die Parteien einen Schiedsvergleich ab, ist von der (Weiter-)Geltung der Schiedsvereinbarung auszugehen. Es wäre verfehlt, aufgrund eines Vergleichsabschlusses die Aufhebung der Schiedsvereinbarung des zugrundeliegenden Vertrages anzunehmen. Vielmehr ist durch Auslegung zu klären, ob aus dem Schiedsvergleich resultierende Ansprüche auch der Schiedsvereinbarung unterliegen.[2010] Sofern Streitigkeiten im Zusammenhang mit dem Vergleichsabschluss auch auf dem Schiedsrechtsweg entschieden werden sollen, empfiehlt es sich in der Praxis in den protokollierten Vergleich oder den Schiedsspruch mit vereinbartem Wortlaut eine neue Schiedsklausel aufzunehmen.[2011] Sofern die Parteien im Vergleich nicht ausdrücklich etwas anderes bestimmt haben, ist gem der Rsp des BGer idR anzunehmen, dass

---

2004 Siehe zum Meinungsstand *Voit* in Musielak/Voit, ZPO[13] § 1053 Rn 1 und Rn 4; siehe auch *Münch* in MünchKom, ZPO[4] § 1053 Rn 26, FN 39; *Bilda*, DB 2004, 171, 175; *Mankowksi*, ZZP 2001, 37, 62.

2005 Vgl aber OLG München 29.3.2012, 34 Sch 45/11 Rn 8 (juris), wonach es auf die Vergleichsfähigkeit nicht ankommt.

2006 *Nater-Bass*, ASA Bulletin 2002, 440.

2007 *Zeiler*, Schiedsverfahren[2] § 605 Rn 1; *Power*, Austrian Arbitration Act § 605 Rn 2; *Hausmaninger* in Fasching/Konecny, ZPO[3] § 605 Rn 46.

2008 *Voit* in Musielak, ZPO[13] § 1053 Rn 4.

2009 *Münch* in MünchKom, ZPO[4] § 1053 Rn 17; *Mankowski*, ZZP 114 (2001), 37, 63.

2010 *Koller* in Liebscher/Oberhammer/Rechberger, Schiedsverfahrensrecht I Rn 3/380, 3/390.

2011 *Hausmaninger* in Fasching/Konecny, ZPO[3] § 605 Rn 63; vgl auch OGH 26.7.2000, 7 Ob 165/00s, wonach die ursprüngliche Schiedsvereinbarung außer Kraft tritt,

sie die Schiedsklausel auch für Streitigkeiten im Zusammenhang mit der Abwicklung der Vertragsauflösung fortgelten lassen wollen.[2012]

d) Beteiligung Dritter am Vergleich

Für Dritte ist die Beteiligung an einem Vergleich ohne Unterwerfung unter **1323**
die Schiedsvereinbarung grundsätzlich möglich. Wenn der Vergleich jedoch
als Schiedsspruch mit vereinbartem Wortlaut vollstreckbar sein soll, muss sich
auch der Dritte der Schiedsvereinbarung unterwerfen.[2013] Dies war unter dem
alten Schiedsrecht auch in Deutschland so anerkannt. Ob dies nach nunmehr
geltendem Recht so aufrecht bleiben kann, ist umstritten.[2014] Schließlich vermeidet § 1053 Abs 1 dZPO nF im Gegensatz zur Regel über den gerichtlichen
Vergleich (§ 794 Abs 1 Nr 1 dZPO) den Einbezug von Dritten.[2015]

5. Überprüfung des Inhalts des Vergleichs durch das Schiedsgericht

Vergleichen sich die Parteien eines Schiedsverfahrens und beantragen die **1324**
Protokollierung des Vergleichs oder die Erlassung eines Schiedsspruchs mit
vereinbartem Wortlaut, hat das Schiedsgericht zu überprüfen, ob eine Einigung hinsichtlich aller strittigen Punkte erfolgt ist. Außerdem hat das Schiedsgericht sicherzustellen, dass der Vergleichsinhalt, soweit ihm bekannt, nicht
gegen den *ordre public* verstößt.[2016]

a) Teilvergleich

Der Inhalt eines Schiedsvergleichs muss einer Überprüfung durch das Schieds- **1325**
gericht zugänglich sein; insb muss aus dem Inhalt des Schiedsvergleichs hervorgehen, ob eine Einigung der Parteien in Hinblick auf alle streitigen Punkte
erzielt wurde. Ist dies nicht der Fall, liegt lediglich ein Teilvergleich vor. Folglich kann das Schiedsgericht das Verfahren nur für jenen Teil beenden, der
vom Vergleich erfasst ist.[2017]

---

wenn der Vergleich so auszulegen ist, dass ihm Bereinigungswirkung (Novationswirkung) zukommt.
2012 BGE 116 Ia 59.
2013 *Hausmaninger* in Fasching/Konecny, ZPO[3] § 605 Rn 46, 49.
2014 Zum Meinungsstand: *Voit* in Musielak, ZPO[13] § 1053 Rn 5; *Geimer* in Zöller, ZPO[31]
§ 1053 Rn 4; *Schwab/Walter*, Schiedsgerichtsbarkeit[7] Kap 23 Rn 8.
2015 Kritisch zur Einbeziehungsmöglichkeit von Dritten *Münch* in MünchKom, ZPO[4]
§ 1053 Rn 17.
2016 *Nater-Bass*, ASA Bulletin 2002, 438.
2017 *Nater-Bass*, ASA Bulletin 2002, 437.

b) Ordre public

1326 Schiedsgerichte haben auch die Befugnis zu überprüfen, ob der Vergleich mit dem (internationalen) *ordre public* vereinbar ist.[2018] Stellt das Schiedsgericht fest, dass der Inhalt eines Vergleichs gegen den internationalen *ordre public* oder die Grundwertungen der anzuwendenden *lex arbitri* verstößt, hat es die Beurkundung des Schiedsvergleichs abzulehnen.[2019] Was gem österreichischem Recht nicht Inhalt eines Schiedsspruchs sein darf, stellt auch keinen zulässigen Vergleichsinhalt dar.[2020] Auch wenn berechtigte Interessen von am Vergleich unbeteiligten Dritten unangemessen beeinträchtigt werden, kann das Schiedsgericht ablehnen, einen Schiedsspruch mit vereinbartem Wortlaut zu erlassen.[2021]

6. Rechtswirkung des Vergleichs

1327 Die prozessrechtliche Wirkung eines Schiedsspruchs mit vereinbartem Wortlaut, eines Beendigungsbeschlusses oder eines protokollierten Schiedsvergleichs besteht in der **Bereinigungs- und Beendigungswirkung** und **Vollstreckbarkeit**. Der Rechtsbehelf zur Bekämpfung eines Schiedsspruchs mit vereinbartem Wortlaut ist die Aufhebungsklage in Österreich und Deutschland, bzw die Anfechtung gem Art 190 Abs 2 schwIPRG in der Schweiz. In der Praxis darf nicht vergessen werden, dass der Abschluss eines Schiedsvergleichs in Österreich eine Rechtsgeschäftsgebühr auslöst.

a) Beendigung des Schiedsverfahrens

1328 Sowohl der Schiedsspruch mit vereinbartem Wortlaut, als auch der Erledigungsbeschluss und – in Österreich der Schiedsvergleich in protokollierter Form – beenden das Schiedsverfahren. Im Gegensatz dazu hat ein materieller, außerschiedsgerichtlicher Vergleich nur dann verfahrensbeendende Wirkung, wenn die Parteien dies ausdrücklich vereinbaren und dem Schiedsgericht mitteilen.[2022]

2018 *Nater-Bass*, ASA Bulletin 2002, 428; *Kaufmann-Kohler/Rigozzi*, International Arbitration in Switzerland Rn 7.109.

2019 *Münch* in MünchKom, ZPO[4] § 1059 Rn 38.

2020 *Hausmaninger* in Fasching/Konecny, ZPO[3] § 605 Rn 52.

2021 *Born*, Law and Practice[2] 287 f.

2022 § 608 Abs 2 Z 3 öZPO; § 1056 Abs 2 Z 2 dZPO.

b) Vollstreckbarkeit

In Österreich bildet ein Schiedsvergleich nach § 605 Z1 und Z2 öZPO einen **1329** Exekutionstitel.[2023] Die Vollstreckbarkeit eines protokollierten Schiedsvergleichs[2024] ist auf das Inland beschränkt. Im Unterschied dazu hat ein Schiedsspruch mit vereinbartem Wortlaut dieselbe Wirkung wie ein Schiedsspruch in der Sache selbst und ist folglich wie ein „normaler" Schiedsspruch auch im Ausland (nach dem NYÜ) vollstreckbar, was va für internationale Schiedsverfahren von großer Bedeutung ist.[2025]

Schiedssprüche mit vereinbartem Wortlaut (*consent awards, awards on* **1330** *agreed terms*) gelten als Schiedssprüche iSd Art 1 NYÜ und können somit nach den Vorschriften des NYÜ vollstreckt werden.[2026] Dies setzt allerdings voraus, dass die unter dem Vergleich zu erbringenden Leistungen so bestimmt und eindeutig definiert sein müssen, dass sie vollstreckungsfähig sind.[2027] Die Möglichkeit der Vollstreckung nach den Vorschriften des NYÜ ist einer der Hauptgründe, weshalb Parteien einen Schiedsspruch mit vereinbartem Wortlaut einem Beendigungsbeschluss (*order for termination*) oder einem protokollierten Vergleich vorziehen. Von österreichischen Schiedsgerichten protokollierte Schiedsvergleiche sind in Österreich wie vor österreichischen Gerichten abgeschlossene Vergleiche vollstreckbar, fallen aber nicht unter das NYÜ.

c) Anfechtung mit Aufhebungsklage

Ein Schiedsspruch mit vereinbartem Wortlaut kann nur mit einer Aufhebungs- **1331** klage bekämpft werden. Aufgrund der Gleichstellung eines Schiedsspruchs mit vereinbartem Wortlaut mit einem Schiedsspruch in der Sache selbst gelten – wenn auch nur eingeschränkt – die Aufhebungs- und Vollstreckbarerklärungsversagungsgründe. Als Aufhebungsgründe eines Schiedsspruchs mit vereinbartem Wortlaut können mangelnde subjektive und objektive Schiedsfähigkeit sowie ein Verstoß gegen den materiell-rechtlichen *ordre public* geltend gemacht werden.[2028] Demgegenüber ist nach hL die Anfechtung eines protokollierten Schiedsvergleichs mit Aufhebungsklage nicht möglich.[2029]

2023 § 1 Z 16 öEO.
2024 § 605 Z 1 öZPO.
2025 *Hausmaninger* in Fasching/Konecny, ZPO³ § 605 Rn 59 ff.
2026 *B. Berger/Kellerhals*, Arbitration³ Rn 1541; *Koller*, JAP 2005/2006, 244.
2027 *Wirth* in Honsell et al, Internationales Privatrecht³ Art 189 Rn 49.
2028 § 611 Abs 2 Z 1, Z 7 und Z 8 öZPO; § 1059 Abs 2 dZPO; Art 190 Abs 2 schwIPRG.
2029 *Hausmaninger* in Fasching/Konecny, ZPO³ § 605 Rn 66.

d) Gebühren

1332   Ein in Österreich geschlossener, außergerichtlicher Vergleich über – auch bei Schiedsgerichten – anhängige Rechtsstreitigkeiten unterliegt in Österreich einer Gebührenpflicht iHv 1 % des Gesamtwerts der von jeder Partei übernommenen Leistung.[2030]

D. Unmöglichkeit der Fortsetzung des Verfahrens

1333   Die Unmöglichkeit der Durchführung des Schiedsverfahrens ist in den meisten Fällen auf die von den Parteien über einen längeren Zeitraum unterlassene Prozessförderungspflicht zurückzuführen.[2031] Praktische Anwendung findet die beschlussmäßige Verfahrensbeendigung bspw, wenn die Parteien eine einstimmige Entscheidung eines aus mehreren SchiedsrichterInnen bestehenden Schiedsgerichts vereinbart haben, aber kein Konsens unter den Mitgliedern des Schiedsgerichts gefunden werden kann.[2032] Auch wenn Zustellungen an die Beklagte an der von der Klägerin angegebenen Adresse wiederholt scheitern, und diese trotz Aufforderung durch das Schiedsgericht keine alternative Adresse bekannt gibt, liegt Unmöglichkeit der Fortführung vor.[2033] Schließlich ist das Schiedsverfahren zu beenden, wenn es die Parteien trotz Aufforderung des Schiedsgerichts nicht weiter betreiben.[2034]

1334   Als Besonderheit der DIS-Regeln ist die Möglichkeit der Beendigung des Verfahrens durch einen Beschluss der DIS-Geschäftsstelle (und nicht des Schiedsgerichts) hervorzuheben. Ein solcher Beschluss ist in Fällen zu erlassen, in denen die Parteien es verabsäumen, innerhalb der anberaumten Frist eine Schieds- oder ErsatzschiedsrichterInnenbenennung vorzunehmen und ein Antrag auf Benennung durch den DIS-Ernennungsausschuss unterbleibt.[2035]

1335   Im Zuge der Neufassung der Wiener Regeln erfolgte eine Erweiterung des Katalogs der Beendigungsmöglichkeiten eines Schiedsverfahrens. Ein Schiedsverfahren kann nun gem Art 34(4) Wiener Regeln vor Fallübergabe durch Beschluss des Generalsekretärs für beendet erklärt werden (nach Fallübergabe liegt die Beendigung beim Schiedsgericht bzw den Parteien). Durch die beschlussmäßige Beendigungsmöglichkeit des Generalsekretärs kann Rechtssicherheit geschaffen werden, bspw wenn die Klägerin die Schiedshängigkeit der Klage aufrecht erhält, ohne das Verfahren ordnungsgemäß

2030   § 33 TP 20 Abs 1 lit a öGebG; siehe dazu Berufungsentscheidung des UFS 11.5.2011, RV/2241–W/07.

2031   *Hausmaninger* in Fasching/Konecny, ZPO³ § 608 Rn 19.

2032   *Elsing* in Böckstiegel/Kröll/Nacimiento, Arbitration in Germany 710.

2033   *Heider et al*, Dispute Resolution in Austria 57.

2034   § 1056 Abs 2 Z 3 dZPO; § 39.2(3) DIS-Regeln.

2035   Vgl § 39.3 DIS-Regeln.

weiter zu betreiben. Art 34(4) Wiener Regeln stellt eine Kann-Bestimmung dar. Folglich liegt es im Ermessen des Generalsekretärs, einen Beendigungs-beschluss zu erlassen, wenn die Schiedsklage nicht den Anforderungen des Art 7(3) Wiener Regeln entspricht und die Schiedsklägerin einem Verbes-serungs- oder Ergänzungsauftrag nicht innerhalb der vom Generalsekretär gesetzten Frist nachkommt; wenn die Einschreibgebühr nicht innerhalb der Frist bzw deren Verlängerung gezahlt, oder der Kostenvorschuss nicht frist-gemäß vollständig erlegt wird. Die Ansprüche eines mit Beschluss des Ge-neralsekretärs beendeten Verfahrens können in einem anderen Verfahren erneut geltend gemacht werden.[2036]

2036 *Schäfer/Schifferl/Wong* in VIAC, Handbuch Art 34 Rn 18 ff; auch unter der ICC SchO kann der Generalsekretär ein Schiedsverfahren zB bei Nichtbezahlung eines angeforderten Kostenvorschusses beenden; vgl Art 37(6) ICC SchO.

III. Kosten des Verfahrens

A. Zusammensetzung der Verfahrenskosten

1336 Die Kosten eines Schiedsverfahrens umfassen die Kosten der Schiedsrichter-Innen, der Parteien, der Parteienvertreter, Gerichtskosten und Kosten der Beweisaufnahme. In institutionellen Schiedsverfahrens fallen zusätzlich Kosten der das Verfahren administrierenden Einrichtung an.[2037] Der österreichische und der deutsche Gesetzgeber haben von einer strikten Definition der Prozesskosten oder auch einer nur demonstrativen Aufzählung erstattungsfähiger Kosten Abstand genommen und haben somit Schiedsgerichten einen breiten Ermessensspielraum eingeräumt.[2038] Nach der öZPO und der dZPO umfasst die Ersatzpflicht alle zur zweckentsprechenden Rechtsverfolgung oder Rechtsverteidigung angemessenen bzw notwendigen Kosten.[2039] Während die stRsp in Österreich auf dieser Grundlage zwischen ersatzfähigen echten (Verfahrens-)Kosten der Parteien und nicht ersatzfähigen unechten (Dritt-) Kosten als Aufwendungen Dritter (zB Zeugengebühren) unterscheidet, differenziert die dZPO zwischen Schiedsgerichtskosten und Parteikosten.[2040] Diese Unterscheidung ist – mangels einer ausdrücklichen gesetzlichen Regelung – auch in der Schweiz üblich.[2041]

1. Schiedsgerichtskosten

1337 In jeder Kostenentscheidung ist über die Schiedsgerichtskosten abzusprechen. Diese umfassen regelmäßig die Verwaltungskosten der jeweiligen Schiedsinstitution, Verfahrenskosten (bspw Kosten für Räumlichkeiten zur Abhaltung der Schiedsverhandlung, für vom Schiedsgericht bestellte Sachverständige) und die SchiedsrichterInnenhonorare.[2042] Der Honoraranspruch einer Schiedsrichterin/eines Schiedsrichters entsteht – mangels Vereinbarung – mit der Beendigung des Schiedsverfahrens (§ 1170 öABGB) und wird auch in

---

2037 *Hausmaninger* in Fasching/Konecny, ZPO³ § 609 Rn 44.
2038 § 609 Abs 1 öZPO; § 1057 Abs 1 dZPO; *Hausmaninger* in Fasching/Konecny, ZPO³ § 609 Rn 62.
2039 § 609 Abs 1 öZPO; § 1057 Abs 1 dZPO.
2040 § 1057 Abs 1 dZPO.
2041 *B. Berger/Kellerhals*, Arbitration³ Rn 1564; siehe auch *Wirth* in Honsell et al, Internationales Privatrecht³ Art 189 Rn 60 ff.
2042 Nach Art 38(1) ICC SchO sind etwa das Honorar und die Auslagen der SchiedsrichterInnen, die Verwaltungskosten der ICC, die Honorare und Auslagen der vom Schiedsgericht ernannten Sachverständigen umfasst; siehe auch Art 44(1) 1.1 und 1.3 der Wiener Regeln, Art 38 (a) bis (c) und (f) der Swiss Rules sowie § 35 und 40 der DIS-Regeln.

diesem Zeitpunkt fällig. Sofern keine andere Regelung getroffen wurde, gilt gem § 1152 öABGB ein angemessenes Entgelt als bedungen.[2043] Gem Art 44(2) Wiener Regeln bestimmt der Generalsekretär des VIAC die Verwaltungskosten und die SchiedsrichterInnenhonorare aufgrund des Streitwertes nach der VIAC Kostentabelle.[2044] Nach den Wiener Regeln sind auch Auslagen der SchiedsrichterInnen inklusive Reise- und Beherbergungskosten Teil der Schiedsgerichtskosten.[2045]

Hinsichtlich der SchiedsrichterInnenhonorare ist zu beachten, dass SchiedsrichterInnen nach dem Grundsatz *nemo iudex in sua causa* keinen Exekutionstitel in eigener Sache schaffen können.[2046] Die im Schiedsspruch enthaltene Kostenentscheidung stellt gem einer jüngeren Entscheidung des BGer nichts anderes als eine für die Parteien unverbindliche Rechnungsstellung bzw eine Umschreibung des privatrechtlichen Anspruchs der SchiedsrichterInnen aus dem Schiedsrichtervertrag dar.[2047] In sämtlichen institutionellen Schiedsordnungen wird dieses Problem dadurch gelöst, dass zur Deckung der SchiedsrichterInnenhonorare die Leistung eines Kostenvorschusses vorgesehen ist, sodass ein Exekutionstitel nicht notwendig ist.[2048] Allenfalls erforderliche Finanzierungskosten für einen solchen Vorschuss sind ebenfalls erstattungsfähig.[2049] **1338**

2. Parteikosten

Nach Definition der Wiener Regeln sind Parteikosten *„die angemessenen Aufwendungen der Parteien für ihre Vertretung."*[2050] Darunter fallen Kosten für rechtlichen Beistand, private Sachverständigengutachten, Dolmetscher ua. Es handelt sich um Kosten, die von den Parteien tatsächlich aufgewendet wurden, dh um echte Verfahrenskosten. Welche Parteikosten ersetzt werden, liegt letztendlich im Ermessen des Schiedsgerichts, wobei hinsichtlich der Ersatzfähigkeit auf das Kriterium der Angemessenheit von Kosten abzustellen **1339**

2043 *Hausmaninger* in Fasching/Konecny, ZPO[3] § 587 Rn 214, 220; OGH 17.2.2014, 4 Ob 197/13v, JBl 2014, 665 mit Hinweis auf *Hausmaninger* in Fasching/Konecny, ZPO[3] § 587 Rn 220.

2044 Art 44(2) Wiener Regeln; zur VIAC-Kostentabelle siehe Anhang 3 der Wiener Regeln.

2045 *Horvath/Konrad/Power*, Costs in International Arbitration 44.

2046 BGE 136 III 603 f.

2047 BGE 136 III 603; *Lötscher*, ASA Bulletin 2011, 125; siehe dazu auch *Wirth* in Honsell et al, Internationales Privatrecht[3] Art 189 Rn 63.

2048 *Hausmaninger* in Fasching/Konecny, ZPO[3] § 609 Rn 24; Kostenvorschüsse im Schiedsverfahren sind notwendige Barauslagen, RdW 2000, 72 mwN.

2049 *Risse/Altenkirch*, SchiedsVZ 2012, 14.

2050 Art 44(1) Z 1.2 Wiener Regeln.

ist. Angemessen ist nicht zwingend nur die billigste Variante. Vielmehr sind bspw Kosten der Parteien für den Rechtsbeistand dann angemessen, wenn diese die Komplexität des Falles berücksichtigen.[2051] Durch das Abstellen auf Angemessenheit – und nicht Notwendigkeit – wird dem Schiedsgericht im Rahmen seines Ermessens ein breiter Entscheidungsspielraum zugebilligt. Angemessen sind Anwaltskosten, die nach einem gesetzlichen Tarif berechnet wurden oder international üblichen Stundensätzen entsprechen.[2052] Als gesetzliche Tarife werden in Österreich einerseits das öRATG sowie die AHK der Rechtsanwaltskammer herangezogen.[2053]

1340   Ebenfalls stellen § 609 Abs 1 öZPO sowie Art 38(1) der ICC SchO und Art 38 (e) der Swiss Rules auf die zur zweckentsprechenden Rechtsverfolgung oder Rechtsverteidigung **angemessenen Kosten** ab. § 35 der DIS-Regeln stellt dagegen auf die Kosten des schiedsrichterlichen Verfahrens, einschließlich der den Parteien erwachsenen und zur zweckentsprechenden Rechtsverfolgung **notwendigen Kosten**, ab und ähnelt diesbezüglich § 1057 Abs 1 S 1 dZPO.

1341   In der Praxis nehmen Parteien häufig auch ihre *In House*-Vertretungskosten in das Kostenverzeichnis auf. Die Ersatzfähigkeit von unternehmensinternen Kosten, wie der Kosten der eigenen Rechtsabteilung, ist jedoch strittig.[2054] Aufgrund der uneinheitlichen Praxis empfiehlt es sich, zu Beginn des Verfahrens – zB in Verfahren nach der ICC SchO im Schiedsauftrag – Klarheit über die Ersatzfähigkeit von unternehmensinternen Kosten zu schaffen. Nach den Wiener Regeln sind *In House*-Kosten grundsätzlich ersatzfähig, sofern sie entsprechend glaubhaft gemacht werden.[2055] In ICC Schiedsverfahren werden *In House*-Kosten von Schiedsgerichten vermehrt anerkannt.[2056] Schiedsgerichte sollten im Zuge dieser Ermessensentscheidung berücksichtigen, ob und wie stark die interne Rechtsabteilung in die Führung des Verfahrens involviert war.[2057]

1342   In der Praxis sind die einzelnen Kostenposten sehr unterschiedlich gewichtet. Eine Studie der ICC beziffert den durchschnittlichen Anteil der

---

2051 *Hausmaninger* in Fasching/Konecny, ZPO³ § 609 Rn 22, 26, 32.
2052 *Hausmaninger* in Fasching/Konecny, ZPO³ § 609 Rn 63 f; Trittmann, ZVglRWiss 2015, 469 mwN.
2053 *Horvath/Konrad/Power*, Costs in International Arbitration 43.
2054 Für Deutschland vor dem Hintergrund der Erstattungsfähigkeit nur notwendiger Kosten ablehnend *Voit* in Musielak, ZPO¹³ § 1057 Rn 5; bejahend *Risse/Altenkirch*, SchiedsVZ 2012, 5 und 12. In der Schweiz bei fehlender Parteivereinbarung ablehnend *B. Berger/Kellerhals*, Arbitration³ Rn 1625; auf die vermehrte Akzeptanz verweisend: *Kaufmann-Kohler/Rigozzi*, International Arbitration in Switzerland Rn 7.142.
2055 *Peters* in VIAC, Handbuch Art 37 Rn 24.
2056 *Fry/Greenberg/Mazza*, ICC Arbitration Art 37(1) Rn 3–1491.
2057 *Wirth* in Honsell et al, Internationales Privatrecht³ Art 189 Rn 71.

Parteikosten an den gesamten Kosten des Schiedsverfahrens als rund 40-mal höher als jenen der Verwaltungskosten der ICC (welche ihrerseits va für hohe Streitwerte deutlich über jenen des VIAC liegen).[2058]

B. Kostenersatz

In institutionellen Schiedsverfahren ist die Leistung von Kostenvorschüssen **1343** üblich. Das Schiedsgericht nimmt erst nach vollständigem Erlag des auf beide Streitseiten in gleicher Höhe entfallenden Kostenvorschussanteils seine Tätigkeit auf. In den österreichischen Schiedsrechtsbestimmungen ist die Leistung von Kostenvorschüssen zwar nicht ausdrücklich geregelt, gilt aber dennoch nach stRsp. In der Schweiz enthält das Gesetz keine ausdrückliche Regelung für internationale Schiedsverfahren, für Binnenschiedsverfahren räumt Art 378 schwZPO dem Schiedsgericht jedoch das Recht ein, einen Vorschuss für die mutmaßlichen Verfahrenskosten zu verlangen und die Durchführung des Verfahrens von dessen Leistung abhängig zu machen. Bei der Kostenentscheidung handelt es sich um eine Schiedsrichterpflicht. Das Schiedsgericht entscheidet dabei in freiem Ermessen.

1. Kostenvorschuss

Um die SchiedsrichterInnenhonorare, Ansprüche der Schiedsinstitution so- **1344** wie Ansprüche Dritter gegen das Schiedsgericht befriedigen zu können, verlangen institutionelle Schiedsordnungen die Leistung eines in der Regel von beiden Streitseiten zu gleichen Teilen zu erlegenden Kostenvorschusses.[2059] Da SchiedsrichterInnenverträge in Österreich als Werkverträge mit Elementen der Geschäftsbesorgung gelten, sind gem § 1170 und § 1014 öABGB gesetzlich lediglich Vorschüsse für Auslagen vorgesehen.[2060] Nicht eingezahlte Vorschüsse für Verfahrenskosten sind allerdings nicht einklagbar. Die SchiedsrichterInnen können selbst keinen Exekutionstitel in eigener Sache schaffen,[2061] wenngleich die SchiedsrichterInnen die Durchführung des Schiedsverfahrens vom Erlag eines Vorschusses abhängig machen können.[2062] Gemäß vielen institutionellen Schiedsordnungen sollte das Schiedsgericht keine Verfahrens-

---

2058 *Heider* et al, Dispute Resolution in Austria 51.

2059 *Hausmaninger* in Fasching/Konecny, ZPO³ § 609 Rn 37, 42.

2060 *Baier* in DIS, Kosten im Schiedsgerichtsverfahren, MAT X 2005, 109; RIS-Justiz RS0021668.

2061 *Fasching*, JBl 1993, 549.

2062 Vgl FN 1951 sowie nachfolgend Rn 1345. Nach § 36.3 der DIS-Regeln kann sogar die Übersendung des Schiedsspruchs solange unterbleiben, bis die Kosten für das Schiedsverfahren vollständig an das Schiedsgericht und die DIS bezahlt worden sind.

handlungen setzen, so lange die Kostendeckung nicht gewährleistet ist.[2063] Sofern abzusehen ist, dass die tatsächlichen Prozesskosten den Kostenvorschuss übersteigen werden, kann den Parteien der Erlag zusätzlicher Kostenvorschüsse aufgetragen werden.[2064] Die Höhe des Kostenvorschusses wird üblicherweise von der Schiedsinstitution anhand von am Streitwert orientierter Kostentabellen festgesetzt. Allerdings sieht § 40.6 DIS-Regeln vor, dass das Schiedsgericht über die Höhe des Kostenvorschusses nach pflichtgemäßem Ermessen entscheidet, und nach Art 41.1 und Swiss Rules das Schiedsgericht nach Konsultation des Gerichtshofs entscheidet.[2065]

1345   Demgegenüber werden in den schiedsrechtlichen Bestimmungen der öZPO und der dZPO weder die Leistung einer Prozesskostensicherheit, noch die Anordnung eines Kostenvorschusses behandelt. Jedoch wird auch von der öRsp und Lehre das Recht der SchiedsrichterInnen, die Durchführung des Verfahrens von dem erfolgten Erlag eines Vorschusses abhängig zu machen, anerkannt.[2066] Gleiches gilt für *ad hoc* Schiedsverfahren in der Schweiz.[2067] Typischerweise sehen die Schiedsrichterverträge in *ad hoc* Schiedsverfahren vergleichbare Regelungen zur Absicherung der SchiedsrichterInnen vor.

1346   Wenn die Beklagte die Einzahlung des auf sie entfallenden Kostenvorschussanteils verweigert, muss die Klägerin den gesamten Vorschuss erlegen, um die weitere Behandlung der Klage zu gewährleisten. Abhilfe kann für die vorauszahlende Partei in Form eines Teilschiedsspruches ergehen, sofern schon vor der Kostenentscheidung ein Ersatzanspruch gegen die säumige Partei bejaht wird.[2068] Ein nicht fristgerechter Erlag beendet grundsätzlich das Schiedsverfahren.[2069] In Ausnahmefällen kann bei Glaubhaftmachung der baldigen Zahlung von der Beendigung (vorläufig) abgesehen werden.[2070]

2. Kostenentscheidung durch das Schiedsgericht

1347   Die in der öZPO gewählte Formulierung macht die Kostenentscheidung zu einer amtswegig wahrzunehmenden SchiedsrichterInnenpflicht, es sei denn,

---

2063   *Hausmaninger* in Fasching/Konecny, ZPO³ § 609 Rn 37.

2064   Art 42(5) und Art 43 Wiener Regeln; § 7.1 DIS-Regeln; Art 41 iVm Appendix B Swiss Rules, Art 37 ICC SchO; *Hausmaninger* in Fasching/Konecny, ZPO³ § 609 Rn 40; *Peters* in VIAC, Handbuch Art 42 Rn 15 ff.

2065   *Hausmaninger* in Fasching/Konecny, ZPO³ § 609 Rn 41; *Wirth* in Honsell et al, Internationales Privatrecht³ Art 189 Rn 62.

2066   *Hausmaninger* in Fasching/Konecny, ZPO³ § 609 Rn 90, 93 f.

2067   *B. Berger/Kellerhals*, Arbitration³ Rn 1566.

2068   *Hausmaninger* in Fasching/Konecny, ZPO³ § 609 Rn 42 f; *B. Berger/Kellerhals*, Arbitration³ Rn 1569 ff; vgl auch Art 42(4) Wiener Regeln.

2069   *Hausmaninger* in Fasching/Konecny, ZPO³ § 608 Rn 36 und § 609 Rn 42 f.

2070   *Hausmaninger* in Fasching/Konecny, ZPO³ § 609 Rn 43; *B. Berger/Kellerhals*, Arbitration³ Rn 1569 ff.

die Parteien haben etwas anderes vereinbart. Bei einer Klagsrücknahme erfolgt die Kostenentscheidung nur auf Antrag.[2071] Wenn sich die Parteien im Rahmen eines Vergleichs über die Kosten einigen, entfällt die Kostenentscheidung. In einem solchen Fall kommt aber ein Kostenschiedsspruch mit vereinbartem Wortlaut in Betracht.[2072]

Das in § 609 öZPO festgelegte Kostenersatzrecht orientiert sich an § 1057 **1348** Abs 1 S 1 dZPO, wobei die österreichische Regelung keine „Quotenbestimmung" dahingehend vorsieht, dass das Schiedsgericht „über den Anteil", zu welchem die Kosten zu ersetzen sind, entscheidet. Die Entscheidung über die Kostenverteilung des Schiedsgerichts erfolgt gem § 1057 Abs 1 S 2 dZPO nach pflichtgemäßem Ermessen unter Berücksichtigung der Umstände des Einzelfalls, insb des Ausgangs des Verfahrens.[2073] Die Bestimmungen zur Kostenentscheidung in § 609 öZPO und § 1057 dZPO sind nicht zwingend; gleiches gilt für das schwIPRG.[2074] Im Zusammenhang mit § 1057 dZPO ist zu beachten, dass das Schiedsgericht die Verzinsung der Kostenerstattungsforderung grundsätzlich nur auf Antrag zusprechen kann. Insoweit gilt der Grundsatz *ne ultra petita*.[2075]

Eine auf dem Ausgang des Verfahrens basierende Kostenentscheidung ist **1349** in der Praxis allerdings schwer zu quantifizieren. Ein reiner Quantum-Vergleich der zugesprochenen Forderungen reflektiert nicht notwendigerweise die Komplexität oder Berechtigung der beanspruchten Ausgaben. In Verfahren ohne klares Obsiegen einer Partei wird daher oft die Kostentragung zu gleichen Teilen verfügt.[2076]

In institutionellen Schiedsverfahren erfolgt die Kostenentscheidung häufig **1350** unter Mitwirkung der das Verfahren administrierenden Schiedsinstitution. Die Kostenentscheidung umfasst die ziffernmäßige Festsetzung von Schiedsgerichts- und Parteikosten und die Bestimmung der Anteile, zu denen die Parteien die Kosten zu tragen haben (Kostengrundentscheidung). Während die Kostengrundentscheidung allein vom Schiedsgericht gefällt wird, erfolgt die betragsmäßige Feststellung der Schiedsgerichtskosten entweder durch die

---

2071 § 609 Abs 1 öZPO: „*Wird das Schiedsverfahren beendet, so hat das Schiedsgericht über die Verpflichtung zum Kostenersatz zu entscheiden, sofern die Parteien nichts anderes vereinbart haben.*" Siehe dazu *Hausmaninger* in Fasching/Konecny, ZPO³ § 609 Rn 48, 59f, 74ff.

2072 § 1053 dZPO; *Geimer* in Zöller, ZPO³¹ § 1057 Rn 7; vgl auch OLG München 8.3.2007, SchiedsVZ 2007, 164ff.

2073 *Schlosser* in Stein/Jonas, ZPO § 1057 Rn 4 und 7; *Schwab/Walter*, Schiedsgerichtsbarkeit⁷ Kap 33 Rn 13.

2074 *Hausmaninger* in Fasching/Konecny, ZPO³ § 609 Rn 10, 12, 47.

2075 *Gerstenmaier*, SchiedsVZ 2012, 1ff.

2076 *Bühler*, ASA Bulletin 2004, 249, 264.

Schiedsinstitution oder durch das Schiedsgericht unter Heranziehung von am Streitwert orientierten Kostentabellen.[2077]

3. Form der Kostenentscheidung

1351 Das Schiedsgericht entscheidet über die Kosten – gem § 609 Abs 4 öZPO sowie gem § 1057 Abs 1 S 1 dZPO zwingend – in Form eines Schiedsspruchs. Die Entscheidung erfolgt entweder im Schiedsspruch in der Hauptsache oder in einem Nachtragsschiedsspruch.[2078] Sofern die Kostenbestimmung dem Grunde oder der Höhe nach erst nach Verfahrensbeendigung möglich ist, führt die Verfahrensbeendigung ausnahmsweise nicht zur Beendigung des SchiedsrichterInnenamtes. Das Schiedsgericht ist in einem solchen Fall zur Fällung eines nachträglichen Kostenschiedsspruchs als Nachbereitungshandlung verpflichtet.[2079] Ebenso ist in sämtlichen institutionellen Schiedsordnungen vorgesehen, dass die Kostenentscheidung in Form eines Schiedsspruches zu ergehen hat.[2080] Somit ist die Vollstreckbarkeit der Kostenentscheidung sowie deren Überprüfung im Wege des Aufhebungsantrags sichergestellt.[2081] Die Kostenentscheidung ist auch von der für Schiedssprüche geltenden Begründungspflicht umfasst. Angesichts des freien Ermessens des Schiedsgerichts sind an die Begründung jedoch keine übermäßig hohen Anforderungen zu stellen.[2082] In der Schweiz ist die Entscheidung des Schiedsgerichts zur Kostenaufteilung und zur Höhe der Parteikosten Gegenstand des Schiedsspruchs und kann entsprechend mit Beschwerde nach Art 190 Abs 2 schwIPRG angefochten werden.[2083] Im Gegensatz dazu stellt die Kostenentscheidung in Hinblick auf die Höhe der Schiedsgerichtskosten lediglich eine Rechnungsstellung seitens des Schiedsgerichts dar, welche nicht in Form eines Schiedsspruchs ergehen kann und entsprechend auch nicht Anfechtungsobjekt sein kann.[2084]

2077 *Hausmaninger* in Fasching/Konecny, ZPO³ § 609 Rn 16f, 28; zB Anhang 3 der Wiener Regeln, Anlage zu § 40.5 der DIS-Regeln; Appendix B der Swiss Rules sowie Anhang III der ICC SchO.

2078 § 609 Abs 5 öZPO.

2079 *Hausmaninger* in Fasching/Konecny, ZPO³ § 609 Rn 80, 84.

2080 Art 37 Wiener Regeln; § 35.1 DIS-Regeln; Art 38 Swiss Rules; auch Art 38(4) ICC SchO.

2081 *Hausmaninger* in Fasching/Konecny, ZPO³ § 609 Rn 82.

2082 *Peters* in VIAC, Handbuch Art 37 Rn 30; siehe auch *Fry/Greenberg/Mazza*, ICC Arbitration Art 37(1) und Art 37(3)–(5) Rn 3–1488, Note to Arbitrators: *„Given the large sums sometimes at stake, arbitrators should make sure, their decisions are supported by sound and complete reasoning.“*

2083 *Girsberger/Voser* International Arbitration³ Rn 856.

2084 *Girsberger/Voser* International Arbitration³ Rn 856; siehe auch Rn 1338.

4. Ermessen des Schiedsgerichts

In § 609 Abs 1 öZPO, § 1057 Abs 1 S 2 dZPO sowie in einigen Schieds-   **1352**
regeln, wie Art 37 Wiener Regeln, wird ausdrücklich klargestellt, dass das
Schiedsgericht über die Kostentragung nach freiem Ermessen entscheidet.[2085]
Schiedsgerichte berücksichtigen ua, ob es Zwischenentscheidungen zu Verfahrensfragen gegeben hat, oder, ob die obsiegende Partei Verzögerungstaktiken angewendet hat. Im Rahmen des Ermessens kann gem österreichischem
Recht jegliches Parteienverhalten, welches die effiziente Streitbeilegung beeinträchtigt, sanktioniert werden.[2086]

In institutionellen Schiedsverfahren hat sich das im staatlichen Recht do-   **1353**
minierende Erfolgsprinzip nicht als das einzige, wohl aber das bedeutendste
Ersatzprinzip durchgesetzt.[2087] In der Praxis empfiehlt es sich, bereits im
frühen Verfahrensstadium eine Regelung betreffend Kostenallokation zu
treffen. Dies gilt insb für internationale Schiedsverfahren, weil bspw Parteien
aus den USA, Japan, PRC, Indonesien und den Philippinen an die sogenannte
„amerikanische Kostenregel", wonach jede Partei für eigene Auslagen selbst
aufkommen muss, gewöhnt sind.[2088]

Umgekehrt können für kontinentaleuropäische Parteien die möglichen   **1354**
Folgen eines abgelehnten Vergleichsangebots überraschend sein. Ein Konzept
aus dem englischen Familienrecht, die sogenannte *sealed offer*, welche auch
unter dem Namen des ursprünglichen Präjudizes[2089] als *Calderbank offer* bekannt ist, findet vermehrt auch in internationalen Schiedsverfahren zwischen
Parteien aus zivilrechtlichen Jurisdiktionen Anwendung.[2090] Dabei handelt
es sich um ein Angebot, welches auch den SchiedsrichterInnen (allerdings
in versiegelter Form) zur Begutachtung nach der materiellen Entscheidung
übermittelt wird. Sofern das Angebot im Vergleich zum Schiedsspruch ähnlich oder besser für den Empfänger des Angebots war, trägt dieser die gesamten danach angefallenen Kosten.[2091] Bei ausreichender Klarstellung, etwa
in den *Terms of Reference* bzw im Angebot selbst, kann eine entsprechende

---

2085 *Hausmaninger* in Fasching/Konecny, ZPO³ § 609 Rn 18 f, 59. *Peters* in VIAC,
Handbuch Art 37 Rn 12 ff.
2086 *Hausmaninger* in Fasching/Konecny, ZPO³ § 609 Rn 20, 59.
2087 *Horvath/Konrad/Power*, Costs in International Arbitration 41; siehe zur Kostenerstattung im deutschen Recht und den DIS-Regeln sowie in anderen Jurisdiktionen
und Schiedsordnungen: *Trittmann*, ZVglRWiss 2015, 472 ff.
2088 *Bühler*, ASA Bulletin 2004, 249; *Horvath/Konrad/Power*, Costs in International
Arbitration 41; siehe auch *Wirth* in Honsell et al, Internationales Privatrecht³ Art 189
Rn 69; Draft Principles and Rules of Transnational Civil Procedures, UNIDROIT
2002, 63 f.
2089 *Calderbank v Calderbank* (1975) 3 All ER 333.
2090 *Risse/Altenkirch*, SchiedsVZ 2012, 7.
2091 *Welser/Stoffl* in Klausegger et al, Austrian Arbitration Yearbook 2016, 90.

Kostenentscheidung nicht mehr als überraschend abgewehrt werden und im Rahmen des Ermessens berücksichtigt werden.[2092]

C. Gebühren und Umsatzsteuer

1355 Die tatsächliche Belastung der Parteien hängt außerdem von der die jeweilige Partei treffende Gebühren- und Steuerpflicht ab. In österreichischen Schiedsverfahren ist die Gebührenpflicht beim Abschluss eines außergerichtlichen Vergleichs besonders zu beachten.

1356 Während das Umsatzsteuerrecht für internationale Konstellationen innerhalb der EU weitestgehend harmonisiert wurde, sind bei österreichischen Schiedsverfahren gebührenrechtliche Sonderregelungen zu beachten. Zu berücksichtigen ist weiters die Umsatzsteuerpflicht auf SchiedsrichterInnenhonorare.

1. Außergerichtlicher Vergleich in Österreich gebührenpflichtig

1357 Für außergerichtliche Vergleiche über anhängige Rechtsstreitigkeiten fallen in Österreich gem § 33 TP 20 Abs 1 lit a öGebG Gebühren iHv 1 % des Gesamtwerts der von jeder Partei übernommenen Leistungen an. *„Außergerichtlich"* definiert hier einen Vergleich außerhalb eines Gerichtes im Sinne des § 1 öJN.[2093] Ein solcher liegt bei einem vor einem Schiedsgericht geschlossene Vergleich vor und wird (abgesehen von den trotzdem anfallenden administrativen Kosten) auch mit den oben genannten Gebühren belastet. Im Unterschied dazu fallen bei vor staatlichen Gerichten abgeschlossenen Vergleichen lediglich die pauschalen Gerichtsgebühren an. Sowohl im nationalen Vergleich mit staatlichen Gerichten, als auch im internationalen Wettbewerb mit anderen Ländern beeinträchtigt diese Sonderbestimmung die Attraktivität Österreichs als Schiedsort.[2094]

2. Umsatzsteuer für SchiedsrichterInnenhonorare

1358 Als Dienstleistung iSd *„sonstigen Leistung"* des § 3a öUStG sind SchiedsrichterInnenhonorare grundsätzlich in Österreich steuerbar. Bereits 1997 hat der EuGH entschieden, dass SchiedsrichterInnenleistungen nicht unter Anwaltsleistungen[2095] gem § 3a Abs 10 Z 3 öUStG aF zu subsumieren[2096] und

---

2092 *Risse/Altenkirch*, SchiedsVZ 2012, 8.
2093 VwGH 18.3.2013, 2011/16/0214; Rz 998 Gebührenrichtlinien.
2094 *Schumacher*, RdW 2013, 711; *Prochaska*, Anwalt Aktuell 2014, 16.
2095 *Melhardt*, Umsatzsteuerhandbuch 2004 Rn 581.
2096 EuGH 16.9.1997, C-145/96, *von Hoffmann* Rn 23.

daher nicht als Katalogleistung iSd § 3a Abs 10 öUStG (idF vor BudBG 2009) zu klassifizieren waren. Der Leistungsort von SchiedsrichterInnenleistungen ergab sich daher aus § 3a Abs 12 öUStG. Demzufolge galt die SchiedsrichterInnenleistung als am Sitz der Schiedsrichterin/des Schiedsrichters ausgeführt, sofern sie nicht von einer anderen Betriebsstätte aus erbracht wurde. Sofern eine (ausländische) Schiedsrichterin/ein (ausländischer) Schiedsrichter also keine Betriebsstätte im Inland betrieb, waren die erbrachten Leistungen nicht in Österreich steuerpflichtig.[2097] Die an ausländische Parteien erbrachte Schiedsrichterleistung einer österreichischen Schiedsrichterin/eines österreichischen Schiedsrichters war allerdings bei Nicht-Vorliegen einer ausländischen Betriebsstätte in Österreich steuerpflichtig.[2098]

Seit 1.1.2010 ist zu differenzieren: Leistungen der SchiedsrichterInnen, **1359** die an einen Unternehmer iSd UStG oder an eine juristische Person mit UID-Nummer erbracht werden, gelten als am Empfängerort (Betriebsstätte bzw Sitz des Leistungsempfängers) ausgeführt. An sonstige Personen erbrachte Schiedsrichterleistungen werden – wie nach der alten Rechtslage – als an jenem Ort ausgeführt, von dem aus die Schiedsrichterin/der Schiedsrichter ihr/sein Unternehmen (bzw Betriebsstätte) betreibt.

Für die Versteuerung von Schiedsrichterhonoraren österreichischer **1360** SchiedsrichterInnen, die in Österreich geschäftsansässig sind, gilt also Folgendes: Österreichischen Streitparteien ist unabhängig von deren Eigenschaft als Unternehmer oder Nicht-Unternehmer österreichische Umsatzsteuer in Rechnung zu stellen. Bei Unternehmern, die in einem anderen EU-Mitgliedsstaat ihren Sitz haben und über eine UID-Nummer verfügen, ist demgegenüber keine österreichische Umsatzsteuer zu berechnen, sondern das sog *reverse charge* Verfahren anwendbar (worauf die SchiedsrichterInnen in ihren Rechnung ausdrücklich hinweisen müssen). An Unternehmer, die außerhalb der EU ansässig sind, stellt die Schiedsrichterin/der Schiedsrichter keine Umsatzsteuer in Rechnung. Gegenüber Nicht-Unternehmern im umsatzsteuerrechtlichen Sinne (wozu auch juristische Personen ohne UID-Nummer zählen), ist österreichische Umsatzsteuer zu berechnen, unabhängig davon, ob die Partei in der EU oder in einem Drittstaat ansässig ist. Ähnliche Grundsätze gelten für Honorare von in Deutschland ansässigen SchiedsrichterInnen für ihre dort erbrachten Leistungen.[2099] In der Schweiz gilt die Schiedsgerichtstätigkeit aufgrund ihres Zwecks der Entlastung der ordentlichen Gerichtsbarkeit als eine hoheitliche Tätigkeit, welche von der

---

2097 *Liebscher* in Weigand, Handbook[2] Rn 2.225.
2098 *Fiebinger/Kind*, ÖStZ 2000, 292.
2099 Vgl zum Thema *Risse/Kuhli*, SchiedsVZ 2016, 1 ff; *Risse/Meyer-Burow*, SchiedsVZ 2009, 330 f.

Mehrwertsteuer ausgenommen ist.[2100] Inländische wie ausländische Parteien schulden der Schiedsrichterin/dem Schiedsrichter entsprechend keine Mehrwertsteuer. Die Befreiung von der Mehrwertsteuer ist auf die Schiedsgericht beschränkt; die Parteivertretung vor einem Schiedsgericht stellt eine steuerbare Tätigkeit dar.[2101]

1361   Außerdem können Kostenvorschüsse Steuerpflicht auslösen.[2102] In VIAC- oder ICC-Verfahren werden diese grundsätzlich nicht den Schiedsrichter-Innen selbst, sondern auf ein Konto der Schiedsinstitution überwiesen und lösen daher keine unmittelbare Steuerpflicht der SchiedsrichterInnen aus.[2103] Das VIAC hebt allerdings die Schiedsrichterhonorare bereits inklusive Umsatzsteuer ein, sofern die SchiedsrichterInnen das VIAC über ihre Steuerpflicht informiert haben.[2104] Auch die ICC bietet an, gesonderte Vorschüsse für die auf die SchiedsrichterInnenhonorare entfallende Umsatzsteuer von den Parteien einzuheben und diese treuhändig zu verwalten. Dies setzt aber in der Praxis eine entsprechende Antragstellung der SchiedsrichterInnen voraus.

2100   Art 21 Abs 2 Ziff 21 schwMWSTG.

2101   BVerG, 25.9.2008, A-1504/2006, E. 3.2.3.

2102   *Risse/Kuhli*, SchiedsVZ 2016, 5.

2103   *Schwarz/Konrad*, Vienna Rules² Art 36 Rn 43; *Risse/Kuhli*, SchiedsVZ 2016, 4; Art 37 ICC SchO.

2104   *Horvath/Konrad/Power*, Costs in International Arbitration 43.

10. Kapitel

Einstweilige Maßnahmen

Stefan Riegler/Guenter Pickrahn/Urs Zenhäusern

I. Schiedsgericht

A. Normzweck

In der Praxis ist anerkannt, dass der Bedarf nach vorsorglichen Maßnahmen **1362** in Schiedsverfahren nicht geringer ist als bei Verfahren vor staatlichen Gerichten. Dementsprechend sind Schiedsgerichte grundsätzlich befugt, vorsorgliche Maßnahmen anzuordnen, sofern die Parteien diesbezüglich nichts anderes vereinbart haben.[2105] Damit besteht ein grundsätzliches Wahlrecht, einstweiligen Rechtsschutz entweder beim staatlichen Gericht oder beim Schiedsgericht zu beantragen.[2106]

B. Zuständigkeit

1. Schiedsgerichtliche Zuständigkeit

Die nationalen Schiedsverfahrensrechte Österreichs, Deutschlands und der **1363** Schweiz geben dem Schiedsgericht die **Kompetenz zum Erlass einstweiliger Maßnahmen** von Gesetzes wegen, ohne dass es diesbezüglich noch einer Ermächtigung durch die Parteien oder einer Ermächtigung über eine

---

2105 Für Österreich: § 593 Abs 1 öZPO; für Deutschland: § 1041 Abs 1 dZPO; für die Schweiz: Art 183 Abs 1 schwIPRG.

2106 Für Österreich folgt das aus §§ 585 iVm 593 Abs 1 öZPO; vgl auch *Zeiler* in Liebscher/Oberhammer/Rechberger, Schiedsverfahrensrecht I Rn 7/12 ff; *Hausmaninger* in Fasching/Konecny, ZPO³ § 593 Rn 46; für Deutschland folgt das unmittelbar aus § 1033 dZPO; vgl auch BT-Drs. 13/5274, 45; OLG Saarbrücken, SchiedsVZ 2007, 323, 327; *Münch* in MünchKom, ZPO⁴ § 1041 Rn 1; *Wolf/Eslami* in Beck'scher Online Kommentar, ZPO¹⁵ § 1041 Rn 1; für die Schweiz: vgl *Girsberger/Voser*, International Arbitration³ Rn 1073.

institutionelle schiedsgerichtliche Verfahrensordnung bedarf.[2107] Allerdings kann diese Kompetenz dem Schiedsgericht durch eine entsprechende Parteivereinbarung entzogen werden.[2108] Den Parteien steht es nämlich frei, zu bestimmen, dass nur ein staatliches Gericht zum Erlass einstweiliger Maßnahmen zuständig sein soll.

1364   Die nationalen Schiedsverfahrensbestimmungen folgen somit einem *opting out* Modell.[2109] Haben die Parteien eine Schiedsvereinbarung abgeschlossen, so besteht eine gesetzliche Vermutung, dass sich diese auch auf den Erlass einstweiliger Maßnahmen erstreckt.[2110] Wollen die Parteien die Zuständigkeit des Schiedsgerichts für einstweilige Maßnahmen ausschließen, so müssen sie das entsprechend vereinbaren.[2111]

1365   Die Zuständigkeit eines Schiedsgerichts zum Erlass einstweiliger Maßnahmen ist erst gegeben, nachdem es konstituiert ist (vorbehaltlich einer speziellen Regelung, zum Beispiel zum Eilschiedsrichter).[2112] Selbstverständlich wird das Schiedsgericht nur **auf Antrag einer Partei** tätig; diese muss dabei deutlich zum Ausdruck bringen, dass sie eine einstweilige Maßnahme des Schiedsgerichts begehrt.[2113]

1366   Die Parteien können durch entsprechende Abreden die Zuständigkeit eines Schiedsgerichts zum Erlass einstweiliger Maßnahmen grundsätzlich auch modifizieren oder konkretisieren. Das kann direkt in der Schiedsvereinbarung geschehen oder indem sie die Schiedsordnung einer Schiedsgerichtsinstitution – zB jene des VIAC[2114], der DIS[2115] oder der Swiss Chambers' Arbitration Institution[2116] – für anwendbar erklären, welche eine Bestimmung enthält, die sich mit dem Erlass einstweiliger Maßnahmen durch das Schiedsgericht

---

2107   § 593 Abs 1 öZPO; § 1041 Abs 1 dZPO; Art 183 Abs 1 schwIPRG.

2108   § 593 Abs 1 öZPO; *Hausmaninger* in Fasching/Konecny, ZPO³ § 593 Rn 47 f; *Zeiler* in Liebscher/Oberhammer/Rechberger, Schiedsverfahrensrecht I Rn 7/12 ff; Art 33 Wiener Regeln; § 1041 Abs 1 dZPO; siehe zu § 20 DIS-Regeln *Quinke* in Nedden/Herzberg, ICC-SchO/DIS-SchO § 20 DIS-SchO Rn 63; für die Schweiz: *Zenhäusern* in Baker & McKenzie, Schweizerische ZPO Art 374 schwIPRG Rn 4.

2109   Vgl Art 17 S 1 UNCITRAL ModG; *Zeiler* in Liebscher/Oberhammer/Rechberger, Schiedsverfahrensrecht I Rn 7/15; BT-Drs. 13/5274, 45; *Münch* in MünchKom, ZPO⁴ § 1041 Rn 8.

2110   Für Österreich folgt das aus § 593 Abs 1 öZPO; für Deutschland: *Münch* in Münch-Kom, ZPO⁴ § 1041 Rn 8; für die Schweiz: Art 183 Abs 1 schwIPRG.

2111   *Berti* in Honsell et al, Internationales Privatrecht³ Art 183 Rn 3; *Mabillard* in Honsell et al, Internationales Privatrecht³ Art 183 Rn 3.

2112   In Österreich kann das Schiedsgericht nach § 608 Abs 3 öZPO die Maßnahme selbst nach Beendigung des Schiedsverfahrens einschränken oder aufheben (*Hausmaninger* in Fasching/Konecny, ZPO³ § 593 Rn 94).

2113   *Münch* in MünchKom, ZPO⁴ § 1041 Rn 7.

2114   Art 33 Wiener Regeln.

2115   § 20 DIS-Regeln.

2116   Art 26 Swiss Rules.

befasst.[2117] In Österreich ist allerdings strittig, ob die im Gesetz angeführten Voraussetzungen für die Erlassung vorläufiger oder sichernder Maßnahmen auch herabgesetzt werden oder gänzlich abbedungen werden können.[2118] Die Verschärfung von Zulassungsvoraussetzungen oder der Ausschluss von bestimmten Maßnahmen durch Parteienvereinbarung wird aber möglich sein.[2119]

2. Gerichtliche Zuständigkeit

Neben dem Schiedsgericht bleibt das staatliche Gericht zur Anordnung einstweiliger Maßnahmen zuständig. Diese **staatliche (gerichtliche) Zuständigkeit** besteht grundsätzlich unbeschränkt fort,[2120] mit der Folge, dass die antragstellende Partei die Wahl hat, an welches Gericht – Schiedsgericht oder staatliches Gericht – sie sich wenden will. Ob die Zuständigkeit der staatlichen Gerichte vertraglich ausgeschlossen werden kann, kann fraglich sein: In Österreich ist die Zuständigkeit der staatlichen Gerichte unabdingbar.[2121] Für die Schweiz wird mehrheitlich vertreten, dass ein Ausschluss der Zuständigkeit der staatlichen Gerichte jedenfalls dann möglich sein soll, nachdem das Schiedsgericht konstituiert worden ist, oder auch schon zuvor, falls die Parteien sich auf eine andere Form vorsorglichen Rechtschutzes (wie zB ein Eilschiedsrichterverfahren) geeinigt haben.[2122] In Deutschland ist dies umstritten.[2123] Ein solcher Ausschluss der Zuständigkeit staatlicher Gerichte kann auch zu praktischen Problemen führen, insbesondere wenn sich die Konstituierung des Schiedsgerichts in die Länge zieht oder von einer Partei bewusst verzögert wird. Ebenfalls umstritten ist in Deutschland, ob eine Schiedsvereinbarung, die einen ausländischen Schiedsort und die Anwendung ausländischen materiellen Rechts vorsieht, eine Derogation der internationalen Zuständigkeit deutscher Gerichte zur Folge hat.[2124]

1367

2117 *Mabillard* in Honsell et al, Internationales Privatrecht³ Art 183 Rn 4.

2118 *Zeiler* in Liebscher/Oberhammer/Rechberger, Schiedsverfahrensrecht I Rn 7/15 und 7/32; *Platte* in Riegler et al, Arbitration Law § 593 ZPO Rn 3.

2119 *Zeiler* in Liebscher/Oberhammer/Rechberger, Schiedsverfahrensrecht I Rn 7/15 und 7/32.

2120 § 585 öZPO; *Hausmaninger* in Fasching/Konecny, ZPO³ § 585 Rn 1 f; § 1033 dZPO; *Münch* in MünchKom, ZPO⁴ § 1041 Rn 9.

2121 *Hausmaninger* in Fasching/Konecny, ZPO³ § 585 Rn 2. Dies bedeutet iVm § 577 Abs 2 öZPO, dass ein staatliches österreichisches Gericht auch während eines Schiedsverfahrens mit Sitz außerhalb Österreichs eine einstweilige Maßnahme erlassen kann.

2122 *Girsberger/Voser*, International Arbitration³ Rn 1076 (mit Verweisen).

2123 Abdingbarkeit befürworten: OLG Frankfurt a. M., NJW-RR 2000, 1117, 1119; *Quinke* in Nedden/Herzberg, ICC-SchO/DIS-SchO § 20 DIS-SchO Rn 65; gegen die Abdingbarkeit: OLG München, NJW 2001, 711, 712; *Risse/Frohloff*, SchiedsVZ 2011, 239, 241.

2124 Vgl OLG Nürnberg, SchiedsVZ 2005, 51, mit ablehnender Anmerkung von *Geimer*. So hat sich bspw das OLG Düsseldorf in einem selbständigen Beweissicherungs-

1368 Ob eine Partei sich an einen staatlichen Richter oder an das Schiedsgericht halten soll, wenn sie einstweiligen Rechtsschutz benötigt, hängt von den Umständen des Einzelfalls ab. Ist das Schiedsgericht noch nicht konstituiert, kann einstweiliger Rechtsschutz nur erlangt werden, wenn die Parteien eine Schiedsordnung vereinbart haben, welche die Möglichkeit der Ernennung einer Eilschiedsrichterin/eines Eilschiedsrichters zum Erlass vorsorglicher Maßnahmen vorsieht.[2125] Ist das nicht der Fall, kann einstweiliger Rechtsschutz in dringenden Fällen nur durch das staatliche Gericht gewährt werden. Oft wird das staatliche Gericht auch rascher als ein Schiedsgericht entscheiden können, manchmal sogar innerhalb weniger Stunden nach Antragstellung.[2126] Zudem spricht zugunsten der staatlichen Gerichte der Umstand, dass eine von diesen verfügte einstweilige Maßnahme „unmittelbar" vollstreckt werden kann; demgegenüber bedarf es für die Vollstreckung einer schiedsgerichtlich angeordneten einstweiligen Maßnahme einer weiteren Mitwirkung des staatlichen Gerichts, welches die Vollstreckung anordnen muss.[2127]

1369 Nachdem die Schiedsverfahrensrechte Österreichs, Deutschlands und der Schweiz für den Erlass einstweiliger Maßnahmen vorbehaltlich einer anders lautenden Vereinbarung der Parteien eine konkurrierende Zuständigkeit staatlicher Gerichte und der Schiedsgerichte ausdrücklich vorsehen, kann die Anrufung eines staatlichen Gerichts durch eine Partei nicht als mit der Schiedsvereinbarung unvereinbar angesehen werden. Demnach kann auch die **Einrede der Schiedsvereinbarung** im staatlichen Maßnahmeverfahren nicht erhoben werden.[2128] Umgekehrt lässt sich die Anrufung des staatlichen Gerichts nicht als ein Verzicht auf die Schiedsvereinbarung interpretieren.[2129]

---

verfahren für unzuständig erklärt. Der mit dem selbständigen Beweissicherungsverfahren verfolgte Zweck, die Ergebnisse in einem deutschen Hauptsacheverfahren als Beweismittel zu benutzen, könne nicht erreicht werden, weil das Schiedsverfahren im Ausland stattfinde (OLG Düsseldorf, SchiedsVZ 2008, 258). Diese Entscheidung überzeugt nicht. Gegen eine Derogation der internationalen Zuständigkeit in diesen Fällen spricht der klare Wortlaut des § 1025 Abs 2 dZPO, nach dem die Bestimmung des § 1033 dZPO zur Zuständigkeit der staatlichen Gerichte für einstweilige Maßnahmen auch dann anzuwenden ist, wenn der Ort des schiedsrichterlichen Verfahrens im Ausland liegt (vgl dazu auch *Geimer*, SchiedsVZ 2005, 52).

2125 Vgl dazu unten Kapitel 10.II.

2126 *Kreindler/Schäfer/Wolff*, Schiedsgerichtsbarkeit Rn 906 f; ähnlich *Hausmaninger* in Fasching/Konecny, ZPO³ § 585 Rn 33; *Zeiler* in Liebscher/Oberhammer/Rechberger, Schiedsverfahrensrecht I Rn 7/14.

2127 § 593 Abs 3 öZPO; *Zeiler* in Liebscher/Oberhammer/Rechberger, Schiedsverfahrensrecht I Rn 7/67 f ; § 1041 Abs 2 dZPO.

2128 *Wieczorek/Schütze*, ZPO⁴ § 1041 Rn 6; vgl *Hausmaninger* in Fasching/Konecny, ZPO³ § 585 Rn 1.

2129 *Wieczorek/Schütze*, ZPO⁴ § 1041 Rn 6; vgl *Hausmaninger* in Fasching/Konecny, ZPO³ § 585 Rn 1.

Daraus folgt auch, dass ein staatliches Gericht seine Zuständigkeit nicht unter Hinweis auf eine Schiedsvereinbarung ablehnen kann, es sei denn, die Parteien haben in der Schiedsvereinbarung ausdrücklich vereinbart, dass nur das Schiedsgericht zum Erlass einstweiliger Maßnahmen zuständig ist, unter Ausschluss der Kompetenz staatlicher Gerichte, sofern dies zulässig sein sollte.[2130]

Das Schiedsgericht kann eine vom staatlichen Richter angeordnete einstweilige Maßnahme nicht widerrufen oder abändern. Das sollte eine Partei aber nicht daran hindern, sich zunächst an den staatlichen Richter und danach, für den Fall des Unterliegens, auch an das Schiedsgericht zu wenden.[2131] Werden ein staatliches Gericht und das Schiedsgericht gleichzeitig angerufen, so besteht allerdings die Gefahr, dass sie widersprechende Anordnungen erlassen.[2132] Das ist unvermeidbar und eine Folge der in den nationalen Schiedsverfahrensrechten ausdrücklich vorgesehenen parallelen Zuständigkeiten beider Instanzen.[2133] **1370**

C. Vorsorgliche Maßnahmen im Verfahren vor dem Schiedsgericht

1. Voraussetzungen

Den Parteien steht es grundsätzlich frei, in Bezug auf einstweilige Maßnahmen die dafür erforderlichen Voraussetzungen direkt selbst (zB in der Schiedsklausel) zu vereinbaren (in Österreich ist allerdings strittig, ob die Voraussetzungen für die Erlassung der vorläufigen oder sichernden Maßnahme herabgesetzt werden können).[2134] In der Praxis geschieht das aber nur selten. Auch die nationalen Schiedsverfahrensrechte und die von den Parteien in der Schiedsklausel mittels Verweis häufig für anwendbar erklärten Schiedsordnungen einer Schiedsgerichtsinstitution nennen diese Voraussetzungen idR nicht konkret.[2135] Als Folge dessen verfügt ein Schiedsgericht über einen gewissen Ermessensspielraum. **1371**

2130 Siehe Rn 1367.
2131 In Österreich kann in jedem Stadium des Verfahrens zwischen beiden Rechtsschutzmöglichkeiten gewählt werden (siehe dazu *Hausmaninger* in Fasching/Konecny, ZPO³ § 593 Rn 46); *Zenhäusern* in Baker & McKenzie, Schweizerische ZPO Art 374 schwZPO Rn 10.
2132 Siehe dazu *Quinke* in Nedden/Herzberg, ICC-SchO/DIS-SchO § 20 DIS-SchO Rn 21; *Lachmann*, Handbuch³ Rn 2859 ff; *Schroth*, SchiedsVZ 2003, 102.
2133 Für die österreichische Rechtslage führt *Hausmaninger* aus, dass „doppelte" Entscheidungen durch das immer zu beachtende Erfordernis des Rechtsschutzbedürfnisses verhindert werden sollen, siehe dazu *Hausmaninger* in Fasching/Konecny, ZPO³ § 585 Rn 35.
2134 Siehe Rn 1366.
2135 Vgl § 593 Abs 4 Z 3 öZPO und Art 33(1) Wiener Regeln; § 1041 Abs 1 dZPO und § 20.1 DIS-Regeln; Art 183 Abs 1 schwIPRG.

1372   Das Schiedsgericht sollte vorläufigen Rechtsschutz gewähren, wenn es aufgrund einer vorläufigen Beurteilung der Sach- und Rechtslage zum Schluss kommt, dass seine Zuständigkeit für die Hauptsache gegeben ist und der antragstellenden Partei ein Nachteil droht, der die Anordnung einer vorsorglichen Maßnahme als einigermaßen notwendig erscheinen lässt, weil der Antragsteller ansonsten riskiert, seinen (möglichen) Prozessgewinn nach Durchführung des Schiedsverfahrens nicht durchsetzen zu können.[2136] Das Schiedsgericht muss *prima facie* überzeugt sein, dass der Antragsteller eine vernünftige Aussicht hat, im Hauptverfahren zu obsiegen.[2137]

1373   Grundvoraussetzung ist also, dass das Schiedsgericht davon überzeugt ist, dass eine **gültige Schiedsvereinbarung** vorliegt, und es daher *prima facie* für die Beurteilung des Streites zuständig ist. Das schließt eine Prüfung der Frage mit ein, ob die Schiedsvereinbarung dem Schiedsgericht die Kompetenz einräumt, die vom Antragsteller verlangte einstweilige Maßnahme zu erlassen.[2138] Der Umstand, dass die andere Partei die Zuständigkeit des Schiedsgerichts bestreitet, ist noch kein Grund, weshalb das Schiedsgericht nicht trotzdem einstweilige Maßnahmen anordnen kann.

1374   Die antragstellende Partei muss sodann glaubhaft darlegen, dass aufgrund objektiver Anhaltspunkte eine **ernsthafte und aktuelle Gefährdung** vorliegt, welche den Erlass einer einstweiligen Maßnahme rechtfertigt. Der vom Antragsteller behauptete Nachteil, der ihm entstehen könnte, wenn das Schiedsgericht die beantragte Maßnahme nicht verfügt, muss mit dem Nachteil des Antragsgegners verglichen werden, den dieser für den Fall des Obsiegens im Hauptverfahren dadurch erleiden könnte, dass er während des Schiedsverfahrens wegen der einstweiligen Maßnahme in der Ausübung seiner Rechte

---

2136   § 593 Abs 1 öZPO: *„Haben die Parteien nichts anderes vereinbart, so kann das Schiedsgericht auf Antrag einer Partei vorläufige oder sichernde Maßnahmen gegen eine andere Partei nach deren Anhörung anordnen, die es in Bezug auf den Streitgegenstand für erforderlich hält, weil sonst die Durchsetzung des Anspruchs vereitelt oder erheblich erschwert werden würde oder ein unwiederbringlicher Schaden droht. Das Schiedsgericht kann von jeder Partei im Zusammenhang mit einer solchen Maßnahme angemessene Sicherheit fordern"*; wiewohl die Wiener Regeln in Art 33(1) offenbar geringere Voraussetzungen vorschreiben, ist die Anordnung von vorläufigen oder sichernden Maßnahmen in Schiedsverfahren mit Sitz in Österreich dennoch von der Erfüllung der in § 593 Abs 1 öZPO genannten (zwingenden) Voraussetzungen abhängig (siehe dazu *Zeiler* in VIAC, Handbuch Art 33 Rn 6).

2137   *Zenhäusern* in Baker & McKenzie, Schweizerische ZPO Art 374 schwZPO Rn 13; *Zeiler* führt für die österreichische Rechtslage aus, dass sich das Schiedsgericht in besonderen Fällen auch anders als durch Bescheinigung vom Bestehen des Hauptsacheanspruchs und dessen Gefährdung überzeugen kann (siehe *Zeiler* in Liebscher/Oberhammer/Rechberger, Schiedsverfahrensrecht I Rn 7/58).

2138   *Boog* in Arroyo, Arbitration in Switzerland, *Provisional and Conservatory Measures,* Art 183 Rn 29.

eingeschränkt war. In die Nachteilsprognose sind somit die Positionen beider Parteien miteinzubeziehen.[2139]

Ob der vom Antragsteller behauptete Nachteil „nicht leicht wiedergutzumachen" sein muss – also, ob die Gefahr eines *„irreparable harm"* droht – ist umstritten (im österreichischen Recht ist der „unwiederbringliche Schaden" eine der alternativen Voraussetzungen zur Anordnung einer vorläufigen oder sichernden Maßnahme).[2140] Ein **nicht leicht wiedergutzumachender Nachteil** wird gemeinhin dann angenommen, wenn der zu erwartende Schaden durch die Leistung späteren Schadenersatzes nicht (mehr) vollständig behoben werden kann.[2141] Die strikte Anwendung dieser Voraussetzung würde allerdings die Gewähr einstweiligen Rechtsschutzes in Fällen, in denen der antragsstellenden Partei (bloß) ein kommerzieller Verlust droht, meist ausschließen.[2142] In der Praxis behelfen sich Schiedsgerichte zumeist damit, dass sie zu einer Art „Proportionalitätstest" greifen und anhand der konkreten Umstände abschätzen, ob der drohende Nachteil derart ernsthafter Natur ist, dass er die beantragte Maßnahme rechtfertigt.

1375

Der Antragsteller hat sodann darzutun, dass sein Begehren dem Grundsatz nach berechtigt ist. Das ist der Fall, wenn *prima facie* eine vernünftige Möglichkeit dafür besteht, dass er in der Hauptsache obsiegen wird. Während Tatsachen „nur" glaubhaft gemacht werden müssen, kann das Schiedsgericht die Rechtslage auch eingehender prüfen.

1376

Eine eigentliche Dringlichkeit – im Sinne einer separaten, generellen Voraussetzung für den Erlass einer einstweiligen Maßnahme – wird in (internationalen) Schiedsverfahren nicht unbedingt verlangt.[2143] Allerdings wird das Schiedsgericht den Aspekt der Dringlichkeit bei der Prüfung der Frage, ob die antragstellende Partei auf die beantragte Maßnahme angewiesen ist, um den drohenden Nachteil einstweilen abwenden zu können, in die Erwägungen miteinbeziehen.

1377

Die oberwähnten Voraussetzungen wird ein (internationales) Schiedsgericht als Richtschnur nehmen,[2144] und die einzelnen Elemente unter Be-

1378

2139 *Zenhäusern* in Baker & McKenzie, Schweizerische ZPO Art 374 schwZPO Rn 14 f; § 593 öZPO sieht eine solche Prognose nicht zwingend vor; es liegt daher im Ermessen des Schiedsgerichtes, ob es eine solche vornimmt.

2140 § 593 Abs 1 öZPO; ähnlich sieht dies nun auch die Neufassung von Art 17(1) lit a UNCITRAL ModG vor, allerdings als zwingende Voraussetzung.

2141 *Quinke* in Nedden/Herzberg, ICC-SchO/DIS-SchO § 20 DIS-SchO Rn 20.

2142 *Boog* in Arroyo, Arbitration in Switzerland, *Provisional and Conservatory Measures*, Art 183 Rn 29.

2143 *Boog* in Arroyo, Arbitration in Switzerland, *Provisional and Conservatory Measures*, *Art 183* Rn 30.

2144 *Schäfer* in Böckstiegel et al, Arbitration in Germany² § 1041 Rn 12; *Kreindler/ Schäfer/Wolff*, Schiedsgerichtsbarkeit Rn 921.

rücksichtigung aller relevanten Umstände, einschließlich der Art der beantragten Maßnahme, von Fall zu Fall unterschiedlich gewichten. Sofern das auf die Hauptsache anwendbare Recht für den Erlass vorsorglicher Maßnahmen Bestimmungen enthält, die vorschreiben, wann eine einstweilige Maßnahme angewendet oder nicht angewendet werden soll, so wird das Schiedsgericht den betreffenden Standard in seiner Entscheidungsfindung wohl berücksichtigen.[2145]

2. Verfahren

1379 Das Verfahren zur Anordnung vorsorglicher Maßnahmen richtet sich grundsätzlich nach dem **anwendbaren nationalen Schiedsverfahrensrecht**[2146] und der von den Parteien gegebenenfalls **gewählten Schiedsordnung.**[2147] Demnach ist es Sache der Parteien, das Maßnahmeverfahren zu regeln; haben sie das nicht getan, obliegt es dem Schiedsgericht zu entscheiden, wie es vorgehen will.[2148] Dabei wird das Schiedsgericht die für ein Maßnahmeverfahren geltenden Besonderheiten beachten.

1380 Das Schiedsgericht kann vorsorgliche Maßnahmen aber nur auf Antrag einer Partei anordnen. Es hat keine Befugnis, von sich aus solche Maßnahmen zu erlassen.[2149] Hat die antragstellende Partei die begehrte Maßnahme nicht konkret benannt, so ist die Auswahl dem Schiedsgericht zu überlassen.[2150] Zumindest muss aus dem Antrag der Partei aber klar hervorgehen, dass sie vorsorglichen Rechtsschutz verlangt, und sie muss dessen Notwendigkeit und Berechtigung glaubhaft machen.[2151]

1381 Gleich wie bei Verfahren vor dem staatlichen Gericht muss die antragstellende Partei die Voraussetzungen für eine vorsorgliche Maßnahme nicht strikt nachweisen; bloße Glaubhaftmachung genügt, wobei ein Schiedsgericht die diesbezüglich erforderlichen Kriterien oft weniger strikt anwendet als ein

---

2145 Vgl *Boog* in Arroyo, Arbitration in Switzerland, *Provisional and Conservatory Measures, Art 183* Rn 33.

2146 Für Österreich: § 593 öZPO; für Deutschland: § 1041 dZPO; für die Schweiz: Art 183 Abs 1 schwIPRG.

2147 Vgl etwa Art 28 ICC SchO; Art 33 Wiener Regeln.

2148 *Zeiler* in Liebscher/Oberhammer/Rechberger, Schiedsverfahrensrecht I Rn 7/31 f; *Mabillard* in Honsell et al, Internationales Privatrecht³ Art 183 Rn 8.

2149 *Mabillard* in Honsell et al, Internationales Privatrecht³ Art 183 Rn 8; *Quinke* in Nedden/Herzberg, ICC-SchO/DIS-SchO § 20 DIS-SchO Rn 12.

2150 *Voit* in Musielak, ZPO¹³ § 1041 Rn 3; *Quinke* in Nedden/Herzberg, ICC-SchO/DIS-SchO § 20 DIS-SchO Rn 13.

2151 So *Münch* in MünchKom, ZPO⁴ § 1041 Rn 25; so auch *Wieczorek/Schütze*, ZPO⁴ § 1041 Rn 27; anders hingegen beim *Emergency Arbitrator* unter der ICC SchO, siehe unten, Kapitel 10 II.; im österreichischen Recht hat aus dem Antrag hervorzugehen, ob die Voraussetzungen des § 593 Abs 1 öZPO erfüllt sind.

staatliches Gericht.[2152] Ein Schiedsgericht ist nicht gehalten, alle von den Parteien angebotenen Beweismittel im Detail zu prüfen; vielmehr kann es eine Beweismittelbeschränkung vornehmen.

Die wichtigsten **Beweismittel** sind in der Regel Urkunden. Der Beweis **1382** durch Zeugen ist möglich, aber setzt grundsätzlich die Einberufung einer mündlichen Verhandlung zwecks Einvernahme des Zeugen voraus. Oft wird sich das Schiedsgericht auch mit schriftlichen Zeugenerklärungen begnügen, sofern die Parteien nicht auf die mündliche Befragung des betreffenden Zeugen bestehen.[2153]

Zu beachten ist, dass die in Deutschland als wichtiges Mittel zur Glaub- **1383** haftmachung im einstweiligen Rechtsschutzverfahren verwendete **eidesstattliche Versicherung** für das Schiedsverfahren nur beschränkt taugt: Das Schiedsgericht ist nicht zur Abnahme solcher eidesstattlichen Versicherungen befugt.[2154] Allerdings kann eine Partei, die von einer zuständigen staatlichen Behörde abgenommene eidesstattliche Versicherung auch im schiedsgerichtlichen Maßnahmeverfahren als ein (mögliches) Beweismittel vorlegen.[2155]

3. *Ex parte* Anordnung von einstweiligen Maßnahmen (Superprovisorische Maßnahmen)

Ob ein Schiedsgericht gleich wie der staatliche Richter auch **superprovi-** **1384** **sorische Maßnahmen**, also ohne vorherige Anhörung der anderen Partei (*ex parte*), erlassen kann, ist umstritten.

Für Schiedsgerichte mit Sitz in der Schweiz ist diese Frage zu bejahen, **1385** obschon das aus Art 183 schwIPRG nicht hervorgeht. Lehre und Praxis sind indes der Auffassung, dass ein Schiedsgericht zur Anordnung superprovisorischer Maßnahmen zuständig ist, wenn die antragstellende Partei dies spezifisch verlangt und begründet, weshalb ausnahmsweise die andere Partei vorher nicht angehört werden soll.[2156]

In Deutschland wird dem Schiedsgericht die Kompetenz zur Anordnung **1386** superprovisorischer Maßnahmen vereinzelt abgesprochen.[2157] Zur Begrün-

---

2152 *Boog* in Arroyo, Arbitration in Switzerland, *Provisional and Conservatory Measures*, *Art 183* Rn 37.

2153 Siehe zur Beweisaufnahme *Liebscher* Rn 1185 ff.

2154 OLG Saarbrücken, SchiedsVZ 2007, 323, 327.

2155 *Wolf/Eslami* in Beck'scher Online Kommentar, ZPO[15] § 1041 Rn 11.

2156 *B. Berger/Kellerhals*, Arbitration[2] Rn 1260; *Girsberger/Voser*, International Arbitration[3] Rn 1091; *Boog* in Arroyo, Arbitration in Switzerland, *Provisional and Conservatory Measures, Art 183* Rn 38 f; *Mabillard* in Honsell et al, Internationales Privatrecht[3] Art 183 Rn 12; *Furrer/Girsberger/Ambauen* in Furrer/Girsberger/Müller-Chen, Internationales Privatrecht[3] Art 182–186 Rn 15.

2157 So etwa in der ICC-Entscheidung 2008, ASA Bulletin 2010, 37, 39 ff; ICC-Entscheidung 19.12.2003, ASA Bulletin 2005, 685, 689 ff; *Münch* in MünchKom, ZPO[4] § 1041 Rn 25.

dung wird angeführt, dass ein solches *ex parte* Verfahren seine Rechtfertigung in der besonderen Dringlichkeit der begehrten einstweiligen Maßnahme und einem erhofften Überraschungseffekt finde.[2158] Bei einem erst noch zu bildenden Schiedsgericht sei dieser Überraschungseffekt jedoch ausgeschlossen. Zudem sei die schiedsgerichtliche Anordnung nicht ohne Weiteres vollstreckbar, sondern bedürfe noch einer Vollziehungsanordnung durch das staatliche Gericht.[2159] Überwiegend wird aber auch in Deutschland ein *ex parte* Verfahren für zulässig gehalten.[2160] Das OLG Frankfurt sah in seiner Entscheidung vom 31.7.2013 keinen Grund, warum ein Schiedsgericht – im Gegensatz zu einem staatlichen Gericht – stets den Gegner anhören müsse, bevor es eine einstweilige Maßnahme genehmige. Das Schiedsgericht genüge den Anforderungen des Gebots des rechtlichen Gehörs, wenn es dem Gegner nach Anordnung der einstweiligen Maßnahme die Möglichkeit zur Stellungnahme gibt.[2161]

1387 In Österreich setzt die Anordnung einer vorläufigen oder sichernden Maßnahme zwingend die Anhörung des Antragsgegners voraus.[2162] *Ex parte* Provisorialverfahren sind sowohl im Bereich des nationalen Schiedsverfahrensrechts als auch im Anwendungsbereich der Wiener Regeln unzulässig.[2163] Auch von einem ausländischen Schiedsgericht *ex parte* erlassene einstweilige Maßnahmen werden in Österreich weder anerkannt noch vollstreckt.[2164]

1388 Ist das Schiedsgericht zum Erlass einer superprovisorischen Maßnahme befugt, wird es insb prüfen, ob die von der antragstellenden Partei behauptete Dringlichkeit so groß ist, dass die vorherige Anhörung der anderen Partei zu einer Vereitelungsgefahr führt, mit der Folge, dass der mit der Maßnahme angestrebte Zweck nicht erreicht werden kann. Aufgrund der vom Schiedsgericht zu beachtenden Grundsätze der Gleichbehandlung

---

2158 So *Münch* in MünchKom, ZPO⁴ § 1041 Rn 25; so auch *Wieczorek/Schütze*, ZPO⁴ § 1041 Rn 27.

2159 ICC-Entscheidung 2008, ASA Bulletin 2010, 37; ICC-Entscheidung 19.12.2003, ASA Bulletin 2005, 685; *Schlosser* in Stein/Jonas, Zivilprozessordnung²² § 1041 Rn 11.

2160 *Schlosser* in Stein/Jonas, ZPO²³ § 1041 Rn 21; *Quinke* in Nedden/Herzberg, ICC-SchO/DIS-SchO § 20 DIS-SchO Rn 29; *Hobeck/Weyhreter*, SchiedsVZ 2005, 238; aA *Münch* in MünchKom, ZPO⁴ § 1041 Rn 25; *Wieczorek/Schütze*, ZPO⁴ § 1041 Rn 27.

2161 OLG Frankfurt a.M., Beck Rs 2014, 04090; siehe auch: *Schlosser* in Stein/Jonas, ZPO²³ § 1041 Rn 21; *Quinke* in Nedden/Herzberg, ICC-SchO/DIS-SchO § 20 DIS-SchO Rn 29; *Hobeck/Weyhreter*, SchiedsVZ 2005, 238.

2162 *Hausmaninger* in Fasching/Konecny, ZPO³ § 593 Rn 62 mwN.

2163 *Riegler/Koller* in Mistelis/Shore,World Arbitration Reporter² AUT-86f.

2164 *Zeiler* in Liebscher/Oberhammer/Rechberger, Schiedsverfahrensrecht I Rn 7/59f; § 593 Abs 4 Z 2 öZPO iVm Art V Abs 1 lit b NYÜ. Dies ergibt sich aus dem zwingenden Charakter des entsprechenden Teils in § 593 Abs 1 öZPO, wiewohl dies nicht ausdrücklich aus §§ 577 Abs 2 iVm § 593 Abs 3 bis 6 öZPO hervorgeht.

und der Gewährung des rechtlichen Gehörs muss es der anderen Partei indes so rasch wie möglich Gelegenheit geben, sich zu der verfügten super-provisorischen Maßnahme zu äußern. Auch muss das Schiedsgericht bereit sein, die angeordnete Maßnahme im Lichte des Vorbringens beider Parteien uneingeschränkt neu zu prüfen und deren Anordnung gegebenenfalls zu revidieren.[2165]

4. Form des Entscheides

Soweit die Parteien keine anders lautende Vereinbarung getroffen haben, wird das Schiedsgericht die vorsorgliche Maßnahme zweckmäßigerweise in der Form einer **Verfügung** oder eines **Beschlusses** erlassen. Zuweilen sehen gewisse Schiedsregeln – so etwa Art 26(2) Swiss Rules – die Möglichkeit vor, auch einen **Zwischenschiedsspruch** zu erlassen. Weil einer vorsorglichen Maßnahme die rechtliche Endgültigkeit fehlt, besteht allerdings kein Anlass, diese in der Form eines Zwischenschiedsspruchs anzuordnen.[2166] **1389**

Die meisten Jurisdiktionen gehen ohnehin vom Grundsatz der *substance over form* aus. Daher kommt einer als Zwischenschiedsspruch erlassenen vorsorglichen Maßnahme formell nicht mehr Gewicht zu als einer Verfügung oder einem Beschluss.[2167] Nachdem etwa die ICC SchO für Schiedssprüche eine vorherige Überprüfung durch den Schiedsgerichtshof (*scrutiny process*) vorsieht, was zwangsläufig zu einer zeitlichen Verzögerung führt, würde der Zweck einer in der Form eines Zwischenschiedsspruchs verfügten vorsorglichen Maßnahme, nämlich sofortigen Rechtsschutz beim Vorliegen eines drohenden ernstlichen Nachteiles zu gewähren, in Frage gestellt. **1390**

2165 *Girsberger/Voser*, International Arbitration[3] Rn 1093; *B. Berger/Kellerhals*, Arbitration[2] Rn 1260; *Mabillard* in Honsell et al, Internationales Privatrecht[3] Art 183 Rn 10; *Berti* in Honsell et al, Internationales Privatrecht[3] Art 183 Rn 12; *Walter/Bosch/Brönnimann*, Schiedsgerichtsbarkeit 141.

2166 *Berti* in Honsell et al, Internationales Privatrecht[3] Art 183 Rn 10; *Mabillard* in Honsell et al, Internationales Privatrecht[3] Art 183 Rn 10; *Quinke* in Nedden/Herzberg, ICC-SchO/DIS-SchO § 20 DIS-SchO Rn 25; vgl zur fehlenden rechtlichen Endgültigkeit auch BGE 136 III 200 E. 2. Nach österreichischem Recht handelt es sich bei vorläufigen oder sichernden Maßnahmen um bloße Anordnungen und nicht um Schiedssprüche im Sinne der öZPO (*Hausmaninger* in Fasching/Konecny, ZPO[3] § 593 Rn 68), die schriftlich zu ergehen und jeder Partei zuzustellen sind; im Übrigen verweist § 593 Abs 2 öZPO auf gewisse für Schiedssprüche anwendbare Bestimmungen (siehe näher *Zeiler* in Liebscher/Oberhammer/Rechberger, Schiedsverfahrensrecht I Rn 7/35 ff; *Hausmaninger* in Fasching/Konecny, ZPO[3] § 593 Rn 73 ff).

2167 *Boog* in Arroyo, Arbitration in Switzerland, *Provisional and Conservatory Measures*, Art 183 Rn 42.

5. Inhalt

1391 Die nationalen Schiedsverfahrensrechte Österreichs, Deutschlands und der Schweiz regeln nicht, was unter einstweiligen Maßnahmen zu verstehen ist.[2168] Auch die meisten Schiedsordnungen nennen die Arten von einstweiligen Maßnahmen nicht konkret.[2169] Zuweilen halten sie schlicht fest, dass das Schiedsgericht alle Maßnahmen treffen kann, die es für notwendig oder angemessen erachtet[2170] oder die es in Bezug auf den Streitgegenstand für erforderlich hält.[2171] Das Schiedsgericht sollte sich jedenfalls an den von den Parteien gestellten Anträgen orientieren.

1392 Natürlich steht es den Parteien auch frei, in der Schiedsklausel (oder in dem diese Schiedsklausel enthaltenden Vertrag) jene Arten von einstweiligen Maßnahmen zu umschreiben, die ein Schiedsgericht erlassen kann. Das geschieht in der Praxis aber sehr selten. Das Schiedsgericht hat daher dahingehend einen relativ großen Ermessensspielraum. Allerdings dürfen die Wirkungen der Maßnahmen den Rahmen nicht überschreiten, der dem Schiedsgericht durch seine Beauftragung gesetzt worden ist.[2172] Auch muss die angeordnete vorsorgliche Maßnahme so ausgestaltet sein, dass sie vom Antragsgegner auch tatsächlich erfüllt werden kann.[2173]

1393 Ein Schiedsgericht ist hinsichtlich der Anordnung vorläufiger Maßnahmen nicht an die für staatliche Gerichtsverfahren geltenden prozessualen Vorschriften gebunden. Es kann auch andere Maßnahmen als staatliche Gerichte verfügen.[2174] Das Schiedsgericht wird sich wohl auch an dem auf die Streitsache anwendbaren materiellen Recht (der *lex causae*) orientieren.[2175] Wendet es dieses Recht an, so wird das Schiedsgericht die in diesem materiellen Recht vorgesehenen vorläufigen Maßnahmen auch entsprechend berücksichtigen.[2176]

1394 Grundsätzlich werden bei vorsorglichen Maßnahmen drei Kategorien unterschieden: **Sicherungsmaßnahmen** dienen der Erhaltung des bestehenden

---

2168 § 593 Abs 1 öZPO; § 1041 Abs 1 dZPO; Art 183 schwIPRG.
2169 Vgl etwa Art 33(1) Wiener Regeln; Art 28(1) ICC SchO; Art 26(1) Swiss Rules; § 20.1 DIS-Regeln.
2170 Art 26(1) Swiss Rules.
2171 Art 20.1 DIS-Regeln.
2172 *Lalive/Poudret/Reymond*, Arbitrage Art 183 Rn 7.
2173 *Walter/Bosch/Brönnimann*, Schiedsgerichtsbarkeit 132.
2174 *Quinke* in Nedden/Herzberg, ICC-SchO/DIS-SchO § 20 DIS-SchO Rn 31; *Zeiler* in Liebscher/Oberhammer/Rechberger, Schiedsverfahrensrecht I Rn 7/39 und 7/46.
2175 Vgl *Boog* in Arroyo, Arbitration in Switzerland, *Provisional and Conservatory Measures, Art 183* Rn 33.
2176 Für das österreichische Recht vgl *Zeiler* in Liebscher/Oberhammer/Rechberger, Schiedsverfahrensrecht I Rn 7/46, wonach es unerheblich ist, ob die Maßnahme dem österreichischem Recht bekannt ist.

Zustandes während des Schiedsverfahrens und sollen die spätere Vollstreckung des Schiedsspruchs sicherstellen. **Regelungsmaßnahmen** ermöglichen es, für die Dauer des Schiedsverfahrens ein Dauerrechtsverhältnis vorläufig zu gestalten. Mittels **Leistungsmaßnahmen** können behauptete Ansprüche – insb solche auf Unterlassung – vorläufig vollstreckt werden; sie sind indes für positive Leistungsansprüche nur beschränkt zulässig.[2177] Neben diesen Kategorien von vorläufigen oder sichernden Maßnahmen kann das Schiedsgericht aber auch andere Vorkehrungen treffen, die es im konkreten Fall für angemessen und erforderlich hält. Die jeweilige vorläufige oder sichernde Maßnahme sollte die Entscheidung in der Hauptsache nicht – in nicht rückführbarer Weise – vorwegnehmen.[2178]

In der Praxis finden sich vorläufige oder sichernde Maßnahmen verschiedensten Inhalts. So kann das Schiedsgericht etwa verfügen, dass eine Partei die im Rahmen eines Unternehmenskaufs zu übertragenden Aktien für die Dauer des Verfahrens hinterlegen soll oder dass eine Partei Vertragsverhandlungen mit einer Drittpartei nicht weiter führen darf, sofern die Gefahr besteht, dass sie dabei vertrauliche Informationen oder Geschäftsgeheimnisse der Gegenpartei preisgibt. Das Schiedsgericht kann den Unternehmer anweisen, Arbeiten an einem Bauwerk weiterzuführen oder eine Partei, etwa im Rahmen eines Vertriebs- oder Lizenzvertrages, dazu anhalten, die andere Partei vorläufig weiterhin mit Produkten zu beliefern oder ihr die Benutzung des Lizenzgegenstandes unverändert zu gestatten. Auch das Verbot der Ziehung einer Bankgarantie ist möglich, oder Verfügungen im Hinblick auf die Sicherung von Beweismitteln. Umstritten sind sog *Anti-suit Injunctions*, mit der einer Partei verboten wird, vor anderen (idR staatlichen) Gerichten Klage zu erheben.[2179] **1395**

Ob das Schiedsgericht auch eine vorsorgliche Maßnahme in Form des **Arrestes** anordnen kann, ist umstritten. Für Deutschland wird das bejaht,[2180] für die Schweiz überwiegend verneint, weil der Arrest eine amtliche Ver- **1396**

2177 *Walter/Bosch/Brönnimann*, Schiedsgerichtsbarkeit 133 f; *B. Berger/Kellerhals*, Arbitration² Rn 1256; *Mabillard* in Honsell et al, Internationales Privatrecht³ Art 183 Rn 7, betreffend die vorläufige Zusprechung eines Geldbetrages in der Form einer einstweiligen Maßnahme, welche nur in Frage komme, *„wenn die Nichtbefriedigung der antragstellenden Partei von geradezu existenzieller Bedeutung ist"*, was in Handelssachen regelmäßig nicht der Fall ist; in Deutschland wird zwischen Unterlassungs- und Leistungsverfügungen unterschieden (vgl *Münch* in MünchKom, ZPO⁴ § 1041 Rn 17; *Wieczorek/Schütze*, ZPO⁴ § 1041 Rn 12).

2178 Vgl für Österreich *König*, Einstweilige Verfügung im Zivilverfahren⁴ Rn 2/49 ff.

2179 Vgl dazu *Hausmaninger* in Fasching/Konecny, ZPO³ § 593 Rn 58/1; *Gaillard*, Anti-Suit Injunctions; *Furrer/Girsberger/Ambauen* in Furrer/Girsberger/Müller-Chen, Internationales Privatrecht³ Art 182–186 Rn 17 (mit Verweisen); *Quinke* in Nedden/Herzberg, ICC-SchO/DIS-SchO § 20 DIS-SchO Rn 36.

2180 *Schlosser* in Stein/Jonas, ZPO²³ § 1041 Rn 21.

mögensbeschlagnahme darstellt.[2181] In Österreich wird vertreten, dass das Schiedsgericht befugt ist, Zwangsmittel wie eine Vermögensbeschlagnahme anzudrohen, nicht aber sie auch zu vollstrecken.[2182] Das Schiedsgericht kann eine Partei aber dazu anhalten, über spezifische Vermögenswerte nicht zu verfügen, etwa nach dem Vorbild der englischen *Mareva (Freezing) Injunction*.[2183]

6. Einstweilige Maßnahme zur Sicherung von Prozesskosten

1397 Umstritten ist, ob ein Schiedsgericht in Form einer einstweiligen Maßnahme anordnen kann, dass eine Partei eine Sicherheit leistet, die dazu dient, die andere Partei für den Fall des Obsiegens für Verfahrens-, Rechts- und Beratungskosten zu entschädigen.[2184]

1398 Weder die nationalen Schiedsverfahrensrechte Österreichs, Deutschlands und der Schweiz, noch die Wiener Regeln, ICC SchO, die DIS-Regeln oder die Swiss Rules enthalten diesbezüglich eine spezifische Bestimmung.[2185] Dennoch wird heute international überwiegend angenommen, dass internationale Schiedsgerichte über eine solche Kompetenz verfügen.[2186] Teilweise wird zwar argumentiert, eine einstweilige Maßnahme könne nur in Bezug auf den Streitgegenstand getroffen werden;[2187] die Kostensicherheit betreffe hingegen die prozessrechtlich zu qualifizierende Frage der Verfahrenskosten

---

2181 *Fischer* in Girsberger, IPRG² Art 183 Rn 6; *Walter/Bosch/Brönnimann*, Schiedsgerichtsbarkeit 130 f; aA *Mabillard* in Honsell et al, Internationales Privatrecht³ Art 183 Rn 7a; *Berti* in Honsell et al, Internationales Privatrecht³ Art 183 Rn 12.

2182 *Riegler/Koller* in Mistelis/Shore, World Arbitration Reporter² AUT-86.

2183 *Schroeder*, SchiedsVZ 2004, 26 ff; *Mabillard* in Honsell et al, Internationales Privatrecht³ Art 183 Rn 7a; zur Vollstreckbarkeit einer solchen „Freezing Injunction" in der Schweiz unter dem Lugano-Übereinkommen über die gerichtliche Zuständigkeit und die Vollstreckung gerichtlicher Entscheidungen in Zivil- und Handelssachen vom 16.9.1988, vgl BGE 129 III 626; vgl *Zeiler* in Liebscher/Oberhammer/Rechberger, Schiedsverfahrensrecht I Rn 7/47.

2184 Vgl dazu *Eisele/Livschitz*, Swiss Arbitration 19, 48; *Mabillard* in Honsell et al, Internationales Privatrecht³ Art 183 Rn 14 (mit Verweisen); für einen Überblick siehe *Riegler/Koller* in Mistelis/Shore, World Arbitration Reporter² AUT-89 f.

2185 Anders als das etwa in England (vgl Art 38(3) und 70(6) des English Arbitration Act 1996) oder Singapur (vgl Art 12(1)(a) des Singapore International Arbitration Act) der Fall ist; für innerschweizerische Schiedsverfahren enthält Art 379 schwZPO hingegen eine ausdrückliche Bestimmung betreffend Kostensicherheit.

2186 ICC-Entscheidung 2008, ASA Bulletin 2010, 37; ICC-Entscheidung 19.12.2003, ASA Bulletin 2005, 685; *Schlosser* in Stein/Jonas, Zivilprozessordnung²² § 1041 Rn 11; *Pörnbacher/Thiel*, SchiedsVZ 2010, 14, 18 ff; *Altenkirch*, Die Sicherheitsleistung für die Prozesskosten 235 ff; *Mabillard* in Honsell et al, Internationales Privatrecht³ Art 183 Rn 13; *Rubins*, American Review of International Arbitration 307; *Kaplan/van den Berg*, ICCA Congress Series, Volume 13, 768, 770 f.

2187 Im österreichischen Recht wird dieses Erfordernis durch § 593 Abs 1 öZPO normiert.

und gerade nicht den materiell-rechtlichen Anspruch und damit nicht den Streitgegenstand.[2188] Diese enge Auslegung ist aber grundsätzlich abzulehnen. Der Kostenerstattungsanspruch gehört genauso zum Streitgegenstand des Prozesses wie der Anspruch in der Hauptsache. Es handelt sich um eine objektive Klagehäufung, weil dem Anspruch auf Kostenerstattung ein eigener Lebenssachverhalt zugrunde liegt.[2189] In Österreich hat sich diese Meinung nicht durchgesetzt, weshalb im Ergebnis ein Schiedsgericht mit Sitz in Österreich grundsätzlich keine Kompetenz hat, Prozesskostensicherheit in Form einer einstweiligen Maßnahme aufzuerlegen.[2190]

Üblicherweise wird nur der Klägerin die **Leistung von Kostensicherheit**   **1399** auferlegt. Die Verpflichtung der Beklagten, Kostensicherheit zu leisten, kann vor dem Hintergrund des rechtlichen Gehörs bedenklich sein, da man der Beklagten eine Verteidigung damit nur unter der Voraussetzung erlauben würde, dass sie vorher einen beträchtlichen Geldbetrag als Sicherheit leistet. Ein Anspruch der Beklagten auf Kostensicherheit setzt, wie jede andere einstweilige Maßnahme, zum einen voraus, dass die Beklagte darlegen kann, dass eine vernünftige Möglichkeit besteht, dass sie in der Hauptsache obsiegen wird. Zum anderen muss die Beklagte darlegen, dass eine ernsthafte und aktuelle Gefährdung für den zu sichernden Anspruch besteht, welche den Erlass der einstweiligen Maßnahme rechtfertigt. Im Fall der Kostensicherheit ist dies die Gefährdung der Vollstreckung des Kostenerstattungsanspruchs im Fall des Obsiegens in der Hauptsache. Meist wird es sich um einen der folgenden drei Fälle handeln: (i) Die Klägerin hat ihren Sitz in einem Staat, in dem die Vollstreckung des (Kosten-)Schiedsspruchs nicht gewährleistet ist; (ii) die Klägerin hat keine ausreichenden finanziellen Mittel, so dass aus diesem Grund die Vollstreckung des (Kosten-)Schiedsspruchs gefährdet ist; (iii) eine Kostensicherheit kann auch dann gerechtfertigt sein, wenn eine Partei begonnen hat, ihre Aktiva in treuwidriger Absicht dem Zugriff der anderen Partei zu entziehen, indem sie sich dieser entledigt.

Umstritten ist, ob ein Anspruch auf Kostensicherheit nur dann in Be-   **1400** tracht kommt, wenn sich die Vollstreckungschancen seit dem Abschluss der Schiedsvereinbarung dramatisch verschlechtert haben.[2191] Eine solche

---

2188   Vgl *Rubins*, American Review of International Arbitration, 307, 344 f; *Brawn/Fenn*, International Arbitration Law Review, 191; *Kloiber*, Zak 2006, 247 FN 6.

2189   *Altenkirch*, Die Sicherheitsleistung für die Prozesskosten 220; vgl auch *Zeiler* in Liebscher/Oberhammer/Rechberger, Schiedsverfahrensrecht I Rn 7/53 mit Verweisen.

2190   *Riegler/Koller* in Mistelis/Shore, World Arbitration Reporter[2] AUT-89 f.

2191   Vgl *Eisele/Livschitz* in Niederer Kraft & Frey, Swiss Arbitration 54 ff; so etwa in der ICC-Entscheidung 2008, ASA Bulletin 2010, 37, 39 ff; ICC-Entscheidung 19.12.2003, ASA Bulletin 2005, 685, 689 ff; oft versucht eine Partei eine Kostensicherheit zu erlangen, mit der Begründung, dass es sich bei der anderen Partei um eine in einem offshore-Land domizilierten Briefkastenfirma handle; dem wird

Veränderung der Umstände wurde in mehreren Schiedsverfahren mit Sitz in der Schweiz gefordert.[2192] Eine Verschlechterung der Vollstreckungschancen liegt jedenfalls dann vor, wenn eine vermögenslose Gesellschaft als Klägerin auftritt, die die Ansprüche nur zu Prozesszwecken durch Abtretung erworben hat.[2193]

1401 In jüngster Zeit wird vermehrt diskutiert, ob eine Prozesskostensicherheit auch dann gerechtfertigt ist, wenn ein **Prozessfinanzierer** die Prozesskosten der Klägerin bezahlt. Die Beteiligung eines Prozessfinanzierers kann ein gewichtiges Indiz dafür sein, dass die Klägerin vermögenslos ist und im Fall eines Unterliegens den Kostenerstattungsanspruch der Beklagten nicht wird bezahlen können. Die Beklagte wird sich in diesem Fall auch nicht an den Prozessfinanzierer wenden können, weil ein Prozessfinanzierer nur an einem erfolgreichen Ausgang des Schiedsverfahrens partizipiert, im Fall des Unterliegens aber nicht für den Kostenerstattungsanspruch der Beklagten haftet. Zwei Entscheidungen in Investitionsschiedsverfahren deuteten darauf hin, dass die Beteiligung eines Prozessfinanzierers die Anordnung einer Kostensicherheit rechtfertigen könnte.[2194] Eng damit zusammen hängt die Frage, ob eine fremdfinanzierte Partei zur Offenlegung der Prozessfinanzierung verpflichtet ist. Teilweise wird eine Pflicht zur Offenlegung befürwortet; die Vertreter dieser Auffassung stützen sich auf zwei Argumente: Erstens könnte die Fremdfinanzierung ein Indiz für die Vermögenslosigkeit des Klägers sein, so dass die Beklagte einen Anspruch auf Kostensicherheit haben könnte. Zweitens bedürfe es der Offenlegung, um mögliche Interessenskonflikte des Schiedsgerichts aufzuklären. So bestünde etwa die Gefahr, dass eine Schiedsrichterin/ein Schiedsrichter in einem anderen von demselben Prozessfinanzierer bezahlten Verfahren als Prozessvertreter auftritt und daher wegen eines Interessenkonflikts vom Schiedsrichteramt zurücktreten muss.[2195]

---

von der Gegenpartei und dem Schiedsgericht jeweils entgegengehalten, dass dieser Umstand bereits bei Abschluss der Schiedsvereinbarung bekannt war, und die betreffende Partei daher das Risiko der mangelnden Zahlungsfähigkeit der anderen Partei bewusst in Kauf genommen habe; aA *Altenkirch*, Die Sicherheitsleistung für die Prozesskosten 235 ff.

2192 Vgl vor allem *B. Berger*, ASA Bulletin 2010, 7 ff.

2193 *Eisele/Livschitz* in Niederer Kraft & Frey, Swiss Arbitration 58 ff.

2194 *RSM Production Corporation v. Saint Lucia*, ICSID Case No. ARB/12/10, Decision on Saint Lucia's Request for Security for Costs vom 13.8.2014; *Muhammet Çap & Sehil In_aat Endustri ve Ticaret Ltd. Sti. v. Turkmenistan*, ICSID Case No. ARB/12/6, Procedural Order No. 3 vom 12.6.2015, Rn 10.

2195 Vgl die Argumentation in *Muhammet Çap & Sehil In_aat Endustri ve Ticaret Ltd. Sti. v. Turkmenistan*, ICSID Case No. ARB/12/6, Procedural Order No. 3 vom 12.6.2015 Rn 9, 10; Überblick zu der Diskussion *Levy/Bonnan*, ICC Dossiers 2013, 78 – 94.

D. Durchsetzung vom Schiedsgericht angeordneter vorsorglicher Maßnahmen

1. Notwendigkeit der Durchsetzung?

Eine vom Schiedsgericht angeordnete **vorsorgliche Maßnahme** ist für die Parteien **bindend**. In der Praxis halten sich die Parteien oft an solche Anordnungen des Schiedsgerichts, nicht zuletzt deshalb, weil sie für den Fall der Missachtung eine nachteilige Behandlung im weiteren Verlauf des Schiedsverfahrens befürchten. **1402**

Allerdings ist in jüngerer Zeit eine gewisse Tendenz festzustellen, dass eine Partei nicht mehr in jedem Fall gewillt ist, sich einer vom Schiedsgericht verfügten Maßnahme freiwillig zu unterziehen. Damit rückt auch die Frage in den Vordergrund, wie eine solche Maßnahme gegebenenfalls durchgesetzt werden kann.[2196] Dabei bedarf es idR der Mitwirkung der staatlichen Gerichte. **1403**

Vom Schiedsgericht angeordnete vorsorgliche Maßnahmen sind weder in Österreich, Deutschland, noch in der Schweiz direkt vollstreckbar; die Bestimmungen der nationalen Schiedsgesetze betreffend die Vollstreckung von Schiedssprüchen sind nicht anwendbar. Daher muss sich eine Partei, welche die Durchsetzung der vorsorglichen Maßnahme verlangt, an den staatlichen Richter um seine Mitwirkung wenden; in der Schweiz kann auch das Schiedsgericht an den staatlichen Richter gelangen. Das Schiedsgericht selbst kann auf eine Partei keinen (direkten) Zwang ausüben; es hat lediglich die Möglichkeit, gewisse (limitierte) Sanktionen zu verfügen, welche die widerspenstige Partei indirekt dazu bringen können, sich der Maßnahme doch noch zu unterziehen, will sie nicht gewisse Nachteile in Kauf nehmen. **1404**

2. Mitwirkung des staatlichen Richters

In **Österreich** ist das **Bezirksgericht** zuständig, bei dem der Gegner der gefährdeten Partei zur Zeit der ersten Antragstellung seinen Sitz, Wohnsitz oder gewöhnlichen Aufenthalt im Inland hat, sonst das Bezirksgericht in dessen Sprengel die dem Vollzug der einstweiligen Verfügung dienende Handlung vorzunehmen ist.[2197] Dies gilt gemäß § 577 Abs 2 öZPO[2198] auch **1405**

2196 Vgl auch *Boog* in Arroyo, Arbitration in Switzerland, *Provisional and Conservatory Measures*, Art 183 Rn 47; *Quinke* in Nedden/Herzberg, ICC-SchO/DIS-SchO § 20 DIS-SchO Rn 42.

2197 § 593 Abs 3 öZPO.

2198 § 577 Abs 2 öZPO bestimmt dass § 593 Abs 3 bis 6 öZPO auch dann anwendbar ist, wenn der Sitz des Schiedsgerichts nicht in Österreich liegt oder noch nicht bestimmt ist. Daher sind grundsätzlich einstweilige Maßnahmen nicht-österreichischer Schiedsgerichte nach diesen Bestimmungen in Osterreich vollstreckbar.

dann, wenn der Sitz des Schiedsgerichts nicht in Österreich liegt oder noch nicht bestimmt ist.[2199] Das Gericht muss die vorläufige oder sichernde Maßnahme auf Antrag einer Partei vollziehen, außer es liegen die in § 593 Abs 4 JöZPO genannten Gründe vor.[2200]

1406 Nach **deutschem Recht** ist das in der Schiedsvereinbarung bezeichnete OLG, hilfsweise das OLG am Schiedsort zuständig.[2201] Bei ausländischem Schiedsort ist das OLG zuständig, in dessen Bezirk der Antragsgegner seinen Sitz oder gewöhnlichen Aufenthalt hat oder sich Vermögen des Antragsgegners befindet, hilfsweise das Kammergericht in Berlin.[2202] Das OLG entscheidet über die Zulassung der Vollziehung der schiedsrichterlichen Anordnung nach pflichtgemäßem Ermessen. So soll insbesondere die Überprüfung der Wirksamkeit der Schiedsvereinbarung sowie die Verweigerung der Vollziehungszulassung bei unverhältnismäßigen Anordnungen ermöglicht werden.[2203]

1407 In der **Schweiz** ist das staatliche Gericht am Schiedsort oder am Ort, an dem die vorsorgliche Maßnahme vollstreckt werden soll, zuständig; das kann somit auch ein anderer als der Schiedsort sein. Das angerufene Gericht ist zur Gewährung der Vollstreckungshilfe verpflichtet.[2204]

1408 Es kann fraglich sein, wer berechtigt ist, das in- oder ausländische staatliche Gericht um Mitwirkung zu ersuchen. In der Schweiz steht dieses Recht jedenfalls dem Schiedsgericht zu; ob auch eine Partei – mit oder ohne vorherige Zustimmung des Schiedsgerichts – an den staatlichen Richter gelangen kann, ist umstritten.[2205] In Deutschland kann nach dem eindeutigen Wortlaut von § 1041 Abs 2 dZPO allein eine Partei die Vollziehung einer schiedsgerichtlichen einstweiligen Maßnahme durch das staatliche Gericht beantragen.

2199 *Hausmaninger* in Fasching/Konecny, ZPO[2] § 593 Rn 74.

2200 *Hausmaninger* in Fasching/Konecny, ZPO[2] § 593 Rn 75; *Zeiler* in Liebscher/Oberhammer/Rechberger, Schiedsverfahrensrecht I Rn 7/72.

2201 § 1062 Abs 1 Nr 3 dZPO.

2202 § 1062 Abs 2 dZPO.

2203 BT-Drs. 13/5274, S 45, siehe auch OLG Saarbrücken, SchiedsVZ 2007, 323.

2204 *Berti* in Honsell et al, Internationales Privatrecht[3] Art 183 Rn 17; *B. Berger/Kellerhals*, Arbitration[2] Rn 1266; *Mabillard* in Honsell et al, Internationales Privatrecht[3] Art 183 Rn 17.

2205 Art 183 Abs 2 schwIPRG regelt diese Frage nicht. Ob das die Befugnis einer Partei, von sich aus an den staatlichen Richter zu gelangen, ausschließt, ist umstritten; jedenfalls kann sie aber dem Schiedsgericht beantragen, den staatlichen Richter zu involvieren; vgl *B. Berger/Kellerhals*, Arbitration[2] Rn 1160; aA *Berti* in Honsell et al, Internationales Privatrecht[3] Art 183 Rn 16; *Mabillard* in Honsell et al, Internationales Privatrecht[3] Art 183 Rn 16; für das Schiedsverfahren im Binnenverhältnis sieht Art 374 Abs 2 schwZPO ausdrücklich vor, dass eine Partei an das staatliche Gericht gelangen kann, wenn es zuvor die Zustimmung des Schiedsgerichts eingeholt hat.

Dass das Schiedsgericht eine derartige Mitwirkung des staatlichen Gerichts beantragt, ist im deutschen Schiedsrecht nicht vorgesehen. In Österreich sieht § 593 Abs 3 öZPO ebenfalls nur die Vollziehung einer schiedsgerichtlichen einstweiligen Maßnahme durch das staatliche Gericht auf Antrag einer Partei vor. Dass das Schiedsgericht eine derartige Mitwirkung des staatlichen Gerichts beantragt, ist auch im österreichischen Schiedsrecht nicht vorgesehen.[2206]

Obgleich oder gerade weil das Schiedsgericht nach österreichischem Recht **1409** keine vorläufigen oder sichernden Maßnahmen ohne Anhörung des Antragsgegners anordnen kann, liegt die Anhörung des Antragsgegners bei Vollzug der Maßnahme im freien Ermessen des staatlichen Gerichtes. Gegenstand des rechtlichen Gehörs ist die Frage, ob ein Vollziehungsversagungsgrund besteht.[2207] In Deutschland kann der Vorsitzende des zuständigen OLG-Senats gemäß § 1063 Abs 3 S 1 Alt 2 dZPO ohne vorherige Anhörung der Gegenseite anordnen, dass die einstweilige Maßnahme des Schiedsgerichts gemäß § 1041 Abs 1 dZPO vollzogen werden darf.[2208]

Das um Mitwirkung ersuchte Gericht erlässt keine eigene vorsorgliche **1410** Maßnahme, sondern trifft lediglich die zur Vollstreckung der schiedsgerichtlichen Maßnahme notwendigen Anordnungen.[2209] Dabei kann es grundsätzlich nicht prüfen, ob die vom Schiedsgericht verhängte vorsorgliche Maßnahme inhaltlich korrekt ist und seinem oder dem anzuwendenden Recht entspricht.[2210] Da der staatliche Richter selbst nicht entscheiden darf, ist er auch nicht befugt materiell zu prüfen, ob er selbst diese Maßnahme gewährt hätte oder diese vertretbar ist.[2211]

In **Österreich** muss das **staatliche Gericht** die Maßnahme vor ihrer Voll- **1411** streckung einer gewissen **Überprüfung** unterziehen. Das Gericht hat die Vollziehung einer Maßnahme abzulehnen, wenn 1) der Sitz des Schiedsgerichts

---

2206 *Hausmaninger* in Fasching/Konecny, ZPO³ § 593 Rn 81.
2207 *Hausmaninger* in Fasching/Konecny, ZPO³ § 593 Rn 83.
2208 *Schlosser* in Stein/Jonas, Zivilprozessordnung²² § 1063 Rn 35; *Wieczorek/Schütze*, ZPO⁴ § 1041 Rn 52.
2209 In Österreich bedarf auch die Vollziehung einstweiliger Maßnahmen ausländischer Schiedsgerichte keines Exequaturverfahrens (siehe *Zeiler* in Liebscher/Oberhammer/Rechberger, Schiedsverfahrensrecht I Rn 7/68; *Hausmaninger* in Fasching/Konecny, ZPO³ § 593 Rn 78); das Gericht entscheidet mit Beschluss (siehe dazu *Hausmaninger* in Fasching/Konecny, ZPO³ § 593 Rn 86); in Deutschland erfolgt die Vollstreckung mittels einer Vollziehungsanordnung durch das zuständige Oberlandesgericht (vgl § 1041 Abs 2 dZPO iVm § 1062 dZPO), welches im Beschlussverfahren entscheidet (vgl § 1063 dZPO).
2210 Gemäß § 593 Abs 4 Z 4 öZPO hat das Gericht die Vollziehung der Maßnahme abzulehnen, wenn die Maßnahme ein dem inländischen Recht unbekanntes Sicherungsmittel vorsieht und kein geeignetes Sicherungsmittel des inländischen Rechts beantragt wurde.
2211 So zB für die Schweiz: *Walter/Bosch/Brönnimann*, Schiedsgerichtsbarkeit 149.

im Inland liegt und die Maßnahme an einem Mangel leidet, der bei einem inländischen Schiedsspruch einen Aufhebungsgrund nach österreichischem Recht darstellen würde, oder 2) der Sitz des Schiedsgerichts nicht im Inland liegt und die Maßnahme an einem Mangel leidet, der bei einem ausländischen Schiedsspruch einen Grund für die Versagung der Anerkennung oder Vollstreckbarerklärung darstellen würde, oder 3) die Vollziehung der Maßnahme mit einer früher beantragten oder erlassenen inländischen oder früher erlassenen und anzuerkennenden ausländischen gerichtlichen Maßnahme unvereinbar ist, oder 4) die Maßnahme ein dem inländischen Recht unbekanntes Sicherungsmittel vorsieht und kein geeignetes Sicherungsmittel des inländischen Rechts beantragt wurde.[2212]

1412 In Deutschland und der Schweiz kann der staatliche Richter seine Mitwirkung verweigern, wenn die Maßnahme, für die er Vollstreckungshilfe leisten soll, nach seinem Recht unzulässig ist; diesbezüglich greift der vollstreckungsrechtliche *ordre public*.[2213]

1413 Inwieweit seine **Überprüfungsbefugnis** mit Bezug auf die vom Schiedsgericht verfügte Anordnung ansonsten reicht, ist umstritten. Das betrifft etwa die Frage, ob der staatliche Richter noch summarisch prüfen kann oder muss, ob eine wirksame Schiedsvereinbarung besteht, und ob die zu vollstreckende Maßnahme von einem wirksam bestellten Schiedsgericht angeordnet wurde.[2214]

1414 Falls die Maßnahme ein dem inländischen Recht unbekanntes Sicherungsmittel vorsieht, so gilt in Österreich, dass das Gericht auf Antrag nach An-

---

2212 § 593 Abs 4 öZPO. Gem § 593 Abs 6 öZPO hat das staatliche Gericht die Vollziehung auf Antrag aufzuheben, wenn 1) die vom Schiedsgericht bestimmte Geltungsdauer der Maßnahme abgelaufen ist, oder 2) das Schiedsgericht die Maßnahme eingeschränkt oder aufgehoben hat, oder 3) ein Einschränkungs- oder Aufhebungsgrund für einstweilige Verfügungen nach der österreichischen Exekutionsordnung vorliegt, sofern ein solcher Umstand nicht bereits vor dem Schiedsgericht erfolglos geltend gemacht wurde und der diesbezüglichen Entscheidung des Schiedsgerichts keine Anerkennungshindernisse entgegenstehen, oder 4) eine Sicherheit geleistet wurde, welche die Vollziehung der Maßnahme entbehrlich macht (siehe näher *Zeiler* in Liebscher/Oberhammer/Rechberger, Schiedsverfahrensrecht I Rn 7/80 f; *Hausmaninger* in Fasching/Konecny, ZPO³ § 593 Rn 95 ff).

2213 Für Deutschland: BT-Drs. 13/5274, 45; *Wieczorek/Schütze*, ZPO⁴ § 1041 Rn 42; für die Schweiz: *Walter/Bosch/Brönnimann*, Schiedsgerichtsbarkeit 149; *Mabillard* in Honsell et al, Internationales Privatrecht³ Art 183 Rn 18; *Berti* in Honsell et al, Internationales Privatrecht³ Art 183 Rn 18.

2214 Für Deutschland bejahend: BT-Drs. 13/5274, S 45; siehe auch OLG Saarbrücken, SchiedsVZ 2007, 323; siehe auch *Quinke* in Nedden/Herzberg, ICC-SchO/DIS-SchO § 20 DIS-SchO Rn 42; für die Schweiz: bejahend *Walter/Bosch/Brönnimann*, Schiedsgerichtsbarkeit 149; *Berti* in Honsell et al, Internationales Privatrecht³ Art 183 Rn 18; *Mabillard* in Honsell et al, Internationales Privatrecht³ Art 183 Rn 18; aA *B. Berger/Kellerhals*, Arbitration² Rn 1271.

hörung des Antragsgegners jenes Sicherungsmittel des inländischen Rechts zu vollziehen hat, welches der Maßnahme des Schiedsgerichts am nächsten kommt. Dabei kann das staatliche Gericht auf Antrag die Maßnahme des Schiedsgerichts auch abweichend fassen, um die Verwirklichung ihres Zwecks zu gewährleisten.[2215] Für Deutschland und die Schweiz gilt: Hat das Schiedsgericht Maßnahmen verfügt, die das Recht der staatlichen Richterin/des staatlichen Richters nicht kennt, wird sie/er diese, vorbehaltlich einer gewissen Ermessensmissbrauchskontrolle, idR unverändert übernehmen müssen, und sie gegebenenfalls mit der Androhung von Zwangsmaßnahmen ergänzen.[2216] Denkbar ist, dass die staatliche Richterin/der staatliche Richter die vom Schiedsgericht erlassene Verfügung umformulieren oder modifizieren muss, damit sie mit dem eigenen Recht im Einklang steht.[2217] Letztlich muss die Richterin/der Richter aber eine Maßnahme verfügen, die der vom Schiedsgericht getroffenen Maßnahme möglichst gleichwertig ist. In Österreich bedarf diese Umformulierung eines darauf gerichteten Antrags.[2218] Anderenfalls droht die Ablehnung des Antrags auf Vollstreckung der vorläufigen oder sichernden Maßnahme.[2219] Die Vollstreckung darf nicht über den vom Schiedsgericht gewährten Rechtsschutz hinausgehen.[2220]

3. Sanktionen des Schiedsgerichts

1415 Weil es sich beim Schiedsgericht um ein nicht-staatliches Gericht handelt, kann es die angeordneten vorsorglichen Maßnahmen selbst nicht direkt durchsetzen. Insb kann das Schiedsgericht für den Fall der Zuwiderhandlung **keine strafrechtlichen Sanktionen** – wie etwa die Ungehorsamsstrafe nach Schweizer Recht – anders als das staatliche Gericht,[2221] durchsetzen.

1416 Umstritten ist, ob das Schiedsgericht private (im Sinne von nicht hoheitlichen) Sanktionen androhen oder verfügen kann, wie etwa die Verhängung einer **Konventionalstrafe** oder einer **Astreinte**.[2222] Außer in Fällen, in denen

---

2215 § 593 Abs 3 öZPO.
2216 Vgl für Deutschland: *Voit* in Musielak, ZPO[13] § 1041 Rn 9; für die Schweiz: *B. Berger/Kellerhals*, Arbitration[2] Rn 1271.
2217 Für Deutschland: § 1041 Abs 2 Satz 2 dZPO; für die Schweiz: *Walter/Bosch/Brönnimann*, Schiedsgerichtsbarkeit 149; *B. Berger/Kellerhals*, Arbitration[2] Rn 1271.
2218 § 593 Abs 3 öZPO; *Hausmaninger* in Fasching/Konecny, ZPO[3] § 593 Rn 89.
2219 § 593 Abs 4 Z 4 öZPO.
2220 *Hausmaninger* in Fasching/Konecny, ZPO[3] § 593 Rn 92.
2221 Für Deutschland: *Schlosser* in Stein/Jonas, ZPO[23] § 1041 Rn 33; für die Schweiz: vgl Art 292 schwStGB: Androhung einer ungehorsamen Strafe.
2222 *Boog* in Arroyo, Arbitration in Switzerland, *Provisional and Conservatory Measures, Art 183* Rn 50; eine die (vorab dem französischen Recht bekannte) *Astreints* ist eine Art Geldbuße, welche indes nicht an den Staat, sondern an die verlangende (Gegen-)Partei geht.

die Schiedsklausel so weit formuliert ist, dass eine Kompetenz des Schiedsgerichts zur Verhängung von Sanktionen zwecks Durchsetzung einer vorsorglichen Maßnahme angenommen werden kann, dürfte das Schiedsgericht im Zweifel nicht befugt sein, die Nichteinhaltung der angeordneten vorsorglichen Maßnahme mittels einer Geldstrafe oder dergleichen zu sanktionieren.[2223]

1417   Das Schiedsgericht kann allerdings die Weigerung einer Partei, sich einer angeordneten Maßnahme zu unterziehen, im Rahmen der Festsetzung der Kosten des Schiedsverfahrens berücksichtigen. Auch kann es die widerspenstige Partei zur Zahlung von Schadenersatz an die andere Partei anhalten, sofern diese als Folge der Missachtung der schiedsgerichtlichen Anordnungen einen Schaden erlitten hat. Denkbar ist sodann, dass das Schiedsgericht auf Antrag der betroffenen Partei eine neue Maßnahme verfügt, die ohne Mitwirkung der anderen Partei umgesetzt werden kann, zB die Erbringung einer Leistung durch einen Dritten, anstelle der sich weigernden Partei.[2224]

E. Sicherheitsleistung

1418   Das Schiedsgericht kann die Anordnung vorsorglicher Maßnahmen von der Leistung einer Sicherheit abhängig machen.[2225] Auch die Wiener Regeln,[2226] die ICC SchO,[2227] die DIS-Regeln,[2228] und die Swiss Rules[2229] sehen vor, dass das Schiedsgericht die Anordnung vorsorglicher Maßnahmen von der Stellung angemessener Sicherheiten abhängig machen kann.

1419   Ob die **Leistung einer Sicherheit** nur **auf Antrag einer Partei** oder durch das Schiedsgericht auch **von Amts wegen** angeordnet werden kann, wird in den nationalen Schiedsverfahrensrechten Österreichs, Deutschlands und der Schweiz offen gelassen.[2230] Letzteres ist jedenfalls beim Erlass superprovisorischer Maßnahmen anzunehmen, weil die Partei, gegen welche sich die Maß-

---

2223   B. *Berger/Kellerhals*, Arbitration[2] Rn 1262; *Mabillard* in Honsell et al, Internationales Privatrecht[3] Art 183 Rn 11; *Quinke* in Nedden/Herzberg, ICC-SchO/DIS-SchO § 20 DIS-SchO Rn 37.

2224   Vgl *Boog* in Arroyo, Arbitration in Switzerland, *Provisional and Conservatory Measures, Art 183* Rn 52.

2225   § 593 Abs 1 öZPO, wonach das Schiedsgericht von jeder Partei im Zusammenhang mit einer vorläufigen oder sichernden Maßnahme angemessene Sicherheit fordern kann; § 1041 Abs 1 S 2 dZPO; Art 183 Abs 3 schwIPRG.

2226   Art 33 Wiener Regeln.

2227   Art 28 ICC SchO.

2228   § 20.1 S 2 DIS-Regeln; vgl auch *Quinke* in Nedden/Herzberg, ICC-SchO/DIS-SchO § 20 DIS-SchO Rn 38.

2229   Art 26 Swiss Rules.

2230   *Hausmaninger* in Fasching/Konecny, ZPO[3] § 593 Rn 66 spricht sich in Bezug auf die öZPO dafür aus, dass das Schiedsgericht die Sicherheitsleistung von sich aus anordnen kann.

nahme richtet, noch nicht angehört worden ist und somit auch noch nicht in der Lage war, einen Antrag auf Sicherheitsleistung zu stellen.[2231]

Häufig wird die Antragsgegnerin einen Antrag auf Leistung einer Sicher- **1420** heit stellen. Sie hat dabei glaubhaft zu machen, dass ihr durch den Erlass der vorsorglichen Maßnahme Schaden entstehen kann; auch hat sie den drohen- den Schaden zu beziffern. Ob die Antragstellerin so zahlungskräftig ist, dass angenommen werden kann, sie werde für den aufgrund der verfügten Maß- nahme entstandenen Schaden auch aufkommen können, ist hingegen kein vom Schiedsgericht zu beachtendes Kriterium.[2232]

Das Schiedsgericht hat **Ermessen hinsichtlich der Art und der Höhe** **1421** der zu leistenden Sicherheit.[2233] IdR wird die antragstellende Partei dazu ver- pflichtet, eine bestimmte Geldsumme zu hinterlegen oder eine Bankgarantie beizubringen. Die Sicherheit muss dabei so hoch angesetzt sein, dass sie den befürchteten Schaden ausgleichen kann; sie soll aber keinen Abschreckungs- effekt haben.

F. Schadenersatzanspruch

Der Antragsgegnerin kann ein Schadenersatzanspruch gegen die vorläufige **1422** oder sichernde Maßnahmen beantragende Partei für jenen Schaden zustehen, der durch eine **ungerechtfertigte Maßnahme** entstanden ist. Das wird in den einzelnen nationalen Schiedsverfahrensrechten zum Teil ausdrücklich normiert,[2234] wird jedoch auch ohne ausdrückliche Regelung vertreten.[2235] Je nach Schiedsort und des in der Hauptsache anwendbaren materiellen Rechts ist zu prüfen, welches materielle Recht auf einen solchen möglichen Schaden- ersatzanspruch anwendbar ist.[2236]

Voraussetzung für den Schadenersatzanspruch ist, dass die angeordnete **1423** vorsorgliche Maßnahme sich im Nachhinein als **ungerechtfertigt** erweist.

2231 *Walter/Bosch/Brönnimann*, Schiedsgerichtsbarkeit 151 f; *B. Berger/Kellerhals*, Arbitration[2] Rn 1292; in Österreich sind solche Maßnahmen ohne Anhörung der Gegenpartei unzulässig; siehe Rn 26.

2232 *Walter/Bosch/Brönnimann*, Schiedsgerichtsbarkeit 152; *Mabillard* in Honsell et al, Internationales Privatrecht[3] Art 183 Rn 14.

2233 *Münch* in MünchKom, ZPO[4] § 1041 Rn 52.

2234 Vgl § 1041 Abs 4 dZPO.

2235 So etwa für die Schweiz, wo im Art 183 schwIPRG – im Gegensatz zu dem für das Schiedsverfahren im Binnenverhältnis maßgeblichen Art 374 Abs 3 schwZPO – die Haftung der antragstellenden Partei nicht erwähnt wird.

2236 Ist etwa der Schiedsort in Deutschland, so ist die diesen Schadenersatzanspruch regelnde Bestimmung (das ist § 1041 Abs 4 dZPO) auch dann anwendbar, wenn das anwendbare materielle Recht nicht deutsches Recht ist; vgl *Risse/Frohloff*, SchiedsVZ 2011, 239, 242 f; aA *Wolf/Eslami* in Beck'scher Online Kommentar, ZPO[15] § 1041 Rn 23.

Das ist der Fall, wenn die Voraussetzungen für deren Anordnung (von Anfang an) nicht vorlagen.[2237]

1424 Im österreichischen Recht ist idZ lediglich vorgesehen, dass das staatliche Gericht im Vollziehungsverfahren nicht befugt ist, gemäß § 394 öEO über Schadenersatzansprüche zu entscheiden.[2238] Die Voraussetzungen eines möglichen Schadenersatzanspruches für ein solches Szenario sind ungeregelt, es gilt das allgemeine Schadenersatzrecht.[2239] In Deutschland ist der Schadenersatzanspruch jedoch verschuldensunabhängig.[2240]

1425 In der Schweiz gilt eine gemilderte Kausalhaftung bzw eine Kausalhaftung mit Exkulpationsmöglichkeit. Kann die antragstellende Partei in der Schweiz nachweisen, dass sie ihren Antrag auf Erlass einer vorsorglichen Maßnahme im guten Glauben gestellt hat, so kann das Schiedsgericht oder Gericht den Schadensersatz herabsetzen oder die Partei gänzlich davon entbinden.[2241]

1426 Für Schiedsverfahren in Deutschland ist weitere Voraussetzung für einen Schadenersatzanspruch, dass die antragstellende Partei im Schiedsverfahren die einstweilige Maßnahme auch vollzogen hat. Dabei besteht weitgehende Einigkeit darüber, dass hierfür nicht bereits die Anordnung des Schiedsgerichts genügt, sondern dass die einstweilige Anordnung vollzogen sein muss.[2242] Umstritten ist jedoch, ob dies mithilfe eines staatlichen Gerichts unter *„staatlichem Vollstreckungsdruck"* durch Einleitung einer Zwangsvollstreckung geschehen muss,[2243] oder ob auch ein faktischer Vollstreckungsdruck bei freiwilliger Erfüllung der einstweiligen Maßnahme genügt; letzteres sollte ausreichen.[2244]

1427 Je nach Jurisdiktion kann strittig sein, welches Gericht **Zuständigkeit** über einen solchen **Schadenersatzanspruch** hat. In Österreich ist gesetzlich

---

2237 *Münch* in MünchKom, ZPO⁴ § 1041 Rn 52.

2238 § 593 Abs 5 letzter Satz öZPO.

2239 *Zeiler* in Liebscher/Oberhammer/Rechberger, Schiedsverfahrensrecht I Rn 7/84.

2240 So in Deutschland § 1041 Abs 4 Satz 1 dZPO; der Anspruch besteht insoweit bewusst unabhängig von der im Verkehr erforderlichen Sorgfalt; vgl *Quinke* in Nedden/Herzberg, ICC-SchO/DIS-SchO § 20 DIS-SchO Rn 44; *Risse/Frohloff*, SchiedsVZ 2011, 239, 242.

2241 *Zenhäusern* in Baker & McKenzie, Schweizerische ZPO Art 374 Rn 44; für das Schiedsverfahren im Binnenverhältnis; eine analoge Anwendung dieses Konzepts auch in internationalen Schiedsverfahren scheint angebracht, vgl *B. Berger/Kellerhals*, Arbitration² Rn 1295; *Boog* in Arroyo, Arbitration in Switzerland, *Provisional and Conservatory Measures, Art 183* Rn 20.

2242 Siehe ua *Risse/Frohloff*, SchiedsVZ 2011, 239, 244; *Münch* in MünchKom, ZPO⁴ § 1041 Rn 50; *Wieczorek/Schütze*, ZPO⁴ § 1041 Rn 58.

2243 So *Münch* in MünchKom, ZPO⁴ § 1041 Rn 51; *Voit* in Musielak, ZPO¹³ § 1041 Rn 14.

2244 So *Risse/Frohloff*, SchiedsVZ 2011, 239, 244 f; *Wiezorec/Schütze*, ZPO⁴ § 1041 Rn 58; *Wolf/Eslami* in Beck'scher Online Kommentar, ZPO¹⁵ § 1041 Rn 29.

klargestellt, dass das staatliche Gericht im Vollziehungsverfahren keine diesbezügliche Zuständigkeit hat; die Frage, ob das in der Hauptsache zuständige Schiedsgericht oder das staatliche Gericht zuständig ist, ist durch Auslegung der betreffenden Schiedsvereinbarung zu ermitteln.[2245] Für Deutschland und Schweiz gilt grundsätzlich, dass solche Schadenersatzansprüche vor dem Schiedsgericht erhoben werden können, das die vorsorgliche Maßnahme angeordnet hat.[2246] Das setzt aber voraus, dass der Antragsgegner einen solchen Schadenersatzanspruch noch während des laufenden Schiedsverfahrens geltend macht, etwa im Wege der Widerklage. Wiewohl mitunter vertreten wird, dass danach (auch) das staatliche Gericht Zuständigkeit über solche Ansprüche haben soll, spricht mehr dafür, dass eine Schiedsvereinbarung, die solche Ansprüche umfasst, auch nach Abschluss des ursprünglichen Verfahrens weiterhin gilt und somit die Zuständigkeit der staatlichen Gerichte ausschließt.

2245 *Zeiler* in Liebscher/Oberhammer/Rechberger, Schiedsverfahrensrecht I Rn 7/85; vgl *Hausmaninger* in Fasching/Konecny, ZPO³ § 593 Rn 100.
2246 So ausdrücklich § 1041 Abs 4 S 2 dZPO; für die Schweiz wird es in Art 183 schwIPRG nicht ausdrücklich gesagt, ist aber in der Lehre anerkannt; analog zu schwZPO Art 374; vgl B. *Berger/Kellerhals*, Arbitration² Rn 1296; *Boog* in Arroyo, Arbitration in Switzerland, *Provisional and Conservatory Measures*, Art 183 Rn 21.

II. EilschiedsrichterIn (*Emergency Arbitrator*)

A. Ziel: EilschiedsrichterInnen als zusätzliche Ergänzung des Rechtsschutzes durch Schiedsgerichte

1428   In den letzten Jahren haben verschiedene Schiedsgerichtsinstitutionen ihre Schiedsregeln überarbeitet und die Voraussetzungen für einen einstweiligen Rechtsschutz bereits vor der Konstituierung eines Schiedsgerichts geschaffen. Gesetzliche Bestimmungen zur Eilschiedsrichterin/zum Eilschiedsrichter finden sich in Österreich, Deutschland und der Schweiz nicht.[2247] Vorreiter dieser Entwicklung war das *International Centre for Dispute Resolution of the American Arbitration Association* (ICDR) im Jahr 2006, gefolgt vom *International Institute for Conflict Prevention & Resolution* (CPR) im Jahr 2007.[2248] In rascher Folge haben danach weitere Schiedsgerichtsinstitutionen die Position des *Emergency Arbitrator* samt dazugehörigem Verfahren eingeführt, so die *Stockholm Chamber of Commerce* (SCC)[2249] und das *Singapore International Arbitration Centre* (SIAC)[2250] im Jahr 2010, das *Australian Centre for International Commercial Arbitration* (ACICA)[2251] im Jahr 2011, die *International Chamber of Commerce* (ICC)[2252] und die *Swiss Chambers' Arbitration Institution*[2253] im Jahr 2012, das *Hong Kong International Arbitration Centre* (HKIAC)[2254] im Jahr 2013 sowie der *London Court of International Arbitration* (LCIA)[2255] im Jahr 2014.

1429   Die Möglichkeit, dass ein bereits vor Konstituierung des Schiedsgerichts durch die angerufene Schiedsgerichtinstitution ernanntes Mitglied des Schiedsgerichts in dringlichen Fällen einstweilige Maßnahmen erlassen

---

2247   Das deutsche Schiedsverfahrensrecht regelt allein den schiedsgerichtlichen einstweiligen Rechtsschutz. Spezielle Regelungen zu Eilschiedsrichtern gibt es nicht. § 1041 dZPO findet auf den Eilschiedsrichter aber entsprechende Anwendung; dazu etwa *Gerstenmaier* in FS Elsing 153, 160.

2248   Vgl Art 37 2006 ICDR Rules; Rule 14 2007 CPR Administered Arbitration. Vorbild für Art 37 ICDR waren die in den 2009 Rules der American Arbitration Association (AAA) enthaltenen AAA Optional Rules für ein Eilschiedsrichterverfahren, welche indes nur dann zur Anwendung kamen, wenn die Parteien dies ausdrücklich vereinbart hatten. Eine mit Art 37 ICDR Rules ähnliche Bestimmung wurde im R-38 der in 2013 in Kraft getretenen revidierten AAA Rules inkorporiert (vgl *Colombini*, Vorsorglicher Rechtsschutz Rn 22 ff).

2249   Vgl Art 32(4) und Appendix II 2010 SCC Rules.

2250   Vgl Art 26(2) und Schedule I 2010 SIAC Rules bzw 2013 SIAC Rules.

2251   Vgl Art 28.1(a) und Schedule 2 2011 ACICA Rules.

2252   Vgl Art 29(1) und Appendix Anhang II 2012 ICC SchO.

2253   Vgl Art 43 Swiss Rules.

2254   Vgl Art 23.1 and Schedule 4 HKIAC Administered Arbitration Rules.

2255   Vgl Art 9B der LCIA Rules.

kann, schließt eine im Bereich der Schiedsgerichtsbarkeit bekannte und diskutierte Lücke. Weil die Phase der Konstituierung des Schiedsgerichts in der Praxis relativ lange dauert, musste sich eine auf sofortigen Rechtsschutz angewiesene Partei bisher an den die staatlichen Gerichte wenden. Das von (zahlreichen) Schiedsgerichtsinstitutionen nunmehr zur Verfügung gestellte Eilrechtschutz-Instrumentarium soll dazu beitragen, die internationale Schiedsgerichtsbarkeit als eine Art *one-stop-shop* zum Erhalt von Rechtsschutz (weiter) zu etablieren.

Für internationale Schiedsverfahren unter den Swiss Rules sieht deren **1430** Art 43 die Einsetzung einer Eilschiedsrichterin/eines Eilschiedsrichters auf Begehren einer Partei durch den Gerichtshof der Swiss Chambers' Arbitration Institution vor. Demgegenüber haben das *Vienna International Arbitral Centre* (VIAC) in dessen Wiener Regeln sowie die Deutsche Institution für Schiedsgerichtsbarkeit (DIS) in den DIS-Regeln bis heute von der Einführung eines Eilschiedsrichterverfahrens abgesehen.[2256]

Die ICC hat bei der Revision ihrer SchO in 2012 in Art 29 neu allgemeine **1431** Bestimmungen zum Eilschiedsrichterverfahren eingefügt; diese Grundsätze sind im Appendix V der ICC SchO näher konkretisiert.[2257] Bereits zuvor hatte die ICC SchO Vorschriften für ein *Pre-Arbitral-Referee*-Verfahren enthalten, deren Bedeutung in der Praxis indes eher bescheiden geblieben ist. Hauptgrund für die relativ geringe Anzahl von Fällen in den letzten 20 Jahren ist die von ICC gewählte *opt in* Lösung: Die betreffenden Vorschriften zum *Pre-Arbitral-Referee*-Verfahren konnten bzw können von den Parteien nur in Anspruch genommen werden, wenn sie ausdrücklich vereinbart wurden.[2258]

2256 Art 45 Wiener Regeln sieht allerdings die Möglichkeit eines beschleunigten Verfahrens mit Zustimmung der Parteien (zB in der Schiedsvereinbarung) vor. In Zusammenhang mit vorläufigen oder sichernden Maßnahmen sind die verkürzten Fristen zur Benennung des Einzelschiedsrichters (bzw, falls vereinbart, des Schiedsrichtersenats) relevant; die Deutsche Institution für Schiedsgerichtsbarkeit hat allerdings bereits 2008 in ihrer Sportschiedsgerichtordnung die Zuständigkeit einer Eilschiedsrichterin/eines Eilschiedsrichters für Maßnahmen des einstweiligen Rechtsschutzes geregelt; vgl dazu auch *Schlosser*, SchiedsVZ 2009, 84.

2257 Die Eilschiedsrichterin/Der Eilschiedsrichter (oder *Emergency Arbitrator*) wird auch in Art 41 ICC SchO im Zusammenhang mit der Haftungsbeschränkung erwähnt; vgl *Voser*, ASA Bulletin 2011, 783 ff, 812.

2258 Vgl Art 3(1) der Pre-Arbitral-Referee ICC SchO; *Voser*, ASA Bulletin 2011, 815; Das *Pre-Arbitral-Referee*-Verfahren bleibt bestehen.

B. Lösungsansätze der Schiedsgerichtsinstitutionen

1. Keine retroaktive Anwendung der EilschiedsrichterInnen-Regeln als Grundsatz; Swiss Rules als Ausnahme

1432 Die EilschiedsrichterIn-Regelungen der verschiedenen Schiedsordnungen sehen zumeist vor, dass diese nur Anwendung finden, wenn die Schiedsklausel nach dem Datum abgeschlossen wurde, an dem die betreffenden Regelungen in Kraft waren. So kommen die Bestimmungen zum EilschiedsrichterInverfahren der ICC nur zur Anwendung, wenn die dem Antrag auf einstweiligen Rechtsschutz zugrundeliegende Schiedsklausel nach dem 1.1.2012 – dem Datum des Inkrafttretens der ICC SchO 2012 – abgeschlossen wurde.[2259] Der Zeitpunkt des Abschlusses der Schiedsvereinbarung ist somit maßgeblich und nicht jener, an dem eine Partei ein EilschiedsrichterIn-Verfahren einleitet.

1433 Von den in der Praxis wichtigsten Schiedsordnungen weichen einzig die Swiss Rules von diesem Grundsatz der nicht retroaktiven Anwendung der Eilschiedsrichterin-Regeln ab: Art 43 der Swiss Rules enthält keine besonderen Übergangsvorschriften für das EilschiedsrichterIn-Verfahren, so dass Art 1(3) der Swiss Rules zur Anwendung kommt; demnach gilt die zur Zeit in Kraft stehende Fassung der Swiss Rules für alle Schiedsverfahren, in welchen die Schiedsanzeige nach dem 1.6.2012 eingereicht wird.[2260]

1434 An die Bestimmungen zum EilschiedsrichterIn-Verfahren gebunden sind jene Parteien, welche die Schiedsklausel unterzeichnet haben. Anders als bei Verfahren vor staatlichen Gerichten kann die einstweiligen Rechtschutz suchende Partei keine Eilanträge stellen, die gegen Dritte gerichtet sind.[2261]

2. Eilschiedsrichter-Verfahren als integrierte Lösung; *Opting-Out* als Ausnahme

1435 Bei allen Schiedsordnungen ist das EilschiedsrichterIn-Verfahren als integrierte Lösung konzipiert worden: Es bedarf in der Schiedsvereinbarung somit keiner Klausel, welche die betreffenden Regeln für anwendbar erklärt; vielmehr gelten sie als **von der Schiedsklausel mitumfasst.**[2262]

2259 Vgl Art 29(6)(a) ICC SchO.

2260 *Habegger/Masser*, Anwaltsrevue de L'Avocat 2012, 175 ff, 178; die revidierte Fassung von 2012 kommt allerdings dann nicht zur Anwendung, wenn aus der Schiedsklausel hervorgeht, dass die Parteien die zum Zeitpunkt des Vertragsabschlusses in Kraft stehende Version für anwendbar erklären wollten oder eine Partei sonst wie darlegen kann, dass sie einem Eilschiedsrichterverfahren nicht zugestimmt hätte.

2261 *Colombini*, Vorsorglicher Rechtsschutz Rn 111.

2262 Vgl zB Art 29(5)-(6) ICC SchO; Art 43(1) Swiss Rules.

Allerdings sind die Parteien nicht verpflichtet, die Regeln zur Eilschieds- **1436** richterin/zum Eilschiedsrichter zwingend zu übernehmen. Es steht ihnen frei, in ihrer Schiedsvereinbarung die Bestimmungen für das EilschiedsrichterIn-Verfahren für nicht anwendbar zu erklären (*opting out*).[2263] Das kann ausdrücklich geschehen oder etwa dadurch, dass die Parteien in der Schiedsvereinbarung festhalten, dass vor Einleitung des Schiedsverfahrens vorläufiger Rechtsschutz nur bei staatlichen Gerichten beantragt werden darf.

Die ICC SchO kennt ebenfalls ein *opting out* zugunsten eines dem Schieds- **1437** verfahren vorgeschalteten Verfahrens, in dessen Rahmen Sicherungsmaßnahmen, vorläufige Maßnahmen oder vergleichbare Maßnahmen angeordnet werden können.[2264] Damit sind nicht die staatlichen Gerichte gemeint, die entweder parallel[2265] oder ausschließlich[2266] zuständig sind. Zu diesen Verfahren gehören etwa das *Pre-Arbitral-Referee*-Verfahren der ICC, oder auch Verfahren vor einem *Dispute Adjudication Board*, wie es ua im FIDIC-Verfahren oder auch in den ICC Dispute Board Rules vorgesehen ist.[2267]

Dass die Schiedsordnungen alle auf eine *opt in* Lösung verzichtet haben, **1438** ist in der Praxis von großer Bedeutung. Viele Parteien verwenden die von den Schiedsgerichtinstitutionen vorgeschlagenen Standard-Schiedsklauseln oder lehnen sich zumindest daran an. Diese erwähnen ein Eilschiedsverfahren typischerweise nicht explizit, womit es (automatisch) als mitvereinbart gilt. Dem sind sich indes nicht alle Parteien beim Abschluss der Schiedsvereinbarung bewusst.

3. Verhältnis zum staatlichen Gericht

Auch wenn die Parteien in ihrer Schiedsvereinbarung eine Schiedsordnung **1439** vereinbart haben, welche ein EilschiedsrichterInverfahren vorsieht, bleibt es ihnen unbenommen, einstweiligen Rechtsschutz beim staatlichen Gericht zu beantragen. Damit verletzen sie weder die Schiedsvereinbarung, noch verzichten sie auf deren Anwendung.[2268]

Wollen die Parteien die parallele Zuständigkeit des staatlichen Gerichts **1440** für den Erlass vorsorglicher Maßnahmen *vor* der Konstituierung des Schiedsgerichts ausschließen und diese Kompetenz allein der Eilschiedsrichterin/dem Eilschiedsrichter überlassen, so müssen sie dies ausdrücklich und eindeutig

---

2263 Vgl etwa *Colombini*, Vorsorglicher Rechtsschutz Rn 14.
2264 Art 29(6)(c) ICC SchO.
2265 Art 29(7) ICC SchO.
2266 Art 29(6)(b) ICC SchO.
2267 *Colombini*, Vorsorglicher Rechtsschutz Rn 117.
2268 So ausdrücklich Art 29(7) ICC SchO; dazu auch *Colombini*, Vorsorglicher Rechtsschutz Rn 141 ff.

vereinbaren.[2269] Allerdings ist diese Möglichkeit für einen Ausschluss der Kompetenz staatlicher Gerichte zum Erlass einstweiliger Maßnahmen zugunsten einer Eilschiedsrichterin/eines Eilschiedsrichters nicht unumstritten.[2270]

4. Verhältnis zum Schiedsgericht

1441 Während gewisse Schiedsordnungen (zB jene der ICDR, SIAC, HKIAC oder ACICA) den Antrag auf dringlichen Rechtschutz durch eine Eilschiedsrichterin/einen Eilschiedsrichter nur zulassen, wenn die antragsstellende Partei gleichzeitig oder schon vorher eine Schiedsklage/Einleitungsanzeige *(Request for Arbitration, Notice of Arbitration)* eingereicht hat, ist das unter der ICC SchO oder den Swiss Rules keine Voraussetzung. Das ist in der Praxis wichtig, wenn die antragstellende Partei auf den Erlass einer vorsorglichen Maßnahme dringend angewiesen ist, sie aber noch nicht in der Lage war, die Schiedsklage/Einleitungsanzeige auszuarbeiten oder fertigzustellen.

1442 Um Missbräuche zu verhindern, verlangen die ICC SchO und die Swiss Rules indes eine „Validierung" des Antrags auf Einsetzung einer Eilschiedsrichterin/eines Eilschiedsrichters durch die nachfolgende Einreichung des *Request for Arbitration* (ICC SchO) bzw der *Notice of Arbitration* (Swiss Rules) innerhalb einer bestimmten Frist. Diese Frist beträgt jeweils 10 Tage, und sie beginnt bereits mit Eingang des Eilantrags beim Sekretariat des Gerichtshofes der ICC bzw beim Sekretariat des Gerichtshofes der Swiss Chambers Arbitration Institution.[2271] Damit soll sichergestellt werden, dass die Involvierung der Eilschiedsrichterin/des Eilschiedsrichters nur zum Zweck der Anordnung von Sicherungsmaßnahmen und vorläufigen Maßnahmen erfolgt, die nicht bis zur Bildung des Schiedsgerichts warten können. Die Eilschiedsrichterin/Der Eilschiedsrichter soll indes nicht als Druckmittel verwendet werden, etwa um die andere Partei zur Aufnahme von Vergleichsgesprächen zu zwingen.[2272]

1443 Die Eilschiedsrichterin/Der Eilschiedsrichter ist nicht nur für die Phase vor Einleitung des Schiedsverfahrens, sondern auch für die Zeit, in der das Schiedsgericht zuerst noch konstituiert werden muss, zuständig. Sobald das Schiedsgericht konstituiert ist und ihm die Akten übergeben wurden, ist ein Antrag auf Einsetzung einer Eilschiedsrichterin/eines Eilschiedsrichters hingegen nicht mehr zulässig.[2273]

2269 *Colombini*, Vorsorglicher Rechtsschutz Rn 148.

2270 Vgl *Colombini*, Vorsorglicher Rechtsschutz Rn 145 f; zur Rechtslage in Österreich und Deutschland siehe Rn 1367.

2271 Art 1(6) Appendix V zur ICC SchO; Art 43(3) Swiss Rules; Ausnahmsweise kann der Gerichtshof unter den Swiss Rules diese Frist erstrecken. Nach den SCC Rules beträgt die Frist 30 Tage.

2272 *Voser*, ASA Bulletin 2011, 817.

2273 So etwa Art 2(2) Appendix V zur ICC SchO.

Mit der **Bestellung des Schiedsgerichts** erlischt die Zuständigkeit einer **1444** Eilschiedsrichterin/eines Eilschiedsrichters zum Erlass vorsorglicher Maßnahmen nicht automatisch. Vielmehr bleibt sie/er zuständig bis zum Ablauf der Frist, die nach der Schiedsordnung zum Erlass eines Entscheides angesetzt ist, also 15 Tage unter der ICC SchO und den Swiss Rules.[2274] Die Kompetenz der Eilschiedsrichterin/des Eilschiedsrichters kann schon vorher entfallen, wenn die antragsstellende Partei innerhalb der (gemäß der ICC SchO und den Swiss Rules) relevanten zehntägigen Frist keine Schiedsklage einreicht, es sei denn, die Eilschiedsrichterin/der Eilschiedsrichter (unter der ICC SchO) bzw der Gerichtshof (unter den Swiss Rules) haben eine Fristverlängerung bewilligt.[2275]

C. Verfahren

1. Einleitungsphase

Der **Antrag auf Eilmaßnahmen** ist beim Sekretariat des ICC-Gerichtshofs **1445** bzw dem Sekretariat des Gerichtshofs der Swiss Chambers' Arbitration Institution einzureichen. Er muss neben der Bezeichnung der Parteien das zugrundeliegende Rechtsverhältnis bezeichnen, die Natur des Anspruchs in der Hauptsache beschreiben, und die verlangten Maßnahmen und die Gründe für deren Dringlichkeit darlegen. Darüber hinaus muss der Antragssteller die Schiedsvereinbarung vorlegen und sich zum Schiedsort, zur Verfahrenssprache und zum anwendbaren Recht äußern. Auch hat er darzulegen, dass die Einschreibe- oder Administrativgebühr der Schiedsinstitution (CHF 4.500 unter den Swiss Rules, USD 10.000 unter der ICC SchO) geleistet worden ist. Sodann hat die antragstellende Partei einen Vorschuss auf die Verfahrenskosten zu leisten (CHF 20.000 unter den Swiss Rules, USD 30.000 unter der ICC SchO).

Das Sekretariat des ICC-Gerichtshofs bzw des Gerichtshofes der Swiss **1446** Chambers' Arbitration Institution stellt der Gegenpartei ein Exemplar des Antrags auf dringlichen Rechtsschutz zu, setzt ihr aber keine Frist zur Erwiderung.[2276] Vielmehr ist das Sache der Eilschiedsrichterin/des Eilschiedsrichters, die/der nach ihrer/seiner Ernennung dafür zu sorgen hat, dass der Antragsgegner innerhalb einer angemessenen Frist in einer von der Eilschiedsrichterin/vom Eilschiedsrichter zu bestimmenden Form zu dem Antrag Stel-

---

2274 Art 6(4) Appendix V zur ICC SchO und Art 43(7) Swiss Rules.

2275 Art 1(6) Appendix V zur ICC SchO; Art 43(3) Swiss Rules; vgl *Colombini*, Vorsorglicher Rechtsschutz Rn 174.

2276 Vgl dazu zur Zulässigkeit eines Superprovisorialverfahrens bei Erlassung einer einstweiligen Maßnahme durch das Schiedsgericht Rn 1384 ff.

lung nehmen kann. Obschon das aus der ICC SchO und den Swiss Rules nicht explizit hervorgeht, kann die Antragsgegnerin auch eigene (Gegen-)Anträge stellen und selbst auch einstweilige Maßnahmen beantragen.[2277]

2. Ernennung der Eilschiedsrichterin/des Eilschiedsrichters

1447 Die Eilschiedsrichterin/Der Eilschiedsrichter wird von der Institution innerhalb einer kurzen Frist bestellt, diese beträgt (je nach Institution) zwischen **24 und 48 Stunden seit Erhalt des Antrags**.[2278] Einzig die Swiss Rules verzichten auf die Festlegung einer Frist und schreiben dem Gerichtshof lediglich vor, die Eilschiedsrichterin/den Eilschiedsrichter *„sobald als möglich"* nach Eingang des Begehrens zu ernennen.[2279] Die Institution wird die Eilschiedsrichterin/den Eilschiedsrichter unter Berücksichtigung von Erfahrung, Fachwissen und sofortiger Verfügbarkeit bestimmen.

1448 Unter der ICC SchO und den Swiss Rules kann die Präsidentin/der Präsident des ICC Gerichtshofs oder der Gerichtshof der Swiss Chambers' Arbitration Institution die Ernennung einer Eilschiedsrichterin/eines Eilschiedsrichters ablehnen, wenn offensichtlich keine Schiedsvereinbarung, welche auf die betreffende Schiedsordnung verweist, besteht. Unter den Swiss Rules kann der Gerichtshof von der Ernennung der Eilschiedsrichterin/des Eilschiedsrichters sodann auch absehen, wenn es ihm angemessener erscheint, mit der Bestellung des Schiedsgerichts fortzufahren und dieses über das Begehren entscheiden zu lassen.[2280]

1449 Auch die Eilschiedsrichterin/der Eilschiedsrichter muss unparteiisch und von den Parteien unabhängig sein und alle Umstände offenlegen, die Anlass geben könnten, ihre/seine **Unparteilichkeit** und **Unabhängigkeit** in Zweifel zu ziehen. Alle Schiedsordnungen geben den Parteien die Möglichkeit, gegen die Eilschiedsrichter/den Eilschiedsrichter einen Ablehnungsantrag einzureichen, wobei die diesbezüglich zu beachtenden Fristen idR verkürzt sind.

3. Sitz des EilschiedsrichterInverfahrens und Verfahrensführung

1450 Sofern die Parteien sich in der Schiedsklausel über den Sitz des Schiedsverfahrens nicht geeinigt haben, oder wenn die Bezeichnung des Sitzes unklar oder unvollständig ist, so bestimmt der Präsident des ICC Gerichtshofes (unter der ICC SchO) bzw der Gerichtshof der Swiss Chambers Arbitration Institution (unter den Swiss Rules) den **Sitz des Verfahrens für dringlichen**

2277 *Colombini*, Vorsorglicher Rechtsschutz Rn 304.
2278 Vgl Art 2(1) Appendix V zur ICC SchO und Art 2 Schedule 1 SIAC Rules.
2279 Vgl Art 43(2) Swiss Rules.
2280 Vgl Art 43(2) Swiss Rules.

Rechtsschutz. Diese Bestimmung erfolgt ohne Präjudiz für die Festlegung des Sitzes des (späteren) ordentlichen Schiedsverfahrens.[2281]

Hinsichtlich der **Führung des Verfahrens** verfügt die Eilschiedsrichterin/ der Eilschiedsrichter unter allen Schiedsordnungen über ein **großes Ermessen**. Natürlich hat sie/er das Verfahren unter Berücksichtigung der dem Verfahren eigenen Dringlichkeit zu führen, und sie/er muss jeder Partei ausreichend Gelegenheit geben, sich zum Antrag auf Erlass einstweiliger Maßnahmen zu äußern.[2282] Die ICC SchO gibt der Eilschiedsrichterin/dem Eilschiedsrichter nur vor, innerhalb von zwei Tagen nach Übergabe der Verfahrensakten einen **Zeitplan** zu erstellen.[2283] **1451**

Wie die Parteien ihre jeweilige Position darzulegen haben, wird von den Schiedsordnungen idR nicht vorgeschrieben. In Frage kommen neben schriftlichen Eingaben auch mündliche Vorträge oder eine Kombination von beidem. Dabei haben die Parteien **keinen Anspruch auf eine bestimmte Art der Präsentation**; vielmehr soll die Eilschiedsrichterin/der Eilschiedsrichter das ihm aufgrund der konkreten Umstände am besten erscheinende Prozedere wählen.[2284] **1452**

Nur unter den Swiss Rules steht der Eilschiedsrichterin/dem Eilschiedsrichter auch die Möglichkeit offen, eine einstweilige (sog superprovisorische) Maßnahme zu erlassen, ohne dass er die Gegenparteien vorher anhört.[2285] Alle anderen Schiedsordnungen gestehen der Eilschiedsrichterin/dem Eilschiedsrichter kein solches Recht auf Anordnung einer *ex parte* Maßnahme zu.[2286] **1453**

4. Entscheid des Eilschiedsrichters

Grundsätzlich muss die Eilschiedsrichterin/der Eilschiedsrichter **innerhalb einer sehr kurzen Frist** entscheiden; diese beträgt nach der ICC SchO, den Swiss Rules und den HKIAC Rules 15 Tage seit Erhalt der Akten. Ambitiöser sind etwa die SCC Rules und die ACICA Rules, welche der Eilschiedsrichterin/dem Eilschiedsrichter nur eine Frist von 5 Tagen zugestehen; diese Frist kann allerdings auf Antrag der Eilschiedsrichterin/des Eilschiedsrichters erstreckt werden. Die Möglichkeit einer solchen Erstreckung sehen auch die ICC SchO und die Swiss Rules vor, wobei der Präsident des ICC-Gericht- **1454**

2281 Vgl etwa Art 43(5) Swiss Rules; Art 4(1) und Art 8(2) Appendix V zur ICC SchO.
2282 Unter der ICC SchO muss er innert kurzer Zeit, normalerweise zwei Tage, einen Verfahrenszeitplan erstellen; vgl Art 5(1) Appendix V zur ICC SchO.
2283 Art 5(1) Appendix V zur ICC SchO.
2284 Vgl *Voser/Boog*, ICC Bulletin 2011, 90.
2285 *Habegger/Masser*, Anwaltsrevue 2012, 179.
2286 *Habegger/Masser*, Anwaltsrevue 2012, 178 f; *Colombini*, Vorsorglicher Rechtsschutz Rn 61.

hofes (ICC SchO) bzw der Gerichtshof der Swiss Chambers Arbitration Institution (Swiss Rules) auch von sich aus eine andere Frist festlegen kann.[2287]

1455 Die Eilschiedsrichterin/Der Eilschiedsrichter kann sämtliche einstweiligen Maßnahmen erlassen, welche auch ein konstituiertes Schiedsgericht verfügen könnte.[2288] Art 29(2) ICC SchO nennt als Eilmaßnahmen *„dringende Sicherungsmaßnahmen oder vorläufige Maßnahmen [...], die nicht bis zur Bildung einer Schiedsgerichts warten können"*. Auf eine detaillierte Auflistung möglicher Maßnahmen verzichten indes sowohl die ICC SchO als auch die Swiss Rules.

1456 Nach den Swiss Rules und den meisten anderen Schiedsordnungen kann die Eilschiedsrichterin/der Eilschiedsrichter eine Verfügung bzw einen Beschluss (*Order*) oder auch einen (vorläufigen) Schiedsspruch (*Award*) erlassen. Demgegenüber sieht die ICC SchO vor, dass der Entscheid (nur) in Form eines (schriftlichen) Beschlusses ergehen und die Gründe, auf denen der Entscheid basiert, nennen soll.[2289] Der Entscheid wird vom ICC Gerichtshof nicht geprüft, und er wird den Parteien auch nicht vom ICC Sekretariat, sondern direkt von der Eilschiedsrichterin/vom Eilschiedsrichter zugestellt.

5. Kosten

1457 In seinem Entscheid hat die Eilschiedsrichterin/der Eilschiedsrichter auch die Kosten des Verfahrens, einschließlich der Einschreibe- bzw Administrativgebühr der Schiedsgerichtsinstitution, ihr/sein Honorar und ihre/seine Auslagen sowie die Kosten für von ihr/ihm beigezogene Sachverständige oder für andere Unterstützung festzulegen.[2290] Die Kosten werden aus dem für das Verfahren für dringlichen Rechtsschutz geleisteten Kostenvorschuss bezogen.

1458 Die Eilschiedsrichterin/Der Eilschiedsrichter hat auch darüber zu entscheiden, welche der Parteien die Kosten zu tragen hat, bzw wie diese Kosten unter den Parteien zu verteilen sind. Allerdings ist das Schiedsgericht im (späteren) Schiedsverfahren nicht an diese Kostenregelung gebunden.[2291] Wird ein späteres Schiedsgericht gar nicht erst konstituiert, hat die Eilschiedsrichterin/der Eilschiedsrichter einen separaten Kostenschiedsspruch zu erlassen.[2292]

2287 Vgl Art 6(4) Appendix V zur ICC SchO; Art 43(7) Swiss Rules.

2288 Vgl Art 43(1) iVm Art 26 Swiss Rules; Art 29(1) ICC SchO.

2289 Art 29(2) und Art 6(1), (3) Appendix V zur ICC SchO.

2290 Art 7(3) und (4) Appendix V zur ICC SchO; Art 43(9) Swiss Rules; diese Kosten müssen vor Erlass der Entscheidung vom Gerichtshof genehmigt oder angepasst werden.

2291 Art 29(4) ICC SchO; Art 43(9) S 2 iVm Art 38(d) und (e) Swiss Rules.

2292 Art 43(9) S 3 Swiss Rules.

D. Verbindlichkeit und Rechtsnatur des Entscheides

1. Für die Parteien verbindlich

Der Entscheid der Eilschiedsrichterin/des Eilschiedsrichters ist für die **1459** Parteien **verbindlich**.[2293] Nach Art 29(2) ICC SchO verpflichten sich die Parteien, zur Einhaltung jeglicher Beschlüsse der Eilschiedsrichterin/des Eilschiedsrichters.[2294]

Ist eine Partei mit dem Entscheid der Eilschiedsrichterin/des Eilschieds- **1460** richters nicht einverstanden – etwa weil sie der Meinung ist, dass die Umstände sich geändert hätten –, so kann sie die Eilschiedsrichterin/den Eilschiedsrichter oder gegebenenfalls das inzwischen konstituierte Schiedsgericht um dessen Abänderung, Ergänzung oder Aufhebung bitten.[2295] Der von der Eilschiedsrichterin/vom Eilschiedsrichter getroffene Entscheid bleibt bis zum Erlass des (End-)Schiedsspruchs durch das Schiedsgericht in Kraft, sofern die Eilschiedsrichterin/der Eilschiedsrichter oder das Schiedsgericht nichts anderes verfügen. Der Entscheid verliert auch dann seine Verbindlichkeit, wenn das Verfahren für einstweiligen Rechtsschutz eingestellt wird, oder wenn innerhalb der von der Schiedsordnung vorgesehenen Frist keine Schiedsklage/ Einleitungsanzeige eingereicht wurde. Das Gleiche gilt, wenn das Schiedsverfahren eingestellt wird, zB als Folge der Rücknahme oder der Anerkennung der Klage, oder weil beide Parteien sich vergleichsweise geeinigt haben.

2. Für das Schiedsgericht nicht verbindlich

Für das Schiedsgericht ist der Entscheid der Eilschiedsrichterin/des Eil- **1461** schiedsrichters nicht verbindlich. Es kann die von der Eilschiedsrichterin/ vom Eilschiedsrichter verfügten Maßnahmen abändern, aufheben oder suspendieren.[2296] Auch haben die tatsächlichen oder rechtlichen Feststellungen der Eilschiedsrichterin/des Eilschiedsrichters für das Schiedsgericht keine präjudizielle Wirkung.[2297] Das Schiedsgericht kann auf Antrag einer Partei hin die von der Eilschiedsrichterin/vom Eilschiedsrichter festgelegten Verfahrenskosten neu und anders festlegen.[2298]

2293   *Gerstenmaier* in FS Elsing 153, 157.
2294   *Colombini*, Vorsorglicher Rechtsschutz Rn 168.
2295   Art 29(3) ICC SchO; *Colombini*, Vorsorglicher Rechtsschutz Rn 369.
2296   Vgl etwa Art 43(8) Swiss Rules; Art 29(3) ICC SchO.
2297   *Colombini*, Vorsorglicher Rechtsschutz Rn 363.
2298   Vgl etwa Art 29(4) ICC SchO; *Colombini*, Vorsorglicher Rechtsschutz Rn 364

3. Rechtsnatur des Eilschiedsrichter-Entscheides

1462 Sowohl nach der ICC SchO als auch nach den Swiss Rules gilt die Eilschiedsrichterin/der Eilschiedsrichter als „Schiedsrichter", dessen Zuständigkeit – wie jene des (späteren) Schiedsgerichts – auf einer Schiedsklausel beruht.[2299] Wie jede andere Schiedsrichterin/jeder andere Schiedsrichter auch, muss die Eilschiedsrichterin/der Eilschiedsrichter unparteiisch und von den am Verfahren beteiligten Parteien unabhängig sein und bleiben.[2300] Sodann kann sie/ er die gleichen Maßnahmen verfügen, die auch in der Kompetenz des Schiedsgerichts liegen, und zwar in Form eines Beschlusses oder eines vorläufigen Schiedsspruchs (so jedenfalls unter den Swiss Rules). Daraus ist zu schließen, dass der Entscheid der Eilschiedsrichterin/des Eilschiedsrichters einem **Maßnahme-Entscheid** des Schiedsgerichts gleichzusetzen ist.[2301]

E. Anfechtung und Durchsetzung des Entscheides

1. Anfechtung

1463 Ob und wie der Entscheid der Eilschiedsrichterin/des Eilschiedsrichters angefochten werden kann, bestimmt sich nach dem jeweils anwendbaren nationalen Schiedsrecht (*lex arbitri*).[2302] Da die von der Eilschiedsrichterin/vom Eilschiedsrichter getroffenen Entscheide regelmäßig provisorischer Natur sind und vom Schiedsgericht geändert, ergänzt oder aufgehoben werden können, sind sie nach den nationalen Schiedsrechten der meisten Staaten keine anfechtbaren Endentscheide oder anfechtbare Vor- bzw Zwischenentscheide; ihnen fehlt regelmäßig die dafür vorausgesetzte Endgültigkeit.[2303]

2. Durchsetzung

1464 In der Praxis werden die Parteien den Entscheid der Eilschiedsrichterin/des Eilschiedsrichters oft freiwillig befolgen. Geschieht das nicht, so ist die Frage der Durchsetzung nach dem jeweils anwendbaren nationalen Schiedsrecht zu beantworten.

2299 In Österreich kann fraglich sein, ob die Eilschiedsrichterin/der Eilschiedsrichter als „Schiedsgericht" iSv § 593 öZPO qualifiziert werden kann (weil die Eilschiedsrichterin/der Eilschiedsrichter nie auch final in der Hauptsache entscheiden kann), weshalb unklar ist, welche Rechtsnatur ihr/sein Entscheid hat; vgl aber *Hausmaninger* in Fasching/Konecny, ZPO³ § 593 Rn 42/9 und 77.

2300 Vgl Art 2(4) Appendix V zur ICC SchO; Art 43(4) iVm Art 9 Swiss Rules.

2301 Vgl dazu auch *Colombini*, Vorsorglicher Rechtsschutz Rn 373 ff, 383.

2302 *Colombini*, Vorsorglicher Rechtsschutz Rn 395 f.

2303 *Colombini*, Vorsorglicher Rechtsschutz Rn 398 ff, 403.

Nach Art 43(8) Swiss Rules soll der Entscheid der Eilschiedsrichterin/des **1465** Eilschiedsrichters die gleiche Wirkung haben wie ein Entscheid eines Schiedsgerichts. Daraus lässt sich (für die Schweiz) ableiten, dass die Eilschiedsrichterin/der Eilschiedsrichter den staatlichen (schweizerischen) Richter für die Durchsetzung um „Mitwirkung" ersuchen kann.[2304] Der staatliche Richter kann den Entscheid bestätigen oder gegebenenfalls in eine vom schweizerischen Recht anerkannte Maßnahme „umgestalten". Der staatliche Richter kann auch Zwangsmaßnahmen androhen oder unmittelbar staatlichen Zwang zur Durchsetzung des Entscheides anordnen.[2305] In Deutschland ist eine Entscheidung einer Eilschiedsrichterin/eines Eilschiedsrichters wie eine Maßnahme des einstweiligen Rechtsschutzes nach § 1041 dZPO zu behandeln – auch wenn sie in der Form eines „Schiedsspruchs" ergeht.[2306] Die Vollziehung richtet sich nach § 1041 Abs 2 dZPO.[2307] Da nach österreichischem Recht strittig sein kann, ob die Eilschiedsrichterin/der Eilschiedsrichter als „Schiedsgericht" iSv § 593 öZPO qualifiziert werden kann[2308], ist fraglich, ob das staatliche österreichische Gericht den Entscheid der Eilschiedsrichterin/des Eilschiedsrichters – selbst wenn der Ort des Eilschiedsrichterverfahrens in Österreich lag – vollziehen würde.

Ob der Entscheid der Eilschiedsrichterin/des Eilschiedsrichters auch **1466** grenzüberschreitend durchgesetzt werden kann, ist ebenso fraglich. Eine Anerkennung und Vollstreckung des Entscheides einer/eines ausländischen EilschiedsrichterIn nach den Regeln des NYÜ ist nach herrschender Auffassung wegen der fehlenden Endgültigkeit nicht möglich.[2309]

2304 Vgl Art 183 Abs 2 schwIPRG.

2305 *Colombini*, Vorsorglicher Rechtsschutz Rn 440 ff, 447 f.

2306 Eine Vollstreckung nach § 1060 dZPO setzt eine endgültige Entscheidung voraus (vgl *Wilske/Markert* in Beck'scher Online Kommentar, ZPO[21] § 1060 Rn 3; aA *Gerstenmaier* in FS Elsing 153, 157).

2307 *Schäfer* in Böckstiegel et al, Arbitration in Germany[2] § 1041 Rn 45; aA *Gerstenmaier*, der die Vollziehung davon abhängig macht, ob der Eilschiedsrichter einen Schiedsspruch oder eine einstweilige Maßnahme erlassen hat (in FS Elsing 153, 157).

2308 *Zeiler* in VIAC, Handbuch Art 33 Rn 3; vgl auch *Webster/Bühler*, ICC Arbitration[3] Rn 29–112 ff.

2309 *Zeiler* in VIAC, Handbuch Art 33 Rn 3; zur Gegenauffassung *Gerstenmaier* in FS Elsing 153, 161; *Colombini*, Vorsorglicher Rechtsschutz Rn 454, 465; vgl *Hausmaninger* in Fasching/Konecny, ZPO[3] § 593 Rn 42/9 und 77.

11. Kapitel

Anfechtung des Schiedsspruchs (Aufhebungsverfahren)

Martin Wiebecke/Dorothee Ruckteschler/Markus Schifferl

I. Beschränkte Überprüfung von Schiedssprüchen durch staatliche Gerichte

Mit der Vereinbarung, Streitigkeiten durch ein Schiedsgericht entscheiden zu lassen, verzichten die Parteien zugleich auf den üblichen Instanzenzug vor den staatlichen Gerichten. Grundsätzlich soll ein Schiedsspruch endgültig sein. Allerdings bestehen bei Schiedsverfahren, die ua in Deutschland, Österreich oder der Schweiz stattgefunden haben, Möglichkeiten, den Schiedsspruch durch staatliche Gerichte auf gewisse Fehler überprüfen zu lassen. Liegt ein Aufhebungs- oder Anfechtungsgrund vor, wird der Schiedsspruch aufgehoben. Dasselbe oder ein neu bestelltes[2310] Schiedsgericht muss in diesem Fall nochmals entscheiden. In Deutschland und Österreich spricht man von Aufhebungsgründen und -verfahren, in der Schweiz von Anfechtungsgründen und Beschwerdeverfahren.

1467

A. Grundsätzlich keine Inhaltskontrolle der Schiedssprüche

In allen drei Rechtsordnungen kann anhand eines jeweils abschließenden Katalogs gesetzlicher Aufhebungs- oder Anfechtungsgründe der Schiedsspruch auf Mängel überprüft werden. Im Wesentlichen geht es dabei um die Kontrolle der Zuständigkeit des Schiedsgerichts und die Prüfung möglicher Verstöße gegen verfahrensrechtliche Mindestanforderungen. Grundsätzlich

1468

2310 Der österreichischen Rechtsordnung ist die Rückverweisung an das Schiedsgericht fremd. Da das Amt des alten Schiedsgerichts mit Erlass eines Endschiedsspruchs erloschen ist, müssen die Parteien ein neues Schiedsgericht bilden; siehe *Hausmaninger* in Fasching/Konecny, ZPO[3] § 611 Rn 211 f; vgl Rn 1556.

wird ein Schiedsspruch nicht auf seine inhaltliche Richtigkeit überprüft (keine sog *révision au fond*). Die einzige Ausnahme einer Inhaltskontrolle bilden Fälle der Verletzung des materiellrechtlichen *ordre public*.

B. Anfechtungsobjekt

1469 Gegenstand des Aufhebungsverfahrens kann nur ein **inländischer Schiedsspruch** sein. Für die Qualifizierung als inländischer oder ausländischer Schiedsspruch ist in der deutschen, österreichischen und der Schweizer Rechtsordnung jeweils der Sitz des Schiedsgerichts maßgeblich.[2311]

1470 Der Schiedsspruch muss eine **endgültige Sachentscheidung** über den Streitgegenstand der Schiedsklage/-widerklage oder eines Teils davon enthalten. Neben dem Endschiedsspruch als Regelfall sind daher auch Teilschiedssprüche sowie Zwischenschiedssprüche über den Anspruchsgrund isoliert anfechtbar.[2312] Ein aufgrund eines Vergleichs zwischen den Parteien ergangener Schiedsspruch mit vereinbartem Wortlaut ist ebenfalls ein anfechtbarer Endschiedsspruch.

1471 Ein Schiedsspruch, in dem das Schiedsgericht seine Zuständigkeit ablehnt, ist ein Endschiedsspruch, der als solcher anfechtbar ist. Auch der die Zuständigkeit bejahende Zwischenschiedsspruch (nach anderer Terminologie Vorschiedsspruch oder Vorabschiedsspruch) ist isoliert angreifbar. Während in Österreich und in der Schweiz sogleich das reguläre Aufhebungsverfahren eingeleitet werden muss,[2313] ist in Deutschland innerhalb Monatsfrist eine gerichtliche Entscheidung nach § 1040 Abs 3 S 2 dZPO zu beantragen.

1472 Vom Schiedsgericht erlassene **vorläufige und sichernde Maßnahmen** (einstweilige Anordnungen) sind hingegen keine Schiedssprüche und können deshalb nicht in einem Aufhebungsverfahren angefochten werden. Das gleiche gilt für Entscheidungen über einzelne Angriffs- oder Verteidigungsmittel und sonstige prozessleitende Entscheidungen.[2314]

1473 Haben die Parteien ein Rechtsmittel an ein **Oberschiedsgericht** vereinbart, so ist Anfechtungsobjekt erst die Entscheidung des Oberschiedsgerichts.[2315] Nur wenn dieses nicht angerufen worden ist, bildet die Entscheidung des ersten Schiedsgerichts den Anfechtungsgegenstand.

2311　§1025 dZPO; § 577 Abs 1 öZPO; *Arroyo* in Arroyo, Arbitration in Switzerland Article 190 PILS Rn 12.

2312　Zu den verschiedenen Arten von Schiedssprüchen siehe *Schmidt*, Die Typologie von Schiedssprüchen, 106 ff.

2313　§ 592 Abs 3 öZPO; Art 190 Abs 3 schwIPRG.

2314　*Zeiler*, Schiedsverfahren[2] § 606 Rn 9.

2315　RIS-Justiz RS0130546; *Pfisterer* in Honsell et al, Internationales Privatrecht[3] Art 190 Rn 5.

Angefochten werden kann nur ein Schiedsspruch, der formell wirksam er- **1474** lassen ist. Für die formelle Wirksamkeit zwingend sind nach deutschem Recht die schriftliche Abfassung, Unterzeichnung durch die SchiedsrichterInnen sowie die Übermittlung an die Parteien, nicht jedoch die Angaben nach § 1054 Abs 3 dZPO.[2316] In Österreich genügt bereits das Vorliegen einer schriftlichen Fassung des Schiedsspruchs, über die im Schiedsgericht abgestimmt wurde und die die Zustimmung zumindest der erforderlichen Mehrheit der SchiedsrichterInnen gefunden hat, was idR durch die Unterfertigung des Schiedsspruchs geschieht (vgl § 606 Abs 1 öZPO).[2317] In der Schweiz können Schiedsentscheide von Schiedsgerichten mit Sitz in der Schweiz angefochten werden.[2318]

Nicht statthaft ist der Aufhebungsantrag gegen Entscheidungen von **1475** Spruchkörpern, die nicht ein Schiedsgericht (im Sinne der §§ 1025 ff dZPO bzw §§ 586 ff öZPO) sind, wobei die Abgrenzung im Einzelnen Schwierigkeiten bereiten kann.[2319] Das Gericht prüft von Amts wegen, ob es sich bei der angegriffenen Maßnahme um einen anfechtbaren Schiedsspruch im maßgeblichen materiellen Sinne handelt. Der Bezeichnung als „Schiedsspruch" kommt dabei nur Indizwirkung zu.[2320] Bei ihrer Art nach zweifelhaften Entscheidungen trägt die belastete Partei deshalb das Risiko, letztlich das falsche Rechtsmittel einzulegen. Handelt es sich nicht um einen Schiedsspruch, wird der Aufhebungsantrag als unstatthaft abgewiesen; eine gerichtliche Klarstellung erfolgt nicht. Besteht ein solcher Zweifelsfall, sollte wegen der Fristgebundenheit des Aufhebungsantrags aber dennoch zunächst (jedenfalls auch) ein solcher gestellt werden. Denn wenn es sich um einen aufhebbaren Schiedsspruch handeln sollte, wäre bis zur Abweisung eines anderen, dann unstatthaften Rechtsmittels die Aufhebungsfrist versäumt. Das gilt auch für die Schweiz, wobei dort aber die Nichtigkeit jederzeit mit Feststellungsklage oder durch Einwendung geltend gemacht werden kann.[2321]

C. Verhältnis zu den Vorschriften über die Anerkennung und Vollstreckung von Schiedssprüchen

Das Aufhebungsverfahren findet jeweils in jenem Land statt, in dem der **1476** Schiedsspruch ergangen ist. Die gerichtliche Entscheidung im Aufhebungs-

---

2316 OLG München, SchiedsVZ 2013, 235; OLG Stuttgart 4.6.2002, NJW-RR 2003, 1438; *Zöller*, Zivilprozessordnung[31] § 1054 Rn 4 und 9 f.

2317 *Zeiler*, Schiedsverfahren[2] § 606 Rn 11.

2318 Vgl im Einzelnen *Pfisterer* in Honsell et al, Internationales Privatrecht[3] Art 190 Rn 6 ff und *Wirth* in Honsell et al, Internationales Privatrecht[3] Art 189 Rn 31 ff.

2319 Vgl BGH, SchiedsVZ 2004, 205 („*Landseer*") betreffend „Schiedssprüche" von Vereins- und Verbandsschiedsgerichten; kritisch: *Schröder*, SchiedsVZ 2005, 244.

2320 Vgl *Hausmaninger* in Fasching/Konecny, ZPO[3] § 606 Rn 45.

2321 *Pfisterer* in Honsell et al, Internationales Privatrecht[3] Art 190 Rn 93.

verfahren wirkt *erga omnes*, dh es ergeht ein Gestaltungsurteil, das den Schiedsspruch mit Wirkung gegenüber jedermann aufhebt.

1477 Das Verfahren über die Anerkennung und Vollstreckung eines ausländischen Schiedsspruchs findet hingegen vor dem zuständigen Gericht des Landes statt, in dem der Schiedsspruch vollstreckt werden soll (Sitz des Schuldners oder Belegenheit von Vermögenswerten des Schuldners) und ist von einem etwaigen Aufhebungsverfahren unabhängig. Die Vollstreckbarkeitsentscheidung entfaltet grundsätzlich nur in jenem Land ihre Wirkung, in dem das Verfahren auf Anerkennung und Vollstreckung stattgefunden hat. Sie bleibt deshalb ohne Auswirkungen auf ein mögliches Aufhebungsverfahren im Ursprungsland sowie auf gleichzeitig oder nacheinander durchgeführte Vollstreckbarerklärungsverfahren in weiteren Ländern. Umgekehrt führt auch die Aufhebung des Schiedsspruchs im Erlaßstaat nicht zwingend zu der Versagung der Anerkennung und Vollstreckung in anderen Ländern nach Art V(1)(e) NYÜ.[2322] In Deutschland ist umstritten, ob die Aufhebungsentscheidung nach § 328 dZPO anerkennungsfähig sein muss. Jedenfalls in Bezug auf das Gegenseitigkeitserfordernis in § 328 Nr 5 dZPO hat der BGH dies zuletzt verneint.[2323]

1478 In Österreich und in der Schweiz können inländische Schiedssprüche wie **rechtskräftige inländische Gerichtsurteile** vollstreckt werden.[2324]

1479 In Deutschland hat der inländische Schiedsspruch zwar unter den Parteien ebenfalls die Wirkung eines rechtskräftigen gerichtlichen Urteils.[2325] Jedoch bedarf er zur Zwangsvollstreckung einer gerichtlichen **Vollstreckbarerklärung**,[2326] die unter Aufhebung des Schiedsspruchs zu versagen ist, wenn ein Aufhebungsgrund vorliegt.[2327] Zum Verhältnis der beiden Verfahren gilt dabei Folgendes: Wurde der Schiedsspruch aufgehoben, ist ein Antrag auf Vollstreckbarerklärung unzulässig. Wurde der Schiedsspruch bereits für vollstreckbar erklärt, ist ein Aufhebungsantrag unzulässig.[2328] Stellt eine Partei einen Antrag auf Vollstreckbarerklärung, während das Aufhebungsverfahren bereits anhängig ist, setzt das mit der Aufhebung befasste

---

2322 Zur Vollstreckungspraxis in verschiedenen Rechtsordnungen und insbes den aktuellen niederländischen und englischen Entscheidungen in Sachen Yukos ./. Rosneft siehe *Boor*, Der aufgehobene ausländische Schiedsspruch als „rechtliches nullum"? 52 ff mwN; vgl *Steindl/Mohs/Pörnbacher* Rn 1691.

2323 BGH, SchiedsVZ 2013, 229, dort auch Nachweise zum Streitstand.

2324 § 607 öZPO, siehe dazu *Hausmaninger* in Fasching/Konecny, ZPO² § 607 Rn 53 ff; Art 190 Abs 1 schwIPRG; siehe dazu *Pfisterer* in Honsell et al, Internationales Privatrecht³ Art 190 Rn 7 ff.

2325 § 1055 dZPO.

2326 § 1060 Abs 1 dZPO.

2327 § 1060 Abs 2 S 1 dZPO.

2328 § 1059 Abs 3 S 4 dZPO.

Gericht das Verfahren in der Regel bis zur Beendigung des Vollstreckbarerklärungsverfahrens aus. Wird die Vollstreckbarerklärung unter Aufhebung des Schiedsspruchs nach § 1060 Abs 2 dZPO abgelehnt, ist damit das Aufhebungsverfahren in der Hauptsache erledigt; wird der Schiedsspruch hingegen für vollstreckbar erklärt, führt dies nachträglich zur Unzulässigkeit des Aufhebungsantrags.[2329]

Die gesetzlich vorgesehenen Gründe, wegen derer die Anerkennung und **1480** Vollstreckung ausländischer Schiedssprüche versagt werden können (Vollstreckungsversagungsgründe), entsprechen weitgehend jenen Gründen, die für die Aufhebung eines Schiedsspruchs geltend gemacht werden können. Es besteht deshalb ein enger Zusammenhang zwischen dem Anerkennungs- und Vollstreckungsverfahren einerseits und dem Aufhebungsverfahren andererseits, der vor allem bei der Auslegung der Gesetzesvorschriften eine Rolle spielt.

D. Verzicht auf Anfechungsmöglichkeiten

Die Aufhebungsgründe sind in § 1059 Abs 2 dZPO, § 611 Abs 2 öZPO und **1481** Art 190 Abs 2 schwIPRG abschließend aufgelistet. Die Vereinbarung zusätzlicher Aufhebungsgründe ist nicht zulässig.[2330]

Die **vertragliche Abbedingung** einzelner Aufhebungsgründe oder des **1482** Aufhebungsverfahrens als Ganzes ist in den drei Rechtsordnungen in unterschiedlichem Umfang möglich.

Nur in der Schweiz, nicht dagegen in Deutschland und Österreich, ist unter **1483** gewissen Umständen ein **gänzlicher Vorabverzicht** auf Rechtsmittel gegen einen Schiedsspruch möglich.[2331] Sofern keine der Parteien ihren Wohnsitz, gewöhnlichen Aufenthalt oder eine Niederlassung in der Schweiz hat, können die Parteien gemäß Art 192 schwIPRG durch eine ausdrückliche Erklärung in der Schiedsvereinbarung oder in einer späteren schriftlichen Übereinkunft die Anfechtung der Schiedsentscheide vollständig ausschließen. Die Bezeichnung des Schiedsspruchs als endgültig und/oder bindend genügt hierfür allerdings nicht, weder in der Schiedsvereinbarung selbst noch durch Verweis auf eine Schiedsordnung, die eine solche Regelung enthält. Bei einem wirksamen Ausschluss gelten für die Vollstreckung in der Schweiz dann allerdings sinngemäß die Vorschriften des NYÜ. Im Ergebnis kann deshalb bei einem solchen Verzicht auf ein Rechtsmittel der ergangene Schiedsspruch in der Schweiz nicht

---

2329 § 1059 Abs 3 S 4 dZPO.

2330 *Saenger* in Saenger, ZPO⁶ § 1059 Rn 5; *Zeiler*, Schiedsverfahren² § 611 Rn 4; *Riegler* in Riegler et al, Arbitration Law § 611 Rn 20; *Arroyo* in Arroyo, Arbitration in Switzerland Article 190 PILS Rn 3.

2331 Zur alten Rechtslage in Österreich vgl *Liebscher*, The Healthy Award 367 f; siehe zur neuen Rechtslage aA *Czernich*, JBl 2016, 69 ff.

mehr mit Wirkung *erga omnes* angefochten, sondern nur im Rahmen seiner allfälligen Vollstreckung überprüft werden. Ein Rechtsmittelverzicht sollte deshalb nur nach sorgfältiger Abwägung vereinbart werden. Auch der Ausschluss einzelner Anfechtungsgründe ist möglich.[2332]

1484   In Deutschland ist umstritten, inwieweit die Parteien die Geltendmachung einzelner Aufhebungsgründe vertraglich ausschließen können. In jedem Fall unzulässig ist ein Verzicht auf die von Amts wegen zu berücksichtigenden Gründe des § 1059 Abs 2 Nr 2 dZPO (fehlende Schiedsfähigkeit des Streitgegenstands und Verstoß gegen den *ordre public*). Nach wohl überwiegender Auffassung sollen die Parteien aber in Kenntnis eines bereits vorhandenen, konkreten Aufhebungsgrundes auf dessen Geltendmachung verzichten können, soweit er vorrangig dem Schutz der Parteiinteressen dient und kein überwiegendes staatliches Interesse an der Einhaltung der verletzten Norm besteht.[2333] Der entsprechende Wille der Parteien muss in der Vereinbarung klar zum Ausdruck kommen. Nicht ausreichend, weil nicht hinreichend bestimmt, sind insoweit die in einigen Schiedsordnungen enthaltenen pauschalen Verzichtsklauseln,[2334] selbst wenn die Parteien im Einzelfall bei der Einigung auf die anzuwendende Schiedsordnung bereits Kenntnis eines konkret vorliegenden Aufhebungsgrundes gehabt haben sollten.[2335]

1485   Nach beinahe einhelliger österreichischer Meinung ist ein Verzicht auf das Aufhebungsverfahren oder auf Aufhebungsgründe im Vorhinein (also bei Abschluss der Schiedsvereinbarung oder bei noch laufendem Schiedsverfahren) nicht möglich.[2336] Soweit überblickbar gibt es bis dato aber noch keine gesicherte neuere Rechtsprechung zu dieser Frage.[2337] Im Nachhinein – das heißt nach Erlass des Schiedsspruchs – kann auf einzelne Aufhebungsgründe aber dann verzichtet werden, wenn diese Aufhebungsgründe bekannt sind.[2338] Hiervon ausgenommen sind nur die Aufhebungsgründe der mangelnden objektiven Schiedsfähigkeit und des Verstoßes gegen den materiellen *ordre public*,

---

2332   Art 190 Abs 2 schwIPRG.

2333   *Münch* in MünchKom ZPO[4] § 1059 Rn 53; enger *Voit* in Musielak, ZPO[13] § 1059 Rn 39: erst nach Erlass des Schiedsspruchs.

2334   zB Art 35(6) Satz 2 ICC SchO.

2335   vgl *Herzberg* in Nedden/Herzberg, ICC-SchO/DIS-SchO Art 34 ICC-SchO Rn 37; *Zöller*, Zivilprozessordnung[31] § 1059 Rn 81.

2336   *Zeiler*, Schiedsverfahren[2] § 611 Rn 54; *Rechberger/Melis* in Rechberger, ZPO-Kommentar[4] § 611 Rn 3; *Klauser/Kodek*, JN-ZPO[17] § 611 E 4; *Hausmaninger* in Fasching/Konecny, ZPO[3] § 611 Rn 196; *Riegler* in Riegler et al, Arbitration Law § 611 Rn 3; aA *Czernich*, JBl 2016, 69 ff.

2337   Das hat wohl *Czernich* dazu veranlasst, nach eingehender Untersuchung die Möglichkeit eines Vorwegverzichts auf einzelne Aufhebungsgründe zu bejahen; siehe *Czernich*, JBl 2016, 69.

2338   *Hausmaninger* in Fasching/Konecny, ZPO[3] § 611 Rn 196.

die österreichische Gerichte auch von Amts wegen wahrnehmen müssen; auf diese kann weder im Vorhinein noch im Nachhinein verzichtet werden.[2339]

E. Rügeobliegenheit

Unabhängig von der Möglichkeit einer späteren Aufhebung sollten die Par- **1486**
teien die ihnen während des Schiedsverfahrens zur Kenntnis gelangenden Mängel immer unverzüglich im Schiedsverfahren rügen; dies selbst dann, wenn eine derartige Rüge nicht vorgeschrieben ist. Zwar führt die Unterlassung einer solchen Rüge nur bei Verstoß gegen dispositive Gesetzesbestimmungen oder von den Parteien vereinbarte Verfahrensregeln[2340] zu einer Heilung durch rügelose Einlassung, nicht aber bei Verstößen gegen zwingende Vorschriften.[2341] Doch vermeidet man so allfällige spätere Auseinandersetzungen über den zwingenden Charakter einer Vorschrift.

2339 *Hausmaninger* in Fasching/Konecny, ZPO³ § 611 Rn 196.
2340 Solche Rügenobliegenheiten enthalten zB Art 40 ICC SchO, § 41 DIS-Regeln, Art 31 Wiener Regeln und Art 30 Swiss Rules.
2341 § 1027 dZPO; § 579 öZPO; *Zeiler*, Schiedsverfahren² § 579 Rn 4; *Göksu*, Schieds-gerichtsbarkeit Rn 1384.

II. Die einzelnen Aufhebungs- und Anfechtungsgründe

1487   In allen drei Rechtsordnungen sind die Aufhebungs- bzw Anfechtungsgründe abschließend geregelt. Andere als die gesetzlich vorgesehenen Gründe können nicht geltend gemacht werden.[2342] Ein beanstandeter Sachverhalt kann aber gleichzeitig unter verschiedene Aufhebungsgründe fallen: Zum einen, weil sich die Aufhebungsgründe teilweise überschneiden, zum anderen, weil ein Fehler im Schiedsverfahren gleichzeitig die Tatbestände mehrerer Aufhebungsgründe erfüllen kann.

1488   Der deutsche und der österreichische Gesetzgeber haben sich bei der Normierung der Aufhebungsgründe weitgehend an Art 34 UNCITRAL ModG orientiert. Die dort detailliert aufgelisteten Aufhebungsgründe stimmen ihrerseits überwiegend wörtlich mit den Vollstreckungsversagungsgründen in Art V NYÜ überein.

1489   In der Schweiz folgt das schwIPRG dem UNCITRAL ModG nicht wörtlich. Art 190 schwIPRG sieht einen im Vergleich zum UNCITRAL ModG knapperen Katalog von Anfechtungsgründen vor. Im Ergebnis decken sich die Anfechtungsgründe weitgehend mit denen des Art 34 UNCITRAL ModG und den Vollstreckungsversagungsgründen des NYÜ.[2343]

1490   Sofern nicht die Bestimmungen des 12. Kapitels des schwIPRG anwendbar sind, gelten für Verfahren vor Schiedsgerichten mit Sitz in der Schweiz die Art 353–399 der schwZPO.[2344] Die Beschwerdegründe sind teilweise anders und weiter gefasst.[2345] Auf sie wird in der weiteren Darstellung nicht eingegangen.

1491   Auch wenn die Kataloge der drei Rechtsordnungen unterschiedlich gefasst sind, vor allem jene Deutschlands und Österreichs einerseits sowie der Schweiz andererseits, werden in allen drei Rechtsordnungen Sachverhalte, die eine Aufhebung bzw Anfechtung rechtfertigen, in ähnlicher Weise unter dem einen oder anderen Aufhebungsgrund erfasst. Abweichungen gibt es jedoch beim Verstoß gegen das rechtliche Gehör sowie beim materiellrechtlichen *ordre public*.

A. Fehlende objektive Schiedsfähigkeit

1492   Bei der objektiven Schiedsfähigkeit geht es um die Frage, ob ein Streitgegenstand überhaupt in einem Schiedsverfahren entschieden werden kann.[2346]

2342 *Hausmaninger* in Fasching/Konecny, ZPO³ § 611 Rn 82; *Arroyo* in Arroyo, Arbitration in Switzerland Article 190 PILS Rn 14.

2343 *B. Berger/Kellerhals*, Arbitration³ Rn 1703.

2344 Art 353 Abs 1 schwZPO.

2345 Art 393 schwZPO.

2346 Siehe *Aschauer/Gantenberg/Gabriel* Rn 663 ff.

War der Gegenstand des dem Schiedsgericht unterbreiteten Streits nach **1493** dem Recht des Aufhebungsstaates nicht schiedsfähig, ist der Schiedsspruch aufzuheben.[2347] Im schweizerischen Schiedsverfahrensrecht wird dieser Fall unter Art 190 Abs 2 lit b schwIPRG subsumiert.

Der Verweis auf das inländische Recht des Aufhebungsstaates ist von gro- **1494** ßer Bedeutung, weil die verschiedenen Gesetzgeber unterschiedliche Streit- gegenstände für schiedsfähig erklären können. Der jeweilige nationale Ge- setzgeber bestimmt, welche Angelegenheiten nicht durch ein Schiedsgericht entschieden werden dürfen (zB familienrechtliche Ansprüche sowie gewisse gesellschaftsrechtliche, kartellrechtliche oder patentrechtliche Streitigkeiten).

In der Schweiz kann jeder vermögensrechtliche Anspruch Gegenstand **1495** eines Schiedsverfahrens sein.[2348]

In Deutschland und Österreich definieren § 1030 dZPO und § 582 öZPO **1496** den Umfang der objektiven Schiedsfähigkeit im positiven (Abs 1) wie auch im negativen (Abs 2) Sinn. Gemäß Abs 1 *leg cit* kann – vorbehaltlich gesetz- licher Ausnahmeregelungen – jeder vermögensrechtliche Anspruch Gegen- stand einer Schiedsvereinbarung sein; nach § 582 öZPO allerdings nur, soweit darüber die ordentlichen Gerichte entscheiden.[2349] Darüber hinaus ist jeder nicht vermögensrechtliche Anspruch dann schiedsfähig, wenn die Parteien über den Gegenstand des Streits einen Vergleich abschließen können. Für weitere Einzelheiten wird auf die Ausführungen zur objektiven Schieds- fähigkeit verwiesen.[2350]

Sowohl nach deutschem als auch nach österreichischem Recht ist dieser **1497** Aufhebungsgrund von Amts wegen zu berücksichtigen. In Österreich führt das Feststellen des Aufhebungsgrunds der mangelnden objektiven Schieds- fähigkeit in einem anderen behördlichen oder gerichtlichen Verfahren auch dazu, dass der Schiedsspruch in diesem anderen Verfahren nicht zu beachten ist, selbst wenn keine Aufhebungsklage gegen ihn erhoben worden ist.[2351]

B. Mangelnde subjektive Schiedsfähigkeit

Bei dem Aufhebungsgrund der fehlenden subjektiven Schiedsfähigkeit handelt **1498** es sich um einen speziellen Unterfall der unwirksamen Schiedsvereinbarung. Die subjektive Schiedsfähigkeit bezeichnet die Befähigung einer Partei, eine Schiedsvereinbarung abzuschließen. Sie richtet sich nach dem für die Partei

---

2347 § 1059 Abs 2 Nr 2 lit a dZPO; § 611 Abs 2 Z 7 öZPO.
2348 Art 177 Abs 1 schwIPRG.
2349 Nach hM in Deutschland aber keine Schiedsfähigkeit von Streitigkeiten, für deren Entscheidung der Gesetzgeber besondere Gerichte eingerichtet hat, zB Nichtig- erklärung von Patenten: *Zöller*, Zivilprozessordnung[31] § 1030 Rn 7 mwN.
2350 Siehe *Aschauer/Gantenberg/Gabriel* Rn 676 ff.
2351 § 613 öZPO.

maßgeblichen Recht (Personalstatut), das nach den Regeln des internationalen Privatrechts ermittelt wird.[2352]

1499 Da der Abschluss einer Schiedsvereinbarung in Österreich als Prozesshandlung gesehen wird, deckt sich die subjektive Schiedsfähigkeit von Personen mit österreichischem Personalstatut mit der **Prozessfähigkeit**.[2353] Auch der BGH bezeichnet die Schiedsvereinbarung als „*Unterfall des Prozessvertrages*".[2354] Der wirksame Abschluss setzt die Rechts- und Geschäftsfähigkeit sowie die Prozessfähigkeit voraus.[2355] Das Personalstatut richtet sich gemäß § 9 öIPRG und § 7 Abs 1 dEGBGB grundsätzlich nach der Staatsangehörigkeit und nur in Einzelfällen nach dem Wohnsitz oder gewöhnlichen Aufenthalt.[2356] Für das Personalstatut von juristischen Personen ist gemäß § 10 öIPRG bzw nach deutschem Gewohnheitsrecht der **Verwaltungsitz** entscheidend, sofern nicht aufgrund vorrangiger unions- oder sonstiger staatsvertraglicher Vorschriften das Recht des Gründungsstaats zur Anwendung kommt. Kapitalgesellschaften, Privatstiftungen sowie Offene Gesellschaften und Kommanditgesellschaften sind schiedsfähig. Eine Gesellschaft bürgerlichen Rechts ist nach deutschem[2357], nicht aber nach österreichischem[2358] Recht schiedsfähig. In der Schweiz ist die subjektive Schiedsfähigkeit nicht im schwIPRG geregelt. Sie entspricht der Partei- und Prozessfähigkeit im allgemeinen Prozessrecht.[2359]

1500 Ist eine Partei subjektiv nicht schiedsfähig, kann der Schiedsspruch aufgehoben werden.[2360] Die auf die mangelnde subjektive Schiedsfähigkeit gegründete Unwirksamkeit der Schiedsvereinbarung muss jedoch bereits im Schiedsverfahren rechtzeitig gerügt worden sein.[2361]

2352 Siehe *Aschauer/Gantenberg/Gabriel* Rn 736 ff.
2353 Für Deutschland: *Saenger* in Saenger, ZPO⁶ § 1029 Rn 8; für Österreich: *Zeiler*, Schiedsverfahren² § 611 Rn 14; *Hausmaninger* in Fasching/Konecny, ZPO³ § 611 Rn 97.
2354 BGH 6.4.2009, NJW 2009, 1962 (1964).
2355 Im Einzelnen str; wie hier: *Saenger* in Saenger, ZPO⁶ § 1029 Rn 8; *Voit* in Musielak, ZPO¹³ § 1029 Rn 5; alternativ Geschäfts- oder Prozessfähigkeit verlangend: *Zöller*, Zivilprozessordnung³¹ § 1029 Rn 22; nur Rechts-/Geschäftsfähigkeit: *Münch* in MünchKom ZPO⁴ § 1029 Rn 18 u § 1059 Rn 10; vgl auch *Wegen/Eckardt* Rn 550.
2356 § 5 dEGBGB.
2357 Für die Außen-GesbR seit der Anerkennung der Rechts- und Parteifähigkeit durch BGH 29.1.2001, BGHZ 146, 341 unstr; vgl *Saenger* in Saenger, ZPO⁶ § 1029 Rn 8; *Wiegand*, SchiedsVZ 2003, 52.
2358 *Zeiler*, Schiedsverfahren² § 611 Rn 15.
2359 *Göksu*, Schiedsgerichtsbarkeit Rn 571 ff.
2360 § 1059 Abs 2 Nr 1 lit a dZPO erste Alternative; § 611 Abs 2 Z 1 dritter Fall öZPO; Art 190 Abs 2 lit b schwIPRG.
2361 § 1040 Abs 2 dZPO.

C. Ungültigkeit der Schiedsvereinbarung

Ein Schiedsspruch ist anfechtbar, wenn keine gültige Schiedsvereinbarung besteht.[2362] Diese Frage ist in Deutschland und Österreich nach dem von den Parteien für die Schiedsvereinbarung gewählten Recht und bei fehlender Rechtswahl nach dem Recht des Aufhebungsstaates zu beurteilen.[2363] In der Schweiz ist die Schiedsvereinbarung dagegen gültig, wenn sie dem von den Parteien gewählten, dem auf die Streitsache, insbesondere dem auf den Hauptvertrag anwendbaren, oder dem schweizerischen Recht entspricht.[2364] **1501**

Ungültig kann eine Schiedsvereinbarung insb wegen Formmängeln sein. In Deutschland, Österreich und der Schweiz bestehen unterschiedliche Formerfordernisse. Spezielle Anforderungen gelten in Deutschland und Österreich für Schiedsvereinbarungen, an denen eine Verbraucherin/ein Verbraucher beteiligt ist,[2365] sowie für Schiedsvereinbarungen in arbeitsrechtlichen Angelegenheiten.[2366] **1502**

Eine Partei, die sich im Wissen um die Ungültigkeit der Schiedsvereinbarung auf das Schiedsverfahren einlässt, ist uU präkludiert, diesen Mangel noch später im Aufhebungsverfahren geltend zu machen, wenn sie die Möglichkeit hatte, den Mangel schon während des Schiedsverfahrens zu rügen. So ist insbesondere die Einrede der Unzuständigkeit des Schiedsgerichts mit dem ersten Vorbringen zur Sache bzw vor der Einlassung auf die Hauptsache zu erheben.[2367] Eine **vorbehaltlose Einlassung** in das Schiedsverfahren führt zur Heilung der Unzuständigkeit des Schiedsgerichts.[2368] Die bloße Mitwirkung an der Bestellung des Schiedsgerichts gilt aber noch nicht als Einlassung.[2369] **1503**

D. Fehlerhafte Konstituierung des Schiedsgerichts

Die Aufhebung eines Schiedsspruchs kann weiter beantragt werden, wenn das Schiedsgericht unter Verletzung einer gesetzlichen Vorschrift oder einer zwischen den Parteien getroffenen zulässigen Vereinbarung fehlerhaft gebildet oder zusammengesetzt wurde.[2370] **1504**

2362 § 1059 Abs 2 Nr 1 lit a zweite Alternative dZPO; § 611 Abs 2 Z 1 erster Fall öZPO; Art 190 Abs 2 lit b schwIPRG.

2363 § 1059 Abs 2 Nr 1 lit a zweite Alternative dZPO; *Zeiler*, Schiedsverfahren² § 581 Rn 125 f; *Hausmaninger* in Fasching/Konecny, ZPO³ § 611 Rn 89; OLG München 7.5.2008, NJOZ 2008, 3027.

2364 Art 178 Abs 2 schwIPRG.

2365 § 1030 Abs 5 dZPO; § 617 öZPO; siehe dazu näher *Zeiler* Rn 601 ff und 618 ff.

2366 § 618 öZPO; siehe dazu näher *Zeiler* Rn 614 ff und 627 ff.

2367 § 1040 Abs 2 Satz 1 dZPO; § 592 Abs 2 Satz 1 öZPO; Art 186 Abs 2 schwIPRG.

2368 § 583 Abs 3 öZPO.

2369 § 1040 Abs 2 Satz 2 dZPO; § 592 Abs 2 Satz 2 öZPO; *Göksu*, Schiedsgerichtsbarkeit Rn 1213.

2370 § 1059 Abs 2 Nr 1 lit d erste Alternative dZPO; § 611 Abs 2 Z 4 öZPO; Art 190 Abs 2 lit a schwIPRG.

1505 Typischerweise fehlerhaft konstituiert ist ein Schiedsgericht, wenn ein Mitglied des Schiedsgerichts unter Verstoß gegen die anwendbaren Bestellungsvorschriften ernannt wurde. Solche Regeln können in der Schiedsvereinbarung der Parteien, in der anzuwendenden Schiedsordnung einer Schiedsinstitution und schließlich der anzuwendenden *lex arbitri* selbst enthalten sein.[2371]

1506 Mögliche Ablehnungsgründe gegen eine Schiedsrichterin / einen Schiedsrichter müssen in allen drei Rechtsordnungen sofort nach Kenntniserlangung bzw innerhalb bestimmter Fristen geltend gemacht werden, weil andernfalls die Geltendmachung im Aufhebungsverfahren unzulässig ist.[2372] Eine Aufhebung kommt deshalb hauptsächlich dann in Betracht, wenn ein Ablehnungsgrund erst nach Erlass des Schiedsspruchs einer Partei bekannt wird. Der öOGH hat diesbezüglich allerdings klargestellt, dass *„nachträglich bekannt gewordene Ablehnungsgründe im Aufhebungsverfahren grundsätzlich nicht mehr geltend gemacht werden können"*, jedoch *„in krassen Fällen"* Ausnahmen möglich sind.[2373]

1507 § 1059 Abs 2 Nr 1 lit d) dZPO setzt weiter voraus, dass sich der **Konstituierungsmangel** auf den Schiedsspruch ausgewirkt hat. Der Nachweis der Ursächlichkeit bereitet in der Praxis regelmäßig keine Probleme. Denn nach der Rechtsprechung ist eine Auswirkung des Konstituierungsmangels bereits zu bejahen, wenn nur die Möglichkeit besteht, dass das ordnungsgemäß konstituierte Schiedsgericht anders entschieden hätte. Wegen des Beratungsgebots sei es selbst bei einer einstimmig ergangenen Entscheidung immer möglich, dass das Verhalten eines Schiedsrichters bei der Beratung und der Abstimmung die Meinungsbildung und das Abstimmungsverhalten der anderen Schiedsrichter beeinflusst habe.[2374] Nach österreichischem und schweizerischem Recht ist es für das Bestehen des Aufhebungstatbestands keine Voraussetzung, dass sich der Konstituierungsmangel auch auf die Entscheidung des Schiedsgerichts ausgewirkt hat.[2375]

E. Verletzung des rechtlichen Gehörs

1508 Die Gewährung des rechtlichen Gehörs ist ein **elementarer Verfahrensgrundsatz**, der in allen drei Schiedsverfahrensgesetzen ausdrücklich festgehalten wird.[2376] In Deutschland und Österreich wird er mit der Möglichkeit, seine *„Angriffs- und Verteidigungsmittel"* geltend machen zu können, umschrie-

---

2371 Siehe *Wolfgang Peter / Thomas Legler* in Honsell et al, Internationales Privatrecht³ Art 179 Rn 5 ff; *Schifferl* in Zeiler, Austrian Arbitration Law § 586 Rn 1 f; vgl *Hahnkamper* Rn 956 ff.
2372 Für das Ablehnungsverfahren siehe § 1037 dZPO; § 589 öZPO; Art 180 Abs 2 Satz 2 schwIPRG; OGH 17.6.2013, 2 Ob 112/12b.
2373 OGH 17.6.2013, 2 Ob 112/12b.
2374 BGH, SchiedsVZ 2016, 41.
2375 *Zeiler*, Schiedsverfahren² § 611 Rn 26; *Göksu*, Schiedsgerichtsbarkeit Rn 2047.
2376 § 1042 Abs 1 Satz 2 dZPO; § 594 Abs 2 Satz 2 öZPO; Art 182 Abs 3 schwIPRG.

ben.[2377] Der Grundsatz des rechtlichen Gehörs kann zunächst bei mangelnder Kenntnis vom Schiedsverfahren, fehlerhafter Konstituierung des Schiedsgerichts oder einer Ungleichbehandlung der Parteien verletzt worden sein.

Die größte Bedeutung hat die Rüge der mangelnden Gewährung des recht-**1509** lichen Gehörs aber im Zusammenhang mit dem eigentlichen Verfahren vor dem Schiedsgericht selbst. Das Schiedsgericht muss jeder Partei die Möglichkeit geben, nicht nur ihre eigenen Tatsachen behaupten, darlegen (substantiieren), beweisen und rechtlich bewerten, sondern auch zu dem entsprechenden Vorbringen der Gegenpartei Stellung nehmen zu können. Das gilt insbesondere für das Beweisverfahren, in dem jede Partei die von der Gegenpartei vorgelegten Beweise (durch eigene Beweismittel) widerlegen darf. Konnten diese Angriffs- und Verteidigungsmittel nicht geltend gemacht werden, besteht ein Aufhebungsgrund.[2378] Das rechtliche Gehör erschöpft sich aber nicht darin, den Parteien Gelegenheit zu geben, alles ihnen erforderlich Erscheinende vorzutragen. Das Schiedsgericht muss das jeweilige Vorbringen auch zur Kenntnis nehmen und in Erwägung ziehen.[2379]

Nicht jeder Mangel im Verfahren ist gleichzeitig auch eine Verletzung **1510** des rechtlichen Gehörs. In Österreich liegt der Aufhebungstatbestand der Gehörverletzung nach ständiger Rechtsprechung des OGH nur dann vor, wenn einer Partei das rechtliche Gehör überhaupt nicht gewährt wurde.[2380] Eine bloß lückenhafte Sachverhaltsdarstellung im Schiedsspruch, unvollständige Sachverhaltsermittlung und mangelhafte Erörterung rechtserheblicher Tatsachen bildet noch keine Grundlage zur Aufhebungsklage. Der Schiedsspruch wird daher nicht schon dann wegen einer Verletzung des rechtlichen Gehörs aufgehoben, wenn das Schiedsgericht Beweisanträge ignoriert oder zurückweist oder sonst den Sachverhalt unvollständig ermittelt hat.[2381] Nur bei ganz groben Verstößen gegen die tragenden Grundsätze eines geordneten Verfahrens hat eine Anfechtung Aussicht auf Erfolg.[2382] Der Gehörentzug muss einem Nichtigkeitsgrund im staatlichen Gerichtsverfahren zumindest nahekommen.[2383] Ein Gehörentzug ist insb dann zu bejahen, wenn dem Gegner keine Mitteilung von der Änderung des Sachverhalts und damit keine

---

2377   § 1059 Abs 2 Nr 1 lit b zweite Alternative dZPO; § 611 Abs 2 Z 2 zweite Alternative öZPO.

2378   § 1059 Abs 2 Nr 1 lit b zweite Alternative dZPO; § 611 Abs 2 Z 2 zweite Alternative öZPO; Art 190 Abs 2 lit d schwIPRG.

2379   Vgl BGH 14.5.1992, NJW 1992, 2299; OLG München 7.5.2008, NJOZ 2008, 4808.

2380   *Hausmaninger* in Fasching/Konecny, ZPO³ § 611 Rn 105.

2381   RIS-Justiz RS0045092; so unlängst auch OGH 23.2.2016, 18 OCg 3/15p.

2382   OGH 1.9.1999, 9 Ob 120/99h; Nichtigkeitsgründe nach § 477 öZPO sind bspw die Teilnahme einer abgelehnten Richterin/eines abgelehnten Richters an der Entscheidungsfindung oder die Unterlassung von Zustellungen an eine Partei.

2383   OGH 23.2.2016, 18 OCg 3/15p.

Gelegenheit zur Äußerung geboten wird,[2384] wenn die freie Vertreterwahl vom Schiedsgericht eingeschränkt wird, wenn Argumente der Gegenseite nicht bekannt gegeben werden oder wenn ein Antrag auf Durchführung einer mündlichen Verhandlung vom Schiedsgericht nicht beachtet wird. Eine bloße Überraschungsentscheidung bietet idR noch keine ausreichende Grundlage für die Aufhebung des Schiedsspruchs.

1511 Aus deutscher und schweizerischer Sicht ist das rechtliche Gehör verletzt, wenn das Schiedsgericht ohne vorherigen Hinweis auf rechtliche Gesichtspunkte oder Erwägungen abstellt, mit denen auch ein gewissenhafter und kundiger Verfahrensbeteiligter nach dem bisherigen Verfahrensverlauf nicht zu rechnen brauchte.[2385] Auch die deutsche und schweizerische Rechtsprechung stellen an den Beweis der Behauptung, das Schiedsgericht habe bestimmtes Vorbringen nicht zur Kenntnis genommen, hohe Anforderungen. Erforderlich sind besondere Umstände, die verdeutlichen, dass tatsächliches Vorbringen eines Beteiligten entweder überhaupt nicht zur Kenntnis genommen oder bei der Entscheidung nicht erwogen worden ist.[2386]

1512 Eine Verletzung des rechtlichen Gehörs führt in Deutschland und der Schweiz nur dann zwingend zur Aufhebung des Schiedsspruchs, wenn die Entscheidung des Schiedsgerichts auf der Verletzung beruhen kann.[2387] Wenn hingegen das Schiedsgericht seine Begründung auf mehrere Erwägungen stützt, von denen jede für sich allein ausreichend ist, kann eine mangelhafte Gewährung des rechtlichen Gehörs bezüglich einer Behauptung ohne Auswirkungen auf den Schiedsspruch und deshalb unbeachtlich bleiben. Weiter ist auch hier in jedem einzelnen Fall zu prüfen, ob die mangelnde Gewährung des rechtlichen Gehörs sofort gerügt werden konnte und musste.

1513 In Deutschland und Österreich ist ausdrücklich geregelt, dass ein Schiedsspruch aufzuheben ist, wenn eine Partei von der Bestellung einer Schiedsrichterin/eines Schiedsrichters oder vom Schiedsverfahren nicht gehörig in Kenntnis gesetzt worden ist.[2388] Dabei handelt es sich um besonders schwere Fälle der Verletzung des rechtlichen Gehörs und der Gleichbehandlung der Parteien. In der Schweiz werden sie deshalb von Art 190 Abs 2 lit d schwIPRG erfasst.

2384 OGH 6.9.1990, 6 Ob 572/90.

2385 So die Formel des dBundesverfassungsgerichts, vgl BVerfG NJW 2003, 2524; vgl auch OLG Karlsruhe, Beschluss vom 27.3.2009, 10 Sch 8/08, BeckRS 2011, 08009; BGE 130 III 35 (38/39).

2386 BGH 14.5.1992, NJW 1992, 2299; OLG München 7.5.2008, NJOZ 2008, 4808 unter Verweis auf dBVerfG NJW 2008, 1726; BGE 133 III 235 (248/249).

2387 st Rspr des BGH; vgl BGH 14.5.1992, NJW 1992, 2299 mwN; BGer 7.4.1993, 4P.275/1992.

2388 § 1059 Abs 2 Nr 1 lit b erste Alternative dZPO; § 611 Abs 2 Z 2 erste Alternative öZPO.

F. Gleichbehandlung der Parteien

Der Grundsatz der Gleichbehandlung der Parteien wird in § 1042 Abs 1 Satz 1 **1514** dZPO sowie Art 182 Abs 3 schwIPRG ausdrücklich erwähnt. In Österreich schreibt das Gesetz vor, dass die Parteien fair behandelt werden müssen.[2389]

Diese allgemeine Verfahrensregel soll dem Gebot der Waffengleichheit **1515** Rechnung tragen; die Parteien sind bezüglich ihrer Angriffs- und Verteidigungsmittel gleichzustellen. Das Schiedsgericht muss die Parteien in jedem Verfahrensstadium in gleicher Weise behandeln.[2390]

Als Anfechtungsgrund ist der Grundsatz der Gleichbehandlung der Par- **1516** teien nur in Art 190 Abs 2 lit d schwIPRG ausdrücklich aufgeführt. Da es sich aber bei seiner Verletzung in den meisten Fällen zugleich um eine Vorenthaltung des rechtlichen Gehörs handeln wird und der Gleichbehandlungsgrundsatz als Grundgebot der prozessualen Fairness zugleich Teil des verfahrensrechtlichen *ordre public* ist, wird dieser Grundsatz auch in Deutschland und Österreich geschützt.[2391] Zudem wird die Gleichbehandlung der Parteien in Deutschland regelmäßig auch über den Aufhebungsgrund des fehlerhaften Verfahrens erfasst werden.

G. Überschreitung der Entscheidungsbefugnis des Schiedsgerichts

Die Aufhebung eines Schiedsspruchs kommt nach österreichischem Recht **1517** in Betracht, wenn dieser Entscheidungen enthält, welche die Grenzen der Schiedsvereinbarung oder das Rechtsschutzbegehren der Parteien überschreiten.[2392] Im gleichen Sinn sieht Art 190 Abs 2 lit c schwIPRG die Anfechtbarkeit von Schiedsentscheiden vor, wenn das Schiedsgericht über Streitpunkte entschieden hat, die ihm nicht unterbreitet wurden, oder wenn es Rechtsbegehren unbeurteilt gelassen hat.

Der Wortlaut der deutschen Regelung in § 1059 Abs 2 Nr 1 lit c dZPO **1518** ist enger und umschreibt nach hM nur die Fälle, in denen das Schiedsgericht seine durch die Schiedsvereinbarung begrenzte Zuständigkeit überschreitet.[2393] Von der Reichweite der Schiedsvereinbarung noch gedeckte Entscheidungen über die Parteianträge hinaus (*ultra petita*) sollen nicht erfasst sein. Sie können

---

2389 § 594 Abs 2 Satz 1 öZPO.

2390 BGE 133 III 139 (143); *Reiner*, ZfRV 2003, 11 ff.

2391 *Münch* in MünchKom ZPO[4] § 1042 Rn 19; *Platte* in Riegler et al, Arbitration Law § 594 Rn 14; *Reiner*, ZfRV 2003, 11 ff; *Zeiler*, Schiedsverfahren[2] § 611 Rn 29a.

2392 So die Formulierung in § 611 Abs 2 Z 3 zweite Alternative öZPO.

2393 *Lachmann*, Handbuch[3] Rn 2248; *Voit* in Musielak, ZPO[13] § 1059 Rn 14; aA *Schwab/Walter*, Schiedsgerichtsbarkeit[7] Kap 24 Rn 15.

aber der Aufhebung wegen fehlerhaften Verfahrens nach § 1059 Abs 2 Nr 1 lit d dZPO unterliegen.[2394]

1519 Die österreichischen und Schweizer Regelungen betreffen hingegen zunächst Entscheidungen, die über die Parteianträge hinausgehen (*ultra petita*). Falls anderes als beantragt – also ein *aliud* – zugesprochen worden ist, wird dies bisweilen auch als *extra petita* bezeichnet; doch werden solche Entscheidungen bereits über die *ultra petita* Regelung erfasst.

1520 Keine Aufgabenüberschreitung des Schiedsgerichts liegt vor, wenn dieses eine andere als die von der Klägerin angeführte Anspruchsgrundlage heranzieht.[2395] Auch eine Überraschungsentscheidung erfüllt nicht den Aufhebungstatbestand des *ultra petita*. Hingegen ist ein Schiedsspruch dann *ultra petita*, wenn und soweit er über die Höhe eines Anspruchs entscheidet, obwohl das Schiedsgericht nur zur Beurteilung des Anspruchs dem Grunde nach angerufen worden ist.[2396] Wenn das Schiedsgericht nach billigem Ermessen entscheidet, ohne von den Parteien dazu ermächtigt worden zu sein, ist das nach österreichischer Rechtsprechung keine Aufgabenüberschreitung;[2397] in Deutschland führt dies aber idR zu einer Aufhebung wegen Verstoßes gegen eine Parteivereinbarung;[2398] in der Schweiz muss für eine erfolgreiche Anfechtung das konkrete Ergebnis des Schiedsspruchs und nicht nur seine Begründung mit dem (internationalen) *ordre public* unter Art 190 Abs 2 lit e schwIPRG unvereinbar sein.[2399]

1521 Für Schiedssprüche, die über gestellte Anträge nicht oder aber nur teilweise entscheiden (*infra petita*), haben der deutsche und der österreichische Gesetzgeber den betroffenen Schiedsparteien die Möglichkeit eingeräumt, sofern die Parteien keine andere Frist vereinbart haben, innerhalb eines Monats bzw von vier Wochen nach Empfang des Schiedsspruchs *infra petita* beim Schiedsgericht zu beantragen, einen ergänzenden Schiedsspruch zu erlassen.[2400] In Deutschland und Österreich besteht also kein Rechtsschutzinteresse, Schiedssprüche *infra petita* aufzuheben.[2401] In der Schweiz fallen dagegen Schiedssprüche *infra petita* ebenfalls unter den Aufhebungstatbestand des Art 190 Abs 2 lit c schwIPRG.[2402]

2394 *Zöller*, Zivilprozessordnung[31] § 1059 Rn 44b; *Lachmann*, Handbuch[3] Rn 2248.
2395 Vgl OGH 18.11.1982, 8 Ob 520/82; *Zeiler*, Schiedsverfahren[2] § 611 Rn 22.
2396 OGH 24.1.1968, 1 Ob 297/67.
2397 Vgl OGH 18.11.1982, 8 Ob 520/82; *Zeiler*, Schiedsverfahren[2] § 611 Rn 22.
2398 § 1059 Abs 2 Nr 1 lit d dZPO; vgl BGH 26.9.1985, NJW 1986, 1436 (1437).
2399 BGer 7.3.2003, 4P.250/2002.
2400 § 1058 Abs 1 u 2 dZPO, § 610 Abs 1 Z 3 öZPO.
2401 Vgl *Kröll/Kraft* in Böckstiegel et al, Arbitration in Germany § 1059 Rn 68; *Schwab/ Walter*, Schiedsgerichtsbarkeit[7] Kap 24 Rn 15.
2402 *Göksu*, Schiedsgerichtsbarkeit Rn 2063.

Soweit der Mangel nur einen abtrennbaren Teil des Schiedsspruchs betrifft, ist nur dieser Teil aufzuheben.[2403] **1522**

H. Fehlerhaftes Verfahren

Nach § 1059 Abs 2 Nr 1 lit d zweite Alternative dZPO besteht ein Aufhebungsgrund, wenn das schiedsrichterliche Verfahren einer Bestimmung der dZPO über das schiedsrichterliche Verfahren oder einer zulässigen Vereinbarung der Parteien nicht entsprochen hat und anzunehmen ist, dass sich dies auf den Schiedsspruch ausgewirkt hat. Zu beachten ist auch hier die erwähnte Rügeobliegenheit und eine allfällige Präklusion. **1523**

Die bedeutenderen Verfahrensverstöße werden zugleich auch gegen den verfahrensrechtlichen *ordre public* verstoßen, sodass der Anwendungsbereich dieser Vorschrift beschränkt ist und vor allem die Nichtbeachtung von Parteivereinbarungen zum Verfahren betrifft. In Deutschland ist das Schiedsgericht an jede wirksame Vereinbarung der Parteien zum Verfahrensablauf gebunden. Erlässt das Schiedsgericht eine Verfahrensverfügung *„mit Zustimmung"* oder *„im Einvernehmen"* mit den Parteien, so dokumentiert es damit nach einer Entscheidung des OLG Frankfurt letztlich nur eine Parteivereinbarung, von der es in einer späteren Verfahrensverfügung nicht eigenmächtig abweichen darf.[2404] Dasselbe gilt für Verfahrensregelungen in *Terms of Reference*, denen die Parteien zugestimmt haben.[2405] **1524**

In Deutschland kommt eine Aufhebung wegen fehlerhaften Verfahrens insbesondere auch dann in Frage, wenn das Schiedsgericht ohne Ermächtigung der Parteien nach Billigkeit entscheidet,[2406] ein anderes als das von den Parteien verbindlich vereinbarte Recht anwendet,[2407] die Sachanträge der Parteien überschreitet (*ultra petita*)[2408] oder den Schiedsspruch nicht nach § 1054 Abs 2 dZPO begründet, obwohl die Parteien auf eine Begründung nicht verzichtet haben.[2409] **1525**

I. Verstoß gegen den verfahrensrechtlichen *ordre public*

Besonders schwere Verfahrensfehler unterfallen dem sog verfahrensrechtlichen *ordre public*. In § 611 Abs 2 Z 5 öZPO wird der verfahrensrechtliche *ordre public* vom materiellrechtlichen *ordre public* als selbständiger Aufhebungsgrund unterschieden und festgehalten, dass ein Schiedsspruch auf- **1526**

2403 So ausdrücklich § 611 Abs 2 Z 3 öZPO; vgl auch § 1059 Abs 2 Nr 1 lit c 2. Halbsatz dZPO.
2404 Vgl OLG Frankfurt 17.2.2011, SchiedsVZ 2013, 49 (55 ff).
2405 Vgl OLG Frankfurt 17.2.2011, SchiedsVZ 2013, 49 (56 ff).
2406 Vgl OLG München 22.6.2005, SchiedsVZ 2005, 308.
2407 BGH 26.9.1985, NJW 1986, 1436 (1437).
2408 Vgl Rn 1518.
2409 OLG Hamburg 8.6.2001, 11 Sch 01/01 (DIS-Datenbank).

zuheben ist, wenn *„das Schiedsverfahren in einer Weise durchgeführt wurde, die Grundwertungen der österreichischen Rechtsordnung (ordre public) widerspricht"*. In Deutschland und der Schweiz wird in den Gesetzen dagegen nur von einer Verletzung des *ordre public* gesprochen;[2410] die Unterscheidung ist aber durch langjährige Rechtsprechung der Gerichte gefestigt.[2411]

1527   Generell ist der Aufhebungstatbestand des verfahrensrechtlichen *ordre public* nach hM sehr restriktiv auszulegen.[2412] Ein Verstoß gegen den verfahrensrechtlichen *ordre public* liegt nur bei Verfahrensfehlern vor, die so gravierend sind, dass sie von der Rechtsordnung nicht mehr hingenommen werden können.[2413] Der klassische Verstoß gegen den verfahrensrechtlichen *ordre public* ist die schwere Missachtung des rechtlichen Gehörs.[2414] Allerdings ist der Anwendungsbereich des verfahrensrechtlichen *ordre public* – auch vor dem Hintergrund, dass die meisten Verfahrensverstöße ohnehin von anderen Aufhebungs- bzw Anfechtungsgründen erfasst werden – sehr beschränkt. In einem Urteil aus dem Jahre 2016 nannte der österreichische OGH unlängst folgende Beispiele für eine mögliche Verletzung des verfahrensrechtlichen *ordre public*: die auch von § 611 Abs 2 Z 2 ZPO erfasste schwere Verletzung des rechtlichen Gehörs, das Fehlen der Parteifähigkeit und der Vertretungsmacht, das Ignorieren der Rechtskraft, die Fällung eines Schiedsspruchs ohne Beweisverfahren oder die Missachtung des Gebots der überparteilichen Rechtspflege und damit des Prinzips der Unparteilichkeit und der Unabhängigkeit der SchiedsrichterInnen.[2415] Auch ein Schiedsspruch, der in einem wesentlichen Streitpunkt nicht oder nur mit inhaltsleeren Floskeln begründet ist, verstößt grundsätzlich gegen den verfahrensrechtlichen *ordre public*.[2416] In der Schweiz wird der verfahrensrechtliche *ordre public* auch verletzt, wenn in einem Schiedsspruch eine rechtskräftige frühere Entscheidung nicht berücksichtigt wird oder wenn in einer Rechtsordnung zwei sich widersprechende vollstreckbare Entscheidungen über denselben Anspruch zwischen denselben Parteien ergehen.[2417] Nach deutscher Auffassung ist eine

---

2410   § 1059 Abs 2 Nr 2 lit b dZPO; Art 190 Abs 2 lit e schwIPRG.

2411   Vgl *Münch* in MünchKom ZPO⁴ § 1059 Rn 44; BGE 138 III 322 (327).

2412   *Hausmaninger* in Fasching/Konecny, ZPO³ § 611 Rn 141; siehe auch RIS-Justiz RS0110743.

2413   *Zeiler*, Schiedsverfahren² § 611 Rn 29; vgl auch BGH 15.5.1986, NJW 1986, 3027 (3028): wenn das schiedsgerichtliche Verfahren an einem schwerwiegenden, die Grundlagen des staatlichen und wirtschaftlichen Lebens berührenden Mangel leidet; BGE 132 III 389 (392).

2414   Siehe auch OGH 24.3.2015, 8 Ob 28/15y.

2415   OGH 23.2.2016, 18 OCg 3/15p.

2416   OGH 28.9.2016, 18 OCg 3/16i.

2417   BGE 136 III 345 (348 ff) zu *res judicata*, BGE 3.1.2011, 4A_386/210, E. 9.3.1 zu *ne bis in idem*, weitere Entscheide des schweizerischen BGer bei *Müller*, Swiss Case Law² 302 ff.

rechtskräftig entschiedene Sache der Parteidisposition aber nicht grundsätzlich entzogen, sodass eine Nichtbeachtung der materiellen Rechtskraft nicht notwendig gegen den *ordre public* verstößt.[2418]

In Deutschland ist zusätzlich zu beachten, dass – anders als in Österreich **1528** und der Schweiz – eine Verletzung des verfahrensrechtlichen *ordre public* bei Feststellung durch das Gericht von Amts wegen als Aufhebungsgrund zu berücksichtigen ist.[2419]

J. Verstoß gegen den materiell-rechtlichen *ordre public*

Unter dem *ordre public* werden generell in Deutschland, Österreich und der **1529** Schweiz **fundamentale Rechtsgrundsätze** verstanden. Diese können nicht nur elementare Verfahrensgrundsätze (vgl voriger Abschnitt), sondern auch das materielle Recht betreffen. Auch wenn viele Rechtsordnungen den *ordre public* kennen, gibt es keine international einheitliche Festlegung seines Umfangs. Vielmehr wird dieser jeweils national – durch den Gesetzgeber, vor allem aber durch die Gerichte – bestimmt; und zwar selbst dann, wenn in einem Land zwischen einem **nationalen** und einem **internationalen** oder **transnationalen** *ordre public* unterschieden wird.

In Deutschland widerspricht ein Schiedsspruch der öffentlichen Ordnung **1530** und ist nach § 1059 Abs 2 Nr 2 lit b dZPO aufzuheben, wenn *„die Entscheidung zu einem Ergebnis führt, das mit wesentlichen Grundsätzen des deutschen Rechts offensichtlich unvereinbar ist, das heißt wenn der Schiedsspruch eine Norm verletzt, die die Grundlagen des staatlichen oder wirtschaftlichen Lebens regelt, oder wenn er zu deutschen Gerechtigkeitsvorstellungen in einem untragbaren Widerspruch steht; der Schiedsspruch muss mithin die elementaren Grundlagen der Rechtsordnung verletzen"*.[2420] Fälle einer Verletzung des *ordre public* sind nach der deutschen Rechtsprechung zB ein Verstoß gegen Grundrechte,[2421] die Verletzung von Strafgesetzen, aber auch Verstöße gegen Einfuhr- oder Ausfuhrverbote, Devisenvorschriften oder Bestimmungen des deutschen oder europäischen Wettbewerbs- oder Kartellrechts[2422].[2423]

2418   Zöller, Zivilprozessordnung[31] § 1059 Rn 61; vgl auch OLG München 18.12.2013, NZG 2014, 1351.

2419   Art 1059 Abs 2 Nr 2 lit b dZPO.

2420   BGH 30.10.2008, NJW 2009, 1215.

2421   OLG Dresden, 11 Sch 01/05, SchiedsVZ 2005, 213.

2422   OLG Dresden, 11 Sch 01/05, SchiedsVZ 2005, 211 ff; EuGH 1.6.1999, C-126/97, *Eco Swiss China Time Ltd v Benetton International NV*.

2423   Vgl *Lachmann*, Handbuch[3] Rn 2319 ff; Nachweise zu Einzelfällen aus der Rspr bei: Zöller, Zivilprozessordnung[31] § 1059 Rn 73; *Münch* in MünchKom ZPO[4] § 1059 Rn 45 ff.

1531   In § 611 Abs 2 Z 8 öZPO findet sich jetzt sogar eine – allerdings sehr knappe – Legaldefinition. Der Schiedsspruch ist aufzuheben, wenn er *„Grundwertungen der österreichischen Rechtsordnung (ordre public) widerspricht"*. In der Praxis wird dabei auf die bisherige Rechtsprechung zum materiellrechtlichen *ordre public* zurückgegriffen.[2424] Schutzobjekt desselben ist nicht der Einzelne, sondern die österreichische Rechtsordnung als solches, die vor dem Eindringen mit ihr vollkommen unvereinbarer Rechtsgedanken und vor der unerträglichen Verletzung tragender Grundsätze geschützt werden soll.[2425] Da es sich bei der *ordre public*-Widrigkeit um eine Ausnahmeregel handelt, ist von ihr nur sparsamster Gebrauch zu machen.[2426] Es erklärt sich daher von selbst, dass nicht jeder Verstoß gegen zwingendes Recht den Aufhebungstatbestand der *ordre public* Widrigkeit erfüllt. In der österreichischen Praxis behaupten Aufhebungskläger oftmals eine Verletzung des materiellen *ordre public*, wobei eine Aufhebung des Schiedsspruchs auf dieser Grundlage aber so gut wie nie Erfolg hat. Allerdings hat der OGH bereits vor dem EuGH (*Eco Swiss*) eine *ordre public*-Widrigkeit in einem Fall angenommen, in dem das Ergebnis eines Schiedsspruchs gegen europäisches Kartellrecht verstieß, das er als einen Eckpfeiler des europäischen Gemeinschaftsrechts bezeichnete.[2427] Ebenso hat der OGH eine *ordre public*-Widrigkeit bei einem im Schiedsspruch zugesprochenen Effektivzinssatz von 107,35 %,[2428] nicht aber bei gesetzlichen Zinssätzen von 26 % pa (Italien) bzw 35 % pa (Polen) angenommen. Soweit überblickbar gibt es keine weiteren Entscheidungen, in denen der OGH eine Verletzung des *ordre public* durch einen Schiedsspruch bejahte.[2429]

1532   In der Schweiz wird verglichen mit Deutschland und Österreich der materiellrechtliche *ordre public* am engsten gefasst. Gegen den in Art 190 Abs 2 lit e schwIPRG nur als Begriff erwähnten *ordre public* verstößt nach der

---

2424   Vgl im Einzelnen *Zeiler*, Schiedsverfahren[2] § 611 Rn 34 ff.

2425   OGH 10.7.1986, 7 Ob 600/86.

2426   RIS-Justiz RS0110743.

2427   OGH 23.1.1978, 3 Ob 115/95.

2428   OGH 26.1.2005, 3 Ob 221/04b.

2429   Manchmal wird in der Literatur die Entscheidung des OGH 5.5.1998, 3 Ob 2372/96m für die Behauptung herangezogen, dass nach der Rechtsprechung des OGH jede Fehlanwendung des EU-Rechts als *ordre public* Verstoß zu werten sei. Das ist uE unrichtig, weil der OGH in 3 Ob 2372/96m die Aufhebung eines Schiedssspruchs auf den zweiten Fall des alten § 595 Abs 1 Z 6 ZPO gestützt hat, wonach ein Schiedsspruch auch dann aufzuheben war, wenn dieser *„gegen zwingende Rechtsvorschriften verstößt, deren Anwendung auch bei einem Sachverhalt mit Auslandsberührung nach § 35 öIPRG durch eine Rechtswahl der Parteien nicht abbedungen werden kann"*. Der Gesetzgeber hat diesen Aufhebungstatbestand nicht in § 611 Abs 2 Z 8 öZPO übernommen, weshalb das (im Übrigen in der Literatur einstimmig kritisierte) Urteil des OGH zu 3 Ob 2372/96m gegenständlich wohl keine Relevanz mehr hat.

Rechtsprechung des BGer *„die materielle Beurteilung eines streitigen An-spruchs nur, wenn sie fundamentale Rechtsgrundsätze verkennt und daher mit der wesentlichen, weitgehend anerkannten Wertordnung schlechthin unver-einbar ist, die nach in der Schweiz herrschender Auffassung Grundlage jeder Rechtsordnung bilden sollte. Zu diesen Grundsätzen gehören die Vertrags-treue (pacta sunt servanda), das Rechtsmissbrauchsverbot, der Grundsatz von Treu und Glauben, das Verbot der entschädigungslosen Enteignung, das Dis-kriminierungsverbot und der Schutz von Handlungsunfähigen".*[2430] Auch die Versprechen von Schmiergeldzahlungen verstoßen gegen den *ordre public*, sofern sie nachgewiesen sind.[2431] Eine im Sinne von Art 27 Abs 2 schwZGB übermäßige Bindung einer Person kann gegen den *ordre public* verstoßen, wenn sie eine offensichtliche und schwerwiegende Persönlichkeitsverletzung darstellt.[2432] Wettbewerbsrechte, auch supranationale, gehören nach Auf-fassung des BGer nicht zum *ordre public.*[2433]

In allen drei Rechtsordnungen muss das Ergebnis des Schiedsspruchs **1533** gegen den *ordre public* verstoßen;[2434] eine bloß fehlerhafte oder mangelnde Begründung genügt ebenso wenig wie falsche Tatsachenfeststellungen, eine nicht nachvollziehbare Bewertung von Beweismitteln, die falsche Interpre-tation von Verträgen, die falsche oder mangelnde Anwendung von Rechts-vorschriften oder gar die Anwendung eines falschen Rechts.[2435] Letzteres kann allerdings in Deutschland zur Aufhebbarkeit wegen fehlerhaften Ver-fahrens führen, wenn das Schiedsgericht eine verbindliche Rechtswahl der Parteien missachtet.[2436] Selbst ein Verstoß gegen zwingende Vorschriften einer Rechtsordnung führt noch nicht zu einem Verstoß gegen den *ordre public*, weil der Umfang des *ordre public* enger ist als die Summe der zwingenden Rechtsvorschriften.[2437] Die Gerichte achten deshalb auch sehr genau darauf, dass es nicht über den Umweg des materiellrechtlichen *ordre public* zu einer *révision au fond* kommt.

2430   BGE 132 III 389; BGE 128 III 191 (198).

2431   BGE 119 II 380 (384f).

2432   BGE 138 III 322.

2433   BGE 132 III 389.

2434   OGH 26.1.2005, 3 Ob 221/04b; OGH 8.6.2000, 2 Ob 158/00z; BGH 120 II 155 (167); *Arroyo* in Arroyo, Arbitration in Switzerland Article 190 PILS Rn 165.

2435   Entscheide des schweizerischen BGer bei *Geisinger/Mazuranic* in Geisinger/Voser, Arbitration in Switzerland² 249 ff und *Müller*, Swiss Case Law² 292 ff.

2436   Vgl oben Rn 1525.

2437   BGH NJW 2009, 1215, 1216; *Münch* in MünchKom ZPO⁴ § 1059 Rn 41; OGH 8.6.2000, 2 Ob 158/00z, 3 Ob 2374/96 f; 3 Ob 77/95; vgl RIS-Justiz RS0110126; vgl *Girsber-ger/Voser*, International Arbitration⁵ Rn 1631.

III. Aufhebungsverfahren

1534 Möchte eine Partei einen Aufhebungsgrund geltend machen, muss sie ein Aufhebungsverfahren in jenem Staat, in dem der Sitz des Schiedsgerichts war, einleiten. Sie kann nicht darauf vertrauen, dass die Aufhebungsgründe sowieso noch in einem Verfahren auf Vollstreckbarerklärung des Schiedsspruchs streitgegenständlich und möglicherweise aufgegriffen werden. Denn es steht nicht unbedingt im Voraus fest, wann und in welchem Land die gegnerische Partei den Schiedsspruch vollstrecken wird. Die Geltendmachung von Aufhebungsgründen könnte bis dahin präkludiert sein; im Vollstreckungsstaat können sodann in aller Regel nur die Vollstreckungsverweigerungsgründe des NYÜ geltend gemacht werden, die nicht zwingend mit den Aufhebungsgründen am Schiedsort übereinstimmen müssen. Im Übrigen bedarf es der Aufhebung, um die Rechtskraftwirkungen des Schiedsspruchs zu beseitigen.

1535 Mit dem Antrag wird die Aufhebung des Schiedsspruchs begehrt. Prozessparteien im Aufhebungsverfahren sind idR die Parteien des Schiedsverfahrens. Das Schiedsgericht bzw die SchiedsrichterInnen sind nicht Partei im Aufhebungsverfahren. Im Antrag muss der konkrete Mangel des Schiedsspruchs bzw des Schiedsverfahrens genau bezeichnet sowie begründet werden, wie dieser Mangel die Voraussetzungen des spezifizierten Aufhebungsgrundes erfüllen soll.

A. Deutschland

1. Zuständigkeit

1536 Sofern die Parteien kein zuständiges Gericht bestimmt haben, ist nach § 1062 Abs 1 Nr 4 dZPO das **Oberlandesgericht**, in dessen Bezirk der Schiedsort liegt, örtlich und sachlich zuständig. Maßgeblich ist der nach § 1054 Abs 3 dZPO im Schiedsspruch angegebene Ort. Bei fehlender Angabe und sofern keine Ergänzung nach § 1058 dZPO erfolgt, muss der Schiedsort aus den Umständen, insbesondere einer Bestimmung desselben durch Parteivereinbarung oder Verfügung des Schiedsgerichts nach § 1043 Abs 1 S 1 und 2 dZPO, rekonstruiert werden.[2438]

1537 Eine **Zuständigkeitsvereinbarung** muss entgegen dem insoweit zu engen Wortlaut des § 1062 Abs 1 dZPO nicht zwingend schon in der Schiedsverein-

---

2438 OLG Stuttgart 4.6.2002, NJW-RR 2003, 1438; OLG München, SchiedsVZ 2013, 235; *Zöller*, Zivilprozessordnung[31] § 1054 Rn 10; nach einer Entscheidung des OLG Düsseldorf vom 19.8.2003, I-6 Sch 2/99 – Ermittlung aus den Umständen auch, wenn die Auslegung ergibt, dass die Ortsangabe im Schiedsspruch nicht Angabe des Schiedsorts iSd § 1043 dZPO sein soll.

barung enthalten sein. Die Parteien können später, sogar noch nach Erlass des Schiedsspruchs, eine reguläre Gerichtsstandsvereinbarung nach § 38 dZPO treffen oder, sofern eine mündliche Verhandlung stattfindet, durch rügelose Einlassung unter den Voraussetzungen des § 39 dZPO die Zuständigkeit des angerufenen Oberlandesgerichts begründen.[2439]

Dabei ist zu beachten, dass die sachliche Zuständigkeit der Oberlandes- **1538** gerichte **zwingend** und die Vereinbarung anderer Gerichte (Amtsgerichte, Landgerichte) unwirksam ist.[2440] Soweit die einzelnen Bundesländer die Zuständigkeit durch Rechtsverordnung nach § 1062 Abs 5 dZPO bei bestimmten Oberlandesgerichten konzentriert haben,[2441] können in dem jeweiligen Bundesland auch nur diese gewählt werden.[2442] Prorogieren die Parteien in Verkennung der zwingenden Vorgaben ein für Schiedssachen nicht zuständiges Gericht, ist die Vereinbarung unwirksam oder wird dahingehend ausgelegt, dass das für den Bezirk des bezeichneten Gerichts zuständige (Konzentrations-)Oberlandesgericht zuständig sein soll.[2443]

2. Verfahren

a) Antragsberechtigung

Jeder, der sich durch den Schiedsspruch beschwert erachtet, ist berechtigt, **1539** einen Aufhebungsantrag zu stellen. Antragsgegner ist, wer Rechte aus dem Schiedsspruch herleitet.[2444] Wegen der nach § 1055 dZPO auf die Parteien beschränkten Rechtskraftwirkung des Schiedsspruchs sind Antragsteller und -gegner in der Regel die Parteien des Schiedsverfahrens oder ihre Rechtsnachfolger.

b) Antragsfrist

Die Antragsfrist beträgt gemäß § 1059 Abs 3 dZPO **drei Monate** ab Empfang **1540** des Schiedsspruchs durch den Antragsteller, sofern die Parteien nicht vor Ablauf der gesetzlichen Frist eine abweichende Vereinbarung getroffen haben. Die Parteien können eine Verkürzung oder Verlängerung der Frist sowie die Modalitäten der Fristwahrung vertraglich regeln.[2445] Unzulässig dürfte eine

---

2439 OLG München 17.10.2008, SchiedsVZ 2008, 308.
2440 OLG München 16.6.2014, SchiedsVZ 2014, 257 (260).
2441 Davon wurde wie folgt Gebrauch gemacht: *Kraft*, SchiedsVZ 2007, 318.
2442 Vgl OLG München 29.2.2012, SchiedsVZ 2012, 96 (99).
2443 OLG München, Beschluss vom 29.10.2009, 34 Sch 15/09 (Auslegung); OLG München, SchiedsVZ 2012, 96 (99) (unzulässige Derogation).
2444 *Münch* in MünchKom ZPO[4] § 1059 Rn 55.
2445 Vgl *Voit* in Musielak, ZPO[13] § 1059 Rn 36.

Vereinbarung sein, wenn sie die Fristwahrung in einem Maße erschwert, dass es einer (unzulässigen) Abbedingung des Aufhebungsverfahrens gleichkommt.

1541   Zur Fristwahrung kann die Antragstellung bei einem unzuständigen Gericht genügen, wenn der Antragsteller entsprechend § 281 Abs 1 dZPO die Verweisung an das zuständige Gericht beantragt. Der Verweisungsantrag kann hilfsweise und auch noch nach Ablauf der Aufhebungsfrist gestellt werden; die fristgerecht begründete Rechtshängigkeit wird durch die Verweisung nicht unterbrochen. Ohne Verweisungsantrag wird der bei einem unzuständigen Gericht eingereichte Aufhebungsantrag als unzulässig abgewiesen. In diesem Fall müsste noch innerhalb der Frist des § 1059 Abs 3 dZPO ein neuer Antrag bei dem zuständigen Gericht gestellt werden. Da letzteres in der Praxis regelmäßig ausscheidet, empfiehlt es sich bei verbleibendem Zweifel hinsichtlich der Zuständigkeit bereits vorsorglich einen Hilfsantrag auf Verweisung an das sonst noch in Betracht kommende Gericht zu stellen.

c) Antragstellung und Verfahrensablauf

1542   Der Aufhebungsantrag ist bei dem zuständigen Oberlandesgericht einzureichen und auf vollständige oder teilweise Aufhebung des Schiedsspruchs zu richten. Trotz des generellen Anwaltszwanges vor den Oberlandesgerichten muss mit der Antragstellung noch nicht zwingend ein (in Deutschland zugelassener) Rechtsanwalt beauftragt werden. Denn nach der Sonderregel in § 1063 Abs 4 dZPO wird die anwaltliche Vertretung erst erforderlich, wenn die mündliche Verhandlung angeordnet ist.

1543   Der Antragsteller hat das Vorliegen eines Aufhebungsgrundes *„begründet"*, das heißt möglichst konkret und spezifisch, geltend zu machen. Für das Vorliegen der in § 1059 Abs 2 Nr 1 dZPO genannten Aufhebungsgründe trägt der Antragsteller die Darlegungs- und Beweislast. Die Aufhebungsgründe des § 1059 Abs 2 Nr 2 ZPO (Schiedsfähigkeit des Streitgegenstandes und *ordre public*) prüft das Gericht zwar von Amts wegen. Jedoch nur soweit unmittelbare Staatsinteressen betroffen sind, ermittelt es gegebenenfalls auch den Sachverhalt von Amts wegen. Daher empfiehlt sich auch hier eine möglichst konkrete Antragsbegründung.

1544   Die Entscheidung ergeht – auch im Falle einer mündlichen Verhandlung – in Form eines Beschlusses und lautet entweder auf (vollständige oder teilweise) Aufhebung des Schiedsspruchs oder auf Abweisung des Antrags. Der Schiedsspruch wird nur teilweise aufgehoben, wenn der Aufhebungsgrund nur einen abtrennbaren Teil des Schiedsspruchs betrifft und der verbleibende Rest teilurteilsfähig ist. Eine Abänderung des Schiedsspruchs durch gerichtliche Entscheidung ist in keinem Fall möglich. Auf Antrag einer Partei kann das Gericht in *„geeigneten Fällen"* die Sache unter Aufhebung des Schiedsspruchs nach § 1059 Abs 4 dZPO zur erneuten Entscheidung an dasselbe

Schiedsgericht zurückverweisen.[2446] Das Amt des Schiedsgerichts besteht in diesen Fällen fort.[2447] Das Gesetz verlangt insoweit keinen beidseitigen Antrag, sodass der Fall nicht schon dann ungeeignet ist, wenn die andere Partei der Zurückverweisung widerspricht.[2448]

d) Rechtsmittel

Gegen den Beschluss, mit dem über den Aufhebungsantrag entschieden wird, ist die Rechtsbeschwerde zum BGH statthaft.[2449] Die **Rechtsbeschwerde** ist innerhalb einer **Notfrist von einem Monat** ab Zugang des Beschlusses des Oberlandesgerichts beim BGH einzureichen.[2450] Sie kann nur darauf gestützt werden, dass die Entscheidung des Oberlandesgerichts auf der Verletzung eines Staatsvertrages oder der Verletzung des Bundesrechts oder einer Vorschrift beruht, deren Geltungsbereich sich über den Bezirk eines Oberlandesgerichts hinaus erstreckt.[2451] Für Zulässigkeit und Verfahren gelten im Übrigen die allgemeinen Vorschriften in den §§ 574 ff dZPO. Insbesondere ist die Rechtsbeschwerde nur zulässig, wenn die Rechtssache grundsätzliche Bedeutung hat oder die Entscheidung des BGH zur Rechtsfortbildung oder Sicherung einer einheitlichen Rechtsprechung erforderlich ist.[2452]

1545

e) Folgen der Aufhebung

Ob die Sache nach Aufhebung des Schiedsspruchs erneut von einem Schiedsgericht zu entscheiden ist oder der Weg zu den staatlichen Gerichten offen steht, richtet sich grundsätzlich nach dem Willen der Parteien. § 1059 Abs 5 dZPO enthält eine Vermutung, wonach im Zweifel die Schiedsvereinbarung der Parteien wieder aufleben soll. Dies setzt freilich voraus, dass der Schiedsspruch nicht gerade wegen des Fehlens einer wirksamen Schiedsvereinbarung aufgehoben wurde oder sonstige Gründe vorliegen, die einer aufhebungsfesten Entscheidung durch ein Schiedsgericht auch künftig entgegenstehen.

1546

Nach Aufhebung muss für eine erneute schiedsgerichtliche Entscheidung idR ein neues Schiedsgericht konstituiert werden. Denn mit Erlass des endgültigen Schiedsspruches endet das Schiedsverfahren und damit auch das

1547

2446 Dazu eingehend: *Wighardt*, SchiedsVZ 2010, 252; *Wolff*, SchiedsVZ 2007, 254.
2447 Vgl OLG Hamburg 30.5.2008, 11 Sch 9/07, OLGR 2008, 916.
2448 OLG Düsseldorf 14.8.2007, SchiedsVZ 2008, 156 (160); OLG Hamburg 30.5.2008, OLGR 2008, 916 (919); *Zöller*, Zivilprozessordnung[31] § 1059 Rn 88.
2449 §§ 1065 Abs 1, 574 Abs 1 Nr 1 dZPO iVm § 133 dGVG.
2450 § 575 Abs 1 dZPO.
2451 § 1065 Abs 2 Satz 1 dZPO; § 576 Abs 1 dZPO.
2452 § 574 Abs 2 Z 2 dZPO.

Amt des Schiedsgerichts.[2453] Mit der späteren Aufhebung des Schiedsspruchs lebt das Amt des Schiedsgerichts nicht wieder auf. Eine Ausnahme sieht, wie erwähnt, § 1056 Abs 3 dZPO aber für den Fall der Zurückverweisung an das Schiedsgericht nach § 1059 Abs 4 dZPO vor.

1548   Auch wenn nach der Aufhebung keine erneute schiedsgerichtliche Entscheidungszuständigkeit bestehen sollte, kann mit der Aufhebung nicht zugleich eine gerichtliche Entscheidung in der Hauptsache begehrt werden, da es insoweit an der sachlichen Zuständigkeit der Oberlandesgerichte fehlt.

3. Kosten

1549   Das Gericht entscheidet von Amts wegen über die Kostentragung. Es gelten die allgemeinen Regeln der §§ 91 ff dZPO, wonach im Grundsatz die Kostenlast der unterliegenden Partei auferlegt wird.

1550   Die Höhe der Gerichtskosten sowie der ersatzfähigen Anwaltskosten bemisst sich nach den streitwertabhängigen Gebührensätzen des Gerichtskostengesetzes (dGKG) und des Rechtsanwaltsvergütungsgesetzes (dRVG). Soweit einer Partei tatsächlich höhere Anwaltskosten entstanden sind, beispielsweise bei Vereinbarung einer Abrechnung nach Stundensätzen, sind diese nicht ersatzfähig.

B. Österreich

1. Zuständigkeit

1551   Auch in Österreich sind die Gerichte nur zur Aufhebung inländischer Schiedssprüche berufen. Zuständig ist seit dem am 1.1.2014 neu in Kraft getretenen § 615 öZPO ohne Rücksicht auf den Wert des Streitgegenstands der **OGH** in erster und gleichzeitig letzter Instanz.[2454] Durch diese Bestimmung wurde der frühere Rechtszug über drei Instanzen erheblich verkürzt und das Aufhebungsverfahren vor dem OGH konzentriert. Ziel der Verkürzung des Instanzenzuges war es, die Attraktivität Österreichs im internationalen Vergleich als Schiedsort zu steigern.[2455] Der OGH hat zu diesem Zweck einen – wie auch für andere Materien üblich – aus fünf Richtern bestehenden Spezialsenat eingerichtet.

2453 § 1056 Abs 1 und 3 dZPO.

2454 Ausnahmen von dieser Zuständigkeit des OGH gelten für Schiedsverfahren, an denen VerbraucherInnen beteiligt (§ 617 öZPO) sind, und für Schiedsverfahren in Arbeitsrechtssachen (§ 618 öZPO).

2455 ErlRV 2322 BlgNR 24. GP 1.

2. Verfahren

Die Aufhebungsklage richtet sich gegen die Gegnerin im Schiedsverfahren, die **1552** Beklagte im Aufhebungsverfahren ist. Weder werden die SchiedsrichterInnen vom Gericht von einem Aufhebungsverfahren in Kenntnis gesetzt, noch haben sie Parteistellung (was nicht ausschließt, dass sie als ZeugInnen geführt werden können). Die Frist für die Aufhebungsklage beträgt **drei Monate** ab Empfang des Schiedsspruchs durch die Aufhebungsklägerin.[2456] Davon abweichend beträgt die Frist für eine Aufhebungsklage, die auf § 611 Abs 2 Z 6 öZPO gestützt wird, vier Wochen ab der Rechtskraft der strafgerichtlichen Entscheidung mit einer Maximalgrenze von 10 Jahren ab Rechtskraft des Schiedsspruchs.

Das Aufhebungsverfahren vor dem OGH richtet sich nach den Bestim- **1553** mungen der öZPO über das Verfahren vor den Gerichtshöfen erster Instanz.[2457] In der Praxis bedeutet das, dass der Aufhebungsbeklagte innerhalb von vier Wochen seit der Einreichung der Aufhebungsklage eine Klagebeantwortung erstatten kann. Darauf folgen in der Regel die Möglichkeit einer weiteren Schriftsatzrunde und des daran anschließenden Beweisverfahrens, an dessen Ende wiederum ein entweder klagsstattgebendes oder klagsabweisendes Urteil des OGH steht. Anders als in seiner Funktion als Rechtsmittelinstanz führt der OGH hier eine mündliche Verhandlung durch und kann (wenngleich das in der Praxis selten ist) auch ZeugInnen befragen. Erstattet der Beklagte keine Klagebeantwortung, ist nach hM aber kein klagsstattgebendes Versäumungsurteil möglich, weil die Rechtskraft des Schiedsspruchs der Parteiendisposition entzogen ist.[2458]

Da ein Aufhebungsantrag weder die Rechtskraft noch die Vollstreckbar- **1554** keit des Schiedsspruchs hinausschiebt,[2459] kann die **Aufschiebung der Exekution** beantragt werden.[2460] Ist die Aufhebungsklage erfolgreich, ist die Exekution einzustellen.[2461]

Die öZPO berücksichtigt bei der Durchführung des Aufhebungsverfah- **1555** rens auch die Vertraulichkeit des Schiedsverfahrens. Auf Antrag einer Partei kann die Öffentlichkeit nämlich vom Aufhebungsverfahren ausgeschlossen werden, wenn ein berechtigtes Interesse daran *„dargetan"* wird.[2462] Dafür wird aber mehr geltend zu machen sein als die Tatsache, dass es sich um ein Schiedsverfahren handelt.[2463]

2456 § 611 Abs 4 öZPO.
2457 § 616 öZPO.
2458 *Fasching*, Lehrbuch ZPO² Rn 2233; *Zeiler*, Schiedsverfahren² § 611 Rn 54.
2459 *Zeiler*, Schiedsverfahren² § 611 Rn 52.
2460 § 42 Abs 1 Z 2 iVm § 1 Abs 1 Z 16 öEO.
2461 § 39 Abs 1 Z 1 öEO.
2462 § 616 Abs 2 öZPO.
2463 *Reiner*, SchiedsRÄG 2006 56.

1556   Hebt der OGH den angefochtenen Schiedsspruch auf, wird das Schiedsverfahren nicht wieder in den Stand vor der Fällung des Schiedsspruchs zurückversetzt; das österreichische Recht kennt keine Rückverweisung an das Schiedsgericht. Stattdessen kann eine **Neudurchführung des Schiedsverfahrens** – allenfalls mit neuen SchiedsrichterInnen – erfolgen.[2464]

3. Kosten

1557   Als Gerichtsgebühr fällt pauschal 5 % des Streitwerts der Aufhebungsklage an, mindestens aber EUR 5.253,00.[2465] Die Gerichtsgebühr ist nicht gedeckelt.

1558   Für den Streitwert der Aufhebungsklage ist der Wert des Gegenstandes des im Schiedsspruch entschiedenen Streits maßgebend.[2466] Betrifft eine Aufhebungsklage nur die Entscheidung des Schiedsgerichts über seine Zuständigkeit, kann die Aufhebungsklägerin den Wert des Streitgegenstandes in der Aufhebungsklage angeben. Macht sie das nicht, gilt der Betrag von EUR 4.000,00 als Streitwert.[2467]

C. Schweiz

1. Zuständigkeit

1559   Einzige Beschwerdeinstanz ist das schweizerische **BGer**. Das Verfahren richtet sich nach Art 77 des schwBGG[2468].[2469] Nach Art 77 schwBGG gelten für das meistens als *„Schiedsbeschwerde"* bezeichnete Rechtsmittel die Vorschriften über die Beschwerde in Zivilsachen, wobei gewisse Vorschriften für unanwendbar erklärt werden.

2. Verfahren

1560   Die Schiedsbeschwerde mit dem Aufhebungsantrag muss **binnen 30 Tagen** seit Zustellung des Schiedsspruchs erhoben werden.[2470]

1561   Die Schiedsbeschwerde hat **keine aufschiebende Wirkung**, sodass eine Vollstreckung des Schiedsspruchs grundsätzlich möglich ist. Vielmehr muss

---

2464   *Zeiler*, Schiedsverfahren[2] § 611 Rn 51.

2465   TP 3 lit b öGGG; eine gesetzliche Revision dieser Gebührenbestimmung ist in Aussicht genommen.

2466   § 15 Abs 6 öGGG.

2467   § 15 Abs 6 öGGG.

2468   Schweizerisches Bundesgerichtsgesetz vom 17.6.2005 (schwBGG).

2469   Art 191 schwIPRG.

2470   Art 100 Abs 1 schwBGG; vgl auch Art 44–50 schwBGG; Einzelheiten bei *Girsberger/Voser*, International Arbitration[3] Rn 1569f.

die anfechtende Partei ausdrücklich die aufschiebende Wirkung der Schiedsbeschwerde beantragen.[2471] Dafür muss sie darlegen, dass die sofortige Vollstreckung des Schiedsspruchs ihr einen ernsthaften und nicht wieder gutzumachenden Schaden zufügen würde und die Schiedsbeschwerde ganz überwiegende Erfolgsaussichten hat. Laut Art 103 Abs 3 schwBGG kann das Bundesgericht auch von Amts wegen über die aufschiebende Wirkung entscheiden, doch dürfte dies nur in Ausnahmesituationen geschehen.

Gemäß Art 42 Abs 1 schwBGG ist die Schiedsbeschwerde in einer Amtssprache abzufassen und hat die Begehren, deren Begründung mit Angabe der Beweismittel und die Unterschrift zu enthalten. In der Begründung ist in gedrängter Form darzulegen, inwiefern der angefochtene Schiesspruch das Recht verletzt.[2472] Das BGer prüft nur Rügen, die in der Beschwerde vorgebracht und begründet worden sind.[2473] Jeder Beschwerdegrund ist genau anzugeben und für jeden muss gezeigt werden, wie dieser in dem angefochtenen Schiedsspruch verletzt worden ist.[2474] Das Bundesgericht räumt dem Schiedsgericht die Möglichkeit ein, in einer sog *„Vernehmlassung"* Stellung zu nehmen.[2475]   **1562**

Das BGer entscheidet jährlich über ca 35 Schiedsbeschwerden. Die Erfolgsaussichten liegen bei 7 %, in der Sportschiedsgerichtsbarkeit bei 9.5 %. Die durchschnittliche Dauer der Verfahren beträgt sechs Monate.[2476]   **1563**

Heißt das BGer die Schiedsbeschwerde gut, so hebt es den Schiedsspruch – allenfalls teilweise – auf. Als **kassatorische Instanz** entscheidet es aber nicht selbst, sondern verweist die Sache grundsätzlich an das Schiedsgericht zurück, das den Schiedsspruch zuvor erlassen hatte. Dies geschieht hingegen nicht in Fällen der vorschriftswidrigen Ernennung der Einzelschiedsrichterin/des Einzelschiedsrichters oder der vorschriftswidrigen Zusammensetzung des Schiedsgerichts nach Art 190 Abs 2 lit a schwIPRG oder wenn sich das Schiedsgericht zu Unrecht für zuständig oder unzuständig erklärt hat.[2477] In solchen Fällen kann das BGer selbst entscheiden, die Entscheidung über die Zuständigkeit aber auch nochmals demselben Schiedsgericht überlassen. Das ursprüngliche Schiedsgericht – oder bei Nichtverfügbarkeit von dessen SchiedsrichterInnen ein neu bestelltes Schiedsgericht – muss einen neuen Schiedsspruch unter Berücksichtigung der Urteilsgründe des BGer fällen.   **1564**

2471   Art 103 Abs 3 schwBGG.
2472   Art 41 Abs 2 schwBGG.
2473   Art 77 Abs 3 schwBGG.
2474   BGer 27.6.2013, 4A_95/2013.
2475   *Stacher*, Internationale Schiedsgerichtsbarkeit Rn 441.
2476   *Dasser/Roth*, ASA Bulletin 3/2014, 460 (462, 465).
2477   Art 190 Abs 2 lit c schwIPRG; *B. Berger/Kellerhals*, Arbitration[3] Rn 1797

3. Kosten

1565   Die Gerichtsgebühr für eine Schiedsbeschwerde richtet sich nach Streitwert, Umfang und Schwierigkeit der Sache, Art der Prozessführung und finanzieller Lage der Parteien.[2478] Die Beträge belaufen sich auf CHF 200 bis 100.000, wobei das BGer bei Vorliegen besonderer Gründe bei der Bestimmung der Gerichtsgebühr über den Höchstbetrag hinausgehen kann, jedoch höchstens bis zum doppelten Betrag.[2479] Die Gerichtskosten werden in der Regel der unterliegenden Partei auferlegt. Wenn die Umstände es rechtfertigen, kann das BGer die Kosten anders verteilen oder darauf verzichten, Kosten zu erheben.[2480]

2478   Art 65 Abs 2 schwBGG.
2479   Art 65 Abs 3 und 5 schwBGG.
2480   Art 66 Abs 1 schwBGG.

IV. Berichtigung, Auslegung und Ergänzung des Schiedsspruchs

In Anlehnung an Art 33 UNCITRAL ModG kann in Deutschland jede Partei **1566** innerhalb eines Monats nach Empfang des Schiedsspruchs die **Berichtigung** von Rechen-, Schreib- oder Druckfehlern oder Fehlern ähnlicher Art im Schiedsspruch beantragen.[2481] Solche Fehler kann das Schiedsgericht auch *sua sponte*, dh ohne Antrag einer Partei, berichtigen.[2482] Weiter kann eine Partei die **Auslegung** bestimmter Teile eines Schiedsspruchs verlangen.[2483]

Schließlich kann in Deutschland jede Partei – ebenfalls binnen eines Mo- **1567** nats – einen **ergänzenden Schiedsspruch** über solche Ansprüche beantragen, die im schiedsrichterlichen Verfahren zwar geltend gemacht, im Schiedsspruch aber nicht behandelt worden sind (*infra petita*).[2484]

In Österreich ist die Regelung in den wesentlichen Punkten gleich.[2485] Die **1568** Frist beträgt vier Wochen, sofern die Parteien nichts anderes vereinbart haben. Anstelle von Auslegung spricht das Gesetz von **Erläuterung**, die allerdings nur beantragt werden kann, sofern die Parteien dies vereinbart haben.[2486]

In Österreich und Deutschland soll das Schiedsgericht binnen einer Frist **1569** von einem Monat (Deutschland) bzw vier Wochen (Österreich) über die Berichtigung und Auslegung bzw Erläuterung und innerhalb einer Frist von zwei Monaten (Deutschland) bzw acht Wochen (Österreich) über die Ergänzung des Schiedsspruchs entscheiden.[2487] Daneben gelten für die Berichtigung, Auslegung bzw Erläuterung und Ergänzung die allgemeinen Vorschriften über Form und Inhalt eines Schiedsspruchs.[2488]

Im schwIPRG sind dagegen keine Bestimmungen über die Berichtigung, **1570** Erläuterung und Ergänzung von Schiedssprüchen durch das Schiedsgericht enthalten. Hier besteht eine Gesetzeslücke, die zumindest bezüglich der Berichtigung und Erläuterung durch die analoge Anwendung der entsprechenden Vorschriften des schwBGG geschlossen wird.[2489] Soweit Schiedsordnungen Regeln über eine Berichtigung und Auslegung des Schiedsspruchs[2490] oder

---

2481 § 1058 Abs 1 Nr 1 dZPO.
2482 § 1058 Abs 4 dZPO.
2483 § 1058 Abs 1 Nr 2 dZPO.
2484 § 1058 Abs 1 Nr 3 dZPO.
2485 § 610 öZPO.
2486 § 610 Abs 1 Z 2 öZPO.
2487 § 1058 Abs 3 dZPO; § 610 Abs 3 öZPO.
2488 § 1058 Abs 5 dZPO; § 610 Abs 5 öZPO.
2489 BGE 126 III 524 (527); *Veit/Masser* in Zuberbühler/Müller/Habegger, Swiss Rules[2] Art 35/36 Rn 2.
2490 Art 36 ICC SchO sowie Art 35 und 36 Swiss Rules.

sogar über einen ergänzenden Schiedsspruch[2491] enthalten, liegt eine entsprechende Parteivereinbarung vor und bedarf es keiner analogen Anwendung dieser Vorschriften.[2492] Zu beachten ist insb, dass ein Antrag auf Berichtigung, Erläuterung oder Ergänzung beim Schiedsgericht die Frist für die Einreichung der Schiedsbeschwerde nicht unterbricht und auch keine Voraussetzung für deren Zulässigkeit darstellt.[2493]

2491 Art 37 Swiss Rules.
2492 Zu Fristfragen vgl *Veit/Masser* in Zuberbühler/Müller/Habegger, Swiss Rules[2] Art 35/36 Rn 10 ff.
2493 BGE 137 III 85 (87).

V. Restitution/Wiederaufnahme/Revision

Es gibt Fälle, in denen eine Partei erst nach der Fällung des Schiedsspruchs **1571** entscheidende Beweismittel auffindet, die während des Verfahrens nicht vorgelegt werden konnten. Weiter sind Konstellationen denkbar, in denen die Entscheidung des Schiedsgerichts durch eine Straftat beeinflusst oder erwirkt worden ist, zB bei Einreichung einer gefälschten Urkunde.[2494]

In Deutschland sieht man in solchen Sachverhalten, wenn sie die Voraus- **1572** setzungen von Restitutionsgründen erfüllen, eine Verletzung des *ordre public* und erfasst sie im Aufhebungsverfahren folglich unter § 1059 Abs 2 Nr 2 lit b dZPO.[2495] Grundsätzlich gilt auch hier die Aufhebungsfrist des § 1059 Abs 3 dZPO. Nur in Fällen, in denen das Erschleichen eines Urteils oder das Gebrauchmachen von dem rechtskräftigen Urteil eines staatlichen Gerichts zugleich als sittenwidrige Schädigung des Gegners im Sinne des § 826 dBGB gewertet würde, lässt die Rechtsprechung den Aufhebungsantrag über den Wortlaut des § 1059 Abs 2 dZPO hinaus auch noch nach Ablauf der Aufhebungsfrist zu.[2496]

§ 611 Abs 2 Z 6 öZPO bestimmt, dass ein Schiedsspruch auch dann auf- **1573** zuheben ist, wenn die Voraussetzungen vorhanden sind, unter denen nach § 530 Abs 1 Z 1 bis 5 öZPO ein gerichtliches Urteil mittels Wiederaufnahmsklage angefochten werden kann.[2497] Dabei handelt es sich um die sogenannten strafrechtlichen Wiederaufnahmsgründe der öZPO, nämlich: (i) wenn der Schiedsspruch auf einer Urkunde gründet, die gefälscht wurde; (ii) wenn der Schiedsspruch auf einer falschen Beweisaussage iSd § 288 öStGB eines Zeugen, Sachverständigen oder des Verfahrensgegners gründet; (iii) wenn die Entscheidung durch Täuschung (§ 108 öStGB), Unterschlagung (§ 134 öStGB), Betrug (§ 146 öStGB), Urkundenfälschung (§ 223 öStGB), Fälschung besonders geschützter Urkunden (§ 224 öStGB) oder öffentlicher Beglaubigungsabzeichen (§ 225 öStGB), mittelbare unrichtige Beurkundung oder Beglaubigung (§ 228 öStGB), Urkundenunterdrückung (§ 229

2494 Allgemein zu der Problematik: *Poudret/Besson*, International Arbitration[2] Rn 843.
2495 BGH 2.11.2000, NJW 2001, 373 f.
2496 BGH 2.11.2000, NJW 2001, 373 (374).
2497 Ist am Schiedsverfahren eine Verbraucherin/ein Verbraucher oder eine Arbeitnehmerin/ein Arbeitnehmer beteiligt, finden auch die Wiederaufnahmsgründe des § 530 Abs 1 Z 6 und 7 öZPO Anwendung, wonach ein Schiedsspruch aufzuheben ist, wenn (i) die Partei eine über denselben Anspruch oder über dasselbe Rechtsverhältnis früher ergangene, bereits rechtskräftig gewordene Entscheidung auffindet oder zu benützen in Stande gesetzt wird, und (ii) die Partei in Kenntnis von neuen Tatsachen gelangt oder Beweismittel auffindet oder zu benützen in Stand gesetzt wird, deren Vorbringen und Benützung im früheren Verfahren eine ihr günstigere Entscheidung herbeigeführt haben wurde.

öStGB) oder Versetzung von Grenzzeichen (§ 230 öStGB) als gerichtlich strafbare Handlung des Vertreters der Partei, ihres Gegners oder dessen Vertreters erwirkt wurde; (iv) wenn sich der Richter bei der Erlassung der Entscheidung oder einer der Entscheidung zugrunde liegenden früheren Entscheidung in Beziehung auf den Rechtsstreit zum Nachteil der Partei einer nach dem Strafgesetzbuch zu ahndenden Verletzung seiner Amtspflicht schuldig gemacht hat; und (v) wenn ein strafgerichtliches Erkenntnis, auf welches die Entscheidung gegründet ist, durch ein anderes rechtskräftiges Urteil aufgehoben ist.

1574   Wenn ein solcher strafrechtlicher Wiederaufnahmegrund verwirklicht wurde, verstößt das Schiedsverfahren in aller Regel auch gegen den prozessualen *ordre public*, weshalb der Aufhebungsgrund des § 611 Abs 2 Z 5 öZPO in diesem Fall ebenfalls vorliegt.[2498] Dennoch ist § 611 Abs 2 Z 6 öZPO nicht redundant, weil die Frist für die auf diese Bestimmung gestützte Aufhebungsklage nicht schon mit Zustellung des Schiedsspruchs zu laufen beginnt, sondern erst mit dem Tag, an dem das strafgerichtliche Urteil in Rechtskraft erwachsen ist.[2499] Die konkrete Frist beträgt vier Wochen ab der Rechtskraft der strafgerichtlichen Entscheidung,[2500] die absolute Frist 10 Jahre ab Rechtskraft des Schiedsspruchs.[2501]

1575   Das schweizerische BGer hat auch hier eine Gesetzeslücke im schwIPRG festgestellt und die Vorschriften des schwBGG über die Revision bundesgerichtlicher Entscheidungen für auf internationale Schiedssprüche analog anwendbar erklärt.[2502] Die Revision kann zum einen verlangt werden, wenn ein Strafverfahren ergeben hat, dass durch ein Verbrechen oder Vergehen zum Nachteil des Gesuchstellers auf die Entscheidung des Schiedsgerichts eingewirkt wurde. Die Verurteilung durch den Strafrichter ist nicht erforderlich. Bei Unmöglichkeit des Strafverfahrens kann der Beweis auf andere Weise erbracht werden.[2503] Es kommt nicht darauf an, ob das Verbrechen oder Vergehen von einer der beteiligten Parteien oder einer dritten Person begangen worden ist, wobei die strafbare Tat die Entscheidung selbst und nicht nur die Begründung des Schiedsspruchs beeinflusst haben muss.[2504]

1576   Weiter ist die Revision eines Schiedsspruchs in der Schweiz zulässig, wenn die ersuchende Partei nachträglich erhebliche Tatsachen erfährt oder entscheidende Beweismittel auffindet, die sie im früheren Verfahren nicht beibringen

---

2498   *Hausmaninger* in Fasching/Konecny, ZPO³ § 611 Rn 147.

2499   § 611 Abs 4 Satz 3 öZPO.

2500   § 534 Abs 2 Z 3 öZPO.

2501   § 534 Abs 3 öZPO.

2502   BGE 134 III 286.

2503   Art 123 Abs 1 schwBGG.

2504   BGer 6.10.2009, 4A_596/2008.

konnte, unter Ausschluss der Tatsachen und Beweismittel, die erst nach dem Entscheid entstanden sind.[2505]

Das Revisionsgesuch ist innert 90 Tagen nach der Entdeckung der Gründe, frühestens jedoch nach der Eröffnung der vollständigen Ausfertigung des Schiedsspruchs oder nach dem Abschluss des Strafverfahrens, beim BGer einzureichen. Außer in den Fällen der Beeinflussung des Schiedsspruchs durch eine Straftat kann nach Ablauf von zehn Jahren nach der Fällung desselben die Revision nicht mehr verlangt werden.[2506] Die Schiedsbeschwerde hat gegenüber der Revision Vorrang. Innerhalb der für die Einbringung der Schiedsbeschwerde vorgesehenen Frist entdeckte Revisionsgründe müssen mit der Schiedsbeschwerde geltend gemacht werden.[2507] **1577**

Das BGer erlässt keinen neuen oder korrigierten Schiedsspruch, sondern weist die Sache an das ursprüngliche Schiedsgericht oder ein allenfalls neu zu bestellendes Schiedsgericht zurück. **1578**

2505   Art 123 Abs 2 lit a schwBGG.
2506   Art 124 Abs 1 und 2 schwBGG.
2507   Einzelheiten bei *Geisinger/Mazuranic* in Geisinger/Voser, Arbitration in Switzerland[2] 263 ff.

VI. Nichtigkeit eines Schiedsspruchs

1579 Ein als Schiedsspruch bezeichnetes Dokument muss nicht zwingend ein Schiedsspruch sein. Der Mangel kann sich auf den Inhalt (zB Ausspruch einer Ehescheidung) oder auf die Form (zB Anmaßung einer Schiedsrichterfunktion) beziehen.[2508] Auch wenn ein Schiedsgutachten fälschlicherweise als Schiedsspruch bezeichnet worden ist, kann ein Korrekturbedürfnis bestehen.[2509] Denkbar ist weiter, dass ein Schiedsspruch erlassen wird, obwohl zuvor rechtskräftig gerichtlich festgehalten worden ist, dass ein Schiedsverfahren unzulässig sei.[2510]

1580 In allen diesen Fällen sind die Schiedssprüche unwirksam und nichtig. An sich bedürfte es deshalb gar keiner Aufhebung. Doch kann die Beseitigung eines nichtigen Schiedsurteils insb aus Gründen der Rechtssicherheit geboten sein.

1581 Im österreichischen Recht kann nach § 612 öZPO die Feststellung des Bestehens oder Nichtbestehens eines Schiedsspruchs begehrt werden, wenn der Antragsteller ein rechtliches Interesse daran hat. Im Gegensatz zur Aufhebungsklage, die nur gegen in Österreich erlassene Schiedssprüche statthaft ist, ist § 612 öZPO auch dann anwendbar, wenn der Sitz des Schiedsgerichts nicht in Österreich liegt.[2511]

1582 Entsprechend wird für Deutschland und die Schweiz die Auffassung vertreten, dass mit einem Aufhebungsantrag bzw einer Schiedsbeschwerde die Feststellung der Nichtigkeit des Schiedsspruchs beantragt werden kann.[2512]

Schlosser in Stein/Jonas, Zivilprozessordnung[22] § 1059 Rn 7.

2509 Eine gerichtliche Klarstellung ist in Deutschland jedoch nicht möglich; qualifiziert das Gericht die angefochtene Entscheidung nicht als formell wirksamen Schiedsspruch, sondern als Schiedsgutachten, weist es den dann unstatthaften Aufhebungsantrag ab; vgl oben Rn 1475; eingehend zum Umgang mit „Scheinschiedssprüchen" *Schröder*, SchiedsVZ 2005, 244.

2510 *Huber*, SchiedsVZ 2003, 74 mwN.

2511 § 577 Abs 2 öZPO.

2512 Str, *Münch* in MünchKom, ZPO[4] § 1059 Rn 66 mwN auch zur aA; *Schlosser* in Stein/Jonas, Zivilprozessordnung[22] § 1059 Rn 8; *Pfisterer* in Honsell et al, Internationales Privatrecht[3] Art 190 Rn 92.

VII. Würdigung

Die gesetzlichen Regelungen der Aufhebung bzw Anfechtung eines Schieds-   **1583**
spruchs in Deutschland, Österreich und der Schweiz und insbesondere der
Ausschluss einer inhaltlichen Nachprüfung (*révision au fond*) haben sich in
der Praxis bewährt. Die Beschränkung der Überprüfung durch die staatlichen
Gerichte in diesen drei Ländern auf die Richtigkeit der Entscheidung über die
Zuständigkeit, Verstöße gegen verfahrensrechtliche Mindestanforderungen
und Verletzungen des *ordre public* erfüllt die Anforderungen an ein modernes
Schiedsrecht, das im Spannungsfeld zwisehen staatlicher Kontrolle und der
Freiheit der Parteien, auch eine private Streiterledigung wählen zu können,
den Königsweg finden muss.

12. Kapitel

Durchsetzung von Schiedssprüchen

Barbara-Helene Steindl/Florian Mohs/Karl Pörnbacher

I. Einleitung

Das Wissen um die erleichterte Vollstreckbarkeit von Schiedssprüchen lässt **1584** Unternehmen regelmäßig die Schiedsgerichtsbarkeit der staatlichen Gerichtsbarkeit vorziehen. Dies besonders dann, wenn der Schuldner sein vollstreckungsfähiges Vermögen in Staaten hält, in denen der Vollstreckung von Urteilen ausländischer staatlicher Gerichte rechtliche Hemmnisse entgegenstehen. Diese können darin bestehen, dass die Gegenseitigkeit der Urteilsvollstreckung zwischen den betroffenen Staaten nicht gegeben ist, etwa weil kein entsprechendes Abkommen abgeschlossen wurde,[2513] das diese verbriefen würde.[2514] Soweit die praktische Übung der gegenseitigen Vollstreckung ausreicht, scheitert ein Vollstreckungsantrag trotzdem, wenn die Gegenseitigkeit der Vollstreckung nicht durch die Gerichte beider betroffenen Staaten wirklich ausgeübt wird.[2515] Mancherorts wird das ausländische staatliche

---

2513 Bspw ist bis heute kein einziges bi- oder multilaterales Abkommen über die gegenseitige Anerkennung und Vollstreckung von Urteilen staatlicher Gerichte mit den USA in Kraft. Siehe U. S. Department of State, Bureau of Consular Affairs, Enforcement of Judgments, abrufbar unter https://travel.state.gov/content/travel/en/legal-considerations/judicial/enforcement-of-judgments.html (zuletzt abgerufen am 30.5.2016).

2514 Vgl § 79 Abs 2 öEO, der für die Vollstreckbarerklärung von ausländischen Urteilen verlangt, dass die Gegenseitigkeit der Vollstreckung durch Staatsverträge oder Verordnungen verbürgt sein muss. Das gleiche gilt gem § 328 Abs 1 Nr 5 dZPO für Deutschland. Die Schweiz kennt ein solches allgemeines Gegenseitigkeitserfordernis nicht.

2515 Die Frage, ob der Sitzstaat der Gläubigerin im Gegenzug auch US-amerikanische Gerichtsurteile vollstreckt, wird von den Gerichten in einigen US-Bundesstaaten leider auch im verkürzten Vollstreckungsverfahren nach dem Vorbild der 2005 Uniform Foreign-Country Money Judgments Recognition Act (UFMJRA) ermittelt,

Gerichtsurteil im Exekutionsverfahren zudem einer nochmaligen inhaltlichen Kontrolle unterzogen, wodurch die Realisierung eines einmal errungenen Urteils weiter verkompliziert wird.

1585   Hingegen erlauben verschiedene multi- und bilaterale Anerkennungs- und Vollstreckungsübereinkommen jeweils in nur sehr eingeschränktem Maß Einwände gegen die Anerkennung und Vollstreckung von Schiedssprüchen und sichern so die Effizienz und damit den Erfolg der Schiedsgerichtsbarkeit in den jeweiligen Vertragsstaaten. Dies trifft im Besonderen auf das mittlerweile fast weltweit geltende UN-Übereinkommen über die Anerkennung und Vollstreckung ausländischer Schiedssprüche vom 10.6.1958 (NYÜ)[2516] zu, dem in diesem Beitrag viel Platz gewidmet wird.

1586   Auch wenn es heute wohl häufiger notwendig ist, gerichtliche Vollstreckungsverfahren zur Durchsetzung von Schiedssprüchen einzuleiten,[2517] so werden die meisten Schiedssprüche immer noch freiwillig erfüllt.[2518] Dies ändert jedoch nichts an der Bedeutung der einschlägigen nationalen Vollstreckungsvorschriften für inländische Schiedssprüche und an der Wichtigkeit der Anerkennungs- und Vollstreckungsabkommen für ausländische Schiedssprüche, weil gerade das Wissen um die Vollstreckbarkeit die Schuldnerin häufig zur freiwilligen Erfüllung ihrer Verpflichtung motivieren wird.

---

wobei UFMJRA selbst gar kein Gegenseitigkeitskriterium vorsieht. *Brand*, International Litigation Guide 11. Die Ermittlung der Gegenseitigkeit erfolgt oft mittels Sachverständigen. *Zeynalova*, BJIL 2013, 177 ff.

2516   Das NYÜ ist im authentischen englischen Wortlaut (vgl Art XVI Abs 1 NYÜ) unter http://www.uncitral.org/pdf/english/texts/arbitration/NY-conv/New-York-Convention-E.pdf (30.5.2016) einsehbar. Der hier in weiterer Folge zitierte deutsche Wortlaut ist eine Übersetzung und kein authentischer Vertragstext.

2517   Vgl *Tannock*, Arbitration International 2005 71 ff.

2518   *Haas* in Weigand, Handbook[2] 401; *Redfern/Hunter*, International Arbitration[6] 605; *Mistelis/Lagerberg*, Corporate attitudes 2008, 8.

II. Die Durchsetzung inländischer Schiedssprüche

A. Durchsetzungsverfahren vor österreichischen Gerichten

1. Grundsätzliches

Gem § 607 öZPO hat der inländische Schiedsspruch zwischen den Parteien die **Wirkung eines rechtskräftigen gerichtlichen Urteils**.[2519] Der inländische Schiedsspruch erwächst in Rechtskraft und hat – ohne Abführung eines gesonderten Verfahrens auf Anerkennung und Vollstreckbarerklärung – Feststellungs-, Gestaltungs- und Tatbestandswirkung.[2520] Voraussetzungen für diese Eigenschaften sind die Formgültigkeit des Schiedsspruchs,[2521] das Vorliegen einer Endentscheidung in der Sache (inkl Schiedsspruch in der Sache, Schiedsspruch mit vereinbartem Wortlaut, Zuständigkeits-, Kosten-, und Teilschiedsspruch) und das Fehlen einer Anfechtungsmöglichkeit vor einer höheren Schiedsinstanz.[2522] Erfüllt die unterlegene Partei den Schiedsspruch nicht freiwillig, dann steht der obsiegenden Partei das Exekutionsverfahren vor den österreichischen staatlichen Gerichten zur Durchsetzung des Schiedsspruchs zur Verfügung. Da Schiedsgerichten mit Sitz in Österreich keine Zwangsgewalt zukommt, können sie nicht selbst für die exekutive Durchsetzung eines Schiedsspruchs sorgen.[2523]

1587

Gem § 1 Z 16 öEO zählen die einer Anfechtung vor einer höheren schiedsrichterlichen Instanz nicht mehr unterliegenden Schiedssprüche und Schiedsvergleiche, die in Österreich gefällt[2524] bzw geschlossen wurden, zu den inländischen Exekutionstiteln. Sie sind somit ohne Weiteres vollstreckbar, dh ein eigenes Verfahren zur Vollstreckbarerklärung[2525] braucht nicht abgeführt zu werden. Die genannten Schiedssprüche und Schiedsvergleiche sind inländischen Gerichtsurteilen damit gleichgestellt. Die Vollstreckung inländischer Schiedssprüche richtet sich nach denjenigen Vorschriften der öEO, die auch für die Vollstreckung anderer inländischer Vollstreckungstitel gelten, wie zB inländische Urteile in Streitsachen, Zahlungsaufträge und Zahlungsbefehle.[2526]

1588

2519 Vgl § 577 Abs 1 öZPO: *„Die Bestimmungen dieses Abschnitts sind anzuwenden, wenn der Sitz des Schiedsgerichts in Österreich liegt."*

2520 *Hausmaninger* in Fasching/Konecny, ZPO³ § 607 Rn 18.

2521 Der Schiedsspruch hat den Formal- und Inhaltserfordernissen des § 606 öZPO zu entsprechen.

2522 *Hausmaninger* in Fasching/Konecny, ZPO³ § 607 Rn 19 ff.

2523 *Hausmaninger* in Fasching/Konecny, ZPO³ Vor § 577 ff Rn 3.

2524 Ein inländischer Schiedsspruch liegt vor, wenn der Schiedsort gem § 595 öZPO in Österreich liegt.

2525 § 79 Abs 1 öEO.

2526 § 1 Z 1–3 öEO.

2. Das Durchsetzungsverfahren

a) Bestätigung der Rechtskraft und Vollstreckbarkeit

1589 Um Praktikabilitätsgedanken Rechnung zu tragen und weitere gerichtliche Verfahren nach der Beendigung eines Schiedsverfahrens möglichst zu vermeiden, wird die Bestätigung der Rechtskraft und Vollstreckbarkeit in Österreich gem § 606 Abs 6 öZPO vom Schiedsgericht selbst erteilt. Nur bei Schiedssprüchen kommt die **Erteilung der Rechtskrafts- und Vollstreckbarkeitsbestätigung** in Betracht – bei Schiedsvergleichen kann mangels Rechtskraftfähigkeit nur die Vollstreckbarkeit bestätigt werden.[2527] Im Vergleich zu anderen Jurisdiktionen ist die Erteilung der Bestätigung durch das Schiedsgericht eine Besonderheit und ein bedeutender Vorteil des österreichischen Schiedsrechts, da die Parteien die Bestätigung vom Schiedsgericht formfrei begehren und diese ohne Einleitung eines neuerlichen formellen oder gerichtlichen Verfahrens erteilt werden kann. Die Rechtskraft und Vollstreckbarkeit des Schiedsspruchs ist auf Verlangen einer Partei vom vorsitzenden Mitglied des Schiedsgerichts, im Fall seiner Verhinderung von einer anderen Schiedsrichterin/einem anderen Schiedsrichter, auf einer Ausfertigung des Schiedsspruchs zu bestätigen.[2528] Die Pflicht zur Ausstellung dieses Vermerkes ist einklagbar[2529] und wurde auch in die Wiener Regeln als Pflicht der SchiedsrichterInnen ausdrücklich mitaufgenommen.[2530] Die Bestätigung über die Rechtskraft und Vollstreckbarkeit ist nach der Rsp unmissverständlich[2531] auszudrücken. Das VIAC unterstützt die SchiedsrichterInnen bei der Ausstellung der Rechtskrafts- und Vollstreckbarkeitsbestätigung mit einem Vordruck, der vom Schiedsgericht – nach Prüfung der Voraussetzungen für die Erteilung der Bestätigung – ausgefüllt werden kann.

1590 Die **Voraussetzungen** für die Erteilung der Rechtskrafts- und Vollstreckbarkeitsbestätigung sind die erfolgte Zustellung des Schiedsspruchs,[2532] die Tatsache, dass der Schiedsspruch nicht mehr durch Anrufung einer gegebenenfalls vereinbarten höheren schiedsrichterlichen Instanz angefochten werden

---

2527 *Hausmaninger* in Fasching/Konecny, ZPO³ § 606 Rn 112.

2528 *Höllwerth* in Burgstaller/Deixler-Hübner, EO²⁹ § 1 Rn 118.

2529 *Hausmaninger* in Fasching/Konecny, ZPO³ § 606 Rn 117; OGH 3.6.1924, 3 Ob 415/24, SZ 6/212.

2530 Art 36(6) Wiener Regeln.

2531 Vgl OGH 14.10.1970, 3 Ob 115/70, SZ 7/252. Nicht ausreichend ist bspw zu erklären, dass der Schiedsspruch *„inappellabel und sofort vollstreckbar"* oder *„nach Ablauf der Leistungsfrist"* vollstreckbar sei, vgl *Hausmaninger* in Fasching/Konecny, ZPO² § 606 Rn 115.

2532 § 606 Abs 4 öZPO: *„Jeder Partei ist ein von den Schiedsrichtern nach Abs 1 unterschriebenes Exemplar des Schiedsspruchs zu übersenden."*

kann und der Ablauf der Leistungsfrist.[2533] Die Möglichkeit der Einbringung einer Anfechtungsklage gegen den Schiedsspruch gem § 611 öZPO hat keinen Einfluss auf die Erteilung der Rechtskrafts- und Vollstreckbarkeitsbestätigung. Eine unrechtmäßig erteilte Rechtskrafts- und Vollstreckbarkeitsbestätigung kann zwar nicht wie eine gerichtlich erteilte Rechtskrafts- und Vollstreckbarkeitsbestätigung gem § 7 Abs 3 öEO aufgehoben werden; das Exekutionsgericht hat die Unrichtigkeit der Bestätigung im Exekutionsbewilligungsverfahren aber von Amts wegen wahrzunehmen,[2534] widrigenfalls diese mit Rekurs oder Impugnationsklage (Vollstreckungsbekämpfungsklage[2535]) gem § 36 öEO bekämpft werden kann.[2536]

Die Rechtskraft- und Vollstreckbarkeitsbestätigung ersetzt nicht den **1591** Nachweis des **Eintritts einer Bedingung**, wenn die Leistungsverpflichtung im Schiedsspruch vom Eintritt einer Bedingung[2537] abhängig gemacht wurde.[2538] In diesem Fall hat die betreibende Gläubigerin den Eintritt der Bedingung gem § 7 Abs 2 öEO[2539] – als Voraussetzung für die Erteilung der Exekutionsbewilligung – durch eine qualifizierte Urkunde[2540] zu beweisen.

b) Bestätigung der Rechtskraft, Vollstreckbarkeit und Anfechtungsklage

Mit der Erteilung der Rechtskraft- und Vollstreckbarkeitsbestätigung ist die **1592** Exekution auf Basis des Schiedsspruchs grds zulässig. Wird eine Aufhebungsklage gegen den Schiedsspruch nach § 611 öZPO eingebracht,[2541] dann kann

---

2533 *Höllwerth* in Burgstaller/Deixler-Hübner, EO[29] § 1 Rn 118; *Hausmaninger* in Fasching/Konecny, ZPO[2] § 606 Rn 116, § 607 Rn 30.

2534 *Hausmaninger* in Fasching/Konecny, ZPO[3] § 607 Rn 30.

2535 Die Impugnationsklage richtet sich nicht gegen den betriebenen Anspruch, sondern gegen die aufgrund des Titels gegen die Verpflichtete geführte Exekution. Die Verpflichtete bestreitet damit den Vollstreckungsanspruch der Betreibenden zu dieser Zeit, von dieser Betreibenden gegen Verpflichtete oder in der geltend gemachten Art.

2536 *Hausmaninger* in Fasching/Konecny, ZPO[3] § 607 Rn 30.

2537 Bspw von einer Zahlungspflicht nach Übergabe einer Liegenschaft durch den Gläubiger (vgl OGH 19.10.2006, 3 Ob 168/06m, NZ 2007, 346) oder von der Durchführung bestimmter Arbeiten (vgl OGH 17.12.2003, 3 Ob 231/03).

2538 *Höllwerth* in Burgstaller/Deixler-Hübner, EO[29] § 7 Rn 128.

2539 § 7 Abs 2 öEO: „[...] ist im Exekutionstitel die Vollstreckbarkeit des Anspruches von dem seitens des Berechtigten zu beweisenden Eintritte einer Tatsache, namentlich von einer vorangegangenen Leistung des Berechtigten abhängig gemacht, so muß der Eintritt der hienach für die Fälligkeit oder Vollstreckbarkeit maßgebenden Tatsachen mittels öffentlicher oder öffentlich beglaubigter Urkunden bewiesen werden."

2540 *Höllwerth* in Burgstaller/Deixler-Hübner, EO[29] § 7 Rn 125.

2541 Die Gründe für eine Aufhebungsklage sind dem UNCITRAL ModG nachempfunden, zB Fehlen einer gültigen Schiedsvereinbarung, der subjektiven oder objektiven Schiedsfähigkeit, Verletzung des rechtlichen Gehörs, *ultra petita*, unrichtige Bildung

die Verpflichtete gem § 42 Abs 1 Z 1 öEO[2542] die **Aufschiebung der Exekution** beantragen. Auf die Wirksamkeit des Schiedsspruches selbst hat dies aber keine unmittelbare Auswirkung.[2543] Denn die Klage auf Aufhebung des Schiedsspruchs nach der öZPO wird nicht als Anfechtung des Schiedsspruchs innerhalb eines etwa bestehenden Instanzenzuges, sondern vielmehr als eine Art besondere Rechtsmittelklage betrachtet, weshalb weder die Frist zur Einbringung der Anfechtungsklage noch das Faktum der Einbringung einer Aufhebungsklage selbst die Rechtskraft und Vollstreckbarkeit des Schiedsspruchs hinausschieben.[2544]

c) Gerichtliche Zuständigkeit

1593 Für das Exekutionsverfahren sind sachlich die Bezirksgerichte zuständig.[2545] Örtlich zuständig für die Erteilung der Exekutionsbewilligung sind gem § 4 iVm § 18 Z 1, 2 und 4 öEO die Gerichte an dem Ort, wo das Vermögen bzw die Sache belegen ist, oder wo die Liegenschaft eingetragen ist, in welche die Zwangsvollstreckung vorgenommen werden soll. Wird eine Forderungsexekution angestrebt (dh die Zwangsvollstreckung durch Überweisung und Pfändung von Forderungen Dritter gegen die Schuldnerin), so sind dafür im Allgemeinen die Gerichte an dem Ort zuständig, wo die Verpflichtete ihren Sitz, Wohnsitz oder Aufenthalt im Inland hat und wenn ein allgemeiner Gerichtsstand der Verpflichteten im Inland nicht begründet ist, das Bezirksgericht, in dessen Sprengel sich der Wohnsitz, Sitz oder Aufenthalt der Drittschuldnerin befindet.[2546] Ansonsten ist gem § 18 Z 4 öEO das Gericht an dem Ort zuständig, in dessen Sprengel sich bei Beginn des Exekutionsvollzuges die Sachen befinden, auf welche Exekution geführt wird, oder, in Ermangelung solcher Sachen, das Bezirksgericht, in dessen Sprengel die erste Exekutionshandlung tatsächlich vorzunehmen ist.

---

des Schiedsgerichtes, Verletzung des verfahrens- oder materiellrechtlichen *ordre public*; siehe dazu näher *Wiebecke/Ruckteschler/Schifferl* Rn 1487 ff.

2542 § 42 Abs 1 Z 2 öEO: „*Die Aufschiebung (Hemmung) der Exekution kann auf Antrag angeordnet werden: „[...] wenn in Bezug auf einen der im § 1 angeführten Exekutionstitel die Wiederaufnahme des Verfahrens oder die Wiedereinsetzung in den vorigen Stand begehrt oder wenn die Aufhebung eines Schiedsspruches (§ 1 Z 16) im Klagewege beantragt wird.*“

2543 *Hausmaninger* in Fasching/Konecny, ZPO³ § 611 Rn 205.

2544 *Hausmaninger* in Fasching/Konecny, ZPO³ § 607 Rn 23.

2545 § 17 Abs 1 öEO.

2546 § 18 Z 3 öEO.

d) Antrag auf Exekutionsbewilligung

Der Antrag auf Exekutionsbewilligung hat nach § 54 öEO die genaue Be- **1594**
zeichnung der Antragstellerin und derjenigen, wider welcher die Exekution
geführt werden soll, zu enthalten. Weiters sind darin Angaben zur Zuständigkeit des angerufenen Gerichts zu machen, der Anspruch, dessentwegen die
Exekution stattfinden soll und der Exekutionstitel sind bestimmt zu bezeichnen,[2547] sowie die anzuwendenden Exekutionsmittel[2548] anzugeben. Bei der
Exekution wegen Geldforderungen sind die beantragten Exekutionsobjekte
(Liegenschaften, bewegliche körperliche Sachen, Forderungen) und deren
Ortslage anzugeben. Dem Exekutionsantrag ist eine Ausfertigung des Exekutionstitels samt Bestätigung der Vollstreckbarkeit nur dann anzuschließen,
wenn über den Exekutionsantrag nicht im vereinfachten Bewilligungsverfahren entschieden werden kann.[2549] Im vereinfachten Bewilligungsverfahren
hat das Gericht nur auf Grundlage der Angaben im Exekutionsantrag zu entscheiden. Bestehen Bedenken, ob ein die Exekution deckender Exekutionstitel samt Bestätigung der Vollstreckbarkeit besteht, so hat das Gericht die
betreibende Gläubigerin gem § 54b Abs 2 öEO vor der Entscheidung aufzufordern, binnen fünf Tagen eine Ausfertigung des Exekutionstitels samt
Bestätigung der Vollstreckbarkeit vorzulegen.

Bei Einbringung eines Exekutionsantrags wird die für Exekutionsanträge **1595**
anwendbare gerichtliche **Pauschalgebühr** fällig. Die Höhe der Pauschalgebühr

---

2547 Gem § 7 Abs 1 öEO darf die Exekution nur bewilligt werden, wenn der im Exekutionsantrag geltend gemachte Anspruch durch den Exekutionstitel gedeckt ist.
Dh bei Geldforderungen sind der hereinzubringende Betrag sowie etwaige Neben-
gebühren (Zinsen, Verfahrens- und Exekutionskosten) anzugeben.

2548 Bei der Liegenschaftsexekution wegen Geldforderungen sind dies die zwangsweise
Pfandrechtsbegründung, die Zwangsverwaltung und die Zwangsversteigerung. Bei
der Exekution wegen Geldforderungen auf bewegliche körperliche Sachen die Pfändung und der Verkauf. Die Naturalexekution auf Herausgabe und Leistung von be-
weglichen Sachen wird durch Abnahme der Sache und Übergabe an den Gläubiger
vollzogen, unvertretbare Handlungen durch die Bewilligung der Vornahme auf
Kosten des Verpflichteten. Die Erwirkung von Duldungen und Unterlassungen
wird durch Beugestrafen durchgesetzt.

2549 Gem § 54b Abs 1 öEO hat das Gericht im vereinfachten Bewilligungsverfahren zu
entscheiden, wenn die betreibende Gläubigerin Exekution wegen Geldforderungen,
nicht jedoch auf das unbewegliche Vermögen, ein Superädifikat oder ein Baurecht
beantragt, wenn die hereinzubringende Forderung an Kapital EUR 50.000 nicht
übersteigt, wenn die Vorlage anderer Urkunden als des Exekutionstitels nicht vorgeschrieben ist, wenn sich der betreibende Gläubiger auf einen inländischen, einen
diesem gleichgestellten (§ 2 öEO) oder einen rechtskräftig für vollstreckbar erklärten
ausländischen Exekutionstitel stützt und der betreibende Gläubiger nicht bescheinigt
hat, dass ein vorhandenes Exekutionsobjekt durch Zustellung der Exekutionsbewilligung vor Vornahme der Pfändung der Exekution entzogen würde.

wird auf Basis des Streitwerts berechnet. Zur Anwendung kommt dabei Tarifposten (TP) 4 des öGGG, der die Pauschalgebühr für das erstinstanzliche Exekutionsverfahren für Streitgegenstände bis zu EUR 70.000 gestaffelt mit Beträgen zwischen EUR 17 und EUR 178 festsetzt.[2550] Für Streitgegenstände mit einem EUR 70.000 übersteigenden Wert wird die Gebühr von EUR 178 um 2,5‰ des über EUR 70.000 liegenden Streitgegenstandsteils erhöht. Für einen Antrag auf Vollstreckung in unbewegliches Vermögen fallen – wiederum gestaffelt – etwas höhere gerichtliche Pauschalgebühren als die soeben erwähnten an.

1596   Über den Antrag auf Bewilligung der Exekution ist grds in einem **einseitigen Aktenverfahren** zu entscheiden,[2551] weil die Verpflichtete von der Exekution überrascht werden soll. Der Exekutionsantrag ist abzuweisen, wenn die betreibende Gläubigerin und die Verpflichtete nicht mit den im Exekutionstitel als Berechtigte bzw Verpflichtete Genannten übereinstimmen,[2552] wenn Gegenstand, Art, Umfang und Zeit der geschuldeten Leistung dem Exekutionstitel nicht entnommen werden können,[2553] und wenn die Fälligkeit noch nicht eingetreten oder die Leistungsfrist nicht abgelaufen ist.[2554] Eine Überschreitung der Befugnisse des Schiedsgerichts kann im Exekutionsbewilligungsverfahren nicht releviert werden. Auch die Gültigkeit der Schiedsvereinbarung, auf deren Basis der Schiedsspruch ergangen ist, wird nicht geprüft. Letztere muss mit dem Exekutionsantrag nicht vorgelegt werden.[2555]

e) Rechtsbehelfe und Klagen, Exekution zur Sicherstellung

1597   Gegen die Exekutionsbewilligung können von der Verpflichteten der **Rekurs** (§§ 65 ff öEO), die **Impugnationsklage,**[2556] der **Einstellungsantrag,**[2557] die

---

2550 § 32 öGGG TP 4a.

2551 Nur ausnahmsweise wird die Verpflichtete vernommen oder die Abgabe einer Erklärung verlangt. Dies erfolgt zB dann, wenn die Exekution zur Erwirkung von Handlungen, Duldungen oder Unterlassungen mittels Verhängung von Geldstrafen stattfindet und keine Gefahr in Verzug ist; § 358 Abs 2 öEO.

2552 § 7 Abs 1 und 9 öEO.

2553 § 7 Abs 1 öEO.

2554 § 7 Abs 2 öEO.

2555 OGH 24.11.1999, 3 Ob 189/99m. *Höllwerth* in Burgstaller/Deixler-Hübner, EO[29] § 1 Rn 122.

2556 Siehe näher zur Impugnationsklage § 36 öEO; wenn die Exekution zB nicht zu dieser Zeit, in dieser Art, gegen die bezeichnete Schuldnerin oder die betreibende Gläubigerin zusteht.

2557 Wenn der Exekutionstitel durch rechtskräftige Entscheidung für ungültig erklärt bzw aufgehoben wurde, bei Verzicht, Forderungsbefriedigung oder Stundung; siehe dazu § 39 öEO.

Oppositionsklage[2558] und im vereinfachten Bewilligungsverfahren der **Einspruch** gem § 54c öEO (Fehlen eines Exekutionstitels samt Vollstreckbarkeitsbestätigung) ergriffen werden.

Auch zur Sicherung von Geldforderungen aus Schiedssprüchen, gegen die **1598** ein weiterer Rechtszug nicht mehr offensteht, wird die analoge Anwendbarkeit der **Exekution zur Sicherstellung** gem § 370 öEO mit den Exekutionsmitteln der Pfändung von beweglichem Vermögen, der bücherlichen Vormerkung von Pfandrechten auf Liegenschaften, der Zwangsverwaltung und der Pfändung von Forderungen argumentiert.[2559]

3. Die Bedeutung von Aufhebungsgründen im Exekutionsverfahren

Im Exekutionsverfahren zur Vollstreckung eines Schiedsspruches ist § 613 **1599** öZPO zu beachten. Dieser ordnet an, dass dann, wenn ein Gericht oder eine Behörde in einem anderen Verfahren als dem Aufhebungsverfahren feststellt, dass einer der **amtswegig wahrzunehmenden Aufhebungsgründe** der fehlenden objektiven Schiedsfähigkeit[2560] oder des materiellen *ordre public*[2561] vorliegt, der Schiedsspruch in diesem Verfahren nicht zu beachten ist. Die Bestimmung, die dies ausdrücklich nur für Verfahren den Schiedsspruch betreffend anordnet, soll analog auf Verfahren bezüglich Schiedsvergleiche anwendbar sein.[2562]

Die in § 613 öZPO genannten beiden Aufhebungsgründe sind folglich **1600** auch dann noch von Relevanz, wenn binnen der Frist von 3 Monaten nach Zustellung des Schiedsspruchs an die Klägerin[2563] keine Aufhebungsklage eingebracht wurde. Dem Zweck des Gesetzes nach soll ein österreichisches Gericht oder eine Behörde an einen mit den Mängeln des § 611 Abs 2 Z 7 und 8 öZPO behafteten Schiedsspruch nicht gebunden sein. Stellt das Gericht zB in einem Exekutionsverfahren fest, dass die dem Schiedsspruch zugrundeliegende Sache nicht schiedsfähig ist, oder dass der Schiedsspruch den materiellrechtlichen *ordre public* verletzt, dann kann es den **Schiedsspruch** im Exekutionsverfahren zwar nicht aufheben, hat ihn aber **nicht zu beachten**, was im Verfahren auf Erlangung einer Exekutionsbewilligung die Abweisung des

---

2558 Die Oppositionsklage dient der Verpflichteten zur Geltendmachung von Einwendungen gegen den Anspruch, die erst nach dem Exekutionstitel entstanden sind oder im Titelverfahren – wegen Neuerungsverbots – nicht mehr berücksichtigt werden konnten, also zB zur Einwendung von Anspruchsbefriedigung oder -stundung. Siehe dazu § 35 öEO.

2559 *Sailer* in Burgstaller/Deixler-Hübner, EO[29] § 370 Rn 4.

2560 § 611 Abs 2 Z 7 öZPO.

2561 § 611 Abs 2 Z 8 öZPO.

2562 *Hausmaninger* in Fasching/Konecny, ZPO[3] § 613 Rn 12.

2563 § 611 Abs 4 öZPO.

Exekutionsbewilligungsantrags, oder später die Einstellung des Exekutionsverfahrens,[2564] zur Folge hat.[2565] Die Rechtswirkungen des Schiedsspruches sind durch die Nichtbeachtung gem § 613 öZPO aber nur für das konkrete Verfahren betroffen, in welchem das Bestehen einer der beiden genannten Aufhebungsgründe festgestellt wird.[2566] Die Nichtbeachtung des mit einem Aufhebungsgrund gem § 611 Abs 2 Z 7 oder Z 8 öZPO behafteten Schiedsspruchs (zB durch ein österreichisches Exekutionsgericht) schließt daher aber nicht aus, dass andernorts ein neuerlicher Exekutionsantrag eingebracht wird, mit der Behauptung, dass der Schiedsspruch wirksam ist.

B. Durchsetzungsverfahren vor deutschen Gerichten

1. Grundsätzliches

1601 Inländische Schiedssprüche haben gem § 1055 dZPO für die Parteien die **Wirkung eines rechtskräftigen gerichtlichen Urteils**. Aufgrund dieser *ipso iure* Wirkung ist kein weiteres Anerkennungsverfahren notwendig. Der Schiedsspruch ist gem § 1055 dZPO rechtskräftig,[2567] er ist jedoch kein Titel für eine Zwangsvollstreckung iSd § 794 dZPO. Ein solcher Titel ist erst die Vollstreckbarerklärung (§ 794 Abs 1 Nr 4a dZPO), die nach § 1060 Abs 1 dZPO oder § 1053 Abs 4 dZPO vom zuständigen OLG bzw einem Notar erteilt wird.

1602 Die **Vollstreckbarerklärung** wird in einem autonomen staatlichen Verfahren erteilt und ist weder Teil des Schiedsverfahrens noch der Vollstreckung. Sie dient der Schaffung eines Titels und der rechtskräftigen Feststellung der Unanfechtbarkeit des Schiedsspruchs.[2568] Sie ist der Zwangsvollstreckung vorgeschaltet. Für die Zwangsvollstreckung müssen darüber hinaus die allgemeinen Vollstreckungsvoraussetzungen vorliegen.[2569] Nach Erteilung der Vollstreckbarerklärung ist daher für die Zwangsvollstreckung wie bei der Vollstreckung aus anderen Vollstreckungstiteln nach den §§ 724 ff und 803 ff dZPO vorzugehen.

2564 § 39 Abs 1 Z 10 öEO.

2565 *Höllwerth* in Burgstaller/Deixler-Hübner, EO[29] § 1 Rn 121.

2566 *Hausmaninger* in Fasching/Konecny, ZPO[3] § 613 Rn 16.

2567 Eine Willenserklärung gilt durch den Schiedsspruch jedoch trotz § 1055 dZPO erst mit rechtskräftiger Vollstreckbarerklärung als abgegeben (§ 894 dZPO), da erst dann ein Titel vorliegt. Vgl BGH 22.12.1960, BeckRS 1960, 31189141 (mit dem Hinweis, dass die Parteien dessen ungeachtet auch dann an den Schiedsspruch gebunden sind, wenn die Voraussetzungen des § 894 Abs 1 S 1 dZPO noch nicht gegeben sind); *Münch* in MünchKom, ZPO[4] § 1060 Rn 5; *Voit* in Musielak/Voit, ZPO[12] § 1060 Rn 2; aA *Schlosser* in Stein/Jonas, ZPO[23] § 1060 Rn 6.

2568 *Schwab/Walter*, Schiedsgerichtsbarkeit[7] Kap 26 Rn 3.

2569 Dh Klausel, Zustellung sowie sonstige etwaige Voraussetzungen nach §§ 750 ff dZPO.

Bei **Feststellungs- und Gestaltungsaussprüchen** des Schiedsgerichts ist **1603** keine Vollstreckbarerklärung notwendig. Hier genügt die Rechtskraftwirkung des § 1055 dZPO. Auch in diesen Fällen kann aber der nach dem Schiedsspruch (teilweise) Obsiegende eine Vollstreckbarerklärung zur Klarstellung beantragen.[2570] Dies wird damit begründet, dass der Schiedsspruch nur durch die Vollstreckbarerklärung umfassend gegen die Geltendmachung von Aufhebungsgründen geschützt ist.[2571]

2. Das Durchsetzungsverfahren

a) Zulässigkeit des Antrags auf Vollstreckbarerklärung

(1) Zuständigkeit

Für die Vollstreckbarerklärung gem § 1062 dZPO ist das **OLG** zuständig, das **1604** in der Schiedsvereinbarung bezeichnet ist oder, wenn eine solche Bezeichnung fehlt, in dessen Bezirk der Ort des schiedsrichterlichen Verfahrens liegt.[2572]

(2) Antrag auf Erklärung der Vollstreckbarkeit

Das Verfahren wird mit der **Stellung des Antrags auf Vollstreckbarerklä- 1605 rung** bei Gericht eingeleitet. Bei **Unzuständigkeit** wird nach § 281 dZPO auf Antrag an das zuständige Gericht verwiesen. Für die Antragsstellung gibt es keine Frist. Im Antrag müssen die Parteien und ihre Vertreter sowie der Schiedsspruch ausreichend bezeichnet und angegeben werden, ob und in welchem Umfang die Vollstreckbarerklärung gewünscht wird. Der Antrag kann sich auch auf einen abtrennbaren Teil des Schiedsspruchs oder die Kostenentscheidung beschränken.[2573] Im Antrag muss gem § 1062 Abs 1 S 1 dZPO auch die Grundlage der Zuständigkeit des OLG dargelegt werden (Bezeichnung in der Schiedsvereinbarung oder Nachweis des Sitzes des Schiedsgerichts).[2574]

2570 BGH 30.3.2006, WM 2006, 1121; 30.11.1961, BB 1962, 616; OLG München 1.12.2015, IBR 2016, 193; 24.6.2014, SchiedsVZ 2015, 205 (m Anm *Pörnbacher/Duncker*); BayObLG 27.7.1999, BB 1999, 1948; OLG Hamburg 15.4.1964, MDR 1964, 853; *Schlosser* in Stein/Jonas, ZPO[23] § 1060 Rn 8; *Schwab/Walter*, Schiedsgerichtsbarkeit[7] Kap 26 Rn 7; aA *Geimer* in Zöller, Zivilprozessordnung[31] § 1060 Rn 6 (stattdessen Feststellung, dass kein Aufhebungsgrund vorliegt im Beschlussverfahren analog § 1060 dZPO).

2571 § 1059 Abs 3 S 4 dZPO; BGH 12.11.1959, BB 1060, 302; OLG München 1.12.2015, IBR 2016, 193; *Schlosser* in Stein/Jonas, ZPO[23] § 1060 Rn 8; *Schwab/Walter*, Schiedsgerichtsbarkeit[7] Kap 26 Rn 7.

2572 § 1062 Abs 1 Nr 4 Var 2 dZPO.

2573 *Schwab/Walter*, Schiedsgerichtsbarkeit[7] Kap 27 Rn 3.

2574 *Schwab/Walter*, Schiedsgerichtsbarkeit[7] Kap 27 Rn 3; *Münch* in MünchKom, ZPO[4] § 1064 Rn 3.

1606   Mit dem Antrag ist der Schiedsspruch oder eine **beglaubigte Abschrift des Schiedsspruchs** vorzulegen. Eine **Übersetzung des Schiedsspruchs** ist für die Zulässigkeit des Antrags nicht notwendig, das Gericht kann sie jedoch nachträglich anfordern.[2575] Die Beglaubigung kann auch von dem für das gerichtliche Verfahren bevollmächtigten deutschen Rechtsanwalt vorgenommen werden.[2576] Sie muss den gesamten Schiedsspruch umfassen, den Gleichlaut bestätigen und selbst unterschrieben werden.[2577] Die Schiedsvereinbarung muss dem Antrag nicht beigefügt werden, die Vorlage kann aber vom Gericht angeordnet werden.[2578]

1607   **Anwaltszwang** besteht im Verfahren auf Erteilung der Vollstreckbarerklärung erst ab Anordnung einer mündlichen Verhandlung. Bis dahin können Anträge und Erklärungen vor dem Urkundsbeamten der Geschäftsstelle des zuständigen OLGs oder eines jeden Amtsgerichts ohne anwaltliche Vertretung gestellt bzw abgegeben werden.[2579]

1608   Sofern die Vollstreckbarerklärung im bereits rechtshängigen Aufhebungsprozess beantragt wird, kann das auch durch einen Widerantrag geschehen, dh auch der Antragsgegner im Aufhebungsprozess kann einen solchen Antrag stellen.[2580] Antragsbefugt ist jede Partei, die (zum Teil) obsiegt hat; auch Rechtsnachfolger und gesetzliche Prozessstandschafter.[2581]

1609   Die Antragstellerin muss kein besonderes Rechtsschutzbedürfnis oder die Besorgung der Nichterfüllung des Schiedsspruchs darlegen. Es sind auch keine weiteren materiellen Erfordernisse wie Fristsetzung, Mahnung oder Aufforderung des Schuldners nötig.[2582]

(3) Anforderungen an den Schiedsspruch

1610   Für die Vollstreckbarerklärung muss ein **inländischer Schiedsspruch** vorliegen,[2583] der die **Formvorschriften** des § 1054 dZPO erfüllt und damit nach § 1055 dZPO formell rechtskräftig ist.

2575   OLG Köln 23.4.2004, SchiedsVZ 2005, 163 ff; *Voit* in Musielak/Voit, ZPO[13] § 1061 Rn 11.

2576   § 1064 Abs 1 dZPO.

2577   *Münch* in MünchKom, ZPO[4] § 1064 Rn 5.

2578   *Saenger* in Saenger, ZPO[6] § 1064 Rn 2; *Schwab/Walter*, Schiedsgerichtsbarkeit[7] Kap 27 Rn 2.

2579   § 1063 Abs 4 iVm § 78 Abs 1 S 1 und Abs 3 sowie § 129a dZPO.

2580   *Schwab/Walter*, Schiedsgerichtsbarkeit[7] Kap 27 Rn 4; *Münch* in MünchKom, ZPO[4] § 1064 Rn 7.

2581   OLG München 7.5.2008, NJOZ 2008, 4808, 4812; OLG Frankfurt a. M. 10.4.2008, FamRN 2008, 1978, 1979.

2582   OLG Stuttgart 13.10.2008, SchiedsVZ 2009, 67; OLG München 11.5.2009, SchiedsVZ 2009, 343 (offengelassen für besondere Stillhalteabkommen); *Geimer* in Zöller, Zivilprozessordnung[31] § 1060 Rn 5; *Münch* in MünchKom, ZPO[4] § 1060 Rn 8.

2583   Siehe § 1025 Abs 1 und § 1043 Abs 1 dZPO.

Gegebenenfalls ist der Schiedsspruch abzugrenzen von Entscheidungen, **1611** die nicht für vollstreckbar erklärt werden können, wie zB einem Schiedsgutachten,[2584] Schiedsvergleich,[2585] Zwischenschiedsspruch,[2586] einer sonstigen prozessleitenden Verfügung, einem Schlichtungsspruch,[2587] Schiedssprüchen von Verbandsgerichten[2588] und Schiedssprüchen unter Staatsvorbehalt.[2589]

Der Schiedsspruch muss zudem grds **endgültig,** also verfahrensabschlie- **1612** ßend sein. Die Möglichkeit der Zwangsvollstreckung des Schiedsausspruchs selbst ist nicht Voraussetzung der Vollstreckbarerklärung.[2590] Schiedssprüche, die noch ein weiteres Schiedsverfahren über denselben Anspruch zulassen, etwa weil das Schiedsgericht sich die Entscheidung über Teile des Streitgegenstandes vorbehalten hat, sind insoweit nicht vollstreckungsfähig.[2591] Im Übrigen können aber auch Teil- oder Vorbehaltsschiedssprüche grundsätzlich Gegenstand der Vollstreckbarerklärung sein.[2592]

Schiedssprüche, die noch einem schiedsgerichtlichen Instanzenzug un- **1613** terliegen, sind ebenfalls nicht endgültig und können nicht für vollstreckbar erklärt werden. Ein vollstreckungsfähiger Inhalt ist nicht Voraussetzung. Daher können auch feststellende oder klageabweisende Schiedssprüche für vollstreckbar erklärt werden.

Wenn der Schiedsspruch diesen Anforderungen nur zu einem abgrenzbaren **1614** Teil entspricht, so kann dieser Teil des Schiedsspruchs für vollstreckbar erklärt werden.[2593] Sofern der im Schiedsspruch zugesprochene Anspruch bedingt oder befristet ist, muss das Gericht den Eintritt der Bedingung oder den Ablauf der Frist vor Erklärung der Vollstreckbarkeit prüfen.[2594] Der Schiedsspruch kann jedoch nicht für vollstreckbar erklärt werden, wenn er selbst bedingt oder befristet ist, weil dann kein endgültiger Verfahrensabschluss vorliegt.

2584 BGH 14.1.2016, I ZB 50/15, NJW-RR 2016, 703; Brandenburgisches OLG 28.11.2013, NJW-RR 2014, 405; OLG München 1.6.2005, OLGR München 2005, 519.

2585 OLG München 21.2.2007, 34 Sch 1/07.

2586 BGH 18.1.2007, NJW-RR 2007, 1008 (mit Ausnahme der abschließenden Kostenentscheidung des Zwischenschiedsspruchs); Thüringer OLG 8.8.2007, SchiedsVZ 2008, 44, 45 (mit Ausnahme von Zwischenschiedssprüchen, die bereits abschließend über den Klageanspruch entscheiden).

2587 OLG Rostock 2.4.2014, BauR 2014, 1361.

2588 BGH 27.5.2004, JR 2005, 197; OLG Dresden 10.11.2005, CaS 2006, 418.

2589 *Münch* in MünchKom, ZPO[4] § 1060 Rn 10 mwN.

2590 OLG München 22.2.2006, SchiedsVZ 2006, 165; BGH 12.11.1959, BB 1960, 302; *Münch* in MünchKom, ZPO[4] § 1060 Rn 10.

2591 BGH 7.10.1953, BGHZ 10, 325; 8.11.2007, SchiedsVZ 2008, 40.

2592 *Schwab/Walter*, Schiedsgerichtsbarkeit[7] Kap 26 Rn 5; *Münch* in MünchKom, ZPO[4] § 1060 Rn 12.

2593 OLG München 7.5.2008, NJOZ 2008, 4808, 4811; *Schwab/Walter*, Schiedsgerichtsbarkeit[7] Kap 26 Rn 6.

2594 *Schwab/Walter*, Schiedsgerichtsbarkeit[7] Kap 26 Rn 6.

(4) Verfahren zur Erteilung der Vollstreckbarerklärung

1615 Die **Vollstreckbarerklärung** ergeht stets als **Beschluss**. Dies gilt auch, wenn das Gericht eine mündliche Verhandlung anberaumt.[2595] Das Gericht hat eine solche anzuordnen, wenn die Antragsgegnerin einen Aufhebungsgrund geltend macht oder wenn Aufhebungsgründe nach § 1059 Abs 2 dZPO (dh der Gegenstand des Streites nach deutschem Recht nicht schiedsfähig ist oder die Anerkennung oder Vollstreckung des Schiedsspruchs *ordre public*-widrig wäre) in Betracht kommen.[2596]

1616 Gem § 1063 Abs 1 S 2 dZPO ist die gegnerische Partei vor der Entscheidung zu hören, das Gericht hat ihr also Gelegenheit zu geben, sich zum Antrag schriftlich zu äußern. Dies gilt jedoch mangels Schutzbedürftigkeit der Antragsgegnerin nach hM nicht, wenn der Antrag wegen fehlender Prozessvoraussetzungen, die unverzichtbar sind und nicht nachträglich geheilt werden können, als unzulässig zurückzuweisen ist.[2597]

1617 Die Antragstellerin trägt die **Darlegung und Beweislast** dafür, dass ein Schiedsspruch vorliegt, der den Anforderungen des § 1054 dZPO genügt. Die Antragsgegnerin muss ggf das Vorliegen von Aufhebungsgründen gem § 1059 Abs 1 dZPO darlegen und beweisen.

(5) Gebühren und Kosten

1618 Mit Antragstellung wird die **Prozessgebühr** fällig. Sie beträgt 2,0 (Nr 1620 dGKG-KV) bei Rücknahme nur 1,0 (Nr 1620 dGKG-KV). Für den Rechtsanwalt gelten trotz der Zuständigkeit des OLG die regulären Anwaltsgebühren von 1,3 plus 1,2 (Nr 3100 iVm 3104 dRVG-VV).[2598] Die Gebühren werden nicht kumuliert; bei Ablehnung des Antrags auf Vollstreckbarkeit mit Aufhebung des Schiedsspruchs fallen die Gebühren nur einmal an.[2599]

1619 Der Streit- bzw Gegenstandswert als Basis für die Berechnung der Prozessgebühr entspricht dem Wert der Hauptsache. Dies ist die Sache, über die der Schiedsspruch erkennt bzw dessen Titulierung begehrt wird.[2600]

1620 Der Antragsteller braucht **keine Ausländersicherheit** gem § 110 dZPO zu leisten. Dies wird damit begründet, dass das Verfahren auf Erteilung der Vollstreckbarerklärung zu den beschleunigungsbedürftigen Verfahren gehört, die nicht durch Sicherheitsleistung für die Prozesskosten erschwert werden

---

2595 § 1063 Abs 1 S 1 dZPO.

2596 § 1063 Abs 2 dZPO.

2597 *Münch* in MünchKom, ZPO[4] § 1060 Rn 16; *Schwab/Walter*, Schiedsgerichtsbarkeit[7] Kap 27 Rn 7; *Saenger* in Saenger, ZPO[6] § 1060 Rn 3 ; *Schlosser* in Stein/Jonas, ZPO[23] § 1063 Rn 1; aA *Voit* in Musielak/Voit, ZPO[12] § 1060 Rn 6.

2598 § 1036 Abs 2 Var 2 dZPO; OLG München 18.7.2008, NJOZ 2008, 3363.

2599 *Schwab/Walter*, Schiedsgerichtsbarkeit[7] Kap 34 Rn 7.

2600 *Schwab/Walter*, Schiedsgerichtsbarkeit[7] Kap 34 Rn 8.

sollen.[2601] Eine Ausländersicherheit muss auch dann nicht geleistet werden, wenn nur deshalb eine mündliche Verhandlung angeordnet wird, weil der Antragsgegner Aufhebungsgründe geltend macht. Denn in diesem Fall ist der Antragsgegner tatsächlich der angreifende Teil, nicht der Antragsteller, sodass Letztere nicht als Kläger iSd § 110 dZPO behandelt werden kann.[2602]

b) Begründetheit des Antrags auf Vollstreckbarerklärung

Der Antrag ist begründet, wenn der Vollstreckbarkeit kein Aufhebungs- **1621**
grund nach § 1059 Abs 2 dZPO entgegensteht. Das Gericht prüft von Amts wegen, ob gem § 1059 Abs 2 Nr 2 dZPO ein möglicher Verstoß des Schiedsspruchs gegen die Schiedsfähigkeit oder gegen den *ordre public* vorliegt. Die Aufhebungsgründe nach § 1059 Abs 2 Nr 1 dZPO (dh zB eine ungültige Schiedsvereinbarung, Behinderung bei der Geltendmachung von Angriffs- und Verteidigungsmitteln oder Verfahrensfehler) prüft das Gericht dagegen nur, wenn die Antragsgegnerin sie begründet geltend macht.

Ob die Antragsgegnerin in den Fällen des § 1059 Abs 2 Nr 1 dZPO jeweils **1622**
den korrekten Aufhebungsgrund benennen muss, um mit dem Aufhebungsantrag zu obsiegen, ist nach der Rsp nicht eindeutig geklärt.[2603] In der Praxis empfiehlt es sich daher, alle in Betracht kommenden **Aufhebungsgründe ausdrücklich zu benennen**. Die Aufhebungsgründe des § 1059 Abs 2 Nr 2 dZPO muss das Gericht dagegen auch ohne ausdrücklichen Antrag **von Amts wegen** berücksichtigen, wenn sie sich hinreichend substantiiert aus dem Sachvortrag ergeben.[2604]

Eine *révision au fond* findet im Verfahren auf Erteilung der Vollstreck- **1623**
barerklärung nicht statt; es wird also nicht überprüft, ob der Schiedsspruch inhaltlich zutreffend ist. Es werden **formelle Einwände** gegen den Schiedsspruch geprüft. **Materielle Einwendungen** gegen den dem Schiedsausspruch zugrundeliegenden Anspruch können nach stRsp ebenfalls erhoben werden,

---

2601 BGH 22.9.1969, BGHZ 52, 321.
2602 BGH 22.9.1969, BGHZ 52, 321.
2603 BGH 15.7.1999, NJW 1999, 2974 („*zur Nachprüfung [...] gestellt*"); BGH 1.2.2001, NJW-RR 2001, 1059 („*muss sich substanziiert berufen*"); Kammergericht 17.12.2007, SchiedsVZ 2009, 179 (analoge Anwendung des § 551 Abs 3 dZPO); *Voit* in Musielak/ Voit, ZPO[12] § 1059 Rn 35 („*Der Antrag muss im Fall des § 1059 Abs. 2 Nr. 1 den Aufhebungsgrund angeben. [...] Dabei ist der vom Antragsteller bezeichnete Verfahrensverstoß maßgebend, nicht seine Zuordnung zu dem einen oder dem anderen Aufhebungsgrund.*"); *Saenger* in Saenger, ZPO[6] § 1059 Rn 6 (analoge Anwendung des § 551 Abs 3 dZPO, dh faktische Darlegung des konkreten Verstoßes reicht aus); so auch *Münch* in MünchKom, ZPO[4] § 1060 Rn 20 (schlüssiger Tatsachenvortrag reicht aus, mit Verweis auf *iura novit curia*).
2604 *Münch* in MünchKom, ZPO[4] § 1060 Rn 20; *Wilske/Markert* in Beck'scher Online-Kommentar, ZPO[20] § 1059 Rn 70.

soweit sie entsprechend § 767 Abs 2 dZPO zulässig sind, dh wenn sie nach dem Zeitpunkt entstanden sind, in dem sie im Schiedsverfahren noch hätten geltend gemacht werden können. Die Berücksichtigung von derartigen nachträglichen materiellen Einwendungen wird damit begründet, dass unnötige Verweise auf einen zweiten Prozess (Vollstreckungsgegenklage gem § 767 dZPO) vermieden werden sollen.[2605]

1624 Aufhebungsgründe sind präkludiert, soweit im Zeitpunkt der Zustellung des Antrags auf Vollstreckbarerklärung ein auf sie gestützter Aufhebungsantrag rechtskräftig abgewiesen ist (Rechtskraftwirkung).[2606] Aufhebungsgründe nach § 1059 Abs 2 Nr 1 dZPO sind im Verfahren auf Erteilung der Vollstreckbarerklärung auch dann nicht zu berücksichtigen, wenn die in § 1059 Abs 3 dZPO bestimmte **Frist zur Anfechtung des Schiedsspruchs** abgelaufen ist (idR drei Monate ab Empfang des Schiedsspruchs), ohne dass die Antragsgegnerin einen Antrag auf Aufhebung des Schiedsspruchs gestellt hat.[2607]

1625 Bei **Doppelrelevanz von Tatsachen** gilt diese Präklusionsfrist des § 1060 Abs 2 S 3 dZPO nicht, sondern es greift allein die eben erwähnte Ausschlussregel des § 1060 Abs 2 S 2 dZPO.

c) Sachentscheidung im Verfahren auf Vollstreckbarerklärung

(1) Stattgebender Beschluss

1626 Der stattgebende Beschluss lautet auf Vollstreckbarerklärung des Schiedsspruches. Die Vollstreckbarerklärung kann auf Teile des Schiedsspruchs beschränkt werden, die gegenüber dem Rest des entschiedenen Streitstoffs einen selbständigen prozessualen Anspruch regeln.[2608] Dieser Beschluss muss seinerseits für vorläufig vollstreckbar erklärt werden.[2609] Eine Sicherheitsleistung für die Vollstreckung und eine Abwendungsbefugnis der Antragsgegnerin (dh die Möglichkeit für den Schuldner, die Vollstreckung durch Sicherheitsleistung oder Hinterlegung abzuwenden) ist nicht festzusetzen.[2610] Der Schiedsspruch ist dem Beschluss unter Bezugnahme beizufügen. Alternativ kann auch seine Formel wortgleich in den Beschluss übernommen werden (uU mit Übersetzung, § 184 dGVG).[2611]

2605 BGH 8.11.2007, SchiedsVZ 2008, 40, 43; 6.2.1957, NJW 1957, 793; RG 23.7.1935, RGZ 148, 270; OLG München 1.12.2015, IBR 2016, 193.
2606 § 1060 Abs 2 S 2 dZPO.
2607 § 1060 Abs 2 S 3 dZPO.
2608 OLG München 1.12.2015, IBR 2016, 193.
2609 § 1064 Abs 2 dZPO.
2610 BGH 22.9.1969, NJW 1969, 2089; *Saenger* in Saenger, ZPO⁶ § 1064 Rn 2; *Voit* in Musielak/Voit, ZPO¹² § 1064 Rn 3; aA *Münch* in MünchKom, ZPO⁴ § 1064 Rn 9.
2611 *Münch* in MünchKom, ZPO⁴ § 1060 Rn 23; *Wilske/Markert* in Beck'scher Online-Kommentar, ZPO¹⁹ § 1060 Rn 23.

Das Gericht ist in seiner Entscheidung durch den Inhalt des Schiedsspruchs **1627** und die Anträge der Parteien gebunden.[2612] Es kann daher nicht nachträglich eine ergänzende Verurteilung oder eine Zug-um-Zug Einschränkung des Schiedsausspruchs aussprechen.[2613] Auch eine Bewilligung von Ratenzahlung ist unzulässig.[2614] Zulässig ist dagegen die Verrechnung von wechselseitigen Forderungen.[2615] Das Gericht ist nicht befugt, Korrekturen von Versehen vorzunehmen, die alleine dem Schiedsgericht obliegen.[2616] Es hat den Schiedsspruch grundsätzlich wortgetreu zu übernehmen.[2617] Widersinnige Schiedssprüche oder Schiedssprüche, die rechtlich unmögliche Handlungen anordnen, sind jedoch wegen Verstoßes gegen den *ordre public* aufzuheben und können schon deswegen nicht für vollstreckbar erklärt werden.[2618]

(2) Ablehnender Beschluss

Sofern ein **Aufhebungsgrund** vorliegt, eine **Verfahrensvoraussetzung fehlt** **1628** oder eine **nachträglich entstandene Einwendung** durchgreift, ist die Vollstreckbarerklärung abzulehnen. Im erstgenannten Fall ist mit dem Beschluss der Schiedsspruch aufzuheben.[2619] Dies ist ausdrücklich auszusprechen, muss aber nicht extra beantragt werden. Die Aufhebung des Schiedsspruchs ist nicht auszusprechen, wenn schon der Antrag auf Vollstreckbarerklärung unzulässig ist oder ausnahmsweise (nachträglich entstandene) materielle Einwendungen greifen.[2620]

Gem § 1059 Abs 4 dZPO kann das Gericht die Sache auf Antrag einer **1629** Partei unter Aufhebung des Schiedsspruchs an das Schiedsgericht zurückverweisen. Dies gilt im Vollstreckbarerklärungsverfahren analog.[2621] Denn das Vollstreckbarerklärungsverfahren reicht weiter als das Aufhebungsverfahren nach § 1059 dZPO und lässt ein gesondertes Verfahren auf Aufhebung des Schiedsspruchs nicht mehr zu. Mit der Zurückverweisung lebt nach § 1059 Abs 5 dZPO die Schiedsbindung wieder auf (dh die Schiedsvereinbarung lebt wegen des Streitgegenstandes wieder auf).

2612   § 308 Abs 2 dZPO.
2613   OLG Karlsruhe 3.7.2006, SchiedsVZ 2006, 281, 282; *Münch* in MünchKom, ZPO[4] § 1060 Rn 24.
2614   *Münch* in MünchKom, ZPO[4] § 1060 Rn 24.
2615   BGH 8.11.2007, SchiedsVZ 2008, 40.
2616   § 1058 dZPO.
2617   OLG München 25.9.2006, 34 Sch 12/06.
2618   *Schwab/Walter*, Schiedsgerichtsbarkeit[7] Kap 26 Rn 6 und Kap 24 Rn 41 mwN.
2619   *Voit* in Musielak/Voit, ZPO[12] § 1060 Rn 15.
2620   *Voit* in Musielak/Voit, ZPO[12] § 1060 Rn 15.
2621   OLG Hamburg 30.5.2008, OLGR Hamburg 2008, 916; OLG Köln 28.6.2011, SchiedsVZ 2012, 161.

1630 Auch ein die Vollstreckbarkeit abweisender Beschluss ist wegen der darin enthaltenen **Kostenentscheidung** für vorläufig vollstreckbar zu erklären.[2622] Mit Abweisung des Antrags auf Vollstreckbarerklärung entfällt eine eventuelle Gestattung der Sicherungsvollstreckung nach § 1063 Abs 3 dZPO.

(3) Rechtsmittel gegen den Beschluss auf Erteilung oder Versagung der Vollstreckbarerklärung

1631 Die Entscheidung des OLG ist der **Rechtsbeschwerde zum BGH** zugänglich.[2623]

3. Das Verhältnis des Vollstreckbarerklärungsverfahrens zu anderen Behelfen und Verfahren

(1) Notarielle Vollstreckbarerklärung bei Schiedssprüchen mit vereinbartem Wortlaut

1632 Schiedssprüche mit vereinbartem Wortlaut können gem § 1053 Abs 4 S 1 dZPO auf Wunsch der Parteien von einem Notar für vollstreckbar erklärt werden. Der Prüfungsumfang des Notars ist dabei auf eine *ordre public*-Kontrolle beschränkt.[2624] Durch die Vollstreckbarerklärung des Notars wird ein Vollstreckungstitel iSd § 794 Abs 1 Nr 4a dZPO erwirkt.[2625]

(2) Leistungsklage

1633 Eine Leistungsklage auf Erfüllung des Schiedsspruchs ist grundsätzlich **unzulässig.** Ihr steht die Rechtskraft des Schiedsspruchs entgegen.[2626] Der Antrag auf Vollstreckbarerklärung gem § 1060 dZPO ist zudem der einfachere und spezieller geregelte Weg. Daher fehlt es einer Leistungsklage regelmäßig am Rechtsschutzbedürfnis, wenn es nur um eine Titelerlangung geht.

1634 **Ausnahmen**, die doch zur Leistungsklage berechtigen, werden gemacht, wenn **besondere Umstände** vorliegen und die **Prozessökonomie eine Leistungsklage erfordert.** Solche Umstände liegen etwa dann vor, wenn bez der Parteien des Schiedsverfahrens eine Rechtsnachfolge eingetreten ist.[2627] Hier

---

2622 OLG Hamburg 30.5.2008, OLGR Hamburg 2008, 916; *Münch* in MünchKom, ZPO[4] § 1060 Rn 27.

2623 § 1065 Abs 1 S 1 dZPO.

2624 § 1053 Abs 4 S 2 und Abs 1 S 2 iVm § 1059 Abs 2 Nr 2b dZPO.

2625 *Saenger* in Saenger, ZPO[6] § 1053 Rn 7; *Wilske/Markert* in Beck'scher Online-Kommentar, ZPO[19] § 1053 Rn 22; *Voit* in Musielak/Voit, ZPO[12] § 1053 Rn 14; aA *Münch* in MünchKom, ZPO[4] § 1053 Rn 52 f.

2626 § 1055 dZPO.

2627 BGH 6.3.1969, VII ZR 163/68 (Leistungsklage gegen zwei Altgesellschafter einer veräußerten OHG, gegen die der Schiedsspruch ergangen war); *Voit* in Musielak/Voit, ZPO[12] § 1060 Rn 7; aA *Schlosser* in Stein/Jonas, ZPO[23] § 1006 Rn 33 (Klärung

kann das Rechtsschutzbedürfnis nicht verneint werden, sofern die Rechtsnachfolge vor der Erteilung der Vollstreckbarerklärung eingetreten ist. Denn in diesem Fall kann mangels eines Rechtstitels noch keine vollstreckbare Ausfertigung des Schiedsspruchs gem § 727 dZPO für oder gegen die Rechtsnachfolgerin erteilt werden. Sofern die Rechtsnachfolge nach der Vollstreckbarerklärung eintritt, fehlt es jedoch an einem Rechtsschutzbedürfnis für eine Leistungsklage, weil dann § 727 dZPO vorrangig ist und eine vollstreckbare Ausfertigung der Vollstreckbarerklärung für oder gegen die Rechtsnachfolgerin verlangt werden kann.

Darüber hinaus kann eine Leistungsklage erhoben werden, wenn im Schiedsspruch der Anspruch nur dem Grunde nach festgestellt wurde und der Anspruch der Höhe nach nicht der Schiedsabrede unterfällt[2628] oder wenn der Schiedsausspruch für eine Zwangsvollstreckung ungeeignet und konkretisierungsunfähig ist.[2629] **1635**

(3) Feststellungsklage

Für eine Feststellungsklage **fehlt es am Rechtsschutzbedürfnis**, weil die Feststellung der Wirksamkeit des Schiedsspruchs bei der Prüfung nach § 1059 dZPO oder § 1060 dZPO inzident geklärt wird. Darüber hinaus ist die grundsätzliche **Subsidiarität der Feststellungs- zur Leistungsklage** zu beachten. **1636**

(4) Verhältnis zur Vollstreckungsgegenklage

Nach der Rsp wird die Vollstreckungsgegenklage, dh die Klage auf Versagung der Vollstreckbarkeit aufgrund von materiellen Einwendungen und Einreden gegen den titulierten Anspruch, neben dem Verfahren zur Vollstreckbarerklärung zugelassen.[2630] Dies allerdings mit der Einschränkung, dass ein Rechtsschutzbedürfnis idR fehlt, wenn noch ein Verfahren über die Vollstreckbarerklärung mit mündlicher Verhandlung anhängig ist.[2631] In der Lit ist umstritten, ob neben dem Vollstreckbarerklärungsverfahren nach § 1060 dZPO auch die Vollstreckungsgegenklage nach § 767 dZPO zulässig ist.[2632] **1637**

---

dieser Frage im Verfahren der Vollstreckbarerklärung); *Schwab/Walter*, Schiedsgerichtsbarkeit[7] Kap 26 Rn 4.

2628 RG 12.10.1920, RGZ 100, 118 und 121 f.

2629 *Münch* in MünchKom, ZPO[4] § 1060 Rn 42 mwN, auch in diesem Fall wird ein besonderes Bedürfnis für eine materielle Klage bejaht.

2630 RG 23.7.1935, RGZ 148, 270; BGH 22.11.1962, NJW 1963, 538; OLG Hamm 20.6.2001, NJW-RR 2001, 1362.

2631 BGH 22.11.1962, NJW 1963, 538, 539.

2632 Dies wird zT mit dem Argument verneint, dass das Rechtsschutzbedürfnis fehle (*Münch* in MünchKom, ZPO[4] § 1060 Rn 39). Dagegen wird eingewendet, dass dies der Schuldnerin nicht zuzumuten sei. Dies mit der Begründung, dass für die Vollstreckungsgegenklage der Grundsatz der Mündlichkeit gelte, der im Vollstreck-

4. Zwangsvollstreckung nach Erteilung der Vollstreckbarerklärung

1638 Aus der Vollstreckbarerklärung kann die Zwangsvollstreckung wie aus einem gerichtlichen Urteil betrieben werden und richtet sich nach den §§ 724 ff dZPO.[2633]

1639 Für die Durchführung der Zwangsvollstreckung muss die Vollstreckbarerklärung formell rechtskräftig oder für vorläufig vollstreckbar erklärt und an die Schuldnerin zugestellt worden sein.[2634] Zudem benötigt die Vollstreckungsgläubigerin eine vollstreckbare Ausfertigung der Vollstreckbarerklärung (dh eine mit einer Vollstreckungsklausel versehene Ausfertigung).[2635] Die vollstreckbare Ausfertigung wird auf Antrag von der Urkundsbeamtin/dem Urkundsbeamten der Geschäftsstelle des OLG erteilt, das auch die Vollstreckbarerklärung erlassen hat. Der Antrag unterliegt keinem Form- oder Anwaltszwang.

1640 Welches Vollstreckungsorgan zuständig ist, richtet sich nach der Vollstreckungsmaßnahme. Für die Pfändung von Forderungen und Ansprüchen ist das Vollstreckungsgericht (idR das Amtsgericht, in dessen Bezirk die Schuldnerin ihren Wohnsitz hat) zuständig. Zwangsvollstreckungsmaßnahmen in Grundstücke erfolgen über das Grundbuchamt. Die Pfändung beweglicher Sachen fällt in die Zuständigkeit der Gerichtsvollzieherin/des Gerichtsvollziehers und die zwangsweise Durchsetzung von Handlungen oder Unterlassungen werden vom Prozessgericht angeordnet. Die Vollstreckungsorgane werden jeweils auf Antrag der Gläubigerin tätig.

1641 Eine Prüfung der materiellen Rechtslage findet im Zwangsvollstreckungsverfahren zwar grundsätzlich nicht statt. Gegen die Zwangsvollstreckung können allerdings im Rahmen der Vollstreckungsgegenklage nach § 767 dZPO materielle Einwendungen geltend gemacht werden. Im Übrigen kann der Schuldner gem § 775 dZPO ua die Tilgung oder Stundung einwenden.

---

barerklärungsverfahren nur eingeschränkt verwirklicht ist (§ 1063 Abs 2 dZPO). Außerdem hätte der Ausschluss der Vollstreckungsgegenklage zur Folge, dass die Schuldnerin ihre materiellen Einwendungen allein in dem vom von der Gläubigerin eingeleiteten Verfahren auf Vollstreckbarerklärung geltend machen könne. Um mit seinen Einwendungen nicht erst auf dieses Verfahren warten zu müssen, müsse die Schuldnerin die Möglichkeit haben, selbstständig vor Beginn eines Vollstreckungserklärungsverfahrens eine Vollstreckungsgegenklage zu erheben (*Schwab/Walter*, Schiedsgerichtsbarkeit[7] Kap 27 Rn 13; *Wilske/Markert* in Beck'scher Online-Kommentar, ZPO[19] § 1060 Rn 13 f; *Voit* in Musielak/Voit, ZPO[12] § 1060 Rn 13).

2633 § 794 Abs 1 Nr 4a und § 795 dZPO.
2634 § 750 dZPO.
2635 §§ 724 ff dZPO.

C. Durchsetzungsverfahren vor Schweizer Gerichten

1. Grundsätzliches

Leistet die im Schiedsverfahren unterlegene Partei dem ergangenen Schieds- **1642** spruch nicht freiwillig Folge, wird für die Durchsetzung eines Schiedsspruchs die **Mitwirkung staatlicher Vollstreckungsorgane** notwendig,[2636] weil ein Schiedsgericht mit Sitz in der Schweiz nicht selbst Zwangsmaßnahmen anordnen kann.[2637]

Die Vollstreckung eines Schiedsspruchs in der Schweiz, der durch ein **1643** Schiedsgericht mit Sitz in der Schweiz ergangen ist, erfolgt in gleicher Weise **wie die Vollstreckung eines rechtskräftigen und vollstreckbaren Urteils staatlicher Schweizer Gerichte.**[2638] Gem Art 387 schwZPO ist ein inländischer Schiedsspruch dem Urteil eines staatlichen Gerichts in der Schweiz gleichgestellt:[2639] *„Mit der Eröffnung hat der Schiedsspruch die Wirkung eines rechtskräftigen und vollstreckbaren gerichtlichen Entscheids."* Mit dieser Formulierung bringt der Schweizer Gesetzgeber seinen Willen zum Ausdruck, inländische Schiedssprüche als Ergebnis schiedsgerichtlicher Rsp neben der staatlichen Gerichtsbarkeit anzuerkennen.[2640] Gleiches gilt für Schiedssprüche, die unter dem schwIPRG ergangen sind, wobei Art 190 Abs 1 schwIPRG etwas weniger präzise formuliert: *„Mit der Eröffnung ist der Entscheid endgültig."*.[2641]

Urteilswirkung entfaltet der inländische Schiedsspruch grundsätzlich nach **1644** seiner Eröffnung. Den Parteien steht es dabei frei, die Eröffnungsmodalitäten des Entscheides zu vereinbaren. Mangels abweichender Vereinbarung gilt der Schiedsspruch als in jenem Moment eröffnet, in dem er in den Machtbereich

---

2636 *Sutter-Somm*, Schweizerisches Zivilprozessrecht[2] Rn 1586.

2637 *Girsberger* in Spühler/Tenchio/Infanger, Schweizerische Zivilprozessordnung[2] Art 387 Rn 24; vgl BGE 136 III 583 E. 2.1.

2638 BGE 130 III 125 E. 2; *Staehelin/Staehelin/Grolimund*, Zivilprozessrecht[2] § 29 Rn 69; *Gränicher* in Sutter-Somm/Hasenböhler/Leuenberger, ZPO Kommentar[3] Art 387 Rn 30; dies unabhängig davon, ob das Schiedsverfahren nach den Regeln der schwZPO, weil beide Parteien bei Verfahrenseröffnung ihren Wohnsitz bzw Sitz in der Schweiz (Art 176 Abs 1 schwIPRG) oder die Anwendbarkeit der schwZPO ausdrücklich vereinbart hatten (Art 176 Abs 2 schwIPRG; Art 353 Abs 2 schwZPO), oder unter den Regeln des schwIPRG, weil eine oder beide Parteien bei Verfahrenseröffnung ihren Wohnsitz bzw Sitz außerhalb der Schweiz hatten (sog inländischer Schiedsspruch) geführt wurde.

2639 *Stacher* in Berner Kommentar, ZPO Art 387 Rn 7.

2640 *Stacher* in Berner Kommentar, ZPO Art 387 Rn 7.

2641 *Gränicher* in Sutter-Somm/Hasenböhler/Leuenberger, ZPO Kommentar[3] Art 387 Rn 2; *Stacher* in Berner Kommentar, ZPO Art 387 Rn 1; *Girsberger* in Spühler/Tenchio/Infanger, Schweizerische Zivilprozessordnung[2] Art 387 Rn 1.

des Adressaten gelangt,[2642] was regelmäßig durch Zustellung des schriftlichen Schiedsspruchs erfolgen wird.

1645 Der eröffnete Schiedsspruch ist wie ein rechtskräftiges und vollstreckbares Urteil nach nationalem Recht vollstreckbar, wobei es weder der vorherigen Anerkennung[2643] noch der vorherigen Umwandlung in ein staatliches Urteil bedarf.[2644] Voraussetzung für die Vollstreckung ist freilich, dass der Schiedsspruch seinem Inhalt nach **vollstreckungsfähig** ist, was bei Leistungsentscheiden (einschließlich Kostenentscheiden) der Fall ist, hingegen nicht bei Gestaltungs- und Feststellungsentscheiden.[2645]

2. Das Durchsetzungsverfahren

1646 Die Vollstreckung in der Schweiz erfolgt nach einem **dualen Vollstreckungssystem**.[2646] Die Vollstreckung von Entscheiden auf Geldzahlung (oder auf Sicherheitsleistung) erfolgt nach Maßgabe des schweizerischen Bundesgesetzes über Schuldbetreibung und Konkurs (schwSchKG), die Vollstreckung von anderen Leistungsurteilen nach Art 335 ff schwZPO (sog Realvollstreckung).[2647]

1647 Lautet der Schiedsspruch auf eine **Geldleistung**, so kann sich die Gläubigerin direkt mit einem Betreibungsbegehren gem Art 67 schwSchKG an das zuständige Betreibungsamt richten. Dieser Weg ist grds nur dann eröffnet, wenn die Schuldnerin ihren Wohnsitz bzw Sitz in der Schweiz hat.[2648] Andernfalls kann die Zuständigkeit der Schweizer Behörden über die **Arrestlegung** (vorsorgliche Sicherung von Vermögenswerten durch amtliche Beschlagnahme) von in der Schweiz belegenem Vermögen der Schuldnerin erreicht werden.[2649] Ein Arrest kann bei den Gerichten des Ortes beantragt werden, wo sich die Vermögensgegenstände befinden.[2650]

1648 Die **Einleitung des Betreibungsverfahrens** ist an keinerlei Voraussetzungen gebunden, es muss lediglich die Gläubigerin und die Schuldnerin bezeichnet und die Forderung beziffert sowie die Forderungsurkunde beige-

---

2642 *Stacher* in Berner Kommentar, ZPO Art 387 Rn 18.

2643 *B. Berger/Kellerhals*, Arbitration[3] Rn 1631.

2644 *Stacher* in Berner Kommentar, ZPO Art 387 Rn 50.

2645 *Gränicher* in Sutter-Somm/Hasenböhler/Leuenberger, ZPO Kommentar[3] Art 387 Rn 27; *Stacher* in Berner Kommentar, ZPO Art 387 Rn 52 f; *Staehelin/Staehelin/Grolimund*, Zivilprozessrecht[2] § 28 Rn 3.

2646 *Staehelin/Staehelin/Grolimund*, Zivilprozessrecht[2] § 28 Rn 2; *Sutter-Somm*, Schweizerisches Zivilprozessrecht[2] Rn 1510.

2647 *Staehelin/Staehelin/Grolimund*, Zivilprozessrecht[2] § 28 Rn 2; *Sutter-Somm*, Schweizerisches Zivilprozessrecht[2] Rn 1510 f.

2648 Art 46 ff schwSchKG.

2649 Art 52 schwSchKG.

2650 Art 271 ff schwSchKG.

legt werden.[2651] Üblicherweise stellen die Behörden ein auszufüllendes Formular für das Betreibungsbegehren zur Verfügung, dem der Schiedsspruch als Nachweis der Forderung beigefügt werden kann. Die Kosten für den Zahlungsbefehl sind streitwertabhängig und überschaubar.[2652] Nach Erhalt des Betreibungsbegehrens stellt das Betreibungsamt der Schuldnerin gem Art 69 schwSchKG den Zahlungsbefehl zu. Beim Zahlungsbefehl handelt es sich um eine Betreibungsurkunde, mittels welcher die Schuldnerin aufgefordert wird, die von der Gläubigerin geltend gemachte Forderung zu befriedigen.[2653] Ist die Schuldnerin der Ansicht, dass sie den geforderten Betrag nicht schuldet oder will sie aus anderen Gründen (noch) nicht leisten, so kann sie gegen den Zahlungsbefehl innerhalb von zehn Tagen Rechtsvorschlag (unbegründete Zurückweisung des Zahlungsbefehls) erheben und damit das Betreibungsverfahren vorerst unterbrechen.[2654] Um das Betreibungsverfahren fortzuführen, muss die Gläubigerin das staatliche Gericht einschalten, das in einem summarischen Verfahren (Rechtsöffnungsverfahren) prüft, ob der durch die Schuldnerin erhobene Rechtsvorschlag beseitigt werden kann. Die Kosten für das Rechtsöffnungsverfahren sind streitwertabhängig und überschaubar.[2655]

Ein inländischer Schiedsspruch stellt einen sog **definitiven Rechtsöff-** **1649** **nungstitel** dar, soweit die Gläubigerin den Vollstreckbarkeitsnachweis erbringen kann.[2656] Dieser Nachweis erfolgt regelmäßig durch das Beibringen einer Vollstreckbarkeitsbescheinigung.[2657] Der Nachweis der Vollstreckbarkeit erfordert aber nicht zwingend eine Vollstreckbarkeitsbescheinigung und kann auch auf einem anderen Weg erfolgen.[2658]

Zur Ausstellung der **Vollstreckbarkeitsbescheinigung** ist gem Art 193 **1650** Abs 2 schwIPRG bzw Art 386 Abs 3 schwZPO das staatliche Gericht am Sitz des Schiedsgerichts (*juge d'appui*) zuständig.[2659] Obwohl der Schiedsspruch mit Eröffnung sofort vollstreckbar ist, wird das zuständige Gericht die Vollstreckbarkeitsbescheinigung nur dann ausstellen, wenn der Schiedsspruch auch formell rechtskräftig ist, dh die Beschwerdefrist von 30 Tagen

---

2651 *Ehrenzeller* in Staehelin/Bauer/Staehelin, BSK SchKG[2] Art 67 Rn 4a.

2652 Art 16 schwGebV SchKG.

2653 *Spühler*, Schuldbetreibungs- und Konkursrecht[6] Rn 273 f.

2654 Art 74 ff schwSchKG; *Spühler*, Schuldbetreibungs- und Konkursrecht[6] Rn 296.

2655 Art 48 schwGebV SchKG.

2656 *Spühler*, Schuldbetreibungs- und Konkursrecht[6] Rn 304; *Staehelin* in Staehelin/ Bauer/Staehelin, BSK SchKG[2] Art 80 Rn 17.

2657 *Staehelin* in Staehelin/Bauer/Staehelin, BSK SchKG[2] Art 80 Rn 17.

2658 BGE 107 Ia 118 E. 4; *Girsberger* in Spühler/Tenchio/Infanger, Schweizerische Zivilprozessordnung[2] Art 387 Rn 24; *Stacher* in Berner Kommentar, ZPO Art 387 Rn 55; *Staehelin/Staehelin/Grolimund*, Zivilprozessrecht[2] § 29 Rn 69.

2659 *Lazopoulos* in Berner Kommentar, ZPO Art 386 Rn 31; *Staehelin/Staehelin/Grolimund*, Zivilprozessrecht[2] § 29 Rn 69.

für alle Parteien unbenutzt verstrichen ist, einer hängigen Beschwerde die Suspensivwirkung nicht erteilt wurde oder eine Beschwerde zurückgezogen, gegenstandslos oder abgewiesen wurde.[2660] Wenn beide Parteien ihren Sitz im Ausland haben und einen Rechtmittelverzicht nach Art 192 IPRG erklären, kann sofort eine Vollstreckbarkeitsbescheinigung ausgestellt werden.

1651   Ob das hierfür zuständige staatliche Gericht gewisse Überprüfungsmöglichkeiten bezüglich des Schiedsspruches hat und, wenn ja, in welchem Umfang, ist umstritten. Auf der einen Seite darf das Gericht im Verfahren betreffend Vollstreckbarkeitsbescheinigung nicht die Anfechtungsgründe prüfen, die dem Beschwerdeverfahren vorbehalten sind.[2661] Auf der anderen Seite wird vertreten, dass das Gericht das Gesuch um Bescheinigung der Vollstreckbarkeit ablehnen kann, wenn der Entscheid gar kein Schiedsspruch (sondern bspw ein Schiedsgutachten) oder nichtig ist.[2662] Ob eine Vollstreckbarkeitsbescheinigung das Gericht im Rechtsöffnungsverfahren bindet, ist umstritten.[2663] Richtigerweise sollte das Gericht im Rechtsöffnungsverfahren nur diejenigen Rügen berücksichtigen, welche nicht bereits im Vollstreckbarkeitsverfahren vorgebracht wurden oder hätten vorgebracht werden können; im Übrigen ist das Gericht an die Vollstreckungsbescheinigung gebunden.[2664]

1652   Gegen einen vollstreckbaren Schiedsspruch (und zwar unabhängig davon, ob die Vollstreckbarkeit durch den *juge d'appui* vorgängig in einer Vollstreckbarkeitsbescheinigung festgestellt oder im Rechtsöffnungsverfahren selbst auf andere Art bewiesen wurde) kann der Schuldner vor dem Gericht im Rechtsöffnungsverfahren jedenfalls die Tilgung, Stundung oder Verjährung der dem Schiedsspruch zugrundeliegenden Forderung einwenden und dies durch Urkunden beweisen.

1653   Wurde kein Rechtsvorschlag erhoben oder hat das Gericht die definitive Rechtsöffnung erteilt, so kann die Gläubigerin unter Berücksichtigung der Fristen von Art 88 schwSchKG ein **Fortsetzungsbegehren** stellen, wenn die Schuldnerin ihrer Verpflichtung aus dem Schiedsspruch noch nicht nach-

---

2660   *Lazopoulos* in Berner Kommentar, ZPO Art 386 Rn 27; *Girsberger* in Spühler/ Tenchio/Infanger, Schweizerische Zivilprozessordnung[2] Art 386 Rn 9; aM *Staehelin* in Staehelin/Bauer/Staehelin, BSK SchKG[2] Art 80 Rn 19.

2661   *Gränicher* in Sutter-Somm/Hasenböhler/Leuenberger, ZPO Kommentar[3] Art 386 Rn 15.

2662   *Gränicher* in Sutter-Somm/Hasenböhler/Leuenberger, ZPO Kommentar[3] Art 386 Rn 15; *Lazopoulos* in Berner Kommentar, ZPO Art 386 Rn 25 f; *Staehelin* in Staehelin/Bauer/Staehelin, BSK SchKG[2] Art 80 Rn 19.

2663   *Gränicher* in Sutter-Somm/Hasenböhler/Leuenberger, ZPO Kommentar[3] Art 386 Rn 17; *Lazopoulos* in Berner Kommentar, ZPO Art 386 Rn 37.

2664   BGE 130 III 125 E. 2.1.1; *Staehelin* in Staehelin/Bauer/Staehelin, BSK SchKG[2] Art 80 Rn 17; aM *Gränicher* in Sutter-Somm/Hasenböhler/Leuenberger, ZPO Kommentar[3] Art 386 Rn 17; so wohl auch *Lazopoulos* in Berner Kommentar, ZPO Art 386 Rn 37.

gekommen ist. Wenn die Schuldnerin in einer der in Art 39 schwSchKG genannten Eigenschaften im Handelsregister eingetragen ist, wird die Betreibung auf Konkurs fortgesetzt (dh es kommt zu einer Generalexekution sämtlicher Vermögenswerte der Schuldnerin), andernfalls auf Pfändung (dh es kommt zu einer Spezialexekution spezifischer Vermögenswerte der Schuldnerin).[2665]

Zur **Sicherung des Vermögenszugriffs** kann die Gläubigerin vor Einleitung des Betreibungsverfahrens Arrest auf in der Schweiz belegene Vermögensgegenstände der Schuldnerin legen. Diese Möglichkeit eröffnet zudem die Betreibung von Schuldnerinnen mit Wohnsitz/Sitz außerhalb der Schweiz am Arrestort. Arrestgrund ist dabei der inländische Schiedsspruch.[2666] Die Gläubigerin muss darüber hinaus keine Gefährdung ihrer Forderung geltend machen. Die Kosten für das Arrestverfahren sind streitwertabhängig und überschaubar.[2667] Das oben beschriebene Betreibungsverfahren schließt sich dem Arrestverfahren an, weil die Gläubigerin innerhalb von zehn Tagen nach Zustellung der Arresturkunde den Arrest durch Betreibung prosequieren muss. **1654**

Lautet der Schiedsspruch auf eine **andere als eine Geldleistung**, so richtet sich die Vollstreckung nach den Art 335 ff schwZPO. Um die Vollstreckung zu erwirken, muss sich die im Schiedsverfahren obsiegende Partei nach Art 338 schwZPO mit einem Vollstreckungsgesuch an das Vollstreckungsgericht wenden. Zuständig sind die Gerichte am Wohnsitz oder Sitz der Schuldnerin, am Ort, wo die Maßnahmen zu treffen sind, oder am Ort, wo der Schiedsspruch ergangen ist. Im Vollstreckungsverfahren muss die Gläubigerin sodann die Vollstreckbarkeit des Schiedsspruches darlegen, was wiederum durch Vorlage einer Vollstreckbarkeitsbescheinigung erfolgen kann, die die Gläubigerin zuvor vom *juge d'appui* unter den oben beschriebenen Voraussetzungen erhalten hat, oder auf anderem Wege direkt vor dem Vollstreckungsgericht. Im Vollstreckungsverfahren prüft das Vollstreckungsgericht weder Beschwerde-, Revisions- noch andere Beanstandungsgründe.[2668] Nur im Falle von Nichtigkeitsgründen kann die Vollstreckung verweigert werden.[2669] Materiell-rechtlich kann die Schuldnerin lediglich noch geltend machen, dass seit dem Entscheid Tilgung, Stundung oder Verjährung der Verpflichtung eingetreten **1655**

2665 Die Kosten richten sich nach schwGebV SchKG.

2666 Art 271 Abs 1 Z 6 schwSchKG.

2667 Art 48 schwGebV SchKG.

2668 *Gränicher* in Sutter-Somm/Hasenböhler/Leuenberger, ZPO Kommentar[3] Art 387 Rn 32.

2669 *Girsberger* in Spühler/Tenchio/Infanger, Schweizerische Zivilprozessordnung[2] Art 387 Rn 28; *Gränicher* in Sutter-Somm/Hasenböhler/Leuenberger, ZPO Kommentar[3] Art 387 Rn 33.

sind.[2670] Das Gericht entscheidet darüber im summarischen Verfahren. Bejaht das Vollstreckungsgericht die Vollstreckbarkeit des Schiedsspruchs, so kann es gem Art 343 schwZPO insb Zwangsmaßnahmen oder Ersatzvornahmen sowie Ordnungsbußen und Strafandrohungen anordnen.[2671]

2670 *Gränicher* in Sutter-Somm/Hasenböhler/Leuenberger, ZPO Kommentar[3] Art 387 Rn 35; *Staehelin/Staehelin/Grolimund*, Zivilprozessrecht[2] § 28 Rn 10; *Sutter-Somm*, Schweizerisches Zivilprozessrecht[2] Rn 1520.

2671 *Sutter-Somm*, Schweizerisches Zivilprozessrecht[2] Rn 1539 f.

III. Die Durchsetzung ausländischer Schiedssprüche

A. Bilaterale Abkommen

Österreich, Deutschland und die Schweiz haben neben dem multilateralen **1656** NYÜ jeweils weitere, verschiedene bilaterale Abkommen zur Vollstreckung von Schiedssprüchen abgeschlossen.[2672] Im Bereich des NYÜ wird die Frage, welches mehrerer Abkommen zwischen zwei Staaten nun Anwendung findet, durch Art VII Abs 1 geregelt, der im Fall sich widersprechender Abkommen vom Grundsatz *lex posterior derogat legi priori* abgeht. Demnach soll im Allgemeinen die vollstreckungsfreundlichere Regelung kollidierender Abkommen zur Anwendung kommen. Wenn zB die Vollstreckung eines Schiedsspruchs nach einem früher abgeschlossenen bilateralen Abkommen möglich ist, nach dem NYÜ aber ausnahmsweise nicht, steht das NYÜ der Vollstreckung nach dem älteren Abkommen nicht entgegen. Dies trifft grundsätzlich auch auf den umgekehrten Fall zu, in dem dann die Vollstreckung nach dem NYÜ möglich ist. Wenn mehrere Abkommen einander nicht derogieren, bestehen sie nebeneinander und die betreibende Gläubigerin kann sich auf jeden der Verträge berufen; die Verpflichtete kann die Vollstreckung aber nur dann abwehren, wenn nach jedem der Verträge ein Versagungsgrund gegeben ist.[2673]

B. Multilaterale Abkommen

Ein Garant für den Erfolg der Schiedsgerichtsbarkeit und unumstritten das **1657** wichtigste multilaterale Abkommen im Schiedsrecht ist das **NYÜ**, das weiter unten, illustriert durch Rsp aus Österreich, Deutschland und der Schweiz, in seinen Grundzügen näher dargestellt wird.

Auf die zahlreichen weiteren wichtigen multilateralen Vollstreckungs- **1658** abkommen wie die Panama Konvention,[2674] die zwischen den meisten lateinamerikanischen Staaten sowie den USA geschlossen wurde, OHADA,[2675] sowie die Konventionen von Amman[2676] und Riad,[2677] wird an dieser Stelle

---

2672 Österreichische bilaterale Abkommen können unter http://bmaa.gv.at/view.php3?r_id=257&LNG=de&version= (zuletzt abgerufen am 22.4.2016) nach Stichwort und Ländereingabe eingesehen werden. Für die Schweiz ist dies unter https://www.admin.ch/opc/de/classified-compilation/0.27.html#0.277 (zuletzt abgerufen am 8.4.2016) möglich. Für deutsche bilaterale Abkommen zur Schiedsgerichtsbarkeit s *Geimer/Schütze*, Internationaler Rechtsverkehr 736 ff.

2673 OGH 26.1.2005, 3 Ob 221/04b, IHR 2005, 198.

2674 *Inter-American Convention On International Commercial Arbitration* vom 30.1.1975.

2675 *The Treaty On The Harmonisation Of Business Law In Africa* aus 1993.

2676 *Amman Arab Convention On Commercial Arbitration* vom 14.4.1987.

2677 *Riyadh Arab Convention On Judicial Cooperation* vom 6.4.1983.

bloß verwiesen, aber nicht eingegangen. Die Washingtoner Konvention,[2678] nach der Schiedssprüche aus ICSID Investitionsschiedsverfahren vollstreckt werden, wird unter IV. behandelt.

1659 Da das Genfer Protokoll über die Schiedsklauseln im Handelsverkehr vom 24. 9. 1923 und das Genfer Abkommen zur Vollstreckung ausländischer Schiedssprüche vom 26. 9. 1927 nur mehr im Hinblick auf sehr wenige Staaten in Kraft sind,[2679] sollen diese beiden Verträge, die auch zwischen der Schweiz, Österreich und Deutschland keine Anwendung mehr finden, nur als die Wegbereiter multilateraler Abkommen zur Schiedsgerichtsbarkeit Erwähnung finden.

1660 Das Europäische Übereinkommen über die internationale Handelsschiedsgerichtsbarkeit vom 21. 4. 1961 (**EÜ**)[2680] sowie die Vereinbarung über die Anwendung des Europäischen Übereinkommens über die internationale Handelsschiedsgerichtsbarkeit vom 17. 12. 1962[2681] ergingen in Ergänzung des NYÜ. Das EÜ findet im Gegensatz zum NYÜ nur Anwendung, wenn beide Parteien aus verschiedenen Vertragsstaaten stammen (Art I Abs 1 EÜ: *„ihren gewöhnlichen Aufenthalt oder Sitz in verschiedenen Vertragsstaaten haben"*). Der Hauptanwendungsbereich des EÜ liegt wohl in der Einschränkung des Art V Abs 1 lit e NYÜ, nach dem ua ein Versagungsgrund für die Anerkennung und Vollstreckbarkeit eines Schiedsspruchs vorliegt, wenn dieser in seinem Ursprungsland aufgehoben wurde (siehe dazu unter III. 5 g)). Die Vereinbarung über die Anwendung des EÜ über die internationale Handelsschiedsgerichtsbarkeit vereinfacht durch ihren Art I für ihre Vertragsstaaten das in Art IV Abs 2 bis 7 EÜ relativ kompliziert gestaltete Verfahren zur Besetzung von Schiedsgerichten sowie zur Bestimmung des Schiedsorts und der Schiedsinstitution mangels Einigung der Parteien.[2682]

2678 *Convention On The Settlement Of Investment Disputes Between States And Nationals Of Other States* vom 18.3.1965.

2679 Außerkraftsetzung durch Art VII Abs 2 NYÜ.

2680 Das EÜ trat (abgesehen von Art IV Abs 3 bis 7) am 7.1.1964 in Kraft. In Österreich ist es am 4.6.1964 in Kraft getreten, in Deutschland am 25.1.1965. Die Schweiz ist dem EÜ nicht beigetreten.

2681 Dieses Übereinkommen ist in Österreich und Deutschland am 25.1.1965 in Kraft getreten. Die Schweiz hat dieses Übereinkommen nie ratifiziert.

2682 Die in Art IV Abs 1 EÜ bezeichneten Maßnahmen werden mangels diesbezüglicher Vorkehrungen der Parteien bei Schwierigkeiten auf Antrag einer Partei durch das zuständige staatliche Gericht gesetzt.

C. Die New Yorker Konvention

1. Bedeutung

Das NYÜ[2683] hat besondere Bedeutung erlangt. Die Wichtigkeit des NYÜ **1661** gründet zum einen darauf, dass bisher **157 Staaten** dem NYÜ beigetreten sind[2684] und im Ausland ergangene Schiedssprüche in diesen Staaten daher nach dem NYÜ anerkannt und vollstreckt werden können. Zum anderen ist sie darin begründet, dass das NYÜ einen international einheitlichen Standard schafft, aufgrund dessen potentielle Einwendungen gegen die Vollstreckbarkeit vorhersehbar und damit vermeidbar werden.[2685] Daher wird auch dem Zweck des NYÜ entsprechend vertreten, dass es grundsätzlich zu Gunsten der Anerkennung und Vollstreckung ausgelegt werden soll.[2686]

Das Genfer Protokoll sowie das Genfer Abkommen, die bis dahin die An- **1662** erkennung von Schiedsvereinbarungen und die Vollstreckung von Schiedssprüchen regelten (auch ausländischer – im Fall des Genfer Abkommens), traten zwischen den Vertragsstaaten des NYÜ in dem Zeitpunkt und in dem Ausmaß (territorial verstanden)[2687] außer Kraft, in dem das NYÜ für sie verbindlich wurde.[2688] Neben dem NYÜ bleiben allerdings andere multi- sowie bilaterale Abkommen betreffend die Anerkennung und Vollstreckung von Schiedssprüchen zwischen den Vertragsstaaten gültig, und der betreibende Gläubiger ist berechtigt, sich zur Anerkennung und Vollstreckung eines Schiedsspruchs auch auf Verträge des Anerkennungs- und Vollstreckungsstaats oder das nationale Recht zu berufen (Meistbegünstigungsklausel).[2689]

2683 Das NYÜ trat gem Art XII Abs 1 am 7.6.1959 in Kraft. Gem Art XII Abs 2 trat es für Österreich am 31.7.1961, für Deutschland am 28.9.1961 und für die Schweiz am 30.8.1965 in Kraft.

2684 Die Vertragsstaaten des NYÜ können unter http://www.uncitral.org/uncitral/en/ uncitral_texts/arbitration/NYConvention_status.html (8.4.2016) eingesehen werden.

2685 Vgl Lloyd et al, ICC Bulletin 2005, 21, 24.

2686 OGH 25.6.1992, 7 Ob 545/92, IPRax 1994, 140; *Haas* in Weigand, Handbook² 403; BGE 138 III 520 E 5.4.3.

2687 Vgl Art X NYÜ.

2688 Art VII Abs 2 NYÜ. Auch wenn im Einzelfall eine Vollstreckung gem dem NYÜ nicht erfolgen kann, kann eine Vollstreckung zwischen solcherart betroffenen Vertragsstaaten nicht mehr nach dem Genfer Protokoll und dem Genfer Abkommen stattfinden; vgl *van den Berg*, Arbitration Convention 114 f; LG Bremen 16.12.1965, YCA II (1977) 233 (234).

2689 Art VII Abs 1 NYÜ; BGH 30.9.2010, III ZB 69/09 NJW-RR 2011, 569; 21.9.2005, III ZB 18/05, NJW 2005,3499; BayObLG 5.7.2004, YCA XXX (2005) 563 (566); OLG Köln 23.4.2004, YCA XXX (2005) 557 (559); vgl *Haas* in Weigand, Handbook² 527 f zur Situation vor Erlassung eines Schiedsspruchs, die vom Wortlaut der Bestimmung nicht unbedingt erfasst scheint; vgl *Patocchi/Jermini* in Honsell/Vogt/Schnyder, Internationales Privatrecht³ § 194 Rn 24; BGH 12.2.1976, YCA II (1977) 242.

2. Erfasste Schiedssprüche

1663 Ob ein Schiedsspruch auf Grundlage des NYÜ anerkannt und vollstreckt werden kann, hängt nicht etwa vom internationalen Charakter der Streitigkeit, dem Sitz oder der Nationalität der Parteien des Schiedsverfahrens ab, sondern vom Ursprungsland des Schiedsspruchs.[2690] Grundsätzlich muss für die Anwendbarkeit des NYÜ der Schiedsspruch entweder im Hoheitsgebiet eines anderen Staates als desjenigen ergangen sein, in dem die Anerkennung und Vollstreckung beantragt wird, oder er muss in jenem Staat, in dem er gerichtlich durchgesetzt werden soll, zumindest als „nicht inländisch" angesehen werden.[2691] In Österreich,[2692] Deutschland und der Schweiz wird das NYÜ auch auf die Anerkennung und Vollstreckung ausländischer Schiedssprüche aus Nichtvertragsstaaten angewandt.[2693]

1664 Der Anerkennung (Integrierung in das Recht des Gerichtsstaats, dh zB *res judicata, ne bis in idem*-Wirkung) und Vollstreckung (dh Anerkennung und zwangsweise Durchsetzung) nach dem NYÜ sind daher zum einen im Ausland ergangene Schiedssprüche zugänglich[2694] (ausländischer Schiedsspruch im Sinne einer territorialen Anknüpfung). Das Abstellen des NYÜ auf den Ort, an dem der Schiedsspruch ergangen ist,[2695] wird überwiegend als Hinweis auf den vereinbarten förmlichen Schiedsort verstanden.[2696] Irrelevant ist, wo die Schiedssache tatsächlich verhandelt oder der Schiedsspruch unterfertigt wurde.

1665 Unter Schiedssprüchen, die im Anerkennungs- bzw Vollstreckungsstaat als nicht inländische[2697] (dh als *non-domestic awards*) qualifiziert werden,[2698]

2690 OGH 25.6.1992, 7 Ob 545/92, IPRax 1994, 140; *Haas* in Weigand, Handbook² 407; *Patocchi/Jermini* in Honsell/Vogt/Schnyder, Internationales Privatrecht³ § 194 Rn 14; *Schwab/Walter*, Schiedsgerichtsbarkeit⁷ Kap 30 Rn 6; *Schlosser* in Stein/Jonas, ZPO²³ Anhang zu § 1061 Rn 31 f; *Geimer* in Zöller, Zivilprozessordnung³¹ § 1061 Rn 1; *Kröll* in Böckstiegel et al, Arbitration in Germany² 448 Rn 15.
2691 Zum Gegenseitigkeitsvorbehalt siehe 7. unten.
2692 OGH 30.11.1994, 3 Ob 164, 165/94; OGH 30.8.1995, 3 Ob 1075/95.
2693 Art 194 schwIPRG.
2694 Art I Abs 1 Satz 1 NYÜ.
2695 Art I Abs 1 Satz 1 NYÜ: „*Dieses Übereinkommen ist auf die Anerkennung und Vollstreckung von Schiedssprüchen anzuwenden, die in Rechtsstreitigkeiten zwischen natürlichen oder juristischen Personen in dem Hoheitsgebiet eines anderen Staates als desjenigen ergangen sind, in dem die Anerkennung und Vollstreckung nachgesucht wird.*"
2696 *Haas* in Weigand, Handbook² 407 f; vgl *Bredow* in Geimer/Schütze, Internationaler Rechtsverkehr 714 8; *Patocchi/Jermini* in Honsell/Vogt/Schnyder, Internationales Privatrecht³ § 194 Rn 12.
2697 Art I Abs 1 Satz 2 NYÜ: „*Es ist auch auf solche Schiedssprüche anzuwenden, die in dem Staat, in dem ihre Anerkennung und Vollstreckung nachgesucht wird, nicht als inländische anzusehen sind.*"
2698 Vgl *Gaillard/Savage*, International Arbitration 979, 980 und *Haas* in Weigand, Handbook² 412 ff, auch hinsichtlich der Frage der Vollstreckbarkeit von so genannten *a-national awards* nach dem NYÜ.

sind zB Schiedssprüche zu verstehen, die an einem Schiedsort erlassen wurden, der im Anerkennungs- bzw Vollstreckungsstaat liegt (dh kein ausländischer Schiedsspruch iSv Art I Abs 1 Satz 1 NYÜ), dies aber zB unter Anwendung eines ausländischen Verfahrensrechts,[2699] weshalb nach dem Recht des Anerkennungs- bzw Vollstreckungsstaats auch kein inländischer Schiedsspruch vorliegen mag (nicht-inländischer Schiedsspruch gem prozessualer Anknüpfung).[2700] Auch solche können nach dem NYÜ anerkannt und vollstreckt werden. In der Schweiz werden weiter inländische Schiedssprüche nach dem NYÜ anerkannt und vollstreckt, wenn beide Parteien ihren Sitz im Ausland und sie die Anfechtung des Schiedsspruchs durch ausdrückliche Erklärung ausgeschlossen haben.[2701] Durch die Kombination von positiver und negativer Definition der Schiedssprüche, die vom NYÜ umfasst sind, wurden Lücken in der Vollstreckbarkeit vermieden. Solche Schiedssprüche können in Rechtsstreitigkeiten zwischen natürlichen oder juristischen Personen ergangen sein. Parteien des Schiedsspruchs können nach allg Auffassung auch Staaten und internationale Organisationen sein, so diese nicht hoheitlich tätig waren.[2702]

Als Schiedssprüche, die gem NYÜ zu vollstrecken sind, werden Schiedssprüche von *ad hoc* und ständigen Schiedsgerichten verstanden, denen *„sich die Parteien unterworfen haben"*.[2703] Es wird davon ausgegangen, dass sich die Parteien der Jurisdiktion des Schiedsgerichts freiwillig durch Vereinbarung unterwerfen müssen, damit der erlassene Schiedsspruch nach dem NYÜ vollstreckt werden kann.[2704] Unklar ist nach dem Wortlaut des NYÜ allerdings, welche Elemente einen Schiedsspruch iSd NYÜ konkret charakterisieren, **1666**

2699 *Bredow* in Geimer/Schütze, Internationaler Rechtsverkehr 714 7 (zum deutschen Schiedsrecht vor der Novelle 1998).

2700 Nicht allein die prozessuale Anknüpfung sondern auch verschiedene andere Anknüpfungspunkte (zB Parteien mit ausländischem Sitz oder die Involvierung anderer ausländischer Belange) können dazu führen, dass ein Schiedsspruch, der im Anerkennungs- bzw Vollstreckungsland ergangen ist, als nicht inländischer Schiedsspruch angesehen wird (vgl *Haas* in Weigand, Handbook[2] 410 mwN).

2701 Art 192 schwIPRG.

2702 *Haas* in Weigand, Handbook[2] 423; *Bredow* in Geimer/Schütze, Internationaler Rechtsverkehr 714 11; vgl auch Art II Abs 1 EÜ.

2703 Art I Abs 2 NYÜ: „*Unter ,Schiedssprüchen' sind nicht nur Schiedssprüche von Schiedsrichtern, die für eine bestimmte Sache bestellt worden sind, sondern auch solche eines ständigen Schiedsgerichtes, dem sich die Parteien unterworfen haben, zu verstehen.*"

2704 Schiedssprüche von gesetzlich vorgesehenen Schiedsgremien können nach dem NYÜ nicht anerkannt bzw vollstreckt werden (KG Berlin 7.3.1995, OLG- Report 1996, 68); vgl *Haas* in Weigand, Handbook[2] 421; *Schlosser* in Stein/Jonas, ZPO[23] Anhang zu § 1061 Rn 33; vgl aber auch BGH 17.8.2000, III ZB 43/99, BB 2000, 1961 und Art IV Abs 1 lit b NYÜ.

weil dieser Begriff vom NYÜ nicht definiert wird.[2705] Problematisch ist dies zB bei Teilschiedssprüchen und Schiedsvergleichen. Durchgesetzt hat sich die Ansicht, dass Teilschiedssprüche (*partial awards*) dann gem der Konvention vollstreckbar sind, wenn sie einen Teilbereich des Streits eigenständig und abschließend entscheiden.[2706] Schiedsvergleiche entsprechen dem Verständnis eines Schiedsspruchs nach dem NYÜ nur insofern, als sie in Form eines Schiedsspruchs (*award by consent*) erlassen wurden.[2707] Schiedsvergleiche sind jedoch häufig nach bilateralen Abkommen vollstreckbar.[2708] Sofern dies nicht der Fall ist, bleibt der Gläubigerin die Möglichkeit, aus dem Schiedsvergleich zu klagen und den entsprechenden Schiedsspruch oder das entsprechende Urteil zu vollstrecken. Grds nicht vollstreckbar sind verfahrensleitende Anordnungen des Schiedsgerichts (*procedural orders*). Anders mag die Sachlage bei Schiedssprüchen sein, mit welchen zu Beginn eines Schiedsverfahrens derjenigen Partei, die den auf sie entfallenden Kostenvorschuss trotz entsprechender Verpflichtung nicht erlegt hat, der Ersatz dieses Kostenvorschusses an die gegnerische Partei, die ihn substitutionsweise erlegt hat, aufgetragen wird.[2709] Ob solche Schiedssprüche nach dem NYÜ vollstreckbar sind, ist allerdings umstritten.[2710]

3. Erfasste Schiedsvereinbarungen

1667   Art II NYÜ[2711] regelt formale Voraussetzungen, denen Schiedsvereinbarungen zu entsprechen haben, damit sie von den Vertragsstaaten anerkannt und demnach auch einem staatlichen Verfahren entgegengehalten werden können.[2712]

2705   Nach dem Zweck des NYÜ sollen möglichst viele Schiedssprüche in den Geltungsbereich der Konvention einbezogen werden (OGH 25.6.1992, 7 Ob 545/92, IPRax 1994, 140).

2706   *Haas* in Weigand, Handbook² 424 mwN; *Patocchi/Jermini* in Honsell/Vogt/Schnyder, Internationales Privatrecht³ § 194 Rn 8.

2707   *Bredow* in Geimer/Schütze, Internationaler Rechtsverkehr 714 12.

2708   Vgl zB deutsch-schweizerisches Abkommen vom 2.11.1929; deutsch-italienisches Abkommen vom 9.3.1936; deutsch-belgisches Abkommen vom 30.6.1958; deutsch-österreichischen Vertrag vom 6.6.1959; deutsch-griechischen Vertrag vom 4.11.1961, deutsch-tunesische Vertrag vom 30.8.1962, nach denen Schiedsvergleiche wie Schiedssprüche zu behandeln sind; vgl auch BayObLG München 5.7.2004, 4Z Sch 009/04, BayObLGR 2004, 381; *Schlosser* in Stein/Jonas, ZPO²³ Anhang zu § 1061 Rn 34; *Schwab/Walter*, Schiedsgerichtsbarkeit⁷ Kap 30 Rn 40.

2709   vgl Art 42(4) Wiener Regeln.

2710   Vgl *Liebscher* in New York Convention on the Recognition and Enforcement of Foreign Arbitral Awards Rn 371 ff; *Baier*, ecolex 2013, 697 ff.

2711   Diese Bestimmung findet jedenfalls Anwendung auf Schiedsvereinbarungen, die zu einem ausländischen oder nicht-inländischen Schiedsspruch iSv Art I NYÜ führen (BGE 122 III, 139 E 2).

2712   Art II Abs 3 NYÜ; *Schwab/Walter*, Schiedsgerichtsbarkeit⁷ Kap 26 Rn 3.

Da die Ungültigkeit der Schiedsvereinbarung, aufgrund welcher der Schiedsspruch ergangen ist, weiters einen Grund für die Versagung der Anerkennung bzw Vollstreckung bildet,[2713] ist diese Definition der Schiedsvereinbarung von doppelter Bedeutung.

Anerkennungsfähige Schiedsvereinbarungen sind gem Art II Abs 1 **1668** NYÜ[2714] schriftlich zu schließen; sie können sich einerseits auf bereits entstandene und andererseits auch auf künftige Streitigkeiten zwischen den Parteien beziehen und sowohl einzelne als auch alle Streitigkeiten aus einem ausreichend bestimmten[2715] (oder bestimmbaren) – vertraglichen oder nicht vertraglichen – Rechtsverhältnis betreffen. Wenn eine weitreichende Einbeziehung von Streitigkeiten aus einem vertraglichen bzw nicht vertraglichen Rechtsverhältnis angestrebt wird, sollte für die Schiedsvereinbarung eine entsprechend weite aber trotz allem ausreichend bestimmte Formulierung gewählt werden (zB *„Streitigkeiten und Ansprüche aus oder im Zusammenhang mit dem gegenständlichen Vertrag"*[2716]). Der Gegenstand der Streitigkeit aus einem Rechtsverhältnis, der gem Art II Abs 1 NYÜ gültig einem schiedsrichterlichen Verfahren unterzogen werden soll, muss nach dem anwendbaren Recht[2717] schließlich schiedsfähig sein.[2718] Ist das nicht der Fall, wird eine Schiedsvereinbarung – selbst wenn sie den übrigen Erfordernissen des Art II NYÜ entspricht – wegen mangelnder Schiedsfähigkeit nicht durchsetzbar sein.

Art II Abs 2 NYÜ[2719] legt fest, was unter einer **schriftlichen Vereinbarung** **1669** zu verstehen ist. Es kann sich dabei um Schiedsklauseln in einem Vertrag oder eigenständige Schiedsvereinbarungen (Schiedsabreden) handeln. So-

---

2713 Art V Abs 1 lit a NYÜ; OLG München, 18.7.2008, NJOZ 2008, 3363.

2714 Art II Abs 1 NYÜ: *„Jeder Vertragsstaat erkennt eine schriftliche Vereinbarung an, durch die sich die Parteien verpflichten, alle oder einzelne Streitigkeiten, die zwischen ihnen aus einem bestimmten Rechtsverhältnis, sei es vertraglicher oder nichtvertraglicher Art, bereits entstanden sind oder etwa künftig entstehen, einem schiedsrichterlichen Verfahren zu unterwerfen, sofern der Gegenstand des Streites auf schiedsrichterlichem Wege geregelt werden kann."* Zumindest die notwendigen, dh die in Art II Abs 1 NYÜ aufgezählten Elemente einer Schiedsvereinbarung, sind schriftlich iSd Art II Abs 2 NYÜ zu vereinbaren.

2715 OGH 21.2.1978, YCA X (1985) 418 (420); *Haas* in Weigand, Handbook² 437.

2716 OLG Düsseldorf 6 W 62, 286/82, WM 1983, 771 (772); vgl OLG Hamburg 17.2.1989, YCA XV (1990) 455 (463f).

2717 *Haas* in Weigand, Handbook² 448f zur Differenzierung in der Anwendung nationalen Rechts auf die Frage der Schiedsfähigkeit vor und nach Erlassung des Schiedsspruchs.

2718 Zur Schiedsfähigkeit siehe *Aschauer/Gantenberg/Gabriel* Rn 663ff.

2719 Art II Abs 2 NYÜ: *„Unter einer ‚schriftlichen Vereinbarung' ist eine Schiedsklausel in einem Vertrag oder eine Schiedsabrede zu verstehen, sofern der Vertrag oder die Schiedsabrede von den Parteien unterzeichnet oder in Briefen oder Telegrammen enthalten ist, die sie gewechselt haben."*

wohl Schiedsklauseln als auch Schiedsabreden müssen entweder (i) von den Parteien unterzeichnet oder (ii) in Schriftstücken enthalten sein, welche die Parteien ausgetauscht haben.[2720] Die mündliche oder stillschweigende Annahme eines schriftlichen Vertragsangebots, das eine Schiedsklausel enthält, reicht hier nicht aus;[2721] auch nicht die einseitige schriftliche Bestätigung einer mündlichen Übereinkunft. Die Schriftform ist gewahrt, wenn die Empfängerin eines Vertrags, der eine Schiedsklausel enthält, in seinem Antwortschreiben auf diese Bezug nimmt.[2722] Aus dem Schriftverkehr der Parteien muss hervorgehen, dass die Schiedsklausel/Schiedsabrede angenommen wird.

1670   Der Vertrag/die Schiedsabrede selbst muss nicht zurückgesendet werden.[2723] Soweit die **Schiedsklausel in AGBs** enthalten ist, wird für das Schriftformerfordernis iSd Art II Abs 2 NYÜ ein Verweis auf die AGB im Vertrag gefordert. Ein allgemeiner Hinweis ist ausreichend, so die AGB mit dem Vertrag verbunden sind[2724] oder eine ständige Geschäftsbeziehung vorliegt;[2725] ein spezieller Hinweis auf die AGB ist notwendig, wenn die AGB außerhalb einer ständigen Geschäftsbeziehung nicht übersandt werden.[2726] Im Anwendungsbereich des NYÜ überlagern die relativ großzügigen Formvorschriften mögliche strengere nationale Formerfordernisse, die der Anerkennung bzw Vollstreckung des Schiedsspruchs dann insofern nicht entgegenstehen.[2727]

1671   Umgekehrt erlaubt die **Meistbegünstigungsklausel** des Art VII Abs 1 NYÜ dem nationalen Gesetzgeber aber auch, bei der Anerkennung auslän-

---

2720 Auch der Wechsel von Telexen und Telefaxen etc soll ausreichen. Die Bestimmung schließt den Fall ein, dass mehrere Schriftstücke ausgetauscht werden oder auch nur ein und dasselbe Schriftstück zwischen den Parteien gewechselt wird; werden Telefaxe ausgetauscht, so brauchen diese gem Art II Abs 2 NYÜ, gleich wie nach § 583 Abs 1 öZPO, nicht unterfertigt zu sein; vgl dazu Basler Obergericht 3.6.1971, YCA IV (1979) 309 (310); *Patocchi/Jermini* in Honsell/Vogt/Schnyder, Internationales Privatrecht³ § 194 Rn 70; BGE 121 III 38 E 2c.
2721 BGer 5.11.1985, YCA XII (1987) 511 (513); LG Hannover 20.11.1980, YCA VII (1982) 322 (323).
2722 Tribunal du Canton de Genève 8.6.1967, SJZ 1968, 56.
2723 *Van den Berg*, Arbitration Convention 201 f.
2724 OGH 2.5.1972, YCA X (1985) 417; *Patocchi/Jermini* in Honsell/Vogt/Schnyder, Internationales Privatrecht³ § 194 Rn 59 f; BGE 111 Ib 253 E 6; BGE 110 II 54 E 3c.
2725 OLG Schleswig 16 SchH 5/99, RIW 2000, 706 (707).
2726 OLG München, 8.3.1995, 7 U 5460/94, RIW 1996, 854; *van den Berg*, Arbitration Convention 220 f; *Bredow* in Geimer/Schütze, Internationaler Rechtsverkehr 714 16; *Haas* in Weigand, Handbook² 444 f mwN; vgl *Patocchi/Jermini* in Honsell/Vogt/Schnyder, Internationales Privatrecht³ § 194 Rn 74 ff.
2727 BGE 110 II, 54 E 3a; OLG Schleswig 30.3.2000, 16 SchH 5/99, RIW 2000, 707; vgl Meistbegünstigungsklausel des Art VII NYÜ; vgl aber auch § 614 Abs 1 öZPO, nach welchem das Formerfordernis für die Schiedsvereinbarung auch dann erfüllt ist, wenn die Schiedsvereinbarung den Formerfordernissen des § 583 öZPO als auch denjenigen, des auf die Schiedsvereinbarung anwendbaren Rechts entspricht.

discher Schiedssprüche weniger strenge Formanforderungen an die Schiedsvereinbarung zu stellen als Art II NYÜ. Von dieser Möglichkeit hat der österreichische Gesetzgeber, der in § 583 öZPO liberalere Formvorstellungen
bezüglich Schiedsklauseln vorsieht,[2728] mit § 614 öZPO Gebrauch gemacht.
Demnach ist es für Zwecke der Anerkennung und Vollstreckung ausländischer
Schiedssprüche in Österreich ausreichend, wenn die Schiedsvereinbarung
sowohl den Formvorschriften des § 583 öZPO[2729] als auch den Formvorschriften des auf die Schiedsvereinbarung anwendbaren Rechts entspricht.
Die Nichteinhaltung der strengeren Formerfordernisse des NYÜ hindern die
Anerkennung und Vollstreckung des ausländischen Schiedsspruchs in diesem
Fall nicht. Die von Art II NYÜ vorgeschriebene Form wird auch in Deutsch-
land durch den großzügigeren § 1031 Abs 2 und Abs 3 dZPO erweitert.[2730]
Es bleibt jedoch auch nach deutschem Recht dabei, dass die Schiedsver-
einbarung in einem Schriftstück enthalten sein muss.[2731]

Staatliche Gerichte der Vertragsstaaten haben gültige Schiedsvereinbarun- **1672**
gen zu respektieren. Die Einwendung einer der Parteien vor dem staatlichen
Gericht, dass eine gem Art II Abs 1 und 2 NYÜ gültige Schiedsvereinbarung
vorliegt, die ein ausländisches bzw nicht inländisches Schiedsverfahren (dh
einen Schiedsort im Ausland oder zB ausländisches Verfahrensrecht) betreffend den Streitgegenstand vorsieht, führt dazu, dass das staatliche Gericht
unzuständig ist und daher ein Verfahren zB über den von der Schiedsverein-

---

2728 § 583 Abs 1 und Abs 2 öZPO lautet: „(1) *Die Schiedsvereinbarung muss entweder
in einem von den Parteien unterzeichneten Schriftstück oder in zwischen ihnen
gewechselten Schreiben, Telefaxen, e-mails oder anderen Formen der Nachrichtenübermittlung enthalten sein, die einen Nachweis der Vereinbarung sicherstellen.*"
und „(2) *Nimmt ein den Formerfordernissen des Abs. 1 entsprechender Vertrag auf
ein Schriftstück Bezug, das eine Schiedsvereinbarung enthält, so begründet dies eine
Schiedsvereinbarung, wenn die Bezugnahme dergestalt ist, dass sie diese Schiedsvereinbarung zu einem Bestandteil des Vertrages macht.*"; für den zweiten Fall von
§ 583 Abs 1 öZPO ist keine „Unterschriftlichkeit" gefordert: siehe dazu *Zeiler,*
Schiedsverfahren² § 583 Rn 16 f.

2729 OGH 23.6.2015, 18OCg1/15v, RdW 2016, 118.

2730 § 1031 Abs 2 und 3 dZPO: „(2) *Die Form des Absatzes 1 gilt auch dann als erfüllt,
wenn die Schiedsvereinbarung in einem von der einen Partei der anderen Partei
oder von einem Dritten beiden Parteien übermittelten Dokument enthalten ist und
der Inhalt des Dokuments im Falle eines nicht rechtzeitig erfolgten Widerspruchs
nach der Verkehrssitte als Vertragsinhalt angesehen wird. (3)Nimmt ein den Formerfordernissen des Absatzes 1 oder 2 entsprechender Vertrag auf ein Dokument Bezug, das eine Schiedsklausel enthält, so begründet dies eine Schiedsvereinbarung,
wenn die Bezugnahme dergestalt ist, dass sie diese Klausel zu einem Bestandteil des
Vertrages macht.*"

2731 OLG München 23.11.2009, 34 Sch 13/09, SchiedsVZ 2010, 50; OLG München
12.10.2009, 34 Sch 20/08, SchiedsVZ 2009, 340; OLG Frankfurt 26.6.2006, 26 Sch
28/05, IPRax 2008, 517.

barung umfassten Streitgegenstand in der Sache nicht durchführen darf.[2732] Dies allerdings nur auf zeitgerechten[2733] Antrag einer der Parteien, die sich somit immer noch gemeinsam zu einem staatlichen Gerichtsverfahren entschließen können. Sollte das angerufene Gericht feststellen, dass die eingewendete Schiedsvereinbarung nach dem anwendbaren nationalen Recht[2734] hinfällig (*null and void*), unwirksam (*inoperative*) oder nicht erfüllbar (*incapable of being performed*) ist, braucht es die Parteien nicht auf das schiedsrichterliche Verfahren zu verweisen. Die Unwirksamkeit der Schiedsvereinbarung soll vor Einleitung des Schiedsverfahrens allerdings nur in wirklich eindeutigen Fällen angenommen werden.[2735]

4. Verfahren und Urkundenvorlage

1673   Art III Satz 1 NYÜ stellt als zentralste Bestimmung des NYÜ programmatisch fest, dass die **Vertragsstaaten Schiedssprüche als wirksam anerkennen** und diese nach den nationalen Verfahrensvorschriften des Anerkennungs- bzw Vollstreckungsstaats **zur Vollstreckung zulassen**, sofern die in Art IVff NYÜ festgelegten Voraussetzungen gegeben sind.[2736] Staatliche Gerichte haben Schiedssprüche daher jedenfalls dann anzuerkennen und zu vollstrecken, wenn alle gem Art IV NYÜ notwendigen Urkunden vorgelegt wurden und Einwände gem Art V NYÜ nicht bestehen. Dabei darf die Anerkennung und

---

2732   Art II Abs 3 NYÜ: „*Wird ein Gericht eines Vertragsstaates wegen eines Streitgegenstandes angerufen, hinsichtlich dessen die Parteien eine Vereinbarung im Sinne dieses Artikels getroffen haben, so hat das Gericht auf Antrag einer der Parteien sie auf das schiedsrichterliche Verfahren zu verweisen, sofern es nicht feststellt, dass die Vereinbarung hinfällig, unwirksam oder nicht erfüllbar ist.*" Diese Bestimmung betrifft jedenfalls gerichtliche Verfahren, in welchen über den Streitgegenstand in der Sache selbst entschieden werden soll; nach manchen Autoren aber auch Verfahren, in welchen die Gültigkeit/Ungültigkeit der Schiedsvereinbarung festgestellt werden soll; vgl dazu BGer 26.1.1987, YCA XV (1990) 505 (507); vgl *Haas* in Weigand, Handbook² 466 für weitere Anwendungsmöglichkeiten.

2733   Den Zeitpunkt, bis zu welchem die Unzuständigkeitseinrede erhoben werden muss, legt das jeweilige nationale Recht am Sitz des Gerichts fest (BGH III ZR 262/00, NJW 2001, 2176).

2734   Vgl Art V Abs 1 lit a NYÜ; s *Haas* in Weigand, Handbook² 467 und *Bredow* in Geimer/Schütze, Internationaler Rechtsverkehr 714 18; vgl auch BGE 121 III 38 E 2: Art II Abs 3 NYÜ setze Maximalstandard der Überprüfung von Schiedsvereinbarungen.

2735   *Van den Berg*, Arbitration Convention 168; *Bredow* in Geimer/Schütze, Internationaler Rechtsverkehr 714 18; kritisch *Haas* in Weigand, Handbook² 469; vgl Tribunal Cantonal Vaudois 30.3.1993, YCA XXI (1996) 681 (683).

2736   Art III Satz 1 NYÜ: „*Jeder Vertragsstaat erkennt Schiedssprüche als wirksam an und lässt sie nach den Verfahrensvorschriften des Hoheitsgebietes, in dem der Schiedsspruch geltend gemacht wird, zur Vollstreckung zu, sofern die in den folgenden Artikeln festgelegten Voraussetzungen gegeben sind.*"

Vollstreckung durch die Vertragsstaaten weder wesentlich strengeren Verfahrensvorschriften (*substantially more onerous conditions*) noch wesentlich höheren Kosten unterliegen als dies bei inländischen Schiedssprüchen der Fall ist.[2737] Die Anerkennung und Vollstreckung ausländischer Schiedssprüche soll im Vergleich zu inländischen Schiedssprüchen verfahrensrechtlich nicht in diskriminierender Weise verkompliziert oder besonderen praktischen Schwierigkeiten unterworfen werden.[2738]

Das konkrete Verfahren und das zuständige Gericht, bei dem die Anerkennung bzw Vollstreckung eines Schiedsspruchs beantragt werden muss, sowie etwaige Fristen für eine solche Antragstellung, sind dem nationalen Recht des Anerkennungs- bzw Vollstreckungsstaats zu entnehmen.[2739] **1674**

Welche Urkunden in welcher Form und Sprache dem Exekutionsgericht im Zuge der Beantragung[2740] der Anerkennung bzw Vollstreckung von der betreibenden Gläubigerin vorzulegen sind, wird wiederum durch Art IV NYÜ[2741] festgelegt. Das sind einerseits der Schiedsspruch in legalisierter Ur- **1675**

2737 Art III Satz 2 NYÜ: *„Die Anerkennung oder Vollstreckung von Schiedssprüchen, auf die dieses Übereinkommen anzuwenden ist, darf weder wesentlich strengeren Verfahrensvorschriften noch wesentlich höheren Kosten unterliegen als die Anerkennung oder Vollstreckung inländischer Schiedssprüche."*

2738 *Gaillard/Savage*, International Arbitration 968.

2739 Vgl *Gaillard/Savage*, International Arbitration 967 f; *Haas* in Weigand, Handbook[2] 473 f; Für die Schweiz vgl *Patocchi/Jermini* in Honsell/Vogt/Schnyder, Internationales Privatrecht[3] § 194 Rn 31 ff; in Deutschland unterliegt der Antrag auf Vollstreckbarerklärung von internationalen Schiedssprüchen keiner Frist. Er kann schriftlich beim OLG oder mündlich zu Protokoll der Geschäftsstelle gestellt werden (§§ 1062, 1063 Abs 4 dZPO). Die Vollstreckung erfolgt nach der dZPO. In Österreich sind zur Vollstreckung grds die Bezirksgerichte zuständig, die nach der öEO vollstrecken. In der Schweiz werden die gem NYÜ anerkennungsfähigen ausländischen Schiedssprüche wie inländische Schiedssprüche vollstreckt, dh ein Schiedsspruch auf Geldzahlung (oder Sicherheitsleistung) nach schwSchKG, alle anderen Schiedssprüche nach Art 335 ff schwZPO.

2740 Art IV Abs 1 NYÜ spricht genauer davon, dass die antragstellende Partei diese Urkunden *„zugleich mit ihrem Antrag vorlegt"*. Da die Vertragsstaaten für die Anerkennung und Vollstreckung von Schiedssprüchen nach der Konvention keine wesentlich strengeren Verfahrensvorschriften vorsehen dürfen, einfachere aber doch, hat es zB der OGH in 3 Ob 88/91, ZfRV 1992, 234 zugelassen, dass Urkunden nachgereicht werden; vgl nunmehr auch § 614 Abs 2 öZPO.

2741 Art IV Abs 1 NYÜ: *„Zur Anerkennung und Vollstreckung, die im vorangehenden Artikel erwähnt wird, ist erforderlich, dass die Partei, welche die Anerkennung und Vollstreckung nachsucht, zugleich mit ihrem Antrag vorlegt: a) die gehörig beglaubigte (legalisierte) Urschrift des Schiedsspruches oder eine Abschrift, deren Übereinstimmung mit einer solchen Urschrift ordnungsgemäß beglaubigt ist; b) die Urschrift der Vereinbarung im Sinne des Artikels II oder eine Abschrift, deren Übereinstimmung mit einer solchen Urschrift ordnungsgemäß beglaubigt ist."* Die Legalisierung und Beglaubigung ist gem dem Recht des Ursprungsstaats des Schiedsspruchs oder gem

schrift[2742] oder beglaubigter Abschrift[2743] und andererseits die Schiedsvereinbarung in Urschrift oder beglaubigter Abschrift.[2744] Die Urkundenvorlage kann nach nationalen Regelungen großzügiger geregelt sein.

1676 Für die Anerkennung und Vollstreckung nach dem NYÜ in **Österreich** erleichtert § 614 Abs 2 öZPO die Pflicht zur Vorlage der Schiedsvereinbarung, indem die Vorlage nur nach Aufforderung durch das Gericht notwendig ist. Das Gericht hat diesbezüglich Ermessen und soll die Vorlage nur dann fordern, wenn Zweifel bezüglich der Schiedsvereinbarung bestehen.[2745] Dies kann ua dort hilfreich sein, wo die Zuständigkeit des Schiedsgerichts durch rügelose Einlassung oder durch die ausdrückliche Anerkennung der Zuständigkeit durch die Beklagte im Verfahren zustande gekommen ist.[2746]

1677 In **Deutschland** ist für den Antrag auf Vollstreckbarerklärung nach § 1064 Abs 1 und Abs 3 dZPO lediglich die Vorlage des Schiedsspruchs in Urschrift oder beglaubigter Abschrift erforderlich, nicht dagegen die Vorlage der Schiedsvereinbarung. Die Beglaubigung kann zudem durch die/den für das gerichtliche Verfahren bevollmächtigte Rechtsanwältin/bevollmächtigten Rechtsanwalt vorgenommen werden.[2747] Diese nationalen Regelungen haben nach dem Prinzip der Meistbegünstigung des Art VII Abs 1 NYÜ Vorrang vor der entsprechenden Bestimmung des Art IV NYÜ.[2748]

---

dem Recht des Anerkennungs- und Vollstreckungsstaats vorzunehmen (OGH 3 Ob 320/97y, IPRax 2000, 429, 430; vgl *Gaillard/Savage*, International Arbitration 969 f).

2742 Zur Bestätigung der Unterschrift unter dem Schiedsspruch als die Unterschrift des Schiedsrichters vgl *van den Berg*, Arbitration Convention 251 und *Bredow* in Geimer/Schütze, Internationaler Rechtsverkehr 714 21.

2743 Vgl OGH 24.8.2011, 3Ob65/11x, wonach auch die zugrundeliegende Schiedsordnung vorzulegen ist, wenn diese Fragen der Beglaubigung regelt: *„Da Beurteilungsgrundlage für die Beantwortung der erörterten Fragen [Beglaubigung der Unterschriften der Schiedsrichter] die jeweilige Schiedsordnung bildet, muss diese im einseitigen Urkundenverfahren nach § 83 Abs 1 EO neben der beglaubigten Abschrift des Schiedsspruchs [...] vom Antragsteller/Betreibenden bei der Antragstellung vorgelegt werden."* Vgl zur Beglaubigung eines LCIA Schiedsspruchs durch dessen Registrar OGH 3.9.2008, 3Ob35/08 f.

2744 Wenn die Schiedsvereinbarung durch den Wechsel von Schriftstücken zustande kam, braucht der betreibende Gläubiger lediglich die von ihm erhaltenen Schreiben vorzulegen. Nach dem NYÜ ist es nicht erforderlich, dass die um die Anerkennung und Vollstreckung eines Schiedsspruchs ansuchende Partei auch die Zeichnungsberechtigung jener Personen urkundlich nachweise, die für die Vertragsparteien beim Abschluss der Schiedsvereinbarung auftraten. Siehe OGH 28.8.2005, 3 Ob 65/05p und OGH 23.10.2007, 3Ob141/07t.

2745 *Hausmaninger* in Fasching/Konecny, ZPO³ § 615 Rn 94.

2746 *Hausmaninger* in Fasching/Konecny, ZPO³ § 615 Rn 93.

2747 § 1064 Abs 1 S 2 dZPO.

2748 BGH 25.9.2003, III ZB 68/02, NJW-RR 2004, 1504; OLG München 12.10.2009, 34 Sch 20/08, SchiedsVZ 2009, 340; OLG Köln 23.4.2004, 9 Sch 01/03, SchiedsVZ 2005, 163.

Wenn der Schiedsspruch und die Schiedsvereinbarung nicht in der Amts- **1678** sprache des Anerkennungs- bzw Vollstreckungsstaats abgefasst sind, sind – nach Ansicht mancher Autoren zwingend[2749] – **beglaubigte Übersetzungen in der Amtssprache des Exekutionsgerichts beizubringen.**[2750] Fremdsprachenkenntnisse des angerufenen Gerichts ändern nach Ansicht des OGH[2751] grundsätzlich nichts an der Notwendigkeit der Vorlage von Übersetzungen. Vor deutschen Gerichten ist eine Übersetzung des Schiedsspruchs zunächst nicht erforderlich. Das Gericht kann zwar gem § 142 Abs 3 dZPO die Vorlage einer Übersetzung anordnen, das Fehlen einer Übersetzung führt jedoch nicht zur Unzulässigkeit des Antrags.[2752] Da die Vollstreckbarerklärung in deutscher Sprache erfolgt, ist allerdings zu empfehlen, jedenfalls die entscheidenden Teile des Schiedsspruchs übersetzen zu lassen. Weitere Beweise für das Vorliegen des Schiedsspruchs und der Schiedsvereinbarung dürfen nicht verlangt werden.[2753] Wenn das Vorliegen des Schiedsspruchs und der Schiedsvereinbarung unstrittig sind, brauchen die Beglaubigungserfordernisse des Art IV NYÜ nach manchen Urteilen nicht erfüllt zu werden.[2754]

Wie bereits erwähnt, definiert das NYÜ nicht, was unter einem Schieds- **1679** spruch, der gem Art IV Abs 1 lit a NYÜ dem Exekutionsgericht vorzulegen ist, zu verstehen ist. Dazu haben die Gerichte in der Vergangenheit entschieden, dass der vorzulegende Schiedsspruch die **Unterschriften der SchiedsrichterInnen** zu enthalten hat[2755] und dass eine abweichende Meinung (*dissenting*

2749 *Gaillard/Savage*, International Arbitration 971.

2750 Gem Art IV Abs 2 Satz 2 NYÜ muss die Übersetzung *„von einem amtlichen oder beeidigten Übersetzer oder von einem diplomatischen oder konsularischen Vertreter beglaubigt sein."* Die Gerichte lassen dabei regelmäßig Übersetzungen zu, die von Übersetzern erstellt wurden, die entweder im Anerkennungs- und Vollstreckungsstaat oder am Schiedsort zugelassen sind.

2751 OGH 26.4.2006, 3 Ob 211/05h; aA *Bredow* in Geimer/Schütze, Internationaler Rechtsverkehr 714 22. Für die Schweiz hat es das BGer in BGE 138 III 520 nicht beanstandet, dass ein Teil des Entscheides (die Kostenregelung) nicht übersetzt worden war und das kantonale Gericht mit Verweis auf Sprachkenntnisse dies akzeptierte hatte (E 5.5).

2752 *Schwab/Walter*, Schiedsgerichtsbarkeit[7] Kap 30 Rn 26.

2753 Vgl Art III NYÜ und *Haas* in Weigand, Handbook[2] 478; vgl auch OLG Köln 10.6.1976, YCA IV (1979) 258 (259), wonach die Parteien hinsichtlich der gem Art IV NYÜ vorzulegenden Urkunden keine Vereinbarung treffen können.

2754 HG Zürich 20.4.1990, YCA XII (1992) 584 (585 f); OLG Hamm 1 U 1/96, RI 1997, 962; vgl auch BGH 17.8.2000, III ZB 43/99, BB 2000, 1961. Nach der Rsp des BGH handelt es sich bei Art IV NYÜ um eine Beweismittelregelung. Daher könne auf die Beglaubigung verzichtet werden, wenn Schiedsspruch und Schiedsabrede unstreitig sind, vgl BGH 17.8.2000, III ZB 43/99, NJW 2000, 3650; *Schlosser* in Stein/Jonas, ZPO[23] Anhang zu § 1061 Rn 134.

2755 Das OLG Köln 10.6.1976, YCA IV (1979) 259 entschied, dass sofern sich die Unterschriften aller SchiedsrichterInnen auf der Urschrift des Schiedsspruchs finden,

opinion), mit der ein Mitglied des Schiedsgerichts seine eigene Ansicht zum Streitfall der abgelehnten Mehrheitsentscheidung des Schiedsgerichts gegenüberstellt, nicht vorgelegt werden muss, weil sie keinen Bestandteil des Schiedsspruchs bildet.[2756]

5. Gründe zur Versagung der Anerkennung und Vollstreckbarkeit

a) Grundsätze

1680   Die Versagung der Anerkennung oder Vollstreckbarkeit eines Schiedsspruchs kann ausschließlich aufgrund der in Art V NYÜ abschließend aufgezählten Einwände erfolgen.[2757] Auch wenn das nationale Recht des Anerkennungs- und Vollstreckungsstaats zusätzliche Gründe für die Versagung der Anerkennung bzw Vollstreckung bieten würde, können diese im Anwendungsbereich des NYÜ nicht geltend gemacht werden. In der Limitierung und Bündelung der Gründe für das Versagen einer Anerkennung und Vollstreckung liegt wohl einer der bedeutendsten Vorteile des NYÜ. Eine Ausweitung der Versagungsgründe durch die Gerichte, zB eine *revision au fond* (dh eine Überprüfung des Schiedsspruchs in der Sache selbst durch Berichtigung falscher Rechtsanwendung oder Beweiswürdigung) ist unzulässig.[2758] Die Versagungsgründe des Art V Abs 1 lit a – e NYÜ (*irregularities internal to arbitration*) sind grundsätzlich von der Partei, gegen die der Schiedsspruch vollstreckt werden soll, geltend zu machen und zu beweisen.[2759] Lediglich die in Art V

---

auch die beglaubigte Abschrift die Unterschriften aller SchiedsrichterInnen zu enthalten hat. Durch die Vereinbarung diesem Prinzip entgegenstehender Schiedsregeln können die Parteien Art IV NYÜ nicht abändern.

2756 OGH 26.4.2006, 3 Ob 211/05h zu einem Schiedsspruch, der gem der ICC SchO erlassen wurde und zu dem als separates Dokument eine *dissenting opinion* erging. Vgl OGH 13.4.2011, 3 Ob 154/10h zu einem Sondervotum nach der Schiedsgerichtsordnung des Internationalen Handelsschiedsgerichts bei der Handels- und Industriekammer der Russischen Föderation.

2757 Vgl *Gaillard/Savage*, International Arbitration 983 f; *Patocchi/Jermini* in Honsell/Vogt/Schnyder, Internationales Privatrecht³ § 194 Rn 56; BGE 135 III 136 E 2.1; BGer 4A_508/2010, 14.2.2011, E 3.2; BGer 4A_233/2010, 28.7.2010, E 3.2.1, wonach diese Gründe im Sinne der Vollstreckungsfreundlichkeit zudem restriktiv auszulegen sind; Appellationsgericht Basel-Stadt 27.2.1989, YCA XVII (1992) 581 (583).

2758 *Haas* in Weigand, Handbook² 486 mwN.

2759 OGH 17.2.2016, 3 Ob 208/15g, ecolex 2016, 393; *Gaillard/Savage*, International Arbitration 968; OLG Hamburg 26.1.1989, YCA XVII (1992) 491 (493); vgl italienischer Corte di Cassazione 23.4.1997, YCA XXIVa (1999) 709, wo der Beweis für den Versagungsgrund des Art V Abs 1 lit b NYÜ, nämlich, dass ein maßgeblicher Zeuge immer noch verhindert war, zur Vernehmung zu erscheinen, nicht gelang, nachdem dieser laut Protokoll bereits anlässlich zweier mündlicher Verhandlungen vernommen werden sollte und per Telegramm einen weiteren Aufschub seiner Ver-

Abs 2 lit a (mangelnde Schiedsfähigkeit nach dem Recht des Vollstreckungsstaates) und b (Verletzung des *ordre public* des Vollstreckungsstaates) NYÜ genannten Versagungsgründe sind von den Gerichten *ex officio* zu prüfen. Selbst wenn solche Versagungsgründe vorliegen, **muss** das Gericht die Vollstreckung nicht unbedingt ablehnen, **kann** dies aber tun.[2760]

b) Art V Abs 1 lit a NYÜ

Wenn eine Partei, die eine Schiedsvereinbarung iSd Art II NYÜ geschlossen **1681** hat, in irgendeiner Hinsicht hierzu nicht fähig war oder die Schiedsvereinbarung ungültig ist, liegt ein Versagungsgrund nach Art V Abs 1 lit a NYÜ vor.[2761] Die Formulierung, dass eine Partei nicht fähig war, eine Schiedsvereinbarung zu schließen, wird so verstanden, dass auch Fragen der Rechtsfähigkeit, Prozessfähigkeit sowie Fragen des Vorliegens einer gültigen Vollmacht zum Abschluss der Schiedsvereinbarung darunter fallen.[2762] Soweit das NYÜ einheitliche Sachnormen für Schiedsvereinbarungen vorsieht,[2763] richtet sich deren Prüfung ausschließlich nach Art II NYÜ. Soweit Art II NYÜ hinsichtlich der Gültigkeit der Schiedsvereinbarung auftretende Themen sachlich nicht

---

nehmung gefordert hatte. BGE 135 III 136 E 2.1; BGer 4A_508/2010, 14.2.2011, E 3.2; BGer 4A_233/2010, 28.7.2010, E 3.2.1.

2760 Die Anerkennung und Vollstreckung des Schiedsspruchs „darf" versagt werden (*„may be refused"*; Art V Abs 1 und Abs 2 NYÜ); vgl *van den Berg*, Arbitration Convention 265 und *Haas* in Weigand, Handbook[2] 487 zum diesbezüglichen Theorienstreit; so ging zB die deutsche Bundesregierung bei der Ratifizierung offenbar davon aus, dass Art V NYÜ keinen Ermessensspielraum gewähre, vgl BT-Drucks 3/2160, 26.

2761 Art V Abs 1 lit a NYÜ: *„Die Anerkennung und Vollstreckung des Schiedsspruches darf auf Antrag der Partei, gegen die er geltend gemacht wird, nur versagt werden, wenn diese Partei der zuständigen Behörde des Landes, in dem die Anerkennung und Vollstreckung nachgesucht wird, den Beweis erbringt, a) dass die Parteien, die eine Vereinbarung im Sinne des Artikels II geschlossen haben, nach dem Recht, das für sie persönlich maßgebend ist, in irgendeiner Hinsicht hierzu nicht fähig waren oder dass die Vereinbarung nach dem Recht, dem die Parteien sie unterstellt haben, oder, falls die Parteien hierüber nichts bestimmt haben, nach dem Recht des Landes, in dem der Schiedsspruch ergangen ist, ungültig ist, [...]"*; Art V Abs 1 lit a Alt 1 NYÜ verweist hinsichtlich der Beurteilung der subjektiven Schiedsfähigkeit auf das Personalstatut der betreffenden Partei; vgl *van den Berg*, Arbitration Convention 276 f; *Patocchi/Jermini* in Honsell/Vogt/Schnyder, Internationales Privatrecht[3] § 194 Rn 60 ff.

2762 Italienischer Corte di Cassazione 23.4.1997, YCA XXIVa (1999) 709; vgl OGH 24.8.2005, 3 Ob 65/05p; vgl *Patocchi/Jermini* in Honsell/Vogt/Schnyder, Internationales Privatrecht[3] § 194 Rn 60 f sowie *Siehr* in Girsberger et al, IPRG[2] § 194 Rn 14.

2763 ZB hinsichtlich der notwendigen Bestandteile der Schiedsvereinbarung, der Form der Vereinbarung als Schiedsklausel oder Schiedsabrede, dem Erfordernis der Schriftlichkeit.

regelt,[2764] sind diese grundsätzlich entweder nach dem von den Parteien für die Schiedsvereinbarung gewählten Recht oder subsidiär nach dem Recht des Landes, in dem der Schiedsspruch ergangen ist, zu beurteilen.[2765]

c) Art V Abs 1 lit b NYÜ

1682 Wenn die Partei, gegen die der Schiedsspruch geltend gemacht wird, von der Bestellung der Schiedsrichterin/des Schiedsrichters oder von dem Schiedsverfahren nicht gehörig in Kenntnis gesetzt worden ist, oder diese Partei aus einem anderen Grund ihre Angriffs- oder Verteidigungsmittel nicht geltend machen konnte, liegt ein Versagungsgrund nach Art V Abs 1 lit b NYÜ[2766] vor. Solche **Verletzungen des Gleichbehandlungsprinzips** und des **rechtlichen Gehörs** (*due process*) werden als Versagungsgrund von den Gerichten allerdings nur selten akzeptiert. Wenn die Partei von einer eingeräumten Gelegenheit, ihren Standpunkt zu vertreten, keinen Gebrauch macht, kommt es allerdings nicht zu einer Verletzung des rechtlichen Gehörs.[2767] Zumeist wird von den Gerichten auch gefordert, dass die Verletzung den Ausgang des Verfahrens wesentlich beeinflusst haben muss, damit ein Versagungsgrund iSd Art V Abs 1 lit b NYÜ gegeben ist.[2768] Potentielle *ordre public* Verletzungen sind hierbei ebenfalls zu berücksichtigen, auch wenn sie keinen Versagungsgrund gem Art V Abs 2 lit b NYÜ bilden.[2769]

2764 ZB das Vorliegen und die Auswirkungen von Willensmängeln auf die Wirksamkeit der Schiedsvereinbarung sowie die Frage der Unabhängigkeit der Schiedsvereinbarung vom Hauptvertrag (*separability*); vgl *van den Berg*, Arbitration Convention 177 und *Haas* in Weigand, Handbook² 450 ff.

2765 Schleswig-Holsteinisches OLG 30.3.2000, 16 SchH 5/99, RIW 2000, 706; OLG Dresden 18.2.2009, 11 Sch 7/08, BeckRS 2011, 08223.

2766 Die Anerkennung und Vollstreckung darf auf Antrag nur versagt werden, wenn die Partei, gegen die der Schiedsspruch geltend gemacht wird, den Beweis erbringt, „[...] dass die Partei, gegen die der Schiedsspruch geltend gemacht wird, von der Bestellung des Schiedsrichters oder von dem schiedsrichterlichen Verfahren nicht gehörig in Kenntnis gesetzt worden ist oder, dass sie aus einem anderen Grund ihre Angriffs- oder Verteidigungsmittel nicht hat geltend machen können, [...]" (Art V Abs 1 lit b NYÜ). Ob Art V Abs 1 lit b NYÜ als internationale Sachnorm zu verstehen ist (*Gaillard/Savage*, International Arbitration 986), oder das Verfahrensrecht der *lex fori* zur Anwendung kommt, ist strittig (vgl *Haas* in Weigand, Handbook² 494 f); BGer, 8.2.1978, E. 4, in SJ 1980, 65 ff.

2767 OGH 1.9.2010, 3 Ob 122/10b.

2768 Appellationsgericht Basel-Stadt 27.2.1989, YCA XVII (1992) 583; aA *Patocchi/Jermini* in Honsell/Vogt/Schnyder, Internationales Privatrecht³ § 194 Rn 87.

2769 Vgl *Gaillard/Savage*, International Arbitration 986; vgl auch OLG Köln 23.4.2004, YCA XXX (2005) 560; gem *Patocchi/Jermini* in Honsell/Vogt/Schnyder, Internationales Privatrecht³ § 194 Rn 90 ist das Verhältnis zwischen lit b und *ordre public*

Zustellungen und **Zustellmängel** werden vom NYÜ nicht behandelt. **1683** Das NYÜ sieht für die Benachrichtigung vom Schiedsverfahren oder der Bestellung einer Schiedsrichterin/eines Schiedsrichters keine spezielle Art der Zustellung vor.[2770]

Dass eine Partei keine Schiedsrichterin/keinen Schiedsrichter benennen **1684** oder ihre Verteidigungsmittel nicht geltend machen konnte, wird nur dann erfolgreich einer Anerkennung bzw Vollstreckung entgegenstehen, wenn der Beweis gelingt, dass die Partei konkret an ausreichender Mitwirkung bzw Verteidigung gehindert war.[2771]

Gründe, die als Versagung des rechtlichen Gehörs bzw des Gleichbehand- **1685** lungsprinzips verstanden wurden, liegen zB vor, wenn eine Partei über die Identität von SchiedsrichterInnen[2772] oder über die Argumente der gegnerischen Partei im Schiedsverfahren[2773] nicht informiert wird, wenn ein wesentliches Schriftstück dem Schiedsgericht durch eine Partei vorgelegt wird, ohne dass die andere Partei davon weiß und sich dazu äußern kann,[2774] oder wenn Parteien zu Sachverständigengutachten bzw deren mündlichen Auskünften nicht Stellung nehmen können.[2775] Das rechtliche Gehör wird aber nicht ver-

---

zumindest umstritten, die Rsp hat die Frage offen gelassen, so zB OGer BL, 3.6.1971 E 5, BJM 1973, 193 ff.

2770 Vgl OLG Hamm 1 U 1/96, RIW 1997, 963; Tribunale d'appello TI, 22.2.2010, 14.2009.104, behandelt verschiedene Fragen der Zustellung, insb E 11d und 12.

2771 Vgl OLG Hamburg 26.1.1989, YCA XVII (1992) 496 f; zB wegen zu kurzer Fristsetzung des Schiedsgerichts, nicht aber wenn Fristverlängerungen nicht gewährt werden; vgl OGer BL, 3.6.1971 E 4, in BJM 1973, 193 ff betreffend die Verweigerung einer Fristerstreckung zur Benennung einer Schiedsrichterin/eines Schiedsrichters und zur Einreichung der Antwort auf die Schiedsklage; oder wegen einem *force majeur*-Ereignis, welches das Schiedsgericht bei der Führung des Verfahrens außer Acht lässt, nicht aber wegen Umständen, die im eigenen Verhalten der Partei (zB Säumnis) begründet sind; vgl schwBGer 12.1.1989, YCA XV (1990) 509 (512); *Gaillard/Savage*, International Arbitration 986 und *Bredow* in Geimer/Schütze, Internationaler Rechtsverkehr 714 28.

2772 Da die Partei in diesem Fall nicht feststellen kann, ob voreingenommene oder gar abgelehnte Schiedsrichter an der Entscheidung beteiligt waren. Die Unabhängigkeit von SchiedsrichterInnen als fundamentales Prinzip der Rechtsordnung wurde weiters als zum *ordre public* zugehörig anerkannt und dem Schiedsspruch wegen der Unmöglichkeit einer effektiven Ablehnung der tatsächlich agierenden SchiedsrichterInnen die Vollstreckung versagt (OLG Köln 10.6.1976, YCA (1979) 259).

2773 LG Bremen 20.1.1983, YCA XII (1987) 486.

2774 OLG Hamburg 3.4.1975 YCA II (1977) 241.

2775 Vgl OGH 18.4.2012, 3Ob38/12b: *„Schon das Vorbringen, die Verpflichtete habe schriftlich Fragen an den Sachverständigen formulieren können, die der Schiedsrichter als rechtlich unerheblich angesehen habe, stellt klar, dass eine Äußerungsmöglichkeit der Verpflichteten bestand. Damit verbleibt nur mehr der Vorwurf, dass die [...] gestellten Fragen ohne ausreichende Begründung behandelt worden seien. Darin kann schon begrifflich der Versagungsgrund nicht erblickt werden, der nur dann gegeben*

letzt, wenn das Schiedsgericht die Partei davon in Kenntnis setzt, dass es an einem bestimmten Termin auf Basis der zu diesem Zeitpunkt vorliegenden Dokumente entscheiden wird und der Partei damit implizit eine Frist von zehn Tagen zur Antragstellung und weiterer Verteidigung gewährt wird,[2776] oder wenn sich das Schiedsgericht im Schiedsspruch nicht mit jedem einzelnen Argument der Partei auseinandersetzt.[2777] Wenn eine Partei einwendet, das Schiedsgericht habe ihren Beweisantrag nicht berücksichtigt, muss sie darlegen, dass das Beweismittel entscheidungserheblich gewesen wäre.[2778]

d) Art V Abs 1 lit c NYÜ

1686 **Kompetenzüberschreitung** führt zur Aufhebung des Schiedsspruchs gem Art V Abs 1 lit c NYÜ,[2779] so diese wesentliche Bedeutung für den Ausgang des Verfahrens hatte.[2780] Das Schiedsgericht überschreitet seine Kompetenzen iSd Art V Abs 1 lit c NYÜ dann, wenn der Schiedsspruch (i) eine Streitigkeit betrifft, die von der Schiedsvereinbarung nicht gedeckt ist, oder wenn dieser (ii) Aussprüche enthält, welche die Schiedsvereinbarung überschreiten.[2781]

---

ist, wenn die Partei an der Geltendmachung ihrer Angriffs- oder Verteidigungsmittel gehindert war."; BGer 8.2.1978, YCA XI (1986) 538 oder SJ 1980, S 65 ff E 3c und 4; vgl aA der Vorinstanz Cour de Justice de Genève 17.9.1976, YCA IV (1979) 311 (312 f).

2776 OLG Hamburg 6 U 50/84, RIW 1985, 490 (491 f); *Schlosser* in Stein/Jonas, ZPO[23] Anhang zu § 1060 Rn 186 f.

2777 BGH 18.1.1990, YCA XVII (1992) 503 (507 f) führt aus, dass der Schiedsspruch die Ansicht des Schiedsgerichts zu den Hauptargumenten der Parteien enthalten muss. Es ist ausreichend, wenn das Schiedsgericht sich mit dem Vorbringen auseinander setzt, das für die Begründung der schiedsrichterlichen Entscheidung relevant ist. Dass die Angriffs- oder Verteidigungsmittel vom Schiedsgericht ungenügend beachtet wurden, mag zwar Verfahrensmängel bilden, die laut OGH 3 Ob 1091/91, ZfRV 1992, 33 der Verweigerung des rechtlichen Gehörs aber nicht gleichstehen; vgl auch OLG Köln 23.4.2004, YCA XXX (2005) 560; OLG Naumburg 4.3.2011, 10 Sch 04/10, SchiedsVZ 2011, 228; OLG Stuttgart, 6.12.2001, 1 Sch 12/01, Yearbook XXIX (2004), 742 ff.

2778 OLG Bremen 30.9.1999, (2) Sch 4/99, IPRspr 1999, Nr 181.

2779 Die Anerkennung und Vollstreckung darf auf Antrag nur versagt werden, wenn die Partei, gegen die der Schiedsspruch geltend gemacht wird, den Beweis erbringt, *"[...] dass der Schiedsspruch eine Streitigkeit betrifft, die in der Schiedsabrede nicht erwähnt ist oder nicht unter die Bestimmungen der Schiedsklausel fällt, oder dass er Entscheidungen enthält, welche die Grenzen der Schiedsabrede oder der Schiedsklausel überschreiten [...]"* (Art V Abs 1 lit c Halbsatz 1 NYÜ); vgl auch *van den Berg*, Arbitration Convention 311 ff.

2780 Vgl BGH III ZR 16/84, RIW 1985, 970 (972).

2781 Terminologie des BGer in BGer 4A_508/2010, 14.2.2001, E 3.2: *"weil die beurteilte Sache nicht zum objektiven oder subjektiven Geltungsbereich der Schiedsvereinbarung gehört."*

Dazu kann auch die Anwendung eines anderen als des von den Parteien vereinbarten nationalen Rechts zählen.[2782]

Eine Kompetenzüberschreitung kann weiters vorliegen, wenn die Parteien **1687** vereinbart haben, dass Schiedsklagen bis zu einem bestimmten Zeitpunkt eingebracht werden müssen,[2783] oder dass der Schiedsspruch binnen einer bestimmten Frist erlassen werden muss.[2784] Wiederum sollen im Hinblick auf den Zweck des NYÜ diese Versagungsgründe eng ausgelegt werden.[2785] So interpretieren Gerichte Schiedsvereinbarungen meist großzügig, sodass auch Streitigkeiten über die Wirksamkeit des Vertrags als von einer Schiedsvereinbarung gedeckt angesehen werden, die ihrem Wortlaut nach nur Streitigkeiten *„aus"* einem bestimmten Vertragsverhältnis betrifft.[2786] Auch eine Trennung von vertraglichen und deliktischen Ansprüchen nehmen deutsche Gerichte nicht vor, sofern sich dies nicht eindeutig aus der Schiedsvereinbarung ergibt, weil davon auszugehen sei, dass die Parteien einen einheitlichen Lebenssachverhalt nicht in zwei gesonderten Verfahren behandeln wollten.[2787] Im Interesse eines einheitlichen und zeiteffektiven Verfahrens dürfen Schiedsgerichte auch über Vorfragen urteilen, sofern diese nicht ausdrücklich einem anderen Gericht vorbehalten werden.[2788] Wenn das Gericht aber tatsächlich eine Kompetenzüberschreitung annimmt,[2789] kann es bei Abtrennbarkeit des dem Schiedsverfahren unterworfenen von dem ihm nicht unterworfenen Teil, den erstgenannten Teil des Schiedsspruchs anerkennen und vollstrecken.[2790]

2782 Vgl BGH III ZR 16/84, RIW 1985, 972.

2783 Vgl BGH 12.2.1976, YCA II (1977) 243.

2784 *Patocchi/Jermini* in Honsell/Vogt/Schnyder, Internationales Privatrecht³ § 194 Rn 101 mit Verweis auf BGH, RIW 1976, 449; aA OLG Stuttgart 6.12.2001, 1 Sch 12/01, Yearbook XXIX (2004),742 ff; vgl *Kröll* in Böckstiegel et al, Arbitration in Germany² 476 Rn 103.

2785 *Gaillard/Savage*, International Arbitration 988, die in enger Sichtweise *infra petita*, *ultra petita* und das von den Parteien nicht vereinbarte Vorgehen des Schiedsgerichts als *amiable compositeur* nicht unbedingt von Art V Abs 1 lit c NYÜ umfasst sehen wollen. Für den letzten genannten Fall auch OGH 18.11.1982, 8 Ob 520/82, IPRax 1984, 97 (99); aA *Patocchi/Jermini* in Honsell/Vogt/Schnyder, Internationales Privatrecht³ § 194 Rn 102.

2786 *Kröll* in Böckstiegel et al, Arbitration in Germany² 476 Rn 101.

2787 OLG Köln 19.12.2001, 11 U 52/01; *Kröll* in Böckstiegel et al, Arbitration in Germany² 476 Rn 104.

2788 OLG Naumburg 4.3.2011, 10 Sch 4/10, SchiedsVZ 2011, 228.

2789 Eine solche kann sich sowohl aus dem Vergleich des Schiedsspruchs mit der Schiedsvereinbarung als auch mit dem Schiedsauftrag (*submission to arbitration* im weiten Sinn) ergeben.

2790 *„[...] kann jedoch der Teil des Schiedsspruches, der sich auf Streitpunkte bezieht, die dem schiedsrichterlichen Verfahren unterworfen waren, von dem Teil, der Streitpunkte betrifft, die ihm nicht unterworfen waren, getrennt werden, so kann der erstgenannte Teil des Schiedsspruches anerkannt und vollstreckt werden [...]"* (Art V

e) Art V Abs 1 lit d NYÜ

1688 Entspricht die Bildung des Schiedsgerichts oder das schiedsrichterliche Verfahren nicht der Vereinbarung der Parteien (dh der vereinbarten SchO, dem vereinbarten nationalen Recht oder internationalem Regelwerk), oder mangels einer solchen, dem Recht des Schiedsorts, können die Versagungsgründe des Art V Abs 1 lit d NYÜ[2791] vorliegen.

1689 Manche Gerichte nehmen solche nur an, wenn die Verletzungen iSd Art V Abs 1 lit d NYÜ eine Partei beeinträchtigen.[2792] Aus dem Wortlaut des NYÜ ergibt sich, dass die Parteien die Besetzung des Schiedsgerichts sowie das Verfahren auch auf eine Weise regeln können, die vom Recht des Schiedsorts abweicht.[2793] Der Versagungsgrund des Art V Abs 1 lit d NYÜ wurde zB in einem Fall angenommen, in dem das Schiedsgericht nicht der Absicht der Parteien entsprochen hatte, die Streitigkeit in einem einzigen Schiedsverfahren zu entscheiden,[2794] wenn trotz entsprechendem Antrag einer Partei

---

Abs 1 lit c Halbsatz 2 NYÜ); vgl auch OGH 26.1.2005, YCA XXX (2005) 421 (436); *Bredow* in Geimer/Schütze, Internationaler Rechtsverkehr 714 29 mwN; *Patocchi/Jermini* in Honsell/Vogt/Schnyder, Internationales Privatrecht³ § 194 Rn 102.

2791 Die Anerkennung und Vollstreckung darf auf Antrag nur versagt werden, wenn die Partei, gegen die der Schiedsspruch geltend gemacht wird, den Beweis erbringt, *„[…] dass die Bildung des Schiedsgerichtes oder das schiedsrichterliche Verfahren der Vereinbarung der Parteien oder, mangels einer solchen Vereinbarung, dem Recht des Landes, in dem das schiedsrichterliche Verfahren stattfand, nicht entsprochen hat, […]"* (Art V Abs 1 lit d NYÜ).

2792 OLG Schleswig 16 SchH 5/99, RIW 2000, 708; das BayObLG 23.9.2004, YCA XXX (2005) 568 (573) verlangt, dass es sich um die Verletzung einer Verfahrensvorschrift handelt, die für den Schiedsspruch wesentlich ist; BGer 4A_233/2010, 28.7.2010, E 3.2.1 fordert in Abweichung von der älteren Rsp des BGer einen Kausalzusammenhang zwischen dem Mangel und dem Prozessausgang; Auch wenn Art V Abs 1 lit d NYÜ nicht ausdrücklich erfordert, dass die Entscheidung des Schiedsgerichts auf dem Verfahrensverstoß beruhen muss, geht die deutsche Rsp davon aus, dass der Verfahrensverstoß kausal geworden sein muss. Vgl BGH 15.5.1986, III ZR 192/84, BGHZ 98, 70; OLG Köln 23.3.2004, 9 Sch 1/03, SchiedsVZ 2005, 163; BayObLG 23.9.2004, Yearbook XXX (205), 568; das OLG Stuttgart urteilte insofern, *„dass jedenfalls ein einfacher Verfahrensfehler, der nach der von den Parteien des Schiedsverfahrens vereinbarten Verfahrensordnung (hier: IPRG) nicht einmal zur Aufhebung des Schiedsspruchs berechtigt, auch im inländischen Vollstreckbarerklärungsverfahren nicht als relevant angesehen werden kann."* OLG Stuttgart 14.10.2003, 1 Sch 16/02, 1 Sch 6/03.

2793 *Bredow* in Geimer/Schütze, Internationaler Rechtsverkehr 714 30. Dies grundsätzlich selbst dann, wenn die Parteienvereinbarung den zwingenden Bestimmungen des subsidiär anwendbaren nationalen Rechts widerspricht, außer wohl, dies würde eine Möglichkeit zur Anfechtung des Schiedsspruchs schaffen, oder der *ordre public* des Anerkennungs- bzw Vollstreckungsstaats ist dadurch betroffen. Siehe *van den Berg*, New York Convention 330f; BGE 108 Ib 85 E 4b.

2794 Appellationsgericht Basel-Stadt 6.9.1968, YCA (1976) 200 auch in SJZ 1968, 378 E 3; dort wurde das Verfahren in zwei Etappen, zunächst vor Experten und erst danach vor dem Schiedsgericht abgehalten.

keine mündliche Verhandlung durchgeführt wurde,[2795] oder wenn ein Schiedsgericht ohne ausdrückliche Ermächtigung nach Billigkeitsgesichtspunkten entscheidet, anstatt eine Rechtsentscheidung zu fällen.[2796] Wenn Verfahrensmängel den Parteien bereits während des laufenden Schiedsverfahrens bekannt waren und trotzdem ungerügt blieben, wird der Berufung auf solche ungerügten Mängel im Stadium der Vollstreckung des Schiedsspruchs der Erfolg oft versagt bleiben.[2797]

f) Art V Abs 1 lit e NYÜ

Wenn die Partei, gegen die der Schiedsspruch geltend gemacht wird, vor **1690**
bringt und beweist, dass (i) der Schiedsspruch für die Parteien noch nicht verbindlich ist, oder dass er (ii) vom (nach Parteienvereinbarung oder nationalem Verfahrensrecht) zuständigen Gericht[2798] am Schiedsort oder dem Gericht des angewendeten Verfahrensrechts aufgehoben oder (iii) in seinen Wirkungen einstweilen gehemmt wurde, liegt der Versagungsgrund des Art V Abs 1 lit e NYÜ[2799] vor.

Mit der **Verbindlichkeit des Schiedsspruchs** ist nicht dessen voran **1691**
gehende Vollstreckbarerklärung am Schiedsort[2800] (dh Doppelexequatur),

---

2795 BGH 19.5.1994, III ZR 130/93, NJW 1994, 2155; OLG Naumburg 21.2.2002, 10 Sch 8/01, NJW-RR 2003, 71.

2796 OLG München 22.6.2005, 34 Sch 010/05, SchiedsVZ 2005, 308; OLG Stuttgart 14.10.2003, 1 Sch 16/02, 1 Sch 6/03.

2797 BGer 8.2.1978, YCA XI (1986) 541 f, SJ 1980, 65 ff E 4. Vgl auch OLG Stuttgart 6.12.2001, 1 Sch 12/01, Yearbook XXIX (2004), 742 ff; OLG Hamburg 30.7.1998, 6 Sch 3/98, NJW-RR 1999, 1738; Schleswig-Holsteinisches OLG 30.3.2000, 16 SchH 5/99, RIW 2000, 706; BayObLG, 23.9.2004, 4 Z Sch 05/0, Yearbook XXX (2005) 568; aA OLG Saarbrücken 30.5.2011, 4 Sch 03/10, SchiedsVZ 2012, 47, 49.

2798 Die Anfechtungsklage ist in Österreich gem § 615 öZPO bei dem von den Parteien bezeichneten oder vereinbarten, subsidiär bei dem für den Schiedsort örtlich zuständigen Landesgericht (für Zivilrechts-, Handels-, Arbeits- und Sozialrechtssachen) einzubringen; vgl auch OGH 7 Ob 545/92, IPRax 1994, 140. In Deutschland ist der Aufhebungsantrag gem § 1062 dZPO bei dem von den Parteien bezeichneten bzw subsidiär bei dem für den Schiedsort örtlich zuständigen OLG einzubringen. In der Schweiz ist die Anfechtung gem Art 191 schwIPRG beim BGer oder gem Parteienvereinbarung bei dem vom jeweiligen Kanton bezeichneten Gericht am Schiedsort einzubringen.

2799 Die Anerkennung und Vollstreckung darf auf Antrag nur versagt werden, wenn die Partei, gegen die der Schiedsspruch geltend gemacht wird, den Beweis erbringt, *„[...] dass der Schiedsspruch für die Parteien noch nicht verbindlich geworden ist oder dass er von einer zuständigen Behörde des Landes, in dem oder nach dessen Recht er ergangen ist, aufgehoben oder in seinen Wirkungen einstweilen gehemmt worden ist. "* (Art V Abs 1 lit e NYÜ).

2800 Vgl *Gaillard/Savage*, International Arbitration 971, 977. BGE 135 III 136 E 2.2; BGer 5P.292/2005, 3.1.2006, E 3.2. In BGE 108 Ib 85 E 4e hielt das BGer fest, dass

sondern dessen Unüberprüfbarkeit in der Sache selbst durch ein staatliches Gericht oder eine zweite Schiedsinstanz gemeint.[2801] Der **Aufhebbarkeit** (nicht der Aufhebung) des Schiedsspruchs im Ursprungsland des Schiedsspruchs kommt daher bezüglich der Verbindlichkeit keine Bedeutung zu.[2802] Wenn der Schiedsspruch am Schiedsort oder vom Gericht des angewendeten Verfahrensrechts aufgehoben wurde, *kann* seine Vollstreckung vom Vollstreckungsgericht – mit ausschließlicher Wirkung im jeweiligen Vollstreckungsstaat[2803] – gem Art V Abs 1 lit e Alt 2 NYÜ versagt werden.[2804] Das Vollstreckungsgericht darf nicht prüfen, ob das Gericht des Urteilsstaates das Gesetz und das NYÜ richtig angewendet hat.[2805] Der Schiedsspruch ist auch dann nicht verbindlich, wenn die Aufhebungsentscheidung noch nicht rechtskräftig ist.[2806] Die einstweilige Hemmung der Wirkungen eines Schiedsspruchs (dh wohl die gerichtliche Aussetzung der Vollstreckbarkeit des Schiedsspruchs)[2807] kann durch Entscheidung des Gerichts am Schiedsort oder des Gerichts des Landes, nach dessen Recht der Schiedsspruch ergangen

---

der Zeitpunkt der Verbindlichkeit eines Schiedsspruchs auch durch Parteienvereinbarung geregelt werden kann.

2801 Strittig ist, ob die Frage der Verbindlichkeit eines Schiedsspruchs durch autonome Auslegung oder Anwendung des Verfahrensrechts des Ursprungslandes des Schiedsspruchs zu lösen ist; für letztere Auffassung *Gaillard/Savage*, International Arbitration 972, 974, 976; *Haas* in Weigand, Handbook[2] 512, *Patocchi/Jermini* in Honsell/Vogt/Schnyder, Internationales Privatrecht[3] § 194 Rn 115 und BGer, BGE 108 Ib 85 E 4b; vgl OGH 16.4.2013, 3Ob39/13a, ecolex 2013, 882 und auch die Entscheidung des belgischen Cour de Cassation, 5.6.1998, YCA XXIVa (1999) 603 (610 f), wonach die Frage der Verbindlichkeit des Schiedsspruchs nach der Schiedsvereinbarung, subsidiär dem in der Schiedsvereinbarung diesbezüglich vorgesehenen Recht und mangels eines solchen nach dem Recht des Schiedsorts beantwortet wird; ebenso BGH 18.1.1990, YCA XVII (1992) 504 und schwedischer Supreme Court, 13.8.1979, YCA VI (1981) 237 (240).

2802 BGE 108 Ib 85 E 4e; *Bredow* in Geimer/Schütze, Internationaler Rechtsverkehr 714 31. Die Verbindlichkeit eines Schiedsspruchs bestimmt sich nach dem Schiedsstatut. Wenn das staatliche Gericht des Ursprungsstaates die Wirksamkeit des Schiedsspruchs nach dortigem Recht im Aufhebungs- bzw Nichtigkeitsverfahren bejaht, so ist dies für das Vollstreckungsgericht bindend. Vgl OLG Celle 6.10.2005, 8 Sch 6/05, IPRspr 2005, Nr 188, 518.

2803 *Gaillard/Savage*, International Arbitration 978.

2804 *Patocchi/Jermini* in Honsell/Vogt/Schnyder, Internationales Privatrecht[3] § 194 Rn 117.

2805 BGH 23.4.2013, III ZB 59/12, SchiedsVZ 2013, 229; OLG München 30.7.2012, 34 Sch 18/10, SchiedsVZ 2012, 339.

2806 OLG Rostock 28.10.1999, 1 Sch 3/99, BB Beilage 2000, Nr 8, 20.

2807 Vgl *Gaillard/Savage*, International Arbitration 981 (*„[...] a court suspects there to be a defect liable to affect the validity of the award and prevents enforcement of the award until the issue [of the setting aside of the award] has been decided [...]"*); *Bredow* in Geimer/Schütze, Internationaler Rechtsverkehr 714 33.

ist, ausgesprochen werden.[2808] Für diesen Versagungsgrund reicht die bloße Einbringung einer Aufhebungsklage nicht aus, und zwar auch dann nicht, wenn dadurch am Schiedsort selbst aufgrund nationalen Rechts die Vollstreckbarkeit gehemmt sein sollte.[2809]

g) Exkurs zum EÜ

Art IX Abs 1 und 2 EÜ verhindert zwischen Vertragsstaaten des EÜ, die auch Vertragsstaaten des NYÜ sind, dass einem Schiedsspruch, der im Ursprungsland zB wegen mangelnder objektiver Schiedsfähigkeit oder *ordre public*-Widrigkeit aufgehoben wurde, die Anerkennung und Vollstreckung versagt werden kann. Die Aufhebung eines Schiedsspruchs in einem Vertragsstaat des EÜ (oder nach dessen Recht) führt in einem anderen Vertragsstaat nur dann zur Versagung der Anerkennung und Vollstreckung, wenn sie aus den in Art IX Abs 1 EÜ genannten vier Gründen erfolgt ist.[2810] Andere als diese in Art IX Abs 1 EÜ genannten Aufhebungsgründe sind nach dem EÜ nicht relevant.[2811]

1692

h) Art V Abs 2 lit a NYÜ

Wenn das zuständige Exekutionsgericht im Anerkennungs- bzw Vollstreckungsstaat feststellt, dass der Streitgegenstand nach seinem eigenen nationalen Recht nicht objektiv schiedsfähig ist, kann die Anerkennung und Vollstreckung des Schiedsspruchs gem Art V Abs 2 lit a NYÜ[2812] versagt werden. In diesem Zusammenhang problematisch ist, dass die nationalen Regelungen der Vertragsstaaten zur Schiedsfähigkeit teilweise stark voneinander abweichen. Die nationalen Vorschriften zur Schiedsfähigkeit gleich wie bei inländischen Schiedsverfahren durchzusetzen, erscheint zahlreichen Gerichten bei internationalen Schiedsverfahren daher nicht angebracht. Aus diesem Grund wird

1693

2808 Dies stellt gem BGer einen Versagungsgrund dar, vgl BGE 135 III 136 E 3.2.

2809 Schwedischer Supreme Court 13.8.1979, YCA VI (1981) 241.

2810 Diese sind vereinfacht ausgedrückt: (a) Ungültigkeit der Schiedsvereinbarung, abgesehen von objektiver Schiedsfähigkeit; (b) Verletzung des Gleichbehandlungsprinzips/rechtlichen Gehörs; (c) Kompetenzüberschreitung und (d) Verletzung von Parteienvereinbarungen, s Art IV EÜ hinsichtlich der Bildung des Schiedsgerichts und dem schiedsrichterlichen Verfahren.

2811 OGH 3 Ob 115/95, ZfRV 1999, 5.

2812 Art V Abs 2 lit a NYÜ: „[...]Die Anerkennung und Vollstreckung eines Schiedsspruches darf auch versagt werden, wenn die zuständige Behörde des Landes, in dem die Anerkennung und Vollstreckung nachgesucht wird, feststellt, a) dass der Gegenstand des Streites nach dem Recht dieses Landes nicht auf schiedsrichterlichem Wege geregelt werden kann, oder [...] ".

die objektive Schiedsfähigkeit in letztgenannten Verfahren oft weiter ausgelegt.[2813] Die Versagung der Anerkennung und Vollstreckbarkeit auf Basis des Art V Abs 2 lit a NYÜ ist in der Praxis selten.

i) Art V Abs 2 lit b NYÜ

1694 Zuletzt kann die Anerkennung und Vollstreckung gem Art V Abs 2 lit b NYÜ[2814] versagt werden, wenn sie dem **(internationalen)** *ordre public* des Anerkennungs- bzw Vollstreckungslandes widerspricht. Wie bei der Frage der Schiedsfähigkeit legen Gerichte des Anerkennungs- und Vollstreckungsstaats an internationale Schiedsverfahren zumeist einen anderen und großzügigeren Maßstab als an reine Inlandssachverhalte an.[2815] Nur bei Verletzung einer Norm, welche die Grundlagen des staatlichen oder wirtschaftlichen Lebens regelt, oder wenn der Schiedsspruch zu staatlichen Gerechtigkeitsvorstellungen in einem schlechthin untragbaren Widerspruch steht,[2816] soll die Versagung der Vollstreckbarkeit unter diesem – eng auszulegenden[2817] – Einwand möglich sein. Wiederum ist hier nicht die Frage der richtigen Rechtsanwendung zu überprüfen,[2818] sondern die Frage, ob die Entscheidung des Schiedsgerichts im Anerkennungs- bzw Vollstreckungsland noch hingenommen werden kann.[2819]

2813 *Haas* in Weigand, Handbook[2] 520.

2814 Die Anerkennung und Vollstreckung eines Schiedsspruchs darf auch versagt werden, wenn die zuständige Behörde feststellt, *„dass die Anerkennung oder Vollstreckung des Schiedsspruches der öffentlichen Ordnung dieses Landes widersprechen würde."* (Art V Abs 2 lit b NYÜ).

2815 Vgl *Gaillard/Savage*, International Arbitration 996 f; *Patocchi/Jermini* in Honsell/Vogt/Schnyder, Internationales Privatrecht[3] § 194 Rn 125; BGH 18.1.1990, YCA XVII (1992) 504; BayObLG 20.11.2003, 4Z Sch 17/03, IHR 2004, 81; s aber OGH 11.5.1983, YCA X (1985) 421 (422); das OLG Hamburg 3.4.1975, YCA II (1977) 241 führte aus, dass bei ausländischen Schiedssprüchen nicht jede Verletzung zwingender Vorschriften des deutschen Rechts eine Verletzung des *ordre public* ist, sondern nur in extremen Fällen eine Verletzung der grundlegenden Prinzipien der deutschen Rechtsordnung anzunehmen ist.

2816 OLG Hamm 20 U 57/83, IPRax 1985, 218; BGH 15.5.1986, YCA XII (1987) 489 (490); OLG Schleswig 16 SchH 5/99, RIW 2000, 708 f; OGH 26.1.2005, YCA XXX (2005) 428; BGE 101 Ia 521 E 4; Basler Obergericht 3.6.1971, YCA IV (1979) 311.

2817 Vgl *Gaillard/Savage*, International Arbitration 997; BGer 9.1.1995, YCA XXII (1997) 789 (797); OGH 17.2.2016, 3 Ob 208/15g, ecolex 2016, 393; BGer 5A_427/2011, 10.10.2011, E 7.1; BGer 4A_233/2010, 28.7.2010, E 3.2.1.

2818 BGer 9.1.1995, YCA XXII (1997) 789 (797); OGH 26.1.2005, 3 Ob 221/04b, YCA XXX (2005) 428 spricht aus, dass auch die Beweiswürdigung nicht überprüft werden darf.

2819 Vgl OGH 24.8.2011, 3 Ob 65/11x.

Die fehlende Unparteilichkeit von SchiedsrichterInnen kann zur *ordre* **1695** *public* Widrigkeit des Schiedsspruchs führen;[2820] dies jedoch gem BGH nur dann, wenn die Verletzung der Pflicht, unparteilich zu agieren, einen tatsächlichen Einfluss auf das Schiedsverfahren hatte.[2821] Eine fehlende Begründung des Schiedsspruchs führte dann nicht zur Versagung der Vollstreckbarkeit, wenn das Recht des Schiedsorts eine solche nicht vorsah.[2822] Auch die Teilnahme eines rechtlichen Beraters neben dem Schiedsgericht am Schiedsverfahren und das Fehlen der Beratung des Schiedsspruchs unter persönlicher Anwesenheit aller SchiedsrichterInnen[2823] wurde nicht als *ordre public* widrig eingestuft. Als *ordre public* widrig wurden Schiedssprüche qualifiziert, wenn den Parteien die Namen der SchiedsrichterInnen nicht mitgeteilt wurden,[2824] wenn eine Urkunde – ohne Wissen der gegnerischen Partei – dem Schiedsgericht vorgelegt wurde und es dieser Urkunde widersprechende Beweise gar nicht berücksichtigte,[2825] oder wenn Parteien zu Sachverständigengutachten keine Stellungnahme abgeben konnten.[2826] Ein *ordre public* Verstoß wurde auch angenommen, wenn eine Partei im Schiedsverfahren ein Urteil ergehen lässt, obwohl zuvor beide Schiedsparteien außerhalb des Schiedsverfahrens einen den Streit beendenden Vergleich geschlossen hatten.[2827] Der Zuspruch von *compound interest*[2828] wurde von einem deutschen Gericht nicht als *ordre public* widrig eingestuft.[2829] Nach

---

2820 BGer 4A_233/2010, 28.7.2010, E 3.2.1 f.
2821 BGH 15.5.1986, YCA XII (1987) 490; BGer 3.5.1967, YCA I (1976) 200; vgl auch BGer 12.1.1989, YCA XV (1990) 513 f, wonach die bloße Tatsache, dass Schiedsrichter, die einer bestimmten Vereinigung angehören, über eine Streitigkeit zwischen Mitgliedern und Nichtmitgliedern dieser Vereinigung entscheiden, das Gleichbehandlungsprinzip nicht beeinträchtigt. Auch der *ordre public* wird dadurch nicht verletzt; vgl dazu weiters OLG Hamburg 6 U 50/84, RIW 1985, 490 (491), wonach die Bestellung des Schiedsrichters einer Partei zum Alleinschiedsrichter gem englischer Arbitration Act 1950 dem deutschen *ordre public* nicht widerspricht.
2822 Vgl OLG Hamburg 27.7.1978, YCA IV (1979) 266 (267).
2823 OGH 13.4.2911, 3 Ob 154/10h.
2824 OLG Köln 10.6.1976, YCA IV (1979) 260.
2825 OLG Hamburg 3.4.1975, YCA II (1977) 241, wonach es ausreicht, dass nicht ausgeschlossen werden kann, dass es in einem fairen Verfahren zu einer günstigeren Entscheidung gekommen wäre.
2826 Ein Verfahrensverstoß muss zudem kausal für den Schiedsspruch sein; dabei reicht es aus, wenn die Entscheidung des Schiedsgerichts auf dem gerügten Verstoß beruhen kann; vgl BGH 15.1.2009, III ZB 83/07, SchiedsVZ 2009, 126; OLG Düsseldorf 15.12.2009, I-4 Sch 10/09.
2827 BayObLG 20.11.2003, 4Z Sch 17/03, IHR 2004, 81.
2828 Zinseszinsen.
2829 OLG Hamburg 26.1.1989, YCA XVII (1992) 497.

dem OGH verstößt der Zuspruch von einem jährlichen Zinssatz von *de facto* mehr als 107 % gegen den *ordre public*.[2830]

6. Aussetzung der Entscheidung und Sicherheitsleistung

1696 Das Gericht des Anerkennungs- und Vollstreckungsstaats kann die Entscheidung über den Antrag, die Vollstreckung zuzulassen, aussetzen, wenn bei der zuständigen Behörde ein Aufhebungsverfahren oder ein Verfahren, den Schiedsspruch einstweilen in seinen Wirkungen zu hemmen, anhängig ist und das Exekutionsgericht die Aussetzung für angebracht (*proper*) hält.[2831] Die Vollstreckung eines aufgehobenen bzw in seinen Wirkungen gehemmten Schiedsspruchs kann gem Art V Abs 1 lit e NYÜ versagt werden. Sofern angebracht, soll das Exekutionsgericht daher erst nach Abschluss des diesbezüglichen Verfahrens über die Vollstreckung entscheiden können.

1697 Die Frage, in welchen Fällen es angebracht ist, die Entscheidung über die Vollstreckung auszusetzen, wird von den Gerichten unterschiedlich beantwortet.[2832] Zumeist kommt es darauf an, dass die Partei, gegen die der Schiedsspruch vollstreckt werden soll, das Exekutionsgericht von der rechtlichen und tatsächlichen Ernsthaftigkeit der von ihr geltend gemachten Aufhebungsgründe bzw davon überzeugt,[2833] dass das anhängige Verfahren Aussicht auf Erfolg hat.[2834] Aussichtslose und willkürliche Rechtsmittel, die lediglich zur Verzögerung eingebracht werden, sollen eine Aussetzung nicht rechtfertigen.[2835] Auf Antrag der betreibenden Gläubigerin kann das Exekutionsgericht der Gegnerin auch die Leistung einer angemessenen Sicherheit auferlegen.[2836]

2830 OGH 26.1.2005, YCA XXX (2005) 433; für weitere Beispiele zur Versagung der Vollstreckbarkeit aufgrund des materiell-rechtlichen *ordre public* s *Haas* in Weigand, Handbook² 523 f; zu wettbewerbsrechtlichen Regelungen vgl BGE 132 III, 389 (396 ff).

2831 Art VI HS 1 NYÜ: *„Ist bei der Behörde, die im Sinne des Artikels V Absatz 1 Buchstabe e zuständig ist, ein Antrag gestellt worden, den Schiedsspruch aufzuheben oder ihn in seinen Wirkungen einstweilen zu hemmen, so kann die Behörde, vor welcher der Schiedsspruch geltend gemacht wird, sofern sie es für angebracht hält, die Entscheidung über den Antrag, die Vollstreckung zuzulassen, aussetzen"*; vgl OGH 14.3.2012, 3 Ob 248/11h.

2832 Allein die Erhebung einer Aufhebungsklage soll nicht ausreichen; *Haas* in Weigand, Handbook² 526 mwN; vgl BGer 9.1.1995, YCA XXII (1997) 796.

2833 *Van den Berg*, Arbitration Convention 353 f.

2834 OLG Schleswig 16.6.2008, 16 Sch 2/07, IPRspr 2008, Nr 200, 640.

2835 US District Court New York 29.6.1987, YCA XIII (1988) 602 (608); *Gaillard/Savage*, International Arbitration 982; vgl auch Schwedischer Supreme Court 13.8.1979, YCA VI (1981) 241.

2836 Art VI HS 2 NYÜ: *„... sie [die Behörde] kann aber auch auf Antrag der Partei, welche die Vollstreckung des Schiedsspruches begehrt, der anderen Partei auferlegen, angemessene Sicherheit zu leisten."*

7. Vorbehalte zum NYÜ

Einige Mitgliedsstaaten haben bei ihrem Beitritt Vorbehalte abgegeben,[2837] die **1698** für die Anwendung des NYÜ von entscheidender Bedeutung sein können. Vorbehalte des potenziellen Anerkennungs- und Vollstreckungsstaats bzw des Staats, in dem der Schiedsort liegt, sollten daher bei der Abfassung von Schiedsvereinbarungen und bei der Führung von Schiedsverfahren bedacht werden. Als wichtigste Vorbehalte sind der Gegenseitigkeitsvorbehalt und der Handelssachenvorbehalt zu nennen.

Grundsätzlich sind Schiedssprüche nach dem NYÜ in den Vertragsstaa- **1699** ten unabhängig davon vollstreckbar, ob sie auch in einem Vertragsstaat des Übereinkommens ergangen sind.[2838] Zahlreiche Staaten haben allerdings den Vorbehalt abgegeben, aufgrund des NYÜ nur solche Schiedssprüche anzuerkennen und zu vollstrecken, die auf dem Hoheitsgebiet eines anderen Vertragsstaats ergangen sind (**Gegenseitigkeitsvorbehalt**[2839] mit Abstellen auf den Schiedsort). Wenn ein Schiedsspruch als nicht-inländisch betrachtet wird (zB nach der prozessualen Anknüpfung), ist die Auswirkung dieses Vorbehalts, von dem bisher wohl am häufigsten Gebrauch gemacht wurde, umstritten.[2840] Soweit der Staat, in dem um Anerkennung oder Vollstreckung ersucht wird, einen Gegenseitigkeitsvorbehalt abgegeben hat, bezieht sich dieser auch auf einen Handelssachenvorbehalt des Staates, in dem der zu vollstreckende Schiedsspruch erlassen wurde.[2841]

Der zweithäufigste Vorbehalt ist, dass das NYÜ nur auf Streitigkeiten **1700** aus solchen Rechtsverhältnissen angewendet wird, die nach dem Recht des Anerkennungs- bzw Vollstreckungsstaats als Handelssachen angesehen werden. Dieser Vorbehalt ist darin begründet, dass manche Staaten Schiedsver-

---

2837 Art I Abs 3 NYÜ legt im Grundsatz fest, welche Vorbehalte abgegeben werden können. Die von den Vertragsstaaten abgegebenen Vorbehalte können unter http://www.uncitral.org/uncitral/en/uncitral_texts/arbitration/NYConvention_status.html (8.4.2016) eingesehen werden.

2838 OGH 21.9.1994, 3 Ob 1099/94, ZfRV 1995, 35; OGH 30.11.1994, 3 Ob 164/94 (3 Ob 165/94) YCA XXII (1997) 628 (629).

2839 Art I Abs 3 Satz 1 NYÜ: *„Jeder Staat, der dieses Übereinkommen unterzeichnet oder ratifiziert, ihm beitritt oder dessen Ausdehnung gem Artikel X notifiziert, kann gleichzeitig auf der Grundlage der Gegenseitigkeit erklären, dass er das Übereinkommen nur auf die Anerkennung und Vollstreckung solcher Schiedssprüche anwenden werde, die in dem Hoheitsgebiet eines anderen Vertragsstaates ergangen sind.".*

2840 *Bredow* in Geimer/Schütze, Internationaler Rechtsverkehr 714 9 geht in diesem Fall von der Bedeutungslosigkeit des Gegenseitigkeitsvorbehalts aus; vgl *Haas* in Weigand, Handbook[2] 416.

2841 *Haas* in Weigand, Handbook[2] 418; vgl dazu auch Art XIV NYÜ: *„Ein Vertragsstaat darf sich gegenüber einem anderen Vertragsstaat nur insoweit auf dieses Übereinkommen berufen, als er selbst verpflichtet ist, es anzuwenden.".*

einbarungen nur im Hinblick auf handelsrechtliche Streitigkeiten zulassen (**Handelssachenvorbehalt**)[2842]. Der Begriff „Handelssache" wird zumeist weit ausgelegt und nicht nur nach den entsprechenden Vorschriften des Vollstreckungsstaats beurteilt.[2843]

1701　　**Österreich** hat seinen Gegenseitigkeitsvorbehalt 1988 zurückgezogen; die **Schweiz** und **Deutschland** haben den zunächst jeweils erklärten Gegenseitigkeitsvorbehalt 1993 bzw 1998 zurückgezogen. Ein Handelssachenvorbehalt wurde von keinem der drei Staaten abgegeben.

2842　Art I Abs 3 Satz 2 NYÜ: „*Er kann auch erklären, dass er das Übereinkommen nur auf Streitigkeiten aus solchen Rechtsverhältnissen, sei es vertraglicher oder nichtvertraglicher Art, anwenden werde, die nach seinem innerstaatlichen Recht als Handelssachen angesehen werden.*".

2843　*Haas* in Weigand, Handbook² 418.

IV. Die Durchsetzung von ICSID Schiedssprüchen

A. Einleitung

Auch wenn sich die Beiträge dieses Praxishandbuchs im Besonderen mit Fragen der Handelsschiedsgerichtsbarkeit in Österreich, Deutschland und der Schweiz befassen, soll an dieser Stelle erwähnt sein, dass die Durchsetzung von ICSID Schiedssprüchen einem völlig anderen rechtlichen Regime unterliegt als die Durchsetzung von Schiedssprüchen nach dem NYÜ. Deshalb sollen in diesem Abschnitt diese Unterschiede und die Durchsetzung von ICSID Schiedssprüchen im Allgemeinen skizziert werden. **1702**

Schiedsverfahren von privaten, nichtstaatlichen Parteien gegen Staaten sind im allgemeinen Völkerrecht nicht vorgesehen und stellen eine Besonderheit des Investitionsschutzrechts dar. Dieses ermöglicht es InvestorInnen, auf der Grundlage von bi- oder multilateralen Investitionsschutzabkommen ihre darin vorgesehenen Rechte vor Schiedsgerichten durchzusetzen. Regelmäßig betreffen solche Verfahren Kernfragen des staatlichen Regulierungsrechts und letztlich der staatlichen Souveränität. **1703**

Der Frage der Durchsetzung von Schiedssprüchen kommt in Investitionsschiedsverfahren daher besondere Bedeutung zu. Obsiegt die Investorin/ der Investor in einem Investitionsschiedsverfahren und erfüllt der beklagte und zur Zahlung verurteilte Staat den Schiedsspruch nicht freiwillig, so kann in der Praxis meist nur in Drittstaaten die Vollstreckung gegen Eigentum des Beklagtenstaates mit Aussicht auf Erfolg versucht werden. In diesen Fällen kollidiert eine mögliche völkervertragliche Pflicht des Drittstaates zur Durchsetzung von Schiedssprüchen mit dem Grundsatz der Staatenimmunität, wonach es keinem Staat gestattet ist, über einen anderen Staat zu Gericht zu sitzen. **1704**

Die *Konvention zur Beilegung von Investitionsstreitigkeiten zwischen Staaten und Angehörigen anderer Staaten vom 18.3.1965* (**Washingtoner Konvention**) schafft einen Rechtsrahmen, in dem Investitionsschiedsverfahren ein neutrales und entpolitisiertes Forum zur Streitbeilegung finden und der die vereinfachte Durchsetzung von Schiedssprüchen in sämtlichen Vertragsstaaten gewährleistet. Aktuell haben 160 Staaten die Washingtoner Konvention unterzeichnet und 152 Staaten ratifiziert.[2844] Das durch die Washingtoner Konvention gegründete *Internationale Zentrum zur Beilegung von Investitionsstreitigkeiten* (**ICSID**), das institutionell bei der Weltbank angesiedelt ist, war in 62 % aller bis Ende 2013 bekannt gewordenen Inves- **1705**

2844 Datenbank der Vertragsstaaten der Washingtoner Konvention, verfügbar unter https://icsid.worldbank.org/apps/ICSIDWEB/about/Pages/Database-of-Member-States.aspx?tab=AtoE&rdo=BOTH (zuletzt besucht am 13.4.2016).

titionsschiedsverfahren als Schiedsinstitution benannt.[2845] Die Washingtoner Konvention nimmt damit eine zentrale Stellung ein, weshalb sich die nachführenden Ausführungen auf die Durchsetzung von ICSID Schiedssprüchen und die damit verbundenen Besonderheiten beschränken.

1706   Soweit Schiedssprüche in Investitionsschiedsverfahren anderen Schiedsregeln unterliegen (zB der UNCITRAL SchO, der ICC SchO oder SCC Regeln), richtet sich die Vollstreckung, wie bei kommerziellen Schiedssprüchen auch, nach dem NYÜ – insofern kann daher auf die vorigen Ausführungen verwiesen werden. In vielen Fällen stellen es Investitionsschutzabkommen der Klägerin anheim, für die Einreichung der Schiedsklage zwischen verschiedenen Schiedsregeln zu wählen.[2846] Bei der von einer potentiellen Schiedsklägerin zu treffenden Entscheidung gilt es, deren jeweilige Vor- und Nachteile abzuwägen. Dabei werden Unterschiede bei der Vollstreckbarkeit von Schiedssprüchen regelmäßig eine wichtige Rolle spielen.

B. Von der Washingtoner Konvention erfasste Schiedssprüche

1707   Die Washingtoner Konvention enthält in den Art 53–55 eigene **Regelungen zur Anerkennung und Vollstreckung von ICSID Schiedssprüchen**, die im Anwendungsbereich der Washingtoner Konvention ergehen. Die Voraussetzungen für die Zuständigkeit eines ICSID-Schiedsgerichts finden sich in Art 25 Washingtoner Konvention. Ohne im Einzelnen auf diese Voraussetzungen eingehen zu wollen, ist danach ein ICSID-Schiedsgericht zuständig, wenn sowohl der Gastgeberstaat als auch der Heimatstaat der klagenden Investorin/des klagenden Investors Vertragsstaaten sind, eine unmittelbar mit einer Investition zusammenhängende Streitigkeit vorliegt und sich beide Parteien schriftlich der ICSID-Schiedsgerichtsbarkeit unterworfen haben.

1708   Die Anerkennungs- und Vollstreckungsbestimmungen der Art 53–55 Washingtoner Konvention gelten nur für endgültige Schiedssprüche iSd Art 48 Washingtoner Konvention. Gem Art 53 Abs 2 Washingtoner Konvention schließt der Begriff des Schiedsspruchs für den Zweck der Anerkennung und Vollstreckung jede Entscheidung über die Auslegung, die Wiederaufnahme oder die Aufhebung nach den Art 50–52 mit ein. Vorläufige Entscheidungen über die Zuständigkeit des Schiedsgerichts (Art 41), über die Empfehlung von Maßnahmen des einstweiligen Rechtsschutzes (Art 47) und verfahrens-

---

2845 UNCTAD Veröffentlichung, Recent Developments in Investor-State Dispute Settlement (ISDS), April 2014, verfügbar unter http://unctad.org/en/PublicationsLibrary/webdiaepcb2014d3_en.pdf, 9 (zuletzt abgerufen am 13.4.2015).

2846 Siehe zB Art 26 Abs 4 Energy Charter Treaty oder Art 10 Abs 2 des deutschen Mustervertrags für Investitionsschutzabkommen aus 2005.

leitende Verfügungen (Art 43–44) hingegen stellen keine der Anerkennung und Vollstreckung zugänglichen endgültigen Schiedssprüche im Sinne des Art 53 Abs 2 Washingtoner Konvention dar.[2847]

Die Art 53–55 Washingtoner Konvention gelten zunächst gleichermaßen **1709** für Schiedssprüche, die gegen Gaststaaten und gegen InvestorInnen als Beklagte ergehen. Aus der Entstehungsgeschichte der Konvention ergibt sich, dass die Anerkennungs- und Vollstreckungsbestimmungen ursprünglich für den Fall, dass eine Investorin einen Schiedsspruch missachten würde, geschaffen wurden. Es wurde damals für höchst unwahrscheinlich erachtet, dass ein Staat seinen Verpflichtungen nicht freiwillig nachkommen würde.[2848] Unabhängig davon, ob sie der Klage der Investorin stattgeben oder nicht, ergehen die meisten ICSID Schiedssprüche in der Praxis inzwischen freilich gegen Gaststaaten als Beklagte, wobei sich deren Vollstreckung mitunter über Jahre hinziehen kann.

Ein **Schiedsspruch mit vereinbartem Wortlaut**, der auf einem Vergleich **1710** zwischen den Parteien beruht und nach Regel 43(2) ICSID SchO beim Schiedsgericht schriftlich beantragt werden kann, unterliegt ebenfalls den Art 53–55 Washingtoner Konvention.[2849] Ein solcher Schiedsspruch bietet gegenüber der bloßen Beendigung des Schiedsverfahrens ohne Erlass eines Schiedsspruchs, die nach Regel 43(1) ICSID SchO für den Fall eines außergerichtlichen Vergleichs alternativ vorgesehen ist, den wesentlichen Vorteil der einfacheren Vollstreckbarkeit nach der Washingtoner Konvention.[2850]

Sind die vergleichsweise strengen **Zuständigkeitsvoraussetzungen der** **1711** **Washingtoner Konvention nicht erfüllt**, möchten die Parteien aber dennoch auf die administrativen Ressourcen von ICSID zurückgreifen, so besteht die Möglichkeit, ein Schiedsverfahren nach den Regeln der *ICSID Additional Facility* einzuleiten. Viele multinationale Freihandels- und Investitionsschutzabkommen, wie zB NAFTA oder die *Energy Charter Treaty*, verweisen auf die Regeln der *ICSID Additional Facility* für den Fall, dass nur der Gastgeber- oder der Heimatstaat der Investorin die Washingtoner Konvention ratifiziert hat. Schiedsverfahren nach diesen Regeln unterliegen nicht den privilegierten Vollstreckungsregelungen der Art 53–55 Washingtoner Konvention. Die Anerkennung und Vollstreckung erfolgt stattdessen nach dem NYÜ.

2847 *Schreuer et al*, ICSID Convention² Art 54 Rn 30.
2848 *Schreuer et al*, ICSID Convention² Art 54 Rn 7 mwN.
2849 *Schreuer et al*, ICSID Convention² Art 54 Rn 32.
2850 *Schreuer et al*, ICSID Convention² Art 54 Rn 32.

C. Die Bindungswirkung von ICSID Schiedssprüchen nach der Washingtoner Konvention und Maßnahmen der Durchsetzung

1712 Nach Art 53 Abs 1 S 1 Washingtoner Konvention sind ICSID Schiedssprüche **bindend** und **endgültig** und unterliegen keiner Berufung mit Ausnahme der in der Washingtoner Konvention vorgesehenen, in ihrer Reichweite sehr beschränkten Rechtsmittel. Als **Rechtsmittel** vorgesehen sind das Auslegungsverfahren nach Art 50, das Wiederaufnahmeverfahren nach Art 51 sowie das Aufhebungsverfahren nach Art 52 Washingtoner Konvention. Aus Art 53 Abs 1 S 2 ergibt sich für die Schiedsparteien die Pflicht, den Schiedsspruch zu befolgen.

1713 Art 54 Abs 1 Washingtoner Konvention verpflichtet jeden Vertragsstaat, innerhalb seines Hoheitsgebiets ICSID Schiedssprüche wie ein rechtskräftiges Urteil eines innerstaatlichen Gerichts anzuerkennen und die darin enthaltenen finanziellen Verpflichtungen zu vollstrecken. Die Durchsetzung ist also grds nicht nur im Heimat- und Gastgeberstaat der Investorin möglich, sondern in sämtlichen Vertragsstaaten der Washingtoner Konvention.

1714 Die **Beschränkung auf finanzielle Verpflichtungen** bezieht sich lediglich auf die Vollstreckung des Schiedsspruchs, nicht aber auf die Anerkennung. Dies hat zur Folge, dass andere, nicht pekuniäre Verpflichtungen zur Vornahme bestimmter Handlungen, etwa zur Herausgabe von beschlagnahmtem Eigentum oder zur Rückgabe einer zu Unrecht entzogenen Lizenz, zwar vom Gerichtsstaat nach der Washington Konvention nicht vollstreckt werden müssen, aber nach der Anerkennung des Schiedsspruchs ebenfalls als rechtskräftig entschieden gelten (*res judicata*), wenn ein innerstaatliches Gericht mit demselben Sachverhalt erneut befasst wird. Gleiches gilt für Feststellungen über die Rechtmäßigkeit von Handlungen. Bezüglich der Vollstreckung nichtpekuniärer Verpflichtungen kommt ein Rückgriff auf das NYÜ in Betracht, das keine entsprechende Beschränkung kennt.[2851]

1715 Aus der Gleichstellung mit einem rechtskräftigen innerstaatlichen Urteil folgt, dass im Rahmen der Anerkennung und Vollstreckbarerklärung durch innerstaatliche Gerichte **keine inhaltliche Überprüfung eines ICSID Schiedsspruchs** stattfinden darf. Dies schließt auch insb eine Überprüfung anhand des *ordre public* aus. Die Washingtoner Konvention geht damit deutlich weiter als das NYÜ und vergleichbare andere Vollstreckungsabkommen, was die Finalität von Schiedssprüchen und den Ausschluss staatlicher Interventionsmöglichkeiten angeht.[2852]

2851 *Schreuer et al*, ICSID Convention² Art 54 Rn 46, 72 ff.
2852 *Lörcher*, SchiedsVZ 2005, 11, 20.

Die einzige, in Art 54 Abs 2 Washingtoner Konvention vorgesehene **for-** **1716** **male Voraussetzung für die Anerkennung** eines ICSID Schiedsspruchs ist die Vorlage einer vom ICSID Generalsekretär beglaubigten Kopie des Schiedsspruchs beim innerstaatlich zuständigen Gericht. Weitere Verfahrensschritte sieht die Washingtoner Konvention nicht vor. Die Aufgabe nationaler Gerichte bei der Anerkennung von ICSID Schiedssprüchen beschränkt sich insoweit darauf, die Authentizität der vorgelegten Abschrift des Schiedsspruchs zu überprüfen und festzustellen, dass keine Aussetzung der Vollstreckung angeordnet wurde.[2853]

Die Washingtoner Konvention unterscheidet in den Artikeln 54–55 zwi- **1717** schen der Anerkennung bzw Vollstreckbarerklärung des Schiedsspruchs (im englischen Original *recognition*) und der tatsächlichen Ausführung der Zwangsvollstreckung durch Einleitung einzelner Vollstreckungsmaßnahmen (im englischen Original wahlweise *enforcement* oder *execution*, wobei beide Begriffe synonym verwendet werden).[2854] Letztere richtet sich nach dem Recht des Staates, in dessen Hoheitsgebiet die Zwangsvollstreckung betrieben werden soll.[2855]

D. Besonderheiten der Durchsetzung von ICSID Schiedssprüchen nach der Washingtoner Konvention

In **Deutschland** ist das **Verfahren zur Zwangsvollstreckung** aus einem **1718** ICSID Schiedsspruch im *Gesetz zu dem Übereinkommen vom 18. März 1965 zur Beilegung von Investitionsstreitigkeiten zwischen Staaten und Angehörigen anderer Staaten* (dInvStreitÜbkG) geregelt. In Österreich und in der Schweiz sind keine eigenen Gesetze zur Zwangsvollstreckung von ICSID Schiedssprüchen ergangen, sodass auf das Verfahren für eine solche Zwangsvollstreckung die generellen Regeln anwendbar sind, dh in Österreich die öEO und in der Schweiz das schwSchKG bzw die schwZPO. In Deutschland sind gem Art 2 Abs 1 dInvStreitÜbkG ICSID Schiedssprüche vollstreckbar, wenn die Zulässigkeit der Zwangsvollstreckung aus dem Schiedsspruch gerichtlich festgestellt worden ist. Auf den Antrag auf Feststellung der Zulässigkeit der Zwangsvollstreckung sind die Vorschriften über das Verfahren bei der Vollstreckbarerklärung ausländischer Schiedssprüche der §§ 1061 ff dZPO entsprechend anwendbar. Dabei stellt Art 2 Abs 4 dInvStreitÜbkG klar, dass die Feststellung der Zulässigkeit nur versagt werden darf, wenn

---

2853 *Schreuer et al*, ICSID Convention² Art 54 Rn 99.
2854 Zu der synonymen Verwendung der Begriffe im englischen Original und für einen Vergleich mit den spanischen und französischen Originaltexten siehe ausführlich *Schreuer et al*, ICSID Convention² Art 54 Rn 64 ff.
2855 Siehe hierzu unter F.

der Schiedsspruch nach Art 51 oder 52 Washingtoner Konvention aufgehoben worden ist. Dadurch wird dem Verbot einer inhaltlichen Überprüfung durch innerstaatliche Gerichte in Art 54 Abs 1 Washingtoner Konvention Genüge getan.

1719 In Deutschland ist für den Antrag nach Art 2 Abs 3 dInvStreitÜbkG ausschließlich das Gericht örtlich zuständig, bei dem die Schuldnerin ihren allgemeinen Gerichtsstand hat. Hat die Schuldnerin keinen allgemeinen Gerichtsstand in Deutschland, so ist das Gericht zuständig, in dessen Bezirk sich Vermögen der Schuldnerin befindet oder die Zwangsvollstreckung durchgeführt werden soll. Insoweit wird eine von § 1061 Abs 1 Nr 4, Abs 2 dZPO abweichende Regelung getroffen. In Österreich sind die Bezirksgerichte nach den Regeln der öEO für die Vollstreckung von ICSID Schiedssprüchen zuständig.[2856] In der Schweiz gelten die allgemeinen Regeln, dh für die Vollstreckung eines ICSID Schiedsspruchs auf Zahlung von Geld mittels Betreibung sind die Behörden am inländischen Sitz der Schuldnerin (soweit gegeben) zuständig.[2857] Eine vorsorgliche Sicherung durch Arrestlegung ist auf Basis eines ICSID Schiedsspruchs sowohl am Sitz des Schuldners als auch am Belegenheitsort von Vermögensgegenständen denkbar.[2858]

1720 Das dInvStreitÜbkG regelt jedoch nicht die Frage, welche **Gerichtskosten** bei einem solchen Vollstreckbarkeitsfeststellungsverfahren anfallen.[2859] In Betracht käme zunächst die Anwendung des Gebührentatbestands für das Verfahren zur Vollstreckbarerklärung eines ausländischen Schiedsspruchs (Nr 1620 dGKG-KV) wonach eine streitwertabhängige zweifache Gebühr nach § 34 dGKG anfiele. Demgegenüber ist in Nr 1510 dGKG-KV als Gebührenfolge des Verfahrens zur Vollstreckbarerklärung eines ausländischen Urteils aber lediglich eine Pauschalgebühr von EUR 240 festgesetzt.

1721 Das OLG Frankfurt hat sich mit dieser Frage in einem Beschluss vom 20.11.2012 als erstes Obergericht befasst.[2860] Nach Auffassung des OLG folgt aus dem Verweis auf das in der dZPO geregelte Verfahren über die Anerkennung und Vollstreckbarerklärung ausländischer Schiedssprüche nicht, dass der Gesetzgeber das Verfahren auf Vollstreckbarkeitsfeststellung von ICSID-Schiedssprüchen auch kostenmäßig ersterem Verfahren gleichsetzen wollte. Es komme daher nur die analoge Anwendung anderer Kostenvorschriften in Betracht, wobei der mit den Gerichtsgebühren abzugeltende Aufwand vergleichbar sein müsse. Insoweit sei, so das OLG Frankfurt, die Kostenvorschrift in Nr 1510 dGKG-KV am ehesten vergleichbar, weil auch

---

2856 Siehe hierzu II.A.2.c).
2857 Siehe hierzu II.C.2.
2858 Siehe hierzu II.C.2.
2859 Dazu ausführlich *Nabinger/Lichstein*, SchiedsVZ 2013, 78.
2860 OLG Frankfurt 20.11.2012, SchiedsVZ 2013, 126.

hier die Vollstreckbarkeitserklärung von ausländischen Titeln nach einem auf einem Staatsvertrag beruhenden, vereinfachten Verfahren erfolge. Dies erscheint vor dem Hintergrund, dass das OLG in dem Vollstreckbarkeits-feststellungsverfahren lediglich überprüft, ob der Schiedsspruch in einem Verfahren nach Art 51 oder 52 der Washingtoner Konvention aufgehoben wurde, auch sachgerecht.

Bei Einbringung eines Exekutionsantrags auf Basis eines ICSID Schieds-   **1722**
spruchs in **Österreich** wird die allgemein für Exekutionsanträge anwend-bare Gebühr (dh Pauschalgebühr) fällig.[2861] Auch in der **Schweiz** kom-men die allgemeinen Kostentarife des schwSchKG bzw der schwZPO zur Anwendung.[2862]

E. Aussetzung der Durchsetzbarkeit nach der Washingtoner Konvention

Art 53 Abs 1 S 2 Washingtoner Konvention stellt klar, dass die Pflicht der   **1723**
Schiedsparteien zur Beachtung des Schiedsspruchs ruht, wenn durch eine nach der Konvention zuständige Stelle die Aussetzung der Vollstreckung angeord-net wird. Dies gilt auch für die Pflicht der Vertragsstaaten, Schiedssprüche anzuerkennen und zu vollstrecken. Die Konvention sieht die Möglichkeit zur Aussetzung der Vollstreckung jeweils für die Dauer des Verfahrens bei Einlegung eines der drei möglichen Rechtsmittel vor.

Für das Auslegungsverfahren bei Unklarheiten über die Bedeutung oder   **1724**
Reichweite eines Schiedsspruchs räumt Art 50 Abs 2 S 3 dem Tribunal, das über den Auslegungsantrag zu entscheiden hat, das Ermessen ein, die Voll-streckung bis zu seiner Entscheidung über den Antrag auszusetzen. Dies setzt voraus, dass das Tribunal davon überzeugt ist, dass die Umstände die Aussetzung gebieten. Art 51 Abs 4 Washingtoner Konvention enthält eine ähnliche Ermessensvorschrift für die Dauer eines Wiederaufnahmeverfahrens. Beantragt der Rechtsmittelführer die Aussetzung der Vollstreckung bereits in seinem Antrag auf Wiederaufnahme, so wird diese bis zur Entscheidung über diesen Antrag auf Aussetzung vorläufig automatisch gewährt. Eine wortgleiche Vorschrift findet sich zuletzt auch in Art 52 Abs 5 Washingtoner Konvention für das Aufhebungsverfahren.

Die Washingtoner Konvention enthält somit keinen Automatismus, wo-   **1725**
nach bei Erhebung eines Rechtsmittels die Vollstreckung *ipso iure* ausgesetzt wird. In der Praxis bedeutet das, dass die Rechtsmittelführerin bei Erhebung des Rechtsmittels idR zugleich einen Antrag auf Aussetzung der Vollstreckung

---

2861 Siehe hierzu II.A.2.d).
2862 Siehe hierzu II.C.2.

stellen wird.[2863] Genauere Bestimmungen über das hierbei zu beachtende Verfahren finden sich in Regel 54 ICSID SchO.

1726 Bei der Ausübung des Ermessens hat sich in der Entscheidungspraxis der ICSID Schiedsgerichte eine Gesamtabwägung verschiedener Umstände durchgesetzt. Dazu zählen ua die Erfolgsaussichten des Rechtsmittelantrags, die Bereitstellung von Sicherheiten, die Wahrscheinlichkeit einer raschen Vollstreckung, die Gefahr irreparabler Schäden für die Schuldnerin, die Schwierigkeit einer etwaigen Rückabwicklung der Zahlung bei Aufhebung des Schiedsspruchs sowie eine etwaige Verzögerungstaktik der Rechtsmittelführerin.[2864]

1727 Die Washingtoner Konvention spricht sich nicht zur Frage der Aussetzung der Zwangsvollstreckung durch die nationalen Gerichte aus, weil das entsprechende Verfahren gem Art 54 Abs 3 Washingtoner Konvention dem Recht des ausführenden Staates unterstellt ist. In Deutschland ist gem Art 3 dInvStreitÜbkG auf Antrag des Schuldners das Verfahren zur Feststellung der Zulässigkeit der Zwangsvollstreckung auszusetzen oder die Zwangsvollstreckung einstweilen einzustellen, solange das ICSID Schiedsgericht über Rechtsmittel gegen einen ICSID Schiedsspruch noch nicht entschieden hat.

F. Die Pflicht der Erfüllung von ICSID Schiedssprüchen vs Staatenimmunität im Durchsetzungsverfahren

1728 Wie eingangs erwähnt, kollidiert bei der Vollstreckung von Schiedssprüchen gegen souveräne Staaten eine etwaige völkervertragliche Pflicht zur Erfüllung des Schiedsspruchs potentiell mit dem völkergewohnheitsrechtlichen Grundsatz der Staatenimmunität. In der Washingtoner Konvention wird dieser Konflikt nur teilweise aufgelöst.

1729 Zunächst ist zu unterscheiden zwischen der Jurisdiktionsimmunität im Rahmen des gerichtlichen Anerkennungsverfahrens sowie der Immunität hinsichtlich der Einleitung konkreter Vollstreckungsmaßnahmen. Insoweit Art 54 Abs 3 Washingtoner Konvention die konkrete Vollstreckung dem Recht des ausführenden Staates unterstellt, stellt Art 55 Washingtoner Konvention klar, dass die dortigen Bestimmungen über die Staatenimmunität von der Washingtoner Konvention unberührt bleiben. Bezüglich konkreter Vollstreckungsmaßnahmen kann sich also der Staat, in dessen Vermögen vollstreckt werden soll, auf seine staatliche Immunität berufen, soweit das Recht des Vollstreckungsortes eine solche Einrede vorsieht. Art 55 ist aus diesem Grund auch als *„Achillesferse"* der Washingtoner Konvention be-

---

2863 *Schreuer et al,* ICSID Convention[2] Art 52 Rn 585.
2864 *Schreuer et al,* ICSID Convention[2] Art 52 Rn 610 mwN.

zeichnet worden.[2865] Hinsichtlich der Anerkennung des Schiedsspruchs ist dieser Einwand hingegen durch Art 54 Abs 1 Washingtoner Konvention ausgeschlossen.[2866]

Der Umfang, in dem das nationale Recht die Berufung auf den Grundsatz **1730** der Staatenimmunität zulässt, variiert teils erheblich zwischen verschiedenen Rechtsordnungen und unterliegt auch historisch gesehen Schwankungen. Ging man anfangs noch von einer allgemeinen Regel des absoluten Vollstreckungsschutzes aus, so hat sich mittlerweile im Völkerrecht das Konzept der relativen Staatenimmunität durchgesetzt.[2867] Ein vollständiger Ausschluss des Einwands der Staatenimmunität wäre jedoch mit anderen völkerrechtlichen Pflichten, wie etwa der Gewährleistung der Unverletzlichkeit von Räumlichkeiten diplomatischer Missionen (Art 22 des Wiener Übereinkommens über diplomatische Beziehungen), nicht vereinbar. Der inzwischen am weitesten verbreitete Ansatz stellt daher auf die Zwecksetzung des Vermögensgegenstands ab, in den vollstreckt werden soll. Dient der Gegenstand hoheitlichen Funktionen, so greift die Staatenimmunität. Eine Vollstreckung ist dann nur mit der Einwilligung des betreffenden Staates möglich. Handelt es sich hingegen um Vermögensgegenstände, die privatwirtschaftlichen Zwecken dienen, so ist die Vollstreckung auch ohne Einwilligung zulässig.[2868]

Deutsche,[2869] österreichische[2870] und schweizerische[2871] Gerichte folgen **1731** dieser Unterscheidung zwischen hoheitlichem und kommerziellem Handeln eines fremden Staates, wobei in der Schweiz nur dann in Vermögenswerte, die nicht hoheitlichen Zwecken dienen,[2872] vollstreckt werden darf, wenn eine ausreichende Binnenbeziehung zur Schweiz besteht.[2873] In der Praxis stellen sich jedoch immer wieder schwierige Abgrenzungsfragen, zB im Hinblick auf die Pfändung von Botschaftskonten oder Vermögenswerten von staatlich kontrollierten Unternehmen. Nach Auffassung des dBVerfG unterliegen etwa Forderungen aus einem laufenden, allgemeinen Bankkonto der Botschaft eines ausländischen Staates, das im Gerichtsstaat besteht und zur Deckung

---

2865 *Schreuer et al*, ICSID Convention² Art 55 Rn 8.

2866 *Schreuer et al*, ICSID Convention² Art 55 Rn 5 ff; *Lörcher*, SchiedsVZ 2005, 20.

2867 Siehe dazu BVerfG 6.12.2006, NJW 2007, 2605 (2607) Rn 38. Vgl Europäisches Übereinkommen über Staatenimmunität vom 16.5.1972 sowie das noch nicht in Kraft getretene Übereinkommen der Vereinten Nationen vom 2.12.2004 über die Immunität der Staaten und ihres Vermögens von der Gerichtsbarkeit.

2868 *Schreuer et al*, ICSID Convention² Art 55 Rn 23.

2869 BVerfG 13.12.1977, NJW 1978, 485.

2870 OGH 11.7.2012, 3 Ob 18/12m.

2871 BGE 86 I 23.

2872 Art 92 Abs 1 Z 11 schwSchKG.

2873 BGE 56 I 237; BGE 82 I 75; BGE 106 Ia 142; BGE 135 III 608; *Giroud*, ASA Bulletin 2012, 758, 761,

der Ausgaben und Kosten der Botschaft bestimmt ist, nicht der Zwangsvollstreckung.[2874] Dagegen können Forderungen, die sich aus Bankkonten im Gerichtsstaat ergeben, die auf den Namen eines rechtsfähigen Unternehmens des ausländischen Staates lauten (im konkreten Fall die Nationale Iranische Ölgesellschaft), gepfändet werden, auch wenn sie zur Überweisung auf ein Zentralbankkonto dieses Staates vorgesehen sind.[2875]

2874 BVerfG 13.12.1977, NJW 1978, 485. Für die Schweiz vgl BGer 25.6.2008, 5A_92/2008. Für Österreich vgl OGH 30.4.1986, 3 Ob 38/86.
2875 BVerfG 12.4.1983, NJW 1983, 2766.

Literaturverzeichnis

Angst/Oberhammer, Kommentar zur EO³ (2015)

Angst/Oberhammer, EO³ § [•] Rn [•]

Arroyo, Arbitration in Switzerland: The Practitioner's Guide (2013)

Autor in Arroyo, Arbitration in Switzerland Rn [•]

Aschauer, Jahrbuch Insolvenz- und Sanierungsrecht (2016)

Aschauer, Insolvenz- und Sanierungsrecht [Seite]

B. Berger/Kellerhals, International and Domestic Arbitration in Switzerland³ (2015)

B. Berger/Kellerhals, Arbitration³ Rn [•]

Balthasar, International Commercial Arbitration: International Conventions, Country Reports and Comparative Analysis – A Handbook (2016)

Autor in Balthasar, International Commercial Arbitration § [•] Rn [•]

Baumbach/Lauterbach/Albers/Hartmann, Zivilprozessordnung⁷⁴ (2016)

Autor in Baumbach et al, Zivilprozessordnung⁷⁴ § [•] Rn [•]

Berger, Internationale Wirtschaftsschiedsgerichtsbarkeit (1992)

Berger, Wirtschaftsschiedsgerichtsbarkeit Rn [•]

Berner Kommentar: Schweizerische Zivilprozessordnung Art. 353–399 ZPO und Art. 407 ZPO

Autor in Berner Kommentar Art [•] ZPO Rn [•]

Blanke/Landolt (Hrsg), EU and US Antitrust Arbitration: A Handbook for Practitioners (2011)

Autor in Blanke/Landolt, EU and US Antitrust Arbitration [Seite]

Böckstiegel (Hrsg), Internationales Wirtschaftsrecht (1995)

Autor in Böckstiegel, Internationales Wirtschaftsrecht [Seite]

Böckstiegel, IBA-Rules über die Beweisaufnahme in internationalen Schiedsverfahren (2001)

Autor in Böckstiegel, Beweisaufnahme in internationalen Schiedsverfahren [Seite]

Böckstiegel/Berger/Bredow, Die Beteiligung Dritter an Schiedsverfahren (2005)

Autor in Böckstiegel et al, Die Beteiligung Dritter an Schiedsverfahren [Seite]

Böckstiegel/Bredow, DIS-Schiedsgerichtsordnung (2015)

Böckstiegel/Bredow, DIS-Schiedsgerichtsordnung [Seite]

Böckstiegel/Kröll/Nacimiento (Hrsg), Arbitration in Germany – The Model Law in Practice² (2015)

Autor in Böckstiegel et al, Arbitration in Germany² § [•] Rn [•]

Born, International Arbitration and Forum Selection Agreements: Drafting and Enforcing[4] (2013)

Born, Forum Selection Agreements[4] [Seite]

Born, International Arbitration: Cases and Materials[2] (2015)

Born, Cases and Materials[2] [Seite]

Born, International Arbitration: Law and Practice[2] (2015)

Born, Law and Practice[2] [Seite]

Born, International Commercial Arbitration[2] (2014)

Born, Commercial Arbitration[2] [Seite]

Bosch, Rechtskraft und Rechtshängigkeit im Schiedsverfahren (1991)

Bosch, Rechtskraft und Rechtshängigkeit im Schiedsverfahren [Seite]

Bühring-Uhle, Arbitration and Mediation in International Business[2] (2006)

Bühring-Uhle, Arbitration and Mediation[2] [Seite]

Burgstaller/Geroldinger/Neumayr/ Schmaranzer, Internationals Zivilverfahrensrecht[18] (2015)

Autor in Burgstaller et al, Internationales Zivilverfahrensrecht[18] § [•] Rn [•]

Burgstaller/Deixler-Hübner, Exekutionsordnung[22] *(2016)*

Autor in Burgstaller/Deixler-Hübner, EO[22] § [•] Rn [•]

Cappelletti, International Encyclopedia of Comparative Law, Volume XVI Civil Procedure (1973)

Autor in Cappelletti, International Encyclopedia of Comparative Law, Volume XVI Civil Procedure [Seite]

Colombini, Vorsorglicher Rechtsschutz vor Konstituierung des Schiedsgerichts (2016)

Colombini, Vorsorglicher Rechtsschutz Rn [•]

Craig/Park/Paulsson, International Chamber of Commerce Arbitration[3] (2000)

Craig/Park/Paulsson, ICC Arbitration[3] [Seite]

Czernich, New Yorker Schiedsübereinkommen: UN-Übereinkommen über die Anerkennung und Vollstreckung ausländischer Schiedssprüche (2008)

Czernich, NYÜ Art [•] Rn [•]

de Bono, Thinking Course (1985)

de Bono, Thinking Course [Seite]

Deixler-Hübner/Klicka, Zivilverfahren[8], Erkenntnisverfahren und Grundzüge des Exekutions- und Insolvenzrechts (2013)

Deixler-Hübner/Klicka, Zivilverfahren[8] Rn [•]

Derains/Schwartz, A Guide to the New ICC Rules of Arbitration[2] (2005)

Derains/Schwartz, ICC Rules[2] Art [•] Rn [•]

Dolge, Substantiieren und Beweisen (2013)

Dolge, Substantiieren und Beweisen [Seite]

Eberl, Beweis im Schiedsverfahren (2015)

Eberl, Beweis im Schiedsverfahren [Seite]

Emanuele/Molfa, Selected Issues in International Arbitration: The Italian Perspective (2014)

Emanuele/Molfa, International Arbitration: Italian Perspective [Seite]

Engelhart/Hoffmann/Lehner/Rohregger/Vitek (Hrsg), Kurzkommentar zur RAO[9] (2015)

Autor in Engelhart et al, RAO[9] [Teil] Art/§ [•] Rn [•]

Fasching, Lehrbuch des österreichischen Zivilprozeßrechts[2] (1990)

Fasching, Lehrbuch ZPO[2] Rn [•]

Fasching, Schiedsgericht und Schiedsverfahren im österreichischen und im internationalen Recht (1973) — *Fasching*, Schiedsgericht [Seite]

Fasching/Konecny (Hrsg), Kommentar zu den Zivilprozessgesetzen[2, 3] I (2000), II/1 (2002), II/2 (2003), III (2004), IV/2 (2016), V/1 (2008) — *Autor* in Fasching/Konecny, ZPO[2, 3] [Band] § [•] Rn [•]

Fellmann/Zindel (Hrsg), Kommentar zum Anwaltsgesetz[2] (2011) — *Fellmann/Zindel* (Hrsg), Kommentar zum Anwaltsgesetz[2] Art [•] Rn [•]

Fisher/Sharp, Getting it Done – how to lead when you're not in charge (1999) — *Fisher/Sharp*, Getting it Done [Seite]

Fisher/Ury, Getting to Yes – negotiating an agreement without giving in[2] (1991) — *Fisher/Ury*, Getting to Yes[2] [Seite]

Frank/Sträuli/Messmer, Kommentar zur zürcherischen Zivilprozessordnung[3] (1997) — *Autor* in Frank/Sträuli/Messmer, Kommentar zur zürcherischen Zivilprozessordnung[3] § [•] Rn [•]

Fry/Greenberg/Mazza, The Secretariat's Guide to ICC Arbitration (2012) — *Fry/Greenberg/Mazza*, ICC Arbitration Rn [•]

FS Böckstiegel (2001) — *Autor* in FS Böckstiegel [Seite]

FS Briner (2005) — *Autor* in FS Briner [Seite]

FS Delle Karth (2013) — *Autor* in FS Delle Karth [Seite]

FS Elsing (2015) — *Autor* in FS Elsing [Seite]

FS Fasching (1988) — *Autor* in FS Fasching [Seite]

FS Hempel (1997) — *Autor* in FS Hempel [Seite]

FS Hellwig Torggler (2013) — *Autor* in FS Torggler [Seite]

FS Jud (2012) — *Autor* in FS Jud [Seite]

FS Käfer (2009) — *Autor* in FS Käfer [Seite]

FS Kühne (2009) — *Autor* in FS Kühne [Seite]

FS Kellerhals (2005) — *Autor* in FS Kellerhals [Seite]

FS Koppensteiner (2016) — *Autor* in FS Koppensteiner [Seite]

FS Mann (1981) — *Autor* in FS Mann [Seite]

FS Rechberger (2005) — *Autor* in FS Rechberger [Seite]

FS Roth (2011) — *Autor* in FS Roth [Seite]

FS Schlosser (2005) — *Autor* in FS Schlosser [Seite]

FS Stürner (2013) — *Autor* in FS Stürner [Seite]

Fucik/Konecny/Lovrek/Oberhammer, Zivilverfahrensrecht: Jahrbuch 2009 — *Autor* in Oberhammer et al, Jahrbuch Zivilverfahrensrecht [Seite]

Furrer et al (Hrsg), Handkommentar zum Schweizer Privatrecht: Internationales Privatrecht[2] (2012) — *Autor* in Furrer et al (Hrsg), Handkommentar zum Schweizer Privatrecht[2] Art [•] IPRG Rn [•]

Furrer et al (Hrsg), Handkommentar zum Schweizer Privatrecht: Internationales Privatrecht[3] (2016) — *Autor* in Furrer et al (Hrsg), Handkommentar zum Schweizer Privatrecht[3] Art [•] IPRG Rn [•]

Gaillard/Savage (Hrsg), Fouchard, Gaillard, Goldman on International Commercial Arbitration (1999)

Gaillard/Savage, International Arbitration Rn [•]

Gal, Die Haftung des Schiedsrichters in der internationalen Handelsschiedsgerichtsbarkeit (2009)

Gal, Haftung des Schiedsrichters [Seite]

Gehri/Jent-Sørensen/Sarbach, ZPO² (2015)

Gehri/Jent-Sørensen/Sarbach, ZPO² Art [•] Rn [•]

Geimer/Schütze, Europäisches Zivilverfahrensrecht³ (2010)

Geimer/Schütze, Europäisches Zivilverfahrensrecht³ Art [•] Rn [•]

Geimer/Schütze (Hrsg), Internationaler Rechtsverkehr in Zivil- und Handelssachen (Loseblatt, 2006)

Autor in Geimer/Schütze, Internationaler Rechtsverkehr Rn [•]

Geimer, Internationales Zivilprozessrecht⁷ (2015)

Geimer, Internationales Zivilprozessrecht⁷ (2015)

Geisinger/Voser (Hrsg), International Arbitration in Switzerland – A Handbook for Practitioners² (2013)

Autor in Geisinger/Voser, Arbitration in Switzerland² [Seite]

Gerbay, The Functions of Arbitral Institutions (2016)

Gerbay, Functions of Arbitral Institutions [Seite]

Germelmann/Matthes/Prütting, Arbeitsgerichtsgesetz⁸ (2013)

Germelmann/Matthes/Prütting, Arbeitsgerichtsgesetz⁸ § [•] Rn [•]

Gilovich/Griffin/Kahneman, Heuristics and Biases – The Psychology of Intuitive Judgement (2002)

Gilovich/Griffin/Kahneman, Heuristics and Biases [Seite]

Girsberger (Hrsg), Zürcher Kommentar zum IPRG² (2004)

Autor in Girsberger, IPRG² Art [•] Rn [•]

Girsberger/Voser, International Arbitration – Comparative and Swiss Perspectives³ (2016)

Girsberger/Voser, International Arbitration³ [Seite]

Glasl, Konfliktmanagement: Ein Handbuch für Führungskräfte, Beraterinnen und Berater⁸ (2004)

Glasl, Konfliktmanagement: Handbuch⁸ [Seite]

Göksu, Schiedsgerichtsbarkeit (2014)

Göksu, Schiedsgerichtsbarkeit [Seite]

Hanotiau, Complex Arbitrations: Multiparty, Multicontract, Multi-Issue and Class Actions, Kluwer Law International (2006)

Hanotiau, Complex Arbitrations [Seite]

Hanotiau/Mourre (Hrsg), Dossier of the ICC Institute of World Business Law: Players' Interaction in International Arbitration (2012)

Hanotiau/Mourre (Hrsg), Dossier of the ICC Institute of World Business Law [Seite]

Hartmann, Zum Problem der Kompetenz-Kompetenz der Schiedsgerichte (1961)

Hartmann, Zum Problem der Kompetenz-Kompetenz der Schiedsgerichte [Seite]

Hauck, „Schiedshängigkeit" und Verjährungsunterbrechung nach § 220 BGB unter besonderer Berücksichtigung des Verfahrens nach ZPO, ICC-SchO, UNICITRAL-SchO … (1996)

Hauck, „Schiedshängigkeit" und Verjährungsunterbrechung nach § 220 BGB [Seite]

Heider/Nueber/Schuhmacher/Siwy/
Zeiler, Dispute Resolution in Austria: An
Introduction (2015)

Heider et al, Dispute Resolution
in Austria [Seite]

Henssler/Willemsen/Kalb, Arbeitsrecht⁵ (2012)

Henssler/Willemsen/Kalb, Arbeitsrecht⁵ § [•] Rn [•]

Honsell/Vogt/Schnyder/Berti, International
Arbitration in Switzerland (2000)

Autor in Honsell et al, International
Arbitration, § [•] Rn [•]

Honsell/Vogt/Schnyder/Berti (Hrsg),
Basler Kommentar – Band Internationales
Privatrecht³ (2013)

Autor in Honsell et al, Internationales
Privatrecht³ Art [•] Rn [•]

Horvath/Konrad/Power, Costs in International Arbitration – A Central Eastern and
Southern Eastern European Perspective (2008)

Horvath/Konrad/Power, Costs in
International Arbitration [Seite]

Jarvin/Derains/Arnaldez, Collection of ICC
Arbitral Awards 1986–1990

Jarvin/Derains/Arnaldez, Collection
of ICC Arbitral Awards [Seite]

Kahneman/Tversky, Choices, Values, and
Frames (2000)

Kahneman/Tversky, Choices, Values,
and Frames [Seite]

Kalss/Nowotny/Schauer, Handbuch zum
österreichischen Gesellschaftsrecht (2008)

Kalss/Nowotny/Schauer, Gesellschaftsrecht Rn [•]

Kaufmann-Kohler/Rigozzi, International
Arbitration: Law and Practice in Switzerland
(2015)

Kaufmann-Kohler/Rigozzi, International Arbitration in Switzerland
[Seite]

Kaufmann-Kohler/Stucki (Hrsg), International
Arbitration in Switzerland (2004)

Autor in Kaufmann-Kohler/Stucki,
Arbitration in Switzerland [Seite]

Klausegger et al (Hrsg), Austrian Arbitration
Yearbook (2007)

Autor in Klausegger et al, Austrian
Arbitration Yearbook 2007 [Seite]

Klausegger et al (Hrsg), Austrian Arbitration
Yearbook (2008)

Autor in Klausegger et al, Austrian
Arbitration Yearbook 2008 [Seite]

Klausegger et al (Hrsg), Austrian Yearbook
on International Arbitration (2011)

Autor in Klausegger et al, Austrian
Arbitration Yearbook 2011 [Seite]

Klausegger et al (Hrsg), Austrian Yearbook
on International Arbitration (2015)

Autor in Klausegger et al, Austrian
Arbitration Yearbook 2015 [Seite]

Klausegger et al (Hrsg), Austrian Yearbook
on International Arbitration (2016)

Autor in Klausegger et al, Austrian
Arbitration Yearbook 2016 [Seite]

Klauser/Kodek, JN-ZPO Jurisdiktionsnorm
und Zivilprozessordnung¹⁷ (2012)

Klauser/Kodek, JN-ZPO¹⁷ § [•] Rn [•]

Klicka, Die Beweislastverteilung im Zivilverfahrensrecht: Eine Untersuchung der
dogmatischen Grundlagen der Beweislast, dargestellt an verfahrensrechtlichen Tatbeständen
(1995)

Klicka, Die Beweislastverteilung im
Zivilverfahrensrecht [Seite]

Kloiber/Rechberger/Oberhammer/Haller
(Hrsg), Das neue Schiedsrecht (2006)

Autor in Kloiber et al, Schiedsrecht
[Seite]

Koller, Aufrechnung und Widerklage im
Schiedsverfahren (2009)

Koller, Aufrechnung und Widerklage
[Seite]

Koller, Schiedsgerichtsbarkeit und EuGVVO – Reformansätze im Kreuzfeuer der Kritik, Jahrbuch Zivilverfahrensrecht 2010

Koller, Jahrbuch Zivilverfahrensrecht 2010 [Seite]

Konecny/Schubert, Kommentar zu den Insolvenzgesetzen (2009)

Autor in Konecny/Schubert, Insolvenzgesetze § [•] Rn [•]

Kornblum, Zur „Kompetenz-Kompetenz" privater Schiedsgerichte nach deutschem Recht, Jahrbuch für die Praxis der Schiedsgerichtsbarkeit, Band 3 (1989)

Kornblum, Jahrbuch für die Praxis der Schiedsgerichtsbarkeit, Band 3 [Seite]

Koziol/P. Bydlinski/Bollenberger (Hrsg), Kurzkommentar zum ABGB⁴ (2014)

Autor in Koziol/P. Bydlinski/ Bollenberger, ABGB⁴ § [•] [Gesetz] Rn [•]

Kreindler/Schäfer/Wolff, Schiedsgerichtsbarkeit Kompendium für die Praxis (2006)

Kreindler/Schäfer/Wolff, Schiedsgerichtsbarkeit Rn [•]

Kreindler/Wolff/Riedler, Commercial Arbitration in Germany (2016)

Kreindler/Wolff/Riedler, Commercial Arbitration in Germany Rn [•]

Krejci (Hrsg), Reform-Kommentar zum UGB/ABGB (2007)

Krejci, UGB/ABGB § [•] Rn [•]

Kronke/Port/Otto/Nacimiento, Recognition and Enforcement of Foreign Arbitral Awards: A Global Commentary on the New York Convention (2010)

Autor in Kronke et al, Recognition and Enforcement Rn [•]

Kropholler, Internationales Privatrecht⁶ (2006)

Kropholler, Internationales Privatrecht⁶ [Seite]

Krüger/Rauscher (Hrsg), Münchener Kommentar zur Zivilprozessordnung⁴ (2013)

Autor in MünchKom ZPO⁴ § [•] Rn [•]

Lachmann, Handbuch für die Schiedsgerichtspraxis³ (2008)

Lachmann, Handbuch³ Rn [•]

Lebre de Freitas, The Law of Evidence in the European Union. Civil Procedure in Europe: Vol 5 (2004)

Autor in Lebre de Freitas, The Law of Evidence in the European Union [Seite]

Leitner, Die Haftung des Schiedsrichters (2016)

Leitner, Haftung des Schiedsrichters [Seite]

Lévy/Veeder, Arbitration and Oral Evidence (2004)

Lévy/Veeder, Arbitration and Oral Evidence [Seite]

Lew/Mistelis/Kröll, Comparative International Commercial Arbitration (2003)

Lew/Mistelis/Kröll, Comparative Arbitration Rn [•]

Liebscher, The Austrian Arbitration Act 2006: Text and Notes (2006)

Liebscher, The Austrian Arbitration Act [Seite]

Liebscher, The Healthy Award: Challenge in International Commercial Arbitration (2003)

Liebscher, Healthy Award [Seite]

Liebscher/Oberhammer/Rechberger (Hrsg), Schiedsverfahrensrecht I (2011)

Autor in Liebscher/Oberhammer/ Rechberger, Schiedsverfahrensrecht I Rn [•]

Lionnet/Lionnet, Handbuch der internationalen und nationalen Schiedsgerichtsbarkeit[3] (2005)

Lionnet/Lionnet, Schiedsgerichtsbarkeit[3] [Seite]

Meier, Einbezug Dritter vor internationalen Schiedsgerichten (2007)

Meier, Einbezug Dritter vor internationalen Schiedsgerichten [Seite]

Melhardt, Umsatzsteuerhandbuch (2004)

Melhardt, Umsatzsteuerhandbuch Rn [•]

Meyer-Hauser, Anwaltsgeheimnis und Schiedsgericht (2004)

Meyer-Hauser, Anwaltsgeheimnis und Schiedsgericht [Seite]

Mistelis/Brekoulakis, Arbitrability: International and Comparative Perspectives (2009)

Autor in Mistelis/Brekoulakis, Arbitrability [Seite]

Mistelis, Concise International Arbitration[2] (2010)

Mistelis, Concise Arbitration[2] [Seite]

Mistelis/Lagerberg, International Arbitration: Corporate Attitudes and Practices 2008 – Recognition and Enforcement of Arbitral Awards (2008)

Mistelis/Lagerberg, Corporate Attitudes [Seite]

Mnookin/Peppet/Tulumello, Beyond Winning: negotiating to create value in deals and disputes (2004)

Mnookin/Peppet/Tulumello, Beyond Winning [Seite]

Möhler, Konsumentenverträge im schweizerischen Schiedsverfahren mit rechtsvergleichenden Aspekten, Luzerner Beiträge zur Rechtswissenschaft (2014)

Möhler, Konsumentenverträge im schweizerischen Schiedsverfahren Rn [•]

Müller, Swiss Case Law in International Arbitration[2] (2010)

Müller, Swiss Case Law[2] [Seite]

Musielak/Voit (Hrsg), Kommentar zur ZPO[13] (2016)

Autor in Musielak/Voit, ZPO[13] § [•] Rn [•]

Nagel/Bajons (Hrsg), Beweis – Preuve – Evidence (2003)

Autor in Nagel/Bajons, Beweis – Preuve – Evidence [Seite]

Nagel/Gottwald, Internationales Zivilprozessrecht[7] (2013)

Nagel/Gottwald, Internationales Zivilprozessrecht[7] § [•] Rn [•]

Nedden/Herzberg (Hrsg), ICC-SchO/DIS-SchO: Praxiskommentar zu den Schiedsgerichtsordnungen (2014)

Autor in Nedden/Herzberg, ICC-SchO/DIS-SchO § [•] [SchO] Rn [•]

Newman/Hill, Leading Arbitrator's Guide to International Arbitration[3] (2014)

Autor in Newman/Hill, Arbitrator's Guide[3], [Titel des Beitrags] [Seite]

Nigg, Das Beweisrecht bei internationalen Privatrechtsstreitigkeiten, St. Galler Studien zum internationalen Recht (1999)

Nigg, St. Galler Studien zum internationalen Recht (1999) [Seite]

Nueber/Przeszlowska/Zwirchmayr, Privatautonomie und ihre Grenzen im Wandel (2015)

Nueber/Przeszlowska/Zwirchmayr, Privatautonomie [Seite]

Oberhammer, Entwurf eines neuen Schiedsverfahrensrechts (2002)

Oberhammer, Entwurf [Seite]

Oppermann, Internationale Handelsschiedsgerichtsbarkeit und Verjährung (2009)

Oppermann, Internationale Handelsschiedsgerichtsbarkeit und Verjährung [Seite]

Patocchi/Geisinger, IPRG (2000)

Patocchi/Geisinger, IPRG § [•] Rn [•]

Paulsson, International Handbook on Commercial Arbitration II (2006)

Paulsson International Handbook on Commercial Arbitration II [Seite]

Pichonnaz/Gullifer, Set-Off in Arbitration and Commercial Transactions (2014)

Pichonnaz/Gullifer, Set-Off in Arbitration and Commercial Transactions [Seite]

Poudret/Besson, Comparative Law of International Arbitration² (2007)

Poudret/Besson, International Arbitration² Rn [•]

Power, The Austrian Arbitration Act (2006)

Power, Austrian Arbitration Act Rn [•]

Prütting/Wegen/Weinreich, BGB Kommentar¹¹ (2016)

Brödermann/Wegen in Prütting/Wegen/Weinreich, BGB¹¹ Art [•] Rn [•]

Raeschke-Kessler/Berger, Praxis des Schiedsverfahrens³ (1999)

Raeschke-Kessler/Berger, Praxis des Schiedsverfahrens³ [Seite]

Rechberger (Hrsg), Kommentar zur ZPO⁴ (2014)

Autor in Rechberger, ZPO⁴ § [•] [Gesetz] Rn [•]

Rechberger/Simotta, Zivilprozessrecht⁸ (2010)

Rechberger/Simotta, Zivilprozessrecht⁸ Rn [•]

Redfern/Hunter, Law and Practice of International Commercial Arbitration (2004)

Redfern/Hunter, International Commercial Arbitration⁴ Rn [•]

Redfern/Hunter, Redfern and Hunter on International Arbitration⁶ (2015)

Redfern/Hunter, International Arbitration⁶ Rn [•]

Reiner, Das neue österreichische Schiedsrecht – SchiedsRÄG 2006 (2006)

Reiner, SchiedsRÄG 2006 § [•] Rn [•]

Reithmann/Martiny (Hrsg), Internationales Vertragsrecht, Das Internationale Privatrecht der Schuldverträge⁷ (2010)

Autor in Reithmann/Martiny, Internationales Vertragsrecht Rn [•]

Riegler/Petsche/Fremuth-Wolf/Platte/Liebscher, Arbitration Law of Austria: Practice and Procedure (2007)

Autor in Riegler et al, Arbitration Law § [•] Rn [•]

Rubino-Sammartano, International Arbitration Law (2001)

Rubino-Sammartano, International Arbitration Law [Seite]

Rüede/Hadenfeldt, Schweizerisches Schiedsgerichtsrecht² (1993)

Rüede/Hadenfeldt, Schweizerisches Schiedsgerichtsrecht² [Seite]

Rummel (Hrsg), Kommentar zum Allgemeinen Bürgerlichen Gesetzbuch³ I (2000), II/3 (2002), II (2007)

Autor in Rummel, ABGB³ [Band] § [•] Rn [•]

Rummel/Lukas (Hrsg), ABGB Kommentar zum Allgemeinen bürgerlichen Gesetzbuch⁴ (1983)

Autor in Rummel/Lukas, ABGB⁴ § [•] Rn [•]

Saenger, Zivilprozessordnung: ZPO⁶ (2015)

Autor in Saenger, ZPO⁶ § [•] Rn [•]

Schiffer, Mandatspraxis Schiedsverfahren und Mediation[2] (2005)

Autor in Schiffer, Mandatspraxis Schiedsverfahren und Mediation[2] [Seite]

Schlosser, Das Recht der internationalen privaten Schiedsgerichtsbarkeit[2] (1989)

Schlosser, Schiedsgerichtsbarkeit[2] Rn [•]

Schreuer/Malintoppi/Reinisch/Sinclair, The ICSID Convention: A Commentary[2] (2009)

Schreuer et al, ICSID Convention[2] Art [•] Rn [•]

Schumacher, Beweiserhebung im Schiedsverfahren (2011)

Schumacher, Beweiserhebung im Schiedsverfahren Rn [•]

Schütze, Das internationale Zivilprozessrecht in der ZPO[2] (2011)

Schütze, Das internationale Zivilprozessrecht[2] § [•] Rn [•]

Schütze, Institutional Arbitration (2013)

Autor in Schütze, Institutional Arbitration Kap [•] [Seite]

Schütze, Institutionelle Schiedsgerichtsbarkeit Kommentar[2] (2011)

Autor in Schütze, Schiedsgerichtsbarkeit[2] Kap [•] [Seite]

Schütze, Schiedsgericht und Schiedsverfahren[5] (2012)

Schütze, Schiedsgericht und Schiedsverfahren[5] Rn [•]

Schwab/Walter, Schiedsgerichtsbarkeit[7] (2005)

Schwab/Walter, Schiedsgerichtsbarkeit[7] Kap [•] Rn [•]

Schwarz/Konrad, The Vienna Rules: A Commentary on International Arbitration in Austria[2] (2009)

Schwarz/Konrad, Vienna Rules[2] Rn [•]

Schwimann (Hrsg), ABGB-Praxiskommentar[3,4] I (2011), Ia (2013) II–III (2012) IV–VI (2006), VII (2005), ErgBd (2007)

Autor in Schwimann, ABGB[3,4] [Band] § [•] Rn [•]

Spahlinger/Wegen, Internationales Gesellschaftsrecht in der Praxis (2005)

Spahlinger/Wegen, Internationales Gesellschaftsrecht [Seite]

Spohnheimer, Gestaltungsfreiheit bei antizipiertem Legalanerkenntnis des Schiedsspruchs (2010)

Spohnheimer, Gestaltungsfreiheit bei antizipiertem Legalanerkenntnis des Schiedsspruchs [Seite]

Spühler/Tenchio/Infanger, Schweizerische Zivilprozessordnung[2] (2013)

Autor in Spühler/Tenchio/Infanger, Schweizerische Zivilprozessordnung[2] § [•] Rn [•]

Spühler, Schuldbetreibungs- und Konkursrecht[6] I (2014)

Spühler, Schuldbetreibungs- und Konkursrecht[6] Rn [•]

Stacher, Einführung in die internationale Schiedsgerichtsbarkeit der Schweiz (2015)

Stacher, Einführung Rn [•]

Staehelin/Bauer/Staehelin (Hrsg), Kommentar zum Bundesgesetz über Schuldbetreibung und Konkurs[2] I (2010)

Autor in Staehelin/Bauer/Staehelin, BSK SchKG[2] [•] Rn [•]

Staehelin/Staehelin/Grolimund, Zivilprozessrecht[2] (2013)

Staehelin/Staehelin/Grolimund, Zivilprozessrecht[2] § [•] Rn [•]

Stein/Jonas (Hrsg), Kommentar zur Zivilprozessordnung[22], Band IX (2013)

Autor in Stein/Jonas, Zivilprozessordnung[22] § [•] Rn [•]

Steinbrück, Die Unterstützung ausländischer Schiedsverfahren durch staatliche Gerichte (2009)

Steinbrück, Die Unterstützung durch staatliche Gerichte [Seite]

Stolzke, Aufrechnung und Widerklage in der Schiedsgerichtsbarkeit (2006)

Stolzke, Aufrechnung und Widerklage in der Schiedsgerichtsbarkeit [Seite]

Stumpf, Alternative Streitbeilegung im Verwaltungsrecht (2006)

Stumpf, Alternative Streitbeilegung im Verwaltungsrecht [Seite]

Sutter-Somm, Schweizerisches Zivilprozessrecht[2] (2012)

Sutter-Somm, Schweizerisches Zivilprozessrecht[2] Rn [•]

Sutter-Somm/Hasenböhler/Leuenberger (Hrsg), ZPO Kommentar[3] (2016)

Autor in Sutter-Somm/Hasenböhler/Leuenberger, ZPO Kommentar[3] Art [•] Rn [•]

Thomas/Putzo/Reichold, Zivilprozessordnung[36] (2015)

Thomas et al, Zivilprozessordnung[36] § [•] Rn [•]

Torggler (Hrsg), Schiedsgerichtsbarkeit Praxishandbuch (2007)

Autor in Torggler, Schiedsgerichtsbarkeit, [Titel des Beitrags] Rn [•]

Tschannen/Zimmerli/Müller, Allgemeines Verwaltungsrecht[4] (2014)

Tschannen/Zimmerli/Müller, Allgemeines Verwaltungsrecht[4] § [•] Rn [•]

Uhlenbruck, Insolvenzordnung: InsO[14] (2015)

Autor in Uhlenbruck, InsO[14] § [•] Rn [•]

Ury, Getting Past No – negotiating your way from confrontation to cooperation (1993)

Ury, Getting Past No [Seite]

van den Berg, The New York Arbitration Convention of 1958 (1981)

van den Berg, Arbitration Convention [Seite]

Varga, Beweiserhebung in transatlantischen Schiedsverfahren (2006)

Varga, Beweiserhebung in transatlantischen Schiedsverfahren [Seite]

Verbist/Schafer/Imhoos, ICC Arbitration In Practice (2015)

Verbist/Schafer/Imhoos, ICC Arbitration [Seite]

VIAC, Handbuch Wiener Regeln (2013)

Autor in VIAC, Handbuch Art [•] Rn [•]

VIAC, Selected Arbitral Awards, Volume 1 (2015)

VIAC, Selected Awards [Seite]

Voit, Die objektive Schiedsfähigkeit nach österreichischem Recht (2009)

Voit, Objektive Schiedsfähigkeit [Seite]

von Hoffmann, Internationales Privatrecht (2007)

von Hoffmann, IPR [Seite]

Vorwerk/Wolf (Hrsg), Beck'scher Online-Kommentar ZPO[19] (Stand 1.12.2015)

Wolf/Eslami in Beck'scher Online-Kommentar ZPO[19] § [•] Rn [•]

Vorwerk/Wolf, Beck'scher Online-Kommentar ZPO, 20. Edition (2016)

Autor in Beck'scher Online-Kommentar ZPO[20] § [•] Rn [•]

Waincymer, Procedure and Evidence in International Arbitration (2012)

Waincymer, Procedure [Seite]

Webster/Bühler, Handbook of ICC Arbitration, Commentary, Precedents, Materials[3] (2014)

Webster/Bühler, ICC Arbitration[3] Rn [•]

Weigand, Practitioner's Handbook on International Commercial Arbitration[2] (2009)

Weigand, Handbook[2] Rn [•]

Wieczorek/Schütze, Zivilprozessordnung und Nebengesetze[4] Band 11 (2014)

Autor in Wieczorek/Schütze, ZPO[4] § [•] Rn [•]

Wiedemann, Kartellrecht[2] (2016)

Wiedemann, Kartellrecht[2] [Seite]

Wolff, New York Convention (2012)

Autor in Wolff, New York Convention Art [•] Rn [•]

Zeiler, Austrian Arbitration Law (2016)

Zeiler, Austrian Arbitration Law § [•] Rn [•]

Zeiler, Schiedsverfahren §§ 577–618 ZPO idF des SchiedsRÄG 2006[2] (2014)

Zeiler, Schiedsverfahren[2] § [•] Rn [•]

Zöller (Hrsg), Zivilprozessordnung[31] (2016)

Autor in Zöller, Zivilprozessordnung[31] § [•] Rn [•]

Zuberbühler/Müller/Habegger (Hrsg), Swiss Rules of International Arbitration – Commentary[2] (2013)

Autor in Zuberbühler/Müller/Habegger, Swiss Rules[2] Art [•] Rn [•]

Zuberbühler et al (Hrsg), IBA Rules of Evidence (2012)

Autor in Zuberbühler et al, IBA Rules of Evidence Art [•] Rn [•]

Zeitschriftenartikel

Altenkirch/Balland/Young Cho/Reinlein, DSJV-Jahrestagung 2004: Die neuen Regeln der Internationalen Schiedsordnung der Schweizerischen Handelskammern, SchiedsVZ 2005, 154 f

Altenkirch et al, SchiedsVZ 2005, 154 f

Aschauer, A landmark decision of the Austrian Supreme Court clarifying when parties to arbitration agreements should be treated as consumers or entrepreneurs, Slovenian Arbitration Practice 2014, 10

Aschauer, Slovenian Arbitration Practice 2014, 10

Baier, Die neue Schiedsordnung des Internationalen Schiedsgerichts der WKÖ, ecolex, 2013, 697 ff

Baier, ecolex, 2013, 697 ff

Barraclough/Waincymer, Mandatory rules of law in international of commercial arbitration, Melbourne Journal of International Arbitration 2005, 205 ff

Barraclough/Waincymer, Melbourne Journal of International Arbitration 2005, 205 ff

Bartels, Geheimnisverrat des Dissenters im schiedsrichterlichen Verfahren?, SchiedsVZ 2014, 133 ff

Bartels, SchiedsVZ 2014, 133 ff

BayObLG, Fehlendes Rechtsschutzbedürfnis für Antrag nach § 1032 Abs. 2 ZPO, wenn bereits Einrede der Schiedsvereinbarung erhoben worden ist, SchiedsVZ 2003, 187 ff

BayObLG, SchiedsVZ 2003, 187 ff

Beale/Lancaster/Geesink, Removing an Arbitrator: Recent Decisions of the English Court on Apparent Bias in International Arbitration, ASA Bulletin 2/2016, 322 ff · *Beale/Lancaster/Geesink, ASA Bulletin 2/2016, 322 ff*

Berger, Das neue deutsche Schiedsverfahrensrecht, DZWir 1998, 45 ff · *Berger, DZWir 1998, 45 ff*

Bersheda, Les clauses d'arbitrage statutoires en droit suisse, ASA Bulletin 4/2009, 691 ff · *Bersheda, ASA Bulletin 4/2009, 691 ff*

Bertke/Schroeder, Grenzen der Zeugenvorbereitung im staatlichen Zivilprozess und im Schiedsverfahren, SchiedsVZ 2014, 80 ff · *Bertke/Schroeder, SchiedsVZ 2014, 80 ff*

BGH, Keine Bindung des Insolvenzverwalters an eine Schiedsvereinbarung soweit es um dessen auf der Insolvenzordnung beruhende Rechte geht, SchiedsVZ 2011, 281 ff · *BGH, SchiedsVZ 2011, 281 ff*

BGH, Zulässigkeit der Aufrechnung im Verfahren der Vollstreckbarerklärung eines ausländischen Schiedsspruchs, SchiedsVZ 2010. 330 ff · *BGH, SchiedsVZ 2010. 330 ff*

BGH, Zum anwendbaren Recht für die Einbeziehung Dritter in eine Schiedsvereinbarung, SchiedsVZ 2014, 151 ff · *BGH, SchiedsVZ 2014, 151 ff*

BGH, Zur Abgrenzung zwischen interner Verbandsgerichtsbarkeit und außervertraglichen Schiedsgerichten, SchiedsVZ 2004, 205 ff · *BGH, SchiedsVZ 2004, 205 ff*

BGH, Zur formularmäßigen Einschränkung des Schiedsrichterernennungsrechts, SchiedsVZ 2007, 163 ff · *BGH, SchiedsVZ 2007, 163 ff*

BGH, Zur Formwirksamkeit von Schiedsklauseln in Verträgen ausländischer Broker mit inländischen Verbrauchern, SchiedsVZ 2011, 46 ff, 157 ff · *BGH, SchiedsVZ 2011, 46 ff, 157 ff*

BGH, Zur Wirksamkeit eines Schiedsspruchs unter befristeter auflösender Bedingung, SchiedsVZ 2007, 160 ff · *BGH, SchiedsVZ 2007, 160 ff*

Böckstiegel, Die Schiedsgerichtsbarkeit in Deutschland – Standort und Stellenwert, SchiedsVZ 2009, 3 ff · *Böckstiegel, SchiedsVZ 2009, 3 ff*

Böckstiegel, Party Autonomy and Case Management – Experiences and Suggestions of an Arbitrator, SchiedsVZ 2013, 1 ff · *Böckstiegel, SchiedsVZ 2013, 1 ff*

Borges, Die Anerkennung und Vollstreckung von Schiedssprüchen nach dem neuen Schiedsverfahrensrecht, ZZP 1998, 487 ff · *Borges, ZZP 1998, 487 ff*

Borris, Die „Ergänzenden Regeln für gesellschaftsrechtliche Streitigkeiten" der DIS („DIS-ERGeS"), SchiedsVZ 2009, 299 ff · *Borris, SchiedsVZ 2009, 299 ff*

Borris, Streiterledigung bei (MAC-)Klauseln bei Unternehmenskaufverträgen: Ein Fall für „Fast-Track"-Schiedsverfahren, BB 2008, 294 · *Borris, BB 2008, 294*

Bühler, Awarding Costs in International Commercial Arbitration: An Overview, ASA Bulletin 2/2004, 249, 264 · *Bühler, ASA Bulletin 2/2004, 249, 264*

Busse, „Rom I" und „Rom II": Anwendbarkeit vor Schiedsgerichten, ecolex 2012, 1072 ff

Busse, ecolex 2012, 1072 ff

Bredow, Schiedsspruch mit vereinbartem Wortlaut – Form und Inhalt, SchiedsVZ 2010, 295 ff

Bredow, SchiedsVZ 2010, 295 ff

Bilda, Beendigung des Schiedsverfahrens durch Vergleich: Probleme des Schiedsspruchs mit vereinbartem Wortlaut, DB 2004, 171, 175

Bilda, DB 2004, 171, 175

Bühler/Dorgan, Witness Testimony Pursuant to the 1999 IBA Rules of Evidence in International Commercial Arbitration – Novel or Tested Standards?, J. Int'l Arb Vol 17, 2000, 7 f

Bühler/Dorgan, 17 J. Int'l Arb. Vol 17, 2000, 7 f

Capper/Connellan, Ups and Downs in Institutional Arbitration, Kluwer Arbitration Blog 2009

Capper/Connellan, Ups and Downs in Institutional Arbitration, Kluwer Arbitration Blog 2009

Chiwitt-Oberhammer/Oberhammer, (Nicht-)Schiedssprüche in außerstreitigen Mietrechtsangelegenheiten, wobl 2005, 181 ff

Chiwitt-Oberhammer/Oberhammer, wobl 2005, 181 ff

Czernich, Der Vorwegverzicht auf die Anfechtung des Schiedsspruchs – zugleich ein Beitrag zur Stellung des Schiedsverfahrens im österreichischen Recht, JBl 2016, 69 ff

Czernich, JBl 2016, 69 ff

Czernich, Österreich: Das auf die Schiedsvereinbarung anwendbare Recht, SchiedsVZ 2015, 181 ff

Czernich, SchiedsVZ 2015, 181 ff

Czernich, Die Bestimmung des anwendbaren Rechts im Schiedsverfahren: Rom I-VO vs nationales Sonderkollisionsrecht, wbl 2013, 554 ff

Czernich, wbl 2013, 554 ff

Dasser/Roth, Challenges of Swiss Arbitral Awards – Selected Statistical Data as of 2013 (2014) 32 ASA Bulletin, Issue 3, 460 ff

Dasser/Roth, ASA Bulletin 2014, 460 ff

De Ly, Best Practices and third party intervention, ASA Special Series No. 26, 69 f

De Ly, ASA Special Series No. 26, 69 f

DIS, Kosten im Schiedsgerichtsverfahren MAT X (2005)

Autor in DIS, Kosten im Schiedsgerichtsverfahren MAT X (2005), [Seite]

Dorda, M&A und alternative Streiterledigung, in GesRZ 2012, 5

Dorda, GesRZ 2012, 5

Elsing, Streitverkündung und Schiedsverfahren, SchiedsVZ 2004, 93 f

Elsing, SchiedsVZ 2004, 93 f

Fasching, Kostenvorschüsse zur Einleitung schiedsrechtlicher Verfahren, JBl 1993, 545, 549

Fasching, JBl 1993, 545, 549

Fellner, Erfordernis der Vollstreckbarkeitserklärung inländischer Schiedssprüche, ecolex 2010/274, 767

Fellner, ecolex 2010/274, 767

Fiebinger/Kind, Zur Umsatzsteuerpflicht der Leistungen eines Schiedsrichters, ÖStZ 2000, 292 ff

Fiebinger/Kind, ÖStZ 2000, 292 ff

Flannery/Garel, Arbitration costs compared, GAR 1. 11. 2010

Flannery/Garel, GAR 1. 11. 2010

Flannery/Garel, Arbitration costs compared: the sequel, GAR 15.1.2013

Flannery/Garel, GAR 15.1.2013

Flecke-Giammarco/Keller, Die Auswirkung der Wahl des Schiedsorts auf den Fortgang des Schiedsverfahrens in der Insolvenz, NZI 2012, 529 ff

Flecke-Giammarco/Keller, NZI 2012, 529 ff

Fouchard, Relationships between the Arbitrator and the Parties and the Arbitral Institution, ICC Bulletin Special Supplement, 12 ff

Fouchard, ICC Bulletin Special Supplement, 12 ff

Frauenberger-Pfeiler, Das neue Schiedsrecht (Teil II), ZAK 2006/151, 83 f

Frauenberger-Pfeiler, ZAK 2006/151, 83 f

Fremuth, Schiedsverfahren und Konkurs, ÖJZ 1998, 848 ff

Fremut, ÖJZ 1998, 848 ff

Fremuth-Wolf, Zur Unterbrechung des Schiedsverfahrens bei Insolvenzeröffnung, ecolex 2015, 564 ff

Fremuth-Wolf, ecolex 2015, 564 ff

Gamauf, Aktuelle Probleme des ordre public im Schiedsverfahren, insbesondere im Hinblick auf Eingriffsnormen, ZfRV 2000, 41 ff

Gamauf, ZfRV 2000, 41 ff

Gerstenmaier, The „German Advantage" – Myth or Model?, SchiedsVZ 2010, 21 ff

Gerstenmaier, SchiedsVZ 2010, 21 ff

Gerstenmaier, Zur Verzinslichkeit von Kostenerstattungsforderungen im Schiedsverfahren, SchiedsVZ 2012, 1 ff

Gerstenmaier, SchiedsVZ 2012, 1 ff

Grimm, Applicability of the Rome I and II Regulations to International Arbitration, SchiedsVZ 2012, 189 ff

Grimm, SchiedsVZ 2012, 189 ff

Habegger, The Revised Swiss Rules of International Arbitration – An Overview of the Major Changes, ASA Bulletin Volume 30, No 2 (2012), 269–311

Habegger, ASA Bulletin 30, No 2 (2012), 269–311

Harris, Arbitrators and Settlement – A Common Law Perspective, ASA Secial Series No. 45, 89 ff

Harris, ASA Secial Series No. 45, 89 ff

Hobeck/Weyhreter, Anordnung von vorläufigen oder sichernden Maßnahmen durch Schiedsgerichte in ex parte-Verfahren, SchiedsVZ 2005, 238 ff

Hobeck/Weyhreter, SchiedsVZ 2005, 238 ff

Hochstrasser, Choice of Law and Foreign Mandatory Rules in International Arbitration, Journal of International Arbitration 1994, 57 ff

Hochstrasser, Journal of International Arbitration 1994, 57 ff

Hofmann, DIS-Sportschiedsgerichtsordnung ab 1.4.2016 mit Verfahrenskostenhilfe und weiteren Neuerungen für effektivere Sportschiedsverfahren, SchiedsVZ 2016, 90 ff

Hofmann, SchiedsVZ 201, 90

Holtzmann/Neuhaus, A Guide to the UNCITRAL Model Law on International Commercial Arbitration: Legislative History and Commentary, Kluwer Law International 1995, 866 ff

Holtzmann/Neuhaus, Kluwer Law International 1995, 866 ff

Horn, Zwingendes Recht in der internationalen Schiedsgerichtsbarkeit, SchiedsVZ 2008, 209 ff

Horn, SchiedsVZ 2008, 209 ff

Huber, Das Verhältnis von Schiedsgericht und staatlichen Gerichten bei der Entscheidung über die Zuständigkeit, SchiedsVZ 2003, 73 ff

Huber, SchiedsVZ 2003, 73 ff

Huber, Schiedsvereinbarungen im Scheidungsrecht, SchiedsVZ 2004, 280 ff

Huber, SchiedsVZ 2004, 280 ff

IBA Guidelines on Conflict of Interest, International Bar Association (2014), Part I (4).(d)

IBA Guidelines on Conflict of Interest (2014), Part I (4).(d)

IBA Rules of Ethics for International Arbitrators 1987

IBA Rules of Ethics for International Arbitrators 1987, § [•]

Jahnel/Sykora/Glatthard, Arbitration in matters of succession with special consideration of the Regulation (EU) No. 650/2012, b-Arbitra 1/2015, 42

Jahnel/Sykora/Glatthard, b-Arbitra 1/2015, 42

Kaufmann-Kohler, The Arbitrator and the Law: Does he/she know it? Apply it? How? And a few more questions, Arb. Int'l (2005), 631 ff

Kaufmann-Kohler, Arb. Int'l (2005), 631 ff

KG Berlin, Auslegung einer Schiedsgerichtsvereinbarung zur Bestimmung der zuständigen Schiedsgerichts-institution, SchiedsVZ 2012, 337 ff

KG Berlin, SchiedsVZ 2012, 337 ff

Kilches, Die Behandlung des Einwandes von Korruption in Schiedsverfahren und bei der Anfechtung von Schieds-sprüchen, SchiedsVZ 2016, 150 ff

Kilches, SchiedsVZ 2016, 150 ff

Kleinschmidt, Die Widerklage gegen einen Dritten im Schiedsverfahren, SchiedsVZ 2006, 142 ff

Kleinschmidt, SchiedsVZ 2006, 142 ff

Klicka/Rechberger, Aktuelle Fragen der Schiedsrichter-haftung im österreichischen Recht, ÖJZ 2015, 437

Klicka/Rechberger, ÖJZ 2015/56, 437

Koch/Schäfer, Can it be sinful for an arbitrator actively to promote settlement?, ADRLJ 1999, 153 ff

Koch/Schäfer, ADRLJ 1999, 53 ff

Koller, Das neue österreichische Schiedsrecht (Teil II) Die wichtigsten Neuerungen des SchiedsRÄG 2006 im Überblick, JAP 2005/2006/41, 244 ff

Koller, JAP 2005/2006/41, 244 ff

Kollik, Die lex mercatoria als anwendbares Recht in Verfahren vor Schiedsgerichten mit Sitz in Österreich, SchiedsVZ 2009, 209 ff

Kollik, SchiedsVZ 2009, 209 ff

Kraft, Veränderte Spezialzuständigkeiten für Schieds-verfahren an den Oberlandesgerichten, SchiedsVZ 2007, 318 ff

Kraft, SchiedsVZ 2007, 318 ff

Kröll, 50 Jahre UN-Übereinkommen über die Anerkennung und Vollstreckung ausländischer Schieds-sprüche – Standortbestimmung und Zukunftsperspektive, SchiedsVZ 2009, 40 ff

Kröll, SchiedsVZ 2009, 40 ff

Kröll, Die Entwicklung des Rechts der Schiedsgerichts-barkeit 2001/2002 NJW 2003, 791 ff

Kröll, NJW 2003, 791 ff

Kröll, Die schiedsrechtliche Rechtsprechung des Jahres 2009, SchiedsVZ 2010, 144 ff

Kröll, SchiedsVZ 2010, 144 ff

Kröll, Die Schiedsrechtliche Rechtsprechung des Jahres 2011 – Teil 2, SchiedsVZ 2012, 201 ff

Kröll, SchiedsVZ 2012, 201 ff

Kröll, Die schiedsrechtliche Rechtsprechung 2012, SchiedsVZ 2013, 185 ff

Kröll, SchiedsVZ 2013, 185 ff

Le Bars, Recent Developments in International Energy Dispute Arbitration, Journal of International Arbitration 2015, 543 f

Le Bars, Journal of International Arbitration 2015, 543 f

Lloyd / Darmon / Ancel / Dervaid / Verbist, Drafting Awards in ICC Arbitrations, 16 ICC International Court of Arbitration Bulletin 2005, 19 ff — *Lloyd et al*, ICC Bulletin 2005, 19 ff

Longrée / Gantenbrink, Insolvenz des Beklagten im Schiedsverfahren, SchiedsVZ 2014, 21 ff — *Longrée / Gantenbrink*, SchiedsVZ 2014, 21 ff

Lötscher / Buhr, Nemo Iudex in Sua Causa – No jurisdiction of the arbitrators to authoritatively rule on their own Fees, ASA Bulletin Vol. 29, 2011, 120 ff — *Lötscher / Buhr*, ASA Bulletin Vol. 29, 2011, 120 ff

Lörcher, Schiedsspruch mit vereinbartem Wortlaut – Notizen zur Vollstreckbarkeit im Ausland, BB 2000, 2, 6 — *Lörcher*, BB 2000, 2, 6

Lörcher, ICSID-Schiedsgerichtsbarkeit, SchiedsVZ 2005, 11 ff — *Lörcher*, SchiedsVZ 2005, 11 ff

Mankowski, Die Schiedsausnahme des Art 1 Abs 2 lit d Brüssel Ia-VO, IHR 2015, 189 ff — *Mankowski*, IHR 2015, 189 ff

Martens, Die Organisation von Schiedsverfahren im Bereich des Sports aus der Sicht der Schiedsrichter, SchiedsVZ 2009, 99 ff — *Martens*, SchiedsVZ 2009, 99 ff

McGuire, Grenzen der Rechtswahlfreiheit im Schiedsverfahrensrecht? – Über das Verhältnis zwischen der Rom-I-VO und § 1051 ZPO, SchiedsVZ 2011, 257 ff — *McGuire*, SchiedsVZ 2011, 257 ff

Meier, Pre-hearing Conferences as a Means of Improving the Effectiveness of Arbitration, SchiedsVZ 2009, 152 ff — *Meier*, SchiedsVZ 2009, 152 ff

Meinhardt / Ahrens, Wettbewerbsrecht und Schiedsgerichtsbarkeit in der Schweiz, SchiedsVZ 2006, 182 ff — *Meinhardt / Ahrens*, SchiedsVZ 2006, 182 ff

Meyer, Time to Take a Closer Look: Privilege in International Arbitration, Journal of International Arbitration 2007, Issue 4, 365 ff — *Meyer*, J. Int'l Arb. 2007, 365 ff

Nabinger / Lichstein, Gerichtsgebühren für die Feststellung der Zulässigkeit der Zwangsvollstreckung aus ICSID-Schiedssprüchen, SchiedsVZ 2013, 78 ff — *Nabinger / Lichstein*, SchiedsVZ 2013, 78 ff

Nacimiento, Konfliktlösung nach allgemeinen Schiedsordnungen, insbesondere ICC (International Chamber of Commerce), AAA (American Arbitration Association) und DIS (Deutsche Institution für Schiedsgerichtsbarkeit), ZUM 2004, 785 ff — *Nacimiento*, ZUM 2004, 785 ff

Nater-Bass, Praktische Aspekte des Vergleichs in Schiedsgerichtsverfahren, ASA Bulletin 2002, 439 — *Nater-Bass*, ASA Bulletin 2002, 439

Nedden / Büstgens, Die Beratung des Schiedsgerichts – Konfliktpotential und Lösungswege, SchiedsVZ 2015, 169 ff — *Nedden / Büstgens*, SchiedsVZ 2015, 169 ff

Niedermaier, Schiedsgerichtsbarkeit und Finanztermingeschäfte – Anlegerschutz durch § 37h WpHG und andere Instrumente, SchiedsVZ 2012, 177 ff — *Niedermaier*, SchiedsVZ 2012, 177 ff

Nueber / Boltz, Schiedssprüche aus erstinstanzlicher Sicht, RZ 2013, 168 ff — *Nueber / Boltz*, RZ 2013, 168 ff

Nueber, Die Privatstiftung als Partei in Verfahren vor „österreichischen" Schiedsgerichten, GesRZ 2012, 339 ff — *Nueber*, GesRZ 2012, 339 ff

Nueber, Gesellschafter als Verbraucher, Aufsichtsrat aktuell 2012, 20

Nueber, Aufsichtsrat aktuell 2012, 20

Nueber, Neues zum rechtlichen Gehör im Schiedsverfahren, wbl 2013, 130 ff

Nueber, wbl 2013, 130 ff

Nueber, Nochmals: Schiedsgerichtsbarkeit ist vom Anwendungsbereich der ROM I-VO nicht erfasst, SchiedsVZ 2014, 186 ff

Nueber, SchiedsVZ 2014, 186 ff

Nueber, Schiedsverfahren von Todes wegen Gedanken zur testamentarischen Schiedsklausel, JEV 2013, 118

Nueber, JEV 2013, 118

Nueber, Zur Aufhebung eines Schiedsspruchs wegen Verletzung des rechtlichen Gehörs und der Überschreitung der Befugnisse des Schiedsgerichts, wbl 2013/105, 288 ff

Nueber, wbl 2013/105, 288 ff

Öhlberger, Zur (Nicht-)Anwendung schiedsrechtlicher Verbraucherschutznormen in ausländischen Schiedsverfahren, ÖJZ 2010, 188

Öhlberger, ÖJZ 2010, 188

Ostendorf, Wirksame Wahl ausländischen Rechts auch bei fehlendem Auslandsbezug im Fall einer Schiedsgerichtsvereinbarung und ausländischem Schiedsort?, SchiedsVZ 2010, 234 ff

Ostendorf, SchiedsVZ 2010, 234 ff

Perrin, De l'arbitrabilité des litiges successoraux, ASA Bulletin 2006, 417 ff

Perrin, ASA Bulletin 2006, 417 ff

Petsche/Förstel, Die IBA Guidelines on Party Representation, ecolex 2014/9, 783 ff

Petsche/Förstel, ecolex 2014/9, 783 ff

Platte, An Arbitrator's Duty to Render Enforceable Awards, Journal of International Arbitration 2003, 307 ff

Platte, Journal of International Arbitration 2003, 307 ff

Pörnbacher/Thiel, Kostensicherheit in Schiedsverfahren, SchiedsVZ 2004, 26 ff

Pörnbacher/Thiel, SchiedsVZ 2004, 26 ff

Prochaska, Anwalt Aktuell 2014, 5, 16

Prochaska, Anwalt Aktuell 2014, 5, 16

Quinke, Schiedsvereinbarungen und Eingriffsnormen – Zugleich Anmerkung zu OLG München, Urt. v. 17. Mai 2006, Az. 7 U 1781/06, SchiedsVZ 2007, 246 ff

Quinke, SchiedsVZ 2007, 246 ff

Quinke, § 1061 ZPO und der Meistbegünstigungsgrundsatz des UNÜ, SchiedsVZ 2011, 169 ff

Quinke, SchiedsVZ 2011, 169 ff

Raeschke-Kessler, Gesellschaftsrechtliche Schiedsverfahren und das Recht der EU, SchiedsVZ 2003, 145 ff

Raeschke-Kessler, SchiedsVZ 2003, 145 ff

Raeschke-Kessler, The Arbitrator as Settlement Facilitator, Arbitration International 2005, 523 ff

Raeschke-Kessler, Arbitration International 2005, 523 ff

Rechberger, Die Reform des österreichischen Schiedsrechts, Ritsumeikan Law Review (R.L.R), 2008/25, 111 ff

Rechberger, Ritsumeikan Law Review (R.L.R), 2008/25, 111 ff

Reiner, SchiedsRÄG 2006: Wissenswertes zum neuen österreichischen Schiedsrecht, ecolex 2006, 468 ff

Reiner, ecolex 2006, 468 ff

Reiner, Schiedsverfahren und Gesellschaftsrecht, GesRZ 2007, 151 ff

Reiner, GesRZ 2007, 151 ff

Reiner, Schiedsverfahren und rechtliches Gehör, ZfRV 2003, 52 ff

Reiner, ZfRV 2003, 52 ff

Risse/Altenkirch, Kostenerstattung im Schiedsverfahren: fünf Probleme aus der Praxis, SchiedsVZ 2012, 5 ff

Risse/Altenkirch, SchiedsVZ 2012, 5 ff

Risse/Frohloff, Schadensersatzansprüche nach einstweiligen Verfügungen in Schiedsverfahren, SchiedsVZ 2011, 239 ff

Risse/Frohloff, SchiedsVZ 2011, 239 ff

Risse/Kuhli, Schiedsrichtervergütung und Umsatzsteuer: Gebrauchsanleitung und Tipps für Fortgeschrittene, SchiedsVZ 2016, 1 ff

Risse/Kuhli, SchiedsVZ 2016, 1 ff

Risse/Meyer-Burow, Umsatzsteuerpflicht von Schiedsrichterleistungen, SchiedsVZ 2009, 326 ff

Risse/Meyer-Burow, SchiedsVZ 2009, 326 ff

Rojas Elgueta, Understanding Discovery in International Commercial Arbitration through Behavioral Law and Economics: A Journey inside the Minds of Parties and Arbitrators, Harvard Negotiation Law Review Vol 16, 2011, 165 ff

Rojas Elgueta, Harvard Negotiation Law Review Vol 16, 2011, 165 ff

Sachs/Schmidt-Ahrendts, Protocol on Expert Teaming: A New Approach to Expert Evidence, Arbitration Advocacy in Changing Times, ICCA Congress Series No 15, 135 ff

Sachs/Schmidt-Ahrendts, ICCA No 15, 135 ff

Saenger, Die Vollstreckung aus Schiedsvergleich und Schiedsspruch mit vereinbartem Wortlaut, MDR 1999, 662 ff

Saenger, MDR 1999, 662 ff

Scherer, Acceleration of Arbitration Proceedings – The Swiss Way: The Expedited Procedure under the Swiss Rules of International Arbitration, SchiedsVZ 2005, 229 ff

Scherer, SchiedsVZ 2005, 229 ff

Schifferl, Gedanken zur bejahenden Zuständigkeitsentscheidung des Schiedsgerichts, ÖJZ 2010/51, 442 ff

Schifferl, ÖJZ 2010/51, 442 ff

Schima/Sesser, Die von Parteivertretern in internationalen Schiedsverfahren zu beachtenden Ethikstandards, SchiedsVZ 2016, 61 ff

Schima/Sesser, SchiedsVZ 2016, 61 ff

Schlaepfer/Paralika, Striking the Right Balance: The Roles of Arbitral Institutions, Parties and Tribunals in Achieving Efficiency in International Arbitration, Bahrain Chamber for Dispute Resolution, International Arbitration Review 2015, 329 ff

Schlaepfer/Paralika, BCDR International Arbitration Review 2015, 329 ff

Schlosser, Der einstweilige Rechtsschutz in Sportangelegenheiten vor und nach Bildung des Schiedsgerichts, SchiedsVZ 2009, 84 ff

Schlosser, SchiedsVZ 2009, 84 ff

Schmidt-Ahrendts/Höttler, Anwendbares Recht bei Schiedsverfahren mit Sitz in Deutschland, SchiedsVZ 2011, 267 ff

Schmidt-Ahrendts/Höttler, SchiedsVZ 2011, 267 ff

Schneider, President's Message, Yet another opportunity to waste time and money on procedural skirmishes: the IBA Guidelines on Party Representation, ASA Bulletin 3/2013, 497 ff

Schneider, ASA Bulletin 3/2013, 497 ff

Schroeder, Mareva Injunctions and Freezing Orders in International Commercial Arbitration, SchiedsVZ 2004, 26 ff

Schroeder, SchiedsVZ 2004, 26 ff

Schroeder, Zur Aufhebung von Scheinschiedssprüchen und anderen formellen Schiedssprüchen durch staatliche Gerichte – Ein Beitrag zur Auslegung des Begriffes „Schiedsspruch" in § 1059 ZPO, SchiedsVZ 2005, 244 ff

Schroeder, SchiedsVZ 2005, 244 ff

Schroeter, Der Antrag auf Feststellung der Zulässigkeit eines schiedsrichterlichen Verfahrens gemäß § 1032 Abs 2 ZPO, SchiedsVZ 2004, 288 ff

Schroeter, SchiedsVZ 2004, 288 ff

Schroth, Einstweiliger Rechtsschutz im deutschen Schiedsverfahren, SchiedsVZ 2003, 102 ff

Schroth, SchiedsVZ 2006, 102 ff

Schulz / Niedermaier, Unwirksame Schiedsklausel in Franchiseverträgen durch Wahl des Tagungsortes im Ausland? – Besprechung von drei OLG-Entscheidungen in Anerkennungs- und Vollstreckungsverfahren, SchiedsVZ 2009, 196 ff

Schulz / Niedermaier, SchiedsVZ 2009, 196 ff

Schumacher, Rechtsanwalt und Wahrheitspflicht im Zivilprozess, AnwBl 10/2009, 429 ff

Schumacher, AnwBl 10/2009, 429 ff

Schütze, Die Ermessensgrenzen des Schiedsgerichts bei der Bestimmung der Beweisregeln, SchiedsVZ 2006, 1 ff

Schütze, SchiedsVZ 2006, 1 ff

Schütze, Kollisionsrechtliche Probleme der Schiedsvereinbarung, insbesondere der Erstreckung ihrer Bindungswirkung auf Dritte, SchiedsVZ 2014, 274 ff

Schütze, SchiedsVZ 2014, 274 ff

Schütze, Zur partiellen Rechtsfähigkeit in internationalen Schiedsverfahren, IPRax 1999, 87

Schütze, IPRax 1999, 87

Schwimann, Die Schwierigkeiten der Qualifikation im IPR, ÖJZ 1980, 9

Schwimann, ÖJZ 1980, 9

Sindler / Wüstemann, Privilege across borders in arbitration: multi–jurisdictional' (2005), ASA Bulletin 2005, Issue 4, 610 ff

Sindler / Wüstemann, ASA Bulletin 2005, 610 ff

Stacher, AJP 2013, 1 102–104 Anm.: Entscheidungsbesprechung zu BGer 16. 10. 2012, 4 A 50/2012, E. 3.2–3.3 und 3.6; BGer 31. 3. 2008, 4 A_428/2008 (*Vivendi*)

Stacher, AJP 2013, 1 102–104

Steinle / Wilske / Eckardt, Kartellschadensersatz und Schiedsklauseln – Luxemburg Locuta, Causa Finita?, SchiedsVZ 2015, 165 ff

Steinle / Wilske / Eckardt, SchiedsVZ 2015, 165 ff

Stephens-Chu / Spinelli, The Gathering and Taking of Evidence under the IBA Guidelines on Party Representation in International Arbitration: Civil and Common Law Perspective, Dispute Resolution International Vol 8 No 1 May 2014, 48 ff

Stephens-Chu / Spinelli, Dispute Resolution International Vol 8 No 1 May 2014, 48 ff

Tannock, Judging the Effectiveness of Arbitration through the Assessment of Compliance with and Enforcement of International Arbitration Awards, Arbitration International 2005, 1, 71 ff

Tannock, Arbitration International 2005, 1, 71 ff

Tevendale/Waldek, ICC International Court of Arbitration Bulletin 1/2014

Tevendale/Waldek, ICC Bulletin 1/2014

Trenker, Schiedsfähigkeit von Beschlussmängelstreitigkeiten in der GmbH, wbl 2013, 1–13

Trenker, wbl 2013, 1–13

Trittmann, Die Kostenerstattung im Schiedsverfahren – Gibt es einen nationalen/internationalen Standard?, ZVglRWiss 2015, 469 ff

Trittmann, ZVglRWiss 2015, 469 ff

Voser, Mandatory Rules of Law as Limitation to the Law Applicable in International Commercial Arbitration, American Review of International Arbitration 1996, 319 ff

Voser, American Review of International Arbitration 1996, 319 ff

Voser, Harmonization by Promulgating Rules of Best International Practice in International Arbitration, SchiedsVZ 2005, 113 ff

Voser, SchiedsVZ 2005, 113 ff

Wagner, Die insolvente Partei im Schiedsverfahren – eine Herausforderung GWR 2010, 129 ff

Wagner, GWR 2010, 129 ff

Westermann, Das dissenting vote im Schiedsgerichtverfahren, SchiedsVZ 2009, 102 ff

Westermann, SchiedsVZ 2009, 102 ff

Wiegand, Die „neue" Gesellschaft bürgerlichen Rechts im Schiedsverfahren, SchiedsVZ 2003, 52 ff

Wiegand, SchiedsVZ 2003, 52 ff

Wighardt, Verfahrensfragen bei der Zurückverweisung der Sache an das Schiedsgericht, SchiedsVZ 2010, 252 ff

Wighardt, SchiedsVZ 2010, 252 ff

Wildhaber/Johnson Wilcke, Die Schiedsfähigkeit von individualarbeitsrechtlichen Streitigkeiten in der Binnenschiedsgerichtsbarkeit, ARV 2010, 160 ff

Wildhaber/Johnson Wilcke, ARV 2010, 160 ff

Wildhaber/Johnson Wilcke, Arbitrating Labor Disputes in Switzerland, Journal of International Arbitration 2010, 631 ff

Wildhaber/Johnson Wilcke, J. Int'l Arb. 2010, 631 ff

Wolff, Zurückverweisung der Sache an das Schiedsgericht nach Aufhebung des Schiedsspruchs – zu den „geeigneten Fällen" nach § 1059 Abs. 4 ZPO, SchiedsVZ 2007, 254 ff

Wolff, SchiedsVZ 2007, 254 ff

Zeiler/Siwy, Supreme Court Decides on Enforceability of Awards against Consumers (2009), International Law Office – Legal Newsletter

Zeiler/Siwy, International Law Office – Legal Newsletter

Zeynalova, The Law on Recognition and Enforcement of Foreign Judgments: Is It Broken and How Do We Fix It?, Berkeley Journal of International Law 2013, 177 ff

Zeynalova, BJIL 2013, 177 ff

Zimmermann, Staatlicher Zivilprozess – quo vadis?, RZ 2015, 198 ff

Zimmermann, RZ 2015, 198 ff

Zöchling-Jud/Kogler, Letztwillige Schiedsklauseln, GesRZ 2012, 79 ff

Zöchling-Jud/Kogler, GesRZ 2012, 79 ff

Stichwortverzeichnis

Die Verweise beziehen sich auf die Randziffern.

Herausgeberinnen und Herausgeber

Hon.-Prof. DDr. Hellwig Torggler, LL.M. (SMU)
Rechtsanwalt und Partner, Torggler Rechtsanwälte GmbH

Tätigkeitsschwerpunkte: Schiedsverfahren, Privatstiftungsrecht
und Nachlassplanung, Gesellschaftsrecht

Universitätsring 10/5
1010 Wien
E-Mail: h.torggler@torggler.at

Dr. Florian Mohs, LL.M.
Partner, Pestalozzi Rechtsanwälte AG

Tätigkeitsschwerpunkte: Internationale
Handelsschiedsgerichtsbarkeit, Parteivertretung

Löwenstrasse 1
8001 Zürich
E-Mail: florian.mohs@pestalozzilaw.com
Web: www.pestalozzilaw.com

Friederike Schäfer
Counsel, ICC International Court of Arbitration

33–43, Avenue du President Wilson
75116 Paris
E-Mail: friederike.schaefer@iccwbo.org

Dr. Venus Valentina Wong, Bakk. phil.

Rechtsanwältin und Counsel,
Wolf Theiss Rechtsanwälte GmbH & Co KG

Tätigkeitsschwerpunkte: Internationales Schiedsverfahrensrecht,
Investitionsstreitigkeiten, ADR

Schubertring 6
1010 Wien
E-Mail: valentina.wong@wolftheiss.com
Web: www.wolftheiss.com

Autorinnen und Autoren

Univ.-Prof. Dr. Christian Aschauer

Independent Arbitrator, Universitätsprofessor, Rechtsanwalt

Tätigkeitsschwerpunkte: Schiedsverfahren,
internationales Erbrecht

Invalidenstraße 7/9
1030 Wien
E-Mail: office@aschauer.online
Web: www.aschauer.online

Dr. Max Burger-Scheidlin

Geschäftsführer, ICC Austria – Internationale Handelskammer

Tätigkeitsschwerpunkte: Streitvermeidung & -beilegung,
Anti-Korruption, Ursachen von Geldwäsche &
Wirtschaftskriminalität, Import-Export, Trade Finance,
Globalisierungsstrategien

Wiedner Hauptstraße 57
1040 Wien
E-Mail: m.burger-scheidlin@icc-austria.org

Dr. Christian Dorda

Rechtsanwalt und Senior Partner, DORDA Rechtsanwälte GmbH

Tätigkeitsschwerpunkte: Internationales Schiedsverfahrensrecht,
M&A, Gesellschaftsrecht

Universitätsring 10
1010 Wien
E-Mail: christian.dorda@dorda.at
Web: www.dorda.at

Dr. Melanie Eckardt, LL.M. (King's College London)
Rechtsanwältin, Gleiss Lutz

Tätigkeitsschwerpunkte: Prozessführung und Schiedsverfahren

Taunusanlage 11
60329 Frankfurt am Main
E-Mail: melanie.eckardt@gleisslutz.com

Eliane Fischer, M.I.A.
Rechtsanwältin (Schweiz), Principal Associate, Freshfields
Bruckhaus Deringer LLP

Tätigkeitsschwerpunkt: Internationale Schiedsgerichtsbarkeit

Seilergasse 16
1010 Wien
E-Mail: eliane.fischer@freshfields.com

Dr. Simon Gabriel LL.M.
Rechtsanwalt und Partner, GABRIEL Arbitration

Tätigkeitsschwerpunkte: Schiedsverfahren und
Handelsgerichtsverfahren

Bahnhofstrasse 108
8001 Zürich
E-Mail: s.gabriel@gabriel-arbitration.ch
Web: www.gabriel-arbitration.ch

Dr. Ulrike Gantenberg
Partnerin, Heuking Kühn Lüer Wojtek

Tätigkeitsschwerpunkte: Gesellschaftsrecht/M&A,
Prozessführung/Schiedsgerichtsbarkeit, Kapitalmarktrecht

Georg-Glock-Straße 4
40474 Düsseldorf
E-Mail: u.gantenberg@heuking.de

Dr. Wolfgang Hahnkamper

em. Rechtsanwalt, selbständiger Schiedsrichter

Tätigkeitsschwerpunkte: Schiedsverfahren

Esslinggasse 9
1010 Wien
E-Mail: arb@wolfganghahnkamper.at

Mag. Florian Haugeneder, LL.M.

Partner, Knoetzl Haugeneder Netal Rechtsanwaelte GmbH

Tätigkeitsschwerpunkte: Internationale Handelsschiedsgerichtsbarkeit, Investitionsschiedsgerichtsbarkeit

Herrengasse 1
1010 Wien
E-Mail: florian.haugeneder@knoetzl.com

Dr. Peter Heckel

Rechtsanwalt und Partner, Hengeler Mueller Partnerschaft
von Rechtsanwälten mbB

Tätigkeitsschwerpunkte: Schiedsverfahren, Prozesse,
Alternative Streitbeilegung

Bockenheimer Landstrasse 24
60323 Frankfurt am Main
E-Mail: peter.heckel@hengeler.com

Dr. Günther J. Horvath, M.J.C. (NYU)

Rechtsanwalt und Partner, Freshfields Bruckhaus Deringer LLP

Tätigkeitsschwerpunkte: Gesellschaftsrecht
und Schiedsverfahren

Seilergasse 16
1010 Wien
E-Mail: guenther.horvath@freshfields.com

Nadja Jaisli Kull, LL.M.

Rechtsanwältin und Partnerin, Bär & Karrer AG

Tätigkeitsschwerpunkte: Schiedsgerichtsbarkeit, Prozessführung

Brandschenkestrasse 90
8027 Zürich
E-Mail: nadja.jaisli@baerkarrer.ch

Dr. iur. Laurent Killias, LL.M.

Rechtsanwalt und Partner, Pestalozzi Rechtsanwälte AG

Tätigkeitsschwerpunkte: Schiedsverfahren,
handelsrechtliche Prozessführung vor staatlichen Gerichten

Löwenstrasse 1
8001 Zürich
E-Mail: laurent.killias@pestalozzilaw.com

Mag. Ulrich Kopetzki

Tätigkeitsschwerpunkte: Internationales Schiedsverfahrensrecht,
Verhandlungsführung, Gesellschaftsrecht

E-Mail: ulrich@kopetzki.at

Dr. Susanne Kratzsch, MCIArb

Rechtsanwältin und Mediatorin, Dr. Kroll & Partner

Tätigkeitsschwerpunkte: Internationales Privatrecht,
Internationales Wirtschaftsrecht, Produkthaftungsrecht,
Schiedsverfahrensrecht

Löffelstraße 44
70597 Stuttgart
E-Mail: s.kratzsch@kp-recht.de

Dr. Michael Kutschera, M.C.J. (NYU)

Managing Partner, BINDER GRÖSSWANG
Rechtsanwälte GmbH

Tätigkeitsschwerpunkte: Corporate/M&A,
Dispute Resolution, Energierecht, Schiedsgerichtsbarkeit,
Internationale Rechtsstreitigkeiten

Sterngasse 13
1010 Wien
E-Mail: kutschera@bindergroesswang.at

Dr. Christoph Liebscher, MBA (Insead)

Rechtsanwalt, Liebscher Dispute Management, Wien

Tätigkeitsschwerpunkte: Schiedsverfahren,
ADR in den unterschiedlichsten Wirtschaftsbereichen

Geusaugasse 44
1030 Wien
E-Mail: liebscher@disputemanagement.at

DDr. Werner Melis

Of Counsel – Baier Rechtsanwälte

Tätigkeitsschwerpunkte: Internationaler Schiedsrichter

Kärntner Ring 12
1010 Wien
E-Mail: melis@baierpartners.com

Hildegardgasse 24
2500 Baden
E-Mail: w.melis@aon.at

Dr. Bernhard F. Meyer, LL.M., FCIArb

Rechtsanwalt und Partner, MME Legal | Tax | Compliance

Tätigkeitsschwerpunkte: Internationale Schiedsgerichtsbarkeit/
ADR, Internationales Prozessrecht, Vertrags- und Gesellschaftsrecht, Joint Ventures/Construction/Engineering

Kreuzstrasse 42
8008 Zürich
E-Mail: bernhard.meyer@mme.ch

Dr. Florian Mohs, LL.M.

Partner, Pestalozzi Rechtsanwälte AG

Tätigkeitsschwerpunkte: Internationale
Handelsschiedsgerichtsbarkeit, Parteivertretung

Löwenstrasse 1
8001 Zürich
E-Mail: florian.mohs@pestalozzilaw.com
Web: www.pestalozzilaw.com

Dr. Olivier Mosimann, LL.M.

Advokat, Kellerhals Carrard

Tätigkeitsschwerpunkte: Internationale
und nationale Schiedsverfahren

Hirschgässlein 11
4010 Basel
E-Mail: olivier.mosimann@kellerhals-carrard.ch

Dr. Günter Pickrahn, LL.M.

Rechtsanwalt und Partner, Baker & McKenzie
Partnerschaft von Rechtsanwälten, Wirtschaftsprüfern
und Steuerberatern mbB

Tätigkeitsschwerpunkte: Schiedsverfahren

Bethmannstraße 50-54
60311 Frankfurt am Main
E-Mail: guenter.pickrahn@bakermckenzie.com

Karl Pörnbacher

Rechtsanwalt und Partner, Hogan Lovells International LLP

Tätigkeitsschwerpunkte: International Arbitration

Karl-Scharnagl-Ring 5
80539 München
E-Mail: karl.poernbacher@hoganlovells.com

Dr. Désirée Prantl, LL.M. (NYU)

Rechtsanwältin, Associate, Freshfields Bruckhaus Deringer LLP

Tätigkeitsschwerpunkt: Internationale Schiedsgerichtsbarkeit

Seilergasse 16
1010 Wien
E-Mail: desiree.prantl@freshfields.com

Dr. Stefan Riegler, LL.M. (LSE)

Rechtsanwalt und Partner, Baker & McKenzie

Tätigkeitsschwerpunkte: Schiedsverfahren
und staatliche Gerichtsverfahren

Schottenring 25
1010 Wien
E-Mail: stefan.riegler@bakermckenzie.com

Dr. Dorothee Ruckteschler

Rechtsanwältin und Partnerin, CMS Hasche Sigle
Partnerschaft von Rechtsanwälten und Steuerberatern mbB

Tätigkeitsschwerpunkte: Verfahren vor nationalen und
internationalen Schiedsgerichten und deutschen staatlichen
Gerichten in den Bereichen Unternehmenskaufverträge,
Gesellschafterstreitigkeiten und Organhaftungsverfahren
sowie energierechtliche und allgemeine wirtschaftsrechtliche
Streitigkeiten; Tätigkeit als Schiedsrichterin in diesen Bereichen

Schöttlestraße 8
70597 Stuttgart
E-Mail: dorothee.ruckteschler@cms-hs.com

Erik Schäfer

Rechtsanwalt (DE)/Partner, COHAUSZ & FLORACK
Patent- und Rechtsanwälte, Partnerschaftsgesellschaft mbB

Tätigkeitschwerpunkte: Streitfälle (Schiedsgerichtsbarkeit,
ADR, gerichtlich), geistiges Eigentum und dessen Verwertung/
Durchsetzung, Technologierecht, industrielle Kooperationen,
ICT, Anlagen, Produktion, Vertrieb

Bleichstraße 14
40211 Düsseldorf
E-Mail: eschaefer@cohausz-florack.de
Web: www.cohausz-florack.de

Friederike Schäfer
Counsel, ICC International Court of Arbitration

33–43, Avenue du President Wilson
75116 Paris
E-Mail: friederike.schaefer@iccwbo.org

Dr. Markus Schifferl, LL.M. (University College London)
zeiler.partners Rechtsanwälte GmbH

Tätigkeitsschwerpunkte: Schiedsverfahren, Prozessführung

Stubenbastei 2
1010 Wien
E-Mail: markus.schifferl@zeiler.partners

Dr. Nils Schmidt-Ahrendts
Rechtsanwalt und Partner, Hanefeld Rechtsanwälte
Rechtsanwaltsgesellschaft mbH

Tätigkeitsschwerpunkte: Internationales Schiedsverfahrensrecht

Brooktorkai 20
20457 Hamburg
E-Mail: schmidt-ahrendts@hanefeld-legal.com
Web: www.hanefeld-legal.com

Dr. Dorothee Schramm
Rechtsanwältin und Partnerin, Sidley Austin LLP

Tätigkeitsschwerpunkte: Schiedsverfahren, internationale
Streitbeilegung, internationales Zivil- und Zivilprozessrecht

Rue du Pré-de-la-Bichette 1
1202 Genf
E-Mail: dschramm@sidley.com

Univ.-Prof. Dr. Hubertus Schumacher

Rechtsanwalt in Innsbruck, Universitätsprofessor für Zivil-
gerichtliches Verfahrensrecht an der Universität Innsbruck,
Präsident des Fürstlichen Obersten Gerichtshofes Liechtenstein

Tätigkeitsschwerpunkte: Schiedsverfahren, Privatstiftungsrecht,
Insolvenz- und Anfechtungsrecht

Kaiserjägerstraße 18
6020 Innsbruck

Innrain 52
6020 Innsbruck
E-Mail: office@schumacher-law.at

Prof. DDr. h.c. Rolf A. Schütze

Rechtsanwalt und Partner, Thümmel,
Schütze & Partner Rechtsanwälte

Tätigkeitsschwerpunkte: Internationales Zivilprozessrecht,
Schiedsverfahren, Bankrecht, Kapitalanlagerecht, Export-
finanzierung und Zahlungssicherung

70182 Stuttgart
Urbanstraße 7
E-Mail: rolf.schuetze@tsp-law.com

Mag. Barbara-Helene Steindl, LL.M. (Columbia)

Attorney-at-law (NY) und österreichische Juristin mit
Rechtsanwaltsprüfung (gegenwärtig nicht als Rechtsanwältin
eingetragen)

Tätigkeitsschwerpunkte: Handels-, Investitionsschieds-
verfahren, speziell in den Bereichen Anlagenbau,
Projektfinanzierung, Energie, grenzüberschreitender
Handel und Vertrieb, IT und Gesellschaftsrecht

Wiednergürtel 24/17
1040 Wien
E-Mail: bhs2123@columbia.org

Dr. Dominik Vock, LL.M.

Rechtsanwalt und Partner, MME Legal | Tax | Compliance

Tätigkeitsschwerpunkte: Prozessführung, Internationale
Schiedsgerichtsbarkeit, Vertrags- und Gesellschaftsrecht,
Insolvenzrecht

Kreuzstrasse 42
8008 Zürich
E-Mail: dominik.vock@mme.ch

Prof. Dr. Nathalie Voser, LL.M.

Rechtsanwältin und Partnerin, Schellenberg Wittmer AG

Tätigkeitsschwerpunkte: Prozessführung;
internationale Schiedsgerichtsbarkeit

Löwenstrasse 19
Postfach 2201
8021 Zürich
E-Mail: nathalie.voser@swlegal.ch

Prof. Dr. Gerhard Wegen, LL.M. (Harvard)

Rechtsanwalt und Partner, Gleiss Lutz

Tätigkeitsschwerpunkte: Gesellschaftsrecht, Mergers
and Acquisitions, Prozessführung und Schiedsverfahren

Lautenschlagerstraße 21
70173 Stuttgart
E-Mail: gerhard.wegen@gleisslutz.com

Lic. iur. Martin Wiebecke, LL.M. (Columbia)

Rechtsanwalt, Anwaltsbüro Wiebecke

Tätigkeitsschwerpunkte: Schiedsverfahren,
Prozessführung, Erbrecht und Nachlassplanung

Kohlrainstrasse 10
8700 Küsnacht/Zürich
E-Mail: info@wiebecke.com

Dr. Venus Valentina Wong, Bakk. phil.

Rechtsanwältin und Counsel,
Wolf Theiss Rechtsanwälte GmbH & Co KG

Tätigkeitsschwerpunkte: Internationales Schiedsverfahrensrecht,
Investitionsstreitigkeiten, ADR

Schubertring 6
1010 Wien
E-Mail: valentina.wong@wolftheiss.com
Web: www.wolftheiss.com

Dr. Gerold Zeiler, LL.M. (WashU)
Partner, zeiler.partners

Tätigkeitsschwerpunkte: Energie und Wettbewerb,
Handelsschiedsgerichtsbarkeit, Investitionsschutz
und Völkerrecht, Vertretung vor staatlichen Gerichten

Stubenbastei 2
1010 Wien
E-Mail: gerold.zeiler@zeiler.partners

Dr. Urs Zenhäusern
Rechtsanwalt und Partner, Baker & McKenzie Zürich

Tätigkeitsschwerpunkte: Schiedsgerichtsbarkeit,
Handelsrecht, Immaterialgüterrecht

Holbeinstrasse 30
8034 Zürich
E-Mail: urs.zenhaeusern@bakermckenzie.com

651